● 本书获中国社会科学院出版基金资助

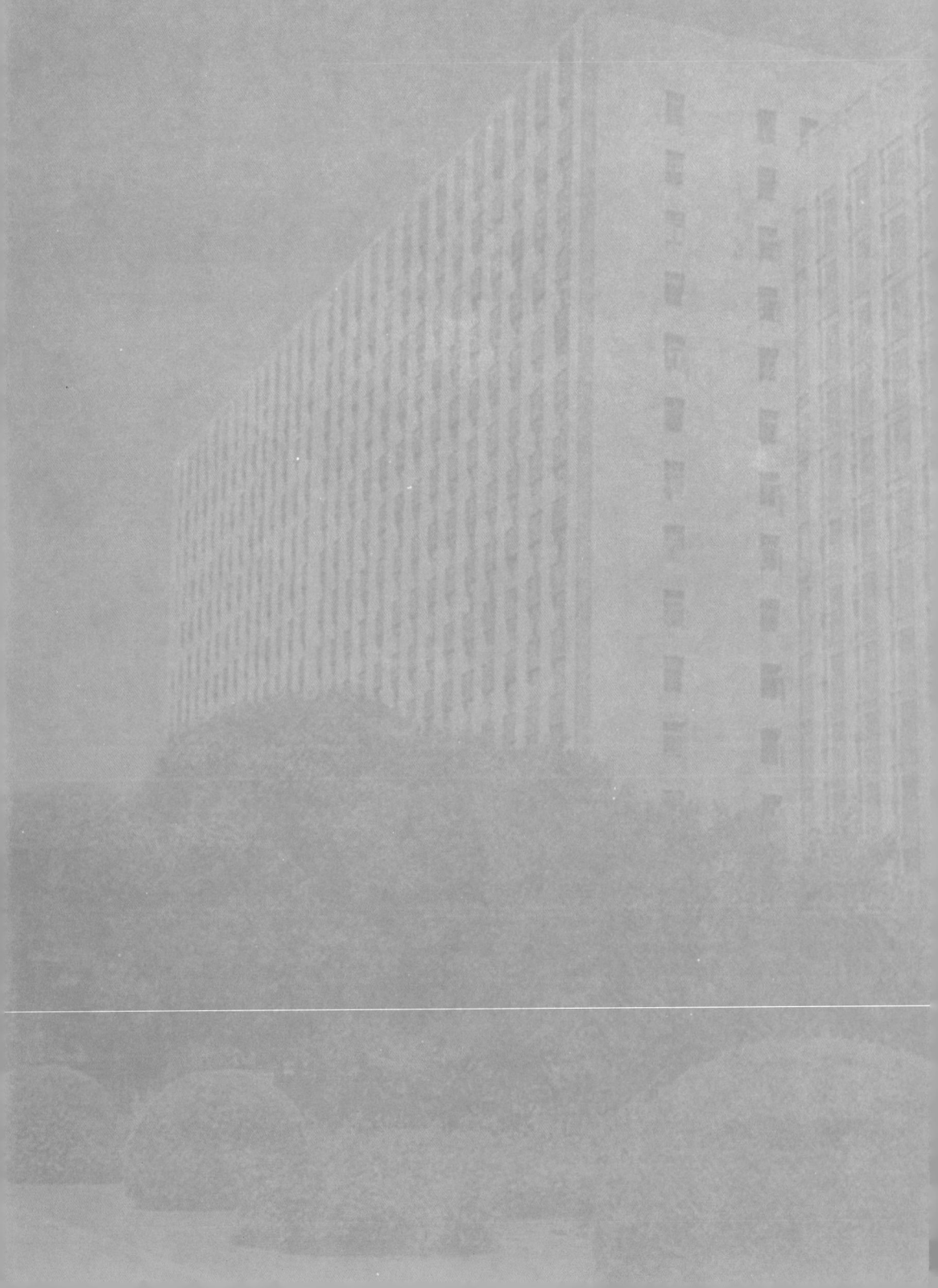

马克思主义
经典文献研究论文题录集
（下）

LIST OF TITLES OF RESEARCH PAPERS ON
MARXIST CLASSICAL DOCUMENTS
（Ⅱ）

庄前生 主编　曹剑 副主编

中国社会科学出版社

目　录

（下）

毛泽东文献研究论文题录集

说　　明

　　为学必先掌握目录。文献编纂、目录整理等，旨在部次条别，推阐大义，辨章学术，考镜源流，使学者即类求书，因书究学。基于以上原因，我们把研究毛泽东著作的文献予以整理，便于研究者使用。

　　研究毛泽东思想，首先就是要研究毛泽东同志本人的著作。自20世纪30年代开始，国内外就陆续有学习研究毛泽东著作的文章和著作发表、出版，到现在已经有70年的历史了。70余年来，此类材料可以说是蔚为大观。通过梳理这些材料，我们可以发现以下几个特点：

　　第一，地域广泛。学习研究毛泽东著作的材料，包括中国内地、台湾、香港、澳门，同时还有苏联（指苏联解体前的地域范围）、东欧、日本、美国、西欧国家以及亚非拉发展中国家，可以说遍及世界（本书对境外文献收录很少，主要是国内文献）。

　　第二，研究者复杂。既有各个国家和地区的专业学者，也有并不从事研究工作、但是对毛泽东研究怀有热情的普通人；既有政治家和军事家，也有第一线的工人、农民、中小学教师；既有耄耋高龄的老者，也有初出茅庐的青年，等等。

　　第三，研究方法多样。哲学、政治学、历史学、军事学、文艺学、社会学、美学、教育学、心理学，等等。

　　第四，研究内容宽泛。毛泽东的著作、文章、讲话、书信、题词、书法，等等，均有涉及。

　　第五，研究文献数量惊人。像研究《矛盾论》、《实践论》、《在延安文艺座谈会上的讲话》、《新民主主义论》、《论十大关系》、《关于正确处理人民内部矛盾的问题》等名篇的材料，更是数量巨大。

正因如此，要想全面系统地整理毛泽东著作的研究文献，是非常困难的。在整理过程中，我们参考了许多前人的成果，比如：湘潭图书馆学会编《毛泽东研究文献综目》、中国社科院马列所编《毛泽东生平、著作研究索引》、张静如主编《毛泽东研究全书》等资料。在此表示感谢！

在编辑的体例上，我们采取了"旧的从旧（包括一些非正式出版物）、新的从新"的标准，因此，前后不尽一致，这也算是一种历史的态度吧。

由于精力、水平、视野所限，疏漏之处，在所难免，敬请专家、读者批评指正。

一　学习研究毛泽东选集、选读、文集论文题录

学习研究《毛泽东选集》

《毛泽东选集》第一卷内容介绍,《人民日报》1951 年 10 月 12 日

《毛泽东选集》的出版是中国人民的骄傲和光荣（社论）,《光明日报》1951 年 10 月 14 日

《毛泽东选集》是马克思主义与中国革命结合的最完全的典型,郑昌,《学习》1951 年 5 月 2 日

《毛泽东选集》第二卷介绍,《人民日报》1952 年 4 月 10 日

毛泽东选集第三卷,《人民日报》1954 年 4 月 10 日

加强群众观点密切联系群众反对官僚主义——庆祝《毛泽东选集》第三卷出版,《湖北日报》1953 年 4 月 10 日

学习实事求是的作风与调查研究的方法：祝《毛泽东选集》第三卷出版（社论）,《长江日报》1953 年 4 月 10 日

《毛泽东选集》第三卷内容介绍,《四川日报》1953 年 4 月 11 日

《毛泽东选集》第四卷介绍,《人民日报》1960 年 9 月 30 日

中国人民革命胜利的伟大纪录：介绍《毛泽东选集》第四卷, 逄先知,《中国青年》1960 年第 19 期

历史长河中的一阵泡沫：谈所谓“第三条道路”问题，学习《毛泽东选集》第四卷笔记, 唐弢,《文学评论》1960 年第 6 期

学习《毛泽东选集》第四卷的笔记, 胡子昂,《新工商》1960 年第 24 期

谈谈学习《毛泽东选集》第四卷的方法问题, 曾翎,《红星》1960 年第 11 期

中国革命与反革命决战的胜利：产生伟大历史文献的时代背景, 叶蠖生,《中国青年报》1960 年 11 月 9—10 日

《毛泽东选集》第四卷写作时期的历史背景：第三次国内革命战争大事记,《时事手册》1960 年第 20—24 期

认真学习《毛泽东选集》第四卷辅导材料：1—12,《山西日报》1960 年 12 月 17 日至 1961 年 2 月 28 日

什么是绝对平均主义思想：关于学习《毛泽东选集》第四卷的问题解答, 齐作文,《解放》1961 年第 6 期

《毛泽东选集》第一卷丹麦文本出版,《人民日报》1978 年 9 月 30 日

丹麦和土耳其出版《毛泽东选集》第二卷丹文版和第五卷土文版，《人民日报》1978 年 12 月 2 日

《毛泽东选集》的最早版本之一：大革命时期，《图书馆杂志》1983 年第 4 期

《毛泽东选集》里的描摹示现，刘有志，《赣南师专学报》1983 年第 4 期

四十年前的一部《毛泽东选集》，《瞭望》1984 年第 17 期

关于《毛泽东选集》的版本等问题同施拉姆教授的谈话：一九八四年四月二日，龚育之，《马克思主义研究丛刊》1984 年第 3 期

日本出版《毛泽东选集》及《补卷》的情况，常凯，《研究资料与译文》1985 年第 2 期

中国革命史上的第一部《毛泽东选集》，梁青禾，《福建论坛》1986 年第 3 期

今堀城工和他对《毛泽东选集》的评价，张惠才，《党史通讯》1987 年第 4 期

大众版《毛泽东选集》出版情况，余定华，《出版史料》1988 年第 1 期

东北版《毛泽东选集》出版始末，周保昌，《出版史料》1988 年第 1 期

我国最早《毛选》版本的两点史实，郭金云，《毛泽东思想研究》1988 年第 2 期

《毛泽东选集》版本谈，盛巽昌，《社会科学报》1989 年 6 月 1 日

为了翘首以待的人们：写在第二版《毛泽东选集》印刷中，姚眉，《新闻出版报》1991 年 5 月 3 日

毛泽东怎样将中国资产阶级区分为两个部分：学习《毛泽东选集》第二版的有关著述，石仲泉，《解放日报》1991 年 6 月 28 日

光辉永在，真理长存：为《毛泽东选集》一至四卷第二版出版而作，逄先知，《人民日报》1991 年 7 月 1 日

适应广大干部群众学习毛泽东思想迫切需要，《毛泽东选集》第二版出版，邓小平题写书名，今起全国发行，《人民日报》1991 年 7 月 1 日

坚持毛泽东思想，发展毛泽东思想：祝贺《毛泽东选集》一至四卷第二版出版发行：社论，《人民日报》1991 年 7 月 3 日

在实事求是旗帜下：《毛泽东选集》一至四卷第二版编辑纪实，曲志红，《人民日报》1991 年 7 月 3 日、《法制日报》1991 年 7 月 3 日

怎样学习和领会毛泽东的科学著作：为《毛泽东选集》一至四卷第二版的出版而作，亦水，《中国青年报》1991 年 7 月 3 日

走马克思主义普遍真理同中国

具体实际相结合的道路，写在《毛泽东选集》第二版发行之际，王永昌，《文汇报》1991 年 7 月 4 日

党中央发出学习《毛选》第二版通知，把学习研究毛泽东思想提高到新水平，用马列主义毛泽东思想武装党员干部，《人民日报》1991 年 7 月 5 日

坚持党的路线：读《毛泽东选集》(1—4) 卷第二版有关论述的体会，李文海，《北京日报》1991 年 7 月 9 日

中共福建省委贯彻《中共中央关于学习〈毛泽东选集〉第一至四卷第二版的通知》的意见：一九九一年七月九日，《福建日报》1991 年 7 月 10 日

实事求是，精益求精：《毛泽东选集》一至四卷注释校订工作纪实，曾宪新，《新闻出版报》1991 年 7 月 15 日

坚持调查研究一切从实际出发：学习《毛选》二版有关论述的体会，清庆瑞，《北京日报》1991 年 7 月 16 日

《毛泽东选集》一至四卷第二版编辑纪实，中共中央文献研究室毛泽东研究组，《人民日报》1991 年 7 月 17 日

坚持和发展毛泽东建军思想：学习《毛泽东选集》1 至 4 卷第二版的体会，卢冀宁，《解放军报》

1991 年 7 月 24 日

毛泽东思想的预见性，灵活性，创造性：学习《毛泽东选集》第二版体会，刘嵘，《深圳特区报》1991 年 8 月 6 日

继承这份珍贵遗产：历史学家林甘泉谈学习《毛选》第二版，吕延涛，《光明日报》1991 年 8 月 8 日

学习毛泽东思想与提高干部的马克思主义理论素养：就学习《毛泽东选集》一至四卷第二版访中央党校副校长邢贲思教授，马晓途，《内蒙古日报》1991 年 8 月 13 日

一本有严重失误的辅导读物：评《毛泽东选集（第二版）导读》，吴正裕，《光明日报》1991 年 8 月 20 日、《新闻出版报》1991 年 8 月 21 日

满足少数民族干部群众学习的需要《毛选》第二版民族文版将出版，《人民日报》1991 年 8 月 29 日

《毛选》第二版一条注释的考订与修改：关于一九四七年民盟总部被迫解散问题，邓培，《瞭望周刊》1991 年第 10 期

坚持毛泽东思想发扬党的三大作风——写在《毛泽东选集》第一至四卷第二版出版之时，蔡文军，《长江工程职业技术学院学报》1991 年第 3 期

哲学思想是《毛泽东选集》（第二版）活的灵魂，陈明，《湖州师范

学院学报》1991年第4期

形势要求我们高举这面旗帜——学习《毛泽东选集》第1—4卷第二版笔谈，《南京社会科学》1991年第5期

进行国情教育的最佳教材——祝贺《毛泽东选集》1—4卷第二版发行，本刊编辑部，《玉溪师范学院学报》1991年第4期

自觉地把《毛泽东选集》作为基本教材认真学习，本刊编辑部，《中国党政干部论坛》1991年第9期

一部适时的书——介绍《〈毛泽东选集〉（第二版）导读》，辛华，《瞭望》1991年第27期

《毛泽东选集》的最早版本，李龙如，《图书馆》1991年第4期

学习马克思主义教育思想办好高等教育——读《毛泽东选集》第二版的一点体会，李国拱，《高教探索》1991年第4期

《毛泽东选集》一至四卷第二版编辑工作介绍，冯蕙，《中国图书评论》1991年第5期

毛泽东思想永放光芒——为《毛泽东选集》一至四卷第二版出版而作，雍涛，《湖北社会科学》1991年第9期

实事求是是毛泽东思想的精髓——《毛泽东选集》第二版读后，邢贲思，《前线》1991年第11期

《毛泽东选集》中的成语典故运用探微，银秀凤，《吉首大学学报》（社会科学版）1992年第1期

论毛泽东对新民主主义社会理论的探索与实践——学习《毛泽东选集》一至五卷，钟兴永，《娄底师专学报》1992年（增刊）

《新版〈毛泽东选集〉成语典故译释》编辑絮语，陈仿麟，《理论与创作》1992年第6期

《〈毛泽东选集〉语词典故手册》介评，盖隆，《社会科学辑刊》1992年第1期

《毛泽东选集》第二版几处修改失当，马伯钧、王毅，《湖南师范大学社会科学学报》1992年第5期

简论努乔马与纳米比亚独立——从《毛泽东选集》第二版增补的一条新注释谈起，王春良，《山东师范大学学报》（人文社会科学版）1992年第2期

《毛泽东选集》开卷篇的首次发表，《新闻与写作》1992年第7期

《毛泽东选集》修订再版的几个问题，王国席，《安庆师范学院学报》（社会科学版）1992年第1期

档案文献注释应当怎样写——《毛泽东选集》第二版注释的启示，刘昌福，《北京档案》1992年第5期

毛泽东同志的肃反理论及其对中国革命的贡献《学习毛泽东选

集》的体会，康润森，《甘肃政法学院学报》1992 年第 1 期

论毛泽东哲学——为新版《毛泽东选集》出版而作，卢之超，《前线》1992 年第 1 期

《毛泽东选集》英译常见的强语势，肖卫仪，《上饶师范学院学报》1992 年第 4 期

毛泽东到底修正了什么？——对《毛泽东选集》第二版一则修正理解的商榷，李勇华，《丽水师范专科学校学报》1993 年第 6 期

《毛泽东选集》编辑出版略述，雍桂良，《理论视野》1993 年第 4 期

《毛泽东选集》的出版与中共党史学的发展，唐曼珍，《中国人民大学学报》1993 年第 3 期

建国前《毛泽东选集》版本略述，李龙如，《图书馆论坛》1993 年第 3 期

全国第一部《毛泽东选集》编辑出版经过，张帆，《当代传播》1993 年第 6 期

毛泽东选集、文集、选读版本之最，李龙如，《图书馆学研究》1993 年第 6 期

《毛泽东选集》典故的妙用，周玉明，《衡阳师范学院学报》1993 年第 5 期

最早出版的《毛泽东选集》，虞洲，《中国出版》1993 年第 12 期

《毛泽东选集》版本之最，李龙如，《湘潮》1993 年第 10 期

《毛泽东选集》版本考述，施金炎，《求索》1994 年第 1 期

第一部《毛泽东选集》的诞生，《四川党史》1994 年第 1 期

《毛泽东选集》中所运用的讽刺艺术，吴守华，《云南师范大学学报》（哲学社会科学版）1994 年第 2 期

毛泽东论说著作教学琐谈——《毛泽东选集》第二版学习札记，黄维仲，《中学语文教学参考》1994 年第 4 期

斯大林曾建议毛泽东编辑出版《毛泽东选集》，《广东党史》1994 年第 1 期

《毛泽东选集》中的一处误笔，周森甲，《湘潭大学社会科学学报》1995 年第 4 期

傅斯年——一个在《毛泽东选集》中被点名的人，周大全，《春秋》1995 年第 3 期

永登发现 1945 年版《毛泽东选集》，张得义、赵晓东，《档案》1995 年第 1 期

《毛泽东选集》的诞生，《兰台世界》1995 年第 4 期

半个世纪前的《毛泽东选集》，任德明，《大学图书馆学报》1996 年第 6 期

《毛泽东选集》英译本中的增词问题，罗靖，《泰安师专学报》

1996 年第 2 期

三种《毛泽东选集》版本出版纪略，杨广富，《文史精华》1996 年第 9 期

《毛泽东选集》的语言特征，石巨文，《太原师范学院学报》（社会科学版）1996 年第 2 期

《毛泽东选集》出版始末，杨胜群、田松年，《领导文萃》1996 年第 8 期

安阳发现最早的《毛泽东选集》，《新闻与写作》1998 年第 8 期

第一部《毛泽东选集》的诞生，《党史文苑》1998 年第 3 期

安阳发现中国第一套《毛泽东选集》五卷本，安长军，《党史天地》1999 年第 1 期

澄清第一部《毛泽东选集》考证上的迷乱——评潍河一篇有严重错误的文章，周明、沈达、曹国辉、邢显廷，《炎黄春秋》1999 年第 7 期

我与《毛泽东选集》，逄先知，《出版广角》1999 年第 8 期

《毛泽东选集》应用文体的语言美，刘文良，《株洲师范高等专科学校学报》2000 年第 1 期

胡锡奎与第一部《毛泽东选集》，王腊成，《纵横》2000 年第 11 期

编选中国第一部《毛泽东选集》的人——邓拓，《陕西档案》2000 年第 5 期

有关《毛泽东选集》出版情况的补正，《中国图书商报》2000 年 12 月 15 日

"一字一点无差错"与"无错不成书"——从《毛泽东选集》的校对工作说开去，《中国出版》2000 年第 4 期

《毛泽东选集》版本概览，潘德利，《国家图书馆学刊》2000 年第 2 期

宝贵的精神财富——《毛泽东选集》版本概览，潘德利，《党史纵横》2000 年第 4 期

胡锡奎与第一部《毛泽东选集》的编辑出版，王腊成，《武汉文史资料》2000 年第 3 期

华中新华书店出版的《毛泽东选集》版本之我见，王紫根，《毛泽东思想研究》2001 年第 2 期

革命的向导思想的武器——纪念《毛泽东选集》第一版出版，龚育之，《中国图书评论》2001 年第 7 期

钱钟书译《毛泽东选集》，王伟瀛，《文史博览》2001 年第 5 期

《毛泽东选集》的诞生和发展，冀良，《中国图书商报》2001 年 7 月 12 日

中国革命出版史上的第一部《毛泽东选集》，刘庆礼，《文物春秋》2002 年第 4 期

首部《毛泽东选集》发现始

末，孙斌，《黑龙江林业报》2002 年 12 月 20 日

《毛泽东论文集》不是《毛泽东选集》的原始版本，杨德勇，《中国商报》2002 年 12 月 12 日

建国前《毛泽东选集》版本知多少，王淑芳，《中国档案报》2003 年 8 月 15 日

珍贵的《毛泽东选集》购书证，吴纯明，《中国档案报》2003 年 1 月 24 日

《毛泽东选集》版本与收藏，小禹，《甘肃工人报》2003 年 10 月 28 日

《毛泽东选集》上的地图，王志会，《地图》2003 年第 6 期

《毛泽东选集》成语运用的特点，王定芳，《贵州教育学院学报》2003 年第 5 期

论建国前《毛泽东选集》的出版发行，张伟良、柴卫华，《河北师范大学学报》（哲学社会科学版）2003 年第 4 期

《毛泽东选集》中的一个例句，魏虹波，《咬文嚼字》2003 年第 5 期

关于《毛泽东选集》供需的调查，李俊杰，《出版史料》2003 年第 4 期

回忆参加《毛泽东选集》校对工作，张慎趋，《出版史料》2003 年第 4 期

胶东新华书店《毛泽东选集》的版本问题，奚景鹏，《出版史料》2003 年第 4 期

《毛泽东选集》等如何处理，苏学，《咬文嚼字》2004 年第 6 期

第一部《毛泽东选集》出版前后，杨广富，《档案天地》2004 年第 6 期

参加编辑《毛泽东选集》第五卷的日子，梁尚之，《文史春秋》2004 年第 12 期

《毛泽东选集》上的地图，王志会，《地理教育》2004 年第 1 期

《毛泽东选集》中沉默的英雄，朱太刚、朱东朝，《老兵话当年》（第七辑）2004 年

还"西路军"以历史的本来面目——对《毛泽东选集》第二版一条注释的辨析，孙焕臻，《党史研究与教学》2004 年第 2 期

对《毛泽东选集》第二版一条注释的辨析，孙焕臻，《党史文汇》2004 年第 8 期

《毛泽东选集》注释指瑕之二：戴笠的职务，西门弃疾，《襄樊学院学报》2004 年第 4 期

新中国成立前出版的《毛泽东选集》，刘彤，《吉林日报》2005 年 4 月 19 日

略论《毛泽东选集》的重新编辑出版问题，李晓娟，《理论导刊》2005 年第 1 期

第一部《毛泽东选集》在阜平

县坡山村诞生内幕，陈守兰，《党史博采》2005 年第 9 期

浅谈《毛泽东选集》中成语故事所含哲学思想，金妍妍，《宜宾学院学报》2005 年第 7 期

《毛泽东选集》第一、二版记叙，张慎趋，《出版史料》2005 年第 4 期

《毛泽东选集》（一至四卷）出版史研究的回顾，方厚枢，《出版史料》2005 年第 4 期

俞铭璜与《毛泽东选集》，周岩、冯际虞，《纵横》2006 年第 1 期

《毛泽东选集》所收《学习和时局》一文时间与史实的出入，邓野，《历史研究》2006 年第 1 期

雷锋读过的《毛泽东选集》在哪里，樊勇、都东东，《人民公安》2006 年第 6 期

首部《毛泽东选集》出版前后，黄禹康，《党史天地》2006 年第 3 期

首部《毛泽东选集》出版前后，黄禹康，《党史纵览》2006 年第

4 期

第一部《毛泽东选集》出版经过，黄禹康，《百年潮》2006 年第 5 期

我爱《毛泽东选集》，朱钢，《解放军生活》2006 年第 8 期

独家专访查韦斯苦读《毛泽东选集》的委内瑞拉总统，刘宏，《环球人物》2006 年第 2 期

《毛泽东选集》的版本信息，寿小钧，方炳楚，《中国商报》2006 年 10 月 19 日

邓拓与首部《毛泽东选集》问世，张帆，《人民政协报》2006 年 11 月 9 日

邓拓主编的中国第一部《毛泽东选集》，胡善美，《炎黄纵横》2006 年第 3 期

关于苏中出版社《毛泽东选集》的考证，奚景鹏，《中共党史资料》2007 年第 1 期

六卷本《毛泽东选集》简介，张怀珍，《档案管理》2007 年第 2 期

学习研究《毛泽东选集》第 5 卷

坚持"百花齐放，百家争鸣"的方针：学习《毛泽东选集》第五卷中关于"双百"方针的论述，云南大学理论组，《思想战线》1977 年第 2 期

学习《毛泽东选集》第五卷参

考材料（附前言），通辽师院政史系等，《理论战线》1977 年第 3 期

哲学发展规律的新概括：学习《毛泽东选集》第五卷关于哲学中"两个对子"的光辉论述的体会，政治理论教研室哲学组，《武汉大学

学报》1977 年第 6 期

用唯物辩证法对待党内矛盾和斗争：学习《毛泽东选集》第五卷中关于党的建设的光辉思想，空军雷达学校理论组，《武汉大学学报》1977 年第 6 期

坚持唯物论，反对唯心论：学习《毛泽东选集》第五卷，赵守智，《哈尔滨师院学报》1978 年第 2 期

把无产阶级专政下的继续革命进行到底——学习《毛泽东选集》第五卷，华国锋，《北京师范大学学报》（社会科学版）1977 年第 2 期

《毛泽东选集》第五卷历史背景介绍，《北京师范大学学报》（社会科学版）1977 年第 2 期

《毛泽东选集》第五卷历史事件、人物、名词选介，北京汽车制造厂工人理论研究所、北京师大历史系、公共政治课教研室，《北京师范大学学报》（社会科学版）1977 年第 2 期

马列主义革命转变理论的丰富和发展——学习《毛泽东选集》第五卷的一些体会，周承恩、王德京，《北京师范大学学报》（社会科学版）1977 年第 4 期

认识和改造自然的强大思想武器——学习《毛泽东选集》第五卷关于科学技术的光辉论述，北京师范大学量子力学小组，《北京师范大》

学学报》（社会科学版）1977 年第 4 期

《毛泽东选集》第五卷学习问答（一），《北京师范大学学报》（社会科学版）1977 年第 4 期

社会主义科学技术现代化的光辉指南——学习《毛泽东选集》第五卷关于科技工作的论述，辛雪，《大连理工大学学报》1977 年第 2 期

联系实际，认真学习无产阶级专政下继续革命的伟大理论——热烈欢呼《毛泽东选集》第五卷的出版，甘肃工业大学政治部理论组，《兰州理工大学学报》1977 年第 2 期

中共中央关于学习《毛泽东选集》第五卷的决定，《清华大学学报》（自然科学版）1977 年第 1 期

中共中央关于学习《毛泽东选集》第五卷的决定（一九七七年七月四日），《求是学刊》1977 年第 1 期

多快好省地建设社会主义——学习《毛泽东选集》第五卷关于社会主义建设总路线的基本思想的体会，吴世泰，《四川师范大学学报》（社会科学版）1977 年第 2 期

批判"四人帮"颠倒敌我的罪行——学习《毛泽东选集》第五卷中关于分清敌我的论述，骆天银，《四川师范大学学报》（社会科学版）

1977 年第 2 期

照耀在知识分子前进道路上的光辉灯塔——学习《毛泽东选集》第五卷有关知识分子思想改造的论述，雷履平，《四川师范大学学报》（社会科学版）1977 年第 2 期

《毛泽东选集》第五卷部分成语典故浅释，四川师院中文系古代语文教研组，《四川师范大学学报》（社会科学版）1977 年第 2 期

《毛泽东选集》第五卷关于整党整风的部分论述，四川师院政治教育系中共党史教研组，《四川师范大学学报》（社会科学版）1977 年第 3 期

建立又红又专的无产阶级知识分子队伍——学习《毛泽东选集》第五卷的体会，王武鑫，《四川师范大学学报》（社会科学版）1977 年第 3 期

毛主席光辉策略思想的伟大胜利——学习《毛泽东选集》第五卷笔记，方明志，《安徽教育》1977 年第 5 期

学习《毛泽东选集》第五卷参考资料，《安徽教育》1977 年第 8 期

学习《毛泽东选集》第五卷参考资料，《安徽教育》1977 年第 9 期

坚持红与专的辩证关系——学习《毛泽东选集》第五卷的一点体会，杨又全，《安徽教育》1977 年第 10 期

学习《毛泽东选集》第五卷参考资料，《安徽教育》1977 年第 11 期

学习《毛泽东选集》第五卷参考资料，《安徽教育》1977 年第 12 期

中共中央关于学习《毛泽东选集》第五卷的决定（一九七七年四月七日），《蚌埠医学院学报》1977 年第 1 期

《毛泽东选集》第五卷介绍，中共中央毛泽东主席著作编辑出版委员会，《蚌埠医学院学报》1977 年第 1 期

掀起学习毛主席著作的新高潮——热烈欢呼《毛泽东选集》第五卷出版，《蚌埠医学院学报》1977 年第 1 期

明灯照征途校园春色浓——我院师生医护员工热烈欢呼《毛泽东选集》第五卷出版，蚌埠医学院通讯组，《蚌埠医学院学报》1977 年第 1 期

中共中央关于学习《毛泽东选集》第五卷的决定，《广西师范大学学报》（哲学社会科学版）1977 年第 4 期

高举毛主席的伟大旗帜夺取教育革命的更大胜利——我院师生员工热烈欢呼《毛泽东选集》第五卷出版发行，广西师院报道组，《广西师范学院学报》（哲学社会科学版）

1977 年第 4 期

热烈庆祝《毛泽东选集》第五卷出版（清平乐三首），黄素芬，《广西师范学院学报》（哲学社会科学版）1977 年第 4 期

光辉的文献强大的武器——热烈欢呼《毛泽东选集》第五卷出版发行，广西师院政治系理论组，《广西师范学院学报》（哲学社会科学版）1977 年第 4 期

《毛泽东选集》第五卷的历史背景，广西师院政治系中共党史教研组，《广西师范学院学报》（哲学社会科学版）1977 年第 4 期

《毛泽东选集》第五卷部分词语解释，广西师院文史政，《广西师范学院学报》（哲学社会科学版）1977 年第 4 期

认真研读《毛泽东选集》第五卷掀起学习马列和毛主席著作的新高潮，广西师院政工组宣传小组，《广西师范学院学报》（哲学社会科学版）1977 年第 6 期

努力造成工人阶级知识分子宏大新部队——学习《毛泽东选集》第五卷的一点体会，广西师院理论组，《广西师范学院学报》（哲学社会科学版）1977 年第 6 期

要努力做到"三好"——学习《毛泽东选集》第五卷的一点体会，广西师院政治系七六级工农兵学员理论组，《广西师范学院学报》（哲学

社会科学版）1977 年第 6 期

高举毛主席的伟大旗帜加强党的建设——学习《毛泽东选集》第五卷的一点体会，曾庆新，《广西师范学院学报》（哲学社会科学版）1977 年第 7 期

我院举行学习《毛泽东选集》第五卷经验交流会，《广西师范学院学报》（哲学社会科学版）1977 年第 7 期

以《毛泽东选集》第五卷为武器，深入揭发批判"四人帮"，潘宝卿，《广西师范学院学报》（哲学社会科学版）1977 年第 7 期

以《毛泽东选集》第五卷为指导思想，努力为革命教好、学好文化科学知识，陈国耀，《广西师范学院学报》（哲学社会科学版）1977 年第 7 期

红与专是辩证的统一——学习《毛泽东选集》第五卷关于红与专论述的体会，费必标，《广西师范学院学报》（哲学社会科学版）1977 年第 9 期

两类矛盾学说是马克思列宁主义的新的理论概括——学习《毛泽东选集》第五卷的一些体会，哲工，《广西师范学院学报》（哲学社会科学版）1977 年第 11 期

调动一切积极因素多快好省地建设社会主义——学习《毛泽东选集》第五卷关于社会主义建设总路

线的基本思想的一点体会，兰雄现，《广西师范学院学报》（哲学社会科学版）1977 年第 12 期

要全面关怀青少年一代的成长——学习《毛泽东选集》第五卷的一点体会，程平聪，《华南师范大学学报》（社会科学版）1977 年第 7 期

辩证法的基本观点就是对立面的统一——学习《毛泽东选集》第五卷的体会，广东师院政史系哲学教研组，《华南师范大学学报》（社会科学版）1977 年第 10 期

正确理解和全面贯彻党的知识分子政策——学习《毛泽东选集》第五卷关于知识分子问题的论述，马捷兵，《华南师范大学学报》（社会科学版）1977 年第 1 期

屯昌县怀集县师生认真学习《毛泽东选集》第五卷，《华南师范大学学报》（社会科学版）1977 年第 1 期

毛主席关于向科学进军建设伟大的社会主义现代化强国的论述——选自《毛泽东选集》第五卷，马列主义教研室自然辩证法教研组，《华南师范大学学报》（自然科学版）1977 年第 2 期

毛泽东思想是指引我们继续革命的灯塔——我院各族师生认真学习《毛泽东选集》第五卷，青海民族学院政治处通讯组，《青海民族学

院学报》1977 年第 2 期

毛主席的民族政策永放光芒——学习《毛泽东选集》第五卷关于民族问题论述的体会，青海民族学院理论组，《青海民族学院学报》1977 年第 2 期

《毛泽东选集》第五卷中有关科学技术的论述，《山东气象》1977 年第 5 期

高举毛主席的伟大旗帜继续革命——热烈庆祝《毛泽东选集》第五卷的出版，四平师院政治理论课教研室，《吉林师范大学学报》（人文社会科学版）1977 年第 2 期

举旗抓纲，继续开展教育革命——学习《毛泽东选集》第五卷的一点体会，苑平，《吉林师范大学学报》（人文社会科学版）1977 年第 2 期

《毛泽东选集》第五卷——古典词语解释（一），本刊编辑室，《吉林师范大学学报》（人文社会科学版）1977 年第 2 期

《毛泽东选集》第五卷——古典词语解释（二），本刊编辑室，《吉林师范大学学报》（人文社会科学版）1977 年第 3 期

《毛泽东选集》第五卷——古典词语解释（一），本刊编辑室，《吉林师范大学学报》（人文社会科学版）1977 年（增刊）

中共中央关于学习《毛泽东选

集》第五卷的决定,《山西地震》1977 年第 2 期

揭批"四人帮"的锐利思想武器——学习《毛泽东选集》第五卷, 蓝棣云,《湘潭大学学报》(哲学社会科学版) 1977 年 (增刊)

多快好省地建设社会主义——学习《毛泽东选集》第五卷关于社会主义建设总路线的基本思想, 湘潭大学政治系政治经济学教研组,《湘潭大学学报》(哲学社会科学版) 1977 年 (增刊)

香花和毒草的辩证法——学习《毛泽东选集》第五卷关于"双百"方针的论述, 陈宗群,《湘潭大学学报》(哲学社会科学版) 1977 年 (增刊)

造就新部队争当新战士——学习《毛泽东选集》第五卷关于造成宏大的无产阶级知识分子新部队的论述的体会, 张治雄,《湘潭大学学报》(哲学社会科学版) 1977 年 (增刊)

"四人帮"是资产阶级极右派——学习《毛泽东选集》第五卷关于反右斗争的论述, 湘潭大学大批判组,《湘潭大学学报》(哲学社会科学版) 1977 年 (增刊)

百家争鸣发展科学——学习《毛泽东选集》第五卷体会,《长春地质学院学报》编辑部,《吉林大学学报》(地球科学版) 1977 年第 2 期

中共中央关于学习《毛泽东选集》第五卷的决定,《吉林大学学报》(理学版) 1977 年第 1 期

自然辩证法是认识和改造自然的强大思想武器——学习《毛泽东选集》第五卷的初步体会, 北京师范大学量子力学小组,《科学通报》1977 年第 7 期

毛主席是反修斗争的伟大旗手——学习《毛泽东选集》第五卷的一点体会, 工青,《中央民族大学学报》(哲学社会科学版) 1977 年第 3 期

做好少数民族工作十分重要——学习《毛泽东选集》第五卷关于少数民族问题部分论述的体会, 杨诚、盘承乾、张恩耀,《中央民族大学学报》(哲学社会科学版) 1977 年第 3 期

整党整风的强大思想武器——学习《毛泽东选集》第五卷的一点体会——纪念毛主席逝世一周年, 谢其,《首都师范大学学报》(社会科学版) 1977 年第 4 期

认真学好《毛泽东选集》第五卷努力搞好农机科研, 一机部机械院农机所理论组,《粮油加工与食品机械》1977 年第 5 期

中共中央关于学习《毛泽东选集》第五卷的决定,《武汉大学学报》(工学版) 1977 年第 1 期

认真落实党的知识分子政策充

分发挥教师的积极作用——学习《毛泽东选集》第五卷关于知识分子问题的光辉论述，宿迁县文教局理论组，《南京师大学报》（社会科学版）1977年第2期

《毛泽东选集》第五卷成语、典故注释，南京师院中文系汉语教研组，《南京师大学报》（社会科学版）1977年第2期

关于坚决贯彻执行中共中央决定和省委通知认真学习《毛泽东选集》第五卷的安排意见，中共山西师院委员会，《山西师大学报》（社会科学版）1977年第1期

认真掌握《毛泽东选集》第五卷的根本思想——学习华主席《把无产阶级专政下的继续革命进行到底》的体会，师理，《山西师大学报》（社会科学版）1977年第1期

抓纲治国的强大思想武器——学习《毛泽东选集》第五卷的体会，中共临汾地委宣传部理论办公室，《山西师大学报》（社会科学版）1977年第1期

具有划时代意义的伟大贡献——学习《毛泽东选集》第五卷的笔记，甄作武，《山西师大学报》（社会科学版）1977年第1期

学习毛主席的建党理论，加强党的建设——学习《毛泽东选集》第五卷的一点体会，宋岑、任瀚，《郑州大学学报》（哲学社会科学版）

1977年第3期

促进社会主义文化繁荣的正确方针——学习《毛泽东选集》第五卷关于"双百"方针的论述，郑州大学批判组，《郑州大学学报》（哲学社会科学版）1977年第3期

中共中央关于学习《毛泽东选集》第五卷的决定，《苏州大学学报》（哲学社会科学版）1977年第2期

永远高举毛主席的伟大旗帜——热烈欢呼《毛泽东选集》第五卷出版，中共江苏师范学院核心小组，《苏州大学学报》（哲学社会科学版）1977年第2期

永放光芒的马列主义文献——《毛泽东选集》第五卷简介实现革命转变恢复国民经济，龚萱，《苏州大学学报》（哲学社会科学版）1977年第2期

过渡时期总路线就是解决所有制的问题——学习《毛泽东选集》第五卷的一点体会，祝庭椿、马拓白，《苏州大学学报》（哲学社会科学版）1977年第2期

趁热打铁不断革命——学习《毛泽东选集》第五卷关于农业合作化问题光辉论述的一点体会，陈学基、徐传祺，《苏州大学学报》（哲学社会科学版）1977年第2期

"四人帮"是践踏"百花齐放、百家争鸣"方针的罪魁——学习

《毛泽东选集》第五卷的一点体会，何振球、卞兆明、徐国强，《苏州大学学报》（哲学社会科学版）1977年第2期

用无产阶级专政下继续革命的理论加强党的建设——学习《毛泽东选集》第五卷的体会，宣生，《内蒙古大学学报》（人文社会科学版）1977年第3期

中共中央关于学习《毛泽东选集》第五卷的决定，《文史哲》1977年第2期

掀起学习毛主席著作的新高潮——热烈欢呼《毛泽东选集》第五卷出版，人民日报、红旗杂志、解放军报社，《文史哲》1977年第2期

中共中央关于学习《毛泽东选集》第五卷的决定（一九七七年四月七日），《华中师范大学学报》（自然科学版）1977年第1期

中共中央关于学习《毛泽东选集》第五卷的决定（一九七七年四月七日），《新中医》1977年第3期

改造资本主义工商业的必经之路——学习《毛泽东选集》第五卷的一点体会，吴维嵩，《文史哲》1977年第3期

欢呼东风送暖喜迎百花盛开——戏剧工作者欢庆《毛泽东选集》第五卷出版侧记，《中国戏剧》1977年第5期

一辈子坚持到群众里面去——

喜读《毛泽东选集》第五卷随记，张仲朋，《中国戏剧》1977年第6期

对立统一规律是认识社会主义社会的锐利武器——学习《毛泽东选集》第五卷的体会，盖云峰，《西北大学学报》（哲学社会科学版）1977年第3期

关于社会主义建设总路线的基本思想——学习《毛泽东选集》第五卷的体会，西北大学马列主义毛泽东思想教研室，《西北大学学报》（哲学社会科学版）1977年第3期

关于社会主义社会的基本矛盾——学习《毛泽东选集》第五卷笔记，何炼成，《西北大学学报》（哲学社会科学版）1977年第4期

中共福建师大临时委员会关于贯彻执行《中共中央关于学习〈毛泽东选集〉第五卷的决定》的通知，《福建师范大学学报》（哲学社会科学版）1977年第1期

雄文光辉照天下——喜读《毛泽东选集》第五卷，韩珍重，《福建师范大学学报》（哲学社会科学版）1977年第1期

中共中央关于学习《毛泽东选集》第五卷的决定（一九七七年四月七日），国外医学，《口腔医学分册》1977年第3期

把无产阶级专政下的继续革命进行到底——学习《毛泽东选集》第五卷，华国锋，《山东师范大学学

报》(人文社会科学版) 1977 年第
4 期

党的领导是革命胜利的根本保
证——学习《毛泽东选集》第五卷
的体会, 山东师院理论学习组,《山
东师范大学学报》(人文社会科学
版) 1977 年第 4 期

革命干部是党和国家的宝贵财
产——学习《毛泽东选集》第五卷
关于干部问题的论述, 邢新力,《山
东师范大学学报》(人文社会科学
版) 1977 年第 4 期

把彻底埋葬资本主义制度的革
命进行到底——学习《毛泽东选
集》第五卷关于改造资本主义工商
业的论述, 山东师院政史系政治经
济学组,《山东师范大学学报》(人文
社会科学版) 1977 年第 4 期

《毛泽东选集》第五卷有关的
国内外大事摘记, 石侃,《山东师范
大学学报》(人文社会科学版) 1977
年第 4 期

《毛泽东选集》第五卷中的历
史事件和历史人物介绍 (续), 石
侃,《山东师范大学学报》(人文社会
科学版) 1977 年第 4 期

学习辩证法, 用辩证法指导科
研工作——读《毛泽东选集》第五
卷的体会, 自然辩证法组,《中国科
学技术大学学报》1977 年第 1 期

中共中央关于学习《毛泽东选
集》第五卷的决定,《安徽大学学

报》(哲学社会科学版) 1977 年第
2 期

抓住重点深刻领会——院举办
第一期《毛泽东选集》第五卷学习
班,《浙江中医学院学报》1977 年第
2 期

中共中央关于学习《毛泽东选
集》第五卷的决定,《山东中医药大
学学报》1977 年第 2 期

《毛泽东选集》第五卷中的成
语典故和古诗、文注释 (选登),
《毛泽东选集》第五卷 "学习参考
资料" 编写组,《陕西师范大学学
报》(哲学社会科学版) 1977 年第
3 期

修正主义苏联是纸老虎——学
习《毛泽东选集》第五卷关于纸老
虎的论述, 汪宏玉、周美云、徐正,
《安徽师范大学学报》(人文社会科
学版) 1977 年第 4 期

中共中央关于学习《毛泽东选
集》第五卷的决定,《广西医学》
1977 年第 5 期

高举毛主席的伟大旗帜紧跟华
主席乘胜前进——欢呼《毛泽东选
集》第五卷的出版, 宣理,《辽宁大
学学报》(哲学社会科学版) 1977 年
第 2 期

掌握武器抓纲治国——学习
《毛泽东选集》第五卷的体会, 纪
辉,《辽宁大学学报》(哲学社会科学
版) 1977 年第 3 期

发展生产是无产阶级专政的一个重要任务——学习《毛泽东选集》第五卷的一点体会，中共烟台地委写作组，《齐鲁学刊》1977 年第 4 期

学习《毛泽东选集》第五卷论鲁迅作品的体会，单演义，《齐鲁学刊》1977 年第 5 期

毛泽东思想的旗帜是世界人民革命的胜利旗帜——学习《毛泽东选集》第五卷，王幼麟，《四川大学学报》（哲学社会科学版）1977 年第 3 期

《毛泽东选集》第五卷中的成语典故选释，聊城分院《现代汉语成语词典》编写组，《山东师范大学学报》（人文社会科学版）1977 年第 1 期

中共云南省委关于贯彻执行《中共中央关于学习〈毛泽东选集〉第五卷的决定》的决定，《思想战线》1977 年第 2 期

整风是普遍的马克思主义教育运动——学习《毛泽东选集》第五卷关于整风的部分论述，周庆辉，《思想战线》1977 年第 3 期

中共中央关于学习《毛泽东选集》第五卷的决定，《武汉体育学院学报》1977 年第 1 期

中共中央关于学习《毛泽东选集》第五卷的决定，《新农业》1977 年

掀起学习毛主席著作的新高潮——热烈欢呼《毛泽东选集》第五卷出版，人民日报、红旗、杂志、解放军报，《新农业》1977 年第 9 期

马克思主义文风的光辉典范——学习《毛泽东选集》第五卷有关文风问题札记，顾义生，《徐州师范大学学报》（哲学社会科学版）1977 年第 1 期

把无产阶级专政下的继续革命进行到底——学习《毛泽东选集》第五卷，华国锋，《右江医学》1977 年第 2 期

生产力是最革命的因素——学习《毛泽东选集》第五卷笔记，邢福石，《中山大学学报》（社会科学版）1977 年第 4 期

坚持两点论，反对一点论，调动一切积极因素，为社会主义事业服务——学习《毛泽东选集》第五卷的一点体会，刘嵘，《中山大学学报》（社会科学版）1977 年第 5 期

中共中央关于学习《毛泽东选集》第五卷的决定，《甘肃农业大学学报》1977 年第 2 期

中共中央关于学习《毛泽东选集》第五卷的决定，《环境保护》1977 年第 3 期

中共中央关于学习《毛泽东选集》第五卷的决定，《哈尔滨医科大学学报》1977 年第 2 期

学习马克思主义哲学是教育革

命的需要——学习《毛泽东选集》第五卷的一点体会，王伟，《天津教育》1977 年第 7 期

中共中央关于学习《毛泽东选集》第五卷的决定（一九七七年四月七日），《武汉大学学报》（哲学社会科学版）1977 年第 3 期

马克思主义再生产理论的新发展——学习《毛泽东选集》第五卷的笔记，王启荣，《武汉大学学报》（哲学社会科学版）1977 年第 4 期

打倒帮八股恢复和发扬党的优良文风——学习《毛泽东选集》第五卷关于文风问题的论述，晓阳，《云南师范大学学报》（哲学社会科学版）1977 年第 4 期

谈谈对物质结构的一些认识——学习《毛泽东选集》第五卷的一点体会，江琳才，《化学通报》1977 年第 4 期

《毛泽东选集》第五卷部分名词典故及历史事件注释，安徽大学政治系七四级工农兵学员，《安徽大学学报》（哲学社会科学版）1977 年（增刊）

满江红欢呼《毛泽东选集》第五卷出版发行，顾启，《教学与研究》1977 年第 1 期

永远保持艰苦奋斗的作风——学习《毛泽东选集》第五卷关于艰苦奋斗的部分论述，郁新、卢俊泉，《教学与研究》1977 年第 2 期

对立统一规律是宇宙的根本规律——《毛泽东选集》第五卷哲学语录选编，江西师院马列主义教研室哲学教研组，《江西师范大学学报》（哲学社会科学版）1977 年第 4 期

中共成都体育学院临时委员会关于贯彻执行《中共中央关于学习〈毛泽东选集〉第五卷的决定》的通知，《成都体育学院学报》1977 年第 1 期

认识和改造自然的强大思想武器——学习《毛泽东选集》第五卷的初步体会，量子力学小组，《北京师范大学学报》（自然科学版）1977 年第 2 期

《毛泽东选集》第五卷中有关科学技术的论述，《光电工程》1977 年第 1 期

中共中央关于学习《毛泽东选集》第五卷的决定，《广西农业科学》1977 年第 5 期

中共中央关于学习《毛泽东选集》第五卷的决定，《工业建筑》1977 年第 4 期

把无产阶级专政下的继续革命进行到底——学习《毛泽东选集》第五卷，华国锋，《湖南教育》1977 年第 5 期

中共中央关于学习《毛泽东选集》第五卷的决定，《湖南教育》1977 年第 5 期

掀起学习毛主席著作的新高潮——热烈欢呼《毛泽东选集》第五卷出版,《人民日报》、《红旗杂志》、《解放军报》,《湖南教育社》1977 年第 5 期

《毛泽东选集》第五卷有关教育革命的部分论述,《湖南教育》1977 年第 9 期

认真学习加强改造——学习《毛泽东选集》第五卷的一点体会,侯宗濂,《陕西医学杂志》1977 年第 3 期

《毛泽东选集》第五卷中关于自然科学的部分论述,《武汉大学学报》(理学版) 1977 年第 2 期

中共武汉钢铁学院委员会关于贯彻中共中央关于学习《毛泽东选集》第五卷的决定的决定,《武汉科技大学学报》(自然科学版) 1977 年第 2 期

欢呼《毛泽东选集》第五卷出版,阮德胜,《武汉科技大学学报》(自然科学版) 1977 年第 2 期

埋头苦干永远攻关——学习《毛泽东选集》第五卷的一点体会,王毅仁,《杭州大学学报》(哲学社会科学版) 1977 年第 3 期

中共中央关于学习《毛泽东选集》第五卷的决定,《黑龙江医药》1977 年第 2 期

掀起学习毛主席著作的新高潮——热烈欢呼《毛泽东选集》第五卷出版,《人民日报》、《红旗杂志》、《解放军报》,《黑龙江医药》1977 年第 2 期

把无产阶级专政下的继续革命进行到底——学习《毛泽东选集》第五卷,华国锋,《黑龙江医药》1977 年第 3 期

谈谈生与死的辩证法——学习《毛泽东选集》第五卷的一点体会,朱岩,《化石》1977 年第 4 期

无限崇敬和怀念——欢呼《毛泽东选集》第五卷出版,臧克家,《山东文学》1977 年第 4 期

《毛泽东选集》第五卷名词解释,《图书馆》1977 年第 3 期

捧读《毛泽东选集》第五卷——沁园春,郭沫若,《中国临床医生》1977 年第 5 期

高举毛主席的伟大旗帜将文艺革命进行到底——热烈欢呼《毛泽东选集》第五卷的出版,本刊编辑部,《人民文学》1977 年第 4 期

捧读《毛泽东选集》第五卷(沁园春),郭沫若,《人民文学》1977 年第 4 期

手捧宝书喜洋洋——喜读《毛泽东选集》第五卷,吕玉兰,《人民文学》1977 年第 4 期

《毛泽东选集》第五卷出版欣然有作,叶圣陶,《人民文学》1977 年第 5 期

唯物辩证法是进行革命和建设

的强大思想武器——学习《毛泽东选集》第五卷中唯物辩证法问题的体会,董驹翔,《齐齐哈尔大学学报》(哲学社会科学版) 1978 年第 1 期

对立统一学说的新篇章——学习《毛泽东选集》第五卷的一点体会,李秀林,《哲学研究》1978 年第 1 期

发挥社会主义制度的优越性加速社会主义建设——学习《毛泽东选集》第五卷的体会,武汉大学政治理论教研室政治经济学组,《武汉大学学报》(人文科学版) 1978 年第 1 期

马克思主义再生产理论的丰富

和发展——读《毛泽东选集》第五卷的体会,吴维嵩、陈光汉,《经济研究》1978 年第 1 期

辩证法是唯一的、最高度地适合于自然观的思维方法——学习《毛泽东选集》第五卷中有关自然辩证法的论述,尤继本,《延边大学学报》(社会科学版) 1978 年第 1 期

毛泽东同志对生产力和生产关系辩证统一理论的伟大贡献——学习《毛泽东选集》第五卷的一点体会,吴维嵩,《福建师范大学学报》(哲学社会科学版) 1983 年第 4 期

参加编辑《毛泽东选集》第五卷的日子,梁尚之,《文史春秋》2004 年第 12 期

学习研究《毛泽东著作选读》

《毛泽东著作选读》新编出版,《人民日报》1686 年 9 月 9 日

《毛泽东著作选读》新编本的特色和意义,龚育之等,《人民日报》1986 年 9 月 9 日

毛泽东和现代化建设:学习《毛泽东著作选读》,顾龙生,《光明日报》1986 年 9 月 10 日

以科学的态度学习毛泽东著作:逄先知就《毛泽东著作选读》新编本出版答记者问,张先、苏刚,《中国青年报》1986 年 9 月 9 日

要继续坚持艰苦奋斗的优良作风:学习《毛泽东著作选读》有关

论述,张自东,《甘肃日报》1986 年 9 月 26 日

振兴中华的总的指导思想:学习《毛泽东著作选读》中有关建设有中国特色的社会主义的论述,唐永进,《甘肃日报》1986 年 9 月 24 日

中国革命和建设的科学论著,毛泽东思想的集中概括:《毛泽东著作选读》新编本出版,《人民日报》1986 年 9 月 9 日

马克思主义基本原理同中国实际相结合的科学成果:介绍《毛泽东著作选读》新编本,逄先知,《文

汇报》1986 年 9 月 9 日

独创性的经验独创性的理论——读《毛泽东著作选读》新编，徐方治，《广西民族学院学报》（哲学社会科学版）1986 年第 4 期

《毛泽东著作选读》六篇文章简介，毛泽东著作和生平研究组，《文献和研究》1986 年第 5 期

《毛泽东著作选读》新编本注释的特点，陈铭康等，《文献和研究》1986 年第 6 期

《毛泽东著作选读》一个注释的由来，张素华，《党史文汇》1986 年第 6 期

实事求是是毛泽东思想的出发点和根本点：写在《毛泽东著作选读》新编本出版发行之际，贾贵生，《实践》1986 年第 19 期

独创性的经验独创性的理论——读《毛泽东著作选读》新编，徐方治，《广西民族学院学报》（哲学社会科学版）1986 年第 4 期

给理论工作者以自主权——学习《毛泽东著作选读》的体会，陈栋成，《甘肃社会科学》1986 年第 6 期

毛泽东哲学思想是中华民族的宝贵财富——读《毛泽东著作选读》（新编本）感言，石仲泉，《哲学研究》1986 年第 10 期

把实事求是与开拓创新结合起来——我校部分同志座谈学习《毛泽东著作选读》，石璞，《中南财经政法大学学报》1986 年第 6 期

管理民主化和科学化的重要教材——读《毛泽东著作选读》，郝侠君，《中南财经政法大学学报》1986 年第 6 期

错误往往是正确的先导：读《毛泽东著作选读》札记，欧阳斌，《衡阳师专学报》1987 年第 2 期

关于《毛泽东著作选读》的注释，朱正，《毛泽东思想研究》1987 年第 5 期

从必然王国到自由王国——学习《毛泽东著作选读》，金隆德，李占一，《安徽教育学院学报》1987 年第 2 期

认识论和辩证法的新概括——学习新编《毛泽东著作选读》，雍涛，《武汉大学学报》（哲学社会科学版）1987 年第 1 期

关于《毛泽东著作选读》中"永新"改为"永丰"的问题，苏明辉，《厦门大学学报》（哲学社会科学版）1987 年第 3 期

对中国社会主义建设道路的积极探索——学习《毛泽东著作选读》，幸海华，《湖北大学学报》（哲学社会科学版）1987 年第 1 期

学习毛泽东关于矛盾普遍性和特殊性相结合的辩证法思想——读《毛泽东著作选读》，阮朝，《湖北大学学报》（哲学社会科学版）1987 年

第 1 期

《毛泽东著作选读》中一处值得重视的新译文，唐有章，《内江师范学院学报》1987 年第 1 期

摆脱僵化模式的有益尝试——读《毛泽东著作选读》注释后感，冯显诚，《上海师范大学学报》（哲学社会科学版）1988 年第 4 期

关于《毛泽东著作选读》中的译注问题，唐有章，《内江师范学院学报》1988 年第 2 期

摆脱僵化模式的有益尝试——读《毛泽东著作选读》注释后感，冯显诚，《毛泽东思想研究》1989 年第 1 期

学习研究《毛泽东农村调查文集》

《毛泽东农村调查文集》读后，顾龙生，《前线》1983 年第 1 期

读《毛泽东农村调查文集》，陈树德，《读书》1983 年第 7 期

毛泽东同志调查研究的历史功绩——读《毛泽东农村调查文集》，吴正裕，《教学与研究》1983 年第 2 期

关于毛泽东同志的典型调查——读《毛泽东农村调查文集》，肖犁，《社会》1983 年第 2 期

伟大的认识武器——读《毛泽东农村调查文集》，冯国瑞，《北京大学学报》（哲学社会科学版）1983 年第 6 期

研究家庭和认识社会——读《毛泽东农村调查文集》，潘允康，《江西社会科学》1983 年第 6 期

永放光芒的理论瑰宝——学习《毛泽东农村调查文集》札记，毅耘，《山东师范大学学报》（人文社会科学版）1984 年第 2 期

到群众中作实际调查去：重读《毛泽东农村调查文集》，司锦泉，《群众》1991 年第 5 期

调查研究实事求是——建设有中国特色社会主义必须坚持的思想方法——《毛泽东农村调查文集》读后，刘燕，《科学社会主义》1992 年第 5 期

领导艺术的精华——学习《毛泽东农村调查文集》，包尊显，《云梦学刊》1993 年第 2 期

学习研究《毛泽东新闻工作文选》

新闻战线的光荣旗帜——庆祝《毛泽东新闻工作文选》出版，钟沛璋，《新闻战线》1983 年第 12 期

《毛泽东新闻工作文选》中提及的范长江的两篇通讯，《新闻与传播研究》1984 年第 2 期

省新闻学会举办《毛泽东新闻工作文选》读书班,《江苏社会科学》1984 年第 10 期

新闻的动态美和形象美——学习《毛泽东新闻工作文选》,周胜,《传媒观察》1984 年第 6 期

努力办一张具有中国作风和中国气派的报纸——学习《毛泽东新闻工作文选》的体会,刘黑枷,《新闻大学》1984 年第 2 期

按照唯物辩证法办报——学习《毛泽东新闻工作文选》,徐培汀,《新闻大学》1984 年第 1 期

必须坚持新闻事业的党性原则——学习《毛泽东新闻工作文选》,吴高福,《武汉大学学报》(哲学社会科学版)1984 年第 5 期

办好地方报纸的光辉指针——学习毛泽东同志《新闻工作文选》的一点感想,陈玉,《传媒观察》1984 年第 3 期

必须坚持新闻事业的党性原

则——学习《毛泽东新闻工作文选》,吴高福,《武汉大学学报》(人文科学版)1984 年第 5 期

实事求是是毛泽东思想的精髓——学习《毛泽东新闻工作文选》的体会,张开源,《新闻采编》1994 年第 3 期

文风的"三性"与民族特色——学习"毛泽东新闻工作文选"的一点体会,刘华金,《新闻知识》1994 年第 1 期

重读《毛泽东新闻工作文选》的体会,边万珍,《新闻三昧》1996 年第 5 期

毛泽东新闻思想初探——读《毛泽东新闻工作文选》,汪健,《阜阳师范学院学报》(社会科学版)1996 年第 4 期

感悟经典的魅力——读《毛泽东新闻工作文选》,李学勇,《军事记者》2007 年第 7 期

学习研究《毛泽东哲学批注集》

《毛泽东哲学批注集》中关于反对"左"右倾错误的哲学思考,石仲泉,《毛泽东思想研究》1987 年第 5 期

《毛泽东哲学批注集》中关于反对"左"右倾错误的哲学思考,石仲泉,《理论月刊》1987 年第 9 期

研究毛泽东哲学思想的新文

献——《毛泽东哲学批注集》介绍,石仲泉,《毛泽东思想研究》1987 年第 6 期

马克思主义哲苑的奇葩——评介《毛泽东哲学批注集》的重要哲学观点,石仲泉,《哲学研究》1987 年第 10 期

《毛泽东哲学批注集》中一则

注释的诞生，宋贵仑，《编辑之友》1988 年第 1 期

中国革命经验的哲学思考——《毛泽东哲学批注集》的一个显著特点，杨春贵，《中国党政干部论坛》1988 年第 10 期

对同一性斗争性原理的重要突破——读《毛泽东哲学批注集》，宫凤鸣、杜明娥，《东北师大学报》（哲学社会科学版）1989 年第 4 期

《毛泽东哲学批注集》研究综述，姚休，《理论前沿》1989 年第 68 期

试论毛泽东的主客体观——读《毛泽东哲学批注集》，陆云彬，《青海社会科学》1989 年第 4 期

国内《毛泽东哲学批注集》研究述评，贾明建，《中共山西省委党校学报》1990 年第 6 期

认识规律与实践规律——读《毛泽东哲学批注集》的一点体会兼与石仲泉同志商榷，李树申，《东北师大学报》（哲学社会科学版）1990 年第 5 期

读《毛泽东哲学批注集》，沧南，《湘潭大学社会科学学报》1990 年第 1 期

在实践中坚持唯物主义党性原则——《毛泽东哲学批注集》的重要思想贡献，牟德刚，《温州师范学院学报》1991 年第 4 期

马克思主义哲学的党性包含着理论与实践的统一——读《毛泽东哲学批注集》，韩琳，《延安大学学报》（社会科学版）1991 年第 1 期

认识主体是社会的阶级——《毛泽东哲学批注集》关于主体的思想，牟德刚，《温州师范学院学报》1992 年第 4 期

谈谈《毛泽东哲学批注集》中的认识论思想，姚安泽，《鹭江职业大学学报》1992 年第 1 期

毛泽东对事物发展动因的思考——读《毛泽东哲学批注集》，牟德刚，《温州师范学院学报》1993 年第 4 期

寻根究底探“精髓”——《毛泽东哲学批注集》研读偶得，夏镇平，《上海大学学报》（社会科学版）1993 年第 6 期

《毛泽东哲学批注集》是阐述和发展马克思主义哲学的光辉典范，黄凤久，《长白学刊》1993 年第 4 期

从《批注集》看毛泽东哲学思想特色，侯相林，《内蒙古大学学报》（人文社会科学版）1994 年第 3 期

毛泽东对否定之否定规律的思考及其局限性——读《毛泽东哲学批注集》，牟德刚，《理论探讨》2004 年第 4 期

学习研究《建国以来毛泽东文稿》

毛泽东和新中国的起步——建国以来毛泽东文稿研究心得之一，边彦军、龚育之、汪裕尧、冯蕙，《毛泽东思想研究》1988 年第 2 期

《建国以来毛泽东文稿》注释商榷（上），宗道一，《社会科学报》2002 年 3 月 7 日

从《建国以来毛泽东文稿》看毛泽东对江青态度的演变，郑克卿、常志，《党史博采》2005 年第 1 期

《建国以来毛泽东文稿》里"三反"运动中的"打虎"用语简析，李美玲，《当代中国史研究》2007 年第 2 期

学习研究《毛泽东早期文稿》

《毛泽东早期文稿》中几个关键词语释义，蔡乐苏，《清华大学学报》（哲学社会科学版）1993 年第 1 期

《毛泽东早期文稿》中几个关键词语释义，蔡乐苏，《北京大学学报》（哲学社会科学版）1993 年第 6 期

《毛泽东早期文稿》研读略要（上），胡为雄，《党的文献》1994 年第 6 期

《毛泽东早期文稿》研读略要（下），胡为雄，《党的文献》1995 年第 5 期

《毛泽东早期文稿》与南阳历史文化，张仁学、刘阳，《南都学坛》1995 年第 4 期

也论青年毛泽东的思想发展——《毛泽东早期文稿》研读补要，利华，《党的文献》1997 年第 2 期

《编注例话》（三）谈《毛泽东早期文稿》，朱正，《出版广角》1998 年第 5 期

话说《毛泽东早期文稿》，胡松涛，《人民政协报》2003 年第 121 期

《毛泽东早期文稿》中的"责任"释义，凡丽，《大理学院学报》2003 年第 6 期

学习研究《毛泽东文集》

《毛泽东文集》与历史唯物论，边彦军，《毛泽东思想论坛》1997 年第 3 期

《毛泽东文集》和党的思想路线，边彦军，《毛泽东思想研究》1999 年第 4 期

《毛泽东文集》介绍，冯蕙，《毛泽东邓小平理论研究》2000 年

第 2 期

坚持理论创新不断开辟马克思主义新境界——学习《毛泽东文集》的一些体会，冯蕙，《人民日报》2000 年 9 月 7 日

《毛泽东文集》出齐，曲志红，《新华每日电讯》2000 年 12 月 26 日

社会主义时期毛泽东的统战思想——读《毛泽东文集》六至八卷，韩同友、任兆银，《淮阴师范学院学报》（哲学社会科学版）2000 年第 2 期

从《毛泽东文集》出齐所想到的，龚育之，《党的文献》2001 年第 3 期

深入学习和研究毛泽东思想的重要教材——《毛泽东文集》的意义，逄先知，《人民日报》2001 年 2 月 1 日

从《毛泽东文集》出齐所想到的，龚育之，《学习时报》2001 年第 5 期

《毛泽东文集》和毛泽东思想，石仲泉，《毛泽东邓小平理论研究》2001 年第 1 期

《毛泽东文集》研究座谈会纪要，中共中央文献研究室毛泽东研究组，《毛泽东邓小平理论研究》

2001 年第 1 期

思想的力量——逄先知谈《毛泽东文集》的意义，逄先知，《石油政工研究》2001 年第 2 期

论毛泽东晚年对社会主义理论的贡献——读《毛泽东文集》第六至八卷的札记，雷云，《中共浙江省委党校学报》2001 年第 1 期

毛泽东对有中国特色社会主义道路的探索——读《毛泽东文集》札记，王海峰、陈寒鸣、陈春鸣，《天津市工会管理干部学院学报》2001 年第 1 期

毛泽东关于社会主义商品经济的正确命题及评析——学习《毛泽东文集》札记，李秀英，《毛泽东思想研究》2002 年第 2 期

《毛泽东文集》编辑记事，冯蕙，《党的文献》2002 年第 1 期

《毛泽东文集》若干注释中的问题，散木，《博览群书》2005 年第 12 期

《毛泽东文集》注释偶正高心湛，《毛泽东思想研究》2006 年第 1 期

相见恨晚读《文集》——我读《毛泽东文集》的三点体会，徐斌，《政工学刊》2006 年第 2 期

学习研究《毛泽东论文艺》、《毛泽东文艺论集》

关于"两条腿走路"：读《毛泽东论文艺》随笔，巴人，《文汇

报》1959 年 2 月 5 日

学习毛泽东文艺思想必须联系

实际：读《毛泽东论文艺》，罗荪，《解放日报》1959 年 12 月 18 日

马克思主义文艺理论的经典著作：祝《毛泽东论文艺》的出版，文艺月报编辑部，《文艺月报》1959 年第 2 期

文风并不是小问题：学习《毛泽东论文艺》有感，康棣华，《文学知识》1959 年第 12 期

学习毛主席的文艺思想：读《毛泽东论文艺》，孟和、博彦，《内蒙古日报》1959 年 6 月 4 日

学习再学习，实践再实践：学习《毛泽东论文艺》的一些体会，陈则光，《作品》1959 年第 6 期

革命文艺的基础教程：《毛泽东论文艺》学习笔记，秦牧，《作品》1959 年 5 月 6 日

新版《毛泽东论文艺》选，《当代》1992 年第 3 期

准确、精当、规范——谈谈《毛泽东文艺论集》的注释，李国华，《党的文献》2003 年第 2 期

《毛泽东文艺论集》出版，《文艺理论与批评》2002 年第 4 期

《毛泽东文艺论集》出版发行，《人民日报》2002 年 5 月 10 日

《毛泽东文艺论集》出版座谈会在京举行，杜英姿，《人民日报》2002 年 5 月 15 日

从《毛泽东文艺论集》看毛泽东文艺思想——访中共中央文献研究室陈晋研究员，《学习时报》2002 年 5 月 20 日

永远为人民放声歌唱——祝贺《毛泽东文艺论集》出版发行，吴雁泽，《人民音乐》2002 年第 7 期

关于毛泽东文艺思想的两个重要观点——读《毛泽东文艺论集》新识，尚延龄、尚缨，《甘肃广播电视大学学报》2004 年第 2 期

对于《毛泽东文艺论集》中一款题词的考证，孙国林，《中华读书报》2006 年 3 月 29 日

学习研究《毛泽东读文史古籍批语集》

编注例话读《毛泽东读文史古籍批语集》，朱正，《出版广角》1998 年第 2 期

神游史河文海心鉴风物政事——《毛泽东读文史古籍批语集》览要，胡为雄，《当代中国史研究》1995 年第 6 期

学习研究《毛泽东军事文集》

完整全面地展示毛泽东军事思想的光辉著作——学习《毛泽东军事文集》，毛岩锁，《毛泽东思想研究》1994 年第 3 期

《毛泽东军事文集》：当代中国的一部伟大的兵书，林建公，《毛泽东思想研究》1994 年第 4 期

完整全面地展示毛泽东军事思想科学理论体系的光辉著作——学习《毛泽东军事文集》，胡哲峰，袁德金，《军事历史研究》1994 年第 2 期

毛泽东非常重视现代化战争——读《毛泽东军事文集》的体会，林建公，《毛泽东思想论坛》1995 年第 2 期

学习研究《毛泽东外交文选》

关于新中国三条外交方针的制定——读《毛泽东外交文选》，鲁振祥，《党的文献》1995 年第 1 期

读《毛泽东外交文选》，李侃，《求是》1995 年第 14 期

一部研究现代中国外交史的经典著作——《毛泽东外交文选》读后，党自强，《世界知识》1995 年第 11 期

学习研究《毛泽东在七大的报告和讲话集》

光大传统　再创辉煌——《毛泽东在七大的报告和讲话集》读后，温济泽，《新闻战线》1995 年第 12 期

一个伟大思想体系的确立——读《毛泽东在七大的报告和讲话集》有感，杨熙曼，《南京政治学院学报》1996 年第 1 期

读《毛泽东在七大的报告和讲话集》，龚育之，《求是》1996 年第 17 期

时来天地皆同力运转英雄得自由——《毛泽东在七大的报告和讲话集》研究，胡为雄，《毛泽东思想研究》2005 年第 5 期

学习研究《毛泽东致韶山亲友书信集》

正确处理亲情和权力关系的楷模——读《毛泽东致韶山亲友书信集》，阎长贵，《党政干部学刊》1997 年第 5 期

伟人家书领袖风范——读《毛泽东致韶山亲友书信集》有感，张牧，《中国纪检监察报》2000 年 12 月 2 日

家书一束风范在乡思万里情义浓——《毛泽东致韶山亲友书信集》研究，胡为雄，《毛泽东思想研究》2004 年第 1 期

学习研究《毛泽东读社会主义政治经济学批注和谈话》

毛泽东的社会主义政治经济学总体构想——读《毛泽东读社会主义政治经济学批注和谈话》，胡为雄，《甘肃理论学刊》2003年第6期

经济学研究应该有哲学家的头脑——学习毛泽东《读社会主义政治经济学批注和谈话》杂记，周新城，《理论学刊》2004年第1期

致用而学孤旨以求——毛泽东读《苏联社会主义经济问题》和苏联《政治经济学教科书》的批注和谈话览要，胡为雄，《毛泽东邓小平理论研究》2004年第2期

学习研究《毛泽东西藏工作文选》

《毛泽东西藏工作文选》出版，《新华每日电讯》2001年5月30日

一部伟大光辉的历史文献的诞生——写在《毛泽东西藏工作文选》首发式，阴法唐，《中国藏学》2001年第4期

《毛泽东西藏工作文选》出版，《中国民族报》2001年7月31日

《毛泽东西藏工作文选》出版座谈会举行，《人民日报》2001年7月23日

读《毛泽东西藏工作文选》，胡岩，《学习时报》2002年5月13日

文韬武略安西陲民主改革得人心——从《毛泽东西藏工作文选》看西藏的和平解放与民主改革，胡为雄，《当代中国史研究》2005年第2期

学习研究《毛泽东论林业》

在《毛泽东论林业》首发式上的讲话，徐有芳，《国土绿化》1994年第1期

在《毛泽东论林业》（新编本）出版座谈会上的讲话——全国政协副主席，张怀西，《中国绿色时报》2003年12月24日

为绿化祖国不懈努力——在《毛泽东论林业》（新编本）出版座谈会上的发言，周生贤，《中国绿色时报》2003年12月26日

毛泽东论林业，《中国林业产业》2004年第7期

《毛泽东著作专题摘编》

展现毛泽东思想科学体系的博　大内涵——读《毛泽东著作专题摘

编》，侯树栋，《人民日报》2004 年 11 月 5 日

一部反映毛泽东思想科学体系和基本内容的大型理论工具书——

《毛泽东著作专题摘编》编辑情况介绍，卢洁，《党的文献》2004 年第 4 期

二 学习研究毛泽东单篇著作论文题录

学习研究《体育之研究》

毛泽东体育思想之渊源与创见——读《体育之研究》，黄金鹏、程志理，《哈尔滨体育学院学报》1991 年第 4 期

毛泽东《体育之研究》的主要思想及其在中国近代体育史上的重要地位，李香华，《娄底师专学报》1992 年第 4 期

刍议毛泽东《体育之研究》的历史价值，何利民、李翅鹏，《体育师友》1993 年第 5 期

读毛泽东《体育之研究》的思索，王礼龙，《体育科学研究》1993 年第 4 期

从《体育之研究》看毛泽东对我国传统养生的评价，翁士勋，《浙江体育科学》1993 年第 6 期

《体育之研究》新探——纪念毛泽东同志诞生一百周年，王纯敏，《辽宁体育科技》1993 年第 6 期

毛泽东《体育之研究》中的体育辩证法，魏名国、周志俊，《安徽师范大学学报》(人文社会科学版)

1993 年第 4 期

略论毛泽东早期的体育实践与思想——兼议《体育之研究》的文化视角，董国珍、车锦华、方瑞娟，《沈阳体育学院学报》1994 年第 2 期

《体育之研究》的教育价值及其现实意义——纪念毛泽东同志诞辰 100 周年，邵生林，《西藏体育》1994 年第 1 期

学习毛泽东《体育之研究》审视当前体育之现状，邵生林，《西藏民族学院学报》(哲学社会科学版) 1994 年第 1 期

《体育之研究》与毛泽东的早期哲学思想，游毓发，《体育函授通讯》1994 年第 1 期

论毛泽东的体育观——关于《体育之研究》的研究，彭未名，《湖北师范学院学报》(哲学社会科学版) 1994 年第 2 期

我国近代体育史上的珍贵文献——读毛泽东《体育之研究》，

施长贵，《体育学刊》1995 年第 4 期

重温毛泽东《体育之研究》看《全民健身计划》实施的伟大意义，申立、王英，《湖北体育科技》1995 年第 4 期

从《体育之研究》看毛泽东的体育思想，邓文红，《贵州师范大学学报》（社会科学版）1996 年第 3 期

强筋骨，增知识，调感情，强意志——纪念毛泽东《体育之研究》发表 80 周年，孙葆丽、孙葆洁，《中国学校体育》1997 年第 2 期

毛泽东《体育之研究》的哲学意义——纪念《体育之研究》发表 80 周年，张涛光，《体育学刊》1997 年第 2 期

论毛泽东的快乐体育思想——读《体育之研究》，刘琦，《体育文史》1998 年第 3 期

重读毛泽东《体育之研究》的科学启发，张浩、王远、丁明智，《河北体育学院学报》1999 年第 1 期

珍贵的体育史文献不朽的体育理论著作——学习毛泽东《体育之研究》，付光黔，《六盘水师范高等专科学校学报》2000 年第 1 期

毛泽东《体育之研究》对高校体育教学改革的启示，谢波、冯惠玲，《广州体育学院学报》2000 年第 1 期

从《体育之研究》看毛泽东的

辩证法，刘哲，《阴山学刊》2001 年第 6 期

《体育之研究》和青年毛泽东的人才观，范明、董洪年，《毛泽东思想研究》2001 年第 3 期

论毛泽东《体育之研究》的创新精神，范爱武，《南京体育学院学报》（社会科学版）2002 年第 3 期

泡尔生对毛泽东体育思想的影响——《体育之研究》再研究，李力研，《中国体育科技》2002 年第 3 期

《体育之研究》：青年毛泽东关于人格全面发展的宣言，周瑜新，《中共浙江省委党校学报》2003 年第 3 期

近十年来关于毛泽东《体育之研究》的研究综述，黑长庚、宋媛，《解放军体育学院学报》2003 年第 3 期

毛泽东说《体育之研究》是资产阶级性的东西，韩丹，《体育与科学》2004 年第 6 期

重读毛泽东《体育之研究》，黄露生，《湖南第一师范学报》2004 年第 2 期

毛泽东作《体育之研究》的背后，尹韵公，《党的文献》2006 年第 3 期

从《体育之研究》看毛泽东体育思想的风格，孙永泰、张金铭，《军事体育进修学院学报》2006 年

第 1 期

毛泽东《体育之研究》的体育思想与素质教育，丁福德，《东疆学刊》2007 年第 2 期

论《体育之研究》的历史价值观——兼论青年毛泽东体育思想，高秋平、张娜、何强、肖正，《北京体育大学学报》2007 年第 4 期

学习研究《伦理学批注》

"道德哲学在开放之时代尤要"——读《〈伦理学原理〉批注》，王兴国，《毛泽东思想研究》1991 年第 3 期

论毛泽东《〈伦理学原理〉批注》的道德观及其当代意义，曾成贵，《贵州文史丛刊》1997 年第 5 期

毛泽东早期哲学思想探微——

《〈伦理学原理〉批注》述评，刘进，《毛泽东思想研究》2002 年第 6 期

毛泽东早期伦理思想的集中展现——《〈伦理学原理〉批注》记读，邓以新，《伦理学研究》2003 年第 6 期

学习研究《〈湘江评论〉创刊宣言》等相关文章

《湘江评论》的主旨和《民众的大联合》的思想，沈骏，《华中师范大学学报》（人文社会科学版）1979 年第 4 期

毛泽东同志走上马克思主义道路的开端——读《湘江评论》，徐建源，《辽宁大学学报》（哲学社会科学版）1981 年第 4 期

从《湘江评论》看毛泽东早期的政治思想，汤庭芬，《江汉论坛》1984 年第 12 期

毛泽东和《湘江评论》，钟镇藩，《毛泽东思想研究》1984 年第 3 期

《湘江评论》在毛泽东新闻实践活动中的历史地位，金明正，《湘潭大学社会科学学报》1991 年第 4 期

全国仅剩一份《湘江评论》，《新农业》1991 年第 12 期

毛泽东与《湘江评论》，邹鲁清，《求索》1993 年第 4 期

《湘江评论》编辑特色及其影响，吉家友，《信阳师范学院学报》（哲学社会科学版）1996 年第 4 期

毛泽东与《湘江评论》，关威，《历史教学》1998 年第 9 期

《湘江评论》简介，李应和，《中国档案报》2002 年 5 月 17 日

《湘江评论》是"杂志"吗？张秀玲、孙金花，《图书馆建设》2003 年第 2 期

《湘江评论》创刊，唐婷，《中华新闻报》2004年7月16日

学习研究《"湖南自治运动"应该发起了》等相关文章

从湖南自治运动看青年毛泽东世界观的转变，李吉、王兴国，《求索》1981年第2期

也谈湖南自治运动与毛泽东世界观的转变，王维佳，《求索》1983年第1期

湖南"驱张"自治运动对毛泽东世界观转变的重大影响，王宣仁，《怀化学院学报》1989年第3期

青年毛泽东与湖南自治运动，杨金鑫，《怀化学院学报》1992年第3期

试论毛泽东发起湖南自治运动的原因，田永秀，《四川师范大学学报》（社会科学版）1993年第2期

青年毛泽东与湖南自治运动初兴——以1920年代前后毛的国际视界为中心的讨论，李玉刚，《"1920年代的中国"国际学术研讨会论文集》2004年

学习研究《文化书社通告好学诸君》等相关文章

文化书社的概况，双木，《出版发行研究》1985年第1期

长沙文化书社，胡昭镕，《中国出版》1990年第5期

关于毛泽东同志创办文化书社的资金来源问题，郑洸、王连弟，《毛泽东思想研究》1990年第4期

毛泽东早期创办的一个经济实体——文化书社，龙正才、马继善，《档案时空》1993年第6期

毛泽东与文化书社，曾祥虎，《毛泽东邓小平理论研究》1994年第6期

文化书社在长沙共产主义小组建立和活动中的历史地位，李万青，《湘潮》2000年第5期

学习研究《讲堂录》

《讲堂录》是一本充满人生哲理的课堂笔记——毛泽东同志哲学读书笔记初探之一，胡昌善，《长江论坛》1984年第2期

研究毛泽东早期思想渊源的文献——"讲堂录"，王毅恺，《毛泽东思想论坛》1996年第3期

学习研究《中国社会各阶级的分析》

学习研究《中国社会各阶级的分析》马列主义的一条红线一阶级

分析方法，读毛主席《中国社会各阶级的分析》的一点体会，汪宏玉，《安徽师范学院学生论文集刊》（人文科学版）1958 年第 1 期

学习毛泽东同志《中国社会各阶级的分析》，刘继曾，《政治与经济》1960 年第 1 期

谈阶级分析：学习《中国社会各阶级的分析》的体会，赵擎，《湖北日报》1960 年 2 月 16 日

学会运用阶级分析的武器：读《中国社会备阶级的分析》的体会，鲁克，《中国青年报》1960 年 3 月 2 日

要学会运用阶级分析的方法：学习《中国社会阶级分析》——无产阶级革命的武器：重读《中国社会各阶级的分析》，成于集，《中国青年报》1961 年 3 月 31 日

开宗明义第一章：《中国社会各阶级的分析》，曹宪文，《人民日报》1961 年 6 月 29 日

革命的首要问题：学习《中国社会各阶级的分析》，王南，《中国青年报》1963 年 1 月 10 日

革命的首要问题：重读《中国社会各阶级的分析》，程德宏，《实践》1963 年第 1 期

分清敌友是革命的首要问题：读毛泽东《中国社会各阶级的分析》的体会，刘波，《大众日报》1963 年 3 月 9 日

用阶级分析方法观察问题：读《中国社会各阶级的分析》，程德宏，《浙江日报》1963 年 5 月 17 日

《中国社会各阶级的分析》的历史背景简介，舒舜元，《中国青年报》1964 年 1 月 23 日

阶级分析的光辉范例：学习《中国社会各阶级的分析》笔记，林韦，《中国青年报》1964 年 1 月 23 日

阶级分析法是无产阶级制定战略策略原则的依据：《中国社会各阶级的分析》学习笔记，若扬，《黑龙江日报》1964 年 4 月 1 日

学习毛泽东同志关于阶级分析的理论，华明，《学术研究》1964 年第 2 期

阶级分析是观察社会现象的根本方法：学习《中国社会各阶级的分析》，温贤关，《四川日报》1964 年 6 月 8 日

《中国社会各阶级的分析》历史背景简介，于舟，《工人日报》1964 年 7 月 11 日

《中国社会各阶级的分析》历史背景，周可，《羊城晚报》1964 年 8 月 19 日

介绍《中国社会各阶级的分析》，《天津日报》1964 年 8 月 29 日

究竟谁靠得住，赵继祖，《中国青年报》1964 年 8 月 20 日

《中国社会各阶级的分析》学

习辅导，一、这部著作写作的历史背景；二、这部著作的基本思想；三、学习这部著作的现实意义，哈木特，《实践》1964 年第 12 期

在实践中学习《中国社会各阶级的分析》，余源培，《学术月刊》1965 年第 6 期

学习《中国社会各阶级的分析》，《解放军报》1966 年 1 月 3 日

学习《中国社会各阶级的分析》，《河北日报》1966 年 2 月 5 日

《中国社会各阶级的分析》中的无产阶级领导权问题，魏知信，《南京师院学报》（社会科学版）1980 年第 3 期

《中国社会各阶级的分析》的最早版本，吕芳文，《沈阳师范学院学报》（哲学社会科学版）1981 年第 2 期

论《中国社会各阶级的分析》的历史意义，李竹雪等，《武汉大学学报》（社会科学版）1983 年第 1 期

新民主主义革命基本思想初步形成的重要标志一重读《中国社会各阶级的分析》，庄有为，《上海师范学院学报》（社会科学版）1983 年第 4 期

论《中国社会各阶级的分析》的无产阶级领导权思想，董长芝，《辽宁师范大学学报》（社会科学版）1984 年第 3 期

关于《中国社会各阶级的分

析》一文的无产阶级领导权问题，陈荣勋等，《齐鲁学刊》1984 年第 3 期

毛泽东《国民党右派分离的原因及其对于革命前途的影响》，《中国社会各阶级的分析》两篇著作介绍，刘伟航，《教学参考资料》1984 年第 6 期

对《中国社会各阶级的分析》写作目的和指导思想探讨，侯锡光，《毛泽东思想研究》1985 年第 4 期

《中国社会各阶级的分析》和张国焘的"左"倾机会主义，王学启，《浙江学刊》1987 年第 2 期

《中国社会各阶级的分析》主题思想之我见，李友刚，《毛泽东思想研究》1988 年第 1 期

《中国社会各阶级的分析》（汕头版）的史料价值，陈汉初，《毛泽东思想研究》1988 年第 4 期

对《中国社会各阶级的分析》题注之我见，李友刚，《毛泽东思想研究》1990 年第 3 期

试论《中国社会各阶级的分析》的历史地位和作用，朱柏青、王少明，《郧阳师范高等专科学校学报》1992 年第 4 期

《中国社会各阶级的分析》的主题思想之我见，王少明、肖诗美，《郧阳师范高等专科学校学报》1994 年第 1 期

关于《中国社会各阶级的分

析》的几个问题，崔福林、李铭，《毛泽东思想研究》1994 年第 2 期

《中国社会各阶级的分析》版本考，李宗玲，《黑龙江农垦师专学报》1994 年第 3 期

论毛泽东《中国社会各阶级的分析》的历史地位，田利军，《四川师范大学学报》（哲学社会科学版）1994 年第 2 期

《中国社会各阶级的分析》之分析，萧诗美，《黄冈师范学院学报》1998 年第 3 期

马克思主义阶级阶层分析的光辉典范——毛泽东《中国社会各阶级的分析》读后，高霞，《安徽警官职业学院学报》2003 年第 3 期

不同文本《中国社会各阶级的分析》之比较，王建国，《毛泽东思想研究》2003 年第 4 期

毛泽东阶级分析思想的现实意义——读毛泽东《中国社会各阶级的分析》的体会，林庭芳、卢军，《安庆师范学院学报》（社会科学版）

2003 年（增刊）

《中国社会各阶级的分析》的版本问题，王建国，《毛泽东思想研究》2004 年第 1 期

以毛泽东阶级分析的方法认识现阶段中国社会阶层结构的新变化——读毛泽东《中国社会各阶级的分析》的体会，林庭芳、卢军，《毛泽东思想研究》2004 年第 1 期

十三年来《中国社会各阶级的分析》研究综述，邢媛媛，《辽宁教育行政学院学报》2004 年第 5 期

正确分析中国现阶段的社会阶层——读毛泽东《中国社会各阶级的分析》有感，唐岚，《黄石教育学院学报》2005 年第 2 期

毛泽东阶级分析思想及其现实指导意义——纪念毛泽东《中国社会各阶级的分析》发表 80 周年，林庭芳、卢军，《探索》2006 年第 1 期

毛泽东《中国社会各阶级的分析》一文与党对中国革命问题的探索，《人民日报》2007 年 4 月 11 日

学习研究《国民革命与农民运动》

毛泽东《国民革命与农民运动》的理论贡献，苏华，《毛泽东思想研究》1985 年第 4 期

学习研究《湖南农民运动考察报告》

介绍毛主席的《湖南农民运动考察报告》，张先畴，《学习》（初级版）1951 年第 8 期

依靠群众，领导群众前进：《湖南农民运动考察报告》读后感，关雨，《长江日报》1951 年 8 月 6 日、

7 日

第一次国内革命战争时期的湖南农民运动，李锐，《学习》1951 年第 8 期

科学的天才的预见：读《湖南农民运动考察报告》等四篇文章的学习笔记，莫文桦，《东北日报》1951 年 12 月 23 日

毛主席《湖南农民运动考察报告》一文的历史意义，蒋学模，《新中华》1951 年第 16 期

读《湖南农民运动考察报告》几点体会，李进，《红与专》（安徽）1959 年第 8 期

正确对待新生事物：重读毛主席的《湖南农民运动考察报告》，刘歌德，《政治学习》1959 年第 19 期

重温《湖南农民运动考察报告》，尹华英，《南方日报》1960 年 3 月 9 日

农民始终是工人阶级最可靠的同盟军——纪念《湖南农民运动考察报告》发表三十五周年，王修章等，《湖北日报》1962 年 3 月 16 日

如何理解"矫枉过正"，梦白，《前线》1962 年第 5 期

《湖南农民运动考察报告》中关于人民民主专政思想的几个基本问题，张希波，《政法研究》1963 年第 2 期

《湖南农民运动考察报告》的背景简介，军事博物馆，《中国青年报》1964 年 5 月 28 日

明辨是非的两个基本条件：读《湖南农民运动考察报告》笔记，鲍彤，《中国青年报》1964 年 5 月 28 日

《湖南农民运动考察报告》学习辅导，郑文竹，《实践》1964 年第 11 期

中国共产党领导农民运动的经验总结：读《湖南农民运动考察报告》，黄达人，《南宁师院学报》（社会科学版）1980 年第 3 期

《湖南农民运动考察报告》注释校订：《毛泽东选集》1—4 卷注释校订初稿连载（二），中央文献研究室注释组，《文献与研究》1985 年第 8 期

毛泽东同志写作《湖南农民运动考察报告》的伟大实践，志山、雷平著，《武汉师院学报》1981 年（专辑）

真理的声音锁不住：《湖南农民运动考察报告》发表前后，宋斐文，《文献和研究》1987 年第 2 期

寒夜中的一声春雷——《湖南农民运动考察报告》诞生记，汤胜利，《党史纵横》1992 年第 1 期

农民问题是我国革命、建设、改革的根本问题——重读《湖南农民运动考察报告》，陈太荣，《理论建设》1993 年第 4 期

毛泽东同志《湖南农民运动考察报告》版本概述，李龙如，《图书馆》1993 年第 5 期

《湖南农民运动考察报告》赏析，董爱平，《秘书工作》1998 年第 4 期

论《湖南农民运动考察报告》的历史意义和现实意义，李双奎、张志豪，《甘肃社会科学》1999 年（增刊）

《湖南农民运动考察报告》对共产国际的影响，刘瑛，《毛泽东思想研究》2001 年第 3 期

湖南农民运动考察报告——领导农民革命斗争的伟大纲领，王芙蓉，《湖南省政法管理干部学院学报》2002 年第 2 期

《湖南农民运动考察报告》首次公开"内幕"，杨成敏，《党史信息报》2002 年 1 月 2 日

《阿 Q 正传》与《湖南农民运动考察报告》，邱福庆，《龙岩师专学报》2004 年第 2 期

湖南农民运动考察报告，《广西党史》2006 年第 1 期

《湖南农民运动考察报告》的版本问题，王建国，《中共党史研究》2006 年第 5 期

从国家与社会的关系视角析《湖南农民运动考察报告》，张猛，《消费导刊》2006 年第 11 期

二十世纪中国特色社会学的典范——《湖南农民运动考察报告》发表八十周年反思，刘明明，《云南社会科学》2007 年第 5 期

毛泽东的《湖南农民运动考察报告》对建设社会主义新农村的几点启示，孙念韶、史正宪，《甘肃农业》2007 年第 4 期

《湖南农民运动考察报告》差点未能发表，汤胜利、莫红梅，《文史博览》2007 年第 3 期

毛泽东发表《湖南农民运动考察报告》，《人民日报》2007 年 4 月 13 日

学习研究《中国的红色政权为什么能够存在？》

毛主席发展地运用了列宁、斯大林"社会主义可能在一国胜利"的学说：读《中国的红色政权为什么能够存在？》，梁维直，《长江日报》1951 年 8 月 28 日

毛主席正确指引了革命的方向：初读《中国的红色政权为什么能够

存在？》的笔记，田平，《学习生活》（东北）1951 年第 1 期

科学的预见，读《中国的红色政权为什么能够存在？》和《星星之火，可以燎原》之后，胡今，《新中华》1951 年第 23 期

纪念《中国红色政权为什么能

够存在?》发表二十五周年，付钟，《人民日报》1953 年 10 月 5 日

学习《中国的红色政权为什么能够存在?》，宋时轮，《人民日报》1953 年 10 月 13 日

学习毛泽东关于红色政权的理论，胡正帮，《云南大学学报》（人文科学版）1957 年第 2 期

以农村包围城市的中国革命道路：学习《中国红色政权为什么能够存在?》《井冈山的斗争》《星星之火，可以燎原》札记，吴寿祺，《合肥师院学报》1963 年第 4 期

读《中国的红色政权为什么能够存在?》的体会，刘楠来，《政法研究》1963 年第 4 期

中国革命胜利的光辉道路，重温《中国的红色政权为什么能够存在?》，江西省革委会文教办公室，《江西日报》1977 年 10 月 21 日

《中国的红色政权为什么能够存在?》注释校订一《毛泽东选集》1—4 卷注释校订初稿连载（三），中央文献研究室注释组，《文献和研究》1985 年第 5 期

西安群众日报社何时出版《中国的红色政权为什么能够存在?》，奚景鹏，《党的文献》2003 年第 2 期

学习研究《井冈山的斗争》

读《井冈山的斗争》，刘桂五，《新建设》1951 年第 2 期

读《井冈山前委对中央的报告》，汪小川，《学习生活》（东北）1951 年第 6 期

学习毛主席实事求是精神，徐仑，《展望》1952 年第 3 期

纪念《井冈山的斗争》发表二十五周年，唐天际，《人民日报》

1953 年 11 月 25 日

要加强无产阶级的思想领导，学习《井冈山的斗争》，中共井冈山地委，《光明日报》1977 年 10 月 31 日

发扬实事求是的优良作风，学习《井冈山的斗争》的一点体会，福州部队军政干校理论组，《江西日报》1977 年 10 月 21 日

学习研究《给林彪的信》

为古田会议决议奠定思想理论基础的重要文献——读毛泽东《给林彪的信》，刘宝玉，《中共党史研究》1994 年第 2 期

《毛泽东给林彪的信》探析，王建国，《毛泽东思想研究》2007 年第 3 期

学习研究《纠正党内的错误思想》

读《关于纠正党内的错误思想》的体会，陆心国，《大公报》1951 年 10 月 25 日

学习毛泽东思想加强我的党性锻炼，读《关于纠正党内的错误思想》，李文琏，《长江日报》1951 年 10 月 20 日

《关于纠正党内的错误思想》读后记，思明，《学习生活》（东北）1951 年第 11、12 期

读《关于纠正党内的错误思想》，艾思奇，《学习》1951 年第 11、12 期

纠正绝对平均主义的错误思想，吴江，《新建设》1953 年第 8 期

中国人民解放军永远是党和人民的驯服工具，纪念《关于纠正党内的错误思想》发表三十周年，叶剑英，《解放军报》1959 年 11 月 6 日

一篇建党建军的重要历史文献：《关于纠正党内的错误思想》学习笔记，张敏，《黑龙江日报》1959 年 12 月 30 日

《关于纠正党内的错误思想》：一个建党建军的重要历史文献，郭晓棠，《中州评论》1959 年第 24 期

《关于纠正党内的错误思想》的伟大历史意义和现实意义，唐琦等，《思想战线》1960 年第 1 期

坚持党对军队的绝对领导：学习《关于纠正党内的错误思想》的体会，武汉部队某部后勤部政治处理论小组等，《郑州大学学报》1974 年第 3 期

坚持进行党的正确路线教育：学习《关于纠正党内的错误思想》的一点体会，北京卫戍区理论小组，《体育报》1975 年 1 月 7 日

军队必须绝对服从党的领导：学习《关于纠正党内的错误思想》，伍中兑等，《江西日报》1975 年 2 月 24 日

古田会议决议照亮我军建设道路：学习《关于纠正党内的错误思想》，福州部队军政干校理论组，《江西日报》1977 年 8 月 16 日

纠正错误思想，加强无产阶级思想领导：学习《关于纠正党内的错误思想》，关树人，《光明日报》1981 年 12 月 27 日

决议之上乘　写作之典范——谈毛泽东《关于纠正党内错误思想》，孟兆怀，《达县师范高等专科学校学报》1994 年第 1 期

具有中国特色的马克思主义建党理论——重读毛泽东《关于纠正党内的错误思想》和《反对本本主义》，丁胜利、周农森，《甘肃教育学院学报》（社会科学版）1994 年第 1 期

学习研究《星星之火，可以燎原》

伟大的预见——读《星星之火，可以燎原》的笔记，胡今，《解放日报》1951 年 10 月 16 日

学习《星星之火可以燎原》笔记，刘家维，《大公报》1951 年 12 月 6 日

永远注视新生的事物：读《星星之火，可以燎原》笔记，孙定国，《学习》1951 年第 4 期

科学预见的典范——重读《星星之火，可以燎原》，刘全开，《解放军报》1960 年 1 月 4 日

再读《星星之火，可以燎原》，周原冰，《人民日报》1960 年 1 月 5 日

胜利的启示：读《星星之火，可以燎原》的回忆与感受，杨植霖，《实践》1961 年第 7 期

《星星之火，可以燎原》一文的注释，《中国青年报》1962 年 2 月 1 日

看人民，看大局：学习《星星之火，可以燎原》的笔记，杨矛，

《中国青年报》1965 年 11 月 4 日

看形势要看实质：读《星星之火，可以燎原》的体会，詹文豹等，《羊城晚报》1966 年 1 月 18 日

"星星之火，可以燎原"是否主张以乡村为中心？——与贾蔚昌、张玉鹏同志商榷，吴荣宣，《党史研究》1981 年第 6 期

重读《星星之火，可以燎原》，韩一德等，《光明日报》1981 年 8 月 31 日

学会科学分析方法，增强胜利信心：学习《星星之火，可以燎原》的一点体会，卢广森，《河南日报》1981 年 11 月 13 日

具有中国特色的革命道路——读毛泽东著作《星星之火，可以燎原》等文，玉国，《西北第二民族学院学报》（哲学社会科学版）1992 年第 1 期

毛泽东因林彪写《星星之火，可以燎原》，少华、游湖，《中州今古》2004 年第 1 期

学习研究《寻乌调查》

要十分重视城市调查——学习毛主席《寻乌调查》的体会，高新庆，《企业经济》1983 年第 12 期

伟大的变迁——纪念毛泽东《寻乌调查》六十周年，廖士祥，

《企业经济》1990 年第 6 期

"抽肥补瘦"原则是毛泽东在寻乌调查中提出的——与范华同志商榷，林雄辉，《党史研究与教学》1991 年第 3 期

寻乌调查的启示，廖士祥、徐凌志，《求实》1991 年第 2 期

毛泽东《寻乌调查》中的民俗资料及其价值，辛渝，《西南民族大学学报》（人文社科版）1992 年第 6 期

试析《寻乌调查》的方志学意义，曹春荣，《赣南师范学院学报》1997 年第 5 期

调查研究的典范实事求是的楷模——纪念毛泽东寻乌调查七十周年，阳振乐，《党史信息报》2000 年 9 月 6 日

沿着毛泽东寻乌调查的光辉足迹前进——关于新形势下调查研究的若干思考，廖巨农，《四川党史》2000 年第 3 期

《寻乌调查》记载的山林制度，王福昌，《古今农业》2000 年第 2 期

毛泽东寻乌调查纪实，万建强，《党史纵览》2000 年第 4 期

《寻乌调查》的典型意义和现实意义，程贤章，《嘉应大学学报》2001 年第 4 期

大兴调查研究之风——学习毛泽东同志《寻乌调查》的体会，魏运亭，《江西日报》2003 年 12 月 7 日

毛泽东在寻乌，曹欣欣，《学习时报》2002 年 2 月 25 日

"《寻乌调查》与毛泽东对马克思主义中国化的探索——纪念毛泽东诞辰 110 周年"学术研讨会即将召开，《党的文献》2003 年第 4 期

从《寻乌调查》学习毛泽东的调查艺术，彭机明，《中共桂林市委党校学报》2003 年第 2 期

《寻乌调查》与 20 世纪初的客家社会经济，周建新、周俐，《吉首大学学报》（社会科学版）2003 年第 4 期

走近寻乌调查纪念馆，黄圣流、刘春辉、程燕，《江西日报》2003 年 11 月 19 日

《寻乌调查》发表 73 周年纪念会举行，《江西日报》2003 年 11 月 26 日

英文版《寻乌调查》在美国出版发行，《江西日报》2003 年 11 月 26 日

从《寻乌调查》谈地方志编写，迟宪平，《中国地方志》2004 年第 1 期

学习和发扬毛泽东"寻乌调查"的思想作风，高淑云、徐燕，《求实》2004 年第 11 期

毛泽东"寻乌调查"思想作风的鲜明特点与现实意义，高淑云，《中共南昌市委党校学报》2004 年第 1 期

《寻乌调查》的历史地位和作用，冯杨、黄少斌，《南方文物》2005 年第 4 期

毛泽东的寻乌调查，曹欣欣，《政策瞭望》2007 年第 4 期

学习研究《反对本本主义》

一切从实际出发是世界观和方法论的问题：学习《反对本本主义》札记，郭力军，《中国青年报》1964 年 7 月 28 日

调查研究是领导干部的首要任务：学习《反对本本主义》的一点体会，杨德志，《大众日报》1964 年 8 月 5 日

注重调查做好工作：《反对本本主义》学习笔记，兰祥美，《广西日报》1964 年 8 月 5 日

改进我们的经济活动分析报告：读《反对本本主义》笔记，周勉之，《中国金融》1964 年第 24 期

调查就是解决问题：读《反对本本主义》的心得，冯仁，《新疆日报》1965 年 1 月 23 日

不能机械地按"本本"办事，袁双贵，《劳动》1965 年第 9 期

学习《反对本本主义》，《解放军报》1966 年 1 月 31 日

发扬实事求是的优良作风：学习《反对本本主义》，中共寻乌县委会，《江西日报》1978 年 1 月 13 日

正确对待马列主义的"本本"，胡兆才，《浙江日报》1978 年 7 月 7 日

要从实践出发，而不是从"本本"出发，文锋，《内蒙古日报》1978 年 9 月 28 日

解放思想，勇于实践：学习毛主席《反对本本主义》，舒平，《杭州日报》1978 年 12 月 23 日

毛泽东同志的寻乌调查和《反对本本主义》，张必杰，《光明日报》1979 年 9 月 11 日

洗刷唯心精神，端正思想路线：学习毛泽东同志的《反对本本主义》的一点体会，何鹄志，《湖南日报》1979 年 9 月 13 日

坚持实践第一，反对本本主义，顾廷良，《宁夏日报》1979 年 10 月 14 日

马克思主义在实践中不断发展：学习《反对本本主义》体会，熊同全，《西藏日报》1979 年 10 月 14 日

实事求是一毛泽东思想灵魂：纪念《反对本本主义》发表五十周年，阙森华，《辽宁大学学报》1980 年第 3 期

坚持唯物主义思想路线：学习《反对本本主义》，罗匡，《光明日报》1981 年 8 月 22 日

试论《反对本本主义》在毛泽东哲学思想发展史上的地位，关麟，《理论与实践》1982 年第 2 期

龚育之同志指出：《反对本本主义》已初步地提出了毛泽东思想活的灵魂的三个基本点的雏形，《北京

日报》1982 年 3 月 5 日

坚持"本本"，反对本本主义，周琳，《重庆日报》1983 年 12 月 18 日

如何实事求是：学习《反对本本主义》，戴志仁，《社联通讯》（安徽）1983 年第 21 期

从斗争中创造局面：学习《反对本本主义》的体会，王兴斌，《学丛》1983 年（专刊）

试探《反对本本主义》一文的历史地位，刘世文，《理论研究》1984 年第 5 期

《反对本本主义》在毛泽东思想方法论的形成和发展中的地位，石成林等，《思想战线》1984 年第 5 期

试论《反对本本主义》的历史地位和现实意义，张建国，《大庆师专学报》（哲学社会科学版）1985 年第 2 期

《反对本本主义》一文的发现和重新发表，李伟，《党史资料通讯》1985 年第 7 期

党的思想路线上的奠基石，重温毛泽东同志的《反对本本主义》，张礼，《党史文汇》1988 年第 1 期

加强调查研究，坚持实事求是：纪念《反对本本主义》发表六十周年，戴志仁，《安徽大学学报》（哲社版）1990 年第 4 期

反对本本主义，认清中国国情：

学习《反对本本主义》的一点体会，唐洲雁，《学习与研究》1991 年第 7 期

毛泽东《反对本本主义》一文的发现经过，缪青，《福建党史月刊》1993 年第 7 期

《实践论》的序篇——《反对本本主义》，江敏，《毛泽东思想研究》1992 年第 2 期

《反对本本主义》的思想理论意义，周文琪，《科学社会主义》1992 年第 6 期

学习《反对本本主义》的体会，穆森，《理论建设》1992 年第 2 期

重温《反对本本主义》——纪念毛泽东诞辰一百周年，元萍，《沧州师范专科学校学报》1993 年第 4 期

思想政治工作要克服形式主义——学习毛泽东《反对本本主义》的体会，马文革，《合肥工业大学学报》（社会科学版）1993 年第 1 期

共产国际与毛泽东的《反对本本主义》，罗宗荣、龚自德、江红英，《毛泽东思想研究》1993 年第 2 期

毛泽东实用思想对詹姆士实用主义的超越——《反对本本主义》与《实用主义》之比较，马德福、张久营、寇子春，《毛泽东思想研

究》1993 年第 3 期

《反对本本主义》与建设有中国特色的社会主义, 雷华锋,《毛泽东思想研究》1993 年第 3 期

《反对本本主义》在毛泽东思想形成中的地位, 李积森,《青海师专学报》1993 年第 1 期

毛泽东《反对本本主义》石印件我们是怎样发现和上报中央的, 费云东、齐得平,《档案学通讯》1994 年第 1 期

从《反对本本主义》看毛泽东哲学思想的逻辑起点, 赵庙祥,《理论导刊》1994 年第 5 期

坚持调查研究是辩证唯物主义认识论的基本要求——学习《反对本本主义》, 张茹兰,《承德民族师专学报》1994 年第 2 期

略论《反对本本主义》中的认识论思想及现实意义, 顾金兰,《大庆社会科学》1994 年第 3 期

《反对本本主义》在毛泽东哲学思想史上的地位和意义, 王生茂,《辽宁农业职业技术学院学报》1994 年第 1 期

论《反对本本主义》在毛泽东哲学思想形成中的地位, 方辉锦,《阜阳师范学院学报》(社会科学版)1994 年第 2 期

建设实践中要克服教条主义——重读《反对本本主义》, 王毛生,《武汉理工大学学报》(社会科学版)1994 年第 1 期

《反对本本主义》与建设有中国特色的社会主义, 于耀洲, 尹平华,《理论探讨》1995 年第 1 期

《反对本本主义》在思想史上的意义, 邱守娟,《马克思主义研究》1997 年第 5 期

由《反对本本主义》发现引发的……蓝桂英,《福建党史月刊》1997 年第 2 期

实事求是, 探索真理:《反对本本主义》的精华——论实事求是、自以为是、以本为是之分野, 贺祥林,《社会科学》1998 年第 6 期

实事求是、自以为是、以本为是之分野——领悟《反对本本主义》之精华, 贺祥林,《东南学术》1998 年第 3 期

读《反对本本主义》有感, 黄建军,《农村发展论丛》1999 年第 14 期

毛泽东《反对本本主义》的现实意义, 刘德洪,《福建党史月刊》1999 年第 7 期

坚持实事求是原则, 练好调查研究基本功——学习毛泽东《反对本本主义》的体会, 杨胜文,《黑龙江教育学院学报》2000 年第 2 期

重温《反对本本主义》, 蒋忠英,《理论学习》2000 年第 5 期

实践高于理论——重温《反对本本主义》, 田川,《贵阳市委党校学报》2000 年第 6 期

社会主义革命与建设进程中的基本准则——从《反对本本主义》说起，田川，《贵州警官职业学院学报》2001年第2期

《反对本本主义》与毛泽东思想活的灵魂，祖雷，《济宁师专学报》2001年第2期

《反对本本主义》的哲学内涵与特点试析，聂治本，《辽宁工学院学报》（社会科学版）2001年第3期

论"反对本本主义"与党的思想路线的形成与发展，张英，《武汉科技大学学报》（社会科学版）2001年第2期

发展马克思主义与反对教条主义——重读《反对本本主义》，周德金、王晓青，《黄冈师范学院学报》2002年第2期

《反对本本主义》：毛泽东思想形成的主要标志，李亮、贺朝霞，《忻州师范学院学报》2003年第1期

《反对本本主义》与毛泽东思想的活的灵魂，陈安，《安庆师范学院学报》（社会科学版）2003年（增刊）

毛泽东思想形成和发展的一个里程碑——浅论《反对本本主义》在毛泽东思想发展史上的历史地位，刘喜发，《江南大学学报》（人文社会科学版）2004年第4期

《反对本本主义》哲学思想初论，宋继和、林成策，《山东教育学院学报》2004年第6期

《反对本本主义》在毛泽东思想形成中的地位和作用，冯惠，《毛泽东邓小平理论研究》2005年第1期

马克思主义中国化的理论标志——兼论《反对本本主义》的历史地位，袁辉初，《青海师专学报》2005年第5期

试论《反对本本主义》与中国共产党思想路线的关系，聂治本，《沈阳师范大学学报》（社会科学版）2006年第3期

撮要显旨异彩纷呈——毛泽东《反对本本主义》赏析，岳海翔，《秘书工作》2006年第7期

论《反对本本主义》的调查研究思想，宋继和、徐西永，《山东教育学院学报》2006年第3期

《反对本本主义》的写作背景及历史作用，王欢，《传承》2007年第5期

学习研究《才溪乡调查》

才溪乡调查会会址，吴国安，《党史研究与教学》1986年第3期

对毛泽东《才溪乡调查》的思考，刘宝联，《党史研究与教学》1993年第2期

毛泽东才溪乡调查纪实，钟兆

云,《湘潮》1993 年第 8 期

"才溪乡调查"的历史启示,陈福才,《福建党史月刊》1993 年第 11 期

重温毛泽东《才溪乡调查》,黄元铭、黄春开,《福建党史月刊》1993 年第 11 期

毛泽东《才溪乡调查》的诞生,嵇美珍,《福建党史月刊》2003 年第 10 期

毛泽东才溪乡调查纪实,钟兆云,《福建党史月刊》2003 年第 11 期

弘扬苏区精神大兴调研之风——我省举行纪念毛泽东同志诞辰一百一十周年暨才溪乡调查七十周年大会,《福建日报》2003 年 11 月 26 日

伟大的精神光荣的传统——纪念毛泽东长冈乡、才溪乡调查 70 周年,张秋炯,《福建党史月刊》2003 年第 12 期

才溪乡妇女的奉献精神——纪念毛泽东《才溪乡调查》70 周年,张雪英,《龙岩师专学报》2004 年第 1 期

学习研究《关心群众生活,注意工作方法》

学习科学的领导方法,田家英,《学习》1950 年第 2 期

把人民群众的智慧变成物质力量,照熙,《学习生活》(东北)1951 年第 1 期

《关心群众生活,注意工作方法》读后记,金克木,《新建设》1951 年第 5 期

从群众的切身利益出发:读《关心群众生活,注意工作方法》后感,林杜,《光明日报》1951 年 9 月 6 日

《关心群众生活,注意工作方法》读后感,周家浪,《新华日报》1951 年 11 月 21 日

把《关心群众生活,注意工作方法》的原则贯彻到我们工作中去,

陈漫远,《人民日报》1954 年 1 月 27 日

更好地关心群众就能更好地完成任务:读毛主席《关心群众生活,注意工作方法》,世木,《解放日报》1956 年 4 月 19 日

读《关心群众生活,注意工作方法》,鲍世平,《浙江日报》1956 年 9 月 18 日

重读《关心群众生活,注意工作方法》的体会,聿之,《大众日报》1957 年 2 月 7 日

鼓舞群众的革命热情,发挥群众的冲天干劲:纪念毛主席《公关心群众生活,注意工作方法》发表二十五周年,韩佳辰,《读书》1958 年第 2 期

读《关心群众生活，注意工作方法》，刘叔尘，《中国青年》1959年第8期

学习毛主席的群众观点和工作方法：重读《关心群众生活，注意工作方法》，刘宇洲，《辽宁日报》1960年3月21日

学习毛主席关心群众生活的崇高精神，谢象晃，《跃进》1960年第4期

论关心与组织人民生活，学习《关心群众生活，注意工作方法》一文笔记，杨海澄等，《吉林日报》1960年6月15日

《关心群众生活，注意工作方法》一文的历史背景和伟大的意义，陈庆升，《史学月刊》1960年第8期

从调查研究中取得发言权，白夜，《中国青年》1961年第4期

关心和同心：读毛主席著作札记，杨小春，《江西日报》1962年7月26日

任务、方法、作风：学习《关心群众生活，注意工作方法》，林澄，《人民日报》1964年7月4日

《关心群众生活，注意工作方法》的历史背景，于成，《羊城晚报》1964年8月12日

在革命面前真正负起责任来：结合县委领导革命化的讨论，学习《关心群众生活，注意工作方法》，《人民日报》1965年11月17日

发动群众的革命积极性：重读《关心群众生活，注意工作方法》，鲁阳，《学术研究》1966年第2期

"马来亚革命之声"电台指出，毛主席思想极大丰富马列主义理论宝库，应该认真学习《关心群众生活，注意工作方法》这篇光辉著作，《人民日报》1977年12月30日

毛泽东关于领导工作的一个重要思想——读《关心群众生活，注意工作方法》，朱汉卿，《石油政工研究》1994年第1期

试论毛泽东《关心群众生活注意工作方法》一文中的心理学内涵，刘天庆，《理论学习与探索》1995年第3期

真正的铜墙铁壁是人民群众——重温毛泽东《关心群众生活，注意工作方法》，张星星、王文，《理论学习》2002年第6期

学习毛泽东《关心群众生活注意工作方法》的启示，陈寿民，《实事求是》2003年第6期

学习研究《中国革命战争的战略问题》

马克思主义的军事路线：读毛主席《中国革命战争的战略问题》笔记，双云，《学习》1950年第10期

学习毛泽东同志的军事理论,陈元晖,《学习生活》(东北) 1951 年第 11—12 期

读《中国革命战争的战略问题》,陈元晖,《新建设》1952 年第 1 期

对毛泽东思想的一些体会:读《中国革命战争的战略问题》笔记,陈受谦,《教工通报》1953 年第 4 期

战争指导上的主观和客观,学习《中国革命战争的战略问题》的笔记,康明,《解放军报》1958 年 9 月 14 日

集中优势兵力各个歼灭敌人:学习《中国革命战争的战略问题》笔记,王松玲,《读书》1958 年第 12 期

论"全局在胸"《中国革命战争的战略问题》学习笔记,喻祺,《思想政治教育》1959 年第 4 期

读书有方法:试谈如何精读《中国革命战争的战略问题》,张云晓,《解放军报》1959 年 6 月 18 日

认识规律、运用规律:学习《中国革命战争的战略问题》的笔记,卢之超,《红旗》1961 年第 13 期

谈主动和被动:读《中国革命战争的战略问题》的一点体会,周舍鲁,《人民日报》1963 年 11 月 5 日

学习《重要的问题在善于学习》:《中国革命战争的战略问题》一文中一节,刘志强,《北京日报》1965 年 10 月 26 日

学习《战争的目的在于消灭战争》:《中国革命战争的战略问题》中的一节,《解放军报》1966 年 2 月 7 日

掌握运用客观规律的光辉范例:重读《中国革命战争的战略问题》,李茂,《中州学刊》1981 年第 8 期

重视研究事物的特殊规律:学习《中国革命战争的战略问题》,侯礼文,《北京日报》1981 年 5 月 18 日

重要的问题在善于学习:学习《中国革命战争的战略问题》的一点体会,姜子华,《云南日报》1981 年 7 月 17 日

尊重客观规律,发挥主观能动性:学习《中国革命战争的战略问题》的体会,徐志刚,《河南日报》1981 年 10 月 16 日

主观指导必须符合客观实际:读《中国革命战争的战略问题》,李华文,《大众日报》1981 年 11 月 21 日

努力掌握和运用客观规律:学习《中国革命战争的战略问题》的一点体会,王益和,《宁夏日报》1981 年 12 月 10 日

要重视发挥主观能动作用:重读毛泽东同志的《中国革命战争的

战略问题》的一点体会，肖德州，《长江日报》1981 年 12 月 26 日

研究事物及其规律应该着眼其特点：学习《中国革命战争的战略问题》，张弓长等，《学习与研究》1981 年第 4 期

实事求是的光辉篇章：学习《中国革命战争的战略问题》，陈柏灵,《哲学研究》1981 年第 10 期

要在研究事物的特殊规律上下功夫：学习《中国革命战争的战略问题》札记，齐振海,《中国青年》1981 年第 10 期

《中国革命战争的战略问题》一文哲学思想介绍，陈葆华等编，《理论研究资料》1981 年 6 月 5 日

学习《中国革命战争的战略问题》的哲学思想，裴增寿,《晋中社联》1981 年（增刊）

在军事辩证法的海洋中学会战争游泳术：学习《中国革命战争的战略问题》一书的哲学思想，阳作华,《黄石师院学报》(哲学社会科学版) 1982 年第 1 期

学习《中国革命战争的战略问题》一书的哲学思想，于冀波,《奋斗》1982 年第 1 期

具体问题具体分析的光辉范例：学习《中国革命战争的战略问题》和《论持久战》中哲学思想的体会，王仁清,《通化师院学报》(社会科学版) 1982 年第 2 期

《实践论》光辉思想的初萌：学习《中国革命战争的战略问题》，王培智,《东岳论丛》1982 年第 2 期

对毛泽东同志两篇著作中的系统方法论初探，徐金龙,《江西社会科学》1982 年第 2 期

《中国革命战争的战略问题》学习资料，勇格等,《奋斗》1982 年第 2 期

学习革命辩证法，搞好四化建设一读《中国革命战争的战略问题》，王秀芝,《福建师大学报》1982 年第 3 期

要掌握全局和局部的辩证法：学习《中国革命战争的战略问题》，王健铨,《学习与研究》1982 年第 3 期

实现主观与客观统一的方法，途径：学习《中国革命战争的战略问题》中的哲学思想，梁学强等，《学术论坛》1982 年第 5 期

"按照现实情况规定我们自己的东西"，《中国革命战争的战略问题》简介，王贵秀等,《理论与实践》1982 年第 5 期

两种世界观和方法论的根本对立和分歧：学习《中国革命的战争的战略问题》中的哲学思想，胡金鉴,《实事求是》(新疆) 1982 年第 5 期

认识和运用事物规律的典范：学习《中国革命战争的战略问题》，

陈柏灵,《学习与研究》1982 年第 6 期

学习《中国革命战争的战略问题》,掌握马克思主义世界观方法论,姜思毅,《理论学习参考资料》(西藏) 1982 年第 8 期

战争中的辩证法——学习《中国革命战争中的战略问题》的一点体会,陈葆华、张文儒,《全国毛泽东哲学思想讨论会论文选》,广西人民出版社 1982 年版

认识规律和应用规律科学方法:《中国革命战争的战略问题》,梁木等,《学术研究》1983 年第 1 期

对《中国革命战争的战略问题》中认识过程两飞跃的探索,林莉珍,《芜湖师专学报》(哲学社会科学版) 1983 年第 2 期

认识律规和发挥主观能动性必须坚持唯物论和辩证法的有机统一:重读《中国革命战争的战略问题》,刘歌德,《衡阳师专学报》1983 年第 3、4 期

《中国革命战争的战略问题》中的系统方法初探,杨永德,《延边大学学报》(社会科学版) 1984 年第 1 期

毛泽东同志的系统思想和方法初探:读《中国革命战争的战略问题》,周晓光,《人文杂志》1984 年第 1 期

《中国革命战争的战略问题》

在毛泽东哲学思想发展史上的地位,方辉锦,《安徽大学学报》(哲学社会科学版) 1984 年第 2 期

军事辩证法的光辉篇章:学习《中国革命战争的战略问题》,刘继贤,《毛泽东思想研究》1984 年第 4 期

创造性地运用全局与局部辩证法的光辉典范——《中国革命战争的战略问题》价值评价,王建铨,《长白学刊》1993 年第 5 期

毛泽东思想与现代商战——学习《中国革命战争的战略问题》札记,胡岳岷,《当代经济研究》1993 年第 4 期

《中国革命战争的战略问题》的光辉,袁国青,《延边大学学报》(社会科学版) 1993 年第 4 期

思想的精华 理论的高峰——《中国革命战争的战略问题》与《论持久战》之比较研究,杨超,《天府新论》1994 年第 1 期

军事辩证法奠基作的华章——读《中国革命战争的战略问题》开篇章札记,夏征难,《毛泽东思想研究》1995 年第 1 期

实践中运用和发展认识论和辩证法的范例——学习《中国革命战争的战略问题》,黄希贤,《贵州大学学报》(社会科学版) 1995 年第 3 期

唯物辩证法的光辉典范——重读

毛泽东《中国革命战争的战略问题》，刘胜康，《贵州民族学院学报》（哲学社会科学版）1996 年第 1 期

论毛泽东分析战争问题的哲学思维方式——读《中国革命战争的战略问题》，吴伟华，《军事历史研究》1996 年第 4 期

纪念中国工农红军长征胜利暨《中国革命战争的战略问题》发表 60 周年学术研讨会在徐州召开，徐红枫，《军事历史》1996 年第 6 期

军事辩证法由胚胎孕育成熟——《军事辩证法》与《中国革命战争的战略问题》之比较，夏征难，《毛泽东思想论坛》1996 年第 3 期

毛泽东《军事辩证法》、《中国革命战争的战略问题》之比较，夏征难，《军事历史》1997 年第 3 期

《中国革命战争的战略问题》与战略思维，王建铨，《新视野》2000 年第 5 期

杰出的兵书光辉的哲理——《中国革命战争的战略问题》中的哲学思想，卢冀宁，《高校理论战线》2003 年第 12 期

建立中国化的马克思主义军事战略学——毛泽东撰写《中国革命战争的战略问题》——《延安精神专题讲座》之四，王炳权，《中华魂》2006 年第 10 期

马克思主义军事理论中国化的奠基之作——纪念《中国革命战争的战略问题》发表七十周年，盖世金，《西安政治学院学报》2006 年第 6 期

学习研究《实践论》

没有抽象的真理，真理总是具体的，王子野，《学习》1950 年第 1 期

从实际出发，郑昌，《学习》1950 年第 5 期

实践论——马列主义的发展与中国传统问题的解决，冯友兰，《新建设》1951 年第 6 期

反对教条主义和经验主义，掌握理论与实际相联系的方法，王朗超，《群众日报》1952 年 3 月 6 日

学习毛泽东思想方法，马特，《新建设》1952 年第 2 期

《实践论》与考古工作：学习《实践论》的笔记，夏鼐，《光明日报》1953 年 11 月 30 日

在物理学发展中有关认识论的问题：《实践论》在物理学发展中的具体体现，林万和，《哲学研究》1955 年第 4 期

实践的观点和党的群众路线：《实践论》学习笔记，谢世荣，《浙江日报》1956 年 7 月 13 日

《实践论》与教学过程：纪念

《实践论》发表二十周年，陈汝惠，《厦门大学学报》1957 年第 2 期

尊重唯物论一介《实践论》，孙滔，《红与专》1958 年第 4 期

谈谈主观能动作用：《实践论》学习笔记，房松，《红与专》1959 年第 17 期

才能从何而来？——在实践中运用《实践论》，戚若文，《文汇报》1960 年 1 月 15 日

毛主席的《实践论》和《矛盾论》是共产主义道德教育方法的理论基础，史国雅，《山西师院学报》1960 年第 1 期

认识与实践，学习《实践论》的体会，吕祥安，《青海日报》1961 年 7 月 21 日

亲知与真知：读《实践论》的心得，吴雨，《河北日报》1962 年 7 月 17 日

人的正确思想从哪里来，学习毛主席著作《实践论》的一点体会，左侠生，《新华日报》1963 年 8 月 6 日

物质变精神，精神变物质，《实践论》学习笔记，陈浚，《人民日报》1964 年 2 月 29 日

实践是检验真理的标准，学习《实践论》札记，杜雷，《南方日报》1964 年 12 月 28 日

自由和必然，鲁德，《人民日报》1965 年 2 月 26 日

"亲口吃一吃"，周杏英，《人民日报》1965 年 3 月 17 日

掌握认识运动的两个飞跃：学习《实践论》的几点体会，姜柳初，《广西日报》1965 年 3 月 25 日

正确的要领来自实践：学习《实践论》的一点体会，陆恩淳，《体育报》1965 年 4 月 2 日

物质和精神互相转化的条件：记《实践论》、《人的正确思想是从哪里来的？》的一次讨论，《广西日报》1965 年 7 月 15 日

真理属于实践的人们，王永来，《湖南日报》1965 年 7 月 18 日

实践出智慧：学习《实践论》的体会，应忠发，《解放日报》1965 年 10 月 12 日

实践第一：学习《实践论》点滴体会，陈时庆，《中国摄影》1966 年第 1 期

马克思主义的认识论不容颠倒：学习《实践论》批判"四人帮"，陈坚，《中山大学学报》（哲学社会科学版）1977 年第 6 期

马列主义普遍真理与革命具体实践相结合的哲学概括：谈谈《实践论》、《矛盾论》对辩证唯物主义的重大贡献，李秀林等，《北京师范大学学报》（社会科学版）1977 年第 6 期

《实践论》、《矛盾论》是实事求是的理论基础，马哲文，《中山大

学学报》(哲学社会科学版) 1978 年第 2 期

真理的标准只能是社会的实践：重读《实践论》的一点体会，韩宁夫,《湖北日报》1978 年 9 月 21 日

真理的标准只能是社会实践：重读毛主席《实践论》，肖乔,《安徽日报》1978 年 10 月 20 日

坚持实践第一的观点，学习《实践论》的体会，张明,《大众日报》1978 年 10 月 28 日

实践论指引我们夺取现代化建设的胜利：纪念毛泽东同志诞生八十五周年，本报评论员,《人民日报》1978 年 12 月 26 日

坚持实践标准才能发挥理论的指导作用：学习《实践论》的一点体会，李金有,《青海日报》1979 年 4 月 22 日

我对"物质变精神，精神变物质"的一点看法，邹先松,《学术研究》1980 年第 2 期

关于马克思主义实践观的几个问题（纪念《实践论》问世四十三周年），胡义成,《人文杂志》1980 年第 3 期

"物质可以变精神、精神可以变成物质"是认识论的科学命题，刘华谋,《学术研究》1980 年第 6 期

人类认识的总规律：学习《实践论》，艾思奇,《探讨》1981 年第 2 期

毛泽东论"主观见之于客观"的方法（略论精神向物质转化的两个阶段），孔易人,《湘潭大学学报》1981 年第 8 期

认识第一个飞跃的几个环节一学习《实践论》札记，郭天,《光明日报》1981 年 7 月 9 日

《实践论》是马克思主义的认识论，哲镤,《南京大学学报》(哲学社会科学版) 1981 年第 4 期

《实践论》探论中提出的若干问题的回顾，沙文金,《毛泽东哲学思想研究动态》1981 年第 41 期

试论认识的辩证法：重温毛泽东同志的《实践论》，王向善,《新疆师大学报》(社会科学版) 1982 年第 1 期

毛泽东同志《实践论》的主要贡献，张恩滋,《河北大学学报》(哲学社会科学版) 1982 年第 2 期

《实践论》和中国哲学史上的知行观，金隆德,《安徽大学学报》1982 年第 3 期

偏见比无知离真理更远：关于《实践论》的写作、流传和发展，龚育之编,《文献和研究》1982 年第 3 期

《实践论》在马克思主义哲学发展史上的地位，冯国瑞,《全国毛泽东哲学思想讨论会论文选》，广西人民出版社 1982 年版

《实践论》是"左"倾错误思

想的理论基础吗？邓晓琳《社联通讯》（上海）1982 年第 9 期

调查研究是实事求是的关键——读《实践论》的一点体会，潘宝卿等，《新湘评论》1982 年第 12 期

马克思主义实践观的历史发展：从《关于费尔巴哈的提纲》到《实践论》，康祥生，《江西社会科学》1983 年第 2 期

从《实践论》谈毛主席的读书生活，龚育之，《读书》1983 年第 2 期

理论和实践统一的基石：读《实践论》札记，肖前，《社会科学战线》1983 年第 3 期

浅论《实践论》的辩证观点，黄克，《江西社会科学》1983 年第 4 期

论《实践论》与《矛盾论》的关系，周振声，《江西社会科学》1983 年第 6 期

论"行"范畴的历史发展和《实践论》的贡献，黄洪基，《求索》1983 年第 6 期

认真学习毛泽东同志的《实践论》和《矛盾论》，王首道，《毛泽东思想研究》1984 年第 1 期

马克思主义哲学的本质特征和时代特征——重读《实践论》，彭展，《江汉论坛》1984 年第 2 期

坚持改造客观世界与改造主观世界的统一，重读《实践论》札记，孙宏典等，《信阳师院学报》（哲学社会科学版）1984 年第 3 期

论《实践论》在毛泽东哲学思想中的地位及其特色，张同基，《固原师专学报》1984 年第 3 期

《实践论》对研究教学过程的指导意义，温寒江，《教育研究》1984 年第 4 期

"实践—认识—实践"的丰富内容——重读《实践论》，李昕，《佳木斯师专学报》（社会科学版）1984 年第 4 期

辩证法与认识论高度统一的典范：读《实践论》、《矛盾论》札记，赖章盛，《江西冶金学院学报》1984 年（增刊）

《实践论》与决策科学化，丘一平，《学习月刊》1987 年第 5 期

《实践论》、《矛盾论》是我党思想路线的哲学基础：纪念《实践论》、《矛盾论》发表 50 周年，刘歌德，《玉林师专学报》1987 年第 1 期

从实践中认识社会主义初级阶段：纪念《实践论》发表五十周年，张江明，《广州日报》1987 年 7 月 24 日

《实践论》中方法论意义的启示，凌厚峰，《学习月刊》1987 年第 7 期

"两论"的历史启示：纪念毛泽东《实践论》、《矛盾论》问世 50

周年，蔡德麟，《安徽日报》1987 年 8 月 28 日

端正思想路线、学风、文风的杰出论著：纪念《实践论》、《矛盾论》发表五十周年，张学曾，《青岛师专学报》1988 年第 1 期

上海哲学界集会纪念《实践论》发表 55 周年，陈新汉，《哲学动态》1992 年第 8 期

日本学术界对《实践论》的研究，黎永泰，《四川大学学报》（哲学社会科学版）1992 年第 3 期

哲学就是认识论——纪念《实践论》发表 55 周年，夏镇平，《上海大学学报》（社会科学版）1992 年第 6 期

对建立"大实践观"的探讨——学习毛泽东《实践论》的思考，戴本颢、杨天健，《兵团教育学院学报》1993 年第 4 期

论毛泽东的实践观——重读《实践论》，宋全成，《山东医科大学学报》（社会科学版）1993 年第 3 期

传统的继承与转化——也谈《实践论》《矛盾论》与中国传统哲学的关系，李佑新，《湘潭大学学报》（哲学社会科学版）1993 年第 4 期

从《实践论》看毛泽东的逻辑思想，刘家寿，《郧阳师范高等专科学校学报》1993 年第 4 期

《实践论》当代中国认识论，

王霁，《北京社会科学》1993 年第 1 期

从突变论学《实践论》，文庆文连，《河北师范大学学报》（自然科学版）1993 年第 3 期

论文艺与社会实践的辩证关系——学习毛泽东《实践论》，袁家都，《华中科技大学学报》（社会科学版）1993 年第 4 期

《实践论》是历史教学的最高依据，侯外庐，《史学史研究》1993 年第 3 期

《实践论》：中国化的马克思主义认识论，王霁，《教学与研究》1993 年第 6 期

教学过程研究的方法论基石——重读毛泽东《实践论》、《矛盾论》，陈列，《教育研究与实验》1993 年第 2 期

《实践论》——语文教学研究的哲学基础，王育林，《语文教学通讯》1993 年第 12 期

《矛盾论》和《实践论》的内在联系，赵庙祥，《毛泽东思想研究》1994 年第 2 期

理档兴业：尊重实践的必然选择——学习毛泽东《实践论》等著作的思考，国光、王世金，《中国档案》1994 年第 1 期

《实践论》《矛盾论》与编辑辩证法，袁作兴，《长沙电力学院学报》（社会科学版）1994 年第 3 期

《矛盾论》《实践论》对苏联哲学教科书思想养分的吸收及创新，胡为雄，《毛泽东思想论坛》1994 年第 4 期

时代精神之精华——《实践论》《矛盾论》的哲学观，李宗开、王雅君，《克山师专学报》1994 年第 1 期

毛泽东的《实践论》与建设有中国特色社会主义理论，周文彬、林翠英，《上海大学学报》（社会科学版）1994 年第 2 期

毛泽东对教条主义的哲学批判——读《实践论》、《矛盾论》，韩琳，《延安大学学报》（哲学社会科学版）1994 年第 4 期

探索中国革命和建设道路的理论指导——重读《实践论》，郑新民，《常熟高专学报》1994 年第 1 期

《矛盾论》、《实践论》与粒子物理学，俞礼钧，《江汉大学学报》（人文科学版）1994 年第 6 期

学习《实践论》深刻转变计划经济观念，吴勇青、胡传才，《天津市工会管理干部学院学报》1994 年第 3 期

论《实践论》的逻辑结构，汤文曙，《毛泽东邓小平理论研究》1995 年第 1 期

《实践论》是对"知行关系"的科学解决，杨振溟，《贵州师范大学学报》（社会科学版）1995 年第

3 期

《实践论》思考题解答，赵理文，《前线》1995 年第 3 期

简论《实践论》在中国特色社会主义理论中所起的作用，王净，《毛泽东思想研究》1996 年第 2 期

回忆凡夫讲授《实践论》，梁钊，《广东党史》1996 年第 4 期

毛泽东反对教条主义斗争历程的哲学总结——纪念《实践论》、《矛盾论》发表 60 周年，邱守娟，《党的文献》1997 年第 5 期

运用"两论"思想研究当前的社会矛盾——纪念《实践论》《矛盾论》发表 60 周年，孙伯镁，《高校理论战线》1997 年第 7 期

从《实践论》《矛盾论》看马克思主义哲学中国化与传统文化的关系，陈卫平，《教学与研究》1997 年第 7 期

《实践论》《矛盾论》与中西哲学融合，薛广洲，《教学与研究》1997 年第 7 期

"《实践论》、《矛盾论》与建设有中国特色社会主义理论"学术讨论会纪要，唐洲雁，《毛泽东邓小平理论研究》1997 年第 3 期

《实践论》、《矛盾论》的当代哲学意义——纪念"两论"问世 60 周年，雍涛，《毛泽东思想研究》1997 年第 4 期

《实践论》、《矛盾论》对马克

思主义哲学的理论贡献，瞿仁信，《毛泽东思想研究》1997 年第 5 期

理论的生命力来自继承和创新——纪念《实践论》《矛盾论》发表 60 周年，陈中立，《马克思主义研究》1997 年第 6 期

《实践论》与两次历史性飞跃——为《实践论》发表六十周年而作，凌厚锋，《中共福建省委党校学报》1997 年第 7 期

《实践论》《矛盾论》与中国革命——纪念"两论"发表 60 周年，马鸣，《中共福建省委党校学报》1997 年第 8 期

马克思主义哲学对旧哲学本体论世界观的超越——兼论《实践论》和《矛盾论》的历史地位，谢龙，《现代哲学》1997 年第 3 期

试谈《实践论》《矛盾论》的主题思想，张锋、李业杰，《现代哲学》1997 年第 3 期

在实践中不断开辟认识真理的道路——纪念《实践论》《矛盾论》发展 60 周年理论研讨会观点摘要，卢黄熙，《现代哲学》1997 年第 3 期

"纪念《实践论》《矛盾论》发表 60 周年理论研讨会"综述，罗归国，《哲学动态》1997 年第 10 期

正视安徽省财税工作中的问题——学习《矛盾论》、《实践论》若干思考，汪洋，《安徽大学学报》（哲学社会科学版）1997 年第 5 期

《实践论》《矛盾论》的方法论特征与邓小平的继承和发展，敖云波，《北京科技大学学报》（社会科学版）1997 年第 3 期

从毛泽东到邓小平：马克思主义哲学在发展——纪念《实践论》《矛盾论》发表六十周年，王展飞，《创造》1997 年第 10 期

邓小平对《实践论》思想的光辉运用和发展——为纪念毛泽东《实践论》发表 60 周年而作，林志，《党政干部学刊》1997 年第 9 期

试论中国特色的社会主义理论对《实践论》的继承和发展，陶笑眉、高斌，《党政干部论坛》1997 年第 8 期

唯物主义的实践哲学——浅析《实践论》的哲学倾向，崔俊杰，《国际关系学院学报》1997 年第 4 期

党的思想路线的理论基石——纪念《实践论》发表 60 周年，贺善侃，《军队政工理论研究》1997 年第 3 期

"《实践论》、《矛盾论》与建设有中国特色社会主义理论学术研讨会"综述，唐志龙，《军队政工理论研究》1997 年第 4 期

正视财税工作中的问题——学习《实践论》、《矛盾论》的思考，汪洋，《江淮论坛》1997 年第 4 期

党的思想路线的哲学论证——

重温毛泽东的《实践论》和《矛盾论》，郭长春，《理论界》1997年第4期

纪念《实践论》《矛盾论》发表60周年研讨会概述，张耀光，《理论前沿》1997年第21期

认识论的辩证法与辩证法的认识论——论《实践论》与《矛盾论》的关系，沧南，《毛泽东思想论坛》1997年第3期

实践观点和改革开放——为《实践论》发表60周年而作，李君如，《南京社会科学》1997年第5期

认识论的辩证法与辩证法的认识论——纪念《实践论》与《矛盾论》发表六十周年，沧南，《南京社会科学》1997年第6期

《实践论》、《矛盾论》的当代哲学意义——纪念"两论"问世60周年，雍涛，《南京社会科学》1997年第6期

《实践论》、《矛盾论》与建设有中国特色社会主义理论学术研讨会观点综述，孙尔台，《南京社会科学》1997年第6期

《实践论》、《矛盾论》对马克思主义哲学的理论贡献，瞿仁信，《南京社会科学》1997年（增刊）

《实践论》、《矛盾论》对马克思主义认识论和辩证法的理论贡献，冯国瑞，《南京社会科学》1997年（增刊）

《实践论》、《矛盾论》与中西哲学融合，薛广洲，《南京社会科学》1997年（增刊）

毛泽东对杨昌济知行观的继承、超越和《实践论》的发表，李灿珍，《南京社会科学》1997年（增刊）

《实践论》、《矛盾论》的方法论原则在毛泽东国际战略思想中的运用，陈和香，《南京社会科学》1997年（增刊）

提交"《实践论》、《矛盾论》与建设有中国特色社会主义理论"学术讨论会其他论文题录，黄南，《南京社会科学》1997年（增刊）

"《实践论》、《矛盾论》与建设有中国特色社会主义理论"学术讨论会开幕词，石仲泉，《南京社会科学》1997年（增刊）

在"《实践论》、《矛盾论》与建设有中国特色社会主义理论"学术讨论会开幕式上的讲话，王湛，《南京社会科学》1997年（增刊）

在"《实践论》、《矛盾论》与建设有中国特色社会主义理论"学术讨论会开幕式上的讲话，王武龙，《南京社会科学》1997年（增刊）

在"《实践论》、《矛盾论》与建设有中国特色社会主义理论"学术讨论会闭幕式上的讲话，陈安吉，《南京社会科学》1997年（增刊）

"《实践论》、《矛盾论》与建设

有中国特色社会主义理论"学术讨论会暨第九届全国毛泽东哲学思想研讨会闭幕词，陈占安，《南京社会科学》1997年（增刊）

"《实践论》、《矛盾论》与建设有中国特色社会主义理论"学术讨论会在宁举行，彭波、俞巧云，《南京社会科学》1997年（增刊）

论重新学习《实践论》的现实指导意义——纪念毛泽东《实践论》问世六十周年，贾平，《中共浙江省委党校学报》1997年第3期

再学《实践论》、《矛盾论》，侯树栋，《南京政治学院学报》1997年第5期

马克思主义同中国实际相结合的奠基之作——重温《实践论》、《矛盾论》的理论主旨及其建树，陶玉泉，《南京政治学院学报》1997年第5期

纪念《实践论》、《矛盾论》发表60周年学术研讨会综述，贺树林、张瑞忠，《南京政治学院学报》1997年第5期

邓小平对马克思主义认识论的贡献——纪念《实践论》发表60周年，庄琳、严公宝，《上海交通大学学报》（哲学社会科学版）1997年第2期

继承"两论"精神推进社会主义现代化建设——省哲学学会召开纪念《实践论》、《矛盾论》发表六

十周年理论研讨会，蔡永生，《理论与当代》1997年第9期

《实践论》与中国特色社会主义理论，张均兵、方增泉，《理论视野》1997年第2期

试论毛泽东、邓小平哲学的共同特征——从《实践论》、《矛盾论》谈起，敖云波，《中共四川省委省级机关党校学报》1997年第2期

从实践论思维方式看"一国两制"，王晓林，《江苏社会科学》1998年第1期

《实践论》、《矛盾论》在中国现代文化史上的地位，陆剑杰，《毛泽东思想研究》1998年第2期

毛泽东《实践论》中的逻辑哲学思想，胡晓萍，《毛泽东思想研究》1998年（增刊）

《实践论》、《矛盾论》与"一国两制"的形成，苗体君，《人文杂志》1998年第4期

《实践论》、《矛盾论》——中国化马克思主义的新逻辑学，刘宗棠，《贵阳师专学报》（社会科学版）1998年第2期

《实践论》与中国传统的知行观，刘太恒，《光明日报》2001年11月23日

《实践论》、《矛盾论》与邓小平理论的内在联系，张友谊，《山东社会科学》1998年第1期

《实践论》是对中国传统哲学

的科学总结，蔡德贵，《石油大学学报》（社会科学版）1998 年第 2 期

邓小平与《实践论》，吴春芳，《新视野》1998 年第 3 期

毛泽东给李达的三封信和《实践论》解说修改稿是怎样送到中南海的，张毅，《新乡师范高等专科学校学报》1998 年第 2 期

马克思主义哲学的杰作——读《实践论》、《矛盾论》，谢代洲，《毛泽东思想研究》1999 年第 6 期

《实践论》与思想解放，李永华，《毛泽东思想研究》1999 年（增刊）

《实践论》的逻辑结构特色及意蕴，汤文曙，《安徽农业大学学报》（社会科学版）1999 年第 4 期

李达指出《实践论》中的错误，李齐念，《党史文苑》1999 年第 3 期

对《实践论》现实意义的思考，曹书堂，《南都学坛》1999 年第 5 期

坚持马克思主义学风是理论工作者应有的党性修养——学习毛泽东《实践论》等著作的一点体会，陈鸿宇，《岭南学刊》1999 年第 S2 期

《实践论》、《矛盾论》对"一国两制"的哲学导向，苗体君，《宁夏大学学报》（社会科学版）1999 年第 1 期

马克思主义中国化的典范——论《实践论》《矛盾论》的深远意义，雍涛，《毛泽东邓小平理论研究》2000 年第 1 期

论《实践论》的实事求是方法论思想，吴军，《毛泽东邓小平理论研究》2000 年第 4 期

马克思主义与中国革命实践相结合的结晶——重读《实践论》，马华芳、王铁，《苏州丝绸工学院学报》2000 年第 6 期

《实践论》的逻辑结构及其意蕴，汤文曙，《理论建设》2000 年第 1 期

坚持改革开放反对教条主义——再读《实践论》，李晓寰，《重庆社会科学》2000 年第 4 期

扬弃的哲学——分析《实践论》和《矛盾论》的形成，陈永力，《贵州民族学院学报》（哲学社会科学版）2001 年第 1 期

《实践论》与马克思主义哲学中国化——马克思主义哲学中国化研究之一，鲍宏礼，《甘肃社会科学》2002 年第 2 期

从《实践论》、《矛盾论》看毛泽东的逻辑思想，刘良琼，《淮北煤炭师范学院学报》（哲学社会科学版）2002 年第 2 期

论《实践论》的一分为三认识观，周德义，《衡阳师范学院学报》2002 年第 2 期

论与时俱进的理论品格——从学习《实践论》到学习江泽民"七一"重要讲话，孙春山，《理论学习》2002 年第 6 期

主体性原则的丰富与发展——从《实践论》到"三个代表"重要思想，陈红桂，《江淮论坛》2003 年第 4 期

为纪念毛泽东诞辰 110 周年——马列所青年学习小组研读《实践论》和《矛盾论》，文东、秀丽，《中国社会科学院院报》2003 年12 月 23 日

重读《实践论》《矛盾论》的新认识，苏越、麻保安，《湖南科技大学学报》（社会科学版）2004 年第1 期

国外学者对《实践论》和《矛盾论》的研究概述，郭小磊，《青海社会科学》2004 年第 3 期

论毛泽东《实践论》和《矛盾论》的内在统一性，岳新民，《邵阳学院学报》（社会科学版）2004 年第3 期

唯物史观与认识论的统一——《实践论》对马克思主义认识论的发展，王世荣，《榆林学院学报》2004 年第 1 期

《实践论》对自然科学研究的指导作用，杨思燕、许克毅，《西华大学学报》（哲学社会科学版）2004年第 5 期

论毛泽东对教条主义的哲学批判——读《实践论》、《矛盾论》，何新明，《沙洋师范高等专科学校学报》2004 年第 3 期

毛泽东对马克思主义哲学的理论贡献——兼评《实践论》和《矛盾论》，刘志远，《重庆工学院学报》2005 年第 6 期

《实践论》《矛盾论》与中国哲学的现代化，康伟、杨永庚，《忻州师范学院学报》2005 年第 4 期

简论《实践论》对中国知识分子自由的影响，余满晖、唐圆梦，《哈尔滨学院学报》2005 年第 10 期

认识论的巨著、辩证法的力作——再读《实践论》的一点思考，窦文烈，《文史博览》2005 年第18 期

从一个视角重读《实践论》，张绪文，《学习时报》2005 年 7 月25 日

《实践论》对中国传统知行观的创造性转换，张琳，《理论学刊》2006 年第 2 期

《实践论》的理论贡献与当代价值，方娟，《湖南科技大学学报》（社会科学版）2006 年第 3 期

毛泽东《实践论》对传统知行观的超越，杨在峰，《长沙航空职业技术学院学报》2006 年第 3 期

《实践论》：马克思主义哲学中国化的开拓典范，肖向平，《中共桂

林市委党校学报》2007 年第 3 期

实践哲学视野中的《实践论》，吴书林，《毛泽东思想研究》2007 年第 5 期

从毛泽东的《实践论》谈高校思想政治课"实践教学"改革，贺继明、蒋家胜、范华亮，《毛泽东思想研究》2007 年第 5 期

《实践论》的理论特色——纪念《实践论》诞生 70 周年，汤文曙，《安徽教育学院学报》2007 年第 5 期

应重视改造世界规律的研究——纪念《实践论》发表七十周年，许全兴，《中共中央党校学报》2007 年第 5 期

《实践论》《矛盾论》历史局限性探析——纪念《实践论》《矛盾论》写作七十周年，韩亚光，《宝鸡文理学院学报》（社会科学版）2007 年第 2 期

《实践论》与实践唯物主义的探讨，李建平，《科技信息》（学术研究）2007 年第 13 期

论《实践论》对中国传统哲学认识论的扬弃，许雅范，《内蒙古民族大学学报》（社会科学版）2007 年第 2 期

试论《实践论》与实践唯物主义，林增荣，《成都大学学报》（教育科学版）2007 年第 5 期

坚持主观和客观、理论和实践具体的历史的统一——纪念《实践论》70 周年，杨晓梅，《中国青年政治学院学报》2007 年第 4 期

《实践论》、《矛盾论》与马克思主义哲学中国化，雍涛，《哲学研究》2007 年第 7 期

毛泽东《实践论》中的本体论思想，梁吉峰，《德州学院学报》2007 年第 3 期

纪念《实践论》《矛盾论》发表七十周年理论研讨会综述，杨信礼，《光明日报》2007 年 8 月 14 日

在实践中不断地开辟认识真理的道路——纪念《实践论》、《矛盾论》发表 70 周年理论研讨会综述，杨信礼，《理论视野》2007 年第 9 期

《实践论》、《矛盾论》的历史地位、科学价值和当代意义，杨春贵，《毛泽东邓小平理论研究》2007 年第 8 期

读懂《实践论》和《矛盾论》——写在"两论"发表 70 周年之际，邢贲思，《求是》2007 年第 17 期

学习研究《矛盾论》

学习《矛盾论》，学习具体分析事物的科学方法，艾思奇，《人民日报》1952 年 4 月 19 日

毛泽东同志的《矛盾论》是解

决实际工作问题的钥匙，赖若男，《人民日报》1952 年 4 月 26 日

学习《矛盾论》，克服教条主义与党八股作风，学习杂志编辑部，《学习》1952 年第 4 期

学习《矛盾论》，认识思想改造的真义，童书业，《文史哲》1952 年第 4 期

毛泽东同志论革命的辩证法，陈伯达，《人民日报》1952 年 5 月 13 日

《矛盾论》：毛泽东同志对唯物辩证法的实质所作的天才的概括，陈元晖，《新建设》1952 年第 5 期

学习《矛盾论》：对新现实主义创作方法的体会，孙昌熙等，《文史哲》1952 年第 5 期

马克思主义辩证法的科学性和革命性：学习《矛盾论》笔记，胡绳，《学习》1952 年第 5 期

学习《矛盾论》问题解答，艾思奇等，《学习》1952 年第 6、7 期

《矛盾论》学习中需要注意的一个问题，王惠德，《学习》1952 年第 7 期

学习《矛盾论》，学习科学的思想方法与工作方法，阎素，《学习》1952 年第 7 期

《矛盾论》与经济科学，沈志远，《新建设》1952 年第 8 期

学习《矛盾论》学习分析事物的方法，李之欣，《新文萃》1952 年

第 8 期

《矛盾论》与中国革命实践问题，马特，《新建设》1952 年第 10 期

《矛盾论》解说，《新建设》1953 年第 9 期

《矛盾论》与历史科学，杨人鞭，《光明日报》1954 年 1 月 9 日

《矛盾论》给我带来了信心和勇气，李羡林，《光明日报》1954 年 5 月 18 日

《矛盾论》解说中一个重要的更正，李达，《新建设》1955 年第 4 期

试论批评与自我批评的主观性与片面性：《矛盾论》学习笔记，徐宋生，《甘肃日报》1956 年 3 月 10 日

略论矛盾的主要和次要方面：学习《矛盾论》笔记，司马龙，《学习》1957 年第 3 期

论化消极因素为积极因素：学习毛主席的《矛盾论》和《实践论》的笔记，陈冰，《学习》1957 年第 15 期

辩证法就在我们生活中：《矛盾论》介绍，王曾惠，《红与专》（青海）1958 年第 3 期

尊重唯物，尊重辩证法：学习《矛盾论》的札记，程少康，《红与专》（福建）1959 年第 4 期

毛泽东哲学思想的光辉——学

习《实践论》《矛盾论》《关于正确处理人民内部矛盾的问题》的一些体会，四川大学哲学系，《光明日报》1960 年 2 月 14 日

用理论解决实际问题，学习《实践论》、《矛盾论》的几点体会，徐文海，《光明日报》1960 年 2 月 28 日

试论矛盾同一性的意义：学习《矛盾论》笔记，郭加，《文汇报》1960 年 12 月 23 日

具体问题具体分析是马克思主义活的灵魂：学习《矛盾论》笔记，王祚提，《安徽日报》1961 年 11 月 4 日

用不同的方法解决不同的矛盾：学习《矛盾论》札记，肖效武，《中国青年报》1961 年 11 月 24 日

谈事物的对立和统一，学习《矛盾论》的体会，习文，《青海日报》1961 年 11 月 28 日

试述毛泽东同志关于矛盾转化的理论：《矛盾论》学习笔记，季甄馥等，《江西大学学报》(社会科学版) 1963 年第 1 期

一分为二——事物本来的辩证法：学习《矛盾论》的一得，陈浚，《人民日报》1964 年 4 月 8 日

试论基本矛盾和主要矛盾的几个问题：学习《矛盾论》札记，秦谷明，《江海学刊》1964 年第 6 期

内在因素的作用：学习《矛盾论》笔记，刘耿，《陕西日报》1964 年 7 月 13 日

分析矛盾，解决矛盾，王小瑞，《人民日报》1964 年 12 月 18 日

认识事物规律才能掌握主动权，张秉义，《中国青年报》1965 年 1 月 26 日

从必然到自由，黄友林，《学术研究》1965 年第 2 期

正确处理积累与分配的矛盾：《矛盾论》，学习笔记，王景垣，《辽宁日报》1965 年 10 月 29 日

驳关于新生事物方面的三点怪论：学习《矛盾论》，李志荣，《辽宁日报》1978 年 2 月 15 日

论事物矛盾问题的精髓，重读《矛盾论》的一点体会，杨超，《哲学研究》1978 年第 12 期

试论矛盾同一性的含义，黄熙，《中山大学研究生学刊》1980 年第 2 期

关于过渡时期的主要矛盾问题，重读《矛盾论》后的一点认识，李葵元，《探讨》(北京) 1981 年第 2 期

事物的本质是丰富多样的：学习《矛盾论》札记，蒋国田，《光明日报》1981 年 6 月 18 日

主观因素在一定条件下起决定作用也是一条客观规律，沧南，《湘潭大学学报》1981 年第 3 期

《矛盾论》与三十年代新哲学论战，卢黄熙，《中山大学学报》(哲

学社会科学版）1981 年第 4 期

略论毛泽东同志对矛盾学说的运用和发展，齐云，《学术研究》1981 年第 5 期

《矛盾论》的理论结构及其特征，刘敝诚，《江西大学学报》（社会科学版）1982 年第 1 期

《矛盾论》的历史地位，杨春贵，《全国毛泽东哲学思想讨论会论文选》，广西人民出版社 1982 年版

《矛盾论》对马克思主义辩证法的贡献，张秉民，《宁夏教育学院学刊》1984 年第 2 期

毛泽东同志对矛盾转化原理的开拓，学习《矛盾论》笔记，冯义昆，《毛泽东哲学思想研究动态》1984 年第 3 期

试论《矛盾论》中的矛盾结构—过程理论，沈永有等，《陕西师范大学学报》1984 年第 4 期

政治经济学的对象和方法问题：学习毛泽东同志《矛盾论》的体会，彭体全，《经济问题探索》1984 年第 4 期

试论《矛盾论》一分为多的辩证法思想，周飞骏等，《社联通讯》1984 年第 5 期

论对抗性矛盾和非对抗性矛盾：针对《矛盾论》一文，戴伦编译，《国外社会科学快报》1984 年第 24 期

《矛盾论》揭示了三条崭新的辩证法规律，章韶华、徐必珍，《毛泽东思想研究》1985 年第 4 期

《矛盾论》和《哲学笔记》的思想渊源关系——纪念毛泽东逝世十周年，纪玉祥，《毛泽东思想研究》1986 年第 2 期

《矛盾论》与中国古代两点论思想，屠承先，《毛泽东思想研究》1987 年第 2 期

宇宙辩证运动的宏观图景：《矛盾论》与《逻辑学》的比较研究，姚定一，《毛泽东思想研究》1987 年第 2 期

浅谈毛泽东同志的矛盾系统观：纪念《矛盾论》发表五十周年，林德根、李滨肖，《理论思维》1981 年第 4 期

《矛盾论》关于转化的三种含义及其内在联系，吴军、杨昌才，《毛泽东思想研究》（成都）1987 年第 3 期

《矛盾论》的认识论意义，张卫平，《中国人民大学学报》1987 年第 4 期

《矛盾论》也是一部兵书，侯树栋，《毛泽东思想研究》1987 年第 4 期

矛盾问题的精髓与建设有中国特色的社会主义：纪念《矛盾论》问世五十周年，曹广胜，《毛泽东哲学思想研究动态》（上海）1987 年第 4 期

关于"两论"的重新发表及其影响，陈战难，《毛泽东哲学思想研究动态》1987 年第 6 期

《矛盾论》中的系统思想及其对我们的启示——纪念《矛盾论》发表 50 周年，冯义昆，《长白学刊》1987 年第 4 期

坚持和发展毛泽东的主次矛盾理论，安起民，《社会科学》1988 年第 4 期

论《矛盾论》中的系统方法思想及系统论与矛盾学说的相互关系，周世敏、席芳宽，《江西大学学报》（哲学社会版）1988 年第 3 期

《矛盾论》是怎样研究矛盾的？关于矛盾的同一性和斗争性的思考——《矛盾论》学习笔记，徐四光，《浙江社会科学》1992 年第 6 期

主次矛盾理论新探——纪念《矛盾论》问世五十五周年，陈敏强，《理论探索》1992 年第 4 期

《矛盾论》中几个问题之我见，辛晓晖，《天津商学院学报》1992 年第 2 期

《矛盾论》在辩证法思想史上的重要地位，马英，《理论探讨》1993 年第 2 期

浅谈《矛盾论》的中国特色，严宗泽，《北京联合大学学报》1993 年第 4 期

《矛盾论》对马克思主义辩证逻辑的贡献，张传开，《安徽师范大学学报》（人文社会科学版）1993 年第 4 期

《矛盾论》过程思想论要，王正明，《安徽教育学院学报》1993 年第 3 期

《矛盾论》和当代系统论，余姚，《北京社会科学》1993 年第 1 期

关于《矛盾论》的理论贡献、实践基石及启示，马承志，《甘肃理论学刊》1993 年第 6 期

谈高教改革中的矛盾及其化解办法——重学《矛盾论》的体会，王志远、温海昌，《河南师范大学学报》（哲学社会科学版）1993 年（增刊）

《矛盾论》是怎样研究矛盾的？赵又春，《湖南师范大学社会科学学报》1993 年第 3 期

《矛盾论》的基本思想在心理学方法论中的意义，陈沛霖，《华中师范大学学报》（人文社会科学版）1993 年第 6 期

关于差异和矛盾关系的思考——学习《矛盾论》体会，赵振华，《理论建设》1993 年第 5 期

简论《矛盾论》之超越性理论特色，萧金权，《毛泽东思想研究》1994 年第 1 期

论少数民族地区经济发展的立足点——纪念《矛盾论》发表五十六周年，贾秀兰，《西南民族学院学报》（哲学社会科学版）1994 年第

1 期

新闻报道中的几个方法论问题——重温《矛盾论》的体会，马多裕,《新闻爱好者》1994 年第 4 期

《矛盾论》与中国革命的逻辑，卢青山,《佛山科学技术学院学报》（社会科学版）1994 年第 1 期

《矛盾论》与《周易》哲学思维的比较，鲁子平,《毛泽东思想论坛》1994 年第 1 期

《矛盾论》与中国传统哲学，单维华,《齐齐哈尔大学学报》（哲学社会科学版）1994 年第 6 期

《矛盾论》对马克思主义辩证法的卓越贡献，黄培生,《学习论坛》1994 年第 3 期

《矛盾论》思考题解答，嶂峰,《前线》1995 年第 3 期

试论邓小平对毛泽东《矛盾论》原理的创造性运用，王明荣,《广西经济管理干部学院学报》1996 年第 1 期

矛盾的法则是新时期档案工作发展的指南——重温毛泽东《矛盾论》的体会，戴晓波,《贵州档案》1996 年第 3 期

《矛盾论》是对立统一学说第一个完备的理论形态，赖美琴,《四川师范大学学报》（哲学社会科学版）1997 年第 1 期

《矛盾论》与马克思主义哲学在中国的传播和发展——纪念《矛盾论》发表六十周年，张鲜元,《毛泽东思想研究》1998 年（增刊）

《矛盾论》三题，张定鑫、王家芬,《求实》1999 年第 2 期

论矛盾的主要方面原理的重要意义——重读《矛盾论》，李蜀人,《西南民族学院学报》（哲学社会科学版）1999 年（增刊）

《矛盾论》对马克思主义辩证法的几个新贡献，刘福秋,《丹东师专学报》1999 年第 3 期

《矛盾论》中一个小小的矛盾，毕登程,《思茅师范高等专科学校学报》1999 年第 3 期

《矛盾论》与马克思主义矛盾动力理论体系的形成，刘林元,《南京政治学院学报》2000 年第 2 期

《矛盾论》的体系新探——学习《矛盾论》札记，王文虎,《毛泽东思想研究》2000 年第 4 期

《矛盾论》与中国传统哲学，刘景山,《北方论丛》2000 年第 6 期

关于《矛盾论》中一段话的写作时间——就教于吴江同志，董树荣,《社会科学论坛》2000 年第 8 期

中国传统哲学与《矛盾论》，宋淑玉、董岩,《山东省农业管理干部学院学报》2000 年第 3 期

《矛盾论》对中国古代重统一哲学传统的突破及其意义，刘明芝,《理论学刊》2001 年第 1 期

试析《矛盾论》的核心思想，

王向明,《井冈山师范学院学报》
2001 年第 1 期

《矛盾论》对中国革命的贡献,
朱世英,《徐州教育学院学报》2001
年第 4 期

《矛盾论》对中国古代辩证法
的推陈出新,戴安良,《洛阳师范学
院学报》2004 年第 3 期

用《矛盾论》的观点解决楹联
理论中的矛盾——关于联界争论的
思考,丹徒生,《对联、民间对联故
事》2003 年第 5 期

实践哲学视野中的《矛盾论》,
王南湜,《武汉大学学报》(人文科学
版) 2005 年第 2 期

从《矛盾论》看毛泽东对马克
思主义辩证法的继承和发展,赵银
月,《文山师范高等专科学校学报》
2005 年第 1 期

矛盾分析是领导工作的"利
器"——重读《矛盾论》,李雷,
《毛泽东思想研究》2005 年第 3 期

差异还不是矛盾——对《矛盾
论》引述"差异就是矛盾"的再认
识,雷正良,《中共南昌市委党校学
报》2005 年第 3 期

谈《矛盾论》对唯物辩证法的
深化与发展,马玲、张群,《安徽职
业技术学院学报》2005 年第 4 期

目的与主要矛盾——读《矛盾
论》的一点反思,潘中伟,《河南商业
高等专科学校学报》2006 年第 1 期

对《矛盾论》中若干范畴的探
讨,雍涛,《毛泽东思想研究》2006
年第 3 期

以《矛盾论》看新时期的廉政
建设和腐败现象,刘晶,《山西广播
电视大学学报》2006 年第 3 期

国外学者关于毛泽东《矛盾
论》的复调式解读——从《辩证法
的内部对话》与《保卫马克思》的
分歧谈起,尚庆飞,《现代哲学》
2006 年第 4 期

浅析《矛盾论》及其对构建和
谐社会的几点启示,黄学锋、唐静
静,《世纪桥》2006 年第 10 期

统一性新探——纪念《矛盾
论》发表 70 周年,沧南,《湘潭大学
学报》(哲学社会科学版) 2007 年第
1 期

坚持《矛盾论》思想构建社会
主义和谐社会,沈东生,《理论视
野》2007 年第 3 期

《矛盾论》是马克思主义中国
化的哲学典范,梁超伦,《毛泽东思
想研究》2007 年第 3 期

冯友兰对《矛盾论》的误读,
王文虎,《湖北社会科学》2007 年第
7 期

"促成事物的转化,达到革命的
目的"——纪念《矛盾论》70 周
年,杨焕章,《中国青年政治学院学
报》2007 年第 4 期

重温《矛盾论》科学破难题,

江美塘,《今日浙江》2007 年第 15 期

《矛盾论》——中国革命实践

经验的理论总结，王馨梅,《科教文汇》(上旬刊) 2007 年第 9 期

学习研究《反对自由主义》

学习《反对自由主义》,《天津人民出版社编辑出版》1965 年第 9 期

我们主张积极的思想斗争, 孙士祥,《新文萃》1951 年第 11 期

学习毛泽东同志《反对自由主义》, 李杨,《中国青年报》1952 年 9 月 5 日

开展思想斗争, 反对自由主义: 重读《反对自由主义》的笔记, 丁乐,《东北日报》1952 年 9 月 13 日

读《反对自由主义》, 王南,《新建设》1952 年第 11 期

何以揭不开盖子——重读毛泽东同志的《反对自由主义》, 信者,《解放日报》1957 年 12 月 18 日

学习《反对自由主义》: 学习辅导, 郭玉运,《工人日报》1965 年 6 月 20 日

学习《反对自由主义》,《解放军报》1966 年 2 月 21 日

要敢于对错误倾向开展积极的思想斗争, 学习《反对自由主义》的体会, 林忠,《云南日报》1981 年 9 月 11 日

思想战线上的一项重要任务, 学习《反对自由主义》, 黄志坚,《光明日报》1981 年 9 月 16 日

纠正涣散软弱的思想武器: 重读《反对自由主义》, 康俊卿,《甘肃日报》1981 年 11 月 14 日

党的思想建设的一项重要任务: 学习《反对自由主义》, 张赤侠,《中州学刊》1982 年第 2 期

建设社会主义精神文明的思想武器: 重读《反对自由主义》, 伊诚,《宁夏日报》1982 年 3 月 18 日

需要批评和自我批评: 重读,《反对自由主义》有感, 陈模,《北京日报》1983 年 11 月 5 日

拿起批评与自我批评武器: 重读毛泽东同志著作《反对自由主义》, 春华,《新华日报》1983 年 12 月 18 日

要勇于纠正错误: 学习《反对自由主义》的体会, 李宗江,《甘肃日报》1983 年 12 月 21 日

《反对自由主义》问世前后: 访中顾委常委、全国政协副主席刘澜涛, 罗茂诚等,《人民日报》1983 年 12 月 24 日

忠诚, 坦白、积极, 正直: 学习《反对自由主义》的一点体会, 吴军等,《天津日报》1984 年 1 月 24 日

防止整党走过场的锐利思想武

器：重读《反对自由主义》，王福如，《学习与研究》1984 年第 1 期

加强党的团结统一必须继续反对自由主义——重读毛泽东同志的《反对自由主义》，秦光荣，《湖湘论坛》1992 年第 1 期

《反对自由主义》中心论点辨正，卢爱华，《语文教学与研究》1992 年第 7 期

教读教写，轻松自如——《反对自由主义》教例评析，映潮，《中学语文》1993 年第 11 期

重读《反对自由主义》与整顿机关作风，张有珩，《学习论坛》1999 年第 8 期

《反对自由主义》诠释，廖联奎，《毛泽东思想研究》2005 年第 1 期

学习研究《论鲁迅》

言简意明　激人奋发——毛泽东同志《论鲁迅》浅析，阮家桂，《兰州教育学院学报》1987 年第 1 期

学习研究《上海太原失陷以后的抗日战争的形势和任务》

学习反对投降主义的历史经验：读《上海太原失陷以后抗日战争的形势任务》，李鸿烈，《湖北日报》1982 年 4 月 22 日

要开展反对腐化变质的斗争：重温《上海太原失陷以后抗日战争的形势和任务》，王益和，《宁夏日报》1982 年 5 月 7 日

保持共产党员共产主义的纯洁性，重读《上海太原失陷以后抗日战争的形势和任务》，杨柯，《河北日报》1982 年 5 月 26 日

抗战初期反对右倾投降主义的斗争：简介《上海太原失陷以后抗日战争的形势和任务》一文，杨祖培，《实践》1982 年第 5 期

既要反对左倾关门主义，又要反对右倾投降主义，学习《上海太原失陷以后抗日战争的形势和任务》的体会，马玉，《学理论》1982 年第 5 期

坚持斗争，纯洁党性：读毛泽东同志的《上海太原失陷以后抗日战争的形势和任务》，郑福林，《新长征》1982 年第 6 期

做坚定的马克思主义者：学习《上海太原失陷以后抗日战争的形势和任务》，郑福林，《吉林日报》1982 年 7 月 21 日

学习研究《抗日游击战争的战略问题》

读《抗日游击战争的战略问题》，陈元晖，《新建设》1952 年第

9 期

毛主席伟大的游击战争战略思想必胜：读《抗日游击战争的战略问题》笔记，康海，《大众日报》1965 年 8 月 26 日

对敌三欺：学习《抗日游击战争的战略问题》，刘象贤，《文汇报》1965 年 9 月 1 日

毛主席的游击战争思想永放光辉：学习《抗日游击战争的战略问题》的体会，华民，《解放军报》1978 年 5 月 17 日

主动、灵活，计划：读《抗日游击战争的战略问题》札记，王中兴，《光明日报》1981 年 8 月 8 日

具有历史意义的战略转变：学习《抗日游击战争的战略问题》的一点体会，肖坤石等，《云南日报》1981 年 10 月 16 日

从毛泽东军事著作中学习毛泽东哲学思想：阅读《抗日游击战争的战略问题》札记，郭寿航，《南政校刊》1982 年第 4 期

从对立面的统一中把握对立面：学习《抗日游击战争的战略问题》中的哲学思想，佟向民，《学术论坛》1982 年第 5 期

学习《抗日游击战争的战略问题》中的哲学思想（上、下），房殿武，《奋斗》1982 年第 5 期

学习《抗旧游击战争的战略问题》中的哲学思想，张焕文，《实事求是》1982 年第 5 期

《抗日游击战争的战略问题》一书的哲学思想介绍，贺记堂，《学术动态》1982 年第 5 期

学习《抗日游击战争的战略问题》（提示），吉林大学哲学系，《新长征》1982 年第 6 期

研究新情况解决新问题的光辉典范，读《抗日游击战争的战略问题》，王昌远，《学习与研究》1982 年第 7 期

高瞻远瞩，胜人一筹：学习《抗日游击战争的战略问题》中的哲学思想，李兴才，《晋中社联》1982 年（增刊）

独立自主的光辉篇章：学习《抗日游击战争的战略问题》的体会，江变飞，《思想战线》1983 年第 1 期

试论《抗日游击战争的战略问题》的哲学意蕴，孙世民，《东岳论丛》1993 年第 6 期

《抗日游击战争的战略问题》学习札记，汤瑞兰，《哈尔滨师专学报》1995 年第 3 期

毛泽东卓越的军事指挥才能是从哪里来的？——纪念《抗日游击战争的战略问题》等文章发表六十周年，赵林森，《党史文汇》1998 年第 5 期

学习研究《论持久战》

从《论持久战》学习怎样反对主观主义，陈茂仪，《解放日报》1942年4月1日

学习毛主席的科学思想方法——读《论持久战》的笔记，舒天巩，《学习》1949年第5期

读毛主席的《论持久战》，冯拾，《光明日报》1951年8月4日

纪念《论持久战》发表十五周年，郭化若，《新建设》1953年第7期

全面地客观地看问题：《论持久战》学习笔记之一，仲系，《文汇报》1957年3月15日

学习毛主席军事学说，军事学院纪念《论持久战》发表二十周年，《人民日报》1958年5月30日

学习《论持久战》，充分发挥主观能动作用，邱大玛，《学术月刊》1958年第5期

毛泽东同志伟大科学预见的范例：纪念《论持久战》发表二十一周年，夏觉，《教学与研究》1959年第6期

战争胜负的决定因素是人不是武器，读毛泽东同志《论持久战》一文的札记，韩明盛等，《文汇报》1960年8月2日

从《论持久战》中学习毛泽东同志的哲学思想和战略思想，贺明，《天津日报》1960年8月3日

认识的全面性：《论持久战》学习札记，刘歌德，《光明日报》1963年2月8日

从《论持久战》中学习军事辩证法，王平，《解放军报》1963年7月26日

民族解放战争胜利的道路：纪念《论持久战》发表二十五周年，高科，《人民日报》1963年7月31日

学习分析矛盾的认识方法：学习《论持久战》的笔记之一，任光，《哲学研究》1964年第2期

谈人与物的关系：学习毛主席著作的一点体会——学习《论持久战》，葛致达，《大公报》1964年6月15日

学习《论持久战》中一分为二的辩证方法，姜丕之，《学术月刊》1964年第8期

人民战争是永胜的：纪念抗日战争胜利二十周年，学习毛主席《论持久战》一文的体会，杨从英，《旅大日报》1965年9月1日

学习《战争的目的》：《论持久战》中的一节，《解放军报》1966年2月28日

战争的伟力存在于民众之中：学习《论持久战》的一点体会，舒

开元,《解放军报》1978 年 6 月 11 日

正确发挥人民群众的主观能动性：重读《论持久战》，田伯泰，《中州学刊》1981 年第 2 期

毛泽东同志的军事哲学与《孙子兵法》：读《论持久战》札记，王应常,《南宁师院学报》1981 年第 3 期

学习《论持久战》，搞四化也要有"持久战"思想，闻竹,《人民日报》1981 年 5 月 11 日

学习《论持久战》：现代化建设是一场新的"持久战"，龚友德，《云南日报》1981 年 5 月 15 日

认清国情才能胜利前进，学习《论持久战》中的批驳"速胜论"的启示，孟繁森,《吉林日报》1981 年 6 月 24 日

重读《论持久战》，陈进玉,《文汇报》1981 年 7 月 30 日

认清国情，满怀信心，循序渐进：重温《论持久战》的体会，张士安,《江西日报》1981 年 7 月 30 日

反倾向斗争的历史启示：重读《论持久战》，李屏南,《新湘评论》1981 年第 9 期

《论持久战》的范畴和方法，张天飞,《社联通讯》1981 年第 12 期

科学分析中国国情的光辉典范，

学习《论持久战》札记，齐振海,《中国青年》1981 年第 13 期

具体地分析具体情况是马克思主义的活的灵魂：读《论持久战》，韩维彩,《贵阳师院学报》（社会科学版）1982 年第 1 期

学习"一切从实际出发"的光辉思想 重读毛泽东同志《论持久战》，王瑞多,《牡丹江师院学报》（哲学社会科学版）1982 年第 1 期

运用唯物辩证法认识和解决问题的典范，学习《论持久战》中哲学思想的感受，许天增,《哲学论稿》（内蒙古）1982 年第 2 期

自觉能动性在改造世界中的巨大作用：学习《论持久战》中的哲学思想，王斌,《学术论坛》1982 年第 5 期

略论自觉能动性的作用——学习毛泽东同志《论持久战》的一点体会，钟克钊,《全国毛泽东哲学思想讨论会论文选》，广西人民出版社 1982 年版。

凭借客观条件这个舞台导演出威武雄壮的戏剧来：学习《论持久战》的哲学思想，马力,《理论与实践》1987 年第 7 期

四化建设的战略目标一定能够实现：学习《论持久战》的一点体会，冯正刚,《新湘评论》1982 年第 9 期

《论持久战》中的一个重要的

辩证推理形成，谢翔宝，《上海海运学院学报》1983 年第 3 期

上海最早发表的《论持久战》，《图书馆杂志》1983 年第 4 期

论科学范畴的源泉和形成：《论持久战》中辩证逻辑问题初探，章沛，《广东社会科学》1984 年创刊号

矛盾学说的伟大力量——读《论持久战》，徐建忠，《江西教育学院刊》1984 年第 2 期

从《论持久战》看分析与综合相结合方法的三个环节，唐继元，《华东师范大学学报》（哲学社会科学版）1984 年第 2 期

从《论持久战》中掌握分析矛盾的方法论原则，史贻遂等，《暨南学报》（哲学社会科学版）1984 年第 4 期

《论持久战》对于探讨科学抽象的启示，肖百冶，《毛泽东思想研究》1985 年第 5 期

《论持久战》发表 50 周年军事科学院举行纪念会，《人民日报》1988 年 5 月 28 日

论毛泽东的自觉能动性思想：纪念《论持久战》发表五十周年，张秉民，《宁夏大学学报》1988 年第 2 期

驳社会主义“先败论”——学习《毛选》第二版《论持久战》体会，何友江，《六盘水师范高等专科学校学报》1992 年第 2 期

军事科学方法论的珍典——读《论持久战》，夏征难，《毛泽东思想研究》1992 年第 3 期

坚定信念打好反和平演变的持久战——重温毛主席《论持久战》，于友先，《领导科学》1992 年第 1 期

科学的预见深刻的启迪——重读《论持久战》，陈柏灵，《前线》1992 年第 7 期

从《论持久战》看辩证逻辑的论证原则，丁家顺，《贵州师范大学学报》（社会科学版）1992 年第 3 期

《论持久战》的哲学思想，孙启周、司桂梅，《山东医科大学学报》（社会科学版）1993 年第 2 期

实事求是的光辉典范——读《论持久战》，李少萱，《社科纵横》1993 年第 6 期

《论持久战》是运用科学假说理论的范例，杜雄柏，《湘潭大学学报》（哲学社会科学版）1993 年第 2 期

《论持久战》的辩证模态推理分析，柳昌清，《毛泽东思想研究》1993 年第 1 期

学会矛盾分析抓住历史机遇——重读《论持久战》，王仰德，《北京化工大学学报》（社会科学版）1994 年第 1 期

思想的精华　理论的高峰——《中国革命战争的战略问题》与《论持久战》之比较研究，杨超，

《天府新论》1994 年第 1 期

坚持唯物辩证法　增强科学预见性——重温毛泽东同志《论持久战》，张寿长，《天府新论》1994 年第 1 期

浅析《论持久战》中的哲学思想，宋翠梅、李景亮，《阴山学刊》（社会科学版）1994 年第 4 期

对毛泽东关于抗日战争阶段划分的新探——纪念毛泽东诞辰 100 周年、《论持久战》发表 55 周年，李继华，《滨州师专学报》1994 年第 1 期

《论持久战》是具有中国特色的军事辩证法巨著，刘学义，《甘肃社会科学》1994 年第 4 期

《论持久战》辩证逻辑的科学结晶，康洪武，《毛泽东思想研究》1994 年第 2 期

忆当年峥嵘岁月　看今朝瓜果满园——纪念毛泽东《论持久战》哈萨克文版翻译发表 55 周年，曙光，《语言与翻译》1994 年第 4 期

《论持久战》：运用辩证和历史唯物论的典范，苏红、张咏梅，《兰州大学学报》（社会科学版）1995 年第 3 期

《隆中对》与《论持久战》战略思想之比较——兼论中华民族的战争智慧在抗日战争中的作用，胡学举，《毛泽东思想研究》1995 年第 3 期

抗日战争与《论持久战》，张弓长，《长白学刊》1995 年第 5 期

《论持久战》的魅力，朱诗柱，《湖南党史》1995 年第 3 期

中国抗日战争胜利的指针——重温毛泽东《论持久战》，魏翼，《菏泽师范专科学校学报》1995 年第 3 期

《论持久战》的思维的特点，覃兰秋，《柳州师专学报》1995 年第 4 期

运用客观的和全面的观点考察战争的光辉范例——学习毛泽东《论持久战》的体会，白应华，《思茅师范高等专科学校学报》1995 年第 2 期

试论毛泽东的强弱转化思想——学习《论持久战》的一点体会，张士兴，《上海海运学院学报》1996 年第 4 期

毛泽东《论持久战》中的辩证法思想，张勇，《石家庄经济学院学报》1996 年第 5 期

毛泽东《论持久战》的辩证思维艺术，汤贤均、卢明森，《湖北民族学院学报》（哲学社会科版）1996 年第 4 期

《论持久战》与社会主义实践，冯国瑞，《晋阳学刊》1996 年第 1 期

《论持久战》的哲学底蕴，刘建强，《绍兴文理学院学报》1996 年第 1 期

《论持久战》与建设有中国特色的社会主义，任泽旺、段思科，《石油大学学报》（社会科学版）1996 年第 2 期

毛泽东《论持久战》中的质变和部分质变思想探析，周红，《甘肃社会科学》1997 年第 2 期

《论持久战》之抗战战略过程思想探讨，李继华，《军事历史研究》1998 年第 2 期

《论持久战》实现了辩证法认识论和逻辑的统一，高庆刚、刘焕莹，《社会科学论坛》1998 年第 1 期

《战争论》与《论持久战》若干观点之比较，朱根生，《解放军外国语学院学报》1999 年第 6 期

毛泽东军事预见方法论的杰作——重读《论持久战》，夏征难，《南京政治学院学报》1999 年第 6 期

《论持久战》的逻辑方法简析，杨昌才、吴光勇，《毛泽东思想研究》1999 年第 5 期

《论持久战》与《孙子》"速胜论"之同一性，刘炬，《长白学刊》1999 年第 3 期

《论持久战》发表前后党内发生的一场政治风波，于长治，《党史天地》1999 年第 9 期

毛泽东的名辨思想——《论持久战》逻辑新探，郭桥，《周口师范高等专科学校学报》2000 年第 4 期

《论持久战》发表后的反响，倪迅、翟伟，《新华每日电讯》2001 年 6 月 19 日

《论持久战》的最早版本，文平志，《湖南日报》2001 年 8 月 10 日

毛泽东《论持久战》发表之后，周重礼、余雷英，《湖南档案》2001 年第 3 期

《论持久战》发表之后，周重礼、孙章、孙福才，《湖北档案》2002 年第 5 期

毛泽东《论持久战》中的系统观点初探，何永红，《兰州学刊》2002 年第 6 期

简析《论持久战》的哲学方法及哲学意义，徐书华、黄宗凯，《四川轻化工学院学报》2002 年（增刊）

毛泽东思想对社会复杂性探索的方法论意义——读《论持久战》，李少军，《首都师范大学学报》（社会科学版）2002 年第 6 期

《论持久战》发表之后，周重礼，《党史纵览》2002 年第 7 期

孙子《计篇》与毛泽东《论持久战》比较研究，邵平桢，《毛泽东思想研究》2003 年第 2 期

毛泽东《论持久战》中的系统观点，何永红，《北京工业大学学报》（社会科学版）2003 年第 2 期

"金箭女神"杨刚——《论持

久战》的翻译者，王岚，《党史文苑》2003 年第 4 期

北大研究生重读《论持久战》纪念毛泽东诞辰 110 周年，魏铭，《北京大学学报》(哲学社会科学版) 2004 年第 2 期

《论持久战》写作及出版的地点、时间新考，张敏卿，《历史档案》2004 年第 2 期

毛泽东《论持久战》博弈论思想新探，王全印，《焦作工学院学报》(社会科学版) 2004 年第 4 期

《论持久战》神奇大预测，莫默，《新西部》2005 年第 8 期

毛泽东与《论持久战》的发表，刘炳峰，《党史纵横》2005 年第 9 期

掌握客观规律提高驾驭能力——学习《论持久战》，余源培，《毛泽东邓小平理论研究》2005 年第 6 期

在实践中运用和发展马克思主义辩证法的范例——学习毛泽东《论持久战》的辩证法思想，苏亮乾，《柳州职业技术学院学报》2005 年第 3 期

《论持久战》中的科学决策思想，郝继明，《党史文苑》2005 年第 20 期

毛泽东《论持久战》的前瞻性——献给抗日战争胜利 60 周年，张清华，《赤峰学院学报》(汉文哲学社会科学版) 2005 年第 5 期

《论持久战》与马克思主义哲学中国化，王凤君、庞晶、项武生，《理论观察》2005 年第 6 期

浅谈《论持久战》中的哲学思想——纪念中国人民抗日战争胜利 60 周年，韦庆儿，《中共乌鲁木齐市委党校学报》2005 年第 3 期

重读毛泽东的《论持久战》——纪念抗日战争胜利 60 周年，何家银，《重庆行政》2005 年第 4 期

思想的力量《论持久战》与中华民族的抗日战争，李君如，《解放日报》2005 年 6 月 3 日

美军研习毛泽东《论持久战》苦寻自身软肋，徐冰川，《世界报》2005 年 7 月 13 日

重温毛泽东的《论持久战》，韩伯成，《驻马店日报》2005 年 9 月 3 日

盛原成钢琴家全因《论持久战》，杨琳，《中国邮政报》2006 年 9 月 9 日

《论持久战》与中国抗日战争的胜利，刘琦，《毛泽东思想研究》2005 年第 2 期

毛泽东《论持久战》的写作情状，孟红，《文史月刊》2005 年第 5 期

《论持久战》：我国国防与军队建设的思想基石，王本持，《决策与

信息》2005 年第 7 期

《论持久战》发表之后，王素霞，《山西老年》2006 年第 5 期

论毛泽东的辩证逻辑思想——兼谈《论持久战》的逻辑，金邦秋，《学习论坛》2006 年第 4 期

富含辩证法光辉的人民战争理论——浅析毛泽东《论持久战》中的战争观，袁小松、刘丹，《贵州社会主义学院学报》2006 年第 2 期

《论持久战》对中国抗战胜利的重大作用，于稳立，《理论界》2006 年第 8 期

论持久战：毛泽东国情论的历史和未来意义，陈睦富、黄瑞春，《咸宁学院学报》2006 年第 5 期

指导全国抗战胜利的纲领性文献——毛泽东发表《论持久战》——《延安精神专题讲座》之六，刘炳峰，《中华魂》2006 年第

12 期

毛泽东与《论持久战》，卢成，《文史月刊》2007 年第 4 期

毛泽东《论持久战》对"两课"教育的启示，刘万路，《广西青年干部学院学报》2007 年第 4 期

解析毛泽东《论持久战》中的心理学思想及现实意义，刘菊芬，《社科纵横》2007 年第 6 期

浅谈《论持久战》一文的哲学思想，李晓娟，《沧桑》2007 年第 4 期

李铁映号召重读毛泽东的《论持久战》，佘可，《中国青年报》2007 年 4 月 29 日

《论持久战》的当代意义——写在中国人民抗日战争全面爆发七十周年之际，《韩亚光团结报》2007 年 7 月 7 日

学习研究《中国共产党在民族战争中的地位》

读《中国共产党在民族战争中的地位》，荣孟源，《新建设》1952 年第 7 期

同"四人帮"斗争的锐利武器，李锡炎，《青海日报》1976 年 11 月 3 日

永远保持共产党员的纯洁性：学习《中国共产党在民族战争中的地位》，江友德，《广州日报》1982 年 4 月 15 日

努力学习马克思主义，做清醒的马克思主义者：学习《中国共产党在民族战争中的地位》体会，王金镖，《理论与实践》1982 年第 5 期

党员要积极发挥先锋模范作用：学习毛泽东同志《中国共产党在民族战争中的地位》一文的体会，钟艳，《北京日报》1983 年 12 月 23 日

论民族精神、现代意识与人生修养标准——重温毛泽东同志的

《中国共产党在民族战争中的地位》，钟坤杰，《曲靖师范学院学报》1993 年第 4 期

　　认识自己加强自己团结自己——

学习研究《战争和战略问题》

　　读《战争和战略问题》，丁赞，《图书馆》1963 年第 4 期

　　掌握手中的武器：学习毛主席《战争的战略问题》，符益群，《安徽日报》1964 年 5 月 14 日

　　坚定地实现战略转移：学习《战争和战略问题》札记，李屏南等，《新湘评论》1981 年第 9 期

　　着眼其特点，着眼其发展，学习《战争和战略问题》，先廷等，《光明日报》1982 年 1 月 16 日

　　学习毛泽东军事著作着重掌握其活的灵魂：学习《战争和战略问题》的札记，孟方，《东岳论丛》1982 年第 2 期

　　一切的条件为转移：学习《战

重温毛泽东的《中国共产党在民族战争中的地位》，林真，《纪念抗战胜利暨台湾光复 60 周年专刊》2005 年

争和战争问题》的一点体会，尹明新，《南政校刊》1982 年第 4 期

　　《战争和战略问题》哲学思想简介，张学清等，《学术动态》1982 年第 5 期

　　立足中国社会特点研究战争和战略问题：学习《战争和战略问题》中的哲学思想，李挺康等，《学术论坛》1982 年第 6 期

　　马克思主义和中国国情相结合：学习《战争和战略问题》的体会，张英杰，《学习与研究》1983 年第 5 期

　　论《战争和战略问题》对中国现代化建设的启示，宋吉玲，《胜利油田党校学报》2006 年第 5 期

学习研究《青年运动的方向》

　　读《青年运动的方向》后的感想，曾成，《中国青年》1952 年第 8 期

　　青年知识分子要决心与工农群众相结合，也农，《中国青年》1952 年第 8 期

　　关于《青年运动的方向》，惠吾，《语文教学》1958 年第 5 期

　　沿着毛主席指引的方向奋勇前进：再读《青年运动的方向》一文的笔记，孙泱，《重庆日报》1959 年 5 月 3 日

　　读《青年运动的方向》，雷鸣，《语文学习》1960 年第 5 期

　　坚持与工农群众相结合的方向：读毛主席的《青年运动方向》，黄

克白,《中国青年报》1961 年 5 月
3 日

知识青年的光明大道：读毛主席《青年运动的方向》,谷文波,《山西日报》1964 年 4 月 23 日

与工农结合,向四化进军,学

习《青年运动的方向》的一点体会,张立银等,《大众日报》1979 年 5 月 3 日

同党领导的整个人民相结合,学习《青年运动的方向》,郑冼,《团校学报》1982 年（创刊号）

学习研究《五·四运动》

读《五·四运动》,金克木,《新建设》1952 年第 8 期

劳动创造新型知识分子：《五·四运动》和《青年运劳方向》学习笔记,惠吾,《文汇报》1959 年 5 月 19 日

知识青年革命化必由之路：学习《五·四运动》要解决的根本问题,郑庸,《中国青年报》1964 年 4

月 23 日

知识青年革命化的道路：读《五·四运动》、《青年运动的方向》的体会,刘必,《河南日报》1964 年 5 月 6 日

"全国青年们,努力呵!"：学习毛主席的《五·四运动》和《青年运动的方向》,《解放军报》1978 年 5 月 4 日

学习研究《〈共产党〉发刊词》

学习毛泽东同志的《〈共产党人〉发刊词》,许邦仪,《学习》1952 年第 5 期

坚持理论和实践统一的马克思主义原则：学习《〈共产党人〉发刊词》的体会,汤啸,《人民日报》1975 年 1 月 23 日

总结历史经验加强党的建设：重读《〈共产党人〉发刊词》,范平,《光明日报》1981 年 8 月 10 日

坚持统一战线中又联合又斗争的策略：学习《〈共产党人〉发刊词》,张金开,《广州日报》1982 年

4 月 1 日

始终保持共产党员的纯洁性；重温毛泽东同志《〈共产党人〉发刊词》等著作的有关论述,岚樱,《西藏日报》1982 年 4 月 12 日

必须坚持既联合又斗争的方针：学习《〈共产党人〉发刊词》,习羽,《学理论》1982 年第 5 期

又联合又斗争是统一战线的一条重要理论的策略：学习《〈共产党人〉发刊词》的一点体会,刘俐俐,《甘肃日报》1982 年 7 月 27 日

正确掌握同资产阶级又联合又

斗争的原则：学习《〈共产党人〉发刊词》的一点体会，于学文，《实践》1982年第7期

《〈共产党人〉发刊词》的建党思想与"三个代表"，闫峰、毕静，《中共青岛市委党校、青岛行政学院学报》2001年第1期

重读《〈共产党人〉发刊词》，苏沛，《党建研究》1996年第10期

重温《〈共产党人〉发刊词》关于"三大法宝"的论述，胡咏，《江西社会科学》1994年第1期

学习研究《中国革命和中国共产党》

"没有共产党就没有新中国"：读《中国革命和中国共产党》，于力，《时代青年》1946年第3期

毛主席在《中国革命和中国共产党》一书中说："每次农民暴动与农民战争的结果都打击了当时的封建统治，因而也就多少变动了社会的生产关系与多少推动了社会生产力的发展"具体的历史事实是怎样的？（问题解答），《学习》1950年第1期

读《中国革命和中国共产党》，朱剑农，《新建设》1952年第12期

《中国革命和中国共产党》出版十五周年，王南，《光明日报》1954年12月31日

纪念《中国革命和中国共产党》发表二十周年，刘振海，《学术月刊》1959年第10期

中国革命的路标：重读《中国革命和中国共产党》，建颖，《吉林日报》1959年12月30日

瞿秋白与毛泽东的《中国革命和中国共产党》比较研究，周一平，《瞿秋白研究新探——纪念瞿秋白同志诞辰一百周年座谈会论文集》1999年

学习研究《纪念白求恩》

纪念白求恩大夫，章炎陵，《大众医学》1954年第11期

伟大的国际主义精神：回忆诺尔曼·白求恩同志，叶青山，《健康报》1955年11月11日

纪念白求恩逝世十八周年，饶瑞，《健康报》1957年11月12日

学习白求恩大夫的共产主义精神，吴之理，《文汇报》1958年11月12日

共产主义的精神：纪念白求恩大夫逝世二十周年，周而复，《人民日报》1959年11月12日

读《纪念白求恩》，黄元海，《青海日报》1960年2月13日

毫不利己、专门利人：纪念毛

主席《纪念白求恩》一文发表二十二周年，烛火，《北京日报》1961 年 12 月 20 日

五学《纪念白求恩》改造自己思想，崔天鸣，《中国青年》1963 年第 19 期

做一个高尚的人：学习《纪念白求恩》，鲁浒，《羊城晚报》1964 年 6 月 17 日

立志做白求恩式的医生，葛贤锡，《解放日报》1964 年 11 月 12 日

学习白求恩献身世界革命的精神，姚世魁，《工人日报》1964 年 12 月 20 日

学习白求恩当国际革命派：重读《纪念白求恩》有感，余倩，《江汉学报》1965 年第 5 期

不要鄙薄技术工作，学习《纪念白求恩》的一点体会，《大众日报》1978 年 10 月 10 日

重学《纪念白求恩》想到雷锋又想到人才，刘肖无，《新疆日报》1981 年 5 月 3 日

《纪念白求恩》的论证分析，汪柏树，《徽州师专学报》1982 年第 1 期

毛泽东的共产党人观——重读《为人民服务》和《纪念白求恩》，宁新昌，《领导之友》1993 年第 2 期

从《纪念白求恩》到"向雷锋同志学习"——毛泽东思想的一个重要方面，钱逊，《清华大学学报》

（哲学社会科学版）1993 年第 1 期

重读《纪念白求恩》，闻明，《道德与文明》1996 年第 2 期

重读《纪念白求恩》，李力安，《党建研究》1996 年第 1 期

《纪念白求恩》的历史底蕴及其现实意义，吉仁，《社会科学》1996 年第 9 期

重读《纪念白求恩》有感，杨杰，《理论观察》1996 年第 6 期

纪念白求恩，高杨杰，《中学语文教学参考》1996 年第 2 期

学习白求恩毫无自私自利之心的精神——纪念毛泽东《纪念白求恩》发表 60 周年，有林，《当代中国史研究》2000 年第 1 期

《纪念白求恩》题注解误，龚明俊，《现代语文》（教学研究版）2003 年第 5 期

余映潮《纪念白求恩》教学实录，黄发连，《语文教学通讯》2003 年第 11 期

《纪念白求恩》语言特色浅说，冉茂易，《语文天地》2004 年第 2 期

中宣部、中央文明办、卫生部国家中医药局总后卫生部联合举办纪念白求恩逝世暨《纪念白求恩》文章发表 65 周年座谈会，邓雨珍，《中国医院》2005 年第 1 期

纪念白求恩，还有现实意义吗？祺子，《政工研究动态》2005 年第 1 期

关于重温《纪念白求恩》保持共产党员先进性的思考，马安宁、张志建、张洪才，《中国卫生事业管理》2005 年第 6 期

大力弘扬白求恩精神做白求恩式的医务工作者——卫生部党组书记、常务副部长高强在"纪念白求恩逝世暨《纪念白求恩》发表 65 周年座谈会"上的讲话，高强，《中国卫生年鉴》2005 年

毛泽东发表《纪念白求恩》，《人民日报》2007 年 1 月 5 日

学习研究《新民主主义论》

预见已成事实：《新民主主义论》十周年，胡绳，《学习》1950 年第 5 期

学习新民主主义论的目的和方法，何干之，《文汇报》1950 年 5 月 6 日

读《新民主主义论》：为《新民主主义论》发表十三周年而作，王达夫，《新建设》1953 年第 1 期

纪念《新民主主义论》发表十五周年，胡华，《工人日报》1955 年 1 月 15 日

关于《新民主主义论》的发表阐明的中心问题——无产阶级领导下的民主革命的前途必然是社会主义，吴之沙，《历史教学问题》1958 年第 4 期

坚持不断革命，坚持高速度前进（社论），《河北日报》1960 年 1 月 1 日

论社会主义革命的思想准备，述平，《福建日报》1960 年 1 月 4 日

必须认真学习毛主席著作：纪念《新民主主义论》发表二十周年，邓逸凡，《中国青年报》1960 年 1 月 18 日

不断革命论的不断发展：为《新民主主义论》发表二十周年而作，孙叔平，《光明日报》1960 年 1 月 20 日

科学的态度和负责的精神典范：《新民主主义论》发表二十周年，夏书章，《中山大学学报》（社会科学版）1960 年第 1 期

文化革命的新阶段，学习《新民主主义论》一书札记，文师东，《江海学刊》1964 年第 2 期

略谈鲁迅思想的辩证发展：学习《新民主主义论》的笔记，王士菁，《鲁迅研究年刊》1975—1976 年合刊

从蒋介石的"一个主义"到"四人帮"的"民主派"：学习毛主席的光辉著作《新民主主义论》，刘化民等，《辽宁日报》1978 年 1 月 13 日

新民主主义教育的基本观点：学习毛泽东同志《新民主主义论》

中的教育思想，北师大教育系马列毛主席教育理论教研室，《山西教育》1979 年第 6 期

马克思列宁主义与中国革命相结合的典范：学习毛泽东同志《新民主主义论》，黄庆璋，《武汉大学学报》（社会科学版）1981 年第 5 期

具体地分析具体情况的光辉典范：学习《新民主主义论》札记，王孝哲，《安徽大学学报》（哲学社会科学版）1982 年第 1 期

政治关系是社会存在：读《新民主主义论》：笔记之一，杨灿震，《理论学习》1982 年第 51 期

略谈建设社会主义强大国家的三方面任务：学习《新民主主义论》的一点体会，沈宝祥，《理论动态》1982 年第 368 期

宣传共产主义思想，执行党的现行政策：重读《新民主主义论》等著作的一点体会，冯丛林，《理论与实践》1983 年第 10 期

四项基本原则是历史的必须：读《新民主主义论》，沈宝祥，《中国政法大学学报》1984 年第 2 期

政治，经济和文化的辩证关系，学习《新民主主义论》，王喜珍，《毛泽东思想研究》1984 年第 3 期

《新民主主义论》的基本精神，李竹雪，《学习与实践》1984 年第 3 期

对五四文学革命性质的科学说明：重读《新民主主义论》，向远等，《红旗》1984 年第 9 期

论新民主主义革命时期毛泽东社会调查研究思想，夏同义等，《安徽省委党校学报》1988 年第 2 期

《新民主主义论》的战略指导原则，童荣，《毛泽东思想研究》1987 年第 1 期

简论中国共产党民主革命战略思想的形成：纪念《新民主主义论》发表 50 周年，夏以溶，《西南民族学院学报》（哲社版）1990 年第 6 期

唯物辩证法运用的典范——重读《新民主主义论》，胡继承，《怀化学院学报》1993 年第 2 期

新民主主义革命的战斗纲领——重温毛泽东:《新民主主义论》，王明美，《江西社会科学》1993 年第 3 期

毛泽东《新民主主义论》研究，汪海波，《经济研究》1993 年第 12 期

中国传统文化的继承与创新——纪念毛泽东《新民主主义论》发表 54 周年，张岩静，《内蒙古师范大学学报》（教育科学版）1994 年第 1 期

《新民主主义论》正式发表的时间，刘辉，《中共党史研究》1993 年第 1 期,《中南财经大学学报》1995 年第 2 期

它宣告了新的"主义"的诞生——《新民主主义论》发表的理论意义，李蓉，《党史纵横》1995年第10期

科学的态度精当的结论——谈毛泽东对《新民主主义论》的一个重要修正，李勇华、柳国庆，《绍兴文理学院学报》1995年第2期

《新民主主义论》与毛泽东对有中国特色的社会主义道路探索，杨家志，《中南财经大学学报》1995年第2期

新文化总结的光辉篇章——《新民主主义论》浅析，李文珊，《怀化师专学报》1997年第3期

试析《新民主主义论》中分析与综合相结合过程的三个基本逻辑环节，赵永振，《平顶山师专学报》1998年第3期

论《新民主主义论》与初级阶段社会主义，江丹林，《学术界》1998年第2期

不能泛化《新民主主义论》中的某些具体论断——与胡绳同志商榷，章德峰、彭建莆，《中共党史研究》2000年第3期

马克思主义中国化的两座理论丰碑——《新民主主义论》与《在庆祝中国共产党成立八十周年大会上的讲话》比较，刘义贤，《江汉大学学报》（人文社会科学版）2002年第1期

浅析《新民主主义论》中的文化创新思想，蒙长江，《毛泽东思想研究》2003年第1期

《新民主主义论》与中国先进文化的前进方向，史家亮，《重庆社会科学》2003年第2期

马克思主义中国化的一座丰碑——论《新民主主义论》对科学社会主义理论的伟大贡献，凌海金，《理论导刊》2004年第3期

新文化总结的光辉篇章——《新民主主义论》阐析，李文珊，《理论界》2004年第4期

《新民主主义论》与中国共产党在民主革命时期的文化自觉，王新华，《河北师范大学学报》（哲学社会科学版）2005年第1期

《新民主主义论》与中国共产党在民主革命时期的文化自觉，王新华，《求实》2005年第1期

《新民主主义论》的文化观内涵及现实意义，徐建文，《唐山学院学报》2006年第2期

共产国际对《新民主主义论》中几个观点形成的影响——兼评毛泽东对《新民主主义论》进行修正的根源，项晨光，《党史研究与教学》2006年第2期

毛泽东新民主主义论中的"资本主义思想"探析，徐鸣，《沧桑》2006年第5期

毛泽东《新民主主义论》的历

史和现实意义，辛志军，《陕西师范大学继续教育学报》2006 年（增刊）

毛泽东对《新民主主义论》的修改，方敏，《中共党史研究》2006 年第 6 期

抗战时期中国共产党代表先进文化前进方向的理论及实践——以《新民主主义论》为例，肖冬华，《财经政法资讯》2006 年第 2 期

《新民主主义论》对马克思主义中国化的贡献，王向清、彭臻，《毛泽东思想研究》2007 年第 5 期

旧话重提：建立社会主义是中国的历史必然——读《建国方略》和《新民主主义论》有感，李晓琴，《党史天地》2007 年第 3 期

民国知识阶层视野中的《新民主主义论》，李晓宇，《毛泽东思想研究》2007 年第 4 期

民国时期一些著名学者视野中的《新民主主义论》，李晓宇，《党的文献》2007 年第 5 期

《新民主主义论》并未初步形成理论形态的人民代表大会制度，杨建党，《人大研究》2007 年第 9 期

学习研究《〈农村调查〉的序言和跋》

学习调查研究的方法，罗道凡，《新湖南报》1956 年 6 月 12 日

正确地掌握调查研究这一武器：纪念《农村调查》序言发表十六周年，王克，《山西日报》1957 年 3 月 17 日

毛主席著《农村调查》对调查统计的重大现实意义，王建民，《财经研究》1958 年第 5 期

把调查研究的工作方法更充分地运用起来：重读毛主席《农村调查》序言的体会，肖白门，《理论学习》1959 年第 5 期

"没有调查就没有发言权"，张生典，《河南日报》1960 年 6 月 8 日

加强调查研究提高领导水平，学习《〈农村调查〉的序言和跋》，

卢活力，《星火》1960 年第 9 期

论"求"：重读《〈农村调查〉序言和跋》、《改造我们的学习》，龚同文，《人民日报》1961 年 1 月 3 日

谈"有的放矢"：读《〈农村调查〉的序言和跋》，戴树柏，《大众日报》1963 年 5 月 31 日

努力掌握调查研究这个马克思主义的方法，于清贤，《工人日报》1964 年 8 月 13 日

转变党的作风的关键一环：学习《〈农村调查〉的序言和跋》，范英等，《光明日报》1981 年 12 月 5 日

必须同党内的腐化思想作斗争：学习《〈农村调查〉的序言和跋》的一点体会，张志新，《西藏日报》

1982 年 4 月 5 日

把两手统一起来，学习《〈农村调查〉的序言和跋》笔记，陈炽金，《解放军报》1982 年 4 月 29 日

必须保持共产党人的纯洁性：读《〈农村调查〉的序言和跋》，王哲人，《北京日报》1982 年 5 月 3 日

保持共产主义的纯洁性：读《〈农村调查〉：的序言和跋》，余

隽，《群众》1982 年第 10 期

调查研究，认清国情：纪念《〈农村调查〉序言和跋》发表 50 周年，朱进东，《江苏教育学院学报》（社会科学版）1991 年第 2 期

大兴调查研究之风：《农村调查》的序言和跋的发表——《延安精神专题讲座》之十四，刘毅强，《中华魂》2007 年第 8 期

学习研究《改造我们的学习》

反对学习中的教条主义（社论），《解放日报》1941 年 9 月 2 日

加强党性锻炼（社论），《解放日报》1941 年 9 月 6 日

反对主观主义，艾思奇，《解放日报》1941 年 9 月 19 日、20 日

主观主义的来源，艾思奇，《解放日报》1941 年 9 月 10 日、14 日

由"没有调查就没有发言权"想起，王予野，《解放日报》1942 年 6 月 1 日

从钦差大臣变小学生，郭林，《解放日报》1942 年 6 月 1 日

"粗枝大叶自以为是的主观主义作风是党性不纯的第一个表现"，王若飞，《解放日报》1942 年 6 月 27 日

更进一步改造我们的学习：纪念《改造我们的学习》发表十周年，秋实，《长江日报》1951 年 5 月 19 日

读《改造我们的学习》，周清和，《文史哲》1953 年第 4 期

改进历史科学的研究工作：为毛泽东同志发表《改造我们的学习》十五周年纪念而作，尹达，《人民日报》1956 年 5 月 30 日

学习毛主席对语言的运用：读《改造我们的学习》札记，鲁宁，《语言文学》1959 年第 5 期

认真地研究现状，历史和理论，重读《改造我们的学习》有感，夏夔，《长江日报》1959 年 7 月 11 日

树立马克思列宁主义的学风：读《改造我们的学习》，刘衷远，《河南日报》1960 年 1 月 14 日

坚持调查研究坚持理论联系实际一纪念《改造我们的学习》发表二十周年，洪颜林，《解放日报》1961 年 5 月 5 日

毛泽东同志的《改造我们的学习》和中国历史科学，黎澍，《人民

日报》1961 年 7 月 8 日

遵循理论和实际统一的方向继续前进：重读《改造我们的学习》的笔记，东明，《文汇报》1964 年 1 月 28 日

坚持和发扬毛主席倡导的学风：读《改造我们的学习》，肖旺，《文汇报》1978 年 5 月 10 日

当前历史唯物主义研究的最迫切任务：重读《改造我们的学习》，王正萍，《国内哲学动态》1982 年第 5 期

坚持实事求是，开创农业新局面：重温《改造我们的学习》，魏运国，《新长征》1983 年第 10 期

逻辑与修辞结合运用的典范：《改造我们的学习》试析，步云，《文科通讯》1984 年第 1 期

发扬党的理论和实际相结合的优良传统：重读《改造我们的学习》，汪霖，《群众》1984 年第 5 期

重读《改造我们的学习》，李起民，《史学史研究》1991 年第 2 期

实事求是，具有深刻内涵的概括：学习《改造我们的学习》札记，袁永椿，《江苏教育学院学报》（社会科学版）1991 年第 2 期

《改造我们的学习》仍有指导意义：首都纪念毛泽东同志这篇著作发表五十周年，《人民日报》1991 年 4 月 6 日

《改造我们的学习》，闫辉、刘士义，《新视野》1992 年第 6 期

对党校教学的反思——读《改造我们的学习》，高尚志，《湖湘论坛》1992 年第 1 期

真理光照千秋——重读《改造我们的学习》，苏星，《北京社会科学》1993 年第 4 期

仍然有"改造我们的学习"的任务——为毛泽东诞辰百年而作，于敏，《文艺理论与批评》1994 年第 1 期

浅谈《改造我们的学习》的两处校正，杨学淦，《中学语文教学》1994 年第 2 期

《改造我们的学习》微瑕指点，蒙少松，《语文教学与研究》1997 年第 9 期

犯中见避——《改造我们的学习》论证特色举隅，郭秀楷、卢瑞宝，《语文教学通讯》1998 年第 1 期

树立良好学风高举伟大旗帜——重提改造我们的学习，孟庆云，《红旗文稿》1998 年第 7 期

《改造我们的学习》导读设计，向生谈，《中学语文》1998 年第 1 期

结合"三讲"重读《改造我们的学习》，昝双录，《党建研究》1999 年第 5 期

毛泽东《改造我们的学习》对当前"讲学习"的几点启示，匡国珍，《培训与研究》（湖北教育学院学报）2000 年第 1 期

实事求是之当代意蕴——重温《改造我们的学习》，姜保志，《韩山师范学院学报》2001 年第 3 期

毛泽东思想的当代性——写在《改造我们的学习》发表 60 周年，陈汉西，《培训与研究》（湖北教育学院学报）2001 年第 3 期

《改造我们的学习》中心论点质疑，岳泽和，《中学语文教学参考》2001 年第 11 期

《改造我们的学习》教法新探，吴小红，《语文教学与研究》2002 年第 19 期

整顿我们的作风成就我们的卓越——重读毛泽东同志的《整顿党的作风》和《改造我们的学习》，王大鸾，《云南电业》2004 年第 2 期

《改造我们的学习》中的典故，朱文献，《语文天地》2004 年第 3 期

《改造我们的学习》的语言特点，俞明园，《语文教学与研究》2005 年第 11 期

重温《改造我们的学习》，陈肖，《蚌埠党校学报》2006 年第 2 期

学习研究《整顿党的作风》

控顿"学风"、"党风"，"文风"，《解放日报》1942 年 2 月 2 日

研究毛泽东同志整顿三风报告的反映心得敌区工作委员会总支委，《解放日报》1942 年 4 月 17 日

"科学"也不妨去向实践学习学习：纪念整顿学风党风文风发表十周年，陈亢晖，《新建设》1952 年第 2 期

做个名副其实的知识分子：《整顿党的作风》读后，家松，《广西日报》1960 年 2 月 1 日

发扬党的马克思列宁主义的作风：纪念《整顿党的作风》和《反对党八股》发表二十周年，肖平，《实践》1962 年第 2 期

识别和战胜"四人帮"的锐利武器：学习《整顿党的作风》的一点体会，江孝鸣等，《安徽日报》1976 年 11 月 10 日

发扬毛主席倡导的党的优良作风：学习毛主席的光辉著作《整顿党的作风》的体会，王明达，《云南日报》1977 年 12 月 26 日

坚持和发扬马克思列宁主义学风，学习毛主席《整顿党的作风》的体会，呙玉监，《华中师院学报》1978 年第 1 期

增强党性，消除派性：学习《整顿党的作风》的体会，颜泽省等，《陕西日报》1979 年 9 月 12 日

党的作风建设的强大武器：学习毛泽东同志《整顿党的作风》，徐玉坤，《河南日报》1982 年 2 月 5 日

根除派性的锐利思想武器：学

习《整顿党的作风》的体会，曾园陵,《求实》1984 年第 10 期

改进领导作风做好各项工作——纪念《整顿党的作风》发表 50 周年，吴基传,《领导科学》1992 年第 2 期

发扬理论和实际相结合的学风是党的思想建设的重要任务——纪念《整顿党的作风》发表 50 周年，朱代湘,《西华大学学报》(哲学社会科学版) 1992 年第 2 期

毛泽东和邓小平在马列学风倡导上的一致性——学习邓小平南巡讲话和毛泽东《整顿党的作风》的一些体会，黄遂清、屈广跃,《许昌学院学报》1992 年第 4 期

党的建设的一项重要任务——学习毛泽东《整顿党的作风》，王润富,《党史博采》1994 年第 7 期

毛泽东的党风建设理论与实践——重读《整顿党的作风》等文献，刘孝良,《理论建设》1994 年第 3 期

重读毛泽东同志名著《整顿党的作风》，杨沛,《灯塔颂——上海市新四军暨华中抗日根据地历史研究会庆祝中国共产党诞辰七十五周年论文专辑》1996 年

重温毛泽东《整顿党的作风》，赵焱森,《诗刊》1998 年第 9 期

加强和改进党的作风建设的光辉文献——重读毛泽东《整顿党的作风》，闫特龙、赵玉瑞、王成胜，《中共青岛市委党校、青岛行政学院学报》2001 年第 5 期

加强党的作风建设永远保持共产党员的先进性——学习毛泽东《整顿党的作风》一文的体会，李学军,《北京石油管理干部学院学报》2005 年第 3 期

学习研究《在延安文艺座谈会上的讲话》

如何把握矛盾：读书杂记之一，子野,《解放日报》1942 年 4 月 9 日

读毛泽东同志《讲话》笔记，刘白羽,《解放日报》1943 年 12 月 26 日

谈谈如何学习"文艺座谈会上的讲话"，王朝闻,《人民日报》1949 年 1 月 5 日

迫切需要学习毛主席《讲话》，王朝闻,《人民日报》1950 年 2 月 5 日

坚决贯彻毛泽东的文艺路线，周扬,《文艺报》1951 年第 7 期

从历史发展与现实基础上学习毛主席的文艺讲话，任访秋,《新中华》1951 年第 17 期

在毛泽东旗帜下永远做一个文化尖兵，郭沫若,《人民日报》1952 年 5 月 23 日

朝鲜文艺界和欧美各国进步文

艺界广泛出版和研究《讲话》,《人民日报》1952 年 5 月 23 日

德国作家集会研究毛主席文艺路线,《人民日报》1952 年 5 月 27 日

印度进步作家,艺术家赞扬毛主席《讲话》,《人民日报》1952 年 6 月 22 日

《在延安文艺座谈会上的讲话》的国际影响,之鱼,《文艺报》1952 年第 11—12 期

回忆,探索和希望:纪念毛泽东同志《讲话》,何其芳,《文学研究》1957 年第 2 期

在已有的基础上继续努力,茅盾,《人民文学》1957 年第 5 期

《在延安文艺座谈会上的讲话》在新文学史上的重要性,张毕来,《解放军文艺》1957 年第 6 期

纪念,回顾和展望,周立波,《文艺报》1957 年第 7 期

马克思列宁主义文艺理论的典范:《在延安文艺座谈会上的讲话》,吴调公,《语文教学》1958 年第 3 期

解放思想的伟大文献,研究毛泽东同志《讲话》,朝风,《甘肃日报》1958 年 5 月 23 日

"延安文艺座谈会"的来历,以群,《文艺月报》1958 年第 5 期

毛主席《讲话》发表十七周年,郝孚逸,《复旦》1959 年第 6 期

如何继承古代文学遗产:学习毛泽东文艺思想的一点体会,袁盛辉等,《武汉大学人文科学学报》1960 年第 3 期

革命现实主义和革命浪漫主义相结合的创作原则——学习毛泽东文艺思想的体会,张哲,《吉林日报》1960 年 6 月 9 日

关于美的两种基本形态,学习《在延安文艺座谈会上的讲话》札记,胡锡涛,《江海学刊》1963 年第 5 期

提高思想,面向农村,纪念毛泽东同志《讲话》发表二十一周年,郑达,《作品》1963 年第 5 期

文艺工作者应加强思想改造:学习《讲活》笔记,陈文,《四川日报》1964 年 5 月 6 日

为什么人的问题,是一个根本问题:学习《在延安文艺座谈会上的讲话》得到的启示,费凤鸣,《浙江日报》1965 年 9 月 24 日

根据实际生活创造各样的人物;学习《延安文艺座谈会上的讲话》札记,王长俊,《江苏文艺》1977 年第 12 期

《讲话》在四十年代国统区的传播,四十年代国统区革命文艺运动史编写小组,《西南师院学报》1978 年第 1 期

要把《讲话》作为历史文件看待,朱文华等,《复旦学报》1980 年

第 6 期

如何看待《在延安文艺座谈会上的讲话》——丁玲答外国驻京记者问,《时代的报告》(增刊) 1981 年第 1 期

纪念《在延安文艺座谈会上的讲话》发表三十九周年：1. 文艺为什么人的问题是根本方向问题，易竹贤等；2. 坚持文艺为人民服务、为社会主义服务的方向，陈骥等,《湖北日报》1981 年 5 月 23 日

关于文艺和政治关系问题的探讨，李伏虎,《西北民族学院学报》(哲学社会科学版) 1982 年第 2 期

马克思主义文艺理论的科学体系，李联明,《福建师大学报》(哲学社会科学版) 1982 年第 2 期

《讲话》与文艺的特殊规律，庆山,《南宁师院学报》(哲学社会科学版) 1982 年第 2 期

自觉坚持历史唯物主义的指导；学习《讲话》，本报评论员,《光明日报》1982 年 5 月 22 日

《讲话》在重庆传播以后，阳翰笙,《人民日报》1982 年 5 月 26 日

科学对待毛泽东同志的文艺思想，郑伯农,《上海文学》1982 年第 5 期

论艺术的能动性，何国瑞,《武汉大学学报》1982 年第 3 期

大众化与民族化：纪念《讲话》发表四十周年，徐志祥,《武汉师院咸宁分院学报》1982 年第 3 期

从现代文学的发展《讲话》的历史意义，王瑶,《社会科学战线》1982 年第 4 期

学习《讲话》学术讨论会综述，史继中等编,《北京社联通讯》1982 年第 6 期

一点历史的联想：学习《讲话》，杜高,《贵州戏剧》1983 年第 1 期

马克思主义文艺学的珍贵文献：读毛泽东同志《讲话》，潘翠青,《中山大学学报》1983 年第 4 期

毛泽东文艺思想研究中的若干问题；有关学习《讲话》文章的综述,《当代文学研究参考资料》1983 年第 4 期

生活与艺术美的辩证关系；学习《讲话》，王振复,《文艺研究》1984 年第 1 期

把握整体、正确认识：学习《在延安文艺座谈会上的讲话》，张鹊,《苏州大学学报》(哲学社会科学版) 1984 年第 2 期

社会主义文学主要应表现什么：重读《讲话》札记，范泰昌,《固原师专学报》1984 年第 2 期

在不断的发展中：谈《讲话》关于文艺和生活关系的观点在近年的坚持和发展，肖云儒,《理论研究》1984 年第 5 期

马克思主义哲学与文艺创作一纪念《讲话》发表四十二周年，金恩辉，《春风小说月刊》1984 年第 5 期

好雨知时节、润物细无声：《讲话》的问世过程，孙国林，《延安文艺研究》1985 年第 1 期

延安文艺界的一场论争：《在延安文艺座谈会上的讲话》历史背景初探，邹贤敏，《抗战文艺研究》1986 年第 2 期

毛泽东《讲话》版本研究，孙国林，《延安文艺研究》1987 年第 2 期

不废江河万古流：重读《讲话》，陈玄朵，《学习月刊》1987 年第 5 期

指引社会主义文艺发展的纲领——纪念《在延安文艺座谈会上的讲话》发表五十周年，胡秉之，《西藏民族学院学报》（哲学社会科学版）1992 年第 2 期

云湖之畔赞《讲话》——纪念毛泽东《在延安文艺座谈会上的讲话》发表 50 周年研讨会侧记，张蕾，《炎黄春秋》1992 年第 4 期

作家、艺术家在生活第一线——纪念毛泽东《在延安文艺座谈会上的讲话》发表 50 周年，《炎黄春秋》1992 年第 4 期

坚实如磐的理论竭诚为民的方向——学习《在延安文艺座谈会上的讲话》，杨洪林，《郧阳师范高等专科学校学报》1992 年第 2 期

实现文艺的功利性与审美性的统一——重读《在延安文艺座谈会上的讲话》，聂在垠，《郧阳师范高等专科学校学报》1992 年第 2 期

发射出的光辉依然灿烂——纪念《在延安文艺座谈会上的讲话》发表 50 周年，罗宗义，《昭乌达蒙族师专学报》1992 年第 2 期

从文艺作品的接受者与创作者的角度认识毛泽东美学思想——纪念《在延安文艺座谈会上的讲话》发表 50 周年，刘晓霞，《昭乌达蒙族师专学报》1992 年第 2 期

历史让我们沉思——纪念《在延安文艺座谈会上的讲话》发表 50 周年，赵家新，《昭乌达蒙族师专学报》1992 年第 2 期

浅谈"源"与"流"——学习毛主席《在延安文艺座谈会上的讲话》点滴体会，任广武，《吉林艺术学院学报》1992 年第 1 期

为人民服务是社会主义文艺的方向——重读《在延安文艺座谈会上的讲话》，王文楷，《六盘水师范高等专科学校学报》1992 年第 2 期

毛泽东文艺思想永葆青春——纪念《在延安文艺座谈会上的讲话》发表五十周年，向叙典，《河西学院学报》1992 年第 2 期

新时期知识分子健康成长的必

由之路——纪念毛泽东《在延安文艺座谈会上的讲话》发表50周年，宋秦年、瞿振元、张绪潭、胡显章，《清华大学学报》（哲学社会科学版）1992年第2期

坚持文艺的社会主义方向——纪念《在延安文艺座谈会上的讲话》发表五十周年，魏天祥，《中国党政干部论坛》1992年第5期

从战士到作家：保定作家群——纪念《在延安文艺座谈会上的讲话》发表50周年，张广琦，《中国党政干部论坛》1992年第6期

结合实际学习、发展马克思主义文艺思想理论——纪念《在延安文艺座谈会上的讲话》发表50周年，林正斯，《中州大学学报》1992年第2期

《在延安文艺座谈会上的讲话》当代意义的几点思考，曲若镁，《文艺评论》1992年第3期

沿着《讲话》的方向提高——纪念《在延安文艺座谈会上的讲话》发表50周年，关沫南，《文艺评论》1992年第3期

学习《讲话》精神促进文艺繁荣——纪念《在延安文艺座谈会上的讲话》发表五十周年，辛文，《文艺评论》1992年第3期

龙飞凤舞五千年的历史凝聚——纪念毛泽东《在延安文艺座谈会上的讲话》发表五十周年，刘

峻骧，《文艺研究》1992年第3期

正确认识文艺的功能——重温毛泽东同志《在延安文艺座谈会上的讲话》，王鸿，《艺术百家》1992年第2期

反映时代繁荣文艺——纪念《在延安文艺座谈会上的讲话》发表50周年，《瞭望》1992年第18期

建设中国社会主义美术的理论基石——纪念毛泽东同志《在延安文艺座谈会上的讲话》发表50周年，王琦，《美术》1992年第5期

学习和实践毛主席《在延安文艺座谈会上的讲话》，李焕民，《美术》1992年第7期

重读《在延安文艺座谈会上的讲话》——纪念《讲话》发表五十周年，王景山，《首都师范大学学报》（社会科学版）1992年第2期

纪念《在延安文艺座谈会上的讲话》发表五十周年座谈会发言摘要，《首都师范大学学报》（社会科学版）1992年第2期

关于当前文艺创作中的几个理论问题——纪念《在延安文艺座谈会上的讲话》发表50周年，刘景清，《社会科学》1992年第5期

开展文艺批评促进文艺繁荣——纪念《在延安文艺座谈会上的讲话》发表50周年，董学文，《高校理论战线》1992年第2期

关于改造世界观问题——纪念

《在延安文艺座谈会上的讲话》发表 50 周年，何国瑞，《高校理论战线》1992 年第 4 期

全国高校纪念毛泽东同志《在延安文艺座谈会上的讲话》发表五十周年学术讨论会综述，宗言，《高校理论战线》1992 年第 4 期

全国高校纪念毛泽东同志《在延安文艺座谈会上的讲话》发表五十周年学术讨论会入选论文目录，《高校理论战线》1992 年第 4 期

建设有中国特色的社会主义文艺——纪念《在延安文艺座谈会上的讲话》发表五十周年，陈辽，《学海》1992 年第 3 期

关于文艺的社会功利性——纪念《在延安文艺座谈会上的讲话》发表 60 周年，刘文斌，《全国马列文艺论著研究会第十八届学术研讨会论文集》2002 年

为建设和发展有中国特色社会主义的音乐文化而团结奋进——纪念《在延安文艺座谈会上的讲话》发表五十周年，任英雯，《人民音乐》1992 年第 5 期

纪念《在延安文艺座谈会上的讲话》发表五十周年，吕骥，《人民音乐》1992 年第 5 期

回顾、思考与展望——《在延安文艺座谈会上的讲话》发表五十周年有感，汪毓和，《人民音乐》1992 年第 5 期

沿着毛泽东文艺思想指引的方向前进——纪念《在延安文艺座谈会上的讲话》发表 50 周年，瞿维，《人民音乐》1992 年第 6 期

沃土·源泉·甘甜——重温毛泽东《在延安文艺座谈会上的讲话》，杨煜，《人民音乐》1992 年第 7 期

坚持"二为"方向繁荣社会主义文艺——纪念《在延安文艺座谈会上的讲话》发表五十周年，沈培新，《学术界》1992 年第 2 期

以科学的态度对待《讲话》——纪念《在延安文艺座谈会上的讲话》发表 50 周年，钟国，《天津师范大学学报》（社会科学版）1992 年第 3 期

从生活到艺术——纪念《在延安文艺座谈会上的讲话》发表 50 周年，刘文斌，《内蒙古师范大学学报》（哲学社会科学版）1992 年第 2 期

在历史的转折处——《在延安文艺座谈会上的讲话》的美学意义，李庆本，《山东大学学报》（哲学社会科学版）1992 年第 2 期

略论毛泽东文艺思想及其新发展——纪念《在延安文艺座谈会上的讲话》发表五十周年，周琳，《探索》1992 年第 3 期

反映新的时代讴歌新的人物——学习《在延安文艺座谈会上的讲话》，刘文斌，《语文学刊》

1992 年第 2 期

文艺的普及与提高新解——纪念《在延安文艺座谈会上的讲话》发表五十周年，韶泉，《齐鲁学刊》1992 年第 3 期

历史感·方法论·文艺本质——重温毛泽东《在延安文艺座谈会上的讲话》，薛永武，《齐鲁学刊》1992 年第 3 期

释毛泽东文艺批评观——重读《在延安文艺座谈会上的讲话》，吴士余，《社会科学辑刊》1992 年第 3 期

半个世纪的足迹——首都戏剧界隆重纪念毛主席《在延安文艺座谈会上的讲话》发表 50 周年座谈会纪要，《中国戏剧》1992 年第 6 期

中国文艺的光明之路——纪念毛泽东同志《在延安文艺座谈会上的讲话》发表五十周年，成志伟、艾克恩、李京盛、郭运德、杨志今，《中国电视》1992 年第 5 期

纪念《在延安文艺座谈会上的讲话》发表 50 周年学习座谈会纪要，本刊编辑部，《当代电影》1992 年第 3 期

学习《在延安文艺座谈会上的讲话》札记，李正忠，《音乐研究》1992 年第 2 期

温故知新继往开来——纪念毛泽东同志《在延安文艺座谈会上的讲话》发表五十周年，《电影》1992 年第 5 期

认真学习毛泽东文艺思想，深化苏联文学历史的研究——本刊举行纪念《在延安文艺座谈会上的讲话》发表 50 周年座谈会，苏迅，《俄罗斯文艺》1992 年第 3 期

在自治区纪念毛泽东同志《在延安文艺座谈会上的讲话》发表五十周年大会上的讲话，丁廷模，《南方文坛》1992 年第 3 期

在纪念毛主席《在延安文艺座谈会上的讲话》发表五十周年学习笔会上的讲话，张洋，《南方文坛》1992 年第 3 期

邓小平对毛泽东文艺思想的坚持和发展——纪念《在延安文艺座谈会上的讲话》发表五十周年，王世德，《社会科学研究》1992 年第 3 期

文艺为什么人的问题，是一个根本的问题——重读《在延安文艺座谈会上的讲话》有感，南任，《文学自由谈》1992 年第 2 期

"要把自己的思想感情来一个变化，来一番改造"——学习毛泽东《在延安文艺座谈会上的讲话》的一点体会，王元骧，《浙江学刊》1992 年第 3 期

纪念《在延安文艺座谈会上的讲话》发表 50 周年暨《毛泽东文艺思想概论》讨论会综述，李建盛、车子雷，《山东师范大学学报》（人文

社会科学版）1992年第4期

文学艺术的生命在于走向人民——纪念《在延安文艺座谈会上的讲话》发表50周年，徐缉熙，《上海师范大学学报》（哲学社会科学版）1992年第2期

永恒命题的现实思考——纪念《在延安文艺座谈会上的讲话》发表50周年，金志华，《上海师范大学学报》（哲学社会科学版）1992年第2期

《讲话》的光辉思想值得我们永远纪念珍惜——纪念毛泽东《在延安文艺座谈会上的讲话》发表五十周年，徐中玉，《当代作家评论》1992年第3期

为了建设一支新队伍——纪念《在延安文艺座谈会上的讲话》发表五十周年，姚时晓，《上海戏剧》1992年第3期

革命文艺的思想指南——纪念《在延安文艺座谈会上的讲话》发表五十周年，本刊编辑部，《天涯》1992年第4期

把文艺运动推进到一个光辉的新阶段——纪念《在延安文艺座谈会上的讲话》发表五十周年，徐中玉，《文艺理论研究》1992年第3期

谈《在延安文艺座谈会上的讲话》从原本到今本的增删修改，郭豫适，《文艺理论研究》1992年第4期

始终坚持毛泽东文艺思想的指导地位——驳对《在延安文艺座谈会上的讲话》的种种责难，陈其相，《长沙理工大学学报》（社会科学版）1992年第2期

文艺要努力成为推动历史前进的力量——纪念《在延安文艺座谈会上的讲话》发表五十周年，徐鸿福，《党政论坛》1992年第5期

深入生活是发挥创作主体作用的前提——学习《在延安文艺座谈会上的讲话》，马国竞，《广东技术师范学院学报》1992年第2期

正确对待外国文化的借鉴吸收——纪念《在延安文艺座谈会上的讲话》发表50周年，叶良钧，《广东技术师范学院学报》1992年第2期

省社科院民族文学研究所召开座谈会隆重纪念毛泽东同志《在延安文艺座谈会上的讲话》发表五十周年，岩峰，《华夏人文地理》1992年第5期

东北中国画与《讲话》——纪念《在延安文艺座谈会上的讲话》发表50周年现实主义中国画创作学术研讨会上的发言，王盛烈，《美苑》1992年第2期

用《讲话》的基本精神来指导新的文艺实践——纪念《在延安文艺座谈会上的讲话》发表50周年，王凤胜，《齐鲁艺苑》1992年第2期

纪念毛泽东同志《在延安文艺座谈会上的讲话》发表50周年座谈会发言摘要,《齐鲁艺苑》1992年第2期

《在延安文艺座谈会上的讲话》的现代意义,狄其骢,《文史哲》1992年第3期

试论毛泽东美学思想的伟大意义——纪念《在延安文艺座谈会上的讲话》发表50周年,曾繁仁,《文史哲》1992年第3期

方向·生活·责任——重温《在延安文艺座谈会上的讲话》,宋球勋,《徐州师范大学学报》(哲学社会科学版)1992年第2期

"讲话"的思想永放光辉——纪念毛泽东同志《在延安文艺座谈会上的讲话》发表50周年,秦咏诚,《乐府新声》(沈阳音乐学院学报)1992年第2期

马克思主义文艺思想发展史上的一座里程碑——纪念毛泽东《在延安文艺座谈会上的讲话》发表50周年,邓志远,《中山大学学报》(社会科学版)1992年第2期

纪念毛泽东《在延安文艺座谈会上的讲话》发表50周年——我校中文系举行学术论文报告会,张奇志,《杭州大学学报》(哲学社会科学版)1992年第2期

走与工农相结合的道路,是当代青年知识分子成长的必由之路——读《在延安文艺座谈会上的讲话》,鄢全俊,《贵州师范大学学报》(社会科学版)1992年第3期

试论《讲话》的文学价值观——纪念《在延安文艺座谈会上的讲话》发表五十周年,张静琴,《贵州师范大学学报》(社会科学版)1992年第3期

改革·创新·繁荣——学习《在延安文艺座谈会上的讲话》随想,谷长春,《戏剧文学》1992年第5期

"中国是向前的,不是向后的"——纪念《在延安文艺座谈会上的讲话》发表50周年,玛拉沁夫,《民族文学》1992年第5期

繁荣社会主义民族文艺事业的方向——重读《在延安文艺座谈会上的讲话》,阿影,《民族文学》1992年第5期

论文艺的继承与创新——纪念毛泽东《在延安文艺座谈会上的讲话》发表50周年,张运贵,《云南师范大学学报》(哲学社会科学版)1992年第3期

纪念毛泽东《在延安文艺座谈会上的讲话》发表50周年,《太原师范学院学报》(社会科学版)1992年第2期

用强大的生命力迎接挑战——纪念毛泽东《在延安文艺座谈会上的讲话》发表50周年,孙振笃、徐潜,《河北师范大学学报》(哲学社会

科学版）1992年第2期

关于马克思主义与文艺创作方法关系的科学总结——对《在延安文艺座谈会上的讲话》的一点理解，陆耀东，《理论月刊》1992年第8期

坚持贯彻《讲话》精神，繁荣少数民族艺术——纪念毛主席《在延安文艺座谈会上的讲话》发表五十周年，马伶丁，《民族艺术》1992年第2期

贵在实践不尚空谈——纪念毛主席《在延安文艺座谈会上的讲话》发表五十周年，李英敏，《民族艺术》1992年第2期

纪念毛泽东同志《在延安文艺座谈会上的讲话》发表五十周年，本刊编辑部，《南京艺术学院学报》（音乐与表演版）1992年第3期

《讲话》光芒照千秋——纪念《在延安文艺座谈会上的讲话》发表50周年综述，芬芳，《中共山西省委党校学报》1992年第4期

以科学的态度对待《讲话》——纪念《在延安文艺座谈会上的讲话》发表50周年，钟国，《天津师范大学学报》（自然科学版）1992年第3期

毛泽东与文艺——纪念《在延安文艺座谈会上的讲话》发表50周年，陈涌，《文学评论》1992年第3期

纪念《在延安文艺座谈会上的

讲话》发表五十周年中国社会科学院召开学术讨论会，石录，《文学评论》1992年第4期

坚持文艺的意识形态性理论——纪念毛泽东《在延安文艺座谈会上的讲话》发表50周年，基凡，《许昌学院学报》1992年第2期

《在延安文艺座谈会上的讲话》与民歌体派新诗的成熟，陆耀东，《中国现代文学研究丛刊》1992年第2期

知识分子的方向篇——重读《在延安文艺座谈会上的讲话》，陈福雄，《中山大学学报论丛》1992年第6期

建筑的"特色"及其创作表现——为纪念毛泽东《在延安文艺座谈会上的讲话》发表五十周年而作，高介华，《华中建筑》1992年第3期

深入生活繁荣创作——纪念《在延安文艺座谈会上的讲话》发表50周年，张积礼，《兰州大学学报》（社会科学版）1992年第2期

成功者的必由之路—到民间去——重温毛泽东同志《在延安文艺座谈会上的讲话》的一点体会，柯杨，《兰州大学学报》（社会科学版）1992年第2期

认真学习人民群众的语言——纪念《在延安文艺座谈会上的讲话》发表50周年，谢晓安，《兰州大

学学报》(社会科学版) 1992 年第 2 期

加强马列主义理论修养,提高古典文学研究的整体学术水平——纪念《在延安文艺座谈会上的讲话》50 周年,魏明安,《兰州大学学报》(社会科学版) 1992 年第 2 期

艺术需要人民——纪念《在延安文艺座谈会上的讲话》发表 50 周年,胡垍,《兰州大学学报》(社会科学版) 1992 年第 2 期

《讲话》对"艺术属于人民"思想的涵盖与拓展——纪念《在延安文艺座谈会上的讲话》发表五十周年,杨树德,《南通大学学报》(社会科学版) 1992 年第 2 期

歌颂与暴露文艺与生活——学习《在延安文艺座谈会上的讲话》的两点思考,孔庆尊,《青海师专学报》1992 年第 3 期

"爱所能达到的领域是无限的"吗?——学习《在延安文艺座谈会上的讲话》札记,吕晴飞,《前线》1992 年第 4 期

学习《讲话》繁荣创作——纪念毛泽东《在延安文艺座谈会上的讲话》发表五十周年,苗得雨、李存葆、任孚先、陈宝云、吴开晋、孔范今、李贯通、宋遂良、袁忠岳、张达,《时代文学》1992 年第 3 期

坚持和发展毛泽东文艺思想——纪念《在延安文艺座谈会上的讲话》发表 50 周年座谈会概述,张家钊,《社会科学研究》1992 年第 4 期

坚定社会主义立足点——纪念毛泽东《在延安文艺座谈会上的讲话》发表五十周年,魏洪丘,《上饶师范学院学报》1992 年第 2 期

重读毛泽东同志《在延安文艺座谈会上的讲话》,黄锦培,《星海音乐学院学报》1992 年第 2 期

弘扬《讲话》精神发展文艺理论——纪念毛泽东《在延安文艺座谈会上的讲话》发表五十周年,《学术月刊》1992 年第 6 期

具有时代和民族特色的马克思主义文艺美学观——纪念《在延安文艺座谈会上的讲话》发表五十周年,樊德三,《盐城师范学院学报》(人文社会科学版) 1992 年第 2 期

欧阳山探索民族的大众的现实文学的历程——纪念《在延安文艺座谈会上的讲话》发表 50 周年,黄伟宗,《中山大学学报》(社会科学版) 1992 年第 2 期

纪念毛泽东同志《在延安文艺座谈会上的讲话》发表 50 周年座谈会,湘林,《装饰》1992 年第 3 期

为了培育一代新人——纪念《在延安文艺座谈会上的讲话》发表五十周年,本刊编辑部,《中国音乐教育》1992 年第 3 期

繁荣与发展社会主义文艺的指

针——纪念《在延安文艺座谈会上的讲话》发表五十周年,《齐齐哈尔大学学报》(哲学社会科学版) 1992年第 3 期

《讲话》与文艺美学——重读《在延安文艺座谈会上的讲话》,任范松,《延边大学学报》(社会科学版) 1992 年第 2 期

文艺创作中的主体、客体及其二者的关系——学习《在延安文艺座谈会上的讲话》札记,吕晴飞,《北京社会科学》1992 年第 2 期

温故知新　继往开来——纪念《在延安文艺座谈会上的讲话》发表五十周年座谈会专辑,孟波、徐桑楚、陈清泉、吴宗锡、张元民、桑弧、梅朵、刘泉、赵焕章、石晓华、陆寿钧、陈朝玉、陈丹路、陈同艺,《电影新作》1992 年第 3 期

《讲话》和《祝辞》是马克思主义文艺思想与党建理论的融合——纪念《在延安文艺座谈会上的讲话》发表 50 周年,李焰平,《甘肃理论学刊》1992 年第 3 期

时代的旋律推陈出新的范例——为纪念毛主席在延安文艺座谈会上讲话的一段回忆,梁再,《高校图书馆工作》1992 年第 3 期

深入生活是发挥创作主体作用的前提——学习《在延安文艺座谈会上的讲话》,马国竞,《广西民族学院学报》(哲学社会科学版) 1992

年第 2 期

正确对待外国文化的借鉴吸收——纪念《在延安文艺座谈会上的讲话》发表 50 周年,叶良钧,《广西民族学院学报》(哲学社会科学版) 1992 年第 2 期

坚定方向深入生活——纪念《在延安文艺座谈会上的讲话》发表五十周年,国非,《固原师专学报》1992 年第 2 期

马克思主义文艺理论史上的丰碑——纪念毛泽东《在延安文艺座谈会上的讲话》发表 50 周年,王佑江、陈明刚,《黄冈师范学院学报》1992 年第 2 期

必须坚持无产阶级文艺的政治倾向性——纪念《在延安文艺座谈会上的讲话》发表五十周年,许锋,《黑河学刊》1992 年第 2 期

沿着文艺的"二为"方向奋勇向前——纪念《在延安文艺座谈会上的讲话》发表 50 周年,英炯,《湖湘论坛》1992 年第 3 期

历史的要求和内在的觉悟——《在延安文艺座谈会上的讲话》产生及影响的根据,陈引驰,《理论与创作》1992 年第 3 期

春雷·艳阳,小草·繁花——《在延安文艺座谈会上的讲话》与民间文学,巫瑞书,《理论与创作》1992 年第 6 期

尊重革命文艺精魂再振文艺发

展雄风——纪念《在延安文艺座谈会上的讲话》发表五十周年，雷业洪,《乐山师范学院学报》1992 年第 2 期

坚持正确方向，奏响文艺主旋律——重温《在延安文艺座谈会上的讲话》，周强,《乐山师范学院学报》1992 年第 2 期

理论的光芒——读《在延安文艺座谈会上的讲话》，祁明军,《乐山师范学院学报》1992 年第 2 期

走进广阔的天地融入生活的海洋——读《在延安文艺座谈会上的讲话》，龙㛃,《乐山师范学院学报》1992 年第 2 期

新的历史时期文艺工作的导向——读《在延安文艺座谈会上的讲话》，邱月,《乐山师范学院学报》1992 年第 2 期

在改革开放的大潮中繁荣南京文艺——纪念《在延安文艺座谈会上的讲话》发表 50 周年，顾浩,《南京社会科学》1992 年第 3 期

谈文艺的"雅"与"俗"——重学《在延安文艺座谈会上的讲话》札记，裴显生、苏祝平,《南京社会科学》1992 年第 3 期

坚持社会主义文艺建设的历史必由之路——纪念《在延安文艺座谈会上的讲话》发表 50 周年，林宝全,《社会科学家》1992 年第 3 期

毛泽东《在延安文艺座谈会上的讲话》的历史与现实价值，余福洲,《社会科学家》1992 年第 3 期

纪念《在延安文艺座谈会上的讲话》发表 50 周年，本刊编辑部,《渭南师范学院学报》1992 年第 2 期

用《讲话》精神指导鲁迅研究——纪念毛主席《在延安文艺座谈会上的讲话》发表五十周年，林平,《五邑大学学报》（社会科学版）1992 年第 2 期

试论文艺与人民的关系问题——重读《在延安文艺座谈会上的讲话》札记，张鸿才,《西北第二民族学院学报》（哲学社会科学版）1992 年第 2 期

试论党的文艺方针的"变"与"常"——纪念《在延安文艺座谈会上的讲话》发表 50 周年，吕永,《湘潭大学社会科学学报》1992 年第 3 期

党性原则与社会主义文艺规律——纪念"在延安文艺座谈会上的讲话"发表五十周年，郑启幕,《湘潭大学社会科学学报》1992 年第 3 期

坚持党性原则是军事文学创作之本——重读毛泽东同志《在延安文艺座谈会上的讲话》的笔记，郑贤斌,《当代文坛》1992 年第 3 期

还历史以本来面目——论《在延安文艺座谈会上的讲话》的文艺

社会学性质，邹贤敏，《湖北大学学报》（哲学社会科学版）1992 年第 3 期

论艺术的核心问题——纪念《在延安文艺座谈会上的讲话》发表 50 周年，孔建英，《湖北大学学报》（哲学社会科学版）1992 年第 3 期

我校召开纪念《在延安文艺座谈会上的讲话》发表 50 周年学术报告会，安怀，《四川师范大学学报》（社会科学版）1992 年第 4 期

毛泽东论艺术性和艺术标准——重温《在延安文艺座谈会上的讲话》，吴奔星，《文艺理论与批评》1992 年第 4 期

纪念《在延安文艺座谈会上的讲话》发表五十周年笔谈，李敬敏、欧恢章、刘知渐、戴少瑶、周晓风、杨从荣、杨星映、朱丕智、王忠勇，《重庆师范大学学报》（哲学社会科学版）1992 年第 2 期

教师应为学生服务——学习《在延安文艺座谈会上的讲话》的体会，安正运，《沧州师范专科学校学报》1992 年第 2 期

关于生活的真实与艺术的真实——学习《在延安文艺座谈会上的讲话》札记，左全安，《贵阳师范高等专科学校学报》（社会科学版）1992 年第 3 期

文艺大众化的历史轨迹与当代

形态——纪念《在延安文艺座谈会上的讲话》发表五十周年，李宁宁，《湖北民族学院学报》（哲学社会科学版）1992 年第 2 期

牢记全心全意为人民大众服务的宗旨——重读《在延安文艺座谈会上的讲话》，杨华，《河北科技图苑》1992 年第 2 期

把握和坚持毛泽东文艺思想的科学原则——纪念《在延安文艺座谈会上的讲话》发表五十周年，罗龙炎，《九江师专学报》1992 年第 1 期

论社会主义文艺的逻辑起点——纪念《在延安文艺座谈会上的讲话》发表五十周年，李宁宁，《九江师专学报》1992 年第 1 期

《在延安文艺座谈会上的讲话》与中国社会主义文艺，陈远征，《吉首大学学报》（社会科学版）1992 年第 2 期

发展艺术教育事业的金色宝典——纪念毛泽东《在延安文艺座谈会上的讲话》发表五十周年，翟咏，《交响》（西安音乐学院学报）1992 年第 2 期

根深叶茂歌坛生辉——为纪念毛泽东同志《在延安文艺座谈会上的讲话》发表五十周年而作，薛明，《交响》（西安音乐学院学报）1992 年第 2 期

毛泽东对审美创造内在规律的

热切关注——重读《在延安文艺座谈会上的讲话》，申自强，《开封教育学院学报》1992年第2期

毛泽东美学思想的哲学基础——纪念毛泽东《在延安文艺座谈会上的讲话》发表50周年，童庆炳，《北京师范大学学报》（社会科学版）1992年第3期

繁荣人民的社会主义的文艺——纪念毛泽东同志《在延安文艺座谈会上的讲话》发表五十周年，张炯，《当代文坛》1992年第3期

论社会主义文艺的警醒作用——重读《在延安文艺座谈会上的讲话》，唐刀，《广西大学学报》（哲学社会科学版）1993年第1期

当今文学的普及与提高——学习毛泽东同志《在延安文艺座谈会上的讲话》，潘晓生，《济南大学学报》（社会科学版）1993年第4期

文艺为人民大众：历史与现实的选择——重读毛泽东《在延安文艺座谈会上的讲话》，贾岩，《济南大学学报》（社会科学版）1993年第4期

不能以"流"代"源"——重温《在延安文艺座谈会上的讲话》，赵治中，《丽水师范专科学校学报》1993年第3期

《在延安文艺座谈会上的讲话》中的文艺系统观和接受美学观，李树荣，《民族艺术研究》1993年第6期

《在延安文艺座谈会上的讲话》为青年知识分子的健康成长指明了方向，伍自强，《南方冶金学院学报》1993年第2期

坚持社会主义思想文化建设的正确方向——重读《在延安文艺座谈会上的讲话》，郑德荣、刘喜发，《山东医科大学学报》（社会科学版）1993年第3期

从"为工农"到"为人民"——重读《在延安文艺座谈会上的讲话》，刘劭楷，《湖南科技大学学报》（社会科学版）1993年第4期

论文艺与生活——重读《在延安文艺座谈会上的讲话》，郗璐，《首都师范大学学报》（社会科学版）1993年第6期

周恩来对《在延安文艺座谈会上的讲话》的贡献，王泠一，《史林》1993年第1期

文艺根本问题与文艺改革——重读《在延安文艺座谈会上的讲话》，王臻中、许建民，《南京师大学报》（社会科学版）1993年第4期

文艺与时代一起前进——纪念《在延安文艺座谈会上的讲话》发表51周年，车书栋，《文艺争鸣》1993年第3期

毛泽东文艺思想的当代意义——纪念《在延安文艺座谈会上

的讲话》，彭功智、马治军，《河南师范大学学报》（哲学社会科学版）1993 年第 2 期

从艺术辩证法看文艺反映论——学习《在延安艺座谈会上的讲话》札记，蒋均涛，《四川职业技术学院学报》1993 年第 2 期

文学艺术的使命——重温毛主席《在延安文艺座谈会上的讲话》的体会，赵怀仁，《大理学院学报》1993 年第 2 期

毛泽东《在延安文艺座谈会上的讲话》与当今文艺现实问题的思考，赵寅，《贵州警官职业学院学报》1993 年第 4 期

如何看待艺术商品性这团迷雾——重读《在延安文艺座谈会上的讲话》的多维思考，陈长生，《毛泽东文艺思想研究》第八辑暨全国毛泽东文艺思想研究会论文汇编，1993 年

纪念《在延安文艺座谈会上的讲话》发表 50 周年学习座谈会纪要，《中国电影年鉴》1993 年

不朽的思想光辉的旗帜——纪念毛泽东同志《在延安文艺座谈会上的讲话》发表 52 周年，罗辑，《喀什师范学院学报》1994 年第 2 期

论《在延安文艺座谈会上的讲话》的特色，犹家仲，《南方文坛》1994 年第 1 期

划时代的文艺纲领：《在延安文

艺座谈会上的讲话》，木子、刘茜，《枣庄师范专科学校学报》1994 年第 1 期

毛主席延安文艺座谈会上讲话在收入《毛选》时对一些提法的修改，徐雨，《出版参考》1994 年第 23 期

防"左"的光辉文献——重学《在延安文艺座谈会上的讲话》，邹琦新，《毛泽东思想研究》1995 年第 1 期

试论《在延安文艺座谈会上的讲话》对高校育人工作的指导作用，孙殷望，《清华大学学报》（哲学社会科学版）1995 年第 4 期

有中国特色的马克思主义文艺学基本观念的确立——重新学习《在延安文艺座谈会上的讲话》的体会，马龙潜，《山东大学学报》（社会科学版）1995 年第 2 期

《在延安文艺座谈会上的讲话》与中国历史、文化，吴戈，《民族艺术研究》1995 年第 2 期

坚持社会主义的文艺方向——再读毛泽东《在延安文艺座谈会上的讲话》，朱思勤、田平，《枣庄师范专科学校学报》1995 年第 3 期

不应忽视的价值——对《在延安文艺座谈会上的讲话》的再认识，张希玲，《大庆高等专科学校学报》1995 年第 3 期

要处理好文艺创作的三个关

系——学习邓小平文艺思想暨纪念《在延安文艺座谈会上的讲话》发表 53 周年，姚维荣，《人民论坛》1995 年第 5 期

毛泽东的文学主体观——《在延安文艺座谈会上的讲话》重读偶记，高学栋，《辽宁教育行政学院学报》1996 年第 4 期

知识分子仍应走与工农结合之路——纪念《在延安文艺座谈会上的讲话》发表 54 周年，黄建权，《广西大学学报》（哲学社会科学版）1996 年第 2 期

《在延安文艺座谈会上的讲话》在中国现代文艺史上的理论和实践意义，李春玉，《理论探讨》1996 年第 2 期

催生优秀作品的阳光雨露——纪念《在延安文艺座谈会上的讲话》发表五十五周年，曾镇南，《求是》1997 年第 10 期

《在延安文艺座谈会上的讲话》在 40 年代的传播与接受，纪桂平、贾玉民，《河南社会科学》1997 年第 2 期

试论毛泽东的美学思想——纪念《在延安文艺座谈会上的讲话》发表五十五周年，张正治、尚延龄，《江西教育学院学报》1997 年第 4 期

纪念毛泽东同志《在延安文艺座谈会上的讲话》发表 55 周年——

省直文化系统举行毛泽东、邓小平文艺思想座谈、研讨会，苏青，《民族艺术研究》1997 年第 3 期

抓准根本方向问题做好高校育人工作——学习毛泽东同志《在延安文艺座谈会上的讲话》的体会，白国华，《民族教育研究》1997 年第 3 期

《在延安文艺座谈会上的讲话》在国外的传播和影响，武生，《泰安教育学院学报岱宗学刊》1997 年第 3 期

毛泽东文艺思想与艺术理论教学——纪念《在延安文艺座谈会上的讲话》发表 55 周年，杨志琨，《吉林艺术学院学报》1997 年（增刊）

理想的美比实际生活更美——与青年美术家共商大计之五纪念毛泽东《在延安文艺座谈会上的讲话》发表 56 周年，蔡若虹，《美术》1998 年第 5 期

实现文艺的功利性与审美性的统一——重读《在延安文艺座谈会上的讲话》，聂在垠，《毛泽东文艺思想研究》第十二辑暨全国毛泽东文艺思想研究会 1998 年年会论文集，1998 年

文艺要面向人民群众——重读毛泽东《在延安文艺座谈会上的讲话》，李天恩，《兰州大学学报》（社会科学版）1999 年第 2 期

纪念毛泽东《在延安文艺座谈

会上的讲话》发表 57 周年——暨《明朗的天 1937—1949 解放区木刻版画集》出版座谈会在京举行,《美术》1999 年第 7 期

宏观世界的开辟——关于《在延安文艺座谈会上的讲话》的回忆及观感, 蔡若虹,《美术》1999 年第 10 期

张闻天与延安文艺思想的过渡——毛泽东《在延安文艺座谈会上的讲话》前延安文艺指导思想初探, 付道磊,《齐鲁学刊》1999 年第 2 期

《在延安文艺座谈会上的讲话》的思想溯源, 朱秋德,《兵团教育学院学报》1999 年第 3 期

毛泽东《在延安文艺座谈会上的讲话》在世界各地的出版和传播, 徐平,《出版参考》1999 年第 12 期

主体、主流与生活——重温《在延安文艺座谈会上的讲话》, 杨恩芳,《重庆社会科学》1999 年第 3 期

起点·中介·终点——论《在延安文艺座谈会上的讲话》的辩证逻辑结构与其意义, 嵇山,《学术月刊》2000 年第 5 期

重读《在延安文艺座谈会上的讲话》, 刘国良,《老年人》2000 年第 6 期

《在延安文艺座谈会上的讲话》在国外的传播和影响, 涂武生,《泰安教育学院学报岱宗学刊》2000 年第 1 期

繁荣发展社会主义文艺的指路明灯——纪念毛泽东《在延安文艺座谈会上的讲话》发表 59 周年, 申维辰,《求是》2001 年第 10 期

党建文献与文艺和美学文献完美交融——纪念毛泽东在延安文艺座谈会上的讲话六十周年, 杨柄,《泰安教育学院学报岱宗学刊》2001 年第 4 期

一部改造世界观的伟大纲领——纪念《在延安文艺座谈会上的讲话》发表 59 周年, 孙焕臻,《铜仁师范高等专科学校学报》2001 年第 2 期

理直气壮写农民为农民写——《作家论坛周刊》与北京通州区作家协会联合举行纪念《在延安文艺座谈会上的讲话》发表 59 周年座谈会, 胡殿红,《文艺报》2001 年 5 月 26 日

延安窑洞里的艺术哲学——纪念毛泽东《在延安文艺座谈会上的讲话》发表 59 周年, 秦杰、王黎,《新华每日电讯》2001 年 5 月 24 日

繁荣发展社会主义文艺的指路明灯——纪念毛泽东《在延安文艺座谈会上的讲话》发表五十九周年, 申维辰,《山西日报》2001 年 5 月 23 日

不灭的明灯——写在《在延安

文艺座谈会上的讲话》发表六十周年之际，喻晓，《解放军报》2002年5月24日

纪念《在延安文艺座谈会上的讲话》发表 60 周年，郭蕴德、曹保明、苏里、王肯、李莉、李志宏，《吉林日报》2002年5月23日

努力实现最广大人民群众的文化利益——纪念《在延安文艺座谈会上的讲话》发表六十周年，左中一，《人民日报》2002年5月12日

纪念《在延安文艺座谈会上的讲话》发表 60 周年，《人民日报》2002年5月16日

纪念毛泽东《在延安文艺座谈会上的讲话》发表六十周年，竹青，《人民日报》2002年5月17日

纪念《在延安文艺座谈会上的讲话》发表六十周年，《人民日报》2002年5月18日

在纪念毛泽东同志《在延安文艺座谈会上的讲话》发表六十周年座谈会上的讲话，丁关根，《人民日报》2002年5月23日

坚持先进文化前进方向繁荣社会主义文艺事业，《人民日报》2002年5月23日

深情抒写人民的历史——纪念毛泽东同志《在延安文艺座谈会上的讲话》发表六十周年，本报评论员，《人民日报》2002年5月23日

坚持先进文化的前进方向——

学习毛泽东同志《在延安文艺座谈会上的讲话》，全哲洙，《人民日报》2002年5月24日

在学习中与时俱进——重温《在延安文艺座谈会上的讲话》，欧阳山尊，《人民日报》2002年6月11日

一位"老延安"的深情回忆，蒋连根，《人民日报海外版》2002年6月3日

大众的文艺与先进文化——政协委员谈《在延安文艺座谈会上的讲话》，王小宁，《人民政协报》2002年6月4日

延安文艺运动的创新品格——重读毛泽东同志《在延安文艺座谈会上的讲话》，肖云儒，《文学报》2002年5月16日

正确理解"深入生活"——纪念毛泽东《在延安文艺座谈会上的讲话》发表 60 周年，吴文科，《文艺报》2002年5月16日

和新的群众的时代结合——纪念《在延安文艺座谈会上的讲话》发表 60 周年，董学文，《文艺报》2002年5月21日

首都文学艺术界聚会座谈纪念《在延安文艺座谈会上的讲话》发表 60 周年，曲志红、沈路涛，《新华每日电讯》2002年5月18日

坚持和发展毛泽东文艺思想为实践"三个代表"要求而团结奋

斗——纪念毛泽东同志《在延安文艺座谈会上的讲话》发表 60 周年述评文章之一，新疆维吾尔自治区党委宣传部，《新疆日报》（汉）2002 年 5 月 21 日

深入生活繁荣创作唱响时代主旋律——纪念毛泽东同志《在延安文艺座谈会上的讲话》发表 60 周年，吴敦夫，《新疆日报》（汉）2002 年 5 月 23 日

打造新疆特色文化品牌——纪念毛泽东同志《在延安文艺座谈会上的讲话》发表 60 周年述评文章之三，新疆维吾尔自治区党委宣传部，《新疆日报》（汉）2002 年 5 月 24 日

《毛泽东文艺论集》出版座谈会举行纪念毛泽东《在延安文艺座谈会上的讲话》发表 60 周年，马国仓，《中国新闻出版报》2002 年 5 月 15 日

薪火相传与时俱进——纪念毛泽东同志《在延安文艺座谈会上的讲话》发表 60 周年，闫振中，《西藏日报》2002 年 5 月 30 日

《在延安文艺座谈会上的讲话》的版本，孙国林，《中华读书报》2002 年 5 月 15 日

学习《讲话》推动民族文化与时俱进——纪念毛泽东同志《在延安文艺座谈会上的讲话》发表 60 周年，刘振强，《中国民族报》2002 年 5 月 21 日

琳琅满目弥足珍贵毛泽东《在延安文艺座谈会上的讲话》早期版本，奚景鹏，《中国文物报》2002 年 5 月 22 日

《讲话》的精神价值与先进文化的发展——纪念《在延安文艺座谈会上的讲话》发表六十周年，黄建国，《湖南日报》2002 年 5 月 21 日

新时期毛泽东文艺思想发展论要——纪念《在延安文艺座谈会上的讲话》发表 60 周年，蔺宝侠，《延安大学学报》（社会科学版）2002 年第 2 期

黄土地上的文艺奇葩——纪念毛泽东同志《在延安文艺座谈会上的讲话》发表 60 周年文艺奇葩，张元元，《中国建材》2002 年第 6 期

重温《讲话》教诲发扬延安精神毛泽东同志《在延安文艺座谈会上的讲话》发表 60 周年纪念活动丰富多彩，《舞蹈》2002 年第 5 期

永远重视生活——纪念《在延安文艺座谈会上的讲话》发表 60 周年，叶林，《舞蹈》2002 年第 5 期

追寻源与流的完美统一——纪念《在延安文艺座谈会上的讲话》发表 60 周年，叶林，《广东艺术》2002 年第 3 期

光辉的太行山剧团——纪念《在延安文艺座谈会上的讲话》发表 60 周年，张明元，《党史博采》

2002 年第 5 期

坚持毛泽东文艺思想精华坚持先进文化前进方向——纪念《在延安文艺座谈会上的讲话》发表六十周年，吴建伟，《中共贵州省委党校学报》2002 年第 3 期

《在延安文艺座谈会上的讲话》与"代表先进文化的前进方向"，鲍昌平，《西藏发展论坛》2002 年第 3 期

坚持正确方向繁荣文艺创作——纪念毛泽东《在延安文艺座谈会上的讲话》发表 60 周年，邹豪生，《湖南省社会主义学院学报》2002 年第 4 期

到生活中去，到群众中去——学习毛泽东同志《在延安文艺座谈会上的讲话》，沈郢，《辽宁广播电视大学学报》2002 年第 3 期

小省区能办大文化——在宁夏文艺界纪念毛泽东《在延安文艺座谈会上的讲话》发表六十周年座谈会上的发言，李东东，《朔方》2002 年第 7 期

文学启蒙理念的升华——写在毛泽东《在延安文艺座谈会上的讲话》发表六十周年之际，马力，《鸭绿江》(上半月版) 2002 年第 5 期

与时俱进，开拓创新，推动社会主义文艺进一步繁荣发展——纪念《在延安文艺座谈会上的讲话》发表六十周年，王全乐，《牡丹》

2002 年第 3 期

薪火相传与时俱进——纪念毛泽东《在延安文艺座谈会上的讲话》发表 60 周年，野牧，《西藏文学》2002 年第 4 期

文艺经典现代性言说——纪念毛泽东《在延安文艺座谈会上的讲话》发表 60 周年，黄曼君，《长江文艺》2002 年第 5 期

翻身道情——谨以此诗纪念毛泽东《在延安文艺座谈会上的讲话》发表 60 周年，王久辛，《中国作家》2002 年第 5 期

学习《讲话》精神繁荣文艺事业——纪念毛泽东《在延安文艺座谈会上的讲话》发表 60 周年，张启亮、晓华，《学习与实践》2002 年第 6 期

年轻的生命不老的歌声——为纪念毛主席《在延安文艺座谈会上的讲话》发表六十周年而作，白帆，《云岭歌声》2002 年第 7 期

坚持"二为"方向繁荣文艺事业——在江西省纪念毛泽东同志《在延安文艺座谈会上的讲话》发表六十周年座谈会上的讲话，刘上洋，《创作评谭》2002 年第 3 期

与时俱进繁荣文艺——纪念毛泽东《在延安文艺座谈会上的讲话》发表六十周年，刘云，《老友》2002 年第 6 期

历史与现实中的文艺创作——

重读毛泽东《在延安文艺座谈会上的讲话》，周政保，《民族文学》2002年第5期

纪念《在延安文艺座谈会上的讲话》发表60周年，王蒙、王晓棠、白岩松、朱琳、吴祖强、姜昆、袁世海、徐城北、童道明、靳尚谊，《群言》2002年第5期

把最好的精神食粮献给人民，刘浪、何煦，《重庆日报》2002年5月23日

20世纪中国文艺发展史上的三个划时代纲领——写在毛泽东《在延安文艺座谈会上的讲话》发表60周年之际，徐世丕，《中国文化报》2002年5月21日

给劳动者一份文学关怀——纪念《在延安文艺座谈会上的讲话》发表六十周年，金永兵，《中国文化报》2002年5月21日

重温《讲话》精神推动理论创新——纪念毛泽东《在延安文艺座谈会上的讲话》发表60周年学术座谈会综述，沈湘，《中国文化报》2002年6月11日

早期《讲话》版本已成珍藏品，孙玉洁、刘维华，《中国艺术报》2002年5月3日

发扬《讲话》精神实践"三个代表"促进社会主义文艺事业新的繁荣——纪念毛泽东同志《在延安文艺座谈会上的讲话》发表60周

年，李树文，《中国艺术报》2002年5月17日

在纪念毛泽东同志《在延安文艺座谈会上的讲话》发表六十周年座谈会上的讲话，丁关根，《中国艺术报》2002年5月24日

用多姿多彩的笔墨描绘人民奋斗的业绩——中宣部等单位纪念毛泽东同志《在延安文艺座谈会上的讲话》发表60周年座谈会发言摘要，金炳华、陈晓光、秦怀保、王昆、牧兰，《中国艺术报》2002年5月24日

牢牢把握中国先进文化的发展趋势和要求——我省隆重纪念毛泽东《在延安文艺座谈会上的讲话》发表60周年，荆福生，《福建日报》2002年5月23日

文艺长河中永不熄灭的明灯——文艺界纪念《在延安文艺座谈会上的讲话》发表60周年综述，华丰源，《光明日报》2002年5月22日

高举中国先进文化的前进旗帜——纪念《在延安文艺座谈会上的讲话》发表60周年，本报评论员，《光明日报》2002年5月23日

弘扬《讲话》精神　发展先进文化——在中宣部、文化部、国家广电总局、中国文联、中国作协、解放军总政治部举行的"纪念毛泽东同志《在延安文艺座谈会上的讲

话》发表 60 周年座谈会"上的发言摘登,《光明日报》2002 年 5 月 23 日

中国社科院举办纪念毛泽东在延安文艺座谈会上讲话 60 周年理论座谈会,四正,《光明日报》2002 年 5 月 28 日

坚持先进文化前进方向繁荣社会主义文艺事业——《在延安文艺座谈会上的讲话》发表 60 周年纪念,河北省社会科学院语言文学研究所,《河北日报》2002 年 5 月 27 日

艺术与生产力发展——写在纪念毛泽东《在延安文艺座谈会上的讲话》发表 60 周年之际,程原,《河南日报》2002 年 5 月 30 日

毛泽东同志《在延安文艺座谈会上的讲话》发表 60 年来军旅文艺硕果累累,《解放军报》2002 年 5 月 17 日

生活与创作——重读《在延安文艺座谈会上的讲话》札记,张道兴,《解放军报》2002 年 5 月 23 日

文艺运动中一些根本问题的提出和发展——纪念《在延安文艺座谈会上的讲话》发表 60 周年,阚小琴、董义连,《内蒙古工业大学学报》(社会科学版) 2002 年第 1 期

《讲话》的精神价值与先进文化的发展——纪念《在延安文艺座谈会上的讲话》发表 60 周年,黄建

国,《理论与创作》2002 年第 3 期

历史的丰碑,科学的建树——纪念毛泽东《在延安文艺座谈会上的讲话》发表 60 周年长沙学术座谈会综述,李志宏,《理论与创作》2002 年第 4 期

谈少数民族文学艺术与先进文化思想——纪念毛泽东《在延安文艺座谈会上的讲话》发表 60 周年,哈斯乌拉、朱秉龙,《内蒙古宣传》2002 年第 6 期

坚持以"三个代表"重要思想为指导建设社会主义先进文化——隆重纪念《在延安文艺座谈会上的讲话》发表 60 周年,《美术观察》2002 年第 5 期

延安文艺座谈会与延安整风——纪念《在延安文艺座谈会上的讲话》发表 60 周年,靳绍彤、黎辛,《南京艺术学院学报》(音乐及表演版) 2002 年第 2 期

人民是文艺工作者的母亲——纪念《在延安文艺座谈会上的讲话》发表 60 周年,徐景熙,《南通工学院学报》(社会科学版) 2002 年第 2 期

《讲话》开创了人民文艺的新时代——纪念毛泽东同志《在延安文艺座谈会上的讲话》发表 60 周年,傅安辉,《黔东南民族师范高等专科学校学报》2002 年第 5 期

学习《在延安文艺座谈会上的

《讲话》繁荣黔西南州文艺事业，钟德普，《黔西南民族师范高等专科学校学报》2002 年第 3 期

《讲话》和"三个代表"思想是文艺工作的指路明灯——纪念毛泽东《在延安文艺座谈会上的讲话》发表 60 周年，邹豪生，《邵阳学院学报》2002 年第 5 期

生活之树常青——纪念《在延安文艺座谈会上的讲话》发表 60 周年，《苏州市职业大学学报》2002 年第 2 期

赵树理：自觉地为农民而创作——纪念《在延安文艺座谈会上的讲话》发表六十周年，康凤英，《辽宁师专学报》（社会科学版）2002 年第 3 期

对当前反腐败题材文艺创作的思考——学习毛泽东《在延安文艺座谈会上的讲话》的一点体会，王利民，《中共太原市委党校学报》2002 年第 5 期

不同的时代不变的原则——学习毛泽东《在延安文艺座谈会上的讲话》，孙立中，《天中学刊》2002 年第 4 期

时代呼唤崇高的精神产品——纪念毛泽东《在延安文艺座谈会上的讲话》发表六十周年，伊榕，《学习导报》2002 年第 5 期

五四新文学传统与《在延安文艺座谈会上的讲话》，马龠伯，《当代思潮》2002 年第 4 期

延安新秧歌运动回望——纪念毛泽东《在延安文艺座谈会上的讲话》发表六十周年，苗志东，《当代戏剧》2002 年（增刊）

流水与时进——纪念《在延安文艺座谈会上的讲话》发表六十周年，刘兆林，《当代作家评论》2002 年第 3 期

《讲话》的历史命运纪念《在延安文艺座谈会上的讲话》六十周年，于敏，《电影艺术》2002 年第 3 期

《讲话》与何其芳——纪念《在延安文艺座谈会上的讲话》六十周年，马龠伯，《高校理论战线》2002 年第 5 期

坚持先进文化前进方向繁荣发展文化艺术事业——纪念毛泽东同志《在延安文艺座谈会上的讲话》发表 60 周年，吴官正，《理论学刊》2002 年第 4 期

纪念毛泽东《在延安文艺座谈会上的讲话》60 周年不过时的文艺指路明灯，力群，《美术》2002 年第 4 期

纪念毛泽东《在延安文艺座谈会上的讲话》60 周年生活和创作，刘文西，《美术》2002 年第 5 期

纪念毛泽东《在延安文艺座谈会上的讲话》60 周年——踏着先进思想的足迹前进纪念毛泽东"延座

讲话"60 周年，蔡若虹，《美术》2002 年第 6 期

纪念毛泽东《在延安文艺座谈会上的讲话》60 周年中国美协召开纪念毛泽东同志《延座讲话》发表 60 周年座谈会，《美术》2002 年第 7 期

浅谈毛泽东《在延安文艺座谈会上的讲话》在国内外的影响，霍静廉，"纪念毛泽东同志《讲话》发表 60 周年研讨会"论文集，2002 年

重读《在延安文艺座谈会上的讲话》，邢贲思，《求是》2002 年第 9 期

在纪念毛泽东同志《在延安文艺座谈会上的讲话》发表 60 周年座谈会上的讲话，丁关根，《求是》2002 年第 11 期

从长征到"三个代表"——看电视剧《长征》有感并纪念《在延安文艺座谈会上的讲话》发表六十周年，傅庚辰，《人民音乐》2002 年第 5 期

《在延安文艺座谈会上的讲话》的版本，孙国林，《图书馆》2002 年第 3 期

纪念《讲话》，开创人民文艺新时代——纪念毛泽东同志《在延安文艺座谈会上的讲话》发表 60 周年，本刊编辑部，《文学评论》2002 年第 4 期

坚持《讲话》精神繁荣文艺评论——纪念毛泽东《在延安文艺座谈会上的讲话》发表 60 周年，李明泉，《西南民族学院学报》（哲学社会科学版）2002 年第 8 期

解放区戏曲的历史意义——纪念毛泽东同志《在延安文艺座谈会上的讲话》发表 60 周年，安葵，《艺术百家》2002 年第 2 期

发扬《讲话》精神实践"三个代表"思想——纪念《在延安文艺座谈会上的讲话》发表 60 周年，本刊编辑部，《中国电视》2002 年第 6 期

回顾与展望纪念毛主席《在延安文艺座谈会上的讲话》发表六十周年，简朴，《中国京剧》2002 年第 4 期

《讲话》精神与"三个代表"——纪念《在延安文艺座谈会上的讲话》发表 60 周年，郭仁怀，《滁州师专学报》2002 年第 2 期

社会主义文艺思想的新发展——从《在延安文艺座谈会上的讲话》到"三个代表"，王修智，《发展论坛》2002 年第 5 期

艺术·阶级·自由——纪念毛泽东《在延安文艺座谈会上的讲话》发表 60 周年，钟南雁，《广西社会科学》2002 年第 4 期

观察者与预言者——重读《在延安文艺座谈会上的讲话》兼论赵

树理、孙犁的小说创作，李少咏，《晋东南师范专科学校学报》2002年第4期

论毛泽东《在延安文艺座谈会上的讲话》的现实意义，史军胜，《交响》（西安音乐学院学报）2002年第2期

延安精神的光辉体现——重读毛泽东《在延安文艺座谈会上的讲话》，郭林，"纪念毛泽东同志《讲话》发表60周年研讨会"论文集，2002年

毛泽东《在延安文艺座谈会上的讲话》发表前后，党全义，"纪念毛泽东同志《讲话》发表60周年研讨会"论文集，2002年

《在延安文艺座谈会上的讲话》与毛泽东早期生活与思想，赵炎秋，《湖南师范大学社会科学学报》2003年第6期

文学不能忘记生活——重读毛泽东《在延安文艺座谈会上的讲话》，张保宁，《理论导刊》2003年第2期

重温《讲话》，改进和加强文艺评论工作——在四川省纪念《在延安文艺座谈会上的讲话》发表61周年座谈会暨第三届文艺评论奖颁奖会上的讲话，王少雄，《四川戏剧》2003年第4期

周扬对《在延安文艺座谈会上的讲话》的三次修正，蔡同庆，《成都大学学报》（社会科学版）2003年第1期

文艺应当为千千万万劳动人民服务——对毛泽东《在延安文艺座谈会上的讲话》精神的再回顾，郑金琼，《中共云南省委党校学报》2003年第1期

我们是"众志成城"中的砖石——毛泽东《在延安文艺座谈会上的讲话》指引下的生动实践，本报评论员，《中国文化报》2003年5月24日

熔铸民族灵魂　谱写时代华章——纪念《在延安文艺座谈会上的讲话》发表61周年笔谈，肖云儒、傅庚辰、杨伟光、白庚胜、韩三平、贺绍俊，《中国艺术报》2003年5月23日

弘扬《讲话》精神建设文化强省，记者李晓芳，《山西日报》2003年5月22日

贴近时代　贴近生活　贴近人民——纪念毛泽东《在延安文艺座谈会上的讲话》发表61周，年胡正、温幸、李晓芳，《山西日报》2003年5月23日

纪念《在延安文艺座谈会上的讲话》发表60周年，《中国电影年鉴》2003年

中国作协召开纪念《在延安文艺座谈会上的讲话》发表62周年座谈会，徐忠志，《文艺报》2004年5

月 25 日

重温《讲话》用正确的历史观和文艺观指导创作——纪念《在延安文艺座谈会上的讲话》发表 62 周年，陈建功、曾镇南、雷达、包明德、王宏甲、赵光鸣、衣向东、柳建伟,《文艺报》2004 年 5 月 25 日

让《讲话》精神代代相传——省城老文艺家纪念毛泽东《在延安文艺座谈会上的讲话》发表 62 周年, 李骏虎,《山西日报》2004 年 5 月 22 日

求真务实推动我区文艺繁荣发展潘琦在纪念毛主席《在延安文艺座谈会上的讲话》座谈会上提出, 王贞桐,《广西日报》2004 年 5 月 22 日

我省文艺界召开座谈会纪念毛泽东《在延安文艺座谈会上的讲话》发表 62 周年, 米娜,《黑龙江日报》2004 年 5 月 23 日

纪念《在延安文艺座谈会上的讲话》发表 62 周年中国作家协会举行座谈会, 杨少波,《人民日报》2004 年 5 月 23 日

文艺界召开评说改编"红色经典"座谈会纪念毛泽东同志《在延安文艺座谈会上的讲话》发表 62 周年, 徐馨,《人民日报》2004 年 5 月 24 日

在普及中湮没——从接受美学角度看《延安文艺座谈会上讲话》之价值与局限, 李萌萌,《语文学刊》2004 年第 5 期

《在延安文艺座谈会上的讲话》发表始末, 哈战荣、李伟,《党史博览》2004 年第 7 期

指引先进文化发展方向的光辉旗帜——重读毛泽东《在延安文艺座谈会上的讲话》, 王文华、王浩,《河北青年管理干部学院学报》2004 年第 3 期

延安革命文艺思想与中国传统文化——毛泽东《在延安文艺座谈会上的讲话》文艺思想探源之一, 贺立华、程春梅,《山东社会科学》2004 年第 11 期

《在延安文艺座谈会上的讲话》第一个版本与尹达, 曹国辉,《出版史料》2004 年第 1 期

文艺方针与建构现代民族国家的意识形态——整风运动与毛泽东《在延安文艺座谈会上的讲话》, 黄科安,《泉州师范学院学报》2005 年第 1 期

先进文艺再生产——从《在延安文艺座谈会上的讲话》到"三个代表"重要思想, 陈鸣,《上海大学学报》(社会科学版) 2005 年第 2 期

五月艳阳天——写在《在延安文艺座谈会上的讲话》发表 63 周年之际, 赵克诚,《沧桑》2005 年第 1 期

纪念《在延安文艺座谈会上的

讲话》发表六十三周年,《当代戏剧》2005 年第 3 期

《在延安文艺座谈会上的讲话》的价值指向及意义,胡玉伟,《理论前沿》2005 年第 11 期

沿着《讲话》指引的方向前进——重温《在延安文艺座谈会上的讲话》,刘元雄,《当代戏剧》2005 年第 4 期

《在延安文艺座谈会上的讲话》的思想史意义,张清民,《高校理论战线》2005 年第 11 期

《在延安文艺座谈会上的讲话》的版本与修改,金宏宇,《中国现代文学研究丛刊》2005 年第 6 期

毛泽东《在延安文艺座谈会上的讲话》的美学意义,陈丽,《内蒙古农业大学学报》(社会科学版)2005 年第 4 期

《在延安文艺座谈会上的讲话》国外译本难计其数,一然,《今传媒》2005 年第 4 期

论赵树理的文艺创作和毛泽东《在延安文艺座谈会上的讲话》精神的离合,郭文元、陶维国,《天水师范学院学报》2006 年第 1 期

探寻源与流的完美统一——《在延安文艺座谈会上的讲话》学习笔记,叶林,《人民音乐》2006 年第 5 期

回忆毛主席在延安文艺座谈会上的讲话,胡乔木,《中华魂》2006 年第 5 期

从《在延安文艺座谈会上的讲话》看工农兵主体地位的确立,韩广信,《呼伦贝尔学院学报》2006 年第 5 期

市文联举行纪念毛泽东《在延安文艺座谈会上的讲话》发表六十四周年座谈会,于蕾,《辽源日报》2006 年 5 月 26 日

在纪念毛泽东同志《在延安文艺座谈会上的讲话》发表 64 周年座谈会上的讲话(摘要),高建民,《朔州日报》2006 年 5 月 24 日

提高认识坚持导向强化措施开创我市文学艺术事业新局面——纪念毛泽东同志《在延安文艺座谈会上的讲话》发表 64 周年,杜松奇,《天水日报》2006 年 5 月 22 日

我省文艺界在昆座谈纪念《在延安文艺座谈会上的讲话》发表 64 周年,王宁、周渝凡,《云南日报》2006 年 5 月 24 日

周扬与毛泽东《在延安文艺座谈会上的讲话》,秦忠翼,《湖南城市学院学报》2006 年第 6 期

着力解决文艺发展中的新课题——纪念《在延安文艺座谈会上的讲话》发表 65 周年随想,吴贻弓、孙颙、任仲伦、上海市工人文化宫话剧团,《文汇报》2007 年 5 月 23 日

坚持"三贴近"讴歌新时

代——纪念毛泽东同志《在延安文艺座谈会上的讲话》发表 65 周年,金炳华,《文艺报》2007 年 5 月 24 日

深入生活关注现实服务人民——江苏文艺界纪念毛泽东同志《在延安文艺座谈会上的讲话》发表 65 周年省文联召开“学习胡锦涛同志讲话做德艺双馨文艺家”座谈会,《新华日报》2007 年 5 月 22 日

为跨越发展与和谐建设引吭高歌——我市纪念毛泽东同志《在延安文艺座谈会上的讲话》发表 65 周年,海鹰、陈冬,《厦门日报》2007 年 5 月 23 日

纪念毛泽东《在延安文艺座谈会上的讲话》发表 65 周年暨系列纪念活动启动仪式在京召开,闻礼萍,《文艺理论与批评》2007 年第 4 期

关注时代关注现实关注人生——重读毛泽东同志《在延安文艺座谈会上的讲话》有感,白玮,《乐府新声》(沈阳音乐学院学报)2007 年第 2 期

关于《在延安文艺座谈会上的讲话》人民性意识的再思考,张庆玫,《乐府新声》(沈阳音乐学院学报)2007 年第 2 期

哲学与文艺——对《在延安文艺座谈会上的讲话》的哲学解读,廖小平,《毛泽东邓小平理论研究》2007 年第 7 期

领会和实践《讲话》精神繁荣社会主义先进文化——纪念《在延安文艺座谈会上的讲话》发表 65 周年,《宁夏日报》2007 年 5 月 22 日

坚持“三贴近”讴歌新时代文学界纪念《在延安文艺座谈会上的讲话》发表 65 周年,李舫,《人民日报》2007 年 5 月 23 日

肩负起时代赋予文艺工作者的历史使命——纪念毛泽东《在延安文艺座谈会上的讲话》发表 65 周年,本报评论员,《商洛日报》2007 年 5 月 23 日

文学界纪念《在延安文艺座谈会上的讲话》发表 65 周年座谈会在延安召开,《陕西日报》2007 年 5 月 23 日

州文联举办座谈会——纪念毛泽东《在延安文艺座谈会上的讲话》发表 65 周年,邹文,《博尔塔拉报》2007 年 5 月 29 日

联络协调服务繁荣文学艺术,记者陈莉,《盘锦日报》2007 年 6 月 1 日

韶山纪念《在延安文艺座谈会上的讲话》发表 65 周年,龙平、唐甜,《湘潭日报》2007 年 5 月 24 日

《在延安文艺座谈会上的讲话》在国外的译介与评价,刘忠,《中州大学学报》2007 年第 3 期

航标·号角·灯火——纪念毛泽东《在延安文艺座谈会上的讲话》

发表 65 周年，梁光弟，《当代电视》2007 年第 5 期

纪念毛泽东《在延安文艺座谈会上的讲话》发表 65 周年，《当代戏剧》2007 年第 3 期

占据文化发展的制高点——写在毛泽东《在延安文艺座谈会上的讲话》发表 65 周年，艾斐，《党史文汇》2007 年第 5 期

隆重纪念毛泽东《在延安文艺座谈会上的讲话》发表六十五周年，许淇，《海燕》2007 年第 6 期

"纪念《在延安文艺座谈会上的讲话》发表 65 周年座谈会"在延安召开全国百名作家延安畅谈"三贴近"，黄小春，《现代企业》2007 年第 5 期

论文艺工作者的道义良知——重温毛泽东《在延安文艺座谈会上的讲话》，同温玉，《理论导刊》2007 年第 6 期

文艺创作与时代精神——重温毛泽东同志《在延安文艺座谈会上的讲话》有感，巨云和，《美与时代》2007 年第 6 期

学习研究《学习和时局》

增强党的团结，反对骄傲情绪：学习毛主席《学习和时局》一文的心得，朱朗玛，《新华日报》1954 年 4 月 10 日

破除迷信，解放思想：读毛主席《学习和时局》后的感想，茅茨，《陕西日报》1958 年 4 月 25 日

多想出智慧：《学习和时局》读后，沈显惠，《辽宁日报》1960 年 4 月 12 日

正确总结历史经验、清理"左"的错误影响：读《学习和时局》札记，赵益，《陕西日报》1981

年 3 月 18 日

学会分析事物的方法，养成分析的习惯：重读《学习和时局》，戴维新，《宁夏日报》1982 年 1 月 2 日

提倡思索善于思索——重读《学习和时局》一文的体会，胡省三，《丽水师范专科学校学报》1994 年第 1 期

《毛泽东选集》所收《学习和时局》一文时间与史实的出入，邓野，《历史研究》2006 年第 1 期

学习研究《关于领导方法的若干问题》

学习科学的领导方法，田家英，《学习》1950 年第 3 期

为克服官僚主义的领导方法而斗争：读《关于领导方法的若干问

题》，王任重，《长江日报》1953 年
4 月 10 日

提倡马克思主义的科学的领导
方法，反对主观主义的官僚主义领
导方法；纪念《关于领导方法的若
干问题》发表十周年，孙定国，《人
民日报》1953 年 6 月 1 日

掌握马克思主义的科学的领导
方法：纪念毛主席的《关于领导方
法的若干问题》发表十周年，关梦
觉，《新建设》1953 年第 6 期

正确培养和运用知识分子：读
毛主席《关于领导方法的若干问
题》后，陈彬，《解放日报》1954 年
5 月 29 日

提倡科学的领导方法：《关于领
导方法的若干问题》的读书札记，
杨锡九，《黑龙江日报》1960 年 6 月
3 日

"从群众中来，到群众中去"
的认识论：学习《关于领导方法的
若干问题》笔记，陈荷清，《哲学研
究》1963 年第 5 期

蹲点是革命的领导方法：学习
《关于领导方法的若干问题》笔记，
王修治等，《黑龙江日报》1964 年 10
月 6 日

坚持"从群众中来，到群众中
去"的领导方法：学习《关于领导

方法的若干问题》，金汶，《光明日
报》1981 年 9 月 5 日

马克思主义方法论的精髓：重
温《关于领导方法的若干问题》，
包尊显，《岳阳师专学报》1983 年第
4 期

努力学习科学的领导方法和工
作方法——纪念毛泽东同志《关于
领导方法的若干问题》发表四十周
年，汪景春等，《社会科学通讯》
1983 年第 6 期

要重新学习《关于领导方法的
若干问题》，本报评论员，《人民日
报》1991 年 6 月 1 日

马克思主义领导方法论的精髓：
重读《关于领导方法的若干问题》，
王任重，《人民日报》1991 年 7 月
5 日

增强决策意识提高领导水
平——学习《关于领导方法的若干
问题》，陈今越，《渤海大学学报》
（哲学社会科学版）1993 年第 3 期

重读《关于领导方法的若干问
题》，钟景峰，《西安日报》2004 年
12 月 22 日

学习领导科学研究领导方
法——重读毛泽东《关于领导方法
的若干问题》，钟景峰，《领导科学》
2006 年第 3 期

学习研究《为人民服务》

学习毛主席《为人民服务》的思想作风，田家英，《学习》1950 年第 1 期

做一个有益于人民的人，余世光，《中国青年》1953 年第 8 期

向张思德学习：读毛主席的《为人民服务》有感，高尚，《北京日报》1958 年 6 月 9 日

学习毛泽东同志《为人民服务》的思想：读书摘记，马凌云，《教学与研究》1959 年第 3 期

伟大而崇高的职责：重读《为人民服务》，魏钦公，《中州评论》1960 年第 16 期

一切从人民利益出发，李兴基，《中国青年报》1963 年 10 月 31 日

思想建设上的重要文献：介绍《为人民服务》，哈木特，《青海日报》1964 年 6 月 24 日

从《为人民服务》一文中学习什么？江里，《西藏日报》1964 年 7 月 16 日

树立全心全意为人民服务的人生观：学习《为人民服务》，《湖北日报》1966 年 4 月 9 日

共产主义教育的必修之课：读毛泽东同志的著作《为人民服务》，古怀璞，《河北日报》1981 年 6 月 10 日

永远遵循为人民服务的宗旨：

重读《为人民服务》一文的体会，张思益，《新华日报》1983 年 12 月 20 日

"为人民服务"思想永放光辉，吴木，《北京日报》1983 年 12 月 27 日

《为人民服务》一文的产生，聂元素，《党史文汇》1986 年第 2 期

"为人民服务"和政治—经济—文化的整合——纪念毛泽东诞辰 100 周年暨《为人民服务》发表 49 周年，刘茂才，《毛泽东思想研究》1993 年第 4 期

共产党人的人生真谛——纪念毛泽东《为人民服务》发表 50 周年，马文瑞，《求是》1994 年第 17 期

新时期要更好地为人民服务——纪念毛泽东《为人民服务》发表五十周年，徐人仲，《新闻与写作》1994 年第 11 期

发展社会主义市场经济与实践党的宗旨——纪念毛泽东同志《为人民服务》发表 50 周年，蔺忠，《经济与管理》1994 年第 6 期

"为人民服务"道德内涵新探——纪念毛泽东同志《为人民服务》发表五十周年，夏澍耘，《三峡大学学报》（人文社会科学版）1994 年第 4 期

光辉不应仅在历史——写在《为人民服务》发表 50 周年之际,章夫,《党的生活》1994 年第 8 期

一窑炭 一座山——重读《为人民服务》,尚春生,《党风通讯》1994 年第 5 期

《为人民服务》发表的前前后后,李捷,《党史文汇》1994 年第 9 期

逻辑应用的范例——《为人民服务》演讲词的逻辑分析,尹鑫,《思维与智慧》1994 年第 6 期

《为人民服务》教学设想,王永生,《江苏教育》1994 年第 1 期

《为人民服务》发表的前前后后,《社科信息文荟》1994 年第 19 期

重读《为人民服务》,古希之,《群言》1994 年第 11 期

重读《为人民服务》爱民教育当作大事抓,张晓华、尹向东,《瞭望》1995 年第 33 期

中国传统不朽观的升华——纪念《为人民服务》发表 50 周年,牟德刚,《温州师范学院学报》1995 年第 1 期

《为人民服务》一文的来龙去脉,饶道良,《党史天地》1996 年第 11 期

再读《为人民服务》,陈昌骏,《中国检验检疫》1996 年第 11 期

共产党人的人生指南——重读毛泽东的《为人民服务》,奚洁人,《毛泽东邓小平理论研究》1996 年第 3 期

是谁速记《为人民服务》,《新闻与写作》1997 年第 3 期

抓中心悟道理品写法——《为人民服务》教学谈,张晓红,《小学语文教学》1999 年第 2 期

道德中心问题的科学解决——纪念毛泽东《为人民服务》发表五十五周年,唐凯麟,《高校理论战线》1999 年第 7 期

坚持“三个代表”重在宗旨教育——重温《为人民服务》及学习“三个代表”思想的体会,武满贵,《辽宁广播电视大学学报》2000 年第 4 期

重读《为人民服务》——“三讲”教育学习心得,刘绍明,《云南政协报》2000 年 7 月 26 日

重温《为人民服务》,刘德瑞,《企业文明》2002 年第 4 期

品折词句理解深意——《为人民服务》导读,孟继高,《小学阅读指南》2002 年第 3 期

与时俱进全心全意为人民服务——纪念毛泽东同志《为人民服务》发表 58 周年,刘占清,《中共郑州市委党校学报》2002 年第 4 期

代表人民利益:一条不变的历史红线——从《共产党宣言》、《为人民服务》到“三个代表”,刘丽,

《哈尔滨市委党校学报》2002 年第 6 期

自主探究读中感悟——《为人民服务》教学设计,陈天金、王君艳,《云南教育》2002 年第 10 期

与时俱进全心全意为人民服务——纪念毛泽东同志《为人民服务》发表 58 周年,刘占清,《中共郑州市委党校学报》2002 年第 4 期

从《为人民服务》看演讲辞的写作要领,张保忠,《办公室业务》2003 年第 3 期

《为人民服务》教学片段及其思索,曾志梅,《教育科研论坛》2003 年第 6 期

《为人民服务》是一篇好散文,王宗仁,《吉林日报》2003 年 11 月 8 日

浅谈《为人民服务》中的"人本"观念,谷培生,《从〈为人民服务〉到"三个代表"重要思想学术研讨会论文集》2004 年

学习《为人民服务》感言,李雪飞,《从〈为人民服务〉到"三个代表"重要思想学术研讨会论文集》2004 年

重读《为人民服务》,董玉梅,《从〈为人民服务〉到"三个代表"重要思想学术研讨会论文集》2004 年

浅谈《为人民服务》中的"人本"观念,谷培生,《从〈为人民服务〉

〉到"三个代表"重要思想研讨会论文集》2004 年

毛主席《为人民服务》发表的前前后后,陈晨,《人民日报海外版》2004 年 9 月 7 日

《为人民服务》诞生始末,关建,《湖北档案》2004 年第 11 期

纪念《为人民服务》发表 60 周年,本刊编辑部,《潍坊教育学院学报》2004 年第 4 期

《为人民服务》诞生记,杨同伟、司志明,《山西老年》2004 年第 3 期

《为人民服务》教学指导,寒波,《小学语文教学》2004 年第 2 期

谈《为人民服务》,杨金忠,《理论界》2004 年第 2 期

从为人民服务到执政为民——纪念《为人民服务》发表六十周年,张宪臣,《渭南师范学院学报》2004 年第 6 期

初学《为人民服务》一文的感受,石坚,《老兵话当年》(第七辑)2004 年

人生观教育的新起点——在黄山路小学纪念毛泽东《为人民服务》发表 60 周年暨创建张思德中队授旗仪式上的讲话,张捷,《下一代》2004 年第 9 期

从重于泰山谈革命者的生死观——纪念毛泽东《为人民服务》发表 60 周年,孙燕京,《兰台内外》

2004 年第 5 期

论为人民服务思想的时代价值——纪念毛泽东《为人民服务》发表 60 周年，倪先敏，《广西社会科学》2004 年第 7 期

《为人民服务》的诞生——纪念毛泽东《为人民服务》发表 60 周年，贾彦，《先锋队》2004 年第 17 期

毛泽东《为人民服务》出台始末，陈晨，《档案时空》2004 年第 11 期

不朽的精神永恒的宗旨——纪念毛泽东《为人民服务》发表 60 周年暨对张思德的战友陈耀访谈记，薛鑫良，《中华魂》2004 年第 10 期

宗旨、作风和"两个务必"——学习毛泽东同志《为人民服务》等 3 篇文章的体会，郝天喜，《山西老年》2005 年第 6 期

"为人民服务"的时代诠释——重读毛泽东的《为人民服务》，陈树裕，《唯实》2005 年第 6 期

《为人民服务》的发表经过，戴琼魁，《老年人》2005 年第 2 期

从学习《为人民服务》到理解党的宗旨，朱彤，《新长征》2005 年第 8 期

在《为人民服务》讲演台前的思考，韦秀康，《广西党史》2005 年第 2 期

再谈《为人民服务》——先进性教育的学习体会，陈德，《广西电业》2005 年第 5 期

"为人民服务"的时代诠释——重读毛泽东的《为人民服务》，陈树裕，《唯实》2005 年第 6 期

《为人民服务》教学设计与后记，王传贤，《黑龙江教育》（小学版）2005 年第 9 期

中国共产党人的"终极关怀"——重读《为人民服务》，童世骏，《毛泽东邓小平理论研究》2005 年第 9 期

再学《为人民服务》，李成轩，《广安日报》2005 年 8 月 22 日

《为人民服务》时代新内涵，《淮南日报》2005 年 4 月 21 日

学习《为人民服务》永葆先进性，钟映荷，《陕西日报》2005 年 12 月 1 日

重读《为人民服务》，陈康，《温州日报》2005 年 4 月 2 日

时刻牢记为人民服务的宗旨——重读《为人民服务》有感，王为华，《理论学习》2006 年第 1 期

感动·惭愧·奋起——先进性教育中重读《为人民服务》，唐春元，《学习导报》2006 年第 3 期

重读《为人民服务》，闫海育，《先锋队》2006 年第 5 期

在《为人民服务》讲话台前的

思考，李世明，《党建研究》2006 年第 5 期

《为人民服务》发表经过，陆茂清，《检察风云》2006 年第 23 期

《为人民服务》回忆《张思德》，尹力，《中国电影报》2006 年

9 月 14 日

毛泽东《为人民服务》的演讲，《人民日报》2007 年 1 月 7 日

《为人民服务》教学设计——人教版国标本六年级下册，岳海江，《语文教学通讯》2007 年第 10 期

学习研究《论联合政府》

中国人民胜利的指南：读毛泽东同志的《论联合政府》（社论），《解放日报》1945 年 5 月 5 日

团结的大会、胜利的大会（社论），《解放日报》1945 年 6 月 14 日

读书杂记：世界人民的光明前途：读《论联合政府》，云风，《解放日报》1946 年 3 月 19 日

学习新民主主义的纲领性文件：学习《论联合政府》，王波鸣，《新建设》1953 年第 7 期

人民群众的创造力是无穷无尽的学习毛主席《论联合政府》的体会，郑重，《解放日报》1960 年 4 月 24 日

学习毛主席的人民战争思想：介绍《论联合政府》中的一节，《浙江日报》1965 年 4 月 15 日

学习《论联合政府》一书的哲学思想，叶庆郎，《学术动态》1982 年第 5 期

人民是创造历史的动力：学习《论联合政府》中的哲学思想，罗刚建，《新湘评论》1982 年第 7 期

《论联合政府》中的统一战线思想，李倩文，《河南师大学报》（社会科学版）1984 年第 8 期

《论联合政府》的哲学意义，龚育之，《前线》1992 年第 3 期

继承和发扬党的优良传统和作风——重读毛泽东《论联合政府》，王志远、林世选，《河南师范大学学报》（哲学社会科学版）1995 年第 6 期

到淮南日报社抄《论联合政府》的电报稿，智仁勇，《老兵话当年》（第九辑）2005 年

学习研究《愚公移山》

学习《愚公移山》所想到的，路坎，《文学知识》1959 年第 2 期

只有相信人民群众才能有革命的胆略：纪念《愚公移山》发表十

五周年，李桂民，《黑龙江日报》1960 年 6 月 9 日

《愚公移山》给我们的启示，何开城，《云南日报》1964 年 5 月

22 日

立志做个新愚公：《愚公移山》发表二十周年（短评），《工人日报》1965 年 6 月 11 日

愚公三题，林放，《社会科学》1981 年第 1 期

继续发扬"愚公移山"的精神：重读《愚公移山》，宋本智，《宁夏日报》1981 年 3 月 24 日

也谈"愚公移山"的愚公精神，金志浩等，《文汇报》1981 年 5 月 19 日

智叟并不是知识分子，欣仁，《人民日报》1982 年 5 月 7 日

人民大众是"上帝"——重读《愚公移山》并纪念该文发表 50 周年，黄少群，《党史文汇》1995 年第 7 期

"愚公移山"精神的现实政治教育意义——重读毛泽东的《愚公移山》，奚洁人，《思想、理论、教育》1996 年第 6 期

泾渭分明荟萃古今——毛泽东《愚公移山》赏析，张保忠，《办公室业务》2002 年第 5 期

匠心独运异彩纷呈——党的七大闭幕词《愚公移山》赏析，岳海翔，《秘书工作》2002 年第 11 期

理论界纪念毛泽东《愚公移山》发表 60 周年，洪向华、瑶剑星，《理论前沿》2005 年第 14 期

我们今天怎样纪念《愚公移山》，李君如，《人民日报》2005 年 7 月 8 日

重温《愚公移山》，《学习时报》2005 年 7 月 11 日

《愚公移山》给我们的启示，李君如，《党建》2005 年第 8 期

愚公精神内涵初探——纪念毛泽东《愚公移山》发表 60 周年，张才旺，《今日科苑》2005 年第 7 期

学习研究《抗日战争胜利后的时局和我们的方针》

学习《抗日战争胜利后的时局和我们的方针》的讨论参考题，《中国青年报》1960 年 10 月 13 日

学习马克思列宁主义的科学分析方法：读《抗日战争胜利后的时局和我们的方针》的体会学理，《学习报》1960 年 10 月 16 日

针锋相对——对敌斗争的正确方针，杨型淮，《山西日报》1960 年 10 月 22 日

调查研究，心中有数：读《抗日战争胜利后的时局和我们的方针》的笔记，刘介愚，《湖北日报》1960 年 12 月 13 日

针锋相对的斗争：读书笔记，林韦，《人民日报》1962 年 11 月 27 日

对形势要做马克思主义的分析：重读《抗日战争胜利后的时局和我

们的方针》，高潮，《黑龙江日报》
1962 年 12 月 4 日

"不见棺材不落泪"：帝国主义
的侵略本性是不会改变的，须立，
《安徽日报》1965 年 7 月 17 日

有了准备就能应付各种复杂的
局面：学习《抗日战争胜利后的时
局和我们的方针》札记，郝成里，
《新华日报》1965 年 9 月 7 日

针锋相对，战无不胜：学习
《抗日战争胜利后的时局和我们的方
针》的一点体会，省军区后勤部卫
生处理论学习小组，《南方日报》
1976 年 11 月 11 日

毛泽东同志对抗日战争胜利后
时局发展方向的科学预测，卢静，
《合肥教育学院学报》1984 年第
1 期

学习研究《和美国记者安娜·路易斯·斯特朗的谈话》

人民是真正强大的力量：读毛
主席《和美国记者安娜·路易斯·斯
特朗的谈话》，任琛，《青海日报》
1960 年 10 月 6 日

一个现时代的伟大真理，忆毛
主席谈纸老虎，安娜·路易斯·斯特
朗，《世界知识》1960 年第 22 期

安娜·路易斯·斯特朗回忆毛主
席和她的谈话，何文，《中国青年》
1960 年第 22 期

革命人民的根本战略思想：纪
念毛泽东同志论"纸老虎"十五周
年，郭寄楚，《世界知识》1961 年第
16 期

战略上藐视敌人战术上重视敌
人：读《和美国记者安娜·路易斯·
斯特朗的谈话》，贾蔚昌，《大众日
报》1963 年 6 月 14 日

看清帝国主义外强中干的本质：
学习《和美国记者安娜·路易斯·斯
特朗的谈话》的一点感想，李承庆，
《北京日报》1965 年 4 月 25 日

帝国主义和一切反动派都是纸
老虎：学习《和美国记者安娜·路
易斯·斯特朗的谈话》一文的笔记，
周正三，《大众日报》1965 年 6 月
17 日

学习《和美国记者安娜·路易
斯·斯特朗的谈话》：学习辅导，《中
国青年报》1965 年 11 月 23 日

重新学习《和美国记者安娜·
路易斯·斯特朗的谈话》，许益，《新
工商》1966 年第 2 期

毛泽东和美国记者斯特朗谈话
时间考，陈标，《党史研究与教学》
1998 年第 2 期

学习研究《集中优势兵力、各个歼灭敌人》

运用之妙，存乎一心：试论集

中优势兵力打歼灭战，吴志文，《解

放日报》1960 年 11 月 1 日

集中力量各个解决，闻师润，《红旗》1960 年第 24 期

"以一当十"和"以十当一"，李耀声，《工人日报》1960 年 12 月

25 日

毛泽东"集中优势兵力，各个歼灭敌人"原则研究，奇秀，《毛泽东思想研究》1995 年第 3 期

学习研究《目前的形势和我们的任务》

毛主席的报告引起国际大反响，《人民日报》1948 年 1 月 11 日

粟裕将军传达毛主席报告，号召全军完成六大任务，《人民日报》1948 年 1 月 20 日

敢于胜利，就一定能够胜利：读《目前形势和我们的任务》，张迪懋等，《中山大学学报》1960 年第

3 期

精湛的论断深刻的教育：《目前形势和我们的任务》学习札记，方毅，《旅大日报》1962 年 12 月 27 日

毛泽东与《目前形势和我们的任务》，汤胜利、莫红梅，《党史纵览》2007 年第 1 期

学习研究《关于建立报告制度》

需要实际干亲自写：学习毛主席《关于建立报告制度》一文的体会，郭怀仁，《宁夏日报》1960 年 11 月 2 日

使领导思想能及时更好地指导实际：学习毛主席《关于建立报告制度》的几点体会，王复周，《宁夏日报》1960 年 11 月 12 日

坚持严格的请示报告制度：学习《关于建立报告制度》的体会，孙希祥，《辽宁日报》1961 年 1 月 9 日

报告制度是坚持民主集中制的一个重要步骤：读《关于建立报告制度》的笔记，思远，《辽宁日报》1962 年 2 月 14 日

学习研究《辽沈、淮海、平津战役的作战方针》

敢于决战、善于夺取胜利：读毛泽东同志《关于辽沈战役的作战方针》，刘玉春，《湖北日报》1962 年 8 月 3 日

争取战争中的主动权：读《关

于淮海战役作战方针》，乔文农，《新华日报》1961 年 4 月 1 日

毛泽东同志的战略战术思想的伟大胜利：学习毛泽东同志《关于淮海战役的作战方针》，许昌，《湖

北日报》1962 年 8 月 17 日

学习《关于平津战役的作战方

针》札记，文庆归,《湖北日报》1962 年 8 月 31 日

学习研究《在中国共产党第七届中央委员会
第二次全体会议上的报告》

万里长征第一步：学习毛主席《在中国共产党第七届中央委员会第二次全体会议上的报告》的笔记，陈鹤桥,《云南日报》1960 年 11 月 3 日

彻底革命和革命的转变问题：学习《在中国共产党第七届中央委员会第二次全体会议上的报告》的笔记，丁世询,《东风》1960 年第 20 期

学习《在中国共产党第七届中央委员会第二次全体会议上的报告》参考题,《中国青年报》1961 年 1 月 5 日

"万里长征走完了第一步"：学习毛主席在党的七届二中全会上的报告的一点体会，吴志葵,《安徽日报》1963 年 7 月 19 日

我们的理想是实现共产主义：重读毛主席《在中国共产党第七届叫中央委员会第二次全体会议上的

报告》，彭展,《湖北日报》1964 年 3 月 5 日

紧紧抓住无产阶级和资产阶级这个主要矛盾：学习毛主席《在中国共产党第七届中央委员会第二次全体会议上的报告》的体会，中共崇文区委学习班,《北京日报》1976 年 10 月 15 日

继续发扬艰苦奋斗的作风：重读《在中国共产党第七届中央委员会第二次全体会议上的报告》，和森,《河南日报》1983 年 12 月 28 日

不应夸大"七届二中全会报告"的理论局限——与刘文瑞同志商讨，李继华,《滨州学院学报》1992 年第 3 期

再谈对"七届二中全会报告"的评价——纪念毛泽东诞辰一百周年，李继华,《滨州师专学报》1993 年第 1 期

学习研究《党委会的工作方法》

讲究工作方法，把党委领导工作提高一步，刘泽西,《青海日报》1960 年 11 月 3 日

学习《党委会的工作方法》以

后，邓炳喜,《江西日报》1964 年 8 月 26 日

注意工作方法促进事业发展——重读毛主席《党委会的工作

方法》的一些体会，应德芳，《浙江档案》1992 年第 7 期

再读毛泽东同志《党委会的工作方法》，王新波、祝庆岱、冯兆中，《莱阳农学院学报》（社会科学版）1993 年第 2 期

学会"弹钢琴"努力提高领导水平——重读毛泽东同志《党委会的工作方法》的体会，黄宝明，《地方政府管理》2000 年第 11 期

提高领导干部驾驭改革开放和现代化建设的本领——学习《党委会的工作方法》的体会，贾庆林，《前线》2000 年第 6 期

讲究工作方法潜心当好"班长"——学习毛泽东《党委会的工作方法》的几点体会，隋运生，《中国城市金融》2000 年第 1 期

加强党的领导，改进工作方法——学习毛泽东《党委会工作方法》一文的体会，尉松明，《甘肃理论学刊》2001 年第 4 期

开展学习《党委会的工作方法》活动，楚琳，《吉林电力报》2003 年 10 月 27 日

科学的方法精辟的论述——毛泽东《党委会的工作方法》赏析，满宗洲，《秘书工作》2006 年第 10 期

学习研究《论人民民主专政》

学习《论人民民主专政》的问题，《工人日报》1949 年 7 月 20 日、27 日、30 日；8 月 3 日、5 日

三件法宝一条大道：读《论人民民主专政》笔记，杨华，《光明日报》1949 年 7 月 21 日

毛泽东论中国人民民主专政的基础（苏联《新时代》杂志），《人民日报》1949 年 7 月 31 日

没有"第三条道路"：学习《论人民民主专政》，沈予，《人民日报》1949 年 8 月 13 日

关于学习《论人民民主专政》问题解答，《天津日报》1949 年 8 月 15 日

国家与政党底衰亡：读《论人民民主专政》笔记之二三，卢心远，《光明日报》1949 年 8 月 22 日、25 日

给上海某同志的一封信一讨论《论人民民主专政》，杨甫，《人民日报》1949 年 9 月 14 日

为巩固人民民主国家政权而奋斗：纪念中国共产党成立三十周年，邓子恢，《东北日报》1951 年 7 月 7 日

中国革命的国际援助问题，李纯青，《解放日报》1951 年 8 月 28 日

论"走俄国人的路"，郭晓棠，

《新文萃》1952 年第 7 期

人民民主专政和共产党的领导，杨峰，《法学》1958 年第 2 期

纪念毛主席《论人民民主专政》发表十周年：我国人民民主专政社会主义革命中的作用，协之，《政法研究》1959 年第 3 期

革命的根本问题是政权问题，肖永清，《政法研究》1959 年第 8 期

人民民主专政学说是对马克思列宁主义国家理论的重大贡献，陈处昌，《人文杂志》1959 年第 4 期

学习毛泽东同志关于国际主义和爱国主义相统一的学说，陆天虹，《理论战线》1959 年第 7 期

无产阶级专政是战胜阶级敌人的锐利武器，众志，《教学与研究》1960 年第 7 期

论打碎旧的国家机器，谢象晃，《跃进》1960 年第 12 期

马克思主义国家学说的伟大文献：《论人民民主专政》学习笔记，包政哲，《江海学刊》1964 年第 7 期

坚持无产阶级专政的光辉思想：纪念《论人民民主专政》发表三十周年，刘瀚等，《法学研究》1979 年第 2 期

唯物辩证法在国家学说中的运用和发展：读《谈人民民主专政》，李会滨，《科社研究》1982 年第 5 期

人民民主专政是毛泽东思想法学理论的基石：纪念《论人民民主

专政》发表三十五周年，欧阳振，《法学研究》1984 年第 3 期

具有中国特色的马克思主义政治学与法学的光辉论著：重读毛泽东同志《论人民民主专政》，庄金锋，《法学探讨》1984 年第 4 期

毛泽东的《论人民民主专政》是对马克思主义国家学说的新贡献，谭德明，《科学社会主义参考资料》1984 年第 11—12 期

人民民主专政是社会主义建设的根本保证：纪念《论人民民主专政》发表 42 周年，张浩，《法制日报》1991 年 7 月 8 日

毛泽东人民民主专政理论的形成——从《民众的大联合》到《论人民民主专政》，沈建华，《安徽师范大学学报》（人文社会科学版）1992 年第 3 期

学习《论人民民主专政》的几点体会，吴珍，《兵团党校学报》1996 年第 3 期

回顾历史正确坚持人民民主专政——纪念《论人民民主专政》发表 50 周年，陈国岱，《福州师专学报》1999 年第 4 期

影响深远的政治设计——读《论人民民主专政》札记，赵东立，《理论学习与研究》1999 年第 4 期

人民民主专政是人民不可须臾离开的东西——重读《论人民民主专政》有感，周新城，《纪念毛泽东

同志诞辰 110 周年理论研讨会论文集》2003 年

以俄为师，走十月革命的道路——重读毛泽东《论人民民主专政》，马鋈伯，《高校理论战线》

2003 年第 10 期

简论毛泽东执政思想的八大特征——纪念《论人民民主专政》一文发表 55 周年，赵国龙，《华北航天工业学院学报》2004 年第 3 期

学习研究《丢掉幻想、准备斗争》

帝国主义的逻辑和人民的逻辑，读《丢掉幻想准备斗争》，黄春生等，《中山大学学报》1960 年第 3 期

狼永远改变不了兽性：一读《丢掉幻想，准备斗争》，冯建中，《工人日报》1960 年 10 月 29 日

两种逻辑两种结局：读《丢掉幻想，准备斗争》等五篇文章，邵

凯，《辽宁日报》1961 年 1 月 9 日

两种完全相反的选择：读《丢掉幻想，准备斗争》的体会，万光，《大众日报》1963 年 4 月 5 日

不落"谈判"圈套：读《丢掉幻想，准备斗争》，李宗晖，《云南日报》1965 年 6 月 9 日

学习研究《中国人民站起来了》

学习《中国人民站起来了》和《中国人民大团结万岁》，《北京师范

大学学报》(社会科学版) 1977 年第 2 期

学习研究《永远保持艰苦奋斗的作风》

延安精神永放光芒——学习《永远保持艰苦奋斗的作风》，孙树

全，《辽宁大学学报》(哲学社会科学版) 1977 年第 4 期

学习研究《为争取国家财政经济状况的基本好转而斗争》

读毛主席在三中全会的报告（社论），《大公报》1950 年 6 月 14 日

为了斗争，必须团结，双云，《学习》1950 年第 9 期

我国财政经济情况根本好转的标志（社论），《人民日报》1952 年

8 月 11 日

我们的奋斗目标是共产主义：纪念毛主席《为争取国家财政经济状况的基本好转而斗争》发表十周年，李全民，《西安日报》1960 年 6 月 13 日

社会主义财政要为国民经济搞

上去做出贡献：学习《为争取国家财政经济状况的基本好转而斗争》，计财系理论组，《理论与实践》1977年第2期

学习《为争取国家财政经济状况的基本好转而斗争》，计财系理论组，《理论与实践》1977年第2期

学习研究《不要四面出击》

学习《为争取国家财政经济状况的基本好转而斗争》和《不要四面出击》，《北京师范大学学报》（社会科学版）1977年第2期

学习研究《应该重视电影〈武训传〉的讨论》

文艺创作要热情歌颂社会主义新生事物，许桂良，《河北大学学报》1975年第1期

划清革命派与投降派的原则界限——学习《应当重视电影〈武训传〉的讨论》，云波、义生，《徐州师范大学学报》（哲学社会科学版）1975年第2期

批判资产阶级反动思想的锐利武器——学习《应当重视电影〈武训传〉的讨论》，《山东师范大学学报》（人文社会科学版）1977年第4期

学习《应当重视电影〈武训传〉的讨论》得到的启示，高凤胜，《山东文学》1977年第8期

学习研究《关于"三反""五反"的斗争》

学习《关于"三反""五反"的斗争》，《北京师范大学学报》（社会科学版）1977年第2期

坚持开展反对资产阶级腐蚀的斗争：学习毛主席《关于"三反""五反"的斗争》，窦炎国，《陕西日报》1977年12月14日

学习研究《关于西藏工作方针》

建国以来中央关于西藏工作方针概述，田联刚，《党的文献》1994年第2期

学习研究《党在过渡时期的总路线》

总路线的灯塔承放光芒：学习《党在过渡时期的总路线》，吴其，《理论与实践》1977年第2期

照耀过渡时期一切工作的灯

塔——学习《党在过渡时期的总路线》的体会，中共烟台地委写作组，《文史哲》1977 年第 3 期

由新民主主义过渡到社会主义

学习研究《反对党内的资产阶级思想》

学习《反对党内的资产阶级思想》，《北京师范大学学报》（社会科学版）1977 年第 2 期

学习研究改造资本主义工商业的必经之路

学习《改造资本主义工商业的必经之路》，《北京师范大学学报》（社会科学版）1977 年第 2 期

改造资本主义工商业的必经之路——学习《毛泽东选集》第五卷的一点体会，吴维嵩，《文史哲》1977 年第 3 期

学习研究《关于红楼梦研究问题的信》

发扬“小人物”的战斗精神，《吉林师范大学学报》1974 年第 3 期

用马克思主义占领上层建筑各个领域，江天，《光明日报》1974 年 10 月 16 日

决不和唯心论搞统一战线：学习《关于红楼梦研究问题的信》，瞿言，《文汇报》1975 年 11 月 3 日

揭穿江青研究《红楼梦》险恶用心：学习毛主席《关于红楼梦研究问题的信》，贾晋华，《厦门大学学报》1977 年第 2、3 期

批判文化专制主义的锐利武器：学习《关于红楼梦研究问题的信》，舒英等，《新疆文艺》1978 年第 5 期

上层建筑领域革命的锐利武器——学习《关于红楼梦研究问题的信》，文雷，《吉林大学社会科学学报》1974 年第 4 期

将意识形态领域的革命进行到底！——学习《关于红楼梦研究问题的信》，钟文，《文史哲》1974 年第 3 期

敢于斗争敢于胜利——学习毛主席《关于红楼梦研究问题的信》，何丹，《中山大学学报》（社会科学版）1974 年第 5 期

中文系召开大会纪念毛主席《关于红楼梦研究问题的信》发表二十周年，福建师大中文系报导组，《福建师范大学学报》（哲学社会科

学版）1974 年第 4 期

把反对资产阶级唯心论的斗争进行到底——学习毛主席《关于红楼梦研究问题的信》,《辽宁大学学报》（哲学社会科学版）1974 年第 5 期

进行上层建筑领域革命的锐利武器——学习毛主席《关于红楼梦研究问题的信》, 戚山尔,《南京师大学报》（社会科学版）1974 年第 4 期

意识形态领域革命的强大武

器——学习《关于红楼梦研究问题的信》, 闻工,《安徽师范大学学报》（人文社会科学版）1974 年（增刊）

毛主席《关于红楼梦研究问题的信》手迹,《文史哲》1977 年第 2 期

批判资产阶级唯心论的锐利武器——学习《关于红楼梦研究问题的信》, 薛祥生,《山东师范大学学报》（人文社会科学版）1977 年第 1 期

学习研究《在中国共产党全国代表会议上的讲话》

领导干部要努力成为"两个专家"：学习《在中国共产党全国代表会议上的讲话》, 解放军成都部队总医院理论组,《成都日报》1978 年 2 月 20 日

结帮拉派只为了"改朝换代"：学习毛主席《在中国共产党全国代表会议上的讲话》, 王克天,《广州日报》1978 年 3 月 28 日

高岗、饶漱石事件是一个重要的教训——学习毛主席《在中国共产党全国代表会议上的讲话》体会, 周正三,《文史哲》1977 年第 2 期

战胜反党阴谋集团的锐利武器——学习《在中国共产党全国代表会议上的讲话》, 中共山东师范学院委员会,《山东师范大学学报》（人文社会科学版）1977 年第 4 期

学习研究《关于农业合作化问题》

论当前我国工农业相适应问题及其深刻的意义——学习毛主席"关于农业合作化问题"的一点体会, 陈克俭,《厦门大学学报》（哲学社会科学版）1955 年第 6 期

开展关于农业合作化问题的经济理论研究工作,《经济研究》1955

年第 5 期

教育工作怎样为农业合作化服务——学习毛主席"关于农业合作化问题"笔记, 史坚,《江苏教育》1955 年第 22 期

论"关于农业合作化问题"中本质与主流的范畴, 罗克汀、黄春

生、陈玉森、林铭钧,《中山大学学报》(社会科学版)1956 年第 3 期

学习毛主席"关于农业合作化问题"克服工矿企业战线上的保守思想,陈登昆,《钢铁》1956 年第 1 期

批判文书、档案工作中的右倾思想——学习毛泽东同志"关于农业合作化问题"的感想,魏振声,《中国档案》1956 年第 1 期

学习毛主席"关于农业合作化问题"的几点收获,力丁,《江苏教育》1956 年第 2 期

克服右倾保守思想,积极提高工作质量——学习毛主席"关于农业合作化问题"的初步收获,闫洁,《江苏教育》1956 年第 2 期

伟大的著作伟大的思想:纪念毛泽东同志《关于农业合作化问题》的著作发表三周年,高天,《黑龙江日报》1958 年 7 月 31 日

农牧业技术改造是当前的重要日程,学习毛主席有关农业改造论著的笔记,《内蒙古日报》1960 年 1 月 4 日

发展我国农业的正确路线,读《关于农业合作化问题》的笔记,郑集,《大众日报》1963 年 7 月 12 日

把广大农民引上社会主义大道的指路明灯——《关于农业合作化问题》的学习笔记,严克柔,《学术研究》1965 年第 3 期

任何力量也阻挡不了历史前进,冬鸟,《青海日报》1965 年 8 月 10 日

用大寨精神实现农业机械化——学习《关于农业合作化问题》的体会,郑思世,《北京师范大学学报》(社会科学版)1975 年第 6 期

走共同富裕的社会主义金光大道——纪念《关于农业合作化问题》发表二十周年,永吉县阿拉底大队党总支,《吉林大学社会科学学报》1975 年第 4 期

共同富裕之后还要努力作战——学习《关于农业合作化问题》的一点体会,李成贵,《延边大学学报》(社会科学版)1975 年第 3 期

农业社会主义革命和建设的伟大纲领——学习《关于农业合作化问题》,林雨如,《广西师范大学学报》(哲学社会科学版)1977 年第 9 期

趁热打铁不断革命——学习《毛泽东选集》第五卷关于农业合作化问题光辉论述的一点体会,陈学基、徐传祺,《苏州大学学报》(哲学社会科学版)1977 年第 2 期

坚持我国社会主义农业的发展道路,学习《关于农业合作化问题》的一点体会,农经系理论组,

《理论与实践》1977 年第 2 期

学习研究《中国农村的社会主义高潮的序言》

农业生产的高潮的出现是不可避免的：读毛泽东同志《〈中国农村的社会主义高潮〉序言》的笔记，叶苓，《新湖南报》1956 年 2 月 18 日

按照毛主席的教导，更勇敢地指引青年前进（社论），《中国青年报》1956 年 2 月 21 日

用积极的态度去解决问题：学习毛主席关于《书记动手，全党办社》一文的按语，黎仑，《宁夏日报》1962 年 8 月 30 日

政治工作是农村社会主义革命的中心环节——学习《中国农村的社会主义高潮》的序言和按语的体会，姜振昌，《山东师范大学学报》（人文社会科学版）1977 年第 1 期

照耀我国农村社会主义道路的光辉灯塔——学习《中国农村的社会主义高潮》的序言和按语，武汉大学哲学系写作组，《武汉大学学报》（哲学社会科学版）1977 年第 3 期

农村政治工作的伟大指针：学习毛主席为《张郭社合作社的政治工作》一文写的光辉按语，中共北京市委农村工作部，《北京日报》

1978 年 2 月 14 日

农业经济制度的变革与文化革命：学习毛主席关于《中国农村的社会主义高潮》的按语，《山西教育》1979 年第 8 期

珍贵的革命文献——学习毛泽东同志《〈中国农村的社会主义高潮〉的按语》二则，贾华峰，《中学语文》1979 年第 2 期

毛泽东在农业合作化高潮中的探索：重读《中国农村的社会主义高潮》的序言和按语，杨清等，《岭南学刊》1988 年第 1 期

从《中国农村的社会主义高潮》一书看毛泽东建国初期的会计思想，郑火，《会计研究》1990 年第 1 期

总结历史经验，搞好农村社会主义教育——读毛泽东《〈中国农村的社会主义高潮〉的按语》随感，启非，《科学社会主义》1991 年第 6 期

一部重要的历史文献——重读毛泽东《中国农村的社会主义高潮》序言和按语，吴庆生，《广西社会科学》2003 年第 12 期

学习研究《社会主义革命的目的是解放生产力》

探索新道路的良好开端——读　　《社会主义革命的目的是解放生产

力》，石仲泉，《前线编辑部邮箱》　1986 年第 9 期

学习研究《加快手工业的社会主义改造》

手工业工作的指路明灯——学习《加快手工业的社会主义改造》的体会，山东省革委工交办公室、山东省革委第二轻工业局，《文史哲》1977 年第 3 期

学习研究《论十大关系》

革命和建设的辩证统一：学习《论十大关系》的体会，李秀林，《光明日报》1973 年 2 月 14 日

论重点和非重点：学习《论十大关系》的一点体会，郑杭生，《光明日报》1978 年 2 月 21 日

论农重轻及其比例关系：重读《论十大关系》，刘光杰，《江汉论坛》1979 年第 2 期

建设社会主义的正确方针：学习《论十大关系》，李稼蓬，《光明日报》1981 年 7 月 18 日

向世界文明学习：重读《论十大关系》的一点体会，阮铭，《读书》1981 年第 5 期

探讨中国式的社会主义发展战略：学习《论十大关系》，阮铭，《理论与实践》1981 年第 6 期

正确认识和处理社会主义经济的非对抗性矛盾：《论十大关系》在哲学上的一个重大贡献，房良钧，《天津社会科学》1982 年第 1 期

关于《论十大关系》的产生、整理和发表，汪裕尧执笔，《文献和研究》1982 年第 8 期

《论十大关系》与有中国特色的社会主义建设，王国刚等，《福建师大学报》1983 年第 4 期

农、轻、重要协调发展：重读《论十大关系》，王爱珠，《复旦学报》1983 年第 6 期

学习《论十大关系》，合理安排农轻重比例——纪念毛泽东诞辰九十周年，王积业，《经济理论与经济管理》1983 年第 6 期

略论毛泽东经济思想的实践：纪念《论十大关系》发表二十八周年，杨尧忠等，《荆州师专学报》1984 年第 1 期

《论十大关系》思想的新发展，潘宝聊，《毛泽东思想研究》1984 年第 2 期

《论十大关系》与社会主义物质利益原则，李福安，《黄石师院学报》1984 年第 4 期

调动一切积极因素，建设强大的社会主义国家：纪念《论十大关系》的讲话发表三十周年，吉龙，

《扬州师院学报》1986 年第 2 期

论《十大关系》形成前后的调查和探索，薄一波，《经济日报》1991 年 7 月 18 日、20 日、22 日、23 日、24 日、26 日；《求是》1991 年第 12 期

探索中国社会主义建设道路的光辉篇章——学习《论十大关系》，邱振东，《领导之友》1992 年第 1 期

《论十大关系》与中国特色的社会主义，何汉文、卢国松，《广西师范大学学报》（哲学社会科学版）1993 年第 1 期

《论十大关系》：中国改革开放的最初探索，蒋伏虎，《毛泽东思想研究》1993 年第 1 期

需要继续处理好国家和农民的关系——学习毛泽东《论十大关系》的一点体会，胡太昌，《九江师专学报》1993 年第 2 期

指导我国经济建设的不朽之作——学习《论十大关系》，郑庆江，《胜利油田党校学报》1993 年第 3 期

毛泽东生产力布局思想——读《论十大关系》有关论述，兰虹，《西华大学学报》（哲学社会科学版）1993 年第 3 期

试论独立自主与向外国学习的哲学基础——学习《论十大关系》的体会，何希义，《毛泽东思想研究》1993 年第 3 期

简谈毛泽东同志《论十大关系》中关于学习外国的思想，李鹏中，《济南大学学报》（社会科学版）1993 年第 4 期

《论十大关系》：探索有中国特色社会主义道路的奠基石，阳国文，《湖南城市学院学报》1993 年第 4 期

学习毛泽东对立统一的经济思想——重温《论十大关系》，马拓白，《苏州大学学报》（哲学社会科学版）1993 年第 4 期

毛泽东《论十大关系》与当前社会主义建设，尹庆民，《北京联合大学学报》1993 年第 4 期

毛泽东《论十大关系》中对社会主义建设道路的探索，高靖，《内蒙古社会科学》（汉文版）1993 年第 5 期

《论十大关系》中体现的毛泽东的社会主义经济思想，王彩云，《杭州师范学院学报》（社会科学版）1993 年第 5 期

社会主义建设道路探索的典范——重读《论十大关系》，高靖，《科学社会主义》1993 年第 5 期

探索中国式道路的历史起点——《论十大关系》的形成，陈雪薇，《新视野》1993 年第 3 期

新时期仍要处理好经济建设的内部矛盾——重读《论十大关系》札记，沈立人，《学海》1993 年第

6 期

政治家的经济战略——重读《论十大关系》，何桂林，《现代财经》（天津财经学院学报）1993 年第 6 期

毛泽家对社会主义经济建设理论的重要贡献——学习毛泽东《论十大关系》的体会，孙少华，《社会科学战线》1993 年第 6 期

《论十大关系》与社会主义市场经济理论，吴金喜，《求实》1993 年第 9 期

走适合我国国情的社会主义道路——学习毛泽东《论十大关系》，杨莉光，《财经问题研究》1993 年第 12 期

《论十大关系》给中国改革者的启示，林冬阳，《北京化工大学学报》（社会科学版）1994 年第 1 期

《论十大关系》是新中国改革开放思想的最早探索，畅华，《楚雄师专学报》1994 年第 1 期

毛泽东同志对建设有中国特色的社会主义的探索——学习《论十大关系》，冉友聘，《合肥工业大学学报》（社会科学版）1994 年第 1 期

毛泽东《论十大关系》的经济哲学思想，孙金华、杨鸿雁，《河南电大》1994 年第 4 期

光辉的思想　重大的贡献——学习《论十大关系》、《关于正确处理人民内部矛盾的问题》的体会，陈百川，《嘉应大学学报》1994 年第 1 期

《论十大关系》中的经济思想与我国经济发展，周惠玲，《首都师范大学学报》（社会科学版）1994 年第 1 期

新的探索 新的开端——毛泽东《论十大关系》的发表，王庭科，《天府新论》1994 年第 1 期

《论十大关系》浅析，余焜，《柴达木开发研究》1994 年第 1 期

试论毛泽东的社会主义经济管理思想——重读《论十大关系》，徐宏，《中共乌鲁木齐市委党校学报》1994 年第 1 期

略论毛泽东《论十大关系》的重大意义，李学新，《玉溪师范学院学报》1994 年第 1 期

建设有中国特色社会主义理论的最早探索——重读《论十大关系》，孙建英，《常熟高专学报》1994 年第 2 期

《论十大关系》中的宏观调控思想，孟淑平、郭文卿，《毛泽东思想研究》1994 年第 2 期

探索中国式社会主义建设道路的伟大成果——重温毛泽东《论十大关系》，朱玉坤、周生文，《青海社会科学》1994 年第 5 期

宏观调控社会主义市场经济的指导思想——学习毛泽东《论十大关系》的宏观调控思想，李海，《广

西教育学院学报》1995 年第 1 期

论我国经济社会协调持续发展理论的新发展——《论十大关系》与《正确处理社会主义建设中若干重大关系》的比较研究，王处辉，《理论与现代化》1995 年第 11 期

《论十大关系》与我国社会主义经济建设道路的探索，李学碧、钟宗畅，《毛泽东思想研究》1996 年第 1 期

"论十二大关系"是对《论十大关系》的继承和发展，《探索与求是》1996 年第 1 期

探索中国式社会主义建设道路的奠基作——纪念《论十大关系》讲话 40 周年，韩梅、秦海文，《毛泽东思想研究》1996 年第 1 期

论《正确处理社会主义现代化建设中的若干重大关系》对《论十大关系》的继承发展，老史，《毛泽东思想论坛》1996 年第 1 期

浅论《论十大关系》在毛泽东经济思想体系中的地位，刘光杰，《毛泽东思想论坛》1996 年第 2 期

本刊编辑部与武大经济学院举办《论十大关系》座谈，《毛泽东思想论坛》1996 年第 2 期

新时期新关系：论江泽民对《论十大关系》的继承和发展，王清芳，《毛泽东思想研究》1996 年第 2 期

从《论十大关系》到《十二大关系》，何文，《毛泽东思想研究》1996 年第 2 期

《论十大关系》的续篇——学习江泽民"论十二大关系"的一点体会，吴凤岩，《党政干部学刊》1996 年第 2 期

试论江泽民"论十二大关系"对毛泽东《论十大关系》的发展，邵文超、李仲德，《行政与法》1996 年第 2 期

国防建设要服从经济建设与经济建设协调发展——纪念毛泽东《论十大关系》发表 40 周年，张秀华，《军事经济研究》1996 年第 2 期

中国社会主义建设道路的开拓性探索——试论毛泽东《论十大关系》在马克思主义社会主义学说中的历史地位，郭蕊，《陕西师范大学学报》(哲学社会科学版) 1996 年第 S2 期

毛泽东的《论十大关系》与八大的政治路线，张广信，《陕西师范大学学报》(哲学社会科学版) 1996 年第 S2 期

《论十大关系》与十四届五中全会报告经济思想之比较，周韬、邢江，《广西师范大学学报》(哲学社会科学版) 1996 年第 S2 期

《论十大关系》是探索有中国特色社会主义建设道路的先导，唐振南，《毛泽东思想研究》1996 年第 3 期

《论十大关系》——探索建设有中国特色社会主义理论的奠基石，刘导平，《广东党史》1996 年第 3 期

从《论十大关系》到社会主义初级阶段的"新十大经济关系"——《邓小平文选》对创立中国宏观经济关系学的启示，张志军、赵铁流，《渭南师专学报》1996 年第 3 期

怎样建设社会主义问题的初步探索——纪念毛泽东《论十大关系》讲话 40 周年，王书宗，《中共四川省委省级机关党校学报》1996 年第 3 期

《论十大关系》的继承和发展——学习江泽民同志"论十二大关系"的体会，戴锡南，《群众》1996 年第 3 期

中国社会主义建设辩证法的光辉篇章——学习《论十大关系》和"论十二大关系"，李国强，《当代中国史研究》1996 年第 4 期

江泽民"论十二大关系"是对毛泽东《论十大关系》的新发展，邵文超、李仲德，《长白学刊》1996 年第 4 期

试论江泽民同志的《讲话》对《论十大关系》的继承和发展，王毛生，《武汉交通管理干部学院学报》1996 年第 4 期

"论十二大关系"是对《论十大关系》的继承与发展，李合敏，《辽宁教育行政学院学报》1996 年第 4 期

《论十大关系》的新篇章，李开华，《中共四川省委省级机关党校学报》1996 年第 4 期

从《论十大关系》到《论十二大关系》，刘宝三，《学习与实践》1996 年第 4 期

纪念社会主义改造基本完成、《论十大关系》发表、中共八大召开 40 周年笔谈，《当代中国史研究》1996 年第 5 期

重读毛泽东《论十大关系》中关于工农关系的论述，郑有贵，《当代中国史研究》1996 年第 5 期

探索社会主义建设道路的先河——纪念毛泽东同志《论十大关系》发表 40 周年，黄慕亚，《江西社会科学》1996 年第 5 期

开创中国社会主义建设道路的光辉文献——纪念《论十大关系》发表 40 周年座谈会发言摘要，《理论导刊》1996 年第 6 期

"纪念三大改造基本完成、《论十大关系》发表、党的八大召开 40 周年学术讨论会"综述，杜蒲，《当代中国史研究》1996 年第 6 期

沿着建设有中国特色社会主义道路前进——纪念《论十大关系》讲话发表 40 周年，李力安，《当代中国史研究》1996 年第 6 期

跨世纪的接力——从毛泽东的

《论十大关系》到江泽民的《论十二大关系》，夏振坤,《学习与实践》1996 年第 6 期

中国社会主义建设辩证法的光辉篇章——学习《论十大关系》和"论十二大关系"，李国强,《地方政府管理》1996 年第 7 期

江泽民论十二大关系与毛泽东论十大关系的联系与区别，张广通,《中央财经大学学报》1996 年第 10 期

李力安谈《论十大关系》,《高校理论战线》1996 年第 12 期

从《论十大关系》到中共八大，毛泽东关于对外开放的论述，陈东林,《真理的追求》1996 年第 12 期

浅谈《论十大关系》和《论十二大关系》中关于经济结构协调发展的思想，白永秀,《喀什师范学院学报》1997 年第 1 期

探索中国式发展道路的一篇大文章——从毛泽东的《论十大关系》到江泽民的《论十二大关系》，张建军,《社会科学论坛》1997 年第 1 期

必须辩证地对待苏联革命和建设的经验——学习《论十大关系》的一点体会，周新城,《中国人民大学学报》1997 年第 2 期

《论十大关系》与中国式社会主义建设道路的开端，徐选明,《毛泽东思想研究》1997 年第 4 期

简析《论十大关系》对矛盾学说的新贡献，何以贵,《毛泽东思想研究》1997 年第 4 期

浅议《论十大关系》产生的动因和条件，范建明,《毛泽东思想研究》1997 年第 4 期

《论十大关系》关于建设社会主义民主政治的三个方针，徐国昌、赵永新、姜玉坤,《毛泽东思想研究》1997 年第 4 期

"论十二大关系"对《论十大关系》的发展，李拥军,《毛泽东思想研究》1997 年第 4 期

浅议《论十大关系》与"论十二大关系"中的同与异，李振江、傅振忠,《毛泽东思想研究》1997 年第 4 期

《论十大关系》与《论十二大关系》中的宏观经济管理思想比较研究，白永秀、辛雪峰,《攀登》1997 年第 5 期

浅谈《论十大关系》对苏联经济模式突破的历史贡献，王玲霄、汤治,《毛泽东思想研究》1997 年第 6 期

浅论《论十大关系》对苏联模式的突破，陈向东,《毛泽东思想研究》1997 年第 6 期

《正确处理社会主义现代化建设中的若干重大关系》是对《论十大关系》的继承和发展，正文,《中共

福建省委党校学报》1997 年第 6 期

试论社会主义经济建设若干重大关系——学习毛泽东《论十大关系》和江泽民《正确处理社会主义现代化建设中的若干重大关系》，吴青，《现代财经》（天津财经学院学报）1997 年第 6 期

周恩来与毛泽东的《论十大关系》，曹应旺，《中共党史研究》1998 年第 1 期

《论十大关系》与一系列新方针的提出，郑雅茹，《历史教学》1999 年第 7 期

对《论十大关系》的再认识，白凤玲，《青海师专学报》1999 年第 1 期

略论《论十大关系》与"论十二关系"中的矛盾观点，方爱东，《淮北煤炭师范学院学报》（哲学社会科学版）1999 年第 2 期

朱德对《论十大关系》的丰富和发展，崔玉斌、毛树林，《中共中央党校学报》1999 年第 4 期

《论十大关系》与邓小平改革思想，李立菊，《呼兰师专学报》1999 年第 4 期

《论十大关系》与我国建设社会主义道路的探索，王鲁英，《山东社会科学》1999 年第 4 期

刘少奇、邓小平与《论十大关系》，周忠瑜，《青海社会科学》1999 年第 5 期

毛泽东对中国社会主义经济理论的贡献——重读《论十大关系》，李琼英、龚晓莺，《理论与当代》1999 年第 12 期

刘少奇与《论十大关系》，李媛，《长春大学学报》2000 年第 2 期

朱德对《论十大关系》的丰富和发展，崔玉斌、毛树林，《党史信息报》2000 年 6 月 14 日

《论十大关系》——走中国自己的路之发轫，邬莲平，《党史研究与教学》2001 年第 2 期

《论十大关系》的社会主义改革思想，李立军、韩春雪，《大庆高等专科学校学报》2001 年第 2 期

对《论十大关系》的再认识，黄燕，《党史信息报》2001 年 5 月 30 日

走自己的建设道路的宣言书——《论十大关系》的开拓性理论贡献，韩梅，《辽宁师专学报》（社会科学版）2002 年第 4 期

从毛泽东《论十大关系》到江泽民《十二大关系论纲》，黄健，《桂海论丛》2002 年第 5 期

浅论《论十大关系》的历史地位和指导意义，任全礼，《纪念毛泽东——纪念毛泽东同志诞辰 110 周年理论研讨会论文集》2003 年

从毛泽东《论十大关系》到邓小平建设有中国特色的社会主义理论，赵婷，《吉林商业高等专科学校

学报》2003 年第 3 期

《论十大关系》中的经济思想及其现实意义，钟卫华，《三明高等专科学校学报》2003 年第 4 期

《论十大关系》发表前后，逄先知、金冲及，《百年潮》2003 年第 12 期

《论十大关系》中体现的对外开放思想，段小平，《湖北省社会主义学院学报》2004 年第 1 期

当代中国的中央与地方分权——重读毛泽东《论十大关系》第五节，苏力，《中国社会科学》2004 年第 2 期

《论十大关系》与邓小平经济思想之比较，覃汉吨，《广西公安管理干部学院学报》2004 年第 3 期

从《论十大关系》的统筹兼顾思想到科学发展观，王诚安，《陕西社会主义学院学报》2004 年第 4 期

《论十大关系》之新思考，刘孜勤，《河北学刊》2004 年第 6 期

从《论十大关系》到科学发展观，甘再清，《四川教育学院学报》2004 年第 9 期

中国特色社会主义的最初探索起点——毛泽东《论十大关系》新探，王东、彭新莲，《北京大学纪念毛泽东诞辰 110 周年论集》2004 年

从《论十大关系》到科学发展观，孙登敏，《贵州社会科学》2005 年第 3 期

从《论十大关系》看毛泽东的发展观，方玉萍，《安徽工业大学学报》（社会科学版）2005 年第 3 期

中国特色社会主义理论的方法论起点——《论十大关系》的方法论特色，王诚安、侯建会，《科学社会主义》2005 年第 5 期

毛泽东《论十大关系》对构建社会主义和谐社会的探索，宋振文，《湖南科技学院学报》2005 年第 12 期

重读《论十大关系》的现实意义，盛秦陵，《集团经济研究》2005 年第 15 期

1956 年中央领导同志的调查研究与《论十大关系》的发表，闻言实，《党的文献》2006 年第 1 期

毛泽东《论十大关系》中关于中央与地方关系的思想及其意义，李旺珍、覃举东，《咸宁学院学报》2006 年第 1 期

初探《论十大关系》中建设社会主义社会的和谐思想，彭波、张俊红，《湖北函授大学学报》2006 年第 1 期

和谐社会的经济建设：毛泽东的初步探索——纪念《论十大关系》发表 50 周年，孙金华，《毛泽东思想研究》2006 年第 2 期

毛泽东建国初期的和谐社会思想——重读《论十大关系》，伍屏芝，《长沙铁道学院学报》（社会科学

版）2006 年第 2 期

邓小平与《论十大关系》的关系述论，肖文学，《胜利油田党校学报》2006 年第 3 期

《论十大关系》中的对外战略思想研究，张惟英，《中共中央党校学报》2006 年第 3 期

探索中国特色社会主义道路的最初构想——纪念毛泽东《论十大关系》发表五十周年，王东，《中共天津市委党校学报》2006 年第 3 期

《论十大关系》中的和谐思想，胡德岭，《广西青年干部学院学报》2006 年第 4 期

解读《论十大关系》工业化思想及其发展——以大庆石油会战为例，陈朝，《毛泽东思想研究》2006 年第 4 期

《论十大关系》中的经济伦理思想及其现实意义——纪念毛泽东《论十大关系》发表五十周年，周山东、徐建，《广西经济管理干部学院学报》2006 年第 4 期

回眸《论十大关系》光辉历程——纪念毛泽东作《论十大关系》50 周年，纪国伟，《党史天地》2006 年第 5 期

《论十大关系》的文本解读及与同时代领袖群体相关文献的比较研究，张新华，《探索》2006 年第 5 期

和谐社会视角下的《论十大关

系》的当代解读，陶林，《长春市委党校学报》2006 年第 6 期

探索中国特色社会主义建设道路的伟大肇始——《论十大关系》的思想精髓及其当代价值探析，王锐，《兰州学刊》2006 年第 7 期

中国社会主义发展道路的伟大探索——纪念毛泽东发表《论十大关系》讲话 50 周年，陈夕，《求是》2006 年第 9 期

论《论十大关系》与科学发展观的理论渊源关系，赵根旺，《韶关学院学报》2006 年第 10 期

《论十大关系》——和谐社会建设思想的积极探索，马征、张明霞，《湖北教育学院学报》2006 年第 11 期

《论十大关系》的提出和形成，张金才，《历史学习》2006 年第 12 期

中国共产党在认识和处理人民内部矛盾问题上的艰难探索——纪念《论十大关系》等著作发表 50 周年，许京元，《社会科学研究》2007 年第 1 期

毛泽东《论十大关系》中的科学发展思想探析，王真，《长白学刊》2007 年第 1 期

《论十大关系》的哲学思考，郭圣福、魏法谱，《湖南第一师范学报》2007 年第 1 期

浅谈《论十大关系》对构建社

会主义和谐社会的现实意义，汪芳芳，《党政干部论坛》2007 年（增刊）

1956 年周恩来、朱德对《论十大关系》的阐释和发挥，高长武，《党的文献》2007 年第 3 期

邓小平与毛泽东《论十大关系》的发表，刘金田，《党的文献》2007 年第 3 期

十一届三中全会以来《论十大关系》研究述要，柳建辉、潘鹏，《党的文献》2007 年第 3 期

关于整理修改《论十大关系》的三件档案，《党的文献》2007 年第 3 期

试析毛泽东调查研究思想与《论十大关系》的发表，王东哲、于颖，《理论观察》2007 年第 3 期

试析《论十大关系》蕴含的科学发展观思想，余春林，《西南大学学报》（社会科学版）2007 年第 4 期

《论十大关系》与新型工业化道路的辨证思考，余春林，《理论与改革》2007 年第 4 期

试论《论十大关系》中的社会主义经济建设思想，边媛，《大连干部学刊》2007 年第 7 期

毛泽东《论十大关系》及其对建设有中国特色社会主义道路的探索——建设有中国特色社会主义道路成功探索的宝贵经验，王拓，《怀化学院学报》2007 年第 8 期

学习研究《同音乐工作者的谈话》

创造社会主义的民族的音乐艺术——重温一九五六年毛主席同音乐工作者的谈话，孙慎，《人民音乐》1978 年第 6 期

洋为中用——《同音乐工作者的谈话》学习笔记，张庚，《文艺研究》1979 年第 4 期

标新立异，走自己的路——学习毛泽东同志《同音乐工作者的谈话》有感，琚清林，《殷都学刊》1983 年第 4 期

文化建设方针的探索——读《同音乐工作者的谈话》，高路，《前线》1986 年第 12 期

文艺民族化：一个普遍规律——重读毛泽东《同音乐工作者谈话》，任范松，《东疆学刊》1992 年第 1 期

学习毛泽东《同音乐工作者的谈话》，宋遂良，《时代文学》1992 年第 3 期

毛泽东对建设有中国特点社会主义方法论之探索——读《同音乐工作者的谈话》，王兴国，《天府新论》1993 年第 4 期

要把外国的好东西都学到——重读《同音乐工作者的谈话》，胡为雄，《中国党政干部论坛》1993 年

第 7 期

"学外国织帽子的方法，要织中国的帽子"——学习毛泽东《同音乐工作者的谈话》，张跃生，《华中科技大学学报》（社会科学版）1992年第 1 期

发展和繁荣具有中国民族特色的社会主义音乐文化——纪念毛泽东同志《同音乐工作者的谈话》发表 40 周年，厉声、士达，《人民音乐》1996 年第 4 期

毛泽东的人类学方法论试析——读《同音乐工作者的谈话》有感，胡鸿保，《广西民族学院学报》（哲学社会科学版）1997 年第 1 期

毛泽东的艺术思想及其对法制建设的启迪——《同音乐工作者的谈话》读后，蔡道通，《毛泽东思想研究》2002 年第 2 期

重读毛泽东《同音乐工作者的谈话》，罗中起，《渤海大学学报》（哲学社会科学版）2004 年第 1 期

毛泽东《同音乐工作者的谈话》与当代中国音乐发展的方向，向乾坤，《毛泽东思想研究》2007 年第 5 期

试论毛泽东的音乐思想——从《同音乐工作者的谈话》谈起，唐力生，《文艺理论与批评》2007 年第 3 期

学习研究《增强党的团结，继承党的传统》

继承和发扬党的优良传统——读《增强党的团结，继承党的传统》，哲学系理论组，《求是学刊》1977 年第 1 期

进一步发展安定团结的政治局面：学习《增强党的团结，继承党的传统》的一点体会，周国宾，《重庆日报》1979 年 2 月 3 日

学习研究《纪念孙中山先生》

科学地评价历史人物——读毛泽东的《纪念孙中山先生》，王浩

雷，《毛泽东思想研究》2003 年第 2 期

学习研究《在中国共产党第八届中央委员会
第二次全体会议上的讲话》

坚决捍卫无产阶级革命的旗帜：学习《在中国共产党第八届中央委员会第二次全体会议上的讲话》的一点体会，体育系一年级《毛泽东

选集》学习小组，《北京师范学院学报》1977 年第 2、3 期

艰苦奋斗，力戒骄傲，讲求方法：重读毛泽东的《在中国共产党

第八届中央委员会第二次全体会议上的讲话》，赵福亭，《瞭望周刊》1991 年

重读毛泽东《在中国共产党八

届二中全会上的讲话》感言，贾晓慧，《毛泽东思想研究》1995 年第3 期

学习研究《在省市自治区党委书记会议上的讲话》

学习《在省市自治区党委书记会议上的讲话》，中共呼和浩特市委员会宣传部，《实践》1977 年第 5 期

学习《在省市自治区党委书记会议上的讲话》，《北京师范大学学报》（社会科学版）1977 年第 2 期

实践的哲学　战斗的哲学——学习《在省市自治区党委书记会议上的讲话》，李源植，《求是学刊》1977 年第 1 期

提倡照辩证法办事——学习毛主席《在省市自治区党委书记会议上的讲话》的体会，洪啸涛，《安徽教育》1977 年第 6 期

学习辩证法照辩证法办事——学习《在省市自治区党委书记会议上的讲话》，李若夫、李炎卿，《河南大学学报》（社会科学版）1977 年第 4 期

对立面是斗争的，又是统一的——学习《在省市自治区党委书记会议上的讲话》，钟欣，《首都师范大学学报》（社会科学版）1977 年第 4 期

不断进行上层建筑和生产关系的革命迅速发展生产——学习《在省市自治区党委书记会议上的讲话》，顾栋才，《山东师范大学学报》（人文社会科学版）1977 年第 4 期

运用唯物辩证法的杰出典范——学习《在省市自治区党委书记会议上的讲话》，冯玉昆，《延边大学学报》（社会科学版）1977 年第 2 期

学习辩证法处理好红与专的关系——学习《在省市自治区党委书记会议上的讲话》的体会，武汉体院写作组，《武汉体育学院学报》1977 年第 1 期

事物的运动发展都是波浪式的——学习《在省市自治区党委书记会议上的讲话》，饶新建，《中山大学学报》（社会科学版）1977 年第 6 期

运用辩证法分析问题和解决问题的杰出典范——读《在省市自治区党委书记会议上的讲话》，顾平，《教学与研究》1977 年第 2 期

学习研究《关于正确处理人民内部矛盾的问题》

继续放手，贯彻"百花齐放，百家争鸣"的方针，《人民日报》1957 年 4 月 10 日

怎样对待人民的内部矛盾（社论），《人民日报》1957 年 4 月 13 日

从各民主党派会议谈"长期共存、互相监督"（社论），《人民日报》1957 年 4 月 26 日

新形势、新观点、新方法（社论），《新湖南报》1957 年 4 月 28 日

学习毛主席的讲演所想到的：阶级分析法并没有过时，孙永健，《中国青年报》1957 年 6 月 25 日

中国民族资产阶级的两面性及其变化，管大同，《大公报》1957 年 6 月 26 日

试论社会主义社会的内部矛盾，孙叔平，《江海学刊》1958 年第 1 期

对待人民内部矛盾的两种立场、观点和方法，舒阁，《新论语》1958 年第 1 期

毛泽东同志论两类社会矛盾对于我国哲学和社会科学的重大意义，陈其五，《光明日报》1958 年 4 月 8 日

处理人民内部矛盾的正确方针：学习《关于正确处理人民内部矛盾的问题》，粲襄，《辽宁日报》1962 年 7 月 14 日

将意识形态领域中的革命进行

到底：读《关于正确处理人民内部矛盾的问题》的读书笔记之一，李其驹，《武汉大学学报》1963 年第 1 期

还《正处》以本意，肖超然，《新时期》1979 年第 2 期

正确处理人民内部矛盾与四个现代化：纪念《关于正确处理人民内部矛盾的问题》发表二十二周年，李茂，《开封师范学院学报》1979 年第 3 期

"团结—批评—团结"不是处理人民内部矛盾的总公式，闵卓，《群众论丛》1981 年第 1 期

马克思主义的光辉文献：学习毛泽东同志的《关于正确处理人民内部矛盾的问题》，柳佑等，《武汉大学学报》1981 年第 4 期

人民内部矛盾及其解决方法：重读《关于正确处理人民内部矛盾的问题》，杨建中，《内蒙古日报》1982 年 2 月 19 日

必须坚持社会主义民主的正确方向，朱峻峰，《科学社会主义研究》1982 年第 2、3 期

伟大的转折、科学的创见：纪念《关于正确处理人民内部矛盾的问题》，徐鸿武，《科学社会主义研究》1982 年第 2、3 期

正确处理人民内部矛盾是一门

科学——学习《关于正确处理人民内部矛盾的问题》，秦向阳，《全国毛泽东哲学思想讨论会论文选》，广西人民出版社 1982 年版

用毛泽东的《正处》精神指导经济体制改革，朱奎深等，《苏州大学学报》1983 年第 4 期

社会主义国家政治生活的主题：学习《关于正确处理人民内部矛盾的问题》，程继尧，《研究与参考》1983 年（增刊）

光辉的思想与历史的局限：纪念《关于正确处理人民内部矛盾的问题》发表三十周年，郑谦，《文献和研究》1987 年第 2 期

1957 年春夏毛泽东对国内阶级斗争形势的估量：读《关于正确处理人民内部矛盾的问题》的修改稿，施肇域，《毛泽东哲学思想研究》1991 年第 2 期

《关于正确处理人民内部矛盾的问题》方法谈，苏伟，《毛泽东思想研究》1992 年第 3 期

《关于正确处理人民内部矛盾的问题》的认识论基础及意义，彭时平，《成都大学学报》（社会科学版）1993 年（增刊）

略论毛泽东社会主义社会的基本矛盾理论——重读《关于正确处理人民内部矛盾的问题》的体会，苏俊峰、刘友田，《石油大学学报》（社会科学版）1993 年（增刊）

探索中国社会主义建设道路的重大理论贡献——重读毛泽东《关于正确处理人民内部矛盾的问题》，赵迅，《怀化学院学报》1993 年第 3 期

《关于正确处理人民内部矛盾的问题》与社会主义经济建设，王寿丰，《毛泽东思想研究》1993 年第 3 期

学习毛泽东同志正确处理两类不同性质的社会矛盾的论述——重读《关于正确处理人民内部矛盾的问题》的体会，赵玉珍，《辽宁教育行政学院学报》1993 年第 4 期

建立有中国特色的公共关系学的重要指导思想——重读毛泽东《关于正确处理人民内部矛盾的问题》，蒋绍椿、李佩芝，《临沂师范学院学报》1993 年第 4 期

中国特色社会主义的发展动力——读毛泽东《关于正确处理人民内部矛盾的问题》，汪育骏，《苏州科技学院学报》（社会科学版）1993 年第 4 期

中国特色社会主义的发展动力——读毛泽东《关于正确处理人民内部矛盾的问题》，汪育骏，《苏州科技学院学报》（自然科学版）1993 年第 4 期

学习毛泽东"社会主义矛盾论"的光辉思想——读《关于正确处理人民内部矛盾的问题》，沈富

东,《天中学刊》1993 年第 4 期

市场经济和正确处理人民内部矛盾——重读毛泽东《关于正确处理人民内部矛盾的问题》，王植彬，《领导之友》1993 年第 5 期

学习毛泽东《关于正确处理人民内部矛盾的问题》的体会，黄国定,《贵州社会科学》1993 年第 6 期

坚持和发展毛泽东思想——重读《关于正确处理人民内部矛盾的问题》，金隆德,《甘肃社会科学》1993 年第 6 期

牢牢把握社会主义时期国家政治生活的主题——重读毛泽东《关于正确处理人民内部矛盾的问题》，阎长贵,《教学与研究》1993 年第 6 期

论《关于正确处理人民内部矛盾的问题》的现实意义，仝祥顺，《山东师范大学学报》（社会科学版）1994 年第 6 期

光辉的思想 重大的贡献——学习《论十大关系》、《关于正确处理人民内部矛盾的问题》的体会，陈百川,《嘉应大学学报》1994 年第 1 期

《关于正确处理人民内部矛盾的问题》和"一个中心，两个基本点"，信德初,《武汉交通管理干部学院学报》1994 年第 2 期

正确认识和处理新形势下的人民内部矛盾——重读毛泽东《关于

正确处理人民内部矛盾的问题》，张滨辉、李坚,《四川教育学院学报》1994 年第 2 期

毛泽东人民内部矛盾理论的重大贡献与邓小平在新时期的发展——纪念《关于正确处理人民内部矛盾的问题》发表 40 周年，高健生,《科学社会主义》1997 年第 1 期

《关于正确处理人民内部矛盾的问题》研究综述，王林育,《中共党史研究》1997 年第 1 期

《关于正确处理人民内部矛盾的问题》的历史地位和理论贡献，曹广胜,《南京社会科学》1997 年（增刊）

正确处理市场经济条件下的利益矛盾——学习《关于正确处理人民内部矛盾的问题》的体会，沈学明,《南京社会科学》1997 年（增刊）

试论领导同被领导之间的矛盾及其解决——重读《关于正确处理人民内部矛盾的问题》的一点思考，陈占安,《南京社会科学》1997 年（增刊）

《关于正确处理人民内部矛盾的问题》与中国社会主义建设道路的初期探索，荣开明,《华中理工大学学报》（社会科学版）1997 年第 2 期

社会主义社会基本矛盾学说的理论贡献和认识缺陷——纪念毛泽东《关于正确处理人民内部矛盾的

问题》发表 40 周年，王书宗，《中共四川省委省级机关党校学报》1997 年第 2 期

邓小平对《关于正确处理人民内部矛盾的问题》的继承和发展，林红专，《福建师范大学学报》(哲学社会科学版) 1997 年第 3 期

对《关于正确处理人民内部矛盾的问题》的再认识，李捷，《当代中国史研究》1997 年第 3 期

《关于正确处理人民内部矛盾的问题》评价二题，林源，《当代中国史研究》1997 年第 3 期

纪念《关于正确处理人民内部矛盾的问题》发表 40 周年学术讨论会述要，瑄伯，《当代中国史研究》1997 年第 3 期

《关于正确处理人民内部矛盾的问题》评价二题，刘林元，《南京大学学报》(哲学、人文科学、社会科学版) 1997 年第 3 期

正确处理新形势下的人民内部矛盾是实现四个现代化的基本保证——纪念《关于正确处理人民内部矛盾的问题》发表 40 周年，年鲁人，《南京大学学报》(哲学、人文科学、社会科学版) 1997 年第 3 期

论《关于正确处理人民内部矛盾的问题》一文的局限性，孙继虎，《西北师大学报》(社会科学版) 1997 年第 3 期

正确认识社会主义社会的矛盾性——纪念毛泽东同志《关于正确处理人民内部矛盾的问题》发表 40 周年，陈耀彬，《晋阳学刊》1997 年第 3 期

毛泽东对社会主义探索的理论高峰——纪念《关于正确处理人民内部矛盾的问题》发表四十周年，金春明，《科学社会主义》1997 年第 3 期

巩固和发展社会主义的划时代文献——纪念《关于正确处理人民内部矛盾的问题》发表四十周年，马蓥伯，《科学社会主义》1997 年第 3 期

试论领导同被领导之间的矛盾及其解决——重读《关于正确处理人民内部矛盾的问题》的一点思考，陈占安，《毛泽东思想论坛》1997 年第 3 期

社会主义矛盾学说的创新和实践——纪念毛泽东《关于正确处理人民内部矛盾的问题》发表四十周年，雷云，《浙江社会科学》1997 年第 3 期

继承和发展毛泽东思想，坚持建设有中国特色的社会主义道路——学习《关于正确处理人民内部矛盾的问题》，张玉乔，《北京联合大学学报》1997 年第 4 期

正确处理人民内部矛盾促进社会主义现代化建设——纪念毛泽东《关于正确处理人民内部矛盾的问

题》发表40周年,孔冬、王长里,《江西师范大学学报》(哲学社会科学版)1997年第4期

正确处理市场经济条件下的利益矛盾——学习《关于正确处理人民内部矛盾的问题》的体会,沈学明,《兵团党校学报》1997年第5期

永远闪光的真金——纪念毛泽东《关于正确处理人民内部矛盾的问题》发表40周年,《福建党史月刊》1997年第5期

试论现阶段人民内部矛盾体系的特点——纪念毛泽东《关于正确处理人民内部矛盾的问题》发表40周年,陈天绶,《东南学术》1997年第5期

中国社会主义改革的理论奠基之作——纪念《关于正确处理人民内部矛盾的问题》发表40周年,江焕湖,《理论探索》1997年第5期

新的历史条件下研究社会关系的科学方法——纪念《关于正确处理人民内部矛盾的问题》发表四十周年,李正文,《毛泽东思想研究》1997年第5期

一部为社会主义改革奠定哲学基础的伟大著作——学习《关于正确处理人民内部矛盾的问题》的一点体会,周新城,《中国人民大学学报》1997年第5期

《关于正确处理人民内部矛盾的问题》在改革开放新时期的现实意义,郑庆荣,《党史研究与教学》1997年第5期

论《关于正确处理人民内部矛盾的问题》与中国的工业化道路,钟健英,《党史研究与教学》1997年第5期

关于阶级分析方法的现实意义——纪念《关于正确处理人民内部矛盾的问题》发表40周年,李力安,《当代中国史研究》1997年第6期

社会主义社会基本矛盾原理是基本路线的理论基石——纪念《关于正确处理人民内部矛盾的问题》发表四十周年,高为学,《高校理论战线》1997年第6期

试论毛泽东在处理人民内部矛盾问题上的贡献与失误——纪念《关于正确处理人民内部矛盾的问题》发表40周年,杨清涛,《郑州大学学报》(哲学社会科学版)1997年第6期

现阶段人民内部矛盾体系特点的探析——纪念毛泽东《关于正确处理人民内部矛盾的问题》发表40周年,程喜中、江赐,《南方冶金学院学报》1997年第6期

毛泽东探索社会主义建设道路的重要成果——《关于正确处理人民内部矛盾的问题》发表40周年理论研讨会综述,林建公,《党史文汇》1997年第7期

《关于正确处理人民内部矛盾的问题》与中国社会主义建设道路的初期探索，荣开明，《南京社会科学》1997 年第 7 期

社会主义改革深层理论基础的提出和发展——纪念《关于正确处理人民内部矛盾的问题》发表 40 周年，林源，《唯实》1997 年第 7 期

研究人民内部矛盾的新变化——纪念毛泽东《关于正确处理人民内部矛盾的问题》发表 40 周年理论研讨会纪要，杨三省，《哲学动态》1997 年第 9 期

不断深化对"双百"方针的认识——纪念《关于正确处理人民内部矛盾的问题》发表 40 周年，商孝才，《内部文稿》1997 年第 11 期

要研究和处理好新形势下的人民内部矛盾——纪念毛泽东同志《关于正确处理人民内部矛盾的问题》发表四十周年，李忠杰，《求是》1997 年第 12 期

如何评价毛泽东的名著——《关于正确处理人民内部矛盾的问题》，金春明，《理论前沿》1997 年第 14 期

社会主义基本矛盾理论是毛泽东思想体系中最光辉的成就——重温《关于正确处理人民内部矛盾问题》，崔宝东、戚桂军，《济宁师专学报》1996 年第 4 期

《关于正确处理人民内部矛盾的问题》中的几个问题，卿上君、王孝红，《毛泽东思想研究》1998 年（增刊）

对《关于正确处理人民内部矛盾的问题》的再认识，时荣国，《锦州师范学院学报》（哲学社会科学版）1998 年第 2 期

重读《关于正确处理人民内部矛盾的问题》，黄万畴，《理论学习与探索》1998 年第 3 期

简析社会主义社会国家政治生活的主题思想——兼论《关于正确处理人民内部矛盾的问题》的历史地位，邓宏烈，《毛泽东思想研究》1998 年第 5 期

《关于正确处理人民内部矛盾的问题》与反右派斗争，顾晓静，《南京化工大学学报》（哲学社会科学版）1999 年第 1 期

《关于正确处理人民内部矛盾的问题》的理论贡献与现实意义，郭代习，《南昌航空工业学院学报》（社会科学版）2000 年第 2 期

《关于正确处理人民内部矛盾的问题》之社会主要矛盾思想辨析，彭焕才，《湖南商学院学报》2000 年第 5 期

对《关于正确处理人民内部矛盾的问题》的再认识，刘丽琼，《云南师范大学学报》（哲学社会科学版）2000 年第 6 期

1957 年 2 月 27 日《关于正确

处理人民内部矛盾的问题》,《北京日报》2001 年 2 月 27 日

《关于正确处理人民内部矛盾的问题》的理论贡献及其他, 吴九占,《许昌师专学报》2001 年第 3 期

党的思想政治工作的理论基础——学习《关于正确处理人民内部矛盾的问题》的重要思想, 林国建、王景云,《思想教育研究》2002 年第 1 期

《关于正确处理人民内部矛盾的问题》的理论贡献、历史局限及启示, 张丽春,《中共太原市委党校学报》2002 年第 3 期

一篇重要的马克思主义理论著作的诞生——《关于正确处理人民内部矛盾的问题》形成过程（上）, 逢先知、李捷,《党的文献》2002 年第 4 期

一篇重要的马克思主义理论著作的诞生——《关于正确处理人民内部矛盾的问题》形成过程（中）, 逢先知、李捷,《党的文献》2002 年第 5 期

一篇重要的马克思主义理论著作的诞生——《关于正确处理人民内部矛盾的问题》形成过程（下）, 逢先知、李捷,《党的文献》2002 年第 6 期

《关于正确处理人民内部矛盾的问题》的理论贡献, 陈宁,《毛泽东思想研究》2002 年第 1 期

群众路线是正确处理人民内部矛盾的指导性原则——重读毛泽东《关于正确处理人民内部矛盾的问题》有感, 鉴传今,《中国社会科学院院报》2003 年 12 月 25 日

依法治国处理好新时期的社会矛盾——纪念《关于正确处理人民内部矛盾的问题》发表 46 周年, 陈光金、李培林,《中国社会科学院院报》2003 年 12 月 25 日

最初探索中国特色社会主义道路的杰作——重读毛泽东《论十大关系》和《关于正确处理人民内部矛盾的问题》, 严书翰,《福建日报》2003 年 12 月 23 日

《关于正确处理人民内部矛盾的问题》的理论贡献及现实意义, 林辉,《福建工程学院学报》2003 年第 4 期

《关于正确处理人民内部矛盾的问题》与执政党, 阎颖,《三峡大学学报》(人文社会科学版) 2003 年第 5 期

在理论和实践的探索中发展马克思主义——重读《关于正确处理人民内部矛盾的问题》, 林樟杰,《上海师范大学学报》(哲学社会科学版) 2003 年第 5 期

社会主义改革的理论源流——重读《关于正确处理人民内部矛盾的问题》有感, 徐能武、金赛美,《青海社会科学》2004 年第 1 期

《关于正确处理人民内部矛盾的问题》与马克思主义中国化，潘荣华，《安徽农业大学学报》（社会科学版）2004 年第 4 期

浅谈《关于正确处理人民内部矛盾的问题》中的思想政治教育思想，张胥，《党史文苑》2005 年第 2 期

正确处理人民内部矛盾与和谐社会的构建——重温《关于正确处理人民内部矛盾的问题》的几点体会，宋州，《中南财经政法大学学报》2005 年第 4 期

邓小平理论对《关于正确处理人民内部矛盾的问题》的应用和发展，田海舰，《河北大学成人教育学院学报》2005 年第 4 期

论《关于正确处理人民内部矛盾的问题》对构建和谐社会的启示，周玉，《西南民族大学学报》（人文社科版）2006 年第 1 期

《关于正确处理人民内部矛盾的问题》的理论贡献与现实意义，马冀、于桂兰，《首都师范大学学报》（社会科学版）2006 年（增刊）

《关于正确处理人民内部矛盾的问题》与新形势下人民内部矛盾问题研讨会综述，冯静、张品彬，《毛泽东邓小平理论研究》2006 年第 3 期

《关于正确处理人民内部矛盾的问题》研究述评，余义月，《北京电子科技学院学报》2006 年第 3 期

正确处理人民内部矛盾构建社会主义和谐社会——重温《关于正确处理人民内部矛盾的问题》的一点思考，曹清波、李玉娟，《前沿》2006 年第 4 期

从《关于正确处理人民内部矛盾的问题》看构建和谐社会，王淼，《胜利油田党校学报》2006 年第 6 期

论构建和谐社会目标下人民内部矛盾的认识与处理——《关于正确处理人民内部矛盾的问题》的现实启示，王淼，《福州党校学报》2006 年第 6 期

中国社会主义改革与和谐社会的理论奠基——纪念毛泽东发表《关于正确处理人民内部矛盾的问题》讲话五十周年，张春海、张雪梅，《延安大学学报》（社会科学版）2006 年第 6 期

毛泽东关于正确处理人民内部矛盾问题的探索，杨清涛，《学习论坛》2006 年第 9 期

如何提高党的执政能力和水平——关于正确处理人民内部矛盾若干问题的哲学思考，徐宏枝、杨春美，《辽宁经济》2006 年第 9 期

《关于正确处理人民内部矛盾的问题》思想是构建和谐社会的理论基础，李瑞英，《光明日报》2006 年 12 月 29 日

《关于正确处理人民内部矛盾的问题》理论对构建和谐社会的启示，李秀芳、成秀娟，《蚌埠党校学报》2007年第1期

社会主义社会矛盾运动理论的划时代创新——纪念毛泽东《关于正确处理人民内部矛盾的问题》发表五十周年，王拓彬，《胜利油田党校学报》2007年第1期

构建社会主义和谐社会的理论指南——重读《关于正确处理人民内部矛盾的问题》，王伟光，《中共中央党校学报》2007年第1期

社会主义矛盾学说与构建社会主义和谐社会——为纪念毛泽东《关于正确处理人民内部矛盾的问题》问世50周年而作，雷云，《中共浙江省委党校学报》2007年第1期

论正确处理人民内部矛盾的方法——纪念毛泽东《关于正确处理人民内部矛盾的问题》发表50周年，黄志恒，《桂海论丛》2007年第1期

构建和谐社会的方法论：社会主义矛盾学说——纪念《关于正确处理人民内部矛盾的问题》发表50周年，林华佛，《世纪桥》2007年第1期

《关于正确处理人民内部矛盾的问题》对构建和谐社会的启示，孙树芳，《中国石油大学胜利学院学报》2007年第1期

从《关于正确处理人民内部矛盾的问题》看和谐社会的构建，万小兵、晁金典，《中国市场》2007年第1期

社会和谐与社会矛盾——纪念毛泽东《关于正确处理人民内部矛盾的问题》讲话50周年，杨春贵，《理论视野》2007年第2期

学习《关于正确处理人民内部矛盾的问题》构建和谐军营，韩洪泉，《军事历史研究》2007年第2期

《关于正确处理人民内部矛盾的问题》对构建社会主义和谐社会的启示，杨国玉、毕志民，《中共乌鲁木齐市委党校学报》2007年第2期

近年来《关于正确处理人民内部矛盾的问题》的研究述评，汪云生、郭省娟，《北京科技大学学报》（社会科学版）2007年第3期

群众路线人民内部矛盾与和谐社会——纪念毛泽东《关于正确处理人民内部矛盾的问题》讲话发表50周年，柳建辉，《北京党史》2007年第3期

勤俭建国方针的确立——50年后重温《关于正确处理人民内部矛盾的问题》的体会，曹前发，《北京党史》2007年第3期

论社会主义和谐社会的矛盾特征及其解决方式——纪念《关于正确处理人民内部矛盾的问题》发表50周年，卢粉艳，《毛泽东思想研

究》2007 年第 3 期

正确处理人民内部矛盾与构建社会主义和谐社会——纪念毛泽东《关于正确处理人民内部矛盾的问题》公开发表 50 周年，江时宜，《湘潮》（下半月）（理论）2007 年第 3 期

毛泽东社会基本矛盾学说的理论创新意义——纪念《关于正确处理人民内部矛盾的问题》发表 50 周年，梁柱，《湖南科技大学学报》（社会科学版）2007 年第 3 期

如何看待毛泽东对《关于正确处理人民内部矛盾的问题》的修改，石仲泉，《中共党史研究》2007 年第 3 期

解析《关于正确处理人民内部矛盾的问题》，韩阳，《科教文汇》（中旬刊）2007 年第 3 期

正确处理人民内部矛盾的当代价值和功能——重读《关于正确处理人民内部矛盾的问题》有感，孟宪平，《四川行政学院学报》2007 年第 3 期

毛泽东对中国现代化的构想——读《关于正确处理人民内部矛盾的问题》，解琦，《中共天津市委党校学报》2007 年第 3 期

正确处理人民内部矛盾构建社会主义和谐社会——纪念毛泽东《关于正确处理人民内部矛盾的问题》发表 50 周年，冯龙庆，《中共四川省委党校学报》2007 年第 3 期

正确处理人民内部矛盾与建设和谐稳定社会——《关于正确处理人民内部矛盾的问题》发表 50 周年有感，张玉、乔孙权，《北京联合大学学报》（人文社会科学版）2007 年第 3 期

毛泽东《关于正确处理人民内部矛盾的问题》发表前后，闫以功，《春秋》2007 年第 4 期

《关于正确处理人民内部矛盾的问题》与马克思主义中国化，姚宏志，《党的文献》2007 年第 4 期

毛泽东关于正确处理人民内部矛盾思想的理论意义及历史局限——纪念《关于正确处理人民内部矛盾的问题》发表五十周年，王琴、张东明，《中共云南省委党校学报》2007 年第 3 期

毛泽东对构建社会主义和谐社会的探索——以《关于正确处理人民内部矛盾的问题》为叙述中心，周锦涛，《湘潭大学学报》（哲学社会科学版）2007 年第 4 期

社会主义社会矛盾学说的创立及贯彻中的失误——纪念毛泽东《关于正确处理人民内部矛盾的问题》发表 50 周年，张启华，《北京党史》2007 年第 4 期

纪念《关于正确处理人民内部矛盾的问题》发表 50 周年构建和谐社会首善之区理论座谈会召开，瞿

宛林,《北京党史》2007 年第 4 期

人民内部矛盾学说的当代思考——纪念毛泽东《关于正确处理人民内部矛盾的问题》发表 50 周年，郭建宁,《中国特色社会主义研究》2007 年第 4 期

《关于正确处理人民内部矛盾的问题》和社会主义社会矛盾学说的创立，荣开明,《湖南科技大学学报》(社会科学版) 2007 年第 4 期

用对立统一规律观察处理社会矛盾和问题的经典之作——纪念毛泽东《关于正确处理人民内部矛盾的问题》发表 50 周年座谈会综述,闻彦,《党的文献》2007 年第 4 期

《关于正确处理人民内部矛盾的问题》与相关文本分析，张新华,《探索》2007 年第 4 期

析毛泽东《关于正确处理人民内部矛盾的问题》,卢冬冬,《中共太原市委党校学报》2007 年第 4 期

探微毛泽东人民内部矛盾学说的当代价值——纪念《关于正确处理人民内部矛盾的问题》发表五十周年，顾绍梅、于丽先,《中共山西省委党校省直分校学报》2007 年第 5 期

浅析《关于正确处理人民内部矛盾的问题》的当代价值——纪念《关于正确处理人民内部矛盾的问题》发表 50 周年，王欢、王辉、夏文强,《传承》2007 年第 6 期

《关于正确处理人民内部矛盾的问题》之领导科学思想探析，肖臣然,《理论学刊》2007 年第 6 期

正确认识和处置群体性事件——纪念毛泽东《关于正确处理人民内部矛盾的问题》发表五十周年，李茂盛,《前进》2007 年第 6 期

延安精神研究会举办理论研讨会——纪念《关于正确处理人民内部矛盾的问题》发表 50 周年，张小燕,《湖北日报》2007 年 6 月 1 日

探索"第二次结合"的理论奠基之作——纪念《关于正确处理人民内部矛盾的问题》发表 50 周年，雷云,《宁波日报》2007 年 6 月 11 日

构建和谐社会的理论基础——学习《关于正确处理人民内部矛盾的问题》的体会，伍绍祖,《光明日报》2007 年 6 月 12 日

正确处理人民内部矛盾构建社会主义和谐社会——纪念毛泽东《关于正确处理人民内部矛盾的问题》发表 50 周年理论研讨会纪述,阮观荣,《中华新闻报》2007 年 6 月 15 日

从社会主义矛盾论到社会主义和谐社会论——首都理论界座谈毛泽东《关于正确处理人民内部矛盾的问题》的历史地位与时代价值,赵曜、徐鸿武、袁吉富、赵存生、郭建宁、闫志民、秦宣、邢和明、

王炳林,《北京日报》2007 年 6 月 18 日

构建社会主义和谐社会的理论基石——纪念毛泽东同志《关于正确处理人民内部矛盾的问题》发表五十周年座谈会发言摘要,邢贲思、逄先知、卢之超、虞云耀、张启华、杨春贵、侯惠勤、吕滨,《光明日报》2007 年 7 月 9 日

宝贵的思想财富重要的现实意义——"纪念毛泽东同志《关于正确处理人民内部矛盾的问题》发表 50 周年座谈会"述要,于春晖,《人民日报》2007 年 8 月 6 日

试论毛泽东《关于正确处理人民内部矛盾的问题》一文对构建和谐社会的意义,邓继泽,《辽宁行政学院学报》2007 年第 7 期

毛泽东社会基本矛盾理论的新贡献——纪念《关于正确处理人民内部矛盾的问题》发表 50 周年,梁柱,《中共福建省委党校学报》2007 年第 7 期

研究新形势下人民内部矛盾促进社会主义和谐社会建设——纪念毛泽东《关于正确处理人民内部矛盾的问题》发表 50 周年理论研讨会纪要,李明三,《中华魂》2007 年第 7 期

构建社会主义和谐社会的重要理论基础——学习《关于正确处理人民内部矛盾的问题》中关于社会主义社会矛盾的理论,田心铭,《中华魂》2007 年第 7 期

论《关于正确处理人民内部矛盾的问题》的理论贡献与现实意义,肖任,《传承》2007 年第 7 期

《关于正确处理人民内部矛盾的问题》对构建和谐社会的启示,陈晓婧、皮坤娥,《世纪桥》2007 年第 7 期

正确处理人民内部矛盾理论的当代价值和功能——读毛泽东《关于正确处理人民内部矛盾的问题》,孟宪平,《山西高等学校社会科学学报》2007 年第 8 期

《关于正确处理人民内部矛盾的问题》对构建社会主义和谐社会的启示,吴珍,《党史文苑》2007 年第 8 期

构建和谐社会的理论指南——学习毛泽东《关于正确处理人民内部矛盾的问题》的体会,伍绍祖,《中华魂》2007 年第 8 期

论《关于正确处理人民内部矛盾的问题》,冯晓阳、赵冬冬,《边疆经济与文化》2007 年第 9 期

毛泽东关于正确处理不同信仰之间矛盾问题的理论——学习毛泽东《关于正确处理人民内部矛盾的问题》一文的体会,何虎生,《中共福建省委党校学报》2007 年第 9 期

构建社会主义和谐社会的重要理论探索——纪念毛泽东《关于正

确处理人民内部矛盾的问题》发表50周年，张启华,《求是》2007年第12期

对马克思主义的重要理论贡献——纪念《关于正确处理人民内部矛盾的问题》发表50周年，卢之超,《红旗文稿》2007年第13期

构建社会主义和谐社会的理论基石——纪念《关于正确处理人民内部矛盾的问题》发表50周年，赵云献,《红旗文稿》2007年第13期

学习研究《在中国共产党全国宣传工作会议上的讲话》

对知识分子革命化的几点认识——读毛主席《在中国共产党全国宣传工作会议上的讲话》的初步体会，许仲英,《前线》1964年第19期

青年知识分子思想改造的道路：读《在中国共产党全国宣传工作上的讲话》，刘东远,《工人日报》1964年10月10日

知识分子思想改造的根本道路——学习《在中国共产党全国宣传工作会议上的讲话》，王南,《教学与研究》1964年第5期

社会大变动与知识分子的思想改造：读毛主席《在中国共产党全国宣传工作会议上的讲话》，李守璋,《江淮学刊》1964年第6期

《在中国共产党全国宣传工作会议上的讲话》学习辅导，特木尔夫,《实践》1965年第10期

学习《在中国共产党全国宣传工作会议上的讲话》，《铁道车辆》1966年第8期

反潮流革命精神万岁！——学习《关于正确处理人民内部矛盾的问题》和《在中国共产党全国宣传工作会议上的讲话》，刘歌德,《中山大学学报》(社会科学版) 1974年第4期

揭批"四人帮"是批判修正主义的伟大斗争：学习《在中国共产党全国宣传工作会议上的讲话》的一点体会，昆明部队后勤部理论组,《思想战线》1977年第2期

学习一辈子毛主席著作跟华主席干一辈子革命——学习《在中国共产党全国宣传工作会议上的讲话》的体会，朱海,《武汉科技大学学报》(自然科学版) 1977年第2期

学习研究《坚持艰苦奋斗,密切联系群众》

发扬党的优良作风——学习《坚持艰苦奋斗，密切联系群众》，鲁士平,《南京师大学报》(社会科学版) 1977年第2期

把我们党艰苦奋斗的传统好好发扬起来——学习《坚持艰苦奋斗，密切联系群众》，志勇、笃信，《山东师范大学学报》（人文社会科学版）1977 年第 4 期

学习《坚持艰苦奋斗，密切联系群众》，如东县师范学校语文组，《教学与研究》1977 年第 1 期

《坚持艰苦奋斗，密切联系群众》学习辅导材料，郑钟，《西北师大学报》（社会科学版）1977 年第 3 期

发扬艰苦奋斗，联系群众的优良作风：学习毛主席的《坚持艰苦奋斗，密切联系群众》一文的体会，王晓骥，《西藏日报》1977 年 12 月 25 日

学习研究《加强互相学习，克服固步自封、骄傲自满》

必须具备两分法的马克思主义辩证思想——学习《加强相互学习，克服固步自封、骄傲自满》，王元俊，《辽宁大学学报》（哲学社会科学版）1977 年第 5 期

学习《加强互相学习，克服固步自封、骄傲自满》中的哲学思想，余文烈，《中山大学学报》1977 年第 6 期

坚持两分法反对形而上学——学习《加强相互学习，克服固步自封、骄傲自满》，雍涛，《武汉大学学报》（哲学社会科学版）1977 年第 6 期

要按照辩证法办事：读《加强互相学习，克服固步自封、骄傲自满》，裴玉琢，《宁夏日报》1978 年 1 月 7 日

坚持辩证法，克服形而上学：学习毛主席光辉著作《加强互相学习，克服固步自封、骄傲自满》，李安邦，《安徽日报》1978 年 2 月 17 日

反骄破满，加速前进：学习毛主席《加强互相学习，克服固步自封、骄傲自满》一文的体会，蒲永川，《青海日报》1978 年 11 月 7 日

学习研究《工作方法六十条》（草案）

世界观转化为方法论的典范——重读毛泽东《工作方法六十条》，王皑霞，《江淮论坛》1994 年第 1 期

毛泽东领导社会主义建设的基本纲领——《工作方法六十条》（草案）基本思想解析，赵刚，《毛泽东思想研究》2007 年第 5 期

学习研究《关于社会主义商品生产问题》

社会主义需要发展商品生产——读毛泽东《关于社会主义商品生产问题》和《在武昌会议上的讲话》，曹志为，《党的文献》1998年第6期

学习研究《一切反动派都是纸老虎》等篇

学习"毛泽东同志论帝国主义和一切反动派都是纸老虎"的讨论提纲，《前线》1958年第1期

学习全面地辩证地看问题的方法——学习"毛泽东同志论帝国主义和一切反动派都是纸老虎"笔记，李光远，《前线》1958年第2期

毛泽东同志教导我们如何工作如何思想——学习"毛泽东同志论帝国主义和一切反动派都是纸老虎"心得，陈贤华，《四川大学学报》（哲学社会科学版）1958年第1期

最生动的马克思主义的分析——读"毛泽东同志论帝国主义和一切反动派都是纸老虎"的体会，黎少芩，《江汉论坛》1958年第9期

毛泽东同志论帝国主义和一切反动派都是纸老虎，人民日报编辑部，《历史教学》1958年第12期

学习毛主席"论帝国主义和一切反动派都是纸老虎"文献的一些体会，黎干，《历史教学》1958年第12期

学习"毛泽东同志论帝国主义和一切反动派都是纸老虎"的体会，何小林，《学术研究》1958年第12期

纸老虎不可怕——读毛主席"论帝国主义和一切反动派都是纸老虎"文献深感，苗丰钦，《山东文学》1958年第12期

毛泽东同志论帝国主义和一切反动派都是纸老虎，人民日报编辑部，《中国水产》1958年第12期

学习"毛泽东同志论帝国主义和一切反动派都是纸老虎"的讨论提纲，《学术月刊》1958年第12期

伟大的文献——阅读"毛泽东同志论帝国主义和一切反动派都是纸老虎"，曹禺，《人民文学》1958年第12期

学习"毛泽东同志论帝国主义和一切反动派都是纸老虎"的讨论提纲，《读书》1958年第20期

毛主席论帝国主义和一切反动派都是纸老虎，《世界知识》1958年第20期

从朝鲜战争的实践看美国纸老虎——毛主席论帝国主义和一切反动派都是纸老虎读后，杨勇，《世界

知识》1958 年第 22 期

历史事实证明帝国主义和一切反动派都是纸老虎,《江苏教育》1958 年第 22 期

新生力量是不可战胜的——学习毛主席论"帝国主义和一切反动派都是纸老虎"的体会, 丘少伟,《历史教学问题》1959 年第 1 期

把毛泽东同志论帝国主义和一切反动派都是纸老虎的理论贯彻到政治经济学的教学中去, 于宝民,《中南财经政法大学学报》1959 年第 1 期

从中国近代史看帝国主义和一切反动派都是纸老虎, 刘次涵,《兰州大学学报》(社会科学版) 1959 年第 10 期

毛泽东同志论"帝国主义和一切反动派都是纸老虎"对学习世界近、现代史的指导意义, 世界近、现代史教研组,《华中师范大学学报》(人文社会科学版) 1959 年第 3 期

学习毛泽东同志关于《帝国主义和一切反动派都是纸老虎》的伟

大的战略思想, 东方明,《读书》1960 年第 9 期

伟大的战略思想——纪念毛泽东同志关于帝国主义和一切反动派都是纸老虎的英明论断发表二十周年,《华中医学杂志》1966 年第 5 期

纸虎要作真虎打——学习《一切反动派都是纸老虎》的一点体会, 张大金,《河南大学学报》(社会科学版) 1977 年第 3 期

克敌制胜的伟大战略策略思想:学习毛主席《关于帝国主义和一切反动派是不是纸老虎的问题》, 凯文,《武汉大学学报》1977 年第 6 期

不苦战, 就不能胜利:学习《关于帝国主义和一切反动派是不是纸老虎的问题》, 龙哲文,《学习》1977 年第 11 期

"帝国主义和一切反动派都是纸老虎"论断的提出和发展过程, 马连儒、姚维斗、于俊道,《求索》1984 年第 1 期

毛泽东论"一切反动派都是纸老虎",《人民日报》2007 年 9 月 25 日

学习研究《党内通信》

一篇很有特色的纠"左"的历史文献——学习毛泽东《党内通信》, 冯蕙,《毛泽东思想研究》

1986 年第 4 期

重读《党内通信》有感, 戴秉正,《学习论坛》1994 年第 3 期

学习研究《在扩大的中央工作会议上的讲话》

民主集中制是实现新时期总任

务的重要保证——学习毛主席《在

扩大的中央工作会议上的讲话》，赵尤金，《河北大学学报》（哲学社会科学版）1978 年第 3 期

实行批评和自我批评的光辉篇章——读刘少奇《在扩大的中央工作会议上的报告》和《讲话》，杨

增和，《河北学刊》1986 年第 1 期

民主集中制的认识论意义——学习《在扩大的中央工作会议上的讲话》，范富仁，《毛泽东思想研究》1993 年第 1 期

学习研究《人的正确思想是从哪里来的?》

学习认识论促进思想化革命化：读《人的正确思想是从哪里来的?》札记，言立，《北京日报》1964 年 7 月 23 日

"物质变精神，精神变物质"：读《人的正确思想是从哪里来的?》，刘歌德，《前线》1964 年第 14 期

牢固树立实践的观点：学习《人的正确思想是从哪里来的?》札记，张景顺，《吉林日报》1964 年 8 月 18 日

实践是认识的源泉：学习《人的正确思想是从哪里来的?》一文的笔记，张培强，《河南日报》1964 年 8 月 28 日

改造客观世界和改造主观世界的统一：《人的正确思想是从哪里来的?》学习笔记，习傅东，《学术研究》1964 年第 4、5 期

物质和精神的辩证统一：学习《人的正确思想是从哪里来的?》笔记，艾真，《光明日报》1964 年 11 月 26 日

社会实践是正确思想的来源：学习《人的正确思想是从哪里来的?》，陈家义，《羊城晚报》1964 年 10 月 27 日

唯物论者必须重视第一手材料：学习《人的正确思想是从哪里来的?》等著作的心得，程鹰，《河南日报》1964 年 11 月 17 日

学习马克思主义认识论反对主观主义：学习《人的正确思想是从哪里来的?》辅导，《包头日报》1964 年 12 月 31 日

坚持辩证唯物主义认识路线：学习《人的正确思想是从哪里来的?》的体会，齐云，《光明日报》1981 年 9 月 19 日

坚持马克思主义认识论：学习《人的正确思想是从哪里来的?》，胡维杰，《贵州日报》1981 年 11 月 16 日

《人的正确思想是从哪里来的?》备课指要，申士昌，《语文教学通讯》1984 年第 2 期

《人的正确思想是从哪里来

的?》精讲导读，洪镇涛，《语文教学通讯》1986 年第 2 期

《人的正确思想是从哪里来的?》学习指要，夏启阜，《中学语文》1987 年第 7 期

物质与精神"互变"是对马克思主义认识论的新概括——重读《人的正确思想是从哪里来的?》，唐梅芳、周以俊，《学术界》1989 年第 5 期

《人的正确思想是从哪里来的?》层次辨析，姜天瑞，《江苏大学学报》（高教研究版）1993 年第 3 期

《人的正确思想是从哪里来的?》思考题解答，赵理文，《前线》1995 年第 4 期

博大而又简练精深而又浅显——论《人的正确思想是从哪里来的?》艺术美，吴开有，《昭通师范高等专科学校学报》1996 年第 4 期

谈《人的正确思想是从哪里来的?》的语言艺术，章潼生、乔东黎，《语文教学通讯》1998 年第 10 期

人的正确思想只能从社会实践中来——学习毛泽东《人的正确思想是从哪里来的?》，唐梅芳，《安徽工业大学学报》（社会科学版）2006 年第 3 期

学习研究《关于农业机械化的一封信》

把农业机械化与备战、备荒，为人民联系起来：学习《关于农业机械化的一封信》的体会，中共湖北省委员会，《人民日报》1977 年 12 月 27 日

为人民、靠人民、高速度发展农业机械化，广西农业机械化领导小组，《光明日报》1977 年 12 月 28 日

为加速实现农业机械化而奋斗：学习毛主席《关于农业机械化问题的一封信》，上海农机研究所，《文汇报》1977 年 12 月 28 日

迅速把农业机械化事业搞上去，省农业政策研究室，《安徽日报》1978 年 1 月 2 日

高速度地建设社会主义的现代化强国，齐跃，《天津日报》1978 年 1 月 4 日

工业城市要为农业机械化多做贡献，天津市生产指挥部支农办公室，《天津日报》1978 年 1 月 4 日

实现我国农业机械化的纲领性文献，滕兴祥，《大众日报》1978 年 1 月 18 日

农业的根本出路在于机械化，包头市农机局，《包头日报》1978 年 1 月 21 日

沿着毛主席指引的农业机械化的道路前进，杨易辰,《红旗》1978年第1期

全面规划统筹安排加速实现农业机械化：学习毛主席《关于农业机械化问题的一封信》的一点体会，石景云,《中国经济问题》1978年第1期

加速实现农业机械化，韩一平,《青海日报》1978年2月2日

决战三年为实现农业机械化而奋斗，张洪宇,《安徽日报》1978年2月13日

实现农业机械化的指路明灯，李西彦等,《陕西日报》1978年2月16日

实现农业机械化的必由之路：

学习毛主席《关于农业机械化问题的一封信》的体会，肖寒,《经济研究》1978年第3期

我国自己的农业机械化道路——读《关于农业机械化问题的一封信》，石冲,《湖南师范大学社会科学学报》1977年第4期

实现毛主席遗愿加速农业机械化——学习毛主席《关于农业机械化问题的一封信》，江西省农业局理论组,《南昌大学学报》(人文社会科学版)1978年第1期

照耀我国农业机械化道路的灯塔——学习毛主席《关于农业机械化问题的一封信》的体会，施修霖,《福建师范大学学报》(哲学社会科学版)1978年第1期

学习研究《五·七指示》

毛主席的"五·七"光辉指示，《铁道车辆》1968年第1期

在毛主席光辉的《五·七指示》指引下把教育革命同农业学大寨结合起来，共龙川县通衢公社委员会,《华南师范大学学报》(社会科学版)1973年第5期

坚决走《五·七指示》的光辉道路，林策良,《华南师范大学学报》(社会科学版)1973年第5期

坚持走毛主席《五·七指示》的道路，林望珍,《广西师范大学学报》(哲学社会科学版)1974年第

9期

遵照《五·七指示》办好农村中学——推荐高州县大井中学的经验湛江地区教育局,《华南师范大学学报》(社会科学版)1974年第2期

坚持《五·七指示》道路努力改造世界观，刘一德,《华南师范大学学报》(社会科学版)1974年第5期

《五·七指示》记心中高要县广利小学工宣队,《华南师范大学学报》(社会科学版)1974年第5期

永远坚持走与工农相结合的道

路——批判林彪对《五·七指示》的恶毒诬蔑，吉林大学化学系 72 级生化班，《吉林大学学报》（理学版）1974 年第 1 期

批林批孔、反修防修的有力武器——纪念毛主席光辉的《五·七指示》发表八周年，北京师范学院大批判组，《北京师范学院学报》（社会科学版）1974 年第 2 期

学习解放军走"五·七"指示的光辉道路，厦门大学校学军试点工作组，《厦门大学学报》（哲学社会科学版）1974 年第 1 期

前进在五·七金光大道上斗则进斗则胜——岳阳县天然小学落实《五·七指示》坚持开门办学的调查，岳阳地区教育局、岳阳县黄沙街区教育组，《湖南教育》1974 年第 5 期

五·七指示方向明育红林场育新人保德县暖泉公社赵家寨大队学校，《山西林业科技》1975 年第 3 期

对资产阶级实行全面专政的纲领——学习毛主席的《五·七指示》华中师院五·七干校，《华中师范大学学报》（人文社会科学版）1975 年第 2 期

在《五·七指示》的光辉道路上攀登科学的高峰——记郭殿荣同志坚持农村十年开门搞科研部分事迹，铁岭农学院教育革命组，《沈阳农业大学学报》1975 年第 2 期

"五·七"指示指航向教育革命结硕果——数学系推广优选法、正交试验设计的部分成果介绍，树群，《新疆大学学报》（自然科学版）1975 年第 1 期

坚持《五·七指示》走与工农相结合的道路，陈家骏，《北京师范大学学报》（社会科学版）1976 年第 1 期

《五·七指示》放光芒，北京三中党支部，《北京师范大学学报》（社会科学版）1976 年第 2 期

毛主席的《五·七指示》永远照耀着我们前进的道路，袁秀英，《天津教育》1976 年第 12 期

认真贯彻《五·七指示》抓好学工学农，蚌埠市第九中学教革组，《安徽教育》1977 年第 5 期

坚定不移地走《五·七指示》道路，吴奇程，《华南师范大学学报》（社会科学版）1977 年第 1 期

《五·七指示》岂容篡改——批判"四人帮"歪曲"以学为主，兼学别样"的谬论，杨荣，《山西师大学报》（社会科学版）1978 年第 2 期

毛泽东把五·七指示写给林彪背景考，黄瑶，《炎黄春秋》2003 年第 9 期

见证《五·七指示》，宋福安，《中国商报》2004 年 1 月 29 日

从"五·七指示"看毛泽东的社会主义模式，谢忠、许彬，《湘潭

师范学院学报》（社会科学版）2005年第5期

"五·七指示"的来龙去脉，戴清亮，《世纪》2007年第1期

"五·七指示"与毛泽东早年的"工读互助"情结，杨卫明、黄仁贤，《兰州学刊》2007年第8期

学习研究《给江青的信》

一篇奇特的自我解剖——《毛泽东致江青的信》试析，金春明，《中国党政干部论坛》1989年第5期

自我解剖的奇特还是自我信心的显溢——就对毛泽东致江青信的理解与金春明教授商榷胡为雄，《中国党政干部论坛》1989年第8期

过分清醒的现实主义——从《致江青的信》看毛泽东晚年心态，辛鸣，《毛泽东思想论坛》1994年第2期

决战前的忧虑和不安心态的袒露——毛泽东1966年7自8日给江青的信解读，刘林元，《南京社会科学》1995年第11期

怎样解读伟人的悲剧？——读毛泽东致江青的一封信，毛志成，《大舞台》2000年第7期

众说纷纭解玄奥——毛泽东致江青的信研究评析，何云峰，《湖南科技大学学报》（社会科学版），2004年第5期

学习研究《关于三个世界划分问题》

关于三个世界划分的有关问题问答，山东师院政史系世界史教研组，《山东师范大学学报》（人文社会科学版）1977年第6期

是"欧洲"，还是"西欧"——重读毛泽东《关于三个世界划分问题》谈话，黄安年，《世界知识》2002年第4期

三　学习研究毛泽东书信、题词论文题录

学习研究《毛泽东书信选集》

春雨滋润代代青年心：读《毛泽东书信选集》，张民，《中国青年报》1983年12月24日

反映毛泽东同志实践活动，展现共产主义者革命风貌，《毛泽东书信选集》、《毛泽东书信手迹选》、

《毛泽东新闻工作文选》明日发行，《人民日报》1983年12月25日

展现毛泽东同志革命风貌的珍贵文献：《毛泽东书信选集》内容简介，赵福亭，《文汇报》1983年12月26日

《毛泽东书信选集》介绍，冯蕙，《人民日报》1983年12月27日

珍贵的文献，光辉的思想，读《毛泽东书信选集》中关于军事问题的几封信，张诚，《解放军报》1983年12月28日

革命风范长存：读《毛泽东书信选集》札记，刘武生，《北京日报》1983年12月30日

纪念毛泽东同志诞辰九十周年《毛泽东书信选集》等书出版，《中国出版》1983年第12期

历史研究要为现实服务：读《毛泽东书信选集》，雪琴，《河北日报》1984年11月20日

指引我们端正党风的光辉著作：学习《毛泽东书信选集》的体会，栾峰，《教研动态》1984年第2期

党性原则、亲朋情谊：读《毛泽东书信集》的一点感受，孙恒杰，《河西日报》1984年3月16日

批判地继承中国古代哲学遗产的典范：学习《毛泽东书信选集》一九三九年有关书信，励秋生，《毛泽东思想研究》1984年第3期

研究毛泽东哲学思想的珍贵文献：学习《毛泽东书信选集》的体会，汪维钧，《南京政治学校学刊》1984年第3期

情探意切、爱不徇私：读《毛泽东书信选集》，胡成富，《天津日报》1984年4月3日

学习唯物史观、发展历史科学：读《毛泽东书信选集》札记，祁龙威，《扬州师院学报》（社会科学版）1984年第4期

学习札记——读《毛泽东书信选集》的几点体会，飒岚，《教育科研通讯》1984年第4期

用人类创造的全部知识财富充实自己：读《毛泽东书信选集》，王国荣，《文汇报》1984年5月9日

答关于《毛泽东书信选集》的部分读者来信，冯蕙整理，《文献和研究》1984年第6期

从方法论看"过犹不及"的中庸思想：读《毛泽东书信选集》札记，方延明，《晋阳学刊》1984年第6期

孜孜砣砣读书，关怀出版工作：读《毛泽东书信选集》，自横，《出版工作》1984年第7期

读《毛泽东书信选集》的体会，孟继祥，《理论月刊》1984年第10期

珍贵的文献、精湛的书法：读《毛泽东书信手迹选》，刘武生，《档案工作》1984年第6期

亲朋交往中的党性原则——读《毛泽东书信选集》札记，余新楷，《求实》1984年第5期

批判地继承中国古代哲学遗产的典范——学习《毛泽东书信选集》一九三九年有关书简，励秋生，《毛泽东思想研究》1984年第3期

读书同革命实践相结合的楷模——《毛泽东书信选集》读后，边彦军，《毛泽东思想研究》1984年第3期

学术争鸣是学术繁荣的重要措施——学习《毛泽东书信选集》有关论述，顾龙生，《复旦学报》（社会科学版）1984年第1期

《毛泽东书信选集》之最，《湘潮》1984年第3期

学习唯物史观发展历史科学——读《毛泽东书信选集》札记，祁龙威，《扬州大学学报》（人文社会科学版）1984年第4期

实践统一战线思想的光辉典范——学习《毛泽东书信选集》，黎则，《甘肃理论学刊》1984年第3期

寻绎而辨、严校细勘：《毛泽东书信集》编辑记事之二，毛泽东书信选集编辑小组，《文献和研究》1985年第3期

"老子等两篇"指的是哪两篇？——对《毛泽东书信选集》一条注释的商榷，田松年，《文献和研究》1987年第5期

一份珍贵的遗产——读《毛泽东书信选集》，王庆同，《宁夏大学学报》（人文社会科学版）1990年第4期

毛泽东对真理的探索——《毛泽东书信选集》学习札记，欧阳行，《湖南师范大学社会科学学报》1993年第6期

人情与原则的统一——《毛泽东书信选集》读后感，彭珠，《咸宁学院学报》1993年第4期

人情与原则的统一——《毛泽东书信选集》读后感，彭珠，《湖北社会科学》1993年第12期

毛泽东的领导思想及其艺术——读《毛泽东书信选集》，雷立成，《娄底师专学报》1995年第1期

做事论理论法　私交论情——读《毛泽东书信选集》随笔，王振国，《河北师范大学学报》（哲学社会科学版）1995年（增刊）

从《毛泽东书信选集》看其对统一战线思想的实践，马晓丽，《聊城师范学院学报》（哲学社会科学版）1996年第4期

人情味　平等观　学者风——读《毛泽东书信选集》，沈道弘，《学习时报》2003年5月5日

力透纸背的亲情友情——读《毛泽东书信选集》，王伟瀛，《中国人事报》2003年11月14日

学习毛泽东单篇书信及相关信札

马克思主义的科学态度：学习毛泽东同志给李达同志的三封信，冯契等，《文汇报》1978 年 12 月 28 日

珍贵的文献、亲切的教导：重读毛泽东同志给李达同志的三封信，石曼华等，《哲学研究》1978 年第 12 期

为四个现代化多向自然科学学习：学习毛泽东给青年同志的两封信，本刊编辑部，《中国青年》1978 年第 4 期

毛主席关于《逼上梁山》的信必须恢复原貌，金紫光，《人民戏剧》1978 年第 12 期

读毛主席写给彭德怀同志的信，管益农，《陕西日报》1979 年 1 月 16 日

坚持实践是检验真理的唯一标准——读毛泽东同志给李达同志的三封信，侯外庐，《哲学研究》1979 年第 1 期

两种根本对立的真理标准，徐少锦等，《陕西日报》1979 年 3 月 13 日

发扬民主、繁荣科学，涂西畴，《新湘评论》1979 年第 3 期

潜心多习自然科学：学习毛主席给青年同志的两封信，李学，《红旗》1979 年第 1 期

猛攻科技堡垒是伟大的政治任务：学习毛主席给毛岸英、蔡涛等青年的两封信，石柏，《辽宁青年》1979 年第 4 期

让延安精神放射新的光芒：读毛泽东同志给文运昌的信，文欣，《解放军报》1980 年 12 月 30 日

读毛泽东同志给文运昌的信所想到的，慕月，《宁夏日报》1981 年 1 月 28 日

首先要想到大多数人民，夏盘林等，《宁夏日报》1981 年 1 月 28 日

读信后记，肖然，《红旗》1981 年第 1 期

从毛泽东同志的信想到延安精神，邢作岳，《大众日报》1981 年 2 月 18 日

为人民还是为私利：读毛泽东同志《给文运昌的信》的一点感想，陈立帮等，《新疆日报》1981 年 2 月 27 日

光辉的榜样、深刻的启示：重读毛泽东同志给郭沫若等四同志的信，程敏，《教学与研究》1981 年第 6 期

革命法制史上的一封重要复信——读毛泽东同志《给雷经天的信》，《法学杂志》1981 年第 6 期

春风和煦拂人面：毛主席的信

对萧三的鼓舞，侯秀芬，《北京晚报》1982 年 5 月 23 日

"我们都非常高兴"：读毛泽东同志 1940 年 11 月 30 日给周文同志的信，胡绩伟，《人民日报》1982 年 5 月 23 日

领导者要做文艺工作者的良师益友：学习毛泽东同志给文艺界人士十五封信，张松魁，《理论与实践》1982 年第 7 期

同志，朋友，领导：读毛泽东同志的十五封信，朱曦，《文艺报》1982 年第 7 期

革命家的诚挚友情：读毛主席生前给宋庆龄等同志的信，沈学明，《中国妇女》1983 年第 12 期

读毛泽东同志给改造家庭的一封信，于光远，《中国妇女》1983 年第 12 期

光辉的榜样：读毛泽东《致毛森品》等五封信，张积毅，《支部生活》1983 年第 24 期

关于毛泽东致张无济的信，顾岩，《解放日报》1983 年 12 月 29 日

关于毛泽东同志致李达同志的三封信，顾龙生，《学习的实践》1983 年（增刊）

热情地宣传马克思主义的唯物论辩证法：读《毛泽东书信集》中毛泽东致李达的信，古升，《长江日报》1983 年 12 月 28 日

历史是最好的见证，读毛泽东同志致王稼祥同志的信，侯寒江等，《人民日报》1983 年 12 月 27 日

努力加速国防现代化建设，读毛泽东同志《致三二〇厂全体职工》的信，郑世铿，《解放军报》1983 年 12 月 28 日

读毛泽东致亲友信，古灵，《解放军报》1983 年 12 月 25 日

乡书一束风范长存：读毛泽东同志给家乡亲友的信，杨胜群，《湖南日报》1983 年 12 月 27 日

"发展科学的必由之路"：介绍毛泽东同志为转载《从遗传学谈百家争鸣》一文而写的一封信和一个按语，龚育之，《科学研究》1983 年第 1 期

读《毛泽东 1919 年致黎锦熙的信》，包璀圆，《文物天地》1984 年第 6 期

青年毛泽东成为马克思主义者的标志：读《致蔡和森等》两封信，朱崇儒，《解放日报》1984 年 2 月 29 日

共产党人的宽广胸怀：读毛泽东致彭璜的信，沈学明，《解放日报》1983 年 12 月 26 日

交友之道在真诚：读《致彭璜》一得，陈允豪，《文物天地》1984 年第 3 期

读毛泽东同志致阎锡山的一封信，刘金田，《长江日报》1984 年 1 月 3 日

一封信所蕴含的历史内容：关于毛泽东给邓宝珊的一封信，王劲，《甘肃日报》1984年1月18日

对改革的爱护和支持：重读毛泽东同志支持首钢工资改革的一封信，中共首都钢铁公司委员会，《北京日报》1984年1月13日

读毛泽东同志关于中国哲学史的三封信，边彦军，《红旗》1984年第24期

发扬马克思主义的革命批判精神：读毛泽东一九四〇年致范文澜的信，陈德曾述，《毛泽东思想研究》1984年第2期

崇高的感情、博大的胸怀：读

毛泽东同志写给亲友的信，顾龙生，《学习与研究》1984年第1期；《国事与家事》，金为华，《红旗》1984年第4期

特殊问题（一九三六年七月二十三日，附录：斯诺和施拉姆来德书信五封），毛泽东，《文献和研究》1986年第3期

毛泽东关于接见龙云代表给周恩来的信，《云南党史通讯》1989年第4期

毛泽东思想民族观的集中体现：读毛泽东《致彭德怀、西北局》的信，刘明贵，《信阳师范学院学报》（哲学社会版）1991年第3期

学习研究毛泽东题词

毛主席题词：给王观澜同志，《健康报》1961年2月25日

毛主席在延安时给缪敏同志的题字，《文汇报》1961年3月5日

毛主席题字：深入群众不尚空谈，《新民晚报》1961年3月7日

1938年毛主席为抗日大学第四期毕业同学题字，《大众日报》1961年5月4日

毛主席给延安无线电材料厂题词，《中国青年报》1961年5月17日

毛主席1950年为"北大周刊"纪念"五四"写的题词，《前线》1961年第1期

毛主席题词：向雷锋同志学习，《中国青年》1963年3月5日、6日

毛主席题词："团结新老中西各部分医药卫生工作人员，组织巩固的统一战线，为开展伟大的人民卫生而奋斗"，《中医学杂志》1963年第4期

毛主席为刘胡兰烈士的题词，《山西青年》1977年第1期

毛主席两次给我们题报头（附题词手迹），志学，《天津日报》1978年12月28日

闪光的题词：实事求是（附手迹），《河北日报》1978年12月13日

毛主席在西柏坡时，给去文化补习学校的警卫战士的题词，《河北日报》1978 年 12 月 24 日

毛主席为《新中华报》题词，《新闻战线》1978 年第 1 期

毛泽东主席为延安出版的《新文字报》写下的光辉题词："切实推行，愈广愈好"，《文字改革通讯》1978 年第 4 期

毛主席一九五〇年亲笔为第一师范题词："要做人民的先生、先做人民的学生"，《湖南画报》1978 年第 5 期

毛泽东同志在抗日战争时期为部队大生产运动的题词，《云南日报》1979 年 5 月 19 日

一九六三年十一月十七日，伟大领袖毛主席题词"一定要根治海河"（附手迹），《河北日报》1979 年 11 月 17 日

毛泽东同志为刘岘同志的木刻作品题字，《光明日报》1981 年 8 月 9 日

毛泽东同志关于鲁迅的一则题词，唐天然，《光明日报》1981 年 9 月 27 日

两份珍贵的题词，周永珍，《党的生活丛刊》1981 年第 5 期

毛泽东同志关于创作方法重要题词的材料补正，唐天然，《齐鲁学刊》1982 年第 5 期

毛泽东同志为庆祝第一届全国戏曲观摩演出大会的题词，《青海社会科学》1983 年第 6 期

毛泽东、朱德、宋庆龄题词，《教育导刊》1983 年第 4 期

毛主席为刘胡兰烈士题词的经过，雷云峰，《人文杂志》1983 年第 6 期

毛主席为刘胡兰烈士题词纪实，雷云峰，《革命英烈》1984 年第 4 期

"为自由的中国而斗争"：新近发现的一幅毛泽东同志的题词，章绍嗣，《长江时报》1985 年 9 月 1 日

毛泽东、周恩来、朱德赠"菊花刘"书信、题词、诗作手稿一组，《北京档案》1986 年第 5 期

开创新时期卫生工作的新局面：纪念毛主席"救死扶伤，实行革命的人道主义"题词 50 周年，陈敏章，《人民日报》1991 年 7 月 17 日

淮河儿女擎巨旗　再展宏图震环宇——纪念毛泽东同志题词"一定要把淮河修好"发表 40 周年，蔡敬荀，《治淮》1991 年第 5 期

纪念毛泽东题词"一定要把淮河修好"发表 40 周年，唐元海，《中国水利》1991 年第 5 期

毛泽东为雷锋题词时的意向，金思城，《长沙理工大学学报》（社会科学版）1991 年第 1 期

"百花齐放，推陈出新"三议——在戏剧界"纪念毛泽东同志'百花齐放，推陈出新'题词 40 周

年大会"上的讲话,赵寻,《中国戏剧》1991 年第 6 期

纪念毛泽东同志"百花齐放,推陈出新"题词 40 周年大会及学术研讨会在京举行,捷之,《戏曲艺术》1991 年第 2 期

继承创新,开创戏曲工作新局面——纪念毛泽东同志"百花齐放推陈出新"题词四十周年座谈会纪略,《艺术百家》1991 年第 2 期

毛泽东同志于 1950 年 2 月 27 日给松江省委的题词,《领导科学》1992 年第 2 期

毛泽东"百花齐放、推陈出新"题词手迹,《中国京剧》1992 年第 1 期

毛泽东体育题词的丰富内涵,徐隆瑞、关文明,《华南师范大学学报》(社会科学版) 1992 年第 3 期

毛泽东同志为雷锋题词经过,林克,《人民教育》1993 年第 4 期

根治海河效益恢宏——纪念毛泽东同志"一定要根治海河"题词 30 周年,张泽鸿,《海河水利》1993 年第 5 期

沿着毛泽东同志"题词"指引的方向开拓前进,何光,《中国广播电视学刊》1993 年第 6 期

新发现的毛泽东题词墨迹,纪元,《山西档案》1993 年第 6 期

毛泽东在延安时期的题词略论,陈进波、庆振轩,《兰州大学学报》(社会科学版) 1993 年第 4 期

毛泽东"全心全意为人民服务"题词的由来,董建中,《晋阳学刊》1993 年第 5 期

毛泽东为刘胡兰两次题词的前前后后,马明,《炎黄春秋》1993 年第 6 期

雷锋伴我三十年——纪念毛泽东为雷锋题词 30 周年感怀,朱光斗,《党史纵横》1993 年第 3 期

新发现的毛泽东题词墨迹,科技文萃,《中国文物报》1994 年第 1 期

我们为什么要继续高擎雷锋精神的火炬——纪念毛泽东等老一辈革命家为雷锋题词发表四十周年,《中国青年报》2003 年 3 月 5 日

新发现的毛泽东题词,《山西老年》1994 年第 7 期

珍贵的毛泽东题词墨迹,刘重来,《前进论坛》1994 年第 2 期

武衡回忆毛泽东三次题词,秦海燕、李豫,《发明与革新》1994 年第 3 期

武汉纪念毛泽东为战胜 1954 年洪水题词 40 周年,《人民长江》1994 年第 11 期

纪念毛泽东主席"开发矿业"题词 45 周年,《中国地质教育》1995 年第 1 期

毛泽东给于江的题词,曹竞成,《秘书之友》1996 年第 9 期

毛泽东"向雷锋同志学习"题词经过，江英，《党史文汇》1996年第5期

论毛泽东抗战题词的旗帜意义及书法艺术，王其银，《抗日战争研究》1996年第1期

毛泽东曾两次为西安电子科技大学题词，晓石，《西安电子科技大学学报》（社会科学版）1999年第4期

矿业要走在经济前头——毛泽东题词"开发矿业"50周年之际访任湘，琼玮，《国土资源科技管理》1999年第6期

生的伟大死的光荣——毛泽东为刘胡兰题词，王灿，《党史纵横》1999年第7期

"为革命服务"——毛泽东的另一则题词，陈扬桂，《党史文汇》1999年第3期

"为革命服务"——毛泽东的另一则题词，陈扬桂，《党史天地》1999年第4期

发扬"认真"的光荣传统——纪念毛泽东"认真作好出版工作"题词50周年，靳瀚恢，《出版发行研究》1999年第10期

珍贵的笔记本——毛泽东为于江题词，申春，《炎黄春秋》2000年第4期

光荣传统映征程——纪念毛泽东题词"全心全意为人民服务"50

周年、"艰苦朴素"40周年，涂益杰、李立、董建中，《西安电子科技大学学报》（社会科学版）2000年第1期

毛泽东题词"全心全意为人民服务"的由来，车秀文，《党史文苑》2000年第5期

毛泽东为雷锋题词的前前后后，黄琳斌，《福建党史月刊》2000年第3期

毛泽东"百花齐放，推陈出新"题词的故事，祝晓风、易丹，《中华读书报》2001年10月17日

纪念毛泽东"百花齐放，推陈出新"题词50周年，徐涟，《中国文化报》2001年12月5日

毛泽东为雷锋的两次题词，单辉，《福建党史月刊》2001年第9期

毛泽东为啥没给董存瑞题词，王振平，《党史博采》2001年第9期

毛泽东题词"全心全意为人民服务"的由来，《陕西审计》2001年第1期

追踪受毛泽东题词表扬的小英雄，孟亚生，《党史文苑》2001年第6期

伟大而艰巨的戏曲现代化进程——纪念毛泽东"百花齐放，推陈出新"题词发表50周年，汪人元，《戏曲艺术》2001年第4期

纪念毛泽东同志"发展体育运动，增强人民体质"题词五十周年，

《中国体育报》2002 年 6 月 11 日

日出江花红胜火——纪念毛泽东同志"发展体育运动，增强人民体质"题词发表五十周年，姚见，《门球之苑》2002 年第 2 期

毛泽东给平和"天利植牧场"题词前后，石江林，《福建党史月刊》2002 年第 10 期

毛泽东为雷锋题词之前的学雷锋活动，单辉，《党史纵览》2002 年第 3 期

纪念毛泽东题词"自己动手"、"丰衣足食"60 年，刘良玉，《中国农垦》2002 年第 10 期

光辉的题词伟大的指针——纪念毛泽东"好好学习、天天向上"题词五十周年，李兵，《四川教育学院学报》2002 年第 3 期

健民强国的永恒主题——纪念毛泽东同志题词"发展体育运动，增强人民体质"发表 50 周年，董业平、魏秀云、李淑芬，《解放军体育学院学报》2002 年第 3 期

毛泽东题词艺术初探，游和平，《船山学刊》2002 年第 3 期

纪念毛泽东"百花齐放，推陈出新"题词发表 50 周年伟大而艰巨的戏曲现代化进程，汪人元，《中国京剧》2002 年第 1 期

毛泽东应彭真约请为中共中央党校写"实事求是"题词，中共中央党校彭真传记编写组，《中共党史

研究》2002 年第 4 期

新世纪不变的体育航向——纪念毛泽东同志题词"发展体育运动，增强人民体质"50 周年，江源，《体育文化导刊》2002 年第 3 期

发展体育运动增强人民体质——纪念毛泽东同志题词 50 周年，本报评论员，《人民日报》2002 年 6 月 10 日

大力发展我国体育事业提高人民群众身体素质，尹鸿祝、刘广，《人民日报》2002 年 6 月 11 日

努力实践"三个代表"探索体育运动发展新路——纪念毛泽东同志"发展体育运动，增强人民体质"题词五十周年，傅国良，《求是》2002 年第 13 期

毛泽东与延安世界语题词，侯志平、王彦京，《纪念毛泽东——纪念毛泽东同志诞辰 110 周年理论研讨会论文集》2003 年

伦理学界纪念毛泽东等老一辈革命家为雷锋题词四十周年，《光明日报》2003 年 2 月 18 日

一件鲜为人知的毛泽东题词，申春，《中国档案报》2003 年 12 月 19 日

毛泽东亲笔题词的老照片被宜兴市档案馆收藏，崔志忠，《中国档案报》2003 年 6 月 9 日

毛泽东题词"好好学习"的由来，纪承，《下一代》2003 年第 5 期

纪念毛泽东同志为雷锋题词 40 周年，《少先队小干部》2003 年第 3 期

旷世的财富永远的雷锋——纪念毛泽东等老一辈无产阶级革命家为雷锋同志题词发表 40 周年，李平、刘乃季、刘春光,《党员之友》2003 年第 6 期

毛泽东"一定要根治海河"题词的经过,《海河水利》2003 年第 6 期

毛泽东再次为刘胡兰题词，白二晏,《山西老年》2003 年第 6 期

毛泽东两次为刘胡兰题词经过，曹曦,《党史纵横》2003 年第 3 期

毛泽东为雷锋题词的过程，袁勇,《陕西审计》2004 年第 5 期

毛泽东"为人民服务"题词二三事，孟红,《党史纵览》2004 年第 12 期

毛泽东题词深寄尊师情，孟红,《山西老年》2004 年第 12 期

一幅珍贵的题词——毛泽东为杨颖手书，王丽文,《党史纵横》2004 年第 9 期

毛泽东的题词，游和平,《党史纵览》2004 年第 2 期

有一种精神叫雷锋精神,《河北法制报》2004 年 3 月 5 日

关于毛泽东为刘胡兰两次题词的考证，赵凯,《党的文献》2005 年第 6 期

毛泽东、朱德等为杨十三和冀东烈士陵园题词，曾文友,《党史博采》2005 年第 11 期

毛泽东为抗大题词二三事，孟红,《文史月刊》2005 年第 10 期

毛泽东一生中最多的一次题词甘当为农服务的"孺子牛"，赵赴,《世纪桥》2005 年第 5 期

纪念毛泽东同志为平湖新仓供销合作社题词 50 周年，张偶良,《中国合作经济》2005 年第 12 期

邮戳上的毛泽东形象与题词，邹小亮,《集邮博览》2005 年第 12 期

毛泽东为《自由中国》题词在桂林发表的前前后后，魏华龄,《桂林日报》2005 年 12 月 25 日

全民健身利国利民，蔡国祥,《贵州日报》2005 年 6 月 20 日

题词的力量——纪念毛泽东为新民主主义青年团题词 55 周年，于沐琳,《党史纵横》2005 年第 5 期

毛泽东给日本工人"题词"邮票发行始末，魏裕民,《集邮博览》2005 年第 2 期

毛泽东为永春华侨题词，林联勇,《中国档案报》2006 年 8 月 4 日

毛泽东为什么不给董存瑞题词?《广西党史》2006 年第 1 期

毛泽东为侨胞几次题词始末，林卫国,《党史文汇》2006 年第 5 期

毛泽东"为人民服务"题词的

由来,《浙江档案》2006 年第 2 期

　　毛泽东为永春华侨题词，福建省永春县委党史研究室,《中国统一战线》2007 年第 1 期

四　学习研究毛泽东诗词论文题录

学习研究《毛泽东诗词集》

　　伟大的诗人，辉煌的诗篇：读毛主席的诗词，张国光,《长江日报》(武汉) 1957 年 2 月 17 日

　　革命家的诗问的教育作用，李杭,《教师报》1957 年 4 月 26 日

　　郭沫若同志答本刊编辑部问,《边疆文艺》(云南) 1957 年第 5、6 期

　　读毛主席《关于诗的一封信》，邵洵美,《文艺月报》1957 年第 7 期

　　毛主席诗词的注释，振甫,《文汇报》1958 年 1 月 6 日、7 月 10 日

　　毛主席诗词与革命浪漫主义，胡复旦,《兰州大学学报》(人文科学版) 1958 年第 2 期

　　毛主席诗词与革命浪漫主义，乔先知,《兰州大学学报》(人文科学版) 1958 年第 2 期

　　浪漫主义和现实主义，郭沫若,《红旗》1958 年第 3 期

　　写诗要学毛主席，唐棣华,《文学知识》1958 年第 3 期

　　论毛主席的诗词,[苏] 艾德林、尹锡康等译,《世界文学》1958 年第 3 期

　　门外谈诗，邵荃麟,《诗刊》1958 年第 4 期

　　第一等襟抱，第一等真诗：毛主席词读后记，安旗,《文艺月报》1958 年第 5 期

　　南水泉诗会发言，徐迟,《蜜蜂》1958 年第 7 期

　　略谈革命浪漫主义与革命现实主义的结合，安旗,《星星》1958 年第 8 期

　　关于革命浪漫主义：在作家协会沈阳分会上的发言，茅盾,《处女地》1958 年第 8 期

　　读毛主席《关于诗的一封信》：学习毛主席诗词笔记，吴天石,《江海学刊》1958 年第 10 期

　　从现实出发又高于现实：试谈革命的现实主义与革命的浪漫主义相结合，安旗,《文艺报》1958 年第 3 期

　　新的形势，新的口号，臧克家,《文艺报》1958 年第 22 期

　　读毛主席诗词的几点蠡测，肖涤非,《山东大学学报》1959 年第 3 期

继承与发扬文学遗产的典范：学习毛主席革命现实主义和革命浪漫主义的高度结合，郭晋稀，《甘肃师大学报》（人文科学版）1959 年第 3 期

是传统的继承，又是传统的发扬：读毛主席长短句歌词，陈志宪，《四川大学学报》（社会科学版）1959 年第 4 期

一九五八年诗选序，徐迟，《诗刊》1959 年第 4 期

毛主席诗词是革命的现实主义与革命的浪漫主义相结合的光辉典范，毛宗璜，《四川日报》1959 年 6 月 29 日

中国革命的伟大史诗：学习毛主席第二次国内革命战争时期的诗词的笔记，周裔，《中学教师》1959 年第 6 期

毛主席诗词中的赋比兴：读毛主席诗词札记之二，志孙，《河北日报》1959 年 8 月 9 日

神女应无恙，当今世界殊：谈毛主席建国以来的诗词笔记，李实，《中学教师》1959 年第 9 期

学习毛主席诗词二题：毛主席诗词的艺术特色，李实，《中学教师》1959 年第 10 期

读毛主席诗词，刘绶松，《武汉大学人文科学学报》（语文专号）1959 年第 10 期

讲授毛主席的词的几个问题，刘增杰，《教育半月刊》（河南）1959 年第 15 期

学习毛主席建国十年来的诗词，吴天石，《群众》1959 年第 19 期

读毛主席词札记，祖保泉，《学语文》1960 年第 1 期

学习毛主席的诗词的初步体会，冯沅君，《山东大学学报》（中文版）1960 年第 1 期

学习毛主席诗词的一些体会，肖涤非，《山东大学学报》（中文版）1960 年第 1 期

毛主席诗词解析（两首），马茂元，《上海师院学报》（社会科学版）1960 年第 1 期

从毛主席诗词看作家世界观与创作方法的关系，王钦韶，《开封师范学院学报》（中国语文专号）1960 年第 1 期

论毛主席诗词的共产主义风格，黄炳辉，《论坛》1960 年第 2 期

毛主席诗词浅释，李镜池，《华南师院学报》（人文科学版）1960 年第 2 期

毛主席诗词是革命现实主义和革命浪漫主义相结合的光辉典范，景生泽等，《人文杂志》1960 年第 4 期

毛主席诗词在国外，许铮，《诗刊》1960 年第 6 期

革命现实主义和革命浪漫主义的典范：学习毛主席诗词，周振甫，

《语言文学》1960 年第 7 期

最伟大的革命诗篇，张哲等，《江城文艺》1960 年第 8、9 期

试论毛主席诗词的艺术风格，佛雏，《扬州师院学报》1960 年第 9 期

毛主席诗词的艺术感染力，力扬，《文学评论》1961 年第 5 期

郭老谈毛主席诗词，《中国青年报》1962 年 3 月 4 日

初探毛主席诗词的艺术美，马焯荣，《广西文艺》1962 年第 4 期

论毛主席诗词中的山水美，佛雏，《扬州师院学报》1962 年第 3 期

怀抱日月，气吞山河：文艺工作者畅谈主席诗词，李仲旺，《吉林日报》1962 年 6 月 6 日

从理论到诗篇：革命现实主义与革命浪漫主义相结合的艺术方法及其在毛主席诗词中的体现，李松涛，《甘肃文艺》1962 年第 6 期

毛主席词中的"典故"二则，诚一，《吉林日报》1962 年 7 月 13 日

不同的理解，臧克家，《人民日报》1962 年 7 月 27 日

论毛主席诗词的风格与语言，佛雏，《上海文学》1962 年第 6、7 期

师古和变古，诗词和书法，朱庸斋，《羊城晚报》1962 年 8 月 4 日

从毛主席诗词看借鉴问题，唐圭璋等，《雨花》1962 年第 8 期

读毛主席诗词：有关艺术特征的一点体会，詹安泰，《中山大学学报》（社会科学版）1963 年第 1、2 期

学习毛主席诗词，掌握几种诗词格律，江弘基，《陕西师大函授学习指导》1963 年第 4 期

从毛主席诗词看推陈出新，佛雏，《江海学刊》1963 年第 12 期

毛主席诗词的语法结构与修辞手法，沙少海，《教学参考资料》（中学文科版）1964 年第 1、8、9 期

关于《毛主席诗词》的增补和校订，闻辑，《沈阳晚报》1964 年 1 月 18 日

学习毛主席长征时期诗词：一次学习会上的讲话，赵朴初，《语文学习讲座》1965 年第 10 期

学习毛主席词四首，王力，《语文学习讲座》1965 年

正确理解和分析毛主席诗词，朱明雄，《南京师院学报》1977 年第 2 期

毛主席诗词浅释（连载），福建师大中文系，《毛主席诗词》，教学小组，《福建师大学报》（哲学社会科学版）1977 年第 1、2 期

革命的政治内容和完善的艺术形式统一的光辉典范：毛主席诗词学习札记，蔡义江，《杭州大学学报》（哲学社会科学版）1977 年第

3 期

毛主席诗词是古为今用、推陈出新，批判地继承文化遗产的光辉典范，鲁歌，《内蒙古大学学报》（人文社会科学版）1977 年第 5 期

论诗遗典在，臧克家，《人民日报》1977 年 12 月 31 日

读毛主席谈诗的信，林默涵，《人民日报》1977 年 12 月 31 日

《毛主席给陈毅同志谈诗的一封信》部分词语解释，云飞，《光明日报》1977 年 12 月 31 日

繁荣诗歌创作的光辉文献，石方禹，《文汇报》1978 年 1 月 2 日

掌握语言艺术，搞好文学创作，秦牧，《光明日报》1978 年 1 月 7 日

古典诗歌与形象思维，李健章，《长江日报》1978 年 1 月 11 日

形象思维的解放，李泽厚，《人民日报》1978 年 1 月 24 日

谈"诗美"，唐弢，《文学评论》1978 年第 1 期

艺术创作有特殊规律，王朝闻，《文学评论》1978 年第 1 期

读毛主席谈诗信三题，刘梦溪，《北京师范大学学报》（社会科学版）1978 年第 1 期

海酿千钟酒，赵瑞蕻，《南京大学学报》（哲学社会科学版）1978 年第 1 期

《毛主席给陈毅同志谈诗的一封信》词语试解，《天津师院学报》

1978 年第 1 期

指路的明灯，锐利的武器，易明善，《四川大学学报》（哲学社会科学版）1978 年第 1 期

诗坛东风，文苑甘霖，崔西璐，《山东师院学报》1978 年第 1 期

形象思维铸史诗：学习毛主席诗词运用赋、比、兴等方法的体会，刘庆云，《湘潭大学学报》（哲学社会科学版）1978 年第 1 期

学习《毛主席给陈毅同志谈诗的一封信》札记，王起，《广州日报》1978 年 2 月 14 日

马克思主义文艺论的新发展，康濯，《湘江文艺》1978 年第 2 期

学习《毛主席给陈毅同志谈诗的一封信》笔谈（七篇），燕遇明等，《山东文艺》1978 年第 2 期

形象思维与艺术构思，蒋孔阳，《文学评论》1978 年第 2 期

繁荣社会主义文艺的指路明灯：学习《毛主席给陈毅同志谈诗的一封信》的座谈会纪要，《浙江文艺》1978 年第 2、3 期

学习毛主席给陈毅同志谈诗的一封信座谈纪要，《开封师范学院学报》1978 年第 1 期

比兴与意境：学习毛主席诗词札记，陈悦青等，《辽宁师院学报》1978 年第 1 期

诗的比、兴和形象思维的逻辑特点，蔡仪，《诗刊》1978 年第 3 期

红旗如画：毛主席诗词艺术语言学习笔记，吴功正，《江西文艺》1978 年第 5 期

巨大的思想深度：学习毛主席诗词，吴欢章，《诗刊》1978 年第 9 期

略谈毛主席诗词中常用的几种艺术表现手法，黄辉映，《中学语文》1979 年第 6 期

青史长留不朽篇：试论毛主席诗词在中国文学史上的地位和影响，龙长顺，《吉林大学学报》1980 年第 1 期

毛主席诗词的语言艺术，朱家池，《河北大学学报》1980 年第 3 期

气吞山河之势，媚丽烂漫之姿：试谈毛泽东同志的书法艺术，王惠，《延安大学学报》1981 年第 1 期

虚实相生：毛泽东诗词艺术辩证法研究之一，石明辉，《湘潭大学社会科学学报》1982 年第 2 期

将艺术的镜头对准现实，向理想世界的转化（试论毛泽东诗词"两结合"创作方法的特色），贺建成，《求索》1982 年第 3 期

毛主席诗词评注资料摘编（部分），《文艺资料》（江西）1982 年第 3 期

外文出版社关于《毛主席诗词》中几个难点的调查、讨论结果，《文艺资料》（江西）1982 年第 3 期

从时、空、人关系看毛泽东诗词的崇高美，王鲁湘，《湘潭大学社会科学学报》1983 年第 1 期

论毛主席诗词的艺术风格，任愫，《佳木斯师专学报》（综合版）1983 年第 1 期

毛主席诗词研究中的若干问题，刘万成，《内蒙古大学学报》1983 年第 2 期

无产阶级爱国主义与革命英雄主义的生动教材：重读《毛主席诗词》，易锦海，《华中工学院学报》（哲学）1983 年第 2 期

评毛泽东同志的诗论：《中国当代诗论》之一，古远清，《延安大学学报》（社会科学版）1983 年第 4 期

毛泽东诗词的审美观，樊德三，《盐城师专学报》1983 年第 4 期

中国革命的伟大史诗：试谈毛泽东诗词的思想和艺术成就，邓家琪，《江西日报》1983 年 12 月 22 日

毛主席诗词中色彩的美，白鸥，《云南日报》1983 年 12 月 26 日

浅谈毛泽东诗词的用典，陈启泉，《韩山师专学报》（社会科学版）1984 年第 1 期

毛泽东同志与诗，臧克家，《红旗》1984 年第 2 期

浅论毛泽东诗词对古典诗词继承与发展的几个问题，刘永华，《学术动态》（湖北）1984 年第 6、7 期

"为自由的中国而斗争"：新近发现的一幅毛泽东同志的题词，章

纪嗣,《长江日报》1985 年 9 月 3 日

　　毛泽东诗词发表出版情况综述,幸晓峰,《毛泽东思想研究》1985 年第 3 期

　　关于毛泽东诗词发表时间的两点质疑,雷业洪,《当代文学研究资料与信息》1985 年第 9 期

　　回忆毛泽东同志在一次通信中就诗歌创作问题给我的教导,刘彻,《延安文艺研究》1986 年第 4 期

　　一本富有特色的毛泽东诗词选注本,吴正裕,《文献和研究》1987 年第 2 期

　　毛泽东同志和诗(三篇),张贻玖,《诗刊》1987 年第 4 期

　　毛泽东与柳亚子的"诗交",杨东野,《人民日报》(海外版)1988 年 1 月 13 日

　　毛泽东独树一帜的诗论,高起学,《延安文艺研究》1988 年第 4 期

　　与毛主席谈诗词,周谷城,《人民日报》1989 年 3 月 18 日

　　毛泽东同志的新诗观,臧克家,《人民日报》1990 年 5 月 15 日

　　毛泽东与唐诗,盛沛林,《西安政治学院学报》1990 年第 3 期

　　读《毛泽东诗词笺析》,羊春秋,《光明日报》1990 年 12 月 21 日

　　重读主席诗词,更添豪情壮志:《毛泽东诗词鉴赏》座谈会综述,陆先高,《诗刊》1991 年第 2 期

　　毛泽东诗词特色初探,黎培荣,《成都市委党校学报》1991 年第 1 期

　　毛泽东诗词意象美,万寒松,《光明日报》1991 年 7 月 8 日

　　中国毛泽东诗词研究会举行新版《毛泽东诗词集》座谈会,丁凡,《新文化史料》1997 年第 6 期

　　黄鹤知何去?——《毛泽东诗词集》注释中的几点质疑,赵星平,《书屋》1997 年第 6 期

　　《毛泽东诗词集》编辑中若干问题的商榷,陈福季,《中国出版》1997 年第 7 期

　　《毛泽东诗词集》误收他人之作,丁毅、景方,《上海大学学报》(社会科学版)1998 年第 5 期

　　《悟园草书毛泽东诗词集》序,陈继礼,《人民政协报》2000 年 12 月 21 日

　　《毛泽东诗词集》编注指疵,马以君,《华南师范大学学报》(社会科学版)1998 年第 6 期

　　美化之艺术《毛泽东诗词集》译序,许渊冲,《中国翻译》1998 年第 4 期

　　读《毛泽东诗词集》札记,丁毅,《南昌大学学报》(社会科学版)1998 年第 3 期

　　《毛泽东诗词集》注释随笔,萧光乾,《漳州师范学院学报》(哲学社会科学版)1999 年第 4 期

　　《毛泽东诗词集》中几首诗的

注释问题，胡为雄，《党的文献》1999 年第 2 期

《毛泽东诗词集》所注若干诗词最早发表时间之质疑，陈安吉，《南京社会科学》2000 年第 4 期

评毛泽东诗词自选集的三种版本，沈曜，《南京农专学报》2002 年第 2 期

浅析《毛泽东诗词选》和《毛泽东诗词集》的注释中存在的几个主要问题，安吉，《中共南京市委党校、南京市行政学院学报》2003 年第 3 期

郭沫若集毛泽东诗词联，吴志荣，《语文知识》2004 年第 7 期

毛泽东诗词、对联鉴赏、书法集联三书联评，周黎民，《求索》2005 年第 12 期

半个世纪的珍藏——国外第一部毛泽东诗词集叙旧，涂途，《中华诗词》2006 年第 9 期

国外第一部毛泽东诗词集漫忆，涂途，《中华魂》2006 年第 9 期

《毛泽东诗词集》所收两首五律之真伪考辨，吴正裕，《华中科技大学学报》(社会科学版) 2006 年第 3 期

《毛泽东诗词十九首》是最早出版发行的毛泽东诗词集，谢太浩，《党的文献》2006 年第 2 期

五 诗词单篇学习研究

学习研究《沁园春·长沙》

毛主席诗词研究（二篇）（一、读毛主席的《沁园春·长沙》），佛雏，《扬州师院学报》1959 年第 2 期

读毛主席《沁园春》词二首，王迅川，《语言文学》1959 年第 4 期

读毛主席《长沙》词，振甫，《文学知识》1959 年第 7 期

读毛主席的《沁园春·长沙》，佛雏，《雨花》1959 年第 19 期

毛主席诗词解析两首，马茂元，《上海师院学报》(社会科学版) 1960 年第 1 期

毛主席《沁园春·长沙》词笺注：《毛主席诗词笺注》之一，张涤华，《学语文》1960 年第 1 期

春的颂歌——读毛泽东同志《沁园春》二首，龚同文，《文艺报》1960 年第 4 期

毛主席《沁园春·长沙》结句试解，邵燕祥，《文学评论》1962 年第 6 期

毛主席的有关游泳的两首词，王尔龄，《羊城晚报》1965 年第 6、7 期

读毛主席《沁园春·长沙》词札记，黄绮，《中国语文》1965 年第

6 期

到中流击水，浪遏飞舟！郭沫若，《光明日报》1966 年 1 月 20 日

读毛主席词《长沙》和《黄鹤楼》，何其芳，《光明日报》1977 年 9 月 17 日

毛主席诗词学习笔记之一：读《沁园春·长沙》，夏阳，《江苏文艺》1978 年第 1 期

《沁园春·长沙》几个词语典故的出处，闵抗生，《湖南师院学报》1982 年第 2 期

《沁园春·长沙》艺术特色略探，赵永建，《周口师专学报》（社会科学版）1984 年第 2 期

"人生如梦"与"浪遏飞舟"——《沁园春·长沙》《念奴娇·赤壁怀古》比较谈，张延水，《中学语文教学参考》1994 年第 4 期

画面壮阔意境高远——《沁园春·长沙》的意象及其建构美，洪林钟，《中学语文》1996 年第 3 期

《沁园春·长沙》教学设计，黄永光，《中学语文教学参考》1996 年第 7 期

《沁园春·长沙》教学一法，吕彬，《青海教育》1998 年第 1 期

用多媒体教《沁园春·长沙》，袁卫星、毛伟敏，《中学语文教学》1998 年第 3 期

从《沁园春·长沙》两种译文对比分析看"三美"原则的可行性，信强、陈敬，《外语教学》1999 年第 1 期

试论毛泽东《沁园春·长沙》的思路，谢南军，《四川教育学院学报》1999 年第 1 期

《沁园春·长沙》教学设计，张晶、胡道吾，《中学语文教学参考》1999 年第 1 期

《沁园春·长沙》说课稿，高明珠，《职业技术教育》1999 年第 9 期

《沁园春·长沙》实录，张超、程翔，《语文教学通讯》2000 年第 1 期

关于《沁园春·长沙》的两处注释，曾传骥，《中学语文》2000 年第 1 期

《沁园春·长沙》教学实录，张超，《中学语文教学参考》2000 年第 1 期

毛泽东《沁园春·长沙》写作时间考，陈标，《党的文献》2000 年第 3 期

《沁园春·长沙》教学实录，张超，《山东教育》2000 年第 6 期

沉浸浓郁含英咀华——评张超老师《沁园春·长沙》教学实录，程翔，《山东教育》2000 年第 6 期

叩问《沁园春·长沙》，彭明道，《书屋》2001 年第 1 期

毛泽东《沁园春·长沙》写作时间、情感趋向及其他，丁毅，《上海大学学报》（社会科学版）2001 年

第 2 期

《沁园春·长沙》赏析，史茂远，《吕梁高等专科学校学报》2001年第 4 期

奇文异采——从《沁园春·长沙》赏析毛泽东诗词的豪放美，柴铭姝、张立云，《鸡西大学学报》2001 年第 4 期

《沁园春·长沙》"翔"字新解，李岩，《语文教学通讯》2001 年第 6 期

《沁园春·长沙》写作时间之我见——与彭明道先生商榷，林志坚，《书屋》2001 年第 11 期

《沁园春·长沙》教学实录及点评，刘远录、梁和礼，《广西教育》2001 年第 14 期

我教《沁园春·长沙》，贾登炜，《语文教学与研究》2001 年第 17 期

意象壮美意境高远——毛泽东《沁园春·长沙》赏析，裘曙洁，《中学语文教学参考》2002 年第 5 期

壮志凌云的《沁园春·长沙》，梅德明，《文教资料》（初中版）2002 年第 6 期

从毛泽东手迹《沁园春·长沙》谈推敲，仲宁，《中学语文》2002 年第 23 期

略论《沁园春·长沙》的语言美，唐朝阳，《铜仁师范高等专科学校学报》2003 年第 1 期

"活化"诗词教学——我教毛泽东的《沁园春·长沙》，王雷，《语文学刊》2003 年第 4 期

万类霜天竞自由——读《沁园春·长沙》，王传飞，《政工学刊》2003 年第 6 期

意象奥秘探微——读毛泽东《沁园春·长沙》，王松泉、王静义，《中学语文》2003 年第 14 期

《沁园春·长沙》补注，刘洪涛，《现代语文》（高中读写版）2003 年第 22 期

毛泽东手迹《沁园春·长沙》真伪辨，方尚强，《延安教育学院学报》2004 年第 4 期

不似春光，胜似春光——浅谈《沁园春·长沙》《采桑子·重阳》中的秋景描写，马小华，《语文学刊》2004 年第 4 期

社会改革家的临秋情怀——重读毛泽东词《沁园春·长沙》，韩成武，《名作欣赏》2004 年第 8 期

万类霜天竞自由——划时代的《沁园春·长沙》，贾漫，《中华诗词》2004 年第 8 期

试论《沁园春·长沙》中的崇高美，陈庆，《牡丹江教育学院学报》2005 年第 3 期

诗无达诂译尽其能——评毛泽东词《沁园春·长沙》五种英译本，熊德米，《西南政法大学学报》2005 年第 5 期

品读《沁园春·长沙》，彭曙光，《江西教育学院学报》2005 年第 6 期

世纪伟人的临秋情怀——重读毛泽东词《沁园春·长沙》，韩成武，《保定日报》2005 年 11 月 2 日

《沁园春·长沙》与游长江有关吗，潘素芳，《咬文嚼字》2005 年第 12 期

情景交融博大壮阔——《沁园春·长沙》的崇高美，王吉光、牛光芹，《语文天地》2005 年第 13 期

抑扬皆有致，沉雄出自然——毛泽东词《沁园春·长沙》的旋律美，郭廷杰，《现代语文》（文学研究版）2006 年第 7 期

浅析《沁园春·长沙》的艺术特色，王虎胤，《甘肃教育》2006 年第 10 期

《沁园春·长沙》教学设计，马国生，《语文教学与研究》2006 年第 14 期

《沁园春·长沙》备课札记，李瘦竹，《湖南教育》（语文教师）2007 年第 1 期

《沁园春·长沙》备教策略，郑晓龙、张茂娥，《语文教学通讯》2007 年第 1 期

唯美的化身——浅析《沁园春·长沙》，刘孟子，《科学大众》2007 年第 2 期

一曲唱在秋天的劲歌——《沁园春·长沙》教学设计，连中国，《语文建设》2007 年第 6 期

《沁园春·长沙》教学设计，杨仲，《现代语文》（教学研究版）2007 年第 7 期

"独"领风骚——《沁园春·长沙》"独"字新解，季文学，《现代语文》（教学研究版）2007 年第 8 期

秋之赞歌——毛泽东诗词《沁园春·长沙》《采桑子·重阳》秋景描绘赏析，马玉萍，《语文天地》2007 年第 17 期

《沁园春·长沙》的二维解读，冯习桢，《语文教学与研究》2007 年第 23 期

《沁园春·长沙》教学设想，雷天祥，《语文教学与研究》2007 年第 26 期

学习研究《菩萨蛮·黄鹤楼》

《菩萨蛮·黄鹤楼》——毛主席词七首解释，左澄，《语文学习》1957 年第 5 期

读毛主席《黄鹤楼》词，陈友琴，《文学知识》1959 年第 3 期

毛主席《菩萨蛮·黄鹤楼》词笺注：《毛主席词笺注》之二，张涤华，《学语文》1960 年第 2 期

毛主席诗词学习笔记之二：读《菩萨蛮·黄鹤楼》，夏阳，《江苏文

艺》1978 年第 2 期

《菩萨蛮·黄鹤楼》的一字之改，黄任轲，《咬文嚼字》1996 年第 1 期

器大声闳，志高意远——毛泽东《菩萨蛮·黄鹤楼》赏析，王传飞，《政工学刊》2003 年第 7 期

学习研究《西江月·井冈山》

毛主席《西江月·井冈山》词笺注：《毛主席诗词笺注》之五，张涤华，《学语文》1960 年第 5 期

读毛主席的《西江月·井冈山》，振甫，《文汇报》1961 年 2 月 19 日

西江月——井冈山写怀之一，杨朔，《人民日报》1963 年 7 月 9 日

陈毅同志录毛主席词《西江月·井冈山》并作解释，《教学参考》（文科版）1977 年第 5 期

毛主席诗词学习笔记之三：读《西江月·井冈山》，夏阳，《江苏文艺》1978 年第 3 期

西江月——井冈山，劫夫，《音乐世界》1993 年第 12 期

黄洋界炮战与毛泽东的《西江月·井冈山》，刘炳峰，《文史春秋》2002 年第 6 期

行云的战地凯歌——毛泽东《西江月·井冈山》赏析，鲁春梅，《政工学刊》2003 年第 8 期

《西江月·井冈山》一词手迹的由来，汤根姬，《湘潮》2006 年第 11 期

井冈山道路，中国革命胜利之路——毛泽东词《西江月·井冈山》赏析，郑遨，《民办高等教育研究》2007 年第 3 期

学习研究《如梦令·元旦》

读毛主席《元旦》一词的体会，蔡仪，《文学知识》1958 年第 3 期

读毛主席《元旦》词的新体会，振甫，《文汇报》1961 年 1 月 29 日

元旦的情调：读毛主席诗词笔记，佛雏，《新华日报》1961 年 8 月 27 日

毛主席诗词小笺《如梦令·元旦》，张涤华，《安徽日报》1961 年 11 月 9 日、12 日、15 日

毛主席诗词学习笔记之六：读《如梦令·元旦》，夏阳，《江苏文艺》1978 年第 7 期

声韵与内容的和谐统一：读毛主席《如梦令·元旦》，汤龙发，《文艺与生活》1983 年第 12 期

重读毛泽东的《如梦令·元

旦》,朱志武,《安徽日报》1991 年 1 月 3 日

毛泽东《如梦令·元旦》词匾传奇,李水钿,《福建党史月刊》1994 年第 5 期

红旗如画动诗情——读毛泽东词《如梦令·元旦》,王传飞,《政工学刊》2003 年第 11 期

学习研究《菩萨蛮·大柏地》

毛主席诗词小笺《菩萨蛮·大柏地》,张涤华,《安徽日报》1961 年 12 月 26 日、27 日

人在画图中:读毛主席诗词札记,佛雏,《新华日报》1962 年 3 月 4 日

"谁持彩练当空舞"解,章柽,《郧阳师专学报》1981 年第 1 期

风骚长留天地间——重读毛泽东诗《菩萨蛮·大柏地》,邹书春,《党史纵横》1992 年第 3 期

读译理解想象入境——《菩萨蛮·大柏地》教学设计,杨海涛,《湖南教育》1999 年第 2 期

《菩萨蛮·大柏地》教学谈,李志云,《小学语文教学》1999 年第 2 期

吟诵·想象·悟境——谈《菩萨·蛮大柏地》的教学,李忠洲,《成才》1999 年第 12 期

引导审美感悟意境——谈《菩萨蛮·大柏地》的教学,姚雪晴,《宁夏教育》2000 年第 1 期

《菩萨蛮·大柏地》教学建议,张宏芳,《云南教育》2000 年第 5 期

营造乐学氛围提高自读能力——用"学导式"教学《菩萨蛮·大柏地》,王杰英,《小学教学参考》2001 年第 2 期

教参对《菩萨蛮·大柏地》的分析值得商榷,莫武平,《小学教学研究》2002 年第 7 期

学习研究《清平乐·会昌》

读毛主席的词《清平乐》,刘开扬,《星星》1958 年第 10 期

读毛主席《会昌》词,张白山,《文学知识》1959 年第 4 期

最伟大的革命诗篇,张哲等,《江城文艺》1960 年第 8 期

"踏遍青山人未老":学习札记之五,同云,《中国青年报》1960 年 12 月 13 日

对《清平乐·会昌》的体会,振甫,《文汇报》1961 年 8 月 1 日

毛主席诗词小笺《清平乐·会昌》,张涤华,《安徽日报》1961 年 12 月 8 日、14 日、17 日

关于《清平乐·会昌》的写作背景:学习毛主席诗词札记之一,

徐涛,《中学语文》1978 年第 3 期

《清平乐·会昌》及作者所作批注析疑,丁毅,《佳木斯大学社会科学学报》1998 年第 4 期

《清平乐·会昌》词及作者所作批注析疑,丁毅,《求索》1998 年第 5 期

学习研究《忆秦娥·娄山关》

读毛主席《娄山关》词,刘绥松,《文学知识》1959 年第 8 期

毛主席诗词简说,《忆秦娥·娄山关》,顾随,《新晚报》1960 年 2 月 2 日

读毛主席的《娄山关》词,陈恒安,《山花》1962 年第 9 期

雄关漫道真如铁:学习毛主席诗词札记,黎之,《中国青年报》1962 年 11 月 17 日

"漫道"质疑,胡安康,《苏州大学学报》1983 年第 1 期

重读《忆秦娥·娄山关》,吴遵林,《贵州日报》1983 年 12 月 25 日

忆秦娥娄山关,郑律成,《音乐世界》1996 年第 1 期

妙词妙曲妙千秋——张派《忆秦娥·娄山关》唱腔赏析,何长高,《中国戏剧》1998 年第 12 期

重读《忆秦娥·娄山关》——纪念毛泽东同志诞辰 108 周年,吴岗,《贵州农村金融》2002 年第 1 期

学习研究《十六字令·三首》

读毛主席《十六字令》三首,佛雏,《文学知识》1959 年第 11 期

毛主席的《十六字令》三首与民谣,程仲棠,《民间文学》1964 年第 1 期

惊回首,离天三尺三,陶兰冰,《吉林日报》1965 年 2 月 7 日

介绍亚瑟·古柏及其英译毛泽东《十六字令三首——其一》,李贻荫,《外语研究》1993 年第 3 期

意象、诗情、翻译——希尔达·杜利特尔诗《山神》与毛泽东诗《十六字令三首》(其二)之比较与翻译,张保红、刘士聪,《外语与外语教学》2002 年第 3 期

物景与心境的契合——浅谈毛泽东《十六字令三首》中的意境,侯宪林,《中华诗词》2005 年第 9 期

相同的意象不同的诗情——《山岳女神》与《十六字令三首》其二之比较,郑昱霞,《双语学习》2007 年第 7 期

学习研究《七律·长征》

试谈《长征》诗的艺术特点，金德健，《语文教学通讯》1957 年第 10 期

关于《长征》诗的解释，裴定三，《文汇报》1958 年 2 月 17 日

革命的现实主义与革命的浪漫主义相结合的典范——《长征》，谭佛雏，《火箭》1959 年第 1 期

读毛主席《长征》诗，佛雏，《文学知识》1959 年第 5 期

毛主席《长征》诗笺注：《毛主席诗词笺注》之四，张涤华，《学语文》1960 年第 4 期

智慧和力量的源泉：重读毛主席《长征》诗有感，傅庚生，《陕西日报》1962 年 4 月 14 日

毛主席《长征》诗颔颈两联的解释，夏剑秋，《曲阜师院函授教学》（语文版）1963 年第 1 期

"红军不怕远征难"，郭沫若，《光明日报》1965 年 7 月 31 日

毛主席在长征路上，《光明日报》1965 年 8 月 1 日

读《七律·长征》兼"寒"、"暖"问题及其他，学习毛主席诗词札记，高熙曾等，《河北大学学报》（社会科学版）1978 年第 1 期

毛泽东《七律·长征》二三逸闻，李安葆，《湖南党史》1994 年第 3 期

斯诺与毛泽东《七律·长征》的发表，石维行，《党史博采》1997 年第 4 期

《清平乐·六盘山》——《七律·长征》与《沁园春·雪》的中间环节，杨柄，《西北第二民族学院学报》（哲学社会科学版）1998 年第 3 期

《七律·长征》的"三军"指什么？刘佰合，《百年潮》2001 年第 12 期

运用探究性方法教学《七律·长征》，王晓武，《中小学教师培训》2002 年第 2 期

《七律·长征》中的"三军"是哪三军？侯振胜，《中学历史教学》2006 年第 12 期

以读为本有效拓展——义务教育六年制小学教科书语文（人教版）第十一册《七律长征》教学建议，袁玉红、苏霞、于莉，《山东教育》2007 年第 25 期

传世名篇扬中外，堪称极品耀古今——论《七律·长征》是毛泽东诗中极品及其成因，吴直雄，《南昌大学学报》（人文社会科学版）2007 年第 2 期

《七律·长征》诗中的"三军"都翻越岷山了吗？杨和平，《上海集邮》2007 年第 7 期

学习研究《念奴娇·昆仑》

谈气魄和胸襟：读诗随笔，张啸虎，《长江文艺》1957 年第 7 期

崇高的理想，豪迈的诗篇——读毛主席的《昆仑》词，刘绶松，《文学知识》1958 年第 3 期

理想与现实在文学中的辩证结合，胡经之，《文学评论》1959 年第 1 期

伟大的抱负，豪迈的诗笔：读毛主席《昆仑》词，縻华菱，《安徽文学》1960 年第 1 期

毛主席诗词小笺，《念奴娇·昆仑》，张涤华，《安徽日报》1962 年 2 月 11 日、13 日、14 日

从《念奴娇·昆仑》怎样表现主题谈起：兼与诗"昆仑"象征帝国主义说的同志商榷，谈文良，《扬州师院学报》1978 年第 1、2 期

《念奴娇·昆仑》象征意义臆测，刘泰隆，《广西师范学院学报》（哲学社会科学版）1983 年第 4 期

雄奇伟巍　彭臆开新——毛泽东《念奴娇·昆仑》读解，高占伟，《哈尔滨师专学报》1997 年第 4 期

毛泽东《念奴娇·昆仑》主题思想考析，马以君，《广播电视大学学报》（哲学社会科学版）2004 年第 3 期

昆仑神话与《念奴娇·昆仑》的艺术创造，代云红，《湖南科技学院学报》2005 年第 8 期

学习研究《清平乐·六盘山》

毛主席词《六盘山》分析，兰少成，《学语文》1959 年创刊号

读毛主席《六盘山》词，乔象钟，《文学知识》1960 年第 1 期

高举毛泽东思想红旗，鼓足干劲，奋勇前进：读毛主席亲笔题词《六盘山》而作，朱声达，《宁夏日报》1961 年 12 月 12 日

毛主席诗词小笺，《清平乐·六盘山》，张涤华，《安徽日报》1962 年 1 月 26 日、28 日、30 日

励精图治一桢书，黑伯理，《宁夏日报》1983 年 12 月 25 日

毛泽东《清平乐·六盘山》的影响，李安葆，《湘潮》1992 年第 4 期

气壮山河的诗篇雄浑豪放的艺术——毛泽东《清平乐·六盘山》词及其手书长卷，薛正昌，《固原师专学报》1994 年第 4 期

毛泽东词《清平乐》（六盘山）别解，靳极苍，《北京社会科学》1994 年第 2 期

《清平乐·六盘山》词题解辨

析，李廷藩，《固原师专学报》1996
年第 2 期

一首描写长征高格至境的政治抒情诗——重读毛主席《清平乐·六盘山》，秦克温，《西北第二民族学院学报》（哲学社会科学版）1997 年第 2 期

《清平乐·六盘山》——《七律·长征》与《沁园春·雪》的中间环节，杨柄，《西北第二民族学院学报》（哲学社会科学版）1998 年第 3 期

关于毛泽东词《清平乐·六盘

山》的一则珍贵史料，陈安吉，《党的文献》1999 年第 5 期

毛泽东诗词中的"大我"形象从《清平乐·六盘山》说起，崔宝国，《文化月刊》（诗词版）2006 年第 2 期

"不到长城非好汉"——重温毛泽东《清平乐·六盘山》有感，张嵩，《中华诗词》2006 年第 12 期

从《清平乐·长征谣》到《清平乐·六盘山》，何新宇，《收藏界》2006 年第 3 期

学习研究《沁园春·雪》

关于毛主席咏雪词的考证，柳亚子，《文汇报》1951 年 1 月 31 日

雪天读毛主席的咏雪词，臧克家，《中国青年报》1956 年 11 月 23 日

读毛主席《沁园春·雪》，北师大中文系三年级二班科研小组，《文学知识》1958 年第 2 期

学习毛主席《沁园春·雪》札记，汉元，《青海湖》1960 年第 1 期

毛主席诗词小笺，《沁园春·雪》，张涤华，《安徽日报》1962 年 2 月 16 日、18 日、20 日、21 日

一代天骄：纪念成吉思汗诞生八百周年，杨国宜，《文汇报》1962 年 7 月 17 日

毛主席气壮山河的光辉词章

《沁园春·雪》，钱茂竹，《教学参考资料》1978 年第 8、9 期合刊

关于《沁园春·雪》的创作与发表，武青山，《山西大学学报》（哲学社会科学版）1979 年第 4 期

《沁园春》咏雪词在重庆传诵间若干史实材料补遗，尹凌，《重庆文史资料选辑第十一辑》1982 年

借鉴·创新·超越——学习毛泽东词《沁园春·雪》，周若金，《聊城大学学报》（社会科学版）1992 年第 2 期

毛泽东诗《沁园春·雪》为纪念毛泽东诞辰 100 周年而作，李显银，《理论导刊》1993 年第 9 期

毛泽东《沁园春·雪》引起的风波，《江淮文史》1993 年第 5 期

以读带讲，感染熏陶——《沁园春·雪》教例评析，余有，《中学语文》1993 年第 8 期

《沁园春·雪》的教学四步骤，薛振堂，《中国电化教育》1994 年第 10 期

论《沁园春·雪》首次发表的公关效应，杨有业，《鞍山师范学院学报》1994 年第 2 期

毛泽东《沁园春·雪》解析，曹照林，《成都大学学报》（社会科学版）1994 年第 3 期

《沁园春·雪》中"风流人物"新解，顾崇文，《江苏教育学院学报》1994 年第 4 期

毛泽东的《沁园春·雪》一词赏析，董玉明，《中州统战》1994 年第 10 期

毛泽东《沁园春·雪》新解，《文艺理论研究》1995 年第 5 期

毛泽东《沁园春·雪》及其英译析评——兼论中诗英译的方法与原则，郑延国，《长沙电力学院学报》（社会科学版）1995 年第 3 期

《沁园春·雪》的多角度描写，萧青，《中学教与学》1995 年第 11 期

"索句渝州叶正黄"探源——《沁园春·雪》写作时间、背景及最初流传种种考，萧永义，《党的文献》1996 年第 1 期

"索句渝州叶正黄"探源——

略谈《沁园春·雪》的最初流传，萧永义，《文艺理论与批评》1996 年第 3 期

毛泽东诗词《沁园春·雪》，李兵兵、李明勇，《党政干部学刊》1996 年第 7 期

"欲与天公试比高"——毛泽东《沁园春·雪》发表后引发的故事，黄子云，《党史文汇》1996 年第 6 期

《沁园春·雪》，李明勇，《党史文苑》1996 年第 4 期

心游万仞　气吞八荒——毛泽东词《沁园春·雪》赏析，王志尧、杨金荣，《南都学坛》1996 年第 2 期

论《沁园春·雪》首次发表的政治效应，杨有业，《辽宁教育学院学报》1996 年第 2 期

披文·入情·讨源·受用——指导鉴赏《沁园春·雪》的思考，李长远，《中学语文教学参考》1996 年第 2 期

江出如此多娇——毛泽东词《沁园春·雪》发表前后，友辉，《福建党史月刊》1996 年第 4 期

毛泽东《沁园春·雪》首发内幕，《新闻与写作》1997 年第 12 期

重读《沁园春·雪》，李宗武，《党风通讯》1997 年第 2 期

蒋介石与毛泽东的《沁园春·雪》，《党史博采》1997 年第 12 期

豪迈的笔调磅礴的气势——读

《沁园春·雪》，胡永欣，《陕西教育》1997 年第 3 期

写诗的革命家和革命的诗人——柳亚子之子柳无忌谈毛泽东词《沁园春·雪》，刘伟，《党史天地》1998 年第 1 期

课题:《沁园春·雪》，徐晓娟，《内蒙古教育》1998 年第 8 期

《沁园春·雪》的崇高美，杨道麟，《语文教学与研究》1998 年第 11 期

"情商"教学视角——《沁园春·雪》示范课教学求珠，包勃，《中学语文教学参考》1998 年第 2 期

《沁园春·雪》三题，丁毅，丁七玲，《南昌大学学报》(社会科学版) 1999 年第 3 期

数风流人物　还看今朝——毛泽东《沁园春·雪》赏析，孙逊华，《广东青年干部学院学报》1999 年第 1 期

怎样教学《沁园春·雪》，向常高，《语文教学与研究》1999 年第 7 期

《沁园春·雪》面世记，许永强，《中学历史教学参考》1999 年第 9 期

引一字而"披文"抓三眼以"入情"——我教《沁园春·雪》，唐春初，《中学语文教学参考》1999 年第 10 期

《沁园春·雪》在重庆引起的"风波"，张树德，《党史博览》2000 年第 11 期

注目宇宙，展望历史，大写人生——谈《沁园春·雪》中人的境界，杨哲美，《语文学刊》2000 年第 2 期

《沁园春·雪》隐蕴信息透视，李其高，《中学语文教学参考》2000 年第 10 期

说《沁园春·雪》的教学，戴蓉倩，《中学语文教学参考》2000 年第 10 期

毛泽东《沁园春·雪》引发的故事，江建高，《纵横》2000 年第 10 期

《沁园春·雪》的崇高美，张世英，《语文天地》2000 年第 18 期

"雪"的丰富喻义与"自注"的"划地为牢"——毛泽东《沁园春·雪》新解，姜耕玉，《名作欣赏》2001 年第 3 期

毛泽东《沁园春·雪》引发的风骚较量，霞丽，《陕西审计》2001 年第 1 期

《沁园春》咏雪词的由来，杜建国，《纵横》2001 年第 6 期

《沁园春·雪》轰动重庆，《光明日报》2001 年 6 月 21 日

唐圭璋与《沁园春·雪》，曹辛华、郑伟丽，《书屋》2002 年第 4 期

推翻历史三千载自铸雄奇瑰丽

词——毛泽东《沁园春·雪》发表的前前后后，邵建新，《语文天地》2002 年第 16 期

注目宇宙展望历史大写人生——谈《沁园春雪》中人的境界，杨哲美，《语文天地》2002 年第 20 期

自铸伟词大气磅礴——毛泽东《沁园春·雪》发表的前前后后，朱永芳，《写作》2002 年第 18 期

推翻历史三千载自铸雄奇瑰丽词——毛泽东《沁园春·雪》发表前后的故事，邵建新，《语文知识》2002 年第 6 期

毛词《沁园春·雪》的唱和之争，尹凌，《重庆社会主义学院学报》2002 年第 1 期

大气磅礴千古绝唱——《沁园春·雪》发表前后的故事，王建柱，《党的生活》2002 年第 4 期

读谢泳的《王芸生的历史感》有感——兼评王芸生对毛泽东《沁园春·雪》的观点，刘崇理、熊文枫，《郭沫若学刊》2002 年第 2 期

《沁园春·雪》教学刍议，芦红，《晋东南师范专科学校学报》2002 年第 4 期

大气磅礴千古绝唱——《沁园春·雪》发表前后的故事，范忠东，《音乐周报》2002 年 1 月 25 日

一"惜"应重千钧——新读《沁园春·雪》兼谈两种误读，唐韧，《名作欣赏》2003 年第 6 期

毛泽东《沁园春·雪》指瑕，陈中寅，《名作欣赏》2003 年第 10 期

还《沁园春·雪》词一个顺解——由广西大学唐韧教授的"两种误读"谈起，罗浩波，《名作欣赏》2003 年第 10 期

是文学艺术式解读还是政治概念式解读——再读《沁园春·雪》兼与唐韧等诸位先生商榷，姚洋音，《名作欣赏》2003 年第 10 期

围绕毛泽东《沁园春·雪》的一场斗争，薛新力，《探索》2003 年第 1 期

引导学生自主地学习——《沁园春·雪》教学思路、反思及修改方案，陈煦、江平，《语文建设》2003 年第 1 期

千古绝唱万载传扬——重读毛泽东词《沁园春·雪》，周振东，《党史纵览》2003 年第 12 期

千古绝唱万载传扬——重读毛泽东词《沁园春·雪》，周振东，《江淮法治》2003 年第 12 期

"算黄州太守，犹输气概"——毛泽东《沁园春·雪》与苏轼《念奴娇·赤壁怀古》比较，谢传荣，《语文天地》2003 年第 13 期

吴祖光与毛泽东的词《沁园春·雪》，徐焰，《百年潮》2003 年第

7 期

自铸雄奇瑰丽词——重读毛泽东词《沁园春·雪》，周振东，《光明日报》2003 年 12 月 24 日

以诗言壮志借景抒豪情——重读毛泽东《沁园春·雪》，杨春茂，《人民日报》2003 年 12 月 28 日

千古绝唱万载传扬——重读毛泽东《沁园春·雪》，周振东，《安徽日报》2003 年 12 月 12 日

《沁园春·雪》教学设计，赵冬霞，《山西教育》2004 年第 8 期

《沁园春·雪》情结 30 年，尹凌，《红岩春秋》2004 年第 1 期

毛泽东《沁园春·雪》豪壮之美成因探寻，李枫，《边疆经济与文化》2004 年第 9 期

《沁园春·雪》教学经验之我见，王德成，《语文教学与研究》2004 年第 32 期

浅谈戏曲唱腔与民族声乐的结合——我唱毛主席诗词《沁园春·雪》，杨明新，《戏剧文学》2004 年第 10 期

一九五七年一月以前《沁园春·雪》的若干版本，陈安吉，《出版史料》2004 年第 4 期

《沁园春·雪》揭谜，张天授、陈嘉祥，《羊城晚报》2004 年 2 月 22 日

《沁园春·雪》课内检测与课外迁移，《文教资料》(初中版) 2004 年

第 3 期

大气磅礴千古绝唱——毛泽东《沁园春·雪》发表前后的故事，范忠东，《云岭歌声》2004 年第 3 期

"民主"反"专制"——试析毛泽东《沁园春·雪》的主题思想，马以君，《广播电视大学学报》(哲学社会科学版) 2005 年第 1 期

尹瘦石与《沁园春·雪》的墨迹，金建陵，《档案与建设》2005 年第 1 期

毛泽东《沁园春·雪》的发表与唐圭璋遭"中央大学"解聘，曹济平，《华中科技大学学报》(社会科学版) 2005 年第 1 期

毛泽东的《沁园春·雪》，张宗子，《书屋》2005 年第 3 期

《沁园春雪》学案，孙玲，《阅读与鉴赏》(初中版) 2005 年第 9 期

千古风流数今朝——谈《沁园春·雪》的艺术特色，陈迎春，《广西教育学院学报》2005 年第 5 期

毛泽东发表《沁园春·雪》的前前后后，朱永芳，《文教资料》(初中版) 2005 年第 4 期

雄视千古——重读《沁园春·雪》，吴欢章，《秘书》2005 年第 11 期

世纪伟人的眼界与胸襟——重读毛泽东词《沁园春·雪》，韩成武，《名作欣赏》2005 年第 23 期

千古绝唱《沁园春》——纪念

毛泽东《沁园春·雪》发表 60 周年，志彬，《中华魂》2005 年第 12 期

雪情怀·雪人格·雪心愿——毛泽东《沁园春·雪》新读有感，夏远生，《党史文汇》2005 年第 12 期

神来之笔胜千军——毛泽东《沁园春·雪》发表之后，胡国强，《党史文汇》2005 年第 12 期

完颜亮《念奴娇·天丁震怒》与毛泽东《沁园春·雪》比较，邱阳，《哈尔滨学院学报》2005 年第 12 期

中国毛泽东诗词研究会在重庆举行年会纪念《沁园春·雪》发表 60 周年探讨毛泽东诗词的史诗性，舒彬，《党的文献》2006 年第 1 期

《沁园春·雪》的仿拟之作，张灵敏，《语文知识》2006 年第 3 期

沁园春·纪念毛泽东同志《沁园春·雪》创作七十周年，韩西雅，《中华魂》2006 年第 3 期

《沁园春·雪》词意，杨杰，《作文成功之路》（高中版）2006 年第 2 期

山城十月"雪"纷纷——毛泽东词《沁园春·雪》发表记，袁成亮，《文史天地》2006 年第 10 期

从《沁园春·雪》的用典看"毛泽东有'帝王思想'"说之荒谬，吴直雄，《党的文献》2006 年第 5 期

《沁园春·雪》之"原驰蜡象"新解，江合友，《语文建设》2006 年第 12 期

超越时空的伟大形象——毛泽东《沁园春·雪》"风流人物"新解，杨朴，《语文教学通讯》2006 年第 32 期

"三比"之中见气概——《沁园春·雪》的另一种读法，王若冰，《语文教学通讯》2006 年第 32 期

毛泽东《沁园春·雪》的创作经过及在重庆公开发表后引发的论争——纪念《沁园春·雪》发表六十周年，胡国强，《民办高等教育研究》2006 年第 1 期

轰动雾都的人民颂歌——纪念毛泽东《沁园春·雪》发表 70 周年，汤胜利、莫红梅，《党史天地》2007 年第 1 期

红军东征孕育的千古绝唱——毛泽东《沁园春·雪》创作于山西石楼考证，聂春玉，《前进》2007 年第 3 期

毛泽东笔下的诗词意境——赏析毛泽东的《沁园春·雪》，陈海丽，《世纪桥》2007 年第 3 期

侧柏盆景《沁园春·雪》的改作，李万荣、赵建华，《花木盆景》（盆景赏石版）2007 年第 5 期

气势磅礴文情并茂——毛泽东词《沁园春·雪》赏析，张燕，《阅读与鉴赏》（教研版）2007 年第 7 期

《沁园春·雪》教学设计，蔺少丰，《中小学信息技术教育》2007 年第 1 期

学习研究《七律·和柳亚子先生》

读毛主席《赠柳亚子先生》，振甫，《文学知识》1960 年第 5 期

学习毛泽东思想笔谈：风物长宜放眼量，佛雏，《雨花》1960 年第 7 期

柳亚子，陆曼炎，《雨花》1961 年第 10 期

毛主席诗词小笺《七律·和柳亚子先生》，张涤华，《安徽日报》1962 年 2 月 25 日、28 日；3 月 2 日、4 日

肝胆照人，动人肺腑，读毛主席的诗《七律·和柳亚子先生》，吴戈，《郑州大学学报》（哲学社会科学版）1978 年第 1 期

《七律·和柳亚子先生》辨析，木将，《西南师院学报》（哲学社会科学版）1979 年第 2 期

肝胆相照的革命襟怀——毛主席《七律·和柳亚子先生》赏析，竺希雯，《岭南文史》1993 年第 4 期

《浣溪沙·和柳亚子先生》"兴会"新解，曹毓生，《民主与科学》1993 年第 2 期

《离骚》屈子幽兰怨——对《七律·和柳亚子先生》中"牢骚"的史实背景之我见，冯锡刚，《党史文汇》1995 年第 11 期

一首诗挽留了一位高士——有感于毛泽东《七律·和柳亚子先生》，冯树鉴，《语文知识》1996 年第 7 期

《七律·和柳亚子先生》中"牢骚"一解，冯锡刚，《党的文献》2005 年第 2 期

学习研究《浪淘沙·北戴河》

毛主席《浪淘沙》词的注释，春甫，《工人日报》1957 年 2 月 7 日

读毛主席《浪淘沙·北戴河》，程履夷，《文学知识》1960 年第 4 期

毛主席诗词小笺，《浪淘沙·北戴河》，张涤华，《安徽日报》1962

年 3 月 14 日、16 日、18 日、20 日

咏北戴河二首，郭沫若，《河北文学》1963 年第 2 期

"萧瑟秋风今又是"解，徐涛，《中学语文》1978 年第 5 期

学习研究《水调歌头·游泳》

毛主席的两首词：《长沙》、《游泳》，《中国青年》1957 年第 4 期

读毛主席《水调歌头·游泳》，振甫，《文学知识》1960 年第 2 期

读毛主席的词《水调歌头·游泳》，四川师院中文系三年级一班，《四川师院学报》1960 年第 2 期

读《游泳》词，徐迟，《长江文艺》1961 年第 10 期

毛主席诗词小笺，《水调歌头·游泳》，张涤华，《安徽日报》1961 年 11 月 19 日、22 日、26 日

毛主席的有关游泳的两首词，王尔龄，《羊城晚报》1965 年 6 月 7 日

读毛主席的《水调歌头·游泳》词札记、黄绮，《天津日报》1965 年 7 月 11 日

《水调歌头·游泳》注释刍议，杨学淦，《语文教学与研究》1994 年

第 4 期

毛泽东《水调歌头·游泳》是周世钊《过许昌》的奉和之作，《湖南党史》1995 年第 2 期

毛泽东诗词《水调歌头·游泳》写作背景考，张保山、沈世昌、陈书壮，《党史博采》1998 年第 1 期

对毛泽东《水调歌头·游泳》的含蓄意义的理解，韩承金、崔培莲，《大同职业技术学院学报》2000 年第 2 期

把问题留给学生——我教《水调歌头·游泳》，李春贵，《山东教育》2001 年第 5 期

中流击水情归三峡——毛泽东《水调歌头游泳》新解，陈晋，《红岩春秋》2004 年第 1 期

学习研究《给彭德怀同志》

关于毛主席给彭德怀同志的诗，王亚志，《人民日报》1979 年 2 月 8 日

也谈毛泽东《六言诗·给彭德

怀同志》创作背景及流传，周炳钦、蒋文梅，《中共党史资料》2006 年第 4 期

学习研究《蝶恋花·答李淑一》

喜读毛主席新词《蝶恋花》，臧克家，《北京日报》1958 年 1 月 10 日

浪漫主义和现实主义，郭沫若，《红旗》1958 年第 3 期

关于《蝶恋花》词的解释，臧

克家，《文艺报》1958 年第 11 期

关于《蝶恋花》的想象与夸张，张玺，《文汇报》1959 年 2 月 16 日

毛主席诗词研究（二篇），佛雏，《扬州师范学院学报》1959 年第

3 期

伟大的抱负，豪迈的诗笔：读毛主席《念奴娇》和《蝶恋花》，糜华菱，《安徽文学》1960 年第 1 期

词调《蝶恋花》，水青，《文汇报》1961 年 8 月 6 日

毛主席诗词小笺：《蝶恋花·游仙》，张涤华，《安徽日报》1962 年 3 月 30 日，4 月 1 日、3 日

杨开慧烈士永垂不朽：敬读《蝶恋花·答李淑一》，李玉昌，《四平师院学报》1977 年第 1 期

慰杨柳，庆伏虎：学习《蝶恋花·答李淑一》，立光，《徐州师院学报》1977 年第 1 期

《蝶恋花·答李淑一》试解，中文系毛主席诗文教研组，《河北师院学报》1978 年第 3 期

英雄浩气凌霄汉：纪念毛主席光辉词章《蝶恋花·答李淑一》写作二十周年，辛文兵，《光明日报》1977 年 5 月 11 日

关于毛主席诗词注释的几点浅见，安邦瀛，《教研资料》1977 年第 6 期

回忆《蝶恋花，答李淑一》发表的经过，张明霞，《中学语文教学》1980 年第 9 期

《蝶恋花·答李淑一》及其他，詹红旗，《中国档案》1993 年第 5 期

《蝶恋花·答李淑一》词的由来，于伟峰，《党史纵览》1995 年第

3 期

浅析《蝶恋花·答李淑一》，朱鼎久，《锦州师范学院学报》（哲学社会科学版）1996 年第 4 期

伟人的爱情之花——读毛主席诗词《虞美人》、《贺新郎》与《蝶恋花·答李淑一》，阎奇男，《广西梧州师范高等专科学校学报》1996 年第 2 期

如此褒贬太不应该——驳伏家芬先生对《蝶恋花·答李淑一》的误判，廖奇才，《毛泽东诗词研究丛刊》（第一辑）2000 年

《蝶恋花·答李淑一》背后的故事，徐珣，《老年人》2003 年第 12 期

《蝶恋花·答李淑一》初版本的三奇，安吉，《党史天地》2003 年第 12 期

"此恨绵绵无尽期"——从《蝶恋花·答李淑一》的首句谈起，贺登江，《中华诗词》2004 年第 7 期

革命现实主义与浪漫主义的结合——《蝶恋花·答李淑一》赏析，姚盈，《初中生必读》2004 年第 12 期

《蝶恋花·答李淑一》中的意象及其英译本比较研究，陈晶晶，《湖南农业大学学报》（社会科学版）2006 年第 1 期

弹词《蝶恋花·答李淑一》浅探，王旭丽，《解放军艺术学院学

报》2006 年第 1 期

李淑一与《蝶恋花·答李淑一》，杨建民，《党史博采》（纪实）2006 年第 9 期

李淑一与《蝶恋花·答李淑一》，邱昶、黄昕，《世纪》2007 年第 3 期

学习研究《七律二首·送瘟神》

毛主席《送瘟神二首》浅说，北京师范学院中文系，《创作与评论》1958 年第 2 期

《送瘟神二首》试释，唐弢，《文汇报》1958 年 10 月 6 日

试释毛主席的《送瘟神二首》，臧克家，《中国青年报》1958 年 10 月 7 日

更正与补述：关于《送瘟神》二首试析，唐弢，《文汇报》1958 年 10 月 30 日

读毛主席的《送瘟神》二首，臧克家，《诗刊》1958 年第 10 期

毛主席《送瘟神》二首浅释，夏承焘，《东海》1958 年第 15 期

诗的想象：关于诗歌创作中革命的现实主义与革命的浪漫主义相结合的一点体会，耿德铭，《边疆文艺》1959 年第 2 期

坐地、巡天及其他，郭沫若，《人民日报》1959 年 3 月 4 日

《送瘟神》二首浅说，陈志宪，《学语文》1960 年第 5 期

关于《送瘟神》二首韵解释，扈芷，《新港》1961 年第 6 期

评几种关于"坐地""巡天"的新解释，佛雏，《扬州师院学报》1961 年第 12 期

"人遗矢""鬼唱歌"解释，刘新友，《江汉学报》1962 年第 9 期

读《送瘟神》诗笔记，冯健男，《湘江文艺》1978 年第 10 期

《送瘟神》二首探疑，孙书第，《四平师院学报》1979 年第 1 期

"绿水青山枉自多"辨，丘述尧，《华南师院学报》（哲学社会科学版）1979 年第 3 期

一曲爱国爱民的千古绝唱——学习毛泽东七律诗《送瘟神》之感想，孙家政，《江苏卫生事业管理》1996 年（增刊）

纸船明烛照天烧——毛泽东主席七律《送瘟神二首》写作前后，阿申，《山西老年》1999 年第 2 期

纸船明烛照天烧——毛泽东《七律二首·送瘟神》赏析，董茵，《国防科技工业》2003 年第 7 期

外国学者中诗英译的问题及成因分析——读《七律二首·送瘟神》（之一）的英译之后，张华琴，《西华大学学报》（哲学社会科学版）2005 年（增刊）

毛泽东《七律二首·送瘟神》并非作于杭州，王祖强,《中共党史资料》2007年第2期

学习研究《清平乐·蒋桂战争》

喜读毛主席的《清平乐》，移山,《成都晚报》1962年6月2日

毛主席诗词小笺《清平乐》，张涤华,《安徽日报》1962年7月6日、8日、10日、13日

毛主席词的"典故"二则，"一枕黄粱再现"、"收拾金瓯一片"，诚一,《吉林日报》1962年7月13日

红旗跃过汀江，郭沫若,《光明日报》1965年2月1日

毛主席诗词学习笔记之四：谈《清平乐·蒋桂战争》，夏阳,《江苏文艺》1978年第4期

井冈山道路的胜利凯歌——毛泽东《清平乐·蒋桂战争》赏析，鲁春梅,《政工学刊》2003年第9期

革命的乡村可以包围城市——毛泽东诗词《清平乐·蒋桂战争》的历史解读，居茂文,《新东方》2003年第11期

学习研究《采桑子·重阳》

毛主席《词六首》试译（二），高熙增,《天津日报》1962年5月30日

"战地黄花分外香"，石化,《中国青年报》1962年6月7日

战地黄花分外香：读毛主席《采桑子》，高友松,《陕西日报》1962年7月6日

毛主席诗词小笺,《采桑子》，张涤华,《安徽日报》1962年7月17日、18日、22日

"寥廓江天万里霜"，郭沫若,《光明日报》1964年2月12日

毛主席诗词学习笔记之五：读《采桑子·重阳》，夏阳,《江苏文艺》

1978年第6期

格高调逸趣远情深——重读毛主席《采桑子·重阳》、《卜算子·咏梅》，张常修,《济南大学学报》（社会科学版）1993年第4期

别开生面独辟蹊径——毛泽东《采桑子·重阳》词赏析，王志敏,《党史纵横》1993年第12期

毛泽东的《采桑子·重阳》写作前后，傅彩,《福建党史月刊》1996年第1期

《采桑子重阳》焦点问答，步进,《语文教学通讯》2003年第27期

战地秋风劲，黄花分外香——

读毛泽东词《采桑子·重阳》，王传飞，《政工学刊》2003 年第 10 期

《采桑子·重阳》注释商榷，曾沛皇，《中学语文教学》2004 年第 4 期

不似春光，胜似春光——浅谈《沁园春·长沙》《采桑子·重阳》中的秋景描写，马小华，《语文学刊》2004 年第 4 期

万里霜天中的野菊花——重析《采桑子·重阳》，季文学，《现代语文》（教学研究版）2007 年第 6 期

感时托物抒怀寄情——学习毛泽东词《采桑子·重阳》随笔，郑华金，《现代养生》2007 年第 10 期

学习研究《减字木兰花·广昌路上》

一代史诗当铙吹：畅谈毛主席《词六首》，陈波，《人民日报》1962 年 5 月 14 日

毛主席《词六首》浅释——《减字木兰花》，振甫，《北京晚报》1962 年 5 月 18 日

读毛主席《减字木兰花》札记：兼与郭老商榷，韩丹，《黑龙江日报》1962 年 6 月 14 日

毛主席诗词小笺：《减字木兰花》，张涤华，《安徽日报》1962 年 8 月 7 日、8 日、12 日

毛主席诗词学习笔记之七：读《减字木兰花·广昌路上》，夏阳，《雨花》1978 年第 11 期

风卷红旗过大关——毛泽东《减字木兰花·广昌路上》赏析，回俊才，《政工学刊》2003 年第 12 期

学习研究《蝶恋花·从汀州向长沙》

学习毛主席的《词六首》，宛敏灏，《合肥师院学报》1962 年第 3 期

毛主席《词六首》浅释——《蝶恋花》，振甫，《北京晚报》1962 年 5 月 19 日

毛主席诗词小笺，《蝶恋花》，张涤华，《安徽日报》1962 年 8 月 17 日、21 日、24 日

毛主席诗词学习笔记之八：读《蝶恋花从汀州向长沙》，夏阳，《雨花》1979 年第 1 期

历史的见证：浅谈《蝶恋花·从汀州向长沙》词的背景与内容，刘国清，《文艺资料》（江西）1982 年第 3 期

解释"鲲鹏"——兼析《蝶恋花·从汀州向长沙》及其他，马以君，《广播电视大学学报》（哲学社会科学版）2001 年第 2 期

学习研究《渔家傲·反第一次大"围剿"》

学习毛主席的《词六首》（五、"唤起工农千百万"），宛敏灏，《合肥师院学报》1962年第3期

江西老苏区革命歌谣，一、第一次反"围剿"胜利，二、活捉张辉瓒，《人民日报》1962年5月12日

毛主席《词六首》浅释——《渔家傲》，振甫，《北京晚报》1962年5月20日

批判地继承文学遗产的辉煌范例：关于共工头触不周山的故事注释，段熙仲，《新华日报》1962年5月27日

"共工不死"及其他，张光年，《文艺报》1962年第7期

情景并茂的战歌：毛主席新词《渔家傲》浅谈，周景堂，《湖北日报》1962年8月15日

毛主席诗词小笺，《渔家傲》，张涤华，《安徽日报》1962年8月29日，9月4日、7日、9日

《渔家傲·反第一次大"围剿"》背景分析，王灿楣、卿三琼，《黔东南民族师范高等专科学校学报》2002年第1期

学习研究《渔家傲·反第二次大"围剿"》

毛主席《词六首》浅释——《渔家傲》，振甫，《北京晚报》1962年5月23日

求实录——"枯木巧株"解：对郭沫若《喜读毛主席词六首》的意见，《文汇报》1962年6月13日

毛主席诗词小笺《渔家傲》，张涤华，《安徽日报》1962年9月14日、18日、23日、25日

"枯木朽株"解：毛主席诗词注解小议，谭家健，《语文战线》1978年第1期

学习研究《七律·人民解放军占领南京》

"百万雄师过大江"：读毛主席新发表的诗词之一，郭沫若，《人民日报》1964年1月4日

人民革命胜利的丰碑：学习毛主席《人民解放军占领南京》七律诗的笔记，天石，《雨花》1964年第2期

我国诗词的新天地：从毛主席诗词中学习革命现实主义和革命浪漫主义相结合的艺术方法，张颂南，《浙江学刊》1964年第2期

天若有情天亦老，玉宇，《羊城晚报》1964年3月7日

虎踞龙盘今胜昔，李夏阳，《雨

花》1964 年第 4 期

"天若有情天亦老"解，张汝扬，《语文战线》1977 年第 6 期

中国革命的光辉史诗：重读毛主席的《七律·人民解放军占领南京》，赵瑞蕻，《新华日报》1977 年 9 月 15 日

"天若有情天亦老"：读毛泽东同志诗和李贺诗有感，廖沫沙，《北京日报》1979 年 10 月 7 日

毛泽东创作《七律·人民解放军占领南京》的经过，徐豫，《档案与建设》1994 年第 2 期

"宜将剩勇追穷寇不可沽名学霸王"探释——纪念《七律·人民解

放军占领南京》创作 56 周年，卢文晖，马瑛，《辽宁师范大学学报》(社会科学版）2005 年第 2 期

纸篓里捡来的"国宝"——《七律·人民解放军占领南京》发表趣闻，邵建新，《初中生》2007 年第 7 期

"这是纸篓里捡来的'国宝'"——《七律·人民解放军占领南京》发表趣闻，邵建新，《文史月刊》2007 年第 4 期

"这是纸篓里捡来的'国宝'"——《七律·人民解放军占领南京》的发表趣闻，朱永芳，《语文天地》2007 年第 9 期

学习研究《七律·到韶山》

"敢教日月换新天"：读毛主席新发表的诗词七律《到韶山》，郭沫若，《人民日报》1964 年 2 月 8 日

访韶山毛主席旧居，万汇藻，《羊城晚报》1965 年 7 月 1 日

韶山的怀念，杨悠，《羊城晚报》1965 年 10 月 1 日

七律两首众人改——毛泽东《到韶山》《登庐山》诗成轶事，古月，《党史纵横》1994 年第 5 期

真挚的情感开阔的境界——毛泽东《七律到韶山》赏析，何传跃，《阅读与鉴赏》(初中版）2005 年第 2 期

学习研究《浣溪沙·和柳亚子先生》

《浣溪沙·和柳亚子先生》精讲导读，王成纲，《语文教学通讯》1985 年第 7 期

《浣溪沙·和柳亚子先生》"兴会"新解，曹毓生，《民主与科学》1993 年第 2 期

学习研究《七律·登庐山》

"桃花源里可耕田"：读毛主

席新发表的诗词七律《登庐山》，

郭沫若,《人民日报》1964 年 2 月2 日

庐山登由公路, 史云,《羊城晚报》1965 年 9 月 10 日

学习研究《七绝·为女民兵题照》

凝炼·隽永·平易·精深:读毛主席七绝两首, 沈蔚德,《南京师院学报》(社会科学版) 1964 年第 1 期

中华儿女多奇志, 唐葆华,《羊城晚报》1964 年 3 月 7 日

"不爱红装爱武装", 郭沫若,《人民日报》1964 年 4 月 25 日

毛泽东题写《七绝·为女民兵题照》的前前后后, 李树珊,《党史博采》1996 年第 5 期

学习研究《七律·答友人》

"芙蓉国"指哪里? 周贻谋,《北京晚报》1964 年 1 月 26 日

"芙蓉国里尽朝晖":读毛主席新发表的诗词七律《答友人》, 郭沫若,《人民日报》1964 年 5 月16 日

桔子洲漫话, 辛之,《羊城晚报》1965 年 7 月 16 日

芙蓉国里话芙蓉, 苏长仙,《羊城晚报》1965 年 10 月 16 日

我对《七律·答友人》的理解,邓光礼,《华南师院学报》(哲学社会科学版) 1979 年第 3 期

《七律·答友人》所指的友人是谁? 曾炎摘,《解放日报》1982 年 5月 7 日

毛主席友人的原作是什么:记乐天宇教授的一席话, 唐桂生,《湖南日报》1982 年 10 月 13 日

关于毛主席《七律·答友人》的通信, 乐天宇,《信阳师院学报》(哲学社会科学版) 1983 年第 1 期

芙蓉国里尽朝晖:毛主席《七律·答友人》试解, 丁三省,《信阳师院学报》(哲学社会科学版) 1983年第 1 期

缅怀先烈告慰英灵——读毛泽东《七律·答友人》, 孙景阳,《理论与创作》1993 年第 5 期

毛泽东《七律·答友人》中的"友人"究竟是谁, 吴美潮、周彦瑜,《河南师范大学学报》(哲学社会科学版) 1994 年第 6 期

毛泽东《七律·答友人》答的是周世钊, 周彦瑜、吴美潮,《信阳师范学院学报》(哲学社会科学版)1997 年第 4 期

毛泽东《七律·答友人》诗中

的"友人"确系周世钊，吴美潮、周彦瑜，《人民论坛》1997 年第 12 期

斑竹一枝千滴泪——毛泽东《七律·答友人》与"九嶷山人"乐天宇，萧永义，《百年潮》2001 年第 4 期

毛泽东《七律·答友人》之"友人"考，吴美潮、周彦瑜，《湖南第一师范学报》2004 年第 3 期

时代、江山与美人的多重奏——毛泽东诗词《七律·答友人》

再解，杨景春，《乌鲁木齐职业大学学报》2005 年第 4 期

时代、江山与美人的多重奏——毛泽东《七律·答友人》新解，杨景春，《菏泽学院学报》2005 年第 6 期

谁是毛泽东《七律·答友人》中的"友人"，吴美潮、周彦瑜、吴起凡，《中共党史资料》2007 年第 3 期

毛泽东《七律·答友人》所和的"友人"原词，吴美潮，《党的文献》2007 年第 1 期

学习研究《七律·题庐山仙人洞照》

庐山仙人洞，胡光，《羊城晚报》1964 年 1 月 23 日

"无限风光在险峰"：读毛主席

七律《题庐山仙人洞照》，郭沫若，《人民日报》1964 年 4 月 11 日

学习研究《七律·和郭沫若同志》

"玉宇澄清万里埃"：读毛主席有关《孙悟空三打白骨精》的一首七律，郭沫若，《人民日报》1964 年 5 月 30 日

玉宇澄清万里埃：重读毛主席

诗《七律·和郭沫若同志》，管林，《新教育》1977 年第 2 期

学习毛主席的《七律·和郭沫若同志》，林飞，《广西师范大学学报》（哲学社会科学版）1977 年第 3 期

学习研究《卜算子·咏梅》

"卜算子"解，江东，《郑州晚报》1964 年 1 月 13 日

从《咏梅》词到《咏梅》歌，洪小林，《羊城晚报》1964 年 3 月 7 日

"待到山花烂漫时"：读毛主席

新发表的诗词《卜算子·咏梅》，郭沫若，《人民日报》1964 年 3 月 15 日

诗二首——读毛主席《卜算子》，邓均吾，《四川文学》1964 年第 2 期

万年好：读毛主席《咏梅》诗，赛福鼎，《人民日报》1965年10月5日

学习毛主席诗词札记（续二），鲁歌，《内蒙古大学学报》（哲学社会科学版）1977年第1期

"此花不与群花比"：读毛泽东同志词《卜算子·咏梅》札记，刘以焕，《牡丹江师院学报》（哲学社会科学版）1980年第4期

格高调逸趣远情深——重读毛主席《采桑子·重阳》、《卜算子·咏梅》，张常修，《济南大学学报》（社会科学版）1993年第4期

毛泽东创作《卜算子·咏梅》，《党史博采》1997年第6期

毛泽东创作《卜算子·咏梅》一词的来龙去脉，王军，《党史纵览》2001年第6期

超越时空魅力永恒——毛泽东《卜算子·咏梅》鉴赏，李庆立，《古典文学知识》2001年第4期

毛泽东为何创作《卜算子·咏梅》，王军，《文史春秋》2002年第2期

异样的梅花一样的情怀——陆游、毛泽东《卜算子·咏梅》比较，王晓维，《阅读与鉴赏》（初中版）2004年第6期

《卜算子·咏梅》：毛泽东晚年对理想人格的探索，刘俊坤，《湖南冶金职业技术学院学报》2004年第1期

毛泽东瞿秋白《卜算子·咏梅》的比较，衡朝阳、周琳，《青年思想家》2004年第1期

推开"笑"窗仰望博大——人教版六年制小学语文十二册《卜算子·咏梅》难点突破，付瑞丑、董琨，《山东教育》2005年第1期

从《卜算子·咏梅》看毛泽东诗词歌曲的魅力，王明春，《中国成人教育》2006年第3期

《卜算子·咏梅》教学设计与反思王月芬、宋绍云，《云南教育》（小学教师）2007年第1期

学习研究《七律·冬云》

诵毛主席《冬云》诗，赛福鼎，《新疆文学》1965年第1期

雪压冬云意从容——毛泽东

《七律·冬云》之我见，冯锡刚，《党史文汇》1998年第7期

学习研究《满江红·和郭沫若同志》

讲蚍蜉，石瓶斋，《新民晚报》1964年3月17日

读毛主席词《满江红·和郭沫若同志》，刘乃昌，《曲阜师院函授

教学》1964 年第 3 期

"飞鸣镝"释，靳极苍，《学术研究》1980 年第 6 期

浅谈毛泽东《满江红·和郭沫若同志》的书法艺术，金序兰，《南京理工大学学报》(社会科学版) 1994 年第 1 期

学习研究《水调歌头·重上井冈山》

高举红旗永登攀：重读《水调歌头·重上井冈山》，黄石轩，《长江日报》1977 年 10 月 23 日

喜读毛主席词二首，朱德，《人民日报》1976 年 12 月 26 日

欢呼毛主席《词二首》的发表，何其芳，《解放军文艺》1977 年第 2、3 期

试看天地翻覆：学习毛主席词二首《重上井冈山》和《鸟儿问答》，何其芳，《诗刊》1978 年第 1 期

"凌云志"新解，马世瑞，《四川师院学报》1979 年第 3 期

壮志凌云　人生弥珍——毛泽东词《水调歌头·重上井冈山》赏析，王志尧，《南都学坛》1995 年第 4 期

双关的思想内涵　隐秀的艺术标本——《水调歌头·重上井冈山》的思想实质与艺术，张惠仁，《北京社会科学》1997 年第 1 期

毛泽东修改《水调歌头·重上井冈山》，黎章根，《党史博览》2000 年第 12 期

壮志凌云格调弥高——读毛泽东《水调歌头·重上井冈山》，唐嗣德，《语文天地》2002 年第 3 期

学习研究《虞美人·枕上》

毛泽东《虞美人·枕上》详解，靳极苍，《名作欣赏》1995 年第 3 期

毛泽东《虞美人·枕上》赏析，孙孟明，《修辞学习》1995 年第 6 期

情长意足深厚绵密——毛泽东《虞美人·枕上》欣赏，鞠党生，《阅读与写作》1995 年第 7 期

纯真炽热的恋歌——读毛泽东词《虞美人·枕上》，何火任，《诗刊》1995 年第 12 期

无情未必真豪杰多情亦是大丈夫——读毛泽东《虞美人·枕上》，蔡清富，《名作欣赏》1996 年第 5 期

漫话《虞美人·枕上》，丁世平，《学术交流》1998 年第 5 期

伟大的、革命爱情的壮丽史诗——毛泽东词《虞美人·枕上》等三首赏析，郭业勤，《黄河科技大学学报》(民办教育研究专号) 2000 年第 2 期

毛泽东的"枕上""离人"究竟是谁——《虞美人·枕上》探幽，彭明道，《粤海风》2002年第1期

毛泽东词《虞美人·枕上》译文解读，孙建民、季敏，《社会科学论坛》（学术研究卷）2006年第10期

学习研究《贺新郎·读史》

生动形象的社会发展史：初学毛主席《贺新郎·读史》，羊春秋，《湘潭大学学报》（哲学社会科学版）1978年第2期

革命的爱情，珍贵的词章：毛主席一九二三年词《贺新郎》浅释，张式铭，《湘潭大学学报》（哲学社会科学版）1978年第2期

唯物史观的壮丽战歌：读《贺新郎·读史》，李春芳，《山西师院学报》1978年第3期

读毛主席一九二三年作《贺新郎》词书感，赵朴初，《文艺报》1978年第4期

读毛主席《贺新郎·读史》词有感，赵朴初，《人民日报》1978年9月9日

情深江海，光耀千秋：读毛主席为开慧同志所作《贺新郎》词，李淑一，《解放军报》1978年9月12日

人民创造历史的颂歌：读毛主席《贺新郎·读史》，何国瑞，《长江日报》1978年9月15日

历史唯物主义的伟大篇章：读毛主席《贺新郎·读史》，冯正刚，《湖南日报》1978年9月16日

华章一页贯古今：学习毛主席的史诗《贺新郎·读史》，刘再复等，《红旗》1978年第10期

斑斑点点成陈迹，风流人物看今朝——读《贺新郎·读史》，冯至，《诗刊》1978年第10期

彩笔传挚情，骄杨若千秋：读毛主席一九二三年《贺新郎》，吴庚舜，《红旗》1978年第10期

一曲无产阶级爱情的颂歌：读毛主席一九二三年《贺新郎》，朱陈情等，《湖南教育》1978年第10期

毛主席《贺新郎·读史》词声律试析，刘玉昆，《辽宁大学学报》（哲学社会科学版）1979年第1期

毛主席《贺新郎》给我们的启示，王灼，《贵阳文艺》1979年第1期

毛主席《贺新郎》词别解，雷家仲等，《南充师院学报》（哲学社会科学版）1980年第2期

毛主席《贺新郎》词赏析，钟法，《襄阳师专教学与研究》1981年第1期

《贺新郎·读史》诠释的唯物史观，魏剑钢，《中国党政干部论坛》1993 年第 11 期

五千国史重批阅　英声朗练震九州——读毛泽东《贺新郎·咏史》，罗浩波，《喀什师范学院学报》1996 年第 3 期

毛泽东的《贺新郎·别友》是赠给谁的？彭明道，《书屋》2001 年第 2 期

毛泽东《贺新郎·别友》写作时间考，王灿楣、卿三琼，《黔南民族师专学报》2000 年第 1 期

《贺新郎·别友》考析——兼述

毛泽东的"人间知己"陶毅，马以君，《广播电视大学学报》（哲学社会科学版）2003 年第 3 期

唯物史观的壮丽词篇——读毛泽东词《贺新郎·读史》，张铁民，《辽宁行政学院学报》2005 年第 1 期

从《贺新郎·读史》看毛泽东的史学思想，张涛、史海威，《理论学刊》2006 年第 11 期

有多少风流人物——《贺新郎·读史》及其他，冯锡刚，《党史文汇》2007 年第 5 期

学习研究《七律·吊罗荣桓同志》

一首关于路线斗争的政治诗：读《七律·吊罗荣桓同志》，刘建国，《湘潭大学学报》（哲学社会科学版）1978 年第 2 期

崇高的评价，珍贵的情谊，读毛主席《七律·吊罗荣桓同志》，王文金，《开封师范学院学报》（社会科学版）1978 年第 6 期

雄鹰展翅任飞翔，陈昊苏，《光明日报》1978 年 9 月 15 日

老一辈无产阶级革命家的颂歌：学习毛主席《七律·吊罗荣桓同志》，杨小岩，《长江日报》1978 年 8 月 17 日

毛主席《七律·吊罗荣桓同志》浅释，周振甫，《财贸战线》1978 年

9 月 22 日

诗花祭忠良，笔锋刺奸佞：读毛主席《七律·吊罗荣桓同志》，尚弓，《诗刊》1978 年第 11 期

对"战锦"解释的质疑，邢富君，《辽宁师院学报》（哲学社会科学版）1979 年第 2 期

"国有疑难可问谁？"：毛泽东《吊罗荣桓同志》一诗之我见，许全兴，《党的文献》1990 年第 5 期

《七律·吊罗荣桓同志》新解，冯锡刚，《党史文汇》1994 年第 12 期

"长征"、"战锦"、"三垂冈"——《七律·吊罗荣桓同志》主题漫议，萧永义，《毛泽东思想论坛》1996 年第 2 期

毛泽东的《七律·吊罗荣桓同志》政治寓意探微，傅明，《汉中师范学院学报》1999 年第 5 期

毛泽东《七律·吊罗荣桓同志》一诗创作及书写时间考疑，李树庭，《党的文献》2003 年第 4 期

毛泽东《七律·吊罗荣桓同志》的历史背景，欧阳宏，《党史天地》2003 年第 7 期

"吊罗"与"批林"——也谈《七律·吊罗荣桓同志》，冯锡刚，《百年潮》2006 年第 8 期

学习研究《临江仙·写赠丁玲》

毛泽东同志 1936 年写给丁玲的一首诗，羽宏，《新观察》1980 年第 7 期

关于《长征记》和毛主席赠给丁玲的情况，朱正明，《新文学史料》1982 年第 1 期

对毛泽东《临江仙·给丁玲同志》有关词语理解的辨正，梁颂成，《求索》1996 年第 5 期

1947 年的公开出版物披露了《临江仙·给丁玲同志》，陈安吉，

《党的文献》2004 年第 1 期

1947 年的公开出版物披露了《临江仙·给丁玲同志》，陈安吉，《毛泽东思想研究》2004 年第 2 期

《临江仙·给丁玲同志》最早发表于《文化报》，陈安吉，《党史博览》2004 年第 5 期

《临江仙·给丁玲同志》最初发表在《文化报》，李友唐，《湘潮》2007 年第 3 期

学习研究《念奴娇·鸟儿问答》

讽刺诗的绝唱——重读毛泽东的《念奴娇·鸟儿问答》，金汝平，《山西日报》2004 年 6 月 29 日

关于毛泽东词《念奴娇·鸟儿问答》，刘济昆，《世界华文文学论坛》1994 年第 2 期

学习研究《五律·挽戴安澜将军》

庄重情深的颂歌——谈毛泽东《五律·挽戴安澜将军》，黄泽佩，《安顺师范高等专科学校学报》1998 年第 1 期

民族英雄的深情颂歌——评毛

泽东《五律·挽戴安澜将军》，黄泽佩，《阅读与写作》1998 年第 5 期

庄重情深悼良将——毛泽东《五律·挽戴安澜将军》试析，黄泽佩，《乌蒙论坛》2007 年第 1 期

学习研究《西江月·秋收起义》

《西江月·秋收起义》背景分析，王灿楣、卿三琼，《黔东南民族师范高等专科学校学报》1999 年第 5 期

《西江月·秋收暴动》与秋收起义，涂开荣，《党史文苑》2007 年第 15 期

学习研究《五律·张冠道中》

活动的英雄雕像——读毛泽东《五律·张冠道中》，马连儒，《党的文献》2004 年第 1 期

学习研究《五律·喜闻捷报》

且行"秦塞"漫吟哦——毛泽东《五律·喜闻捷报》臆说，杨胜群，《党的文献》1997 年第 1 期

《五律·喜闻捷报》是毛泽东诗作吗？方磊，《党史文汇》2000 年第 5 期

释毛泽东诗《五律·喜闻捷报》"步运河上"，连登岗，《淮北煤炭师范学院学报》(哲学社会科学版) 2003 年第 4 期

毛泽东《五律·喜闻捷报》考释析疑，黄玉杰，《陕西教育学院学报》2003 年第 3 期

毛泽东《五律·喜闻捷报》考辨，黄玉杰，《唐都学刊》2004 年第 4 期

学习研究《五律·看山》、《七绝·莫干山》

毛泽东《五律·看山》、《七绝·莫干山》写作时间考，陈福季，《上海大学学报》(社会科学版) 2004 年第 3 期

学习研究《七绝·屈原》

怎样解读毛泽东《七绝·屈原》，丁毅，《毛泽东思想论坛》1997 年第 4 期

浅谈毛泽东《七绝·屈原》，陈湘源，《吉安师专学报》1997 年第 5 期

学习研究《七绝·纪念鲁迅八十寿辰》

"但见奔星劲有声"——喜读毛泽东《七绝二首·纪念鲁迅八十寿辰》，陈漱渝，《鲁迅研究月刊》1996 年第 9 期

以诗论诗赋新篇——评毛泽东同志《七绝·纪念鲁迅八十寿辰》，卢凤鹏、黄泽佩,《安顺师范高等专科学校学报》1997 年第 3 期

文化革命主将的人格和诗品——评毛泽东《七绝·纪念鲁迅八十寿辰》，潘涌,《阅读与写作》1999 年第 1 期

《七绝二首·纪念鲁迅八十寿辰》作者质疑，王星海,《上海大学学报》(社会科学版) 2002 年第 1 期

学习研究《念奴娇·井冈山》

有关《念奴娇·井冈山》的若干问题，张惠仁,《党的文献》1997 年第 6 期

学习研究《七律·洪都》

青壮辉煌堪激励晚岁艰辛为探索——从《七律·洪都》看毛泽东晚年诗词创作的豪迈气势与丰富内涵，吴直雄,《南昌大学学报》(人文社会科学版) 2002 年第 3 期

咏赞风雨人生的绝唱——论《七律·洪都》的人生艺术形象，吴开有,《昭通师范高等专科学校学报》1996 年第 1 期

学习研究《七律·有所思》

关系国家和人民命运的思考——读毛泽东《七律·有所思》，刘勋华,《西北第二民族学院学报》(哲学社会科学版) 2002 年第 4 期

从《七律·有所思》看文革的发动，高华,《炎黄春秋》2004 年第 1 期

学习研究《诗词三首》

革命现实主义和革命浪漫主义相结合的光辉典范——试谈毛主席诗词的基本特色，黄拔荆等,《厦门大学学报》(哲学社会科学版) 1978 年第 2、3 期

关于正确理解毛主席诗词的几个问题，季世昌,《南京大学学报》1978 年第 3 期

诗情·哲理·画意: 读毛主席《诗词三首》所想到的，梁胜明,《甘肃师大学报》(哲学社会科学版) 1978 年第 4 期

关于毛主席诗词三首的几点不同理解 (资料),《昆明师院学报》

1978 年第 4 期

真挚的感情，博大的胸怀：学习毛主席诗词三首，余嘉华，《边疆文艺》1978 年第 8 期

毛主席的诗教——捧读毛主席诗词三首，臧克家，《人民日报》1978 年 9 月 11 日

毛主席诗词三首简要注释，《新华日报》1978 年 9 月 16 日

毛主席词《贺新郎》浅释，周振甫，《财贸战线》1978 年 9 月 19 日

毛主席《诗词三首》名词解释，《甘肃日报》1978 年 9 月 27 日

妙句拈来着眼高：学习毛主席诗词三首中的比喻，周宜宾，《湘江文艺》1978 年第 11 期

壮歌长留天地间：学习毛主席诗词三首，陈志明，《兰州大学学报》（哲学社会科学版）1979 年第 1 期

诗苑英华在，常与日月新：学习毛泽东同志《诗词三首》札记，周荣，《黑龙江大学学报》（哲学社会科学版）1979 年第 2 期

学习研究《词六首》、《诗词十首》

读毛主席《词六首》，臧克家，《词刊》1962 年第 3 期

喜读毛主席的《词六首》，郭沫若，《人民日报》1962 年 5 月 12 日

毛主席《词六首》浅释，振甫，《中国青年》1962 年 5 月 19 日

战地黄花分外香——读毛主席《词六首》，佛雏，《江海学刊》1962 年第 3 期

诗词十首笔谈学习毛主席《诗词十首》，肖涤非，《文史哲》1964 年第 1 期

笔谈学习毛主席《诗词十首》，殷孟伦，《文史哲》1964 年第 1 期

笔谈学习毛主席《诗词十首》，徐文斗等，《文史哲》1964 年第 1 期

读毛主席《诗词十首》，黄海章，《中山大学学报》（哲学社会科学版）1964 年第 2 期

毛主席诗词十首简注，《中国妇女》1964 年第 2 期

毛主席《诗词十首》浅释：根据在四川文联毛主席诗词讲座上的讲稿整理，安旗，《四川文学》1964 年第 6 期

学习毛主席《诗词十首》，赵朴初，《语文学习讲座》1964 年第 10 期

六　学习研究毛泽东著述专题汇编论文题录

学习毛泽东同志论帝国主义和

一切反动派都是纸老虎的讨论提纲，

《前线》（创刊号）1958 年

学习全面地辩证地看问题的方法：学习《毛泽东同志论帝国主义和一切反动派都是纸老虎》笔记，李光远，《前线》1958 年第 2 期

毛泽东同志教导我们如何工作如何思想：学习《毛泽东同志论帝国主义和一切反动派都是纸老虎》心得，陈贤华，《四川大学学报》1958 年第 3、4 期

伟大的文献：学习毛主席论纸老虎的文献，章以凡，《上游》（广东）1958 年第 5 期

学习毛主席论纸老虎的一点体会，李冬生，《虚与实》1958 年第 5 期

为学习《毛泽东同志论帝国主义和一切反动派都是纸老虎》文献致读者，《奋进》1958 年第 6 期

藐视敌人增强信心：学习毛主席论纸老虎的政治文献，音鲁，《东风》1958 年第 6 期

战争胜败取决于什么？——学习毛主席论“纸老虎”文献的笔记，柴正烁，《红与专》（福建）1958 年第 7 期

深入学习《毛泽东同志论帝国主义和一切反动派都是纸老虎》的政治文献，《跃进》1958 年第 7 期

读毛主席论纸老虎文献的体会，莫文骅，《哲学研究》1958 年第 8 期

最生动的马克思主义的分析：读《毛泽东同志论帝国主义和一切反动派都是纸老虎》的体会，黎少岭，《理论战线》1958 年第 9 期

《毛泽东同志论帝国主义和一切反动派都是纸老虎》的部分名词解释，《中国青年报》1958 年 11 月 1 日

认真学习毛主席论纸老虎的文献，《解放军报》1958 年 11 月 9 日

怎样认识革命力量与反动力量；介绍毛主席论纸老虎文献的基本精神，黄涛，《解放军报》1958 年 11 月 13 日

人民群众的力量战胜一切：读毛泽东同志论纸老虎，世木，《解放军报》1958 年 11 月 19 日

认真学习毛主席论纸老虎政治文献，冯沅君，《大众日报》1958 年 11 月 22 日

长革命志气灭敌人威风：学习毛主席“论纸老虎”文献，《云南日报》1958 年 11 月 24 日

区梦党同志向省、市干部作学习报告深入学习毛主席论纸老虎文献，《南方日报》1958 年 11 月

美帝国主义是不折不扣的纸老虎：学习毛主席论纸老虎的一些体会，思慕，《光明日报》1958 年 11 月 26 日

从毛主席论纸老虎的文献中学习看问题的方法，王敏昭等，《解放军报》1958 年 11 月 28 日

毛主席论帝国主义和一切反动派都是纸老虎是胜利的思想武器，汤光恢，《奋斗》1958年第11期

帝国主义的寿命不久了：学习毛主席论纸老虎心得，陈国林，《读书》1958年第10期

学习《毛泽东同志论帝国主义和一切反动派都是纸老虎》的讨论提纲，《读书》1958年第20期

毛主席论纸老虎的政治文献给了我们一锐利的精神武器，兰子安，《大众日报》1958年12月11日

一个具有无比威力的理论武器：学习毛泽东同志"论纸老虎"心得座谈会上的发言，杜国庠，《理论与实践》1958年第12期

从"论纸老虎"学习毛主席的科学预见，陈一百，《理论与实践》1958年第12期

伟大的文献：阅读《毛泽东同志论帝国主义和一切反动派都是纸老虎》，曹禺，《人民文学》1958年第12期

把毛泽东同志论帝国主义和一切反动派都是纸老虎的理论贯彻到政治经济学中去，于宝民，《政治与经济》1959年第1期

知识青年的必读文献：介绍《毛泽东同志论教育工作》，《中国青年报》1958年12月20日

掌握三件法宝做好三件大事：学习《毛泽东同志论教育工作》一

书的初步体会，高沂，《光明日报》1958年12月20日

读《毛泽东同志论教育工作》，马墨英，《语文学习》1959年第1期

教育工作必须由党来领导：学习《毛泽东同志论教育工作》笔记，朱智贤，《读书》1959年第1期

按照毛泽东同志指示的方向奋勇前进：学习《毛泽东同志论教育工作》的体会，黄济，《谈书》1959年第1期

教育工作的重要文献：读《毛泽东同志论教育工作》，白苇，《福建教育》1959年第12期

教育工作中的理论与实践的联系问题：学习《毛泽东同志论教育工作》的体会之一，刘佛年，《学术月刊》1959年第3期

认真学习毛主席的教育思想：学习《毛泽东同志论教育工作》笔记，曹国智，《湖南教育》1959年第8期

谈教育为无产阶级的政治服务：学习《毛泽东同志论教育工作》的笔记，李广林，《陕西教育》1959年第12期

学习《毛泽东同志论教育工作》，刘亚农，《陕西教育》1959年第12期

教育者先要受教育：学习《毛泽东同志论教育工作》的体会，马明人，《文汇报》1960年第3期

高举毛泽东教育思想红旗，坚决贯彻教育与生产劳动相结合的方针：学习《毛泽东同志论教育工作》的笔记，熊仰华，《江西教育》1960 年第 3 期

深入实际改变学风：学习《毛泽东同志论调查研究》，岳清，《文汇报》1960 年 8 月 5 日

做一切工作都要大兴调查研究之风：上海职工座谈学习《毛泽东同志论调查研究》的体会，《工人日报》1961 年 2 月 26 日

认真学习毛泽东同志的财政理论：《毛泽东论财政》简介，左春台，《财政》1959 年第 10 期

七　港澳台地区毛泽东文献研究论文题录

青少年毛泽东救国乌托邦思想的萌芽，王振辉，（台北）《东亚季刊》2000 年 1 月

"五四运动"时期毛泽东走上马克思主义之路的探源，林贤治，（台中）《逢甲人文社会学报》2001 年 11 月

中共文艺政策演展，周玉山，（台北）《中国大陆研究》2000 年第 5 期

走过马克思主义时代——论徐讦对毛泽东文艺思想的批判和"新个性主义"文学观的建构，宋如珊，（台北）《华冈艺术学报》2003 年第 7 期

纵论胡风文艺思想与毛泽东文艺思想的主要分歧（上），李方松，（台北）《古今艺文》2003 年 11 月

纵论胡风文艺思想与毛泽东文艺思想的主要分歧（下），李方松，（台北）《古今艺文》2004 年 2 月

论胡风与毛泽东在文艺思想上的主要分歧，梁知，（台北）《当代中国研究》2004 年 9 月

从毛泽东诗词看君王意识，孔庆东，（香港）《二十一世纪》1999 年 2 月

对汪精卫、蒋介石、毛泽东及其诗的述评，高准，（台北）《历史月刊》2006 年第 226 期

毛泽东军事思想之研究（上），吕芳城，（台北）《陆军学术月刊》2000 年 10 月

毛泽东军事思想之研究（下），吕芳城，（台北）《陆军学术月刊》2000 年 11 月

革命、土匪与地域社会——井冈山的星星之火，孙江，（香港）《二十一世纪》2003 年第 12 期

中共土地革命与共军发展——井冈山时期，赵洪慈，（台北）《中华军史学会会刊》1999 年第 5 期

矛盾论与毛泽东的社会主义道

路，温洽溢，（台北）《东亚季刊》
1998 年第 1 期

从中共的"矛盾论"看华府与
北京的"建设性战略伙伴关系"，
赵春山，（台北）《理论与政策》
1998 年

毛泽东的文艺思想与中共文艺
政策——《延安文艺座谈会讲话》
的影响，黄淑芳，（台北）《通识研
究集刊第 8 卷》2005 年

"五反"、群众动员与中共高层
政治，李福钟，（台北）《辅仁历史
学报》2004 年 7 月

毛泽东的一封信与"红楼梦"
批判运动，陈辉，（台北）《传记文
学》2005 年第 12 期

推崇备至还是前恭后倨？——
论毛泽东心目中的孙中山，庄政，
（台北）《历史月刊》2000 年 3 月

毛泽东"沁园春·雪"的艺术
与历史，汪荣祖，（台北）《历史月
刊》2000 年 9 月

从历史和文学的角度看毛泽东
的两首"沁园春"，姚立民，（台
北）《历史月刊》2001 年 6 月

毛泽东《沁园春·雪》的微瑕，
钱玉趾，（台北）《古今艺文》2007
年第 2 期

文化大革命的一首断魂曲——
毛泽东召见北京红卫兵五大领袖的
谈话，唐少杰，（香港）《二十一世
纪》2005 年第 10 期

八　国外毛泽东文献研究论文题录

从《湖南农民运动考察报告》
看毛泽东政治思想的发展，[美] 布
兰特利·沃马克都静，《湖南科技大
学学报》（社会科学版）2004 年第
6 期

论毛泽东著作《实践论》，苏
联真理报编辑部，《人民日报》1950
年 12 月 30 日

读《实践论》，[英] 谢尔基尔

克，《世界知识》1952 年第 1 期

《新民主主义论》序论，[美] 白劳
德，《新华日报》1945 年 5 月 21 日

纪念《在延安文艺座谈会上的讲
话》发表十周年，[德] 安娜·西格斯，
《人民日报》1952 年 5 月 23 日

《沁园春·雪》的故事诗之毛泽
东现象，[日] 木山英雄，《中国现代
文学研究丛刊》2003 年第 4 期

邓小平文献研究论文题录集

说　　明

第一，在报刊论文方面对某一问题或邓小平某一篇讲话进行重点研究的文章比较多，也比较集中，但也往往从理论研究的角度分析的多，从文本资料的角度分析的少。如分析文章主要集中在邓小平 1978 年发表的《解放思想，实事求是，团结一致向前看》讲话和 1992 年《在武昌、深圳、珠海、上海等地的谈话要点》等文章以及对邓小平社会主义本质论，社会主义初级阶段论，社会主义市场经济，改革开放，解放思想、实事求是，反左防右等论断的研究和分析上。

第二，对邓小平理论和文本的研究还具有较强的时效性。如在 80 年代《邓小平文选》出版后即在 1984 年前后形成了一个研究邓小平言论和思想的热潮。特别是 1993 年《邓小平文选》第三卷出版后，对其研究更掀起了一个高潮。而在十一届三中全会、改革开放二十周年、南方谈话十周年、邓小平诞辰一百周年等具有纪念意义的时段，各类的研究、体会、学习、宣传的书籍、文章也会比其他年份要多一些。

第三，对邓小平理论和文本的研究越来越系统和深入。理论界多年来深入研究了邓小平的许多深刻论断，诸如"解放思想、实事求是"、"发展是硬道理"、"坚持四项基本原则"、"改革也是一场革命"、"警惕右但主要是防止'左'"、"反'和平演变'"、"科学技术是第一生产力"以及"一个国家、两种制度"等论断，都进行了多角度、全方位的深度研究和阐释。这对于研究"邓小平理论"的理论体系的形成和继续推动"中国特色社会主义"道路的创新发展也都具有重要的理论和实践意义。

第四，为查找便捷，论文题录按年份分类排列，每年份内相关问题或文章就近排列，便于比较。

一　邓小平文献研究论文题录(1979—1982 年)

1979 年

坚持四项基本原则　继续解放思想，冯子标，《山西师大学报》(社会科学版) 1979 年第 2 期

坚持四项原则　继续解放思想，金永万，《延边大学学报》(社会科学版) 1979 年第 2 期

坚持四项原则　继续解放思想，本刊编辑部，《学习与探索》1979 年第 2 期

解放思想勇于探索——从自然

科学史看实践是检验真理的唯一标准，汪子春、林文照，《历史教学》1979 年第 12 期

解放思想与学习马克思主义，张湘霓，《河南师范大学学报》(哲学社会科学版) 1979 年第 3 期

思想解放与"四个坚持"并不矛盾，刘世锦，《西北大学学报》(哲学社会科学版) 1979 年第 3 期

1980 年

必须发扬实事求是的学风，汤棘，《宁夏大学学报》(人文社会科学版) 1980 年第 1 期

红必须专——学习邓小平同志论述红与专关系问题的体会，高成林，《求实》1980 年第 10 期

坚持"实事求是"的思想路线，李友志、齐忠元，《齐齐哈尔大

学学报》(哲学社会科学版) 1980 年第 11 期

正确认识文艺与政治的关系——学习邓小平同志《目前的形势和任务》的体会，李沛、王佑夫，《新疆师范大学学报》(哲学社会科学版) 1980 年第 1 期

1981 年

邓小平同志关于发展社会主义民主问题的思想，徐方治，《广西民族学院学报》(哲学社会科学版) 1981 年第 2 期

邓小平同志谈毛泽东思想，瞭望编辑部，《瞭望》1981 年第 5 期

高度的实事求是的科学态度——学习邓小平同志的论述，谢鸿明，《湖北师范学院学报》(哲学社会科学版) 1981 年第 4 期

学习邓小平同志论毛泽东思想，吴伟良，《暨南学报》(哲学社会科学

版）1981 年第 6 期

1982 年

从实际出发、抓好农业生产——学习邓小平同志十二大开幕词的一点体会，龚上芹，《求实》1982 年第 11 期

对实事求是思想路线的丰富和发展——学习邓小平同志关于思想路线的光辉论述，陈光林，《东岳论丛》1982 年第 6 期

为什么说坚持四项基本原则与解放思想的方针是一致的？张栋，《前线》1982 年第 10 期

在新的历史条件下坚持和发展毛泽东思想——学习邓小平同志的有关论述，郭德宏、李明三、黄峥，《文史哲》1982 年第 3 期

二　邓小平文献研究论文题录（1983—1987 年）

1983 年

重温伟大转变时期的历史坚持实事求是的思想路线——学习《邓小平文选》，张致和，《江西社会科学》1983 年第 5 期

《邓小平文选》的精髓是实事求是，高为学，《社会科学》1983 年第 11 期

搞好整顿提高商业企业素质——学习《邓小平文选》体会，夏光仁，《财贸经济》1983 年第 10 期

恢复和发展毛泽东同志倡导和确立的实事求是的思想路线——学习《邓小平文选》札记，周业昌，《广西师范学院学报》（哲学社会科学版）1983 年第 4 期

恢复和坚持实事求是的思想路线努力建设有中国特色的社会主义——读《邓小平文选》的体会，李庆臻，《东岳论丛》1983 年第 5 期

继承和发展实事求是思想路线的典范——学习《邓小平文选》，王乐夫、华谋，《中山大学学报》（社会科学版）1983 年第 4 期

解放思想，重新确立党的实事求是的思想路线——学习《邓小平文选》，张时伟，《前线》1983 年第 9 期

解放思想实事求是把民族语文工作搞上去——学习《邓小平文选》笔谈，照那斯图、孙竹、王均、孙宏开、周耀文、王春德、姜竹仪、刘光坤、金有景，《民族语文》1983 年第 6 期

坚持和发展毛泽东思想的典范——学习《邓小平文选》札记，雍涛，《江汉论坛》1983 年第 8 期

坚持和发展实事求是的思想路线——学习《邓小平文选》，黄洪基，《中州学刊》1983 年第 6 期

坚持实事求是思想路线的光辉记录——学习《邓小平文选》的体会，黄钊，《广西大学学报》（哲学社会科学版）1983 年第 2 期

坚持实事求是的原则——学习《邓小平文选》的体会，安起民，《青海社会科学》1983 年第 4 期

坚持实事求是的思想路线建设具有中国特色的社会主义——学习《邓小平文选》的体会，曹玉泰，《新疆社会科学》1983 年第 4 期

坚持实事求是的思想路线——学习《邓小平文选》的体会，戴居人，《当代经济科学》1983 年第 3 期

坚持实事求是的原则发展我国社会主义农业——学习《邓小平文选》的体会，王松霈，《经济研究》1983 年第 9 期

坚持实事求是建设社会主义精神文明——学习《邓小平文选》，吴晓东、谢维营，《上饶师范学院学报》1983 年第 4 期

坚持实事求是，搞好四化建设——学习《邓小平文选》一点粗浅体会，柯伯杰，《浙江金融》1983 年第 7 期

坚持实事求是，反对弄虚作假——学习《邓小平文选》的一点体会，王卫，《陕西气象》1983 年第 10 期

坚持实事求是树立优良学风——学习《邓小平文选》的体会，沈成志，《拉丁美洲研究》1983 年第 5 期

坚持实事求是原则的典范——学习《邓小平文选》的一点体会，陶凯，《华中师范大学学报》（人文社会科学版）1983 年第 5 期

坚持实事求是原则做好云南民族工作——学习《邓小平文选》，王连芳、张宝三，《云南社会科学》1983 年第 6 期

认真学习《邓小平文选》，编辑部，《财贸经济》1983 年第 9 期

什么叫实事求是？——学习《邓小平文选》的一点体会，罗刚健，《湘潭大学社会科学学报》1983 年第 4 期

实事求是——报纸赢得人民信任的法宝——学习《邓小平文选》的体会，孙旭培，《新闻记者》1983 年第 6 期

实事求是，坚持真理，发展真理——学习《邓小平文选》，孔庆榕，《学术研究》1983 年第 5 期

实事求是的典范四化建设的指针——学习《邓小平文选》的一点体会，钟世龙，《抚州师专学报》

1983 年第 2 期

"实事求是"是《邓小平文选》的根本点，陈游天，《赣南师范学院学报》1983 年第 3 期

实事求是是《邓小平文选》的主线，孙信华、雷云，《浙江学刊》1983 年第 4 期

实事求是是马克思主义的基本原则——学习《邓小平文选》的体会，于士前，《喀什师范学院学报》1983 年第 2 期

实事求是是贯穿《邓小平文选》的一条红线，裴烽、崔新京，《辽宁大学学报》（哲学社会科学版）

1983 年第 6 期

实事求是是无产阶级世界观的基础——学习《邓小平文选》的体会，黄希贤，《贵州社会科学》1983 年第 6 期

实事求是思想的光辉篇章——学习《邓小平文选》中的哲学思想，陈濯，《天津商学院学报》1983 年第 1 期

只有敢字当头才能搞好整顿——学习《邓小平文选》札记，段桥杉，《中国金融》1983 年第 11 期

1984 年

党的实事求是的原则与马克思主义——学习《邓小平文选》札记，寒星，《河北大学学报》（哲学社会科学版）1984 年第 4 期

打下理论和实践两个根底——学习邓小平同志关于"实事求是"的论述，王丁元，《苏州大学学报》（哲学社会科学版）1984 年第 2 期

发扬民主才能实事求是——学习《邓小平文选》的一点体会，李凌，《社会科学》1984 年第 6 期

继承和发展毛泽东思想实事求是的思想路线——学习《邓小平文选》的一点体会，梁志森，《运城学院学报》1984 年第 1 期

坚持辩证唯物主义的实事求是

思想路线——学习《邓小平文选》的一点体会，张江明，《广东社会科学》1984 年第 1 期

坚持和发展毛泽东思想的范例——《邓小平文选》敢于和善于实事求是的启示，邹永贤，《厦门大学学报》（哲学社会科学版）1984 年第 1 期

坚持实事求是思想路线发展民族地区经济——学习《邓小平文选》的体会，单得真，《中国民族》1984 年第 4 期

论党的实事求是思想路线的哲学基础——学习《邓小平文选》，周存密，《安徽师范大学学报》（人文社会科学版）1984 年第 1 期

论毛泽东哲学思想的精髓——"实事求是"——兼谈学习《邓小平文选》的一点体会，王家俊、薛文华、张曙光，《社会科学战线》1984 年第 1 期

毛泽东同志的实事求是思想在新时期的运用和发展——学习《邓小平文选》，马绍孟，《教学与研究》1984 年第 3 期

实事求是的思想路线是党和社会主义的事业胜利的根本保证——学习《邓小平文选》的一点体会，吴汉城，《华侨大学学报》（哲学社会科学版）1984 年第 1 期

实事求是地发展农田水利事业——学习《邓小平文选》的体会，丁泽民，《中国水利》1984 年第 2 期

"实事求是"是毛泽东思想的精髓——学习《邓小平文选》，字诚，《四川大学学报》（哲学社会科学版）1984 年第 1 期

"实事求是"是毛泽东哲学思想的精髓——学习《邓小平文选》的一点体会，杨景华，《渤海大学学报》（哲学社会科学版）1984 年第 3 期

实事求是思想路线的恢复和发展——学习《邓小平文选》，宋一秀，《毛泽东思想研究》1984 年第 1 期

实事求是与发扬民主——学习《邓小平文选》的一点体会，洪万辰、华长慧，《宁波大学学报》（教育科学版）1984 年第 1 期

实事求是与无产阶级世界观——学习《邓小平文选》的一点体会，刘国勋，《广州医学院学报》1984 年第 11 期

始终不渝地坚持实事求是的思想路线——学习《邓小平文选》的体会，邓国良，《大理学院学报》1984 年第 2 期

以实事求是、理论联系实际的原则坚持和发展中国式的民族政策——学习《邓小平文选》的体会，杨贵昌，《西藏民族学院学报》（哲学社会科学版）1984 年第 1 期

1985 年

必须认真贯彻落实党的知识分子政策——学习《邓小平文选》的一点体会，罗大成，《科学社会主义》1985 年第 1 期

部分人先富是走向共同富裕的必由之路——学习《邓小平文选》，胡太裕，《徐州师范大学学报》（哲学社会科学版）1985 年第 4 期

党的思想路线和马克思主义哲学——学习《邓小平文选》的体会，黄家照，《华侨大学学报》（哲学社会科学版）1985 年第 10 期

邓小平对科学地确立毛泽东的历史地位和毛泽东思想指导地位的卓越贡献，李致平，《理论月刊》1985年第7期

邓小平同志谈高度文明和发扬延安精神，本刊编辑部，《大理学院学报》1985年第11期

邓小平在党的全国代表会议上的讲话（节录），本刊编辑部，《道德与文明》1985年第6期

邓小平同志论著中的理论特征——学习《邓小平文选》的体会，熊舜时，《新疆社会科学》1985年第3期

邓小平同志在新时期的哲学思想，张德辉，《西南民族大学学报》（人文社科版）1985年第2期

对允许一部分人先富起来的政策的认识——学习《邓小平文选》的体会，佟芬永，《河北师范大学学报》（哲学社会科学版）1985年第1期

建设有中国特色的社会主义——学习《邓小平文选》的体会，徐玉坤，《经济经纬》1985年第1期

教育要面向现代化期。面向世界期。面向未来——邓小平同志对马克思主义教育理论的新贡献，罗绍德，《贵州大学学报》（社会科学版）1985年第1期

略论邓小平同志的改革思想，荣仕星，《广西民族学院学报》（哲学社会科学版）1985年第4期

论邓小平法制思想的核心——依法治国，舒炳麟，《安徽大学学报》（哲学社会科学版）1985年第2期

马克思主义在中国实践中的创造性运用和发展——学习邓小平"一国两制"论的体会，巴干，《内蒙古师范大学学报》（哲学社会科学版）1985年第4期

毛泽东建党学说的发展——学习《邓小平文选》，陈隐若，《武汉体育学院学报》1985年第3期

浅析社会主义制度的自我完善和发展期——学习《邓小平文选》的体会，张希斌，《青海社会科学》1985年第6期

确立马克思主义的人才观——学习邓小平关于"尊重知识，尊重人才"的论述，李云鹏，《社会主义研究》1985年第2期

实事求是的思想路线关系着党和国家的前途——学习《邓小平文选》的体会，孙福田、李铭，《河北师范大学学报》（哲学社会科学版）1985年第1期

要做到有理想有道德有文化有纪律——邓小平同志在全国科技工作会议上的讲话，本刊编辑部，《道德与文明》1985年第2期

运用唯物辩证法的典范——学

习邓小平同志在全国科技工作会议上的讲话，少庚，《长白学刊》1985年第2期

中国式的现代化道路是三个层次的统一——学习《邓小平文选》的体会，王敬村，《科学社会主义》1985年第2期

走自己的路——学习邓小平《建设有中国特色的社会主义》，顾龙生，《马克思主义研究》1985年第2期

1986 年

重读邓小平《处理兄弟党关系的一条重要原则》，马鸣棠，《毛泽东思想研究》1986年第3期

邓小平关于领导体制思想的新发展，蒋在哲，《毛泽东思想研究》1986年第4期

邓小平同志在新时期对我军建设的新贡献，傅光，《长白学刊》1986年第5期

美学与两个文明建设——学习《邓小平文选》，宋铮，《毛泽东思想研究》1986年第1期

全面改革成功的关键在于政治体制改革——读邓小平同志关于政治体制改革论述的体会，欧远方，《江淮论坛》1986年第5期

实事求是思想的光辉篇章——学习《邓小平文选》中的哲学思想，陈濯，《天津商学院学报》1986年第1期

肃清思想政治方面封建主义残余影响——学习《邓小平文选》的体会，肖前，《理论月刊》1986年第12期

我国新时期建设社会主义的理论武器——学习邓小平《建设有中国特色的社会主义》，崔俊峰，《新视野》1986年第3期

系统思想方法的闪光——学习邓小平关于建设有中国特色的社会主义的论述，杜耀富，《西南民族大学学报》（人文社科版）1986年第12期

学习邓小平论干部制度改革的几点体会，韩子英，《安徽大学学报》（哲学社会科学版）1986年第3期

学习邓小平同志的干部队伍建设思想，赵成城，《甘肃理论学刊》1986年第2期

1987 年

必须重视《邓小平文选》的学习，魏荣耀，《毛泽东思想研究》1987年第4期

邓小平经济思想初探，王广信，

《理论学刊》1987 年第 5 期

邓小平是坚持和发展毛泽东文艺思想的光辉旗帜，赵秉理，《青海师范大学学报》（哲学社会科学版）1987 年第 2 期

邓小平同志对毛泽东同志思想政治工作理论的新发展，王昌连，《长沙理工大学学报》（社会科学版）1987 年第 3 期

邓小平同志对《实践论》基本思想的坚持、运用与发展，杨华生，《聊城大学学报》（社会科学版）1987 年第 4 期

邓小平同志对外开放决策思想探析，徐银山，《理论研究》1987 年第 6 期

邓小平同志论军队管理，王飞，《中国人民大学学报》1987 年第 6 期

反对资产阶级自由化的锐利武器——学习邓小平同志的论述，姜一申，《江汉论坛》1987 年第 3 期

"搞社会主义一定要生产力发达"——学习邓小平同志最近关于社会主义谈话的体会，徐博涵，《理论导刊》1987 年第 8 期

关于邓小平改革思想的几点理解，王在堂，《绍兴文理学院学报》（社会科学版）1987 年第 4 期

关于社会主义初级阶段的几点认识——学习邓小平同志《建设有中国特色的社会主义》的札记，宋

锡仁，《天府新论》1987 年第 5 期

坚持"双百"方针，反对资产阶级自由化——重温《邓小平文选》中的有关论述，杨思学，《扬州大学学报》（人文社会科学版）1987 年第 1 期

坚定不移地实行对外开放、加快社会主义现代化建设——学习邓小平《建设有中国特色的社会主义》（增订本），孙连成，《中国劳动关系学院学报》1987 年第 1 期

建设有中国特色的社会主义的科学依据和基本构想——学习邓小平同志《建设有中国特色的社会主义》，王启信，《山东社会科学》1987 年第 2 期

立足中国实际，走自己的路——学习邓小平《建设有中国特色的社会主义》增订本，逢先知，《科学社会主义》1987 年第 5 期

略论《邓小平文选》的经济思想，金安江，《社会主义研究》1987 年第 2 期

略论邓小平关于建设有中国特色的社会主义思想形成的历史过程，徐世钦，《理论学刊》1987 年第 5 期

论邓小平的思想，张明，《聊城大学学报》（社会科学版）1987 年第 4 期

论"坚持并且改善党的领导"——学习邓小平同志关于党的领导的思想，王发文，《聊城大学学

报》（社会科学版）1987 年第 4 期

马克思主义在中国的一个重大发展——读邓小平同志《党和国家领导制度的改革》，何云青，《毛泽东思想研究》1987 年第 6 期

明确政治体制改革的正确方向——重读邓小平同志《党和国家领导制度的改革》，《党政论坛》1987 年第 7 期

认真学习邓小平的教育思想期，进一步端正高等学校的办学方向，杨新生，《安徽师范大学学报》（人文社会科学版）1987 年第 4 期

浅谈邓小平同志对马克思主义的坚持和发展，孙世昌，《理论探索》1987 年第 4 期

认真学习邓小平同志关于建设有中国特色的社会主义思想，刘枫，《青海社会科学》1987 年第 5 期

社会主义人才建设的指导方针——学习邓小平同志有关人才建设的论述，王昆峰，《理论学刊》1987 年第 6 期

实事求是是毛泽东思想的精髓——学习《邓小平文选》的一点体会，李启元，《理论探索》1987 年第 2 期

四项基本原则是立国的根本——学习邓小平同志关于坚持四项基本原则论述的体会，李卫东，《理论探索》1987 年第 3 期

我国政治体制改革的根本指导

思想——读邓小平同志《党和国家领导制度的改革》，江焕湖，《前线》1987 年第 7 期

我国政治体制改革的光辉指南——学习邓小平关于政治体制改革的论述，张湘霓，《中州学刊》1987 年第 6 期

一部中国式的社会主义经济学——学习《邓小平文选》的体会，李含琳，《毛泽东思想研究》1987 年第 5 期

政治体制改革的纲领性文献——学习邓小平《党和国家领导制度的改革》，刘鹏，《领导之友》1987 年第 4 期

政治体制改革的理论依据——学习邓小平同志关于政治体制改革的思想，王建良，《理论学刊》1987 年第 6 期

政治体制改革是关系到党和国家命运的大问题——重读邓小平《党和国家领导制度的改革》，孙连成，《马克思主义研究》1987 年第 3 期

指导改革的纲领性文件——重读邓小平《党和国家领导制度的改革》，本刊评论员，《理论月刊》1987 年第 6 期

中国社会主义教育理论的新发展——学习党中央、邓小平同志十年来关于教育工作的文献和论述，本刊编辑部，《学术界》1987 年第 4 期

三　邓小平文献研究论文题录(1988—1992年)

1988 年

从实际出发，实事求是——读邓小平同志《在西南区新闻工作会议上的报告》的启示，海稜，《中国记者》1988 年第 1 期

邓小平的生产力观，黄世富，《毛泽东思想研究》1988 年第 5 期

邓小平对实事求是思想路线的新发展，师玲芳，《求实》1988 年第 6 期

邓小平企业管理改革思想初探，杨欢进，《领导之友》1988 年第 5 期

邓小平同志对外开放决策思想探析，徐银山，《毛泽东思想研究》1988 年第 3 期

邓小平同志政治体制改革思想探讨，吕筱梅，《毛泽东思想研究》1988 年第 3 期

科学社会主义在现时代的重大发展——对邓小平同志关于发展生产力理论的再认识，钟在新，《毛泽东思想研究》1988 年第 3 期

略论邓小平的建党思想，王发文，《理论学刊》1988 年第 6 期

论邓小平的思想，张明，《毛泽东思想研究》1988 年第 1 期

论邓小平对新时期军队政治工作的重大贡献，邵农，《南京政治学院学报》1988 年第 3 期

论邓小平关于和平与发展是当代世界主题的思想，高峰岗，《理论学刊》1988 年第 4 期

马克思主义需要有新的大发展——试析邓小平关于中国建设思想的特点，丁晓强，《浙江学刊》1988 年第 5 期

浅谈邓小平同志对新时期军队军事工作的重大贡献，陶伯钧，《毛泽东思想研究》1988 年第 1 期

试论邓小平关于党的建设的思想，高峻华，《理论探讨》1988 年第 3 期

试论邓小平关于党的制度建设的思想，韩锐，《理论探讨》1988 年第 2 期

试论邓小平在社会主义初级阶段基本路线形成和发展中的重大贡献，凌仁，《理论学刊》1988 年第 1 期

试析邓小平干部管理学思想，宋永刚，《毛泽东思想研究》1988 年第 4 期

学习邓小平关于两个文明建设一起抓的思想，魏茂明，《理论学刊》1988 年第 5 期

再论邓小平思想，刘志信，《理论学刊》1988 年第 4 期

政治体制改革是一项社会系统工程——试论邓小平同志的改革观，陈春生，《领导之友》1988 年第 1 期

1989 年

把改革开放的步子迈得更稳更好——学习邓小平同志重要讲话的一点体会，洪志爱，《经济问题探索》1989 年第 11 期

打消疑虑期　振奋精神——学习邓小平同志重要讲话的一点体会，陈祖楠，《绍兴文理学院学报》（社会科学版）1989 年第 4 期

邓小平思想若干内容概述，黄慕亚，《毛泽东思想研究》1989 年第 2 期

邓小平同志对实事求是思想路线的新贡献，宋伟明，《娄底师专学报》1989 年第 1 期

邓小平同志反对资产阶级自由化的思想特征，邵积平，《军事经济研究》1989 年第 10 期

邓小平同志有关反对资产阶级自由化言论摘编，本刊编辑部，《广西大学学报》（哲学社会科学版）1989 年第 4 期

邓小平 1975 年领导全面整顿的历史背景考察，苗长青，《理论探索》1989 年第 2 期

关于肃清封建主义残余的几个问题——学习邓小平《党和国家领导制度的改革》，朱瑞基，《贵阳师范高等专科学校学报》（社会科学版）1989 年第 1 期

坚持四项基本原则与坚持改革开放的辩证关系，温景义，《甘肃社会科学》1989 年第 6 期

略论邓小平的理财思想，丁仁贵，《军事经济研究》1989 年第 4 期

论邓小平的"双尊"人才思想，饶光勃，《毛泽东思想研究》1989 年第 3 期

论邓小平关于精神文明建设的光辉思想，李光耀，《聊城大学学报》（社会科学版）1989 年第 1 期

论邓小平管理科学思想，聂长水，《聊城大学学报》（社会科学版）1989 年第 1 期

论邓小平思想方法论的实质和核心，王汶，《毛泽东思想研究》1989 年第 4 期

论邓小平政治体制改革思想，王先俊，《安徽师范大学学报》（人文社会科学版）1989 年第 3 期

浅析邓小平同志在新时期对两类不同性质矛盾学说的继承和发展，文正，《长白学刊》1989 年第 6 期

认真落实邓小平同志的指示：大力发展公路、航运事业，罗启文，《综合运输》1989 年第 11 期

认真学习邓小平同志讲话中的

哲学思想，韩景福,《大理学院学报》1989 年第 10 期

始终一贯地坚持四项基本原则——学习邓小平同志坚持四项基本原则的论述，殷学润,《毛泽东思想研究》1989 年第 5 期

四项基本原则是立国之本——重温邓小平关于坚持四项基本原则、反对资产阶级自由化的论述，丁文,《聊城大学学报》（社会科学版）1989 年第 3 期

我国科技事业发展中的一次重要突破：重温邓小平同志在全国科学大会上的讲话，胡平,《中国科技论坛》1989 年第 1 期

学好《邓小平论文艺》，贺敬之,《毛泽东思想研究》1989 年第 6 期

学习宣传邓小平建设党的战略思想的重大意义，张中,《天府新论》1989 年第 6 期

用邓小平同志重要讲话统一我们的思想，本刊评论员,《理论探索》1989 年第 3 期

在首都北京发生的动乱和反革命暴乱告诉了我们什么？——学习邓小平同志重要讲话的体会，甘成忠,《黑河学刊》1989 年第 3 期

1990 年

邓小平生产力标准思想的形成与贡献，刘合行,《商丘师范学院学报》1990 年第 4 期

邓小平党风建设思想初探，邓茂武,《求实》1990 年第 9 期

邓小平同志论民主，张鸣起,《湖北社会科学》1990 年第 8 期

邓小平同志思想中三个重要观点浅析，赖正才,《宜宾学院学报》1990 年第 1 期

邓小平统一战线思想的哲理，何用夏,《江汉大学学报》（社会科学版）1990 年第 5 期

对党的建设若干问题的初步反思，杨志宏,《甘肃社会科学》1990 年第 1 期

对"农业基础论"的重新认识，边桂莉,《求是学刊》1990 年第 6 期

牢固树立无产阶级世界观更好地为社会主义服务——学习邓小平同志新时期以来关于知识分子问题的论述，尉松明,《甘肃社会科学》1990 年第 2 期

论邓小平的"世界公民"思想，杨耕,《江淮论坛》1990 年第 6 期

论邓小平的思想理论发展的三个阶段，毛磊,《中南财经大学学报》1990 年第 1 期

毛泽东思想的逻辑与邓小平关于建设有中国特色的社会主义的理

论，祖豪，《聊城大学学报》（社会科学版）1990 年第 2 期

浅论邓小平关于我国政党体制的思想，钟兴明，《西华大学学报》（哲学社会科学版）1990 年第 2 期

浅谈邓小平同志对毛泽东思想的继承和发展，王乾都，《中共山西省委党校学报》1990 年第 6 期

实事求是地认识文艺与政治的关系——读《邓小平论文艺》，齐玉琳，《湖湘论坛》1990 年第 5 期

试论邓小平的统战思想，肖继文，《求实》1990 年第 3 期

肃清资产阶级自由化在经济领域的影响，易日寒，《甘肃社会科学》1990 年第 3 期

我对邓小平同志教育思想的一点认识，余立，《上海工程技术大学学报》1990 年第 4 期

学习邓小平关于开展反对错误倾向斗争的思想，张灏，《聊城大学学报》（社会科学版）1990 年第 4 期

学习邓小平同志关于"坚持四项基本原则，反对资产阶级自由化"论述的体会，王本槐，《黄冈师范学院学报》1990 年第 1 期

学习邓小平同志关于建设有中国特色的社会主义理论，彭一珍，《吉首大学学报》1990 年第 4 期

学习邓小平同志关于知识分子问题的论述，杨玉森，《聊城大学学报》（社会科学版）1990 年第 3 期

迅速发展社会生产力是社会主义的根本任务——学习邓小平《建设有中国特色的社会主义》的一点体会，田雨泽，《经济·社会》1990 年第 4 期

谈邓小平文艺思想的三个特征，杨炳忠，《广西社会科学》1990 年第 11 期

1991 年

从技术进步的实践看科学技术是第一生产力，丁身籍，《中国特区机电》1991 年第 9 期

邓小平的社会主义主体经济论探索，王永锡，《财经科学》1991 年第 4 期

邓小平发展生产力思想初探，温乐群，《江西社会科学》1991 年第 3 期

邓小平反"和平演变"思想初探，邓兆明，《甘肃社会科学》1991 年第 4 期

邓小平经济思想学术研讨会综述，小琪，《经济学动态》1991 年第 7 期

邓小平同志社会主义经济建设思想初探，刘轶贤，《江汉大学学报》1991 年第 2 期

邓小平"向前看"的决策思想，何景成，《决策与信息》1991 年

第 6 期

巨大的贡献光辉的典范——邓小平对确立毛泽东思想体系和评价毛泽东的论述，郝玉屏，《甘肃社会科学》1991 年第 4 期

马克思主义合作化理论宝库中的新篇章，王叔云，《财经科学》1991 年第 4 期

马克思主义文艺理论在中国的发展，冯健男，《河北学刊》1991 年第 6 期

《目前的形势和任务》是指导四化建设的光辉文献，郑青，《天府新论》1991 年第 5 期

社会主义的富裕之路，何志勇，《财经科学》1991 年第 4 期

"一国两制"是马克思主义实事求是原则的创造性运用和发展——学习邓小平《一国两制是根据实际情况提出的构想》的体会，黄荣坤，《韶关学院学报》1991 年第 2 期

中国对外开放事业的理论指南：学习邓小平对外开放思想的一点体会，赵一明，《经济科学》1991 年第 4 期

1992 年

充分认识实事求是的意义——学习邓小平同志重要谈话，柳淑珍，《聊城大学学报》（社会科学版）1992 年第 4 期

当代科学社会主义的重大发展与贡献：邓小平经济改革思想研究，杨钢，《经济体制改革》1992 年第 6 期

邓小平的改革开放思想与中国特色的社会主义学术讨论会纪要，唐哲夫，《天府新论》1992 年第 5 期

邓小平坚持和发展了马克思主义分配理论，黄学海，《当代财经》1992 年第 6 期

邓小平教育思想初探，雷德俊，《江汉大学学报》1992 年第 2 期

邓小平论解放思想，宋建波，《南都学坛》1992 年第 4 期

发展社会生产力是邓小平同志经济思想的核心，顾晓峰，《山东经济》1992 年第 5 期

改革开放胆子要大一些，编辑部，《理论前沿》1992 年第 5 期

搞好"两带一区"建设初步构想，陈洪生，《内蒙古财会》1992 年第 12 期

解放思想的武器改革开放的指南——学习邓小平同志谈话的体会，张恒昌，《甘肃社会科学》1992 年第 4 期

解放思想、实事求是，坚定、准确、全面地贯彻基本路线——学习邓小平同志重要谈话的几点认识，张元，《清华大学学报》（哲学社会科

学版）1992 年第 2 期

"科学技术是第一生产力"涵义再析，王蕾，《阿坝师专学报》1992 年第 2 期

略论邓小平"以经济建设为中心"思想在建设中国特色社会主义中的地位，龚自德，《天府新论》1992 年第 5 期

理论的支柱：邓小平对外开放思想研究，蒋映光，《经济学家》1992 年第 2 期

理论勇气与实践品格的升华——学习邓小平同志"南巡谈话"，史晓思，《张家口师专学报》（社会科学版）1992 年第 2 期

浅论警惕右但主要是防止"左"，徐德明，《广东民族学院学报》1992 年第 3 期

社会主义社会基本矛盾理论的新发展——学习"改革也是解放生产力"论断的体会，刘家纪，《教学与科研》（钦州）1992 年第 2 期

社会主义政治经济学理论发展的里程碑：学习邓小平同志关于计划与市场科学论，冯宝兴，《经济纵横》1992 年第 10 期

深化改革、发展社会主义的本质：学习邓小平同志南巡重要讲话的体会，曹玉蓉，《经济体制改革》1992 年第 5 期

深刻领会邓小平南巡讲话精神推动我国政治经济学的发展，胡平

生，《当代财经》1992 年第 11 期

实事求是是毛泽东思想的精髓——学习《邓小平文选》的体会，韩守学，《学术交流》1992 年第 2 期

实事求是是毛泽东思想的精髓——学习邓小平同志著作的体会，梁长森，《学术界》1992 年第 5 期

实事求是研究新情况解决新问题的典范——学习邓小平南巡重要谈话，洪成得，《东南学术》1992 年第 5 期

实事求是是一切工作的根本指导思想——学习邓小平同志南巡谈话笔记，宁应城，《长江工程职业技术学院学报》1992 年第 2 期

试论邓小平同志的"大开放"方针，陈小强，《天府新论》1992 年第 4 期

试论邓小平同志南巡谈话对马克思主义的贡献，哲明，《甘肃社会科学》1992 年第 6 期

试析判断改革开放姓"社"姓"资"的标准，王文承，《天府新论》1992 年第 5 期

学习邓小平同志科学技术是第一生产力的思想和实践，乔哲青，《科学·经济·社会》1992 年第 2 期

稳定是大前提发展是硬道理，段华明，《甘肃社会科学》1992 年第 6 期

一个重要的指导思想，思源，

《教育与职业》1992 年第 8 期

以邓小平同志重要谈话为指导

认真学习党的光辉历史，炳成，《甘肃社会科学》1992 年第 4 期

四　邓小平文献研究论文题录(1993—1997 年)

1993 年

邓小平研究史略，刘亚政，《毛泽东思想研究》1993 年第 1 期

读《邓小平文选》谈社会主义新释，周绍武，《贵州商业高等专科学校学报》1993 年第 4 期

关于改革的两个命题和改革作为一种革命的三层含义，王贵秀，《理论前沿》1993 年第 5 期

关于邓小平有中国特色社会主义理论历史地位的思考——从要不要提"邓小平思想"的争论谈起，王贵秀，《理论前沿》1993 年第 6 期

建设有中国特色社会主义理论的形成和发展研究述要，刘助仁，《理论前沿》1993 年第 9 期

解放思想必须坚持实事求是——学习邓小平同志有关解放思想的论述，王克群，《中央社会主义学院学报》1993 年第 1 期

论实事求是对当前新闻宣传的指导作用——学习毛泽东、邓小平同志关于实事求是论述的体会，周光国、夏发、杨新华，《当代传播》1993 年第 3 期

浅谈改革、发展与稳定——学习《邓小平文选》第三卷点滴体会，何成华，《天津外国语学院学报》1993 年第 1 期

认真学习《邓小平文选》第三卷，编辑部，《金融管理与研究》1993 年第 3 期

认真学习《邓小平文选》第三卷，编辑部，《理论导刊》1993 年第 11 期

"实事求是"与"敢想敢闯"——学习邓小平同志重要讲话的体会，黄生绪，《江汉大学学报》（社会科学版）1993 年第 2 期

四项基本原则的新的时代内容（上、下），崔佩亭，《理论前沿》1993 年第 7、8 期

怎样理解有中国特色的社会主义？沈宝祥，《理论前沿》1993 年第 9 期

抓紧浦东开发带动全国经济起飞——学习《邓小平文选》第三卷的一点体会，张仲礼，《开放导报》1993 年第 6 期

1994 年

爱国主义的时代内容及特征——学习《邓小平文选》第三卷的体会，杨萃吉，《道德与文明》1994 年第 2 期

把实事求是的思想路线贯穿到领导工作的始终——学习《邓小平文选》第三卷的心得，陈邦柱，《党建研究》1994 年第 1 期

把握一个精髓，突出一个主题——学习《邓小平文选》第三卷的体会，傅秉钧，《宜春师专学报》1994 年第 3 期

保税区——有中国特色的自由贸易区——学习《邓小平文选》第三卷笔记，李一中，《特区理论与实践》1994 年第 1 期

博大精深的邓小平统一战线思想，景国友，《中州统战》1994 年第 4 期

创建有中国特色的社会主义道德建设理论——邓小平道德学说研究，章海山，《中州学刊》1994 年第 5 期

充分认识邓选三卷的重大意义，姚文仓，《甘肃理论学刊》1994 年第 4 期

充分认识科学技术是第一生产力，安炳奇，《探索与求是》1994 年第 1 期

从改革和建设需要出发选拔使用干部——学习《邓小平文选》第三卷体会，罗海藩，《中国人才》1994 年第 5 期

当代中国马克思主义的特点——学习《邓小平文选》第三卷的心得，马子富，《工会理论与实践》（中国工运学院学报）1994 年第 3 期

当代中国马克思主义理论的精髓——学习《邓小平文选》第三卷关于解放思想、实事求是的论述，徐国昌，《大庆社会科学》1994 年第 2 期

党建工作要坚持实事求是的原则——学习《邓小平文选》第三卷体会，李统书，《特区理论与实践》1994 年第 1 期

党对社会主义及其本质理论的探索——学习《邓小平文选》第三卷的体会，侯远长，《中州统战》1994 年第 5 期

档案事业发展要依靠科学技术的进步——学习《邓小平文选》第三卷的体会，臧华军，《档案管理》1994 年第 1 期

档案事业发展的根本保证——学习《邓小平文选》第三卷的体会，张凤梧，《档案管理》1994 年第 2 期

邓小平的经济理论对马克思主

义经济科学的创新，黄桂馨,《南通师范学院学报》(哲学社会科学版) 1994 年第 2 期

邓小平成功之道，许全兴,《西藏发展论坛》1994 年第 4 期

邓小平的求实论，杨耀华,《武汉市经济管理干部学院学报》1994 年第 4 期

邓小平的社会稳定理论及其意义，高健生,《前进》1994 年第 12 期

邓小平德育思想的特点、原则和方法简述，钟世德,《江西教育科研》1994 年第 6 期

邓小平对毛泽东一般和个别相结合思想的继承和发展，陈恒梅,《西藏发展论坛》1994 年第 2 期

邓小平对外开放思想探讨，丁任重,《天府新论》1994 年第 5 期

邓小平干部人事制度改革思想特点探析，张才君,《苏州大学学报》(哲学社会科学版) 1994 年第 3 期

邓小平关于国际战略的科学构想，罗时平,《四川党史》1994 年第 4 期

邓小平和《共产党宣言》——学习《邓小平文选》第三卷结束篇，居继清,《学校党建与思想教育》1994 年第 1 期

邓小平论党和国家干部的年轻化，徐介虎,《邵阳学院学报》(社会科学版) 1994 年第 1 期

邓小平论社会主义新时期文艺的建设，施荣华,《云南师范大学学报》(哲学社会科学版) 1994 年第 3 期

邓小平民主法制思想初探，刘隆亨,《中国刑事法杂志》1994 年第 2 期

邓小平民主观浅析，牛安生,《学习论坛》1994 年第 11 期

邓小平市场经济理论确立与实践——为纪念邓小平同志南巡讲话两周年而作，冒天启,《生产力研究》1994 年第 1 期

邓小平是全面正确评价毛泽东坚持和发展毛泽东思想的典范，张继禄,《四川党史》1994 年第 1 期

邓小平同志的重大理论贡献——社会主义初级阶段论，陆仁权,《探索与求是》1994 年第 3 期

邓小平同志对实事求是的继承和发展——学习《邓小平文选》第三卷体会，莫文秀,《中国妇运》1994 年第 10 期

邓小平同志是怎样继承和发展毛泽东文艺思想的? 王少青,《娄底师专学报》1994 年第 3 期

《邓小平文选》与社会主义对外贸易理论——学习《邓小平文选》第三卷的体会，王林生,《国际贸易问题》1994 年第 1 期

邓小平"一国两制"的唯物辩

证法思想，孔新民，《中州统战》1994 年第 12 期

邓小平新时期领导思想的基本特点，张瑞枝，《理论月刊》1994 年第 2 期

邓小平新时期武器装备建设思想初探，徐勇，《军事经济学院学报》1994 年第 1 期

邓小平政治改革思想的总体构架，周少来，《青海师范大学学报》（哲学社会科学版）1994 年第 2 期

低谷闻高歌曲径见坦途——《邓小平文选》第三卷是世界社会主义思想宝库中的重要文献，黄宗良、叶自成，《北京大学学报》（哲学社会科学版）1994 年第 2 期

调查研究实事求是的典范——毛泽东同邓小平关于根据地工作的来往文电简介，李明华，《党的文献》1994 年第 4 期

对邓小平社会主义本质论的理论思考，梅荣政，《武汉大学学报》（哲学社会科学版）1994 年第 6 期

对加强高校思想政治工作的新认识——学习《邓小平文选》第三卷，王永林、魏明祥，《北华大学学报》（社会科学版）1994 年第 2 期

对解放思想与实事求是的思考——读《邓小平文选》第三卷的体会，徐绍武，《山东对外经贸》1994 年第 10 期

对实事求是的科学思维——学习《邓小平文选》第三卷的体会，周昌喜，《党建》1994 年第 5 期

反腐败斗争的强大理论武器——学习《邓小平文选》第三卷的体会，张振智，《政法论丛》1994 年第 1 期

发展才是硬道理——学习《邓小平文选》第三卷的体会，廖汉标，《特区理论与实践》1994 年第 4 期

发展才是硬道理——学习《邓小平文选》第三卷的体会，吴运泰，《有色金属工业》1994 年第 11 期

发展生产力是当代中国马克思主义的核心——学习《邓小平文选》第三卷关于"什么叫马克思主义？什么叫社会主义？如何建设社会主义？"论述札记，廖轩，《党政干部学刊》1994 年第 1 期

发展市场经济是建设有中国特色的社会主义不可逾越的阶段——学习邓小平同志的社会主义市场经济理论，张剑锋，《安徽大学学报》（哲学社会科学版）1994 年第 2 期

改革，发展生产力的必由之路——学习《邓小平文选》第三卷的一点体会，姜松阳，《党史文苑》1994 年第 3 期

改革、发展、稳定——学习《邓小平文选》第三卷札记，李九元，《探索与求是》1994 年第 5 期

改革首先要打破平均主义——学习《邓小平文选》第三卷的一点

体会，陈俊祥，《武汉市经济管理干部学院学报》1994年第4期

改革与开放必须坚持社会主义方向——《邓小平文选》第三卷学习体会，林品章，《福建财会管理干部学院学报》1994年第2期

改革开放与发展的思考——学习《邓小平文选》第三卷体会，方晓丘，《发展研究》1994年第4期

关键要掌握解放思想，实事求是这个精髓——学习《邓小平文选》第三卷点滴体会，张树义，《内蒙古统战理论研究》1994年第1期

关于加强精神文明建设的思考——学习《邓小平文选》第三卷的有关论述，毛福民，《党建》1994年第2期

贯彻实事求是思想路线，建设社会主义精神文明——学习《邓小平文选》第三卷有关精神文明建设的论述，郑树勋，《中国工运学院学报》1994年第3期

国民经济持续、快速、健康发展的几点理论思考——学习《邓小平文选》第三卷的体会，张洪涛，《财经研究》1994年第4期

光辉的旗帜期。行动的指南——学习《邓小平文选》第三卷，曲星光，《中共贵州省委党校学报》1994年第1期

"机遇论"是"发展论"的基础——学习《邓小平文选》第三卷

的体会，马自炎，《商业研究》1994年第3期

加快档案工作为改革开放和经济建设服务的步伐——学习《邓小平文选》第三卷，徐新宽，《档案管理》1994年第2期

加强学习、提高认识、真正用邓小平同志的理论武装头脑——学习《邓小平文选》第三卷的体会，高成林，《天池学刊》1994年第3期

驾驭市场经济要有点冒险精神——学习邓小平同志南巡谈话体会，高立胜，《社会科学战线》1994年第4期

坚持从实际出发实事求是的典范——学习《邓小平文选》第三卷，石春雁，《呼兰师专学报》1994年第2期

坚持发展是硬道理——学习《邓小平文选》第三卷的体会，李金明，《党建研究》1994年第2期

坚持和发展唯物辩证法的光辉典范——学习《邓小平文选》第三卷的一点体会，高峻，《党建》1994年第4期

坚持和发展的统一：邓小平对待毛泽东思想的科学态度，晏冠亮，《四川党史》1994年第3期

坚持和运用唯物辩证法的光辉典范——学习邓小平"两手抓"的思想，刘原枫，《理论月刊》1994年第4期

坚持解放思想，实事求是的思想路线——学习《邓小平文选》第三卷笔记，杨和，《贵州教育学院学报》1994年第2期

坚持解放思想实事求是的思想路线加快档案工作的全面发展——学习《邓小平文选》第三卷的体会，朱英杰，《档案管理》1994年第4期

坚持解放思想与实事求是的统一——学习《邓小平文选》第三卷的体会，汤士荣，《湖南经济》1994年第5期

"坚持两手抓、两手都要硬"，与"重点论"是什么关系？朱咸昌，《新长征》1994年第4期

坚持实事求是的工作路线——学习《邓小平文选》第三卷的体会，邓剑秋，《江汉论坛》1994年第9期

坚持实事求是的思想路线——学习《邓小平文选》第三卷的一点体会，宋代宗，《柴达木开发研究》1994年第6期

坚持实事求是，搞清社会主义的本质——学习《邓小平文选》第三卷收获谈，吕兴光，《雁北师范学院学报》1994年第4期

坚持实事求是需要有高超的胆识和无私的勇气——学习《邓小平文选》第三卷的一点体会，王云杰，《南京政治学院学报》1994年第

3期

坚持实事求是——学习《邓小平文选》第三卷笔记，邵华泽，《求是》1994年第1期

坚持实事求是一切从实际出发——山西省委书记胡富国谈学习《邓小平文选》第三卷的体会，翟启运，《支部建设》1994年第1期

简论邓小平的历史观，夏根，《南通师范学院学报》（哲学社会科学版）1994年第4期

简论科学技术是第一生产力，邹元江，《理论月刊》1994年第2期

建设有中国特色的社会主义理论是怎样在实践中产生的——学习《邓小平文选》第三卷，冷溶，《学习导报》1994年第1期

建设有中国特色社会主义的基本经验、基本理论、基本路线——《邓小平文选》第三卷理论思想体系浅识，如弦，《探索与求是》1994年第1期

建设有中国特色社会主义理论是治党治国的行动纲领——初学《邓小平文选》第三卷的体会，韦慈竹，《财金贸易》1994年第1期

"解放思想，实事求是"不能光说不做——学习《邓小平文选》第三卷的体会，周敬纯，《兵团党校学报》1994年第11期

"解放思想，实事求是"的哲学意义及理论升华——学习《邓小

平文选》第三卷，骞国政,《理论导刊》1994 年第 2 期

解放思想，实事求是——读《邓小平文选》(第三卷) 札记，夏根,《南通师范学院学报》(哲学社会科学版) 1994 年第 2 期

解放思想，实事求是，进行陆上石油工业新的创业——学习《邓小平文选》第三卷的体会，王涛,《石油政工研究》1994 年第 1 期

解放思想，实事求是，开拓我国保险事业——学习《邓小平文选》第三卷体会，常世华,《保险研究》1994 年第 3 期

解放思想，实事求是，深化农村改革——学习《邓小平文选》第三卷的一点体会，李惠安,《农村合作经济经营管理》1994 年第 9 期

解放思想，实事求是是建设有中国特色社会主义理论的精髓——学习《邓小平文选》第三卷的体会，胡润,《学术探索》1994 年第 1 期

解放思想，实事求是，探索平和县经济发展路子——学习《邓小平文选》第三卷的一点体会，方清海,《福建论坛》(经济社会版) 1994 年第 11 期

"解放思想，实事求是"与建设有中国特色的社会主义——学习《邓小平文选》一至三卷的体会，霍希敏、张文秀,《廊坊师范学院学报》1994 年第 2 期

"解放思想，实事求是"——学习《邓小平文选》第三卷的一点体会，曾天雄,《郴州师范高等专科学校学报》1994 年第 3 期

解放思想，实事求是——学习《邓选》第三卷的体会，孙纯淇,《黄河水利职业技术学院学报》1994 年第 4 期

解放思想实事求是——学习邓小平同志关于社会主义市场经济理论的体会，刘沃明,《广东教育学院学报》1994 年第 4 期

解放思想，实事求是，再攀高峰——学习《邓小平文选》第三卷体会，牛建国,《河南公安高等专科学校学报》1994 年第 4 期

解放思想，实事求是走具有中国特色的社会主义道路——学习《邓小平文选》第三卷体会，杜跃东、李秀红,《政法论丛》1994 年第 2 期

解放思想，实事求是，深化改革——学习《邓小平文选》第三卷体会，包章炎,《卫生经济研究》1994 年第 10 期

解放思想，真抓实干，加快档案事业的发展——学习《邓小平文选》第三卷的体会，黄留承,《档案管理》1994 年第 3 期

经济学家邓小平，巴里·诺顿、何祚康,《福建党史月刊》1994 年第

8 期

具有时代特征的统一战线新理论——学习《邓小平文选》第三卷的几点认识，周金锋，《中州统战》1994 年第 3 期

决定中华民族命运的百年战略——学习《邓小平文选》第三卷，张文木，《财经论丛》1994 年第 1 期

开放是社会的发展趋势——谈邓小平的开放观，胡天然，《武汉市经济管理干部学院学报》1994 年第 4 期

科学技术与社会主义经济——学习《邓小平文选》第三卷的体会，朱丽兰，《求是》1994 年第 13 期

科学社会主义理论的新发展——学习《邓小平文选》第三卷体会，孟庆学，《财经问题研究》1994 年第 2 期

牢牢把握"解放思想、实事求是"这个精髓，刘智生，《探索与求是》1994 年第 1 期

牢牢把握解放思想、实事求是这个精髓——学习《邓小平文选》第三卷，周建华，《求实》1994 年第 2 期

牢牢把握实事求是这一马克思主义的精髓——学习《邓小平文选》第三卷的体会，刘健生，《领导之友》1994 年第 1 期

理论之树常青——论邓小平的市场经济观，解力平，《浙江学刊》1994 年第 6 期

历史转折时刻的伟大战略家——读毛泽东同邓小平关于根据地工作的来往文电，杨胜群，《党的文献》1994 年第 4 期

利用外资兴办"三资企业"是邓小平对科学社会主义理论与实践的新贡献，于少军，《苏州大学学报》（哲学社会科学版）1994 年第 3 期

论邓小平的发展论，侯远长，《中州统战》1994 年第 11 期

论邓小平的历史机遇意识与改革开放，李含琳，《青海师范大学学报》（哲学社会科学版）1994 年第 1 期

论邓小平的农业基础观——学习《邓小平文选》第三卷体会，盖志毅，《内蒙古财经学院学报》1994 年第 3 期

论邓小平的强国富民思想，龙维智，《渝州大学学报》（社会科学版）1994 年第 4 期

论邓小平的社会主义市场经济思想——学习《邓小平文选》第三卷的一点体会，夏杰长，《湘潭大学社会科学学报》1994 年第 1 期

论邓小平的社会主义市场经济思想——学习《邓小平文选》第三卷体会，李治国，《当代财经》1994

年第 7 期

论邓小平的"四有"人格理论，李兰芬，《苏州大学学报》（哲学社会科学版）1994 年第 3 期

论邓小平对"按劳分配"原则的坚持和发展，仇贻泓，《理论月刊》1994 年第 4 期

论邓小平对党的思想建设的重大贡献，宋镜明，《武汉大学学报》（哲学社会科学版）1994 年第 6 期

论邓小平关于"科学技术是第一生产力"的思想，任希魁，《军事经济学院学报》1994 年第 1 期

论邓小平经济思想的基本特点，苗守华，《青海师范大学学报》（哲学社会科学版）1994 年第 2 期

论邓小平社会主义发展道路的思想，刘同德，《青海师范大学学报》（哲学社会科学版）1994 年第 1 期

论邓小平视察南方谈话对毛泽东思想的继承和发展，吴智棠，《广东社会科学》1994 年第 1 期

论邓小平"抓住时机，发展自己"的思想，徐久刚，《苏州大学学报》（哲学社会科学版）1994 年第 3 期

论建设有中国特色社会主义理论的实践性和科学性，汪增春，《青海师范大学学报》（哲学社会科学版）1994 年第 3 期

论实事求是的工作方法——学习《邓小平文选》第 3 卷的体会，马吉锁，《北京航空航天大学学报》（社会科学版）1994 年第 1 期

论致富之路——学习邓小平同志关于"贫穷不是社会主义"的著名论断，武文军，《兰州学刊》1994 年第 6 期

毛泽东、邓小平关于根据地工作的来往文电选载（一九四三年十二月——一九四八年六月），编辑部，《党的文献》1994 年第 4 期

努力做实事求是派——《邓小平文选》第三卷读书断想，刘式浦，《公安研究》1994 年第 3 期

朴实·简明·深刻——从《邓小平文选》第三卷中学习邓小平同志的文风，编辑部，《军事记者》1994 年第 2 期

千万不要忘记"解放思想、实事求是"的思想路线——学习《邓小平文选》第三卷的一点体会，黄国庆，《党政干部论坛》1994 年第 5 期

浅谈邓小平的反腐败思想，金昌焕，《天池学刊》1994 年第 4 期

浅谈邓小平社会主义初级阶段理论的理论意义和实践意义，李秋枫，《天池学刊》1994 年第 4 期

浅谈邓小平同志史学思想的特色，陆汉勋，《广西党史》1995 年第 5 期

浅谈建设有中国特色社会主义

的立论基础——学习邓小平同志关于社会主义初级阶段理论的体会，呼格吉勒图，《内蒙古师范大学学报》（哲学社会科学版）1994 年第 4 期

区分"本质"与"特征"的意义何在？张银华，《新长征》1994 年第 7 期

全面正确地理解和掌握有中国特色的社会主义理论——学习《邓小平文选》第三卷的几点体会，林可华，《福建师范大学学报》（哲学社会科学版）1994 年第 2 期

社会主义建设的根本任务是发展生产力——学习《邓小平文选》第三卷的体会，吴官正，《党建研究》1994 年第 2 期

社会主义经济本质特征初探——学习《邓小平文选》第三卷的一点思考，罗陆英，《宜春师专学报》1994 年第 3 期

社会主义市场经济与实事求是——学习《邓小平文选》第三卷，梁志钧，《理论导刊》1994 年第 12 期

社会主义与解放思想、实事求是——学习《邓小平文选》第三卷笔记，王锐生，《首都师范大学学报》（社会科学版）1994 年第 1 期

什么是有中国特色的社会主义？——学习《邓小平文选》第三卷，逄先知，《党的文献》1994 年第 1 期

实事求是的新篇章——读《邓小平文选》第三卷后几篇文章，王春圃、锦钟，《锦州师范学院学报》（哲学社会科学版）1994 年第 3 期

实事求是——邓小平新闻思想的核心——学习《邓小平文选》第三卷的体会，王小虎，《军事记者》1994 年第 1 期

实事求是地总结过去，实事求是地展望未来——学习《邓小平文选》第三卷的体会，孙英华，《团结》1994 年第 5 期

实事求是，防止"左"右偏差——学习《邓小平文选》第三卷的体会，程少明，《黄冈师范学院学报》1994 年第 2 期

实事求是，坚持中国特色的社会主义——学习《邓小平文选》第三卷要紧紧把握理论精髓，申存良，《支部建设》1994 年第 6 期

实事求是，解放思想是我们取得改革成功的根本思想路线——学习邓小平文选的一点体会，冯跃志，《华北水利水电学院学报》（社会科学版）1994 年第 1 期

"实事求是"考，周忠高，《发展论坛》1994 年第 1 期

实事求是是克服"左"和右的根本方法——学习《邓小平文选》第三卷的一点体会，黄劭邦，《武汉理工大学学报》（社会科学版）1994

年第 1 期

实事求是是修志的灵魂——学习《邓小平文选》第三卷的体会，罗解三,《广西地方志》1994 年第 6 期

实事求是是有中国特色社会主义理论的基础——学习《邓小平文选》三卷的体会，王彦峰,《北京社会科学》1994 年第 1 期

试论邓小平的社会主义观，司卫国,《青海社会科学》1994 年第 11 期

试论邓小平思维的务实性，许四海,《邵阳学院学报》(社会科学版) 1994 年第 1 期

试论邓小平同志的大统战思想——《邓小平文选》第三卷的学习体会，史栋臣,《中州统战》1994 年第 10 期

试论邓小平同志的民主与法制思想，钟礼言,《中国刑事法杂志》1994 年第 3 期

试论社会主义市场经济论的产生及其重大意义——学习《邓小平文选》第三卷的体会，王代敬,《当代经济研究》1994 年第 1 期

试论中国特色的社会主义精神——学习《邓小平文选》第三卷心得，胡平,《道德与文明》1994 年第 5 期

适应新形势加快档案事业发展的步伐——学习《邓小平文选》第

三卷的心得，王书庆,《档案管理》1994 年第 1 期

谈解放思想与实事求是——学习《邓小平文选》第三卷的一点体会，王仰德,《北京化工大学学报》(社会科学版) 1994 年第 2 期

谈谈解放思想与实事求是——《邓小平文选》第三卷学习札记，林善涛,《三明高等专科学校学报》1994 年第 1 期

完整准确地理解邓小平关于社会主义的论述——著名学者郑杭生访谈录,《新长征》1994 年第 3 期

伟大实践的理论总结，继续前进的科学指南，窦舒,《民主与科学》1994 年第 1 期

新时期加强和改进思想政治工作的指南——学习《邓小平文选》第 3 卷的体会，彭付芝,《北京航空航天大学学报》(社会科学版) 1994 年第 1 期

修志的基本原则是实事求是——学习《邓小平文选》第三卷的一点体会，刘肇贵,《广西地方志》1994 年第 3 期

学习邓小平的人才思想在人才竞争中造就人才，李德民,《烟台师范学院学报》(哲学社会科学版) 1994 年第 3 期

学习邓小平建设有中国特色社会主义的新闻思想——《邓小平文选》第二、三卷摘录心得，夏发，

《当代传播》1994 年第 5 期

学习邓小平同志关于反对错误倾向的论述，韩家清，《甘肃社会科学》1994 年第 4 期

学习邓小平同志关于反腐倡廉的思想，张思卿，《中国刑事法杂志》1994 年第 4 期

学习《邓小平文选》，坚持实事求是思想路线——学习《邓小平文选》第 2—3 卷，周乐生，《福州大学学报》（社会科学版）1994 年第 4 期

研究特色理论、促进思想解放——邓小平同志建设有中国特色社会主义理论研讨会综述，王云川，《天府新论》1994 年第 5 期

要善于在实践中总结经验——《邓小平文选》第三卷研读札记，梁柱，《北京大学学报》（哲学社会科学版）1994 年第 3 期

"要照辩证法办事"——学习邓小平同志实事求是的思维方式和对立统一的方法论，金羽，《前线》1994 年第 2 期

一个首要的基本理论问题——学习《邓小平文选》第三卷的一点体会，薛汉伟，《北京大学学报》（哲学社会科学版）1994 年第 1 期

一切从党和人民的利益出发——学习邓小平关于顾全大局的思想，宋建勇，《探索与求是》1994 年第 12 期

营造能够实事求是的良好环境——学习《邓小平文选》第三卷的一点体会，力实，《河南公安高等专科学校学报》1994 年第 6 期

永远坚持解放思想实事求是的思想路线——学习《邓小平文选》第三卷的体会，李敬华，《辽宁教育行政学院学报》1994 年第 3 期

永远坚持实事求是的思想路线——学习《邓小平文选》第三卷的一点体会，王炳生，《攀登》1994 年第 3 期

在实践中解放思想，在解放思想中大胆实践——学习《邓小平文选》第三卷的体会，李凤杨，《理论导刊》1994 年第 2 期

抓住机遇加快发展——学习《邓小平文选》第三卷，吴树青，《北京大学学报》（哲学社会科学版）1994 年第 3 期

真知与勇气：坚持实事求是的关键——学习《邓小平文选》第三卷的一点体会，范敬宜，《新闻战线》1994 年第 2 期

中国传统思想文化与市场经济的对立——学习《邓小平文选》第三卷体会，何达峰，《新疆农垦经济》1994 年第 5 期

中国发展的世界空间与市场观念——关于邓小平理论抽象的思维空间，杨张乔，《浙江学刊》1994 年第 5 期

中国共产党人在理论上成熟的重要标志，陈祥林，《内部文稿》1994 年第 22 期

中国特色的发展经济学之基础——邓小平经济发展思想简论，方民生，《浙江学刊》1994 年第 5 期

中国特色社会主义在实践中——论邓小平探索社会主义的科学思维原则和方法，包心鉴，《南京社会科学》1994 年第 5 期

总结经验 开辟未来——学习《邓小平文选》第三卷的一点体会，季金余，《档案与建设》1994 年第 2 期

抓本质，看主流，重实践——邓小平同志区分姓"社"姓"资"的方法探讨，伏治友，《湘潭大学社会科学学报》1994 年第 1 期

1995 年

论邓小平关于社会主义本质的思想在社会主义思想史上的地位，刘轶贤，《江汉大学学报》1995 年第 1 期

从《历史决议》看邓小平对中共党史学的两大贡献，尹书博，《河南大学学报》（社会科学版）1995 年第 4 期

从毛泽东以"求是"为主的思维到邓小平以"求实"为主的思维，谭大友，《湖北民族学院学报》（哲学社会科学版）1995 年第 3 期

从实践观看建设有中国特色的社会主义经济理论——《邓小平文选》三卷专题研究，白效参，《牡丹江师范学院学报》（哲学社会科学版）1995 年第 3 期

邓小平的理论风格，王继超，《发展论坛》1995 年第 8 期

邓小平德育思想初探，沈爱华，《广西高教研究》1995 年第 4 期

邓小平对实事求是思想路线的发展，姜师庆，《浙江学刊》1995 年第 1 期

邓小平发展理论的体系构成，王立胜，《发展论坛》1995 年第 2 期

邓小平发展思想研究综述，华兰英，《社会科学论坛》1995 年第 5 期

邓小平反腐倡廉思想研究，窦琛玉，《青海师范大学学报》（哲学社会科学版）1995 年第 2 期

邓小平富民论，宋宝智、王万桥，《学校党建与思想教育》1995 年第 1 期

邓小平关于社会主义评价标准问题概述，黄世江，《青海师范大学学报》（哲学社会科学版）1995 年第 3 期

邓小平关于选人用人的人民公认思想，赵宗尹，《发展论坛》1995 年第 6 期

邓小平国际战略思想初探，钟瑞添，《广西师范大学学报》（哲学社会科学版）1995 年第 2 期

邓小平经济思想体系探略，张云雁，《前进》1995 年第 4 期

邓小平决策思路初探，郭涤，《理论导刊》1995 年第 1 期

邓小平科技人才思想探析，周承玉，《中国电力教育》1995 年第 3 期

邓小平理论的科学含义、主要内容和体系结构，荣开明，《江汉大学学报》1995 年第 1 期

"邓小平理论的科学体系与方法"研讨会纪要，滕世华，《发展论坛》1995 年第 11 期

邓小平伦理思想，张清祥、袁雅莎，《南都学坛》1995 年第 5 期

邓小平论教师，于美方，《高等师范教育研究》1995 年第 2 期

邓小平论理想教育，张翔，《教育与现代化》1995 年第 2 期

邓小平论民主集中制，杨新春，《兵团党校学报》1995 年第 2 期

邓小平情报意识初探，张为华、郑确辉，《情报杂志》1995 年第 5 期

邓小平南巡谈话进一步丰富和发展了中国特色理论，柯昌俊，《四川党史》1995 年第 1 期

邓小平人才思想述论，李鲁会，《青海师范大学学报》（哲学社会科学版）1995 年第 2 期

邓小平社会主义本质观的形成及特点，蒋国海，《信阳师范学院学报》（哲学社会科学版）1995 年第 4 期

邓小平社会主义观的形成基础，孔静，《发展论坛》1995 年第 11 期

邓小平实事求是观的深刻内涵，陈柏灵，《发展论坛》1995 年第 12 期

《邓小平文选》一、二卷修订情况介绍，编辑部，《群众》1995 年第 4 期

邓小平哲学思想的特征，刘宗范，《河北师范大学学报》（哲学社会科学版）1995 年第 4 期

对邓小平建设有中国特色社会主义理论的哲学基础初探，吴静波，《教育与现代化》1995 年第 2 期

发展是当代中国的第一主题——学习邓小平关于改革、发展、稳定三者关系的辩证思想，文魁，《前线》1995 年第 3 期

发展是邓小平理论的主题，王义山，《探索与求是》1995 年第 7 期

改革的主体是人民群众——学习邓小平同志有关论述的一点体会，王瑞璞，《前线》1995 年第 5 期

干部品德的时代内容及特征——学习《邓小平文选》体会，李正中，《前进论坛》1995 年第 9 期

共产党员要做"实事求是派"——学习《邓小平文选》第三

卷体会，董家兰，《山东教育学院学报》1995年第5期

关于警惕右，但主要是防止"左"的问题——学习《邓小平文选》（第二、三卷），胡椿，《大理学院学报》1995年第2期

关于吸收人类文明成果建设社会主义思想的升华——邓小平思想与列宁思想的比较研究，俞良早，《理论月刊》1995年第6期

集大成之作——纪念邓小平"南方谈话"发表三周年，邵宝禄，《淄博学院学报》（社会科学版）1995年第3期

加强和改进思想政治工作的指针——学习《邓小平文选》第三卷的启示，郑尚达，《佛山科学技术学院学报》（社会科学版）1995年第11期

加强干部队伍建设的强大思想武器——学习邓小平关于干部队伍建设的思想，张元树，《江汉大学学报》1995年第1期

坚持认识的全面性——邓小平《南方谈话》研读，林源，《南京社会科学》1995年第1期

坚定性与现实性的统一——邓小平理想信念的突出特征，田晨，《新长征》1995年第4期

坚持一切从实际出发的两点思考，曹兴船，《探索与求是》1995年第10期

坚持用实事求是思想指导办报——学习《邓小平文选》的一点体会，伍德庚，《军事记者》1995年第2期

坚持用实事求是思想指导编辑工作——学习《邓小平文选》的一点体会，伍德庚，《传媒观察》1995年第2期

简论"科学技术是第一生产力"的文化意义，刘淮南，《理论月刊》1995年第3期

建立农村保障制度的必要性和可行性——学习小平同志关于社会主义本质理论的体会，孙有福，《社会福利》1995年第6期

建设社会主义民主政治的重要途径——学习邓小平同志关于民主集中制的思想，苑琳，《前进》1995年第3期

建设有中国特色社会主义的宪法保障——邓小平宪法思想研究札记，侯愚，《河北师范大学学报》（哲学社会科学版）1995年第4期

建设有中国特色社会主义理论发展的新高度——纪念邓小平1992年初视察南方重要谈话发表三周年，石仲泉，《新长征》1995年第4期

解放思想，实事求是，努力提高报刊管理水平——学习《邓小平文选》第三卷体会，马新、杨桦楠，《佳木斯大学社会科学学报》1995年第1期

"解放思想，实事求是"是邓小平建设有中国特色社会主义理论的精髓，曾天雄，《湘潭大学社会科学学报》1995年第3期

解放思想、实事求是是贯穿邓小平实践活动的一根主线，赵树松，《探索与求是》1995年第4期

解放思想，实事求是，是建设有中国特色社会主义理论的精髓——学习《邓小平文选》的体会，刘慰慈，《云南电大学报》1995年第4期

解放思想，实事求是，一切从实际出发——学习《邓小平文选》第三卷的体会，王洪双，《吉林广播电视大学学报》1995年第11期

金融体制改革的首要任务是发展生产力——学习《邓小平文选》（第三卷）的体会，高枫，《浙江金融》1995年第2期

科技兴国、教育为本——邓小平对毛泽东思想的坚持和发展，高兴赋，《江汉大学学报》1995年第2期

科学而完整的概括理论与实践的统一——学习邓小平关于社会主义本质的论述，杨淑娟，《新长征》1995年第5期

科学认识时代特征，正确选择发展战略——学习《邓小平文选》的体会，张宏志，《国际政治研究》1995年第3期

克服官僚主义必须综合治理——学习邓小平同志关于反对官僚主义的论述，张景山，《新长征》1995年第4期

扩大党内民主、加强集中统一——学习邓小平民主集中制的有关论述，杨瑞广，《探索与求是》1995年第1期

略论邓小平的科技发展思想，姚寅虎，《前进》1995年第9期

略论邓小平的人才思想，郑勇，《淮阴师范学院学报》（哲学社会科学版）1995年第4期

论邓小平辩证法思想，朱亮，《前进》1995年第11期

论邓小平的领导观，邹运才，《桂海论丛》1995年第3期

论邓小平独创性的实践反馈方法，周荫祖，《青海师范大学学报》（哲学社会科学版）1995年第2期

论邓小平对国际共运的重大贡献，李明斌，《信阳师范学院学报》（哲学社会科学版）1995年第4期

论邓小平关于法制建设的几个问题，荣光，《哈尔滨师专学报》1995年第4期

论邓小平教育优先发展的战略思想，宋凤宁，《广西师范学院学报》（哲学社会科学版）1995年第1期

论邓小平理论形成的历史根据，周振国，《社会科学论坛》1995年第

6 期

论邓小平批评观的哲学内涵，高汉成，《东疆学刊》1995 年第 3 期

论邓小平社会主义本质理论的伟大意义，许四海，《邵阳学院学报》(社会科学版) 1995 年第 1 期

论实事求是的目标规范及其实现机制，吴献成，《探索与求是》1995 年第 7 期

论提高高校教育质量——纪念邓小平《在全国教育工作会议上的讲话》发表 17 周年，刘家纪，《广西大学学报》(哲学社会科学版) 1995 年第 3 期

论新科技革命与邓小平的科技思想，李光，《武汉大学学报》(哲学社会科学版) 1995 年第 2 期

马克思主义认识论与当代中国的改革开放——写在邓小平同志南巡讲话三周年之际，杨苏，《华东理工大学学报》(社会科学版) 1995 年第 3 期

马克思主义在当代的历史命运——三谈邓小平的马克思主义观，冯干文，《广西大学学报》(哲学社会科学版) 1995 年第 5 期

浅论邓小平同志的教育思想，龚昆，《地方政府管理》1995 年第 4 期

浅论邓小平同志的人才观，方国元，《中国电力教育》1995 年第 1 期

浅谈社会主义市场经济的科技观——学习《邓小平文选》的体会，曾建萍，《工业工程》1995 年第 11 期

浅析邓小平领导思维方式的特点，刘国臻，《创造》1995 年第 5 期

强化人才工作、服务经济建设——学习邓小平同志人才思想的若干体会，项有绍，《浙江学刊》1995 年第 1 期

认真学习研究邓小平教育思想，徐玉坤，《河南教育学院学报》(哲学社会科学版) 1995 年第 4 期

"三个面向"是邓小平教育思想的核心，李晴荼，《苏州大学学报》(哲学社会科学版) 1995 年第 2 期

深刻理解邓小平的"不争论"思想，李合敏，《学海》1995 年第 2 期

市场经济条件下"公有制为主体"的新内涵——学习邓小平理论的体会，郑毓林，《教育与现代化》1995 年第 4 期

试论邓小平党的建设理论特色，张宝林，《南京社会科学》1995 年第 9 期

试论邓小平的"大开放"观，刘开寿，《天府新论》1995 年第 3 期

试论邓小平的德育思想，曾学龙，《中国林业教育》1995 年第 2 期

试论邓小平的价值观，刘吉发，

《晋阳学刊》1995 年第 2 期

试论邓小平的金融改革思想，郑传锋，《军事经济学院学报》1995 年第 1 期

试论邓小平对发展社会主义目标模式的新贡献，张家阔，《新长征》1995 年第 8 期

试论邓小平对新时期党的建设的理论贡献，王继元，《新长征》1995 年第 11 期

试论邓小平《南巡谈话》的历史地位，许耀明，《郴州师范高等专科学校学报》1995 年第 2 期

试论邓小平实事求是实践与理论，江立成，《阜阳师范学院学报》（社会科学版）1995 年第 1 期

试论邓小平同志的党建思想，陈安吉，《南京社会科学》1995 年第 1 期

试述邓小平的"两手抓"思想，玉智念，《广西党史》1995 年第 4 期

体现社会系统特征的姓"资"姓"社"判断标准——邓小平对马克思社会有机体理论的发展，农必胜，《广西大学学报》（哲学社会科学版）1995 年第 2 期

完整、准确地理解邓小平共同富裕的思想，程明，《新长征》1995 年第 3 期

文艺与政治的关系及其它——学习邓小平文艺思想，叶培昌，《常德师范学院学报》（社会科学版）1995 年第 5 期

我们的根本目标是共同富裕——学习邓小平的"共同富裕"思想，邸乘光，《学术探索》1995 年第 3 期

新时期反腐败斗争的锐利思想武器——学习《邓小平文选》第三卷的体会，李向武，《中国刑事法杂志》1995 年第 1 期

新形势下必须坚持和健全民主集中制——学习邓小平同志建党思想的一点体会，戴家余，《学海》1995 年第 3 期

学习邓小平教育思想、推进教育改革和发展，朱镇，《贵州财经学院学报》1995 年第 1 期

学习邓小平同志发展思想迎接"九五"和下世纪初的挑战，王云坤，《新长征》1995 年第 11 期

学习邓小平同志关于社会稳定的思想，顾昭明，《前进》1995 年第 7 期

学习邓小平执政思想，张维克，《理论学习与探索》1995 年第 4 期

学习马列要坚持"精"和"管用"的原则——学习《邓小平文选》第三卷的体会，史贻逮，《工业工程》1995 年第 11 期

怎样坚持马克思主义——再谈邓小平的马克思主义观，冯干文，《广西大学学报》（哲学社会科学版）

1995 年第 1 期

正确认识和处理新时期人民内部矛盾的指南——学习邓小平关于正确处理人民内部矛盾的论述，叶山土，《南京社会科学》1995 年第 3 期

知识与人才是实现现代化的关键——学习邓小平关于知识与人才的思想，刘兴忠，《广西大学学报》（哲学社会科学版）1995 年第 4 期

"制度治本"是邓小平党建理论的鲜明特色，陈启源，《广西大学学报》（哲学社会科学版）1995 年第 5 期

重在落实——学习邓小平同志教育言论的体会，郭义山，《龙岩师专学报》1995 年第 1 期

走出困惑——邓小平对毛泽东社会主义建设思想的继承和发展，袁华，《牡丹江师范学院学报》（哲学社会科学版）1995 年第 4 期

1996 年

爱国主义与务实精神完美结合的统一——学习《邓小平文选》第 3 卷中关于香港问题的论述，张广芳，《中央社会主义学院学报》1996 年第 1 期

从继承与发展看邓小平农业经济思想特色，揭新华，《柴达木开发研究》1996 年第 5 期

从科教兴国战略看高校人才培养——学习邓小平科技教育思想的体会，陈锌宝，《高等师范教育研究》1996 年第 5 期

党的建设的航标——学习邓小平关于执政党建设指导方针论述的体会，高新民，《前线》1996 年第 7 期

邓小平的风险意识与中国的改革开放，耿香玲，《河北师范大学学报》（哲学社会科学版）1996 年第 2 期

邓小平的共同富裕思想与东西部差距拉大的问题，罗庶长，《广西民族研究》1996 年第 3 期

邓小平的精简机构思想，张弢，《发展论坛》1996 年第 6 期

邓小平的开放战略思想，王坤朝，《河北师范大学学报》（哲学社会科学版）1996 年第 2 期

邓小平的农业改革思路，刘淑珍，《发展论坛》1996 年第 2 期

邓小平的"人民利益原则"刍议，吴惠之，《人文杂志》1996 年第 2 期

邓小平的"向前看"理论，季明，《发展论坛》1996 年第 6 期

邓小平的"中国特色"观，肖铁肩，《湘潭大学社会科学学报》1996 年第 2 期

邓小平的主体性思想探析，刘明贵，《信阳师范学院学报》（哲学社会科学版）1996 年第 1 期

邓小平对党的思想路线的"六个阐发"和"五个升华"，雷云，《前线》1996 年第 2 期

邓小平对"革命"含义的新概括及其重要意义，马雅伦，《甘肃理论学刊》1996 年第 4 期

邓小平对马克思主义中国化的杰出贡献，魏晓东，《中央社会主义学院学报》1996 年第 4 期

邓小平对毛泽东团结、尊重和依靠知识分子思想的继承和发展，郁子良，《中央社会主义学院学报》1996 年第 2 期

邓小平对社会主义本质的新概括及其理论意义，李龙，《中山大学学报》（社会科学版）1996 年第 1 期

邓小平对社会主义根本任务的科学论断及其理论意义，张建军，《探索与求是》1996 年第 4 期

邓小平对"文化大革命"经验教训的重要总结，柳建辉，《当代中国史研究》1996 年第 4 期

邓小平反腐败思想述论，高正荣，《徐州师范大学学报》（哲学社会科学版）1996 年第 3 期

邓小平干部红专统一观探析，张春礼，《社会主义研究》1996 年第 1 期

邓小平干部人事制度改革思想初探，叶春风，《行政人事管理》1996 年第 3 期

邓小平关于把握适度原则的理论与实践，权伟太，《徐州师范大学学报》（哲学社会科学版）1996 年第 3 期

邓小平关于经济问题的政治分析，董铁军，《发展论坛》1996 年第 3 期

邓小平关于精神文明建设的战略思想，杨永峰，《徐州师范大学学报》（哲学社会科学版）1996 年第 3 期

邓小平价值观初探，雷素莲，《探求》1996 年第 1 期

邓小平价值观探析，孙国新、王国琼，《思想、理论、教育》1996 年第 4 期

邓小平建设有中国特色的社会主义理论是对毛泽东思想的继承和发展，闵国银，《江汉大学学报》1996 年第 4 期

邓小平教育社会学思想初探，张建新，《江汉大学学报》1996 年第 1 期

邓小平教育思想对确立"科教兴国"战略的指导作用，吴敏先，《高校理论战线》1996 年第 5 期

邓小平教育思想刍议，胡康宪，《江苏高教》1996 年第 11 期

邓小平"科技是第一生产力"思想探析，王启和，《社会主义研

究》1996 年第 3 期

邓小平经济战略中的东西部合作思想，任建华，《发展论坛》1996 年第 2 期

邓小平精神文明新论，朱虹，《思想政治工作研究》1996 年第 12 期

邓小平廉政思想研究，侯欣一，《唐都学刊》1996 年第 2 期

邓小平论民族区域自治，王玉，《民族研究》1996 年第 5 期

邓小平论派性，陈哲，《咸宁师专学报》1996 年第 2 期

邓小平农业思想与中国农业跨世纪发展战略，曹普，《理论与现代化》1996 年第 12 期

邓小平培育"四有"新人思想初探，刘五珍，《河南电大》1996 年第 11 期

邓小平同志关于经济特区建设的思想，谭西振，《徐州师范大学学报》（哲学社会科学版）1996 年第 3 期

邓小平同志新时期的"农业观"，王健康，《中学政治教学参考》1996 年第 3 期

邓小平社会主义本质论，张天社，《唐都学刊》1996 年第 1 期

邓小平新时期历史教育思想学习札记，吴江，《河北师范大学学报》（哲学社会科学版）1996 年第 11 期

邓小平与和平共处五项原则，赵伯祥，《毛泽东思想研究》1996 年第 3 期

邓小平在广西领导革命斗争期间对"城市中心论"的抵制和斗争，黄林毅，《桂海论丛》1996 年第 4 期

邓小平政治稳定思想论，杨仁厚，《贵州社会科学》1996 年第 5 期

对邓小平同志教育本质观的一点认识，徐毅鹏，《辽宁高等教育研究》1996 年第 1 期

发展——根本的历史命题——学习邓小平同志"发展是硬道理"的思想的几点体会，刘伟，《前线》1996 年第 8 期

发展经济一定要讲政治——学习邓小平同志关于讲政治的思想，王征国，《探索与求是》1996 年第 8 期

干部是社会的负责的公仆——论邓小平的干部观，田锡富，《理论月刊》1996 年第 9 期

工人阶级执政党统一战线思想的重大发展——邓小平统战理论与列宁统战思想比较研究，俞良早，《江汉大学学报》1996 年第 4 期

海纳百川、有容乃大——学习邓小平关于对外开放的理论，杨耕，《前线》1996 年第 3 期

简论邓小平党建思想的突出特点，卫裕国，《理论探索》1996 年第

3 期

简论邓小平发展教育的战略思想，杨继学，《河北师范大学学报》（哲学社会科学版）1996 年第 3 期

略论邓小平经济体制改革的基本思路，郑世冰，《广西师范学院学报》（哲学社会科学版）1996 年第 2 期

略论邓小平"科教兴国"思想，周建民，《武汉教育学院学报》1996 年第 4 期

简论邓小平民主政治思想的显著特点，刘建华，《理论探索》1996 年第 3 期

解放思想实事求是的哲学意义，罗汉军，《广西大学学报》（哲学社会科学版）1996 年第 1 期

历史的总结、科学的概括——学习邓小平的人权思想，青锋，《现代法学》1996 年第 4 期

历史转折前的理论较量——邓小平同志与"两个凡是"的斗争，刘毅强，《桂海论丛》1996 年第 2 期

略论邓小平的辩证法，马燕荣，《中学政治教学参考》1996 年第 11 期

略论邓小平"特色论"对马克思晚年东方社会理论的继承和发展，许向东，《广东职业技术师范学院学报》1996 年第 3 期

论邓小平的开放论，刘世文，《经济改革》1996 年第 1 期

论邓小平对社会主义社会主要矛盾理论的贡献，梁宗鹏，《广西师范学院学报》（哲学社会科学版）1996 年第 2 期

论邓小平经济思想的形成及对毛泽东经济思想的继承与超越，王兆平，《徐州师范大学学报》（哲学社会科学版）1996 年第 2 期

论邓小平"两手抓"的方法论意义，程建平，《浙江师大学报》（社会科学版）1996 年第 2 期

论邓小平唯物主义的思想方法，徐银山，《中学政治教学参考》1996 年第 4 期

论邓小平新时期军事教育思想的鲜明特色，朱良银，《军事经济学院学报》1996 年第 3 期

论邓小平新时期选拔干部的思想，李旭文，《社会主义研究》1996 年第 3 期

论邓小平在解放和发展生产力方面的新贡献，张晋科，《商业研究》1996 年第 2 期

论邓小平同志"部分先富"和实现共同富裕"捷径"的光辉思想，陈子亮，《桂海论丛》1996 年第 2 期

论"解放思想"和"实事求是"的理论化——邓小平理论与列宁思想的比较研究，俞良早，《社会主义研究》1996 年第 6 期

论解放思想与实事求是的辩证

统一，陈紫明，《福州大学学报》(社会科学版) 1996 年第 2 期

论精神文明建设的协调发展——邓小平关于精神文明建设协调发展的思想，刘宝三，《华中理工大学学报》(社会科学版) 1996 年第 4 期

论"科学技术是第一生产力"的理论意义和实践意义，徐书生，《江西教育学院学报》 1996 年第 4 期

浅谈实事求是原则论——学习邓小平思想政治工作重要论述，王广礼，《石油政工研究》 1996 年第 3 期

马恩东方社会主义学说与邓小平社会主义理论，李仲才，《甘肃理论学刊》 1996 年第 1 期

马克思主义实践观与建设有中国特色社会主义——邓小平对马克思主义实践观的继承和发展，周荫祖，《青海师范大学学报》(哲学社会科学版) 1996 年第 3 期

努力探索中国农业发展的道路——学习邓小平农业思想的体会，周元军，《湖北社会科学》 1996 年第 3 期

朴实、平易、明快、简洁——邓小平语言风格浅探，邓东麟，《广东职业技术师范学院学报》 1996 年第 2 期

认真坚持群众路线、克服官僚

主义——读邓小平《关于修改党的章程的报告》，郭贵儒，《探索与求是》 1996 年第 10 期

如何完整准确地理解邓小平建设有中国特色的社会主义理论，杜莹，《探索与求是》 1996 年第 6 期

社会主义本质的分层次说——学习邓小平同志关于社会主义本质的多角度论述，李富阁，《学海》 1996 年第 3 期

社会主义的本性是开放的——兼谈邓小平同志对社会主义的更新，王继宣，《中央社会主义学院学报》 1996 年第 6 期

社会主义社会发展生产力思想的重大发展——邓小平理论与列宁思想比较研究，俞良早，《理论月刊》 1996 年第 7 期

深刻领会邓小平财经思想努力搞好当前财经工作，崔正华，《财会研究》 1996 年第 4 期

实行广泛监督是我们事业成功的重要保障——学习邓小平关于监督理论的论述，莫百生，《中南民族学院学报》(哲学社会科学版) 1996 年第 2 期

试论邓小平的民主与法制思想，秦宣，《前线》 1996 年第 6 期

试论邓小平的思想道德教育理论，迟丕贤，《淄博学院学报》(社会科学版) 1996 年第 3 期

试论邓小平关于我国农业发展

的战略思想，巴春生，《曲靖师范学院学报》1996年第1期

试论邓小平"三个面向"的教育思想，钟启泉，《广西大学学报》（哲学社会科学版）1996年第1期

试论邓小平同志理论体系中的教育思想，曹书庆，《河北大学学报》（哲学社会科学版）1996年第11期

试论解放生产力、发展生产力是社会主义的本质——学习邓小平同志社会主义本质论的体会，钟离离，《重庆工业管理学院学报》1996年第1期

试论新时期邓小平的干部思想及其特色，畅伟杰，《理论探索》1996年第5期

试述邓小平的国际战略思想，张莉，《信阳师范学院学报》（哲学社会科学版）1996年第1期

试析邓小平对社会主义的新认识，王安正，《甘肃理论学刊》1996年第3期

新时期邓小平的调查研究思想，赵静华，《行政人事管理》1996年第12期

学习邓小平的爱国主义思想，振奋民族精神——学习《邓小平文选》第三卷的体会，包愚勤，《辽宁教育行政学院学报》1996年第3期

学习邓小平的科学技术是第一生产力的理论，韩振峰，《探索与求是》1996年第1期

学习邓小平科学把握"度"的领导艺术，刘容添，《中南民族学院学报》（哲学社会科学版）1996年第1期

学习邓小平民族理论，全赋诚，《青海民族研究》1996年第2期

学习邓小平同志关于土地的重要论述、实现耕地总量动态平衡，樊志全，《中国土地》1996年第9期

选贤任能也是革命——邓小平同志新时期用人思想研究，李安，《前线》1996年第8期

一个重大的原则问题——学习邓小平统一战线思想的体会，武敏中，《中央社会主义学院学报》1996年第5期

有中国特色社会主义理论的五个特征——对邓小平建设有中国特色社会主义理论科学体系的粗浅认识，何毛堂，《广西师范学院学报》（哲学社会科学版）1996年第4期

怎样理解社会主义，怎样建设社会主义——邓小平对跨越"卡夫丁峡谷"的贡献，刘建宁，《江苏教育学院学报》1996年第3期

正确把握邓小平"德才兼备"的用人原则，马花琢，《探索与求是》1996年第7期

正确贯彻"解放思想、实事求是"的思想路线，郑守华，《南昌大学学报》（社会科学版）1996年第3期

知识分子是第一劳动力，何世念，《中国人民大学学报》1996 年第 4 期

1997 年

从《解放思想，实事求是，团结一致向前看》和南巡谈话看邓小平实事求是思想的发展，张琳、秦策，《安徽农业大学学报》（社会科学版）1997 年第 1 期

邓小平财政思想初探，郭代模、杨远根，《财政研究》1997 年第 6 期

邓小平党建思想的时代特色，李友松，《苏州科技学院学报》（社会科学版）1997 年第 2 期

邓小平的估计实现了多少？——金庸致池田大作信（节选），凌晨，《领导文萃》1997 年第 12 期

邓小平军事教育思想探讨，王道成，《军事经济学院学报》1997 年第 4 期

邓小平论社会主义，张汉清，《当代世界与社会主义》1997 年第 1 期

邓小平论资本主义，许宝利，《当代世界与社会主义》1997 年第 2 期

邓小平民族理论研究，杨茂锐，《贵州民族研究》1997 年第 2 期

邓小平南方谈话：实践的辩证法，胡振平，《毛泽东邓小平理论研究》1997 年第 6 期

邓小平体育思想初探，董剑，《理论与改革》1997 年第 12 期

对邓小平关于经济发展"实际上是个政治问题"论断的理解，吴昕春，《安徽教育学院学报》1997 年第 3 期

关于邓小平工运思想内涵的探讨，张策，《工会理论研究》（上海工会管理干部学院学报）1997 年第 2 期

纪念邓小平南方谈话五周年理论座谈会述要，王献雨，《教学与研究》1997 年第 5 期

坚持实事求是的新闻观——学习邓小平《在西南区新闻工作会议上的报告》的体会，黄勤信，《新闻与成才》1997 年第 4 期

简论邓小平的科学态度和创造精神，张华明，《工会理论研究》（上海工会管理干部学院学报）1997 年第 2 期

解放思想、实事求是必须伴随建设和改革长期坚持下去——重温邓小平同志南方谈话，李庆华，《中国党政干部论坛》1997 年第 2 期

解放思想实事求是是建设有中国特色社会主义的思想基础——学习《邓小平文选》体会，钱朝俊，《中国工运学院学报》1997 年第

2 期

论邓小平对唯物史观的新贡献，李玉华，《西安交通大学学报》（社会科学版）1997 年第 1 期

论邓小平"科研先行"思想与军事科技现代化，陈萍，《军事经济学院学报》1997 年第 4 期

论邓小平南方谈话的重大理论意义——纪念邓小平《在武昌、深圳、珠海、上海等地的谈话要点》发表五周年，雷云，《社会科学》1997 年第 4 期

马克思主义的生命力在于不断创新——学习邓小平"解放思想，实事求是"论述的体会，王明明，《理论观察》1997 年第 3 期

南方谈话的理论意义和实践价值，郑忆石，《华东师范大学学报》（哲学社会科学版）1997 年第 3 期

南巡讲话促发展——纪念邓小平南巡讲话五周年，苏秋高，《港澳经济》1997 年第 3 期

浅谈邓小平同志人才理论的三个基本内容，胡海生，《宜春师专学报》1997 年第 1 期

深刻领会南方谈话的现实意义，陆炳炎，《华东师范大学学报》（哲学社会科学版）1997 年第 3 期

试论邓小平党建理论的特点，杨皓，《宜春师专学报》1997 年第 1 期

试论邓小平的农业现代化思想，李雅兴，《常德师范学院学报》（社会科学版）1997 年第 5 期

试论邓小平改革思想的基本内容，欧阳荣华，《宜春师专学报》1997 年第 6 期

试论精神文明建设系统自身的诸多"两手"关系——邓小平"两手抓，两手都要硬"的一种延伸与运用，冯仿娅，《福建论坛》（文史哲版）1997 年第 3 期

新阶段改革开放和经济发展的强大动力——重温邓小平 1992 年南方谈话的体会，李君如，《理论前沿》1997 年第 6 期

学习邓小平理论的几点体会，郭杰，《企业导报》1997 年第 11 期

学习邓小平信息情报理论，李学英，《企业导报》1997 年第 4 期

学习邓小平同志关于理想教育问题的论述，黄焕昌，《西藏发展论坛》1997 年第 2 期

要认真学习邓小平的马克思主义文风，刘淑婷，《社会科学论坛》1997 年第 2 期

用"解放思想、实事求是"思想路线武装头脑——学习邓小平经济理论中的若干重要观点，张理泉，《经济与管理研究》1997 年第 4 期

原则性与灵活性的完美结合——再读邓小平《讲讲实事求是》，刘明，《中学语文教学参考》1997 年第 12 期

五　邓小平文献研究论文题录(1998—2002 年)

1998 年

把握实事求是精髓提高新闻宣传质量——学习《邓小平论新闻宣传》的一点体会，满运来，《新闻与写作》1998 年第 3 期

从马克思主义到邓小平理论是一脉相承的统一的科学体系——纪念马克思诞辰一百八十周年，李兴耕，《求是》1998 年第 9 期

从确立邓小平理论的历史地位说起，李青藻，《领导文萃》1998 年第 2 期

邓小平反倾向斗争思想略论，李合敏，《喀什师范学院学报》1998 年第 4 期

邓小平教育理论的教师观，王恩华，《山东教育学院学报》1998 年第 6 期

邓小平理论的时代特征初探，邝才峰，《江汉石油职工大学学报》1998 年第 2 期

邓小平理论"三进"的重点和难点，王然，《苏州科技学院学报》（社会科学版）1998 年第 5 期

邓小平理论是党建工作的光辉指针，戈春源，《苏州科技学院学报》（社会科学版）1998 年第 6 期

邓小平理论形成过程的几个特点——兼谈邓小平理论的学术典范

意义，杨必仪，《重庆教育学院学报》1998 年第 4 期

邓小平新时期军校建设思想与军校跨世纪建设和发展，杨书军，《军事经济学院学报》1998 年第 4 期

邓小平同志与实事求是的思想路线，刘晓兵，《黑河学刊》1998 年第 3 期

邓小平与中国传统的忧患意识，秦佺柱，《哈尔滨学院学报》1998 年第 4 期

对邓小平国情理论的认识，尚改琴，《郑州航空工业管理学院学报》1998 年第 1 期

对邓小平社会主义本质论的认识，褚之宜，《广西党史》1998 年第 6 期

改革开放的宣言书——纪念《解放思想，实事求是，团结一致向前看》讲话二十周年，于光远，《中国改革》1998 年第 12 期

搞好改革开放根本的是要学习马克思主义——纪念《解放思想，实事求是，团结一致向前看》发表 20 周年，王金全，《重庆师专学报》1998 年第 3 期

加速实现社会主义现代化、巩

固社会主义制度——学习邓小平改革思想的体会，程水香，《南昌教育学院学报》1998 年第 4 期

坚持建设有中国特色社会主义——学习《邓小平文选》有感，陈芝兰，《保山师专学报》1998 年第 3 期

坚持实事求是思想路线推动全行的改革与发展——纪念邓小平同志《解放思想，实事求是，团结一致向前看》重要讲话发表 20 周年，嵇华光，《现代金融》1998 年第 12 期

解放思想、实事求是是邓小平理论的精髓和基本特色，郭文媛，《新疆社会科学》1998 年第 2 期

解放思想与经济民主——学习邓小平《解放思想，实事求是，团结一致向前看》讲话的几点体会——纪念党的十一届三中全会二十周年，宋涛，《经济经纬》1998 年第 6 期;《高校理论战线》1998 年第 11 期

金融改革的伟大理论——再读《邓小平文选》第三卷，许健、王志一，《财金贸易》1998 年第 12 期

开创建设有中国特色社会主义新理论的宣言书——重读《解放思想，实事求是，团结一致向前看》，王顺生，《广播电视大学学报》（哲学社会科学版）1998 年第 4 期

列宁与邓小平党群关系思想之比析，居继清，《社会科学动态》1998 年第 4 期

略论邓小年政策思想的历史发展，肖汉，《社会科学动态》1998 年第 9 期

论邓小平的反倾向斗争思想，李合敏，《苏州科技学院学报》（社会科学版）1998 年第 5 期

论邓小平的红专统一观，李合敏，《娄底师专学报》1998 年第 3 期

论邓小平的红专统一观——纪念邓小平逝世一周年，李合敏，《新疆教育学院学报》（汉文版）1998 年第 2 期

论邓小平关于总结经验的思想，李合敏，《宜春师专学报》1998 年第 4 期

论邓小平"解放思想"方法论的科学性，曹晓鲜，《常德师范学院学报》（社会科学版）1998 年第 2 期

论邓小平理论建构中的方法论特色，景中强，《学习论坛》1998 年第 1 期

论邓小平提出的"准确地完整地理解毛泽东思想"，刘文丽，《北京党史》1998 年第 11 期

论邓小平消除贫困的理论，黎本星，《宜春师专学报》1998 年第 3 期

论邓小平新闻出版思想的基本特征，向济萍，《社会科学动态》1998 年第 9 期

马克思主义现代发展理论第三次开拓的宣言书——谈邓小平关于十一届三中全会的主题报告在马克思主义理论史上的地位，周毅之，《唯实》1998 年第 12 期

全面准确地把握邓小平理论的核心，杜明娥，《通化师范学院学报》1998 年第 3 期

试论邓小平党建理论的时代特征，姚星，《南昌教育学院学报》1998 年第 4 期

试论邓小平理论产生的历史渊源及其哲学思考，杨永建，《社会科学动态》1998 年第 2 期

试论邓小平理论对毛泽东思想的继承和发展，刘继勇，《南昌航空工业学院学报》1998 年第 11 期

完整准确把握"邓小平理论"科学概念及其体系，任汝平，《宜春师专学报》1998 年第 3 期

文艺"反左"必须解放思想、实事求是——重温邓小平同志有关文艺的论述，肖安鹿，《甘肃理论学刊》1998 年第 6 期

"我是实事求是派"——从党的十一届三中全会思想路线的确立看邓小平哲学思想之精髓，蒋建民，《南通师范学院学报》（哲学社会科学版）1998 年第 4 期

重大历史关头开创新时期的宣言书——纪念邓小平同志《解放思想，实事求是，团结一致向前看》发表 20 周年，罗昭义，《湖湘论坛》1998 年第 5 期

转变观念期。实现人的现代化——学习邓小平"解放思想、实事求是"的体会，高涵初，《工会理论研究》（上海工会管理干部学院学报）1998 年第 3 期

1999 年

解放思想与经济民主——学习邓小平《解放思想，实事求是，团结一致向前看》讲话的几点体会——纪念党的十一届三中全会二十周年，《当代经济研究》1999 年第 1 期

从思想文化视角看邓小平理论的历史作用，邓丽华，《学习导报》1999 年第 12 期

邓小平的接班人理论与实践探

析，王光银，《苏州大学学报》（哲学社会科学版）1999 年第 3 期

邓小平的共同富裕理论：真理观与价值观的统一，许斌龙，《湘潭大学社会科学学报》1999 年第 4 期

邓小平对马克思主义中国化的几点认识，杨胜群，《学习导报》1999 年第 2 期

邓小平"共同富裕"的反贫困思想探讨，戴凌，《西安交通大学学

报》(社会科学版) 1999 年第 3 期

邓小平关于思想政治教育的理论建构, 沈壮海, 《思想理论教育》1999 年第 12 期

邓小平教育思想是发展我国教育的科学指南, 张锡昌, 《学海》1999 年第 4 期

邓小平《解放思想, 实事求是, 团结一致向前看》一文的理论贡献和历史意义, 王忠事, 《重庆社会科学》1999 年第 1 期

邓小平经济协调发展战略思想与开发中西部, 顾利民, 《西安交通大学学报》(社会科学版) 1999 年第 3 期

邓小平理论本质论, 于超, 《泰安教育学院学报岱宗学刊》1999 年第 1 期

邓小平理论的世界历史价值, 闫希伦, 《西藏发展论坛》1999 年第 3 期

邓小平理论科学体系研究综述, 马剑, 《企业导报》1999 年第 5 期

邓小平理论是马克思主义在当代中国发展的新阶段, 刘禹志, 《学习导报》1999 年第 2 期

邓小平理论与中国的法治之路, 李洪欣, 《学术论坛》1999 年第 2 期

邓小平理论与中国现代化, 沈荣华, 《苏州大学学报》(哲学社会科学版) 1999 年第 3 期

邓小平论农业、农村和农民问题, 邹海涛, 《天津农学院学报》1999 年第 3 期

邓小平南巡讲话, 丘引, 《前进论坛》1999 年第 9 期

邓小平农村改革和发展思想与我国农业现代化道路选择, 白雪秋, 《当代经济研究》1999 年第 7 期

邓小平农业思想初探, 秦冬, 《渭南师范学院学报》1999 年第 11 期

邓小平农业思想中的辩证法, 王悦洲, 《云南师范大学学报》(哲学社会科学版) 1999 年第 4 期

邓小平农业政策思想概述, 李永勤, 《云南师范大学学报》(哲学社会科学版) 1999 年第 4 期

邓小平是着眼于新的实践和新的发展的典范, 李合敏, 《西藏发展论坛》1999 年第 2 期

《邓小平文选》中的"社"与"资", 编辑部, 《中共石家庄市委党校学报》1999 年第 6 期

邓小平现代化理论研究综述, 曾艳, 《企业导报》1999 年第 10 期

邓小平忧患意识论析, 夏东民, 《苏州科技学院学报》(社会科学版) 1999 年第 2 期

邓小平与马克思主义中国化, 王真, 《思想理论教育》1999 年第 12 期

第三代中央领导集体对邓小平理论的丰富与发展——"改革开放

新实践与邓小平理论新发展"研讨会综述，张武，《企业导报》1999 年第 1 期

法制化民主是社会主义反腐建廉的治本之道——邓小平反腐建廉理论探析，赵本义，《西北大学学报》(哲学社会科学版) 1999 年第 4 期

纪念五四运动 80 周年推动邓小平理论"三进"工作，靳诺，《思想理论教育》1999 年第 5 期

江泽民对邓小平理论的继承、丰富与发展，刘永庆，《军事经济学院学报》1999 年第 3 期

解放思想实事求是——邓小平对党的思想路线的贡献——纪念党的十一届三中全会召开 20 周年，胡云秋、胡国强，《武汉水利电力大学学报》(社会科学版) 1999 年第 1 期

解放思想实事求是的光辉典范——纪念邓小平同志南巡谈话七周年，江爱平，《广西广播电视大学学报》1999 年第 2 期

解放思想、实事求是要一以贯之——重读邓小平同志《解放思想，实事求是，团结一致向前看》，习近平，《求是》1999 年第 1 期

经济改革与经济社会发展的伟大理论重温邓小平"南巡讲话"的体会，刘嗣明，《经济体制改革》1999 年第 1 期

开创建设有中国特色社会主义

伟大理论的宣言书——重读邓小平《解放思想，实事求是，团结一致向前看》有感，章小朝，《浙江师大学报》(社会科学版) 1999 年第 1 期

科学体系一脉相承——对十五大关于邓小平理论与马列主义、毛泽东思想关系论断的考察，杨胜群，《马克思主义与现实》1999 年第 3 期

理论创新的源头——解放思想——学习邓小平实事求是、解放思想理论的体会，赵子文，《山西财经大学学报》1999 年第 5 期

《历史决议》通过后邓小平对实事求是的新阐发，宋进华，《毛泽东思想研究》1999 年第 6 期

立足市情实事求是找准发展井冈山经济的路子——学习邓小平"从国情出发进行社会主义建设"一文体会，史回龙，《金融经济》1999 年第 6 期

略论邓小平的青年观，陈晓强，《苏州大学学报》(哲学社会科学版) 1999 年第 3 期

略论邓小平国权重于人权的思想——兼评"人权高于主权"说，韩振峰，《思想理论教育》1999 年第 10 期

论邓小平的当代文化转型思想，席红霞，《军事经济学院学报》1999 年第 1 期

论邓小平的高等教育质量思想，

李锐,《云南高教研究》1999 年第 2 期

论邓小平的马克思主义观,徐崇温,《内部文稿》1999 年第 1 期

论邓小平对马克思主义开放理论的新发展,兰秀英,《西藏发展论坛》1999 年第 4 期

邓小平对毛泽东反腐败思想的发展,陈晓光,《辽宁广播电视大学学报》1999 年第 1 期

论邓小平对外开放理论的特征,廖湘樵,《学习导报》1999 年第 2 期

论邓小平理论与当代中国道德建设的关系,丁越华,《学术论坛》1999 年第 2 期

论邓小平社会实验观的基本特征,周永亮,《学习导报》1999 年第 8 期

论江泽民同志对邓小平新时期军队建设思想的丰富和发展,蔡宜乔,《军事经济学院学报》1999 年第 1 期

论毛泽东和邓小平对接班人关注的不同视角,司徒琪蕙,《上海青年管理干部学院学报》1999 年第 3 期

农科院校实践邓小平农业思想的现实意义,秦莹、付再军,《云南高教研究》1999 年第 1 期

论反腐败与权力制衡——学习《邓小平文选》有关论述的体会,宛小平,《安徽大学学报》(哲学社会

科学版)1999 年第 2 期

马克思主义政策本质观的新发展——论邓小平体现社会主义本质的政策思想,王久厚,《辽宁广播电视大学学报》1999 年第 2 期

民主集中制理论的创新——学习邓小平《解放思想,实事求是,团结一致向前看》一文的体会,吴圣苓,《党政论坛》1999 年第 5 期

浅析邓小平社会主义本质论,何康宁,《贵阳建筑大学学报》1999 年第 4 期

全面、正确地理解邓小平理论所阐述的重大经济问题,杨发,《内部文稿》1999 年第 3 期

试论邓小平的社会发展动力观,袁静,《天府新论》1999 年第 3 期

试论邓小平关于社会发展的理论,毛克祥,《牡丹江师范学院学报》(哲学社会科学版)1999 年第 3 期

试论邓小平关于社会主义本质的理论和实践意义,肖翔,《贵阳建筑大学学报》1999 年第 3 期

试论邓小平经济理论形成的源泉,胡金林,《军事经济学院学报》1999 年第 1 期

试论邓小平理论的产生及其理论价值,苏瞻红,《贵阳建筑大学学报》1999 年第 1 期

试论邓小平社会主义发展观,耿文波,《牡丹江师范学院学报》(哲

学社会科学版）1999 年第 2 期

试论邓小平新时期军队党的建设思想，王松，《军事经济学院学报》1999 年第 2 期

深入学习邓小平教育思想，认真做好教书育人工作，张昆，《云南师范大学学报》（哲学社会科学版）1999 年第 4 期

思想解放运动与马克思主义中国化历程，石仲泉，《理论视野》1999 年第 5 期

天才的创造期，令人神往的构想——学习《一个国家，两种制度》的体会，穆建晔，《牡丹江师范学院学报》（哲学社会科学版）1999 年第 3 期

伟大的宣言——邓小平《解放思想，实事求是，团结一致向前看》一文的理论价值和历史意义，刘廷亚，《理论与现代化》1999 年第 2 期

我国教育事业改革与发展的指针——学习邓小平教育理论的体会，郑传芳，《内部文稿》1999 年第 23 期

学习邓小平关于反对错误倾向论述的几点体会，许丹娜，《华北电力大学学报》（社会科学版）1999 年第 1 期

学习邓小平同志关于批评与自我批评的论述，张志君，《哈尔滨市委党校学报》1999 年第 1 期

学习和运用邓小平理论、促进方志年鉴编纂工作，代润贤，《中国地方志》1999 年第 4 期

以邓小平理论为指导，培养跨世纪人才，蔡玮，《苏州大学学报》（哲学社会科学版）1999 年第 3 期

用邓小平理论引导大学生建立正确的价值观，孙丽娟，《锦州师范学院学报》（哲学社会科学版）1999 年第 3 期

怎样理解邓小平关于"过去我们没有完全搞清楚社会主义是什么"的论述，孙居涛，《思想理论教育导刊》1999 年第 7 期

站在世界的高度理解邓小平南巡讲话，吴纪宁，《株洲师范高等专科学校学报》1999 年第 4 期

正气锐气勇气——学习邓小平同志开展批评与自我批评的精神，张秀国、王亚玲，《党建研究》1999 年第 2 期

正确理解"共同富裕"——学习《邓小平文选》的几点体会，杨玉仑、贾小苇、马志刚，《长春工业大学学报》（社会科学版）1999 年第 1 期

中国必须发展自己的高科技——学习邓小平关于发展高科技的重要论述，程立，《苏州大学学报》（哲学社会科学版）1999 年第 3 期

2000 年

从两个"照搬"到两个"坚持"，严书翰，《大连干部学刊》2000 年第 1 期

从双重角度把握邓小平理论的科学体系，汪青松，《西藏发展论坛》2000 年第 1 期

创新认识的支点——论社会主义本质理论，薛汉伟，《马克思主义与现实》2000 年第 5 期

邓小平的经济发展战略观及其特色，李雅儒，《教学与研究》2000 年第 3 期

邓小平的社会主义改革风险控制观，张复俊，《上海党史研究》2000 年第 1 期

邓小平的中国式现代化理论三题，徐成发，《郧阳师范高等专科学校学报》2000 年第 4 期

邓小平对毛泽东发展观的继承与发展，肖建杰，《学术论坛》2000 年第 1 期

邓小平对人民政协理论的卓越贡献，夏根，《南通师范学院学报》（哲学社会科学版）2000 年第 1 期

邓小平对什么是社会主义问题的理论探索——兼论邓小平社会主义本质论的形成与发展，马渤，《哈尔滨市委党校学报》2000 年第 3 期

邓小平对孙中山对外开放思想的继承与发展，唐连凤，《通化师范学院学报》2000 年第 3 期

邓小平对外开放理论成因初探，张桂芬，《河北师范大学学报》（哲学社会科学版）2000 年第 2 期

邓小平对中国政治现代化的贡献，尹书博，《学习论坛》2000 年第 2 期

邓小平风险理论探析，国承彦，《聊城师范学院学报》（哲学社会科学版）2000 年第 3 期

邓小平风险思想的多维视角，吴瑞坚，《沧州师范专科学校学报》2000 年第 3 期

邓小平改革思想浅析，王杰敏，《山西高等学校社会科学学报》2000 年第 8 期

邓小平"解放思想"和"实事求是"的三篇重要文献，吕志刚，《湖北大学成人教育学院学报》2000 年第 3 期

邓小平经济发展波浪式前进思想探析，汪松明，《南通师范学院学报》（哲学社会科学版）2000 年第 1 期

邓小平可持续发展思想浅析，程焰山，《企业导报》2000 年第 3 期

邓小平理论的精髓是"初级阶段论"，还是实事求是——与徐久刚教授商榷，乔秀民，《中共太原市委党校学报》2000 年第 3 期

邓小平理论的科学体系研究回顾及评析，王永贵，《企业导报》2000年第3期

邓小平理论的世界化与世界意义，叶育新，《常德师范学院学报》（社会科学版）2000年第2期

邓小平理论的中国传统文化考释，李方祥，《西藏发展论坛》2000年第6期

邓小平理论和毛泽东思想的一致性，励维志，《思想理论教育》2000年第1期

邓小平理论是当代中国的唯一科学指南，李金珠，《北华大学学报》（社会科学版）2000年第2期

邓小平理论与当代中国基本问题，冷溶，《马克思主义与现实》2000年第2期

邓小平理论与西部大开发战略的政策探析，陈静，《学术探索》2000年第4期

"邓小平理论与中国社会科学"研讨会述要，邱乘光，《企业导报》2000年第4期

邓小平历史哲学的逻辑起点探析，袁铎，《湛江师范学院学报》（社会科学版）2000年第1期

邓小平关于运用马克思主义指导中国革命和建设的论述，宋涛，《当代经济研究》2000年第1期

邓小平认识资本主义的视角及其思想方法，廖慧贞，《上海党史与党建》2000年第6期

邓小平"三农"思想的内容和地位，陈文通，《中国党政干部论坛》2000年第10期

邓小平"三农"思想探析，丁振京，《北京农学院学报》2000年第1期

邓小平新时期统一战线理论的特色，邱济舟，《北华大学学报》（社会科学版）2000年第2期

邓小平新时期统一战线思想述论，刘务勇，《甘肃理论学刊》2000年第4期

邓小平行政法治理论初探，黄荣英，《闽西职业大学学报》2000年第2期

邓小平语言风格初探，王丹荣，《企业导报》2000年第11期

邓小平自我教育理论概述，王玉生，《教育探索》2000年第1期

邓小平知识经济思想研究，欢佩君，《华北电力大学学报》（社会科学版）2000年第1期

对邓小平理论体系核心范畴"以经济建设为中心"的再认识，许先春，《河南大学学报》（社会科学版）2000年第1期

对邓小平农业现代化思想的几点认识，李雅春、宋世英，《哈尔滨市委党校学报》2000年第3期

"发展才是硬道理"的国家安全意蕴，李德阳，《学术论坛》2000

年第 1 期

共同富裕：社会主义的最终目标，戴嘉宝，《长沙电力学院学报》（社会科学版）2000 年第 1 期

关于"解放思想、实事求是"是邓小平理论精髓的学习体会，王宝贵，《内蒙古统战理论研究》2000 年第 1 期

科学的理论期　光辉的实践——邓小平理论对国际社会主义运动的贡献，张中云，《求是》2000 第 4 期

激发青年深入学习邓小平理论的途径，鲁英杰，《通化师范学院学报》2000 年第 1 期

解放思想实事求是开创国企改革新局面，马明祥，《中共伊犁州委党校学报》2000 年第 1 期

解放思想是态度实事求是是方法——学习邓小平理论的一些体会，周武君，《洛阳大学学报》2000 年第 1 期

论党的第三代领导集体高举邓小平理论伟大旗帜的历史条件，曾艳，《企业导报》2000 年第 4 期

论邓小平的社会发展思想，项盛发，《湖北社会科学》2000 年第 5 期

论邓小平对党建理论的贡献，王正宁，《渝州大学学报》（社会科学版）2000 年第 4 期

论邓小平对毛泽东对外开放思想的继承与发展，沈淑兰，《哈尔滨师专学报》2000 年第 6 期

论邓小平反封建思想，唐敏，《企业导报》2000 年第 11 期

论邓小平反特权思想，韩裕庆，《安庆师范学院学报》（社会科学版）2000 年第 5 期

论邓小平科技思想的形成与创新，吴海江，《河北师范大学学报》（哲学社会科学版）2000 年第 1 期

论邓小平理论的创新机制，宋进，《毛泽东邓小平理论研究》2000 年第 5 期

论邓小平理论的创新思维，周瑞良，《河海大学学报》（哲学社会科学版）2000 年第 1 期

论邓小平民族发展理论的基本特征，李毓淳，《西藏发展论坛》2000 年第 5 期

论邓小平侨务思想及其对发展华侨高等教育事业的指导意义，陈明森，《福建论坛》（经济社会版）2000 年第 12 期

论邓小平人口控制思想，宋天和，《哈尔滨市委党校学报》2000 年第 3 期

毛泽东、邓小平与中国生产关系的两次调整，递国英，《山西师大学报》（社会科学版）2000 年第 2 期

浅论邓小平对毛泽东文艺思想的丰富和发展，杨光祖，《甘肃理论学刊》2000 年第 4 期

浅论邓小平的改革方法论，刘萍，《淮北煤炭师范学院学报》（哲学社会科学版）2000 年第 2 期

浅谈邓小平廉政思想的基本思路，柏雨燕，《西藏发展论坛》2000 年第 2 期

浅谈邓小平民族理论的哲学基础，兰秀英，《西藏发展论坛》2000 年第 3 期

浅析邓小平廉政思想的特点，魏琦，《甘肃理论学刊》2000 年第 6 期

全面准确地把握社会主义初级阶段理论，周生印，《山东经济》2000 年第 1 期

如何理解邓小平关于科学技术是第一生产力的论断，李学丽，《教学与研究》2000 年第 3 期

实事求是与邓小平的国际战略思想，桑红，《河北师范大学学报》（哲学社会科学版）2000 年第 2 期

是"极右"，还是"极'左'"？——对《邓小平文选》第 2 卷和第 3 卷中的一个提法的辨正，周德海，《安徽农业大学学报》（社会科学版）2000 年第 1 期

试论邓小平时代主题观科学体系的建构，苑晓杰，《牡丹江师范学院学报》（哲学社会科学版）2000 年第 5 期

试论"邓小平政治哲学思想"的研究对象，郑又成，《常德师范学院学报》（社会科学版）2000 年第 4 期

试谈邓小平理论的几个基本特征，王耀军，《牡丹江师范学院学报》（哲学社会科学版）2000 年第 5 期

"我是实事求是派"——邓小平与解放思想、实事求是思想路线的恢复与发展，郑克卿、常志，《华北航天工业学院学报》2000 年第 4 期

再论邓小平对新时期军队建设的卓越贡献，孙道同，《军事历史研究》2000 年第 2 期

在实践中坚持和发展邓小平理论——学习十五届三中、四中全会两个《决定》的启迪，王兆铮，《西藏发展论坛》2000 年第 2 期

正确认识邓小平社会主义初级阶段理论，马先辉，《山西高等学校社会科学学报》2000 年第 8 期

抓住机遇，加快发展——探析邓小平理论的核心，肖翔，《贵阳金筑大学学报》2000 年第 3 期

2001 年

邓小平的整体现代化思想及其当代价值，方世南，《中共云南省委党校学报》2001 年第 1 期

邓小平德育思想体系结构初探，

王增国,《中国矿业大学学报》(社会科学版) 2001 年第 3 期

邓小平对传统文化的超越, 李军林,《湘潭师范学院学报》(社会科学版) 2001 年第 4 期

邓小平对列宁社会主义观的新发展, 刘军,《韶关学院学报》2001 年第 5 期

邓小平对毛泽东"高速度地建设社会主义"思想的发展, 李新芝,《西南民族学院学报》(哲学社会科学版) 2001 年第 12 期

邓小平对毛泽东生产力观的修正与发展, 李理,《长白学刊》2001 年第 3 期

邓小平对日外交思想略论, 张鲁宁,《甘肃理论学刊》2001 年第 1 期

邓小平关于人才问题的战略思想, 肖松柏,《湘潭师范学院学报》(社会科学版) 2001 年第 4 期

邓小平国际战略思想及其时代意义, 刘亚军,《甘肃理论学刊》2001 年第 1 期

邓小平科技理论的特征与方法论意义, 刘国建,《安庆师范学院学报》(社会科学版) 2001 年第 1 期

邓小平理论体系之我见, 赖恭谦,《长白学刊》2001 年第 1 期

邓小平理论与 21 世纪中国社会主义, 包心鉴,《马克思主义研究》2001 年第 2 期

邓小平理论中人的问题述评, 王和周,《淮北煤炭师范学院学报》(哲学社会科学版) 2001 年第 2 期

邓小平区域经济发展观与西部大开发, 林胜,《安徽教育学院学报》2001 年第 4 期

邓小平社会主义价值目标论的创新意义, 杨礼宾,《西南民族学院学报》(哲学社会科学版) 2001 年第 12 期

对邓小平理论精髓的再思考, 艾光明,《唐都学刊》2001 年第 11 期

对邓小平"吸收思想"的再思考, 梅倩,《社会主义研究》2001 年第 2 期

放眼世界：邓小平发展理论的意蕴, 陈春梅,《江西行政学院学报》2001 年第 2 期

坚持用邓小平理论指导经济建设——学习《邓小平文选》第三卷的体会, 江龙华,《安顺师范高等专科学校学报》2001 年第 2 期

简论邓小平发展理论, 张伟,《西南民族学院学报》(哲学社会科学版) 2001 年第 12 期

江泽民的创新思想与邓小平理论的跨世纪发展, 林辉基,《中共云南省委党校学报》2001 年第 1 期

结合实际：学习邓小平理论的着力点, 卢侠,《阜阳师范学院学报》(社会科学版) 2001 年第 4 期

"解放思想、实事求是"的辩证内涵——重温邓小平两篇讲话的体会，李宁宁，《九江师专学报》2001年第1期

近十年来邓小平的现代化思想研究综述，熊吕茂，《株洲师范高等专科学校学报》2001年第6期

历史的选择、时代的呼唤——从历史背景和当代中国建设实践再认识邓小平理论产生的历史必然性，李文冰，《浙江传媒学院学报》2001年第1期

略论邓小平的理论创新思想，薛安泰，《中共福建省委党校学报》2001年第3期

略论邓小平的引进国外智力理论，吴克华，《石油大学学报》（社会科学版）2001年第1期

略论邓小平义利观的三个基本特征及其意义，丁名海，《阜阳师范学院学报》（社会科学版）2001年第3期

论邓小平的反腐败思想，陈金田，《西南民族学院学报》（哲学社会科学版）2001年第10期

论邓小平对毛泽东社会主义社会基本矛盾理论的发展，尧克宁，《江西广播电视大学学报》2001年第2期

论邓小平加快经济发展的理论，王献志，《湘潭师范学院学报》（社会科学版）2001年第3期

论邓小平科教兴国理论的哲学依据，梁保安，《阜阳师范学院学报》（社会科学版），2001年第3期

论邓小平民主理论的重大理论创新意义——兼论建国以来社会主义民主政治建设的基本经验，何显明，《中共宁波市委党校学报》2001年第6期

"猫论"不宜作为邓小平理论来援引，周贵发，《贵阳建筑大学学报》2001年第2期

毛泽东和邓小平论"实事求是"之比较，刘艳娟，《思想政治教育研究》2001年第2期

毛泽东、邓小平同志论解放思想、实事求是，编辑部，《人民日报》2001年8月29日

《南方谈话》的主要内容和历史地位——纪念邓小平《南方谈话》十周年，施凯峰，《特区经济》2001年第12期

浅谈邓小平理论的辩证法思想，覃丽琼，《孝感职业技术学院学报》2001年第1期

浅论邓小平异中取和、和中求生的辩证思想，傅军，《西藏发展论坛》2001年第2期

浅谈邓小平同志德育思想，艾国春，《鸡西大学学报》2001年第2期

实践观与价值观的内在统一——邓小平对马克思主义的伟大

贡献，刘启东，《西南民族学院学报》（哲学社会科学版）2001 年第12 期

试论邓小平的共同富裕思想及其伟大意义，肖良武，《贵阳金筑大学学报》2001 年第 2 期

试论邓小平对社会主义本质理论的新发展，杨兰，《咸阳师范学院学报》2001 年第 3 期

试论邓小平理论的立场，凌有江,《阜阳师范学院学报》（社会科学版）2001 年第 2 期

试论邓小平利用资本主义的思想，陈兴发，《江苏工业学院学报》（社会科学版）2001 年第 2 期

学习《邓小平文选》第三卷的体会，黎阳，《湖南师范大学社会科学学报》2001 年第 11 期

与时俱进：邓小平现代化理论的突出品质，沈郑荣，《南京政治学院学报》2001 年第 6 期

再论邓小平理论的逻辑起点，邹林，《阜阳师范学院学报》（社会科学版）2001 年第 2 期

秩序·效率·公平·人权——论邓小平理论的法价值意蕴，范慧，《广西青年干部学院学报》2001 年第 1 期

2002 年

从共同富裕解读毛泽东思想与邓小平理论，黄宝玲、刘勇，《湖北社会科学》2002 年第 8 期

从"两个大局"论邓小平西部共同富裕的战略构想，刘勇、黄宝玲，《徐州教育学院学报》2002 年第 2 期

春天畅想曲——纪念小平同志"南巡"讲话 10 周年，编辑部，《西南金融》2002 年第 2 期

党的三代领导核心论"实事求是"，任东景，《忻州师范学院学报》2002 年第 3 期；《呼兰师专学报》2002 年第 4 期

邓小平法制思想与中国法文化现代化，周贤安，《青海学刊》2002 年第 4 期

邓小平共同富裕理论的鲜明特征，刘勇,《毛泽东思想研究》2002 年第 3 期

邓小平关于社会主义本质论述的时代价值——纪念邓小平南方讲话发表十周年，刘海燕，《理论学习》2002 年第 1 期

邓小平理论的民族文化基因探源，李方祥，《西藏发展论坛》2002 年第 1 期

邓小平：理论与实践角色的统一，谢海军，《唯实》2002 年第 6 期

邓小平正确处理人民内部矛盾的新方略论析，李朝阳，《黑河学刊》2002 年第 3 期

对邓小平非均衡发展战略思想的认识，李娟，《中共山西省委党校学报》2002年第3期

"后伟人时代"的第一个十年——邓小平南巡10周年记，凌志军，《南风窗》2002年第2期

回忆那首思想的闪电——读邓小平《解放思想，实事求是，团结一致向前看》，穆霖，《石油政工研究》2002年第1期

改革时代的警世之言——十年后重读邓小平南方谈话，沈宝祥，《青海学刊》2002年第2期

关于邓小平的共同富裕理论，宋善文、邓从先，《东南亚纵横》2002年第2期

解放思想期。实事求是期。改革创新——邓小平理论的再认识，薛波，《辽宁教育学院学报》2002年第6期

近五年来关于邓小平对外开放思想研究综述，纪萱华，《北京党史》2002年第4期

论邓小平"不争论"思想，刘晓黎、刘济生，《内蒙古民族大学学报》（社会科学版）2002年第4期

论邓小平的大局观——学习《邓小平文选》第三卷的一点体会，臧乐源，《山东科技大学学报》（社会科学版）2002年第1期

论邓小平的发展观，白刚，《学习论坛》2002年第3期

论邓小平的效率与公平思想，罗成富，《牡丹江师范学院学报》（哲学社会科学版）2002年第3期

论邓小平管理思想的特点，邵丙军，《牡丹江师范学院学报》（哲学社会科学版）2002年第4期

论邓小平接班人思想，陈自才，《淮北煤炭师范学院学报》（哲学社会科学版）2002年第1期

论邓小平社会发展理论的主要特征，马春芳，《青海师范大学民族师范学院学报》2002年第2期

论新时期邓小平共同富裕思想的现实意义，钱汉东，《池州师专学报》2002年第2期

求真务实期。开拓创新——从"南方谈话"到"七一"讲话的重要启示，刘泽雨，《青海学刊》2002年第2期

人民本位思想：邓小平价值观的一根红线，宁小银，《湘潭大学社会科学学报》2002年第1期

实事求是——邓小平理论的方法论基础，孙艳丽，《辽宁广播电视大学学报》2002年第2期

十一届三中全会以来邓小平理论研究综述，温乐群，《党史研究与教学》2002年第3期

试论邓小平对现代化建设理论的贡献，李学锋，《牡丹江师范学院学报》（哲学社会科学版）2002年第4期

试论邓小平共同富裕战略构想的基础，凤雪群，《广西青年干部学院学报》2002 年第 6 期

试论邓小平两篇宣言书的时代力量，费国良，《宁波大学学报》（人文科学版）2002 年第 1 期

试论邓小平人民主体思想，庄敏，《岭南学刊》2002 年第 1 期

忘不了那春天的故事——纪念邓小平南巡谈话十周年，柯平、张辉，《党员之友》2002 年第 6 期

只有解放思想才能与时俱进——重读《南巡谈话》，倪晓林，《滁州师专学报》2002 年第 3 期

中国要警惕右，但主要是防止"左"——纪念邓小平南方谈话发表十周年，韦世强、曹裕文，《桂林师范高等专科学校学报》2002 年第 1 期

"总设计师"鲜为人知的中原谈话，薛中原，《领导科学》2002 年第 1 期

邓小平南方谈话十年研究综述，汤运红，《南京政治学院学报》2002 年第 2 期

"纪念邓小平南方谈话发表十周年"座谈会综述，石本惠，《社会科学研究》2002 年第 3 期

解放思想、实事求是的宣言书——邓小平南方谈话十周年之际访著名理论家、哲学家邢贲思，邢久强，《前线》2002 年第 3 期

略论社会主义的本质与特征——纪念邓小平南巡谈话发表十周年，李志国，《长春师范学院学报》2002 年第 1 期

让解放思想、实事求是的思想路线永放光芒——纪念邓小平"南方谈话"发表十周年，郝铁川，《求是》2002 年第 5 期

六　邓小平文献研究论文题录（2003 年以来）

2003 年

保持与时俱进的精神状态，马郑刚，《求是》2003 年第 3 期

邓小平青年观探析，任鸿升，《扬州教育学院学报》2003 年第 2 期

邓小平的人才思想观，房跃，《云南科技管理》2003 年第 5 期

邓小平的用人艺术论析，赵增彦，《学习论坛》2003 年第 1 期

邓小平党风建设观探析，陈磊，《前沿》2003 年第 3 期

邓小平对发展生产力途径的探索与贡献，朱剑峰，《阜阳师范学院学报》（社会科学版），2003 年第 2 期

邓小平对毛泽东社会主义观的

继承与发展，卢伟，《牡丹江师范学院学报》（哲学社会科学版）2003 年第 3 期

邓小平对社会主义本质概括的内容及特点，刘晓清，《毛泽东思想研究》2003 年第 1 期

邓小平关于"实事求是"中"求"的理论与实践，陈君生，《理论探索》2003 年第 5 期

邓小平科教兴国思想研究，赵常伟，《政治学研究》2003 年第 2 期

邓小平教育理论刍议，李静，《理论与当代》2003 年第 1 期

邓小平教育思想述论，余文英，《河南教育学院学报》（哲学社会科学版）2003 年第 1 期

邓小平理论的主题与江泽民"三个代表"思想，闫玉联，《阜阳师范学院学报》（社会科学版）2003 年第 1 期

邓小平民办教育思想窥探，廖良初，《经济与社会发展》2003 年第 7 期

邓小平农业科技战略思想探析，郭学旺，《党的文献》2003 年第 4 期

邓小平农业思想初探，林志友，《安阳师范学院学报》2003 年第 1 期

邓小平农业战略思想探析，崔德华，《中共伊犁州委党校学报》2003 年第 1 期

邓小平人本思想刍论，钟瑞添、彭越辉，《学术论坛》2003 年第 2 期

邓小平人权观探析，刘钢锁，《湖北省社会主义学院学报》2003 年第 6 期

邓小平晚年关于共同富裕保障与途径思想浅论，邓从先，《武汉科技大学学报》（社会科学版）2003 年第 4 期

邓小平宪政思想初探，毛艳，《内江师范学院学报》2003 年第 5 期

邓小平与真理标准问题讨论研究述评，沈宝祥，《重庆社会科学》2003 年第 2 期

邓小平资本主义观浅析，王广，《理论月刊》2003 年第 3 期

邓小平知识分子思想探析，陈永生，《理论学刊》2003 年第 4 期

论邓小平的诚信观，沈海军，《毛泽东思想研究》2003 年第 1 期

论邓小平的群众观，耿庆彪，《社会主义研究》2003 年第 5 期

论邓小平的人权思想，刘正云，《理论月刊》2003 年第 7 期

论邓小平人才思想，张素芬，《河北广播电视大学学报》2003 年第 1 期

论邓小平人民民主专政思想，马立新，《天水行政学院学报》2003 年第 5 期

毛泽东、邓小平辩证思维方式比较研究，杨海秀，《经济与社会发

展》2003 年第 3 期

毛泽东与邓小平关于农业现代化思想之比较，唐明勇，《理论探讨》2003 年第 2 期

浅析邓小平的"实事求是"思想，陈因，《毛泽东思想研究》2003 年第 1 期

社会主义的伟大创新——邓小平"什么是社会主义、怎样建设社会主义"思想研究，单晓铭，《当代思潮》2003 年第 1 期

试论邓小平可持续发展的价值观，段学芬，《前沿》2003 年第 4 期

"首要的基本的理论问题"的确立及其重大意义，石国亮，《安徽教育学院学报》2003 年第 2 期

新时期再论邓小平的"三农"思想，任学丽，《渝西学院学报》(社会科学版) 2003 年第 2 期

"宜粗不宜细"原则与实事求是——纪念邓小平诞辰 100 周年，张家芳、王先俊，《北京党史》2003 年第 3 期

2004 年

把邓小平开创的中国特色社会主义事业推向前进，陈训秋，《学习与实践》2004 年第 8 期

创新理论是邓小平理论的重要组成部分——纪念邓小平同志诞辰一百周年，黄中元，《社会观察》2004 年第 8 期

从邓小平农业思想看我国解决"三农"困境的特色发展范式，刘功润，《兰州学刊》2004 年第 4 期

从"猫论"看发展生产力，屈恩红，《内江师范学院学报》2004 年第 11 期

从"南方谈话"看邓小平的发展观，陈福荣，《延安大学学报》(社会科学版) 2004 年第 5 期

邓小平不称霸思想多视角解析，张文科，《岳阳职业技术学院学报》2004 年第 3 期

邓小平的发展思想，张瑞枝，《广西社会科学》2004 年第 12 期

邓小平的"解放思想、实事求是"与党的建设，李贵荣，《中共福建省委党校学报》2004 年第 2 期

邓小平的科学发展思想浅析，杜明庭，《中共石家庄市委党校学报》2004 年第 7 期

邓小平的人才观及其历史价值，王桂兰，《河南师范大学学报》(哲学社会科学版) 2004 年第 4 期

邓小平的社会主义本质思想新探，陈学法，《江苏社会科学》2004 年第 6 期

邓小平的哲学思想之表征研析，梁景时，《通化师范学院学报》2004 年第 9 期

邓小平对当代中国社会发展的战略思考，田克勤，《河南师范大学学报》（哲学社会科学版）2004 年第 4 期

邓小平对毛泽东晚年思想的历史性超越，虞文清，《湖州师范学院学报》2004 年第 3 期

邓小平对马克思历史唯物主义的丰富和发展，李明贤，《内江师范学院学报》2004 年第 11 期

邓小平对马克思主义生产力理论的贡献，柳云，《理论观察》2004 年第 6 期

邓小平对我国意识形态工作的理论和实践贡献，高祖林，《南京工业大学学报》（社会科学版）2004 年第 4 期

邓小平对西方发展理论的超越，潘利红，《华南师范大学学报》（社会科学版）2004 年第 6 期

邓小平对中国社会主义现代化的构想，兰世惠，《宜宾学院学报》2004 年第 4 期

邓小平"发展才是硬道理"的真谛探析，郑德荣，《河南师范大学学报》（哲学社会科学版）2004 年第 4 期

邓小平发展观略论，曹前发，《当代中国史研究》2004 年第 5 期

邓小平反贫困思想与中国社会的历史性巨变，王大超，《沈阳师范大学学报》（社会科学版）2004 年第 6 期

邓小平改革理论特点初探，喻永均，《重庆职业技术学院学报》2004 年第 2 期

邓小平关于人的全面发展理论探析，杨建平，《贵州社会主义学院学报》2004 年第 3 期

邓小平关于中国和平发展道路的战略思考，黄仁伟，《社会观察》2004 年第 11 期

邓小平金融理论是当代中国的马克思主义金融理论，李公羽，《今日海南》2004 年第 7 期

邓小平科技与教育思想初探，李雄辉，《高等教育研究学报》2004 年第 1 期

邓小平"科学技术是第一生产力"思想及其重大意义，邓小明，《内江师范学院学报》2004 年第 11 期

邓小平理论的方法论特色，郑忆石，《中共宁波市委党校学报》2004 年第 5 期

邓小平理论的国际影响，俞邃，《现代国际关系》2004 年第 8 期

邓小平理论的"黑箱"思维初探，蔡玉珍，《湘潭师范学院学报》（社会科学版）2004 年第 1 期

邓小平理论的哲学基础，郑小东，《党史文苑》2004 年第 12 期

邓小平领导和决策实践的本质特点，唐铁汉，《理论探讨》2004 年

第 6 期

邓小平论新时期社会主义与资本主义的关系，解莉，《安徽师范大学学报》（人文社会科学版）2004 年第 4 期

邓小平教育思想初探，周晓波、王丽荣、宁丽莎，《辽宁工学院学报》（社会科学版）2004 年第 3 期

邓小平教育思想浅析，张正沛，《云南电大学报》2004 年第 3 期

邓小平解决"三农"问题的理论思路及其启示，李明，《思想理论教育导刊》2004 年第 3 期

邓小平农业思想简论，郑炳凯，《忻州师范学院学报》2004 年第 4 期

邓小平"三农"理论探析，钟凯雄，《江西社会科学》2004 年第 5 期

邓小平"三农"思想的特点及其现实意义，吴昌荣，《求实》2004 年第 7 期

邓小平"三农"思想及其当代意义，王南雁，《理论观察》2004 年第 6 期

邓小平"三农"思想探析，王伟婉，《苏州大学学报》（哲学社会科学版）2004 年第 2 期

邓小平"三农"思想研究——以逻辑架构为视角的分析，王昉，《探求》2004 年第 4 期

邓小平"三农"思想与解决当前"三农"问题的思考，黄爱东，《厦门特区党校学报》2004 年第 5 期

邓小平社会主义本质理论解读，郑敏，《淮北煤炭师范学院学报》（哲学社会科学版）2004 年第 4 期

邓小平社会主义本质理论研究，卫兴华，《中国人民人学学报》2004 年第 4 期

邓小平社会主义民主观探析，巨旺民，《陕西青年管理干部学院学报》2004 年第 4 期

邓小平社会主义现代化思想探讨，褚海萍，《青海师范大学民族师范学院学报》2004 年第 2 期

邓小平"实事求是"观点中的语词文化，武小军，《西华大学学报》（哲学社会科学版）2004 年第 3 期

邓小平市场经济思想初探，刘鸿明，《西安教育学院学报》2004 年第 2 期

邓小平天津谈话及其重要意义，李大勇，《中共天津市委党校学报》2004 年第 3 期

邓小平同志南巡谈话前的四次谈话述论，肖文学，《辽宁工程技术大学学报》（社会科学版）2004 年第 6 期

邓小平稳定思想探析，陆卫明、薛琳，《南京工业大学学报》（社会科学版）2004 年第 3 期

邓小平效率公平观释义，杨凤春，《理论探讨》2004年第6期

邓小平新时期党风廉政建设思想浅析，丁伯东，《今日海南》2004年第7期

邓小平与《关于建国以来党的若干历史问题的决议》，陈东林，《当代中国史研究》2004年第4期

邓小平与四项基本原则，宋清渭，《纪念邓小平同志诞辰100周年论文集》2004年

邓小平与小康社会，范征夫，《上海市社会主义学院学报》2004年第4期

邓小平哲学思想的特点及其贡献初探，曾小林，《达县师范高等专科学校学报》2004年第1期

邓小平政治观探析，谢丽华，《学术论坛》2004年第1期

邓小平知识分子思想研究，冯支越，《中共中央党校学报》2004年第2期

邓小平知识分子理论探析，张玲，《山东省青年管理干部学院学报》2004年第6期

邓小平执政党建设理论，姚蓉，《西南民族大学学报》（人文社科版）2004年第7期

邓小平执政思想初探，吉龙华，《中共云南省委党校学报》2004年第6期

更深刻地理解邓小平"精髓论"的独特创造性（上、下）——邓小平对"解放思想"范畴的创造性，刘家俊，《淮海工学院学报》（人文社会科学版）2004年第3期

关于邓小平共同富裕思想及其实践的思考，安春兰，《内江师范学院学报》2004年第11期

国内外邓小平理论研究之比较，马启民，《上海党史与党建》2004年第4期

建设社会主义政治文明是邓小平社会主义民主政治思想的逻辑发展，齐卫平，《河南师范大学学报》（哲学社会科学版）2004年第4期

近几年来邓小平"三农"思想研究综述，杜海军，《北京党史》2004年第4期

科学精神与人文关怀：邓小平理论的两个维度，白刚，《胜利油田党校学报》2004年第1期

理论创新的光辉典范——纪念邓小平同志诞辰一百周年，华毅，《湖南省社会主义学院学报》2004年第5期

立国之本——重温邓小平关于坚持四项基本原则的论述，李忠杰，《求是》2004年第17期

《历史决议》航船的舵手——邓小平，李晓瑜，《中北大学学报》（社会科学版）2004年第4期

两个"解放思想，实事求是"的宣言书——纪念邓小平诞辰一百

周年，何世洁，《贵州社会主义学院学报》2004 年第 2 期

略论邓小平的科技思想，李放，《学术交流》2004 年第 1 期

略论邓小平解决"三农"问题的基本思想，田澍，《广播电视大学学报》（哲学社会科学版）2004 年第 2 期

论邓小平"不争论"思想的本质与内涵，宋天和，《理论探讨》2004 年第 6 期

论邓小平的现代文明观，卞敏期，《阴山学刊》2004 年第 4 期

论邓小平的政治稳定观，王东维，《延安大学学报》（社会科学版）2004 年第 5 期

论邓小平对马克思实践唯物主义的新发展，李福生，《牡丹江师范学院学报》（哲学社会科学版）2004 年第 2 期

论邓小平精神的深刻内涵，刘林元，《江苏社会科学》2004 年第 6 期

论邓小平理论形成的历史条件，蔡庆芬，《江苏行政学院学报》2004 年第 4 期

论邓小平人才思想，张宽亮，《陕西师范大学学报》（哲学社会科学版）2004 年第 2 期

论邓小平发展思想，曹萍，《毛泽东思想研究》2004 年第 3 期

论邓小平推动制度建设的具体

方法，李宽松，《桂海论丛》2004 年第 1 期

论邓小平宪法思想，周昕、向敏，《攀登》2004 年第 4 期

毛泽东与邓小平的青年时期思想相似性初探，凡丽，《大理学院学报》2004 年第 6 期

"农业是根本，不要忘掉"——邓小平"三农"思想分析，周维松，《中共四川省委省级机关党校学报》2004 年第 2 期

浅论邓小平的文章观，黄波，《西藏文学》2004 年第 4 期

浅论小平同志南巡讲话和"三个代表"重要思想的联系，李鸿生、肖娟，《电子科技大学学报》（社会科学版）2004 年第 4 期

浅谈邓小平党风廉政建设思想的主要内容，楼丽萍，《党史文苑》2004 年第 12 期

浅谈邓小平关于知识分子问题的思想，郭秋红，《青海师范大学民族师范学院学报》2004 年第 2 期

浅析邓小平同志的"两手抓"思想，黄海娟，《宿州学院学报》2004 年第 4 期

浅析邓小平德育思想，杨平，《兰州学刊》2004 年第 6 期

认识与实践邓小平北方谈话系列笔谈之一——邓小平北方谈话的由来，中共辽宁省委党史研究室党史资政课题组，《党史纵横》2004 年

第 8 期

认识与实践邓小平北方谈话系列笔谈之二——邓小平北方谈话的主要内容，中共辽宁省委党史研究室党史资政课题组，《党史纵横》2004 年第 8 期

认识与实践邓小平北方谈话系列笔谈之三——认识和实践邓小平理论的一项重要使命，中共辽宁省委党史研究室党史资政课题组，《党史纵横》2004 年第 8 期

认识与实践邓小平北方谈话系列笔谈之四——邓小平北方谈话与南方谈话之比较，中共辽宁省委党史研究室党史资政课题组，《党史纵横》2004 年第 8 期

认识与实践邓小平北方谈话系列笔谈之五——学习贯彻邓小平北方谈话——解放思想、实事求是，中共辽宁省委党史研究室党史资政课题组，《党史纵横》2004 年第 8 期

认识与实践邓小平北方谈话系列笔谈之六——学习贯彻邓小平北方谈话用先进技术和管理方法改造企业，中共辽宁省委党史研究室党史资政课题组，《党史纵横》2004 年第 8 期

思想战线的明灯——重温邓小平同志关于思想政治教育重要论述，徐文良，《思想政治教育研究》2004 年第 3 期

深化邓小平"三农"思想研究，孟志中，《中国特色社会主义研究》2004 年第 3 期

生产力标准是邓小平理论的基石，李景源，《社会观察》2004 年第 10 期

生活哲学视野中的邓小平理论，张禹东，《哲学研究》2004 年第 11 期

实事求是的典范关心群众的楷模——学习邓小平两次视察贵州期间重要谈话的体会，蒋国生，《当代贵州》2004 年第 16 期

实事求是地对待党内反对错误倾向的斗争——学习邓小平有关反倾向斗争的论述，辛程，《中华魂》2004 年第 7 期

实践是解读邓小平南巡谈话唯一的科学途径，陈在碧，《理论探讨》2004 年第 6 期

试论邓小平的"科学技术是第一生产力"论断及其实践运用，贾晋锋，《太原城市职业技术学院学报》2004 年第 4 期

试论邓小平的新闻和宣传思想，陈力丹，《沈阳师范大学学报》（社会科学版）2004 年第 6 期

试论邓小平"三农"思想，郑莹，《理论月刊》2004 年第 10 期

试析邓小平对实事求是思想路线的实践和发展，左立竞，《文山师范高等专科学校学报》2004 年第 3 期

试析邓小平共同富裕思想的科学内涵，张春霞，《牡丹江师范学院学报》（哲学社会科学版）2004 年第 5 期

试析邓小平推动制度现代化的具体方法，李宽松，《宜宾学院学报》2004 年第 2 期

"要实事求是，一切从实际出发"——辽宁省人大常委会原主任王光中回忆邓小平，陈乃举、单丹兵，《共产党员》2004 年第 9 期

以人为本的科学发展观——重读《邓小平文选》学习摘记，编辑部，《地球信息科学》2004 年第 4 期

"宜粗不宜细"原则与实事求是——纪念邓小平诞辰 100 周年，张家芳、王先俊，《长白学刊》2004 年第 4 期；《宁夏党校学报》2004 年第 4 期

永恒的话题，不朽的业绩——对邓小平"解放思想，实事求是"的几点思考，汪子云，《内蒙古师范大学学报》（哲学社会科学版）2004 年第 4 期

卓越的政治智慧宝贵的精神财富——再读邓小平《解放思想，实事求是，团结一致向前看》的体会，付志方，《理论前沿》2004 年第 15 期

2005 年

更深刻地理解邓小平"精髓论"的独特创造性（上、下）——邓小平对"解放思想"范畴的创造性，刘家俊，《淮海工学院学报》（人文社会科学版）2005 年第 1 期

从邓小平晚年的"理论交代"到"三个代表"重要思想——兼论邓小平在马克思主义中国化进程中的个体性格，任晓伟，《石家庄学院学报》2005 年第 1 期

从利益分化与利益协调的视角理解共同富裕思想，高长武，《贵阳市委党校学报》2005 年第 2 期

从马克思的"跨越"思想到邓小平的利用资本主义理论，郭大俊，《湖北行政学院学报》2005 年第 1 期

邓小平爱国主义思想的辩证光辉，张新桥，《沧桑》2005 年第 1 期

邓小平出版思想新探，张长明，《贵州大学学报》（社会科学版）2005 年第 1 期

邓小平处理两制关系的原则，于静，《南昌航空工业学院学报》（社会科学版）2005 年第 1 期

邓小平奠定了科学发展观的理论基础，孙金华，《安徽大学学报》（哲学社会科学版）2005 年第 2 期

邓小平的发展观及其实践之评述，林绪武，《武警工程学院学报》

2005 年第 3 期

邓小平的国家主权思想，龙秀艳，《大庆高等专科学校学报》2005 年第 1 期

邓小平的艰苦奋斗观，余明远，《宜宾学院学报》2005 年第 8 期

邓小平的人性观初探，李翔宇，《柳州师专学报》2005 年第 1 期

邓小平的忧民意识与中国特色社会主义，姜蕙，《盐城师范学院学报》（人文社会科学版）2005 年第 1 期

邓小平的语言特色，杨丽萍，《现代职业安全》2005 年第 8 期

邓小平对科学社会主义理论的三大贡献，刘宝成，《河北理工学院学报》（社会科学版）2005 年第 2 期

邓小平对马克思主义生产力理论的丰富和发展，孙希良，《中共云南省委党校学报》2005 年第 1 期

邓小平对毛泽东思想的历史性贡献，高荣朝，《党史博采》（理论）2005 年第 1 期

邓小平对"三个代表"重要思想形成的历史贡献，刘益群，《党史文苑》2005 年第 4 期

邓小平对社会主义意识形态的重构及其历史贡献，吴文勤，《社会主义研究》2005 年第 1 期

邓小平对十三届四中全会以来我国发展的贡献，郭秋光，《南昌大学学报》（人文社会科学版）2005 年

第 1 期

邓小平对外开放经济发展动力思想研究，邓磊，《湖北民族学院学报》（哲学社会科学版）2005 年第 2 期

邓小平对完善民主监督机制的思考，于铭松，《广东省社会主义学院学报》2005 年第 2 期

邓小平对唯物辩证法的创造性运用，洪江，《内蒙古民族大学学报》2005 年第 4 期

邓小平发展主体思想对落实科学发展观的启示，郝丽霞，《经济与社会发展》2005 年第 1 期

邓小平发展主体思想对落实科学发展观的启示，吴现波，《山西社会主义学院学报》2005 年第 1 期

邓小平关于教师工作的论述，刘运喜，《党史文苑》2005 年第 6 期

邓小平关于居安思危思想的重要论述及其现实意义，郝洪喜，《党史博采》（理论）2005 年第 1 期

邓小平后勤思想的时代价值，张志兵，《哈尔滨学院学报》2005 年第 4 期

邓小平可持续发展观概述，徐明，《党史博采》（理论）2005 年第 4 期

邓小平可持续发展思想探析，陈娱，《商丘师范学院学报》2005 年第 3 期

邓小平可持续发展思想探悉，

史佩宇,《河南广播电视大学学报》2005 年第 1 期

邓小平加强执政党制度建设的思想及其现实意义, 徐国喜,《南京医科大学学报》(社会科学版) 2005 年第 1 期

邓小平人本发展观探析, 王强,《盐城师范学院学报》(人文社会科学版) 2005 年第 1 期

邓小平理论的内在结构与逻辑发展, 陈承红,《安徽电子信息职业技术学院学报》2005 年第 2 期

邓小平理论教学中案例教学法运用的研究, 胡晓兵,《大庆社会科学》2005 年第 1 期

邓小平理论形成与发展的阶段, 董术,《北京机械工业学院学报》2005 年第 1 期

邓小平理论与当代社会主义——"纪念邓小平诞辰 100 周年"学术研讨会, 常辉,《当代世界社会主义问题》2005 年第 1 期

邓小平理论与社会主义文化精神, 杨振闻,《实事求是》2005 年第 1 期

邓小平理论中的创新文化机制, 潘学萍,《思想教育研究》2005 年第 3 期

邓小平论发展, 唐召云,《湖南行政学院学报》2005 年第 1 期

邓小平论解放思想及其在中国现代历史发展中的地位——解读"解放思想,实事求是,团结一致向前看", 赵先明、冯静,《西昌学院学报》(人文社会科学版) 2005 年第 4 期

邓小平论领导制度改革, 路杰,《广东技术师范学院学报》2005 年第 1 期

邓小平论毛泽东和毛泽东思想及其现实指导意义, 宋镜明,《湖南师范大学社会科学学报》2005 年第 1 期

邓小平马克思主义观探析, 林孟清,《毛泽东思想研究》2005 年第 1 期

邓小平农业思想简论, 杨建云,《零陵学院学报》2005 年第 3 期

邓小平人才思想初探, 曾洁华,《党史文苑》2005 年第 10 期

邓小平"三农"思想探析, 陈凤丽,《中共宁波市委党校学报》2005 年第 2 期

邓小平社会公正思想研究, 程立显,《郑州轻工业学院学报》(社会科学版) 2005 年第 1 期

邓小平"社会主义本质论"的新思考, 周湖勇,《甘肃行政学院学报》2005 年第 1 期

邓小平思维方式探究, 尹鑫,《改革与战略》2005 年第 1 期

邓小平效率公平思想与科学发展观, 臧明仪,《中共云南省委党校学报》2005 年第 1 期

邓小平学术研究思想对高校的影响，李爱民，《高等教育研究学报》2005年第1期

邓小平以人为本思想初探，邱瑞根，《萍乡高等专科学校学报》2005年第1期

邓小平与四项基本原则，徐久刚、许兴达，《党史文汇》2005年第1期

邓小平与我国教育中兴，姜兆儒，《前沿》2005年第4期

邓小平与新时期党的执政能力建设，尹书博，《党史文苑》2005年第6期

邓小平与中国的政治现代化，秦廷华，《贵阳市委党校学报》2005年第2期

邓小平哲学方法论探析，江洪明，《经济与社会发展》2005年第3期

邓小平政治意识文明思想研究，仇小敏，《西北工业大学学报》（社会科学版）2005年第1期

对邓小平的社会发展观与当代中国社会发展理论的再认识，居来提·热合买提，《喀什师范学院学报》2005年第2期

对邓小平发展理论的再认识，白平，《理论月刊》2005年第1期

根据经验认识社会主义的典范——兼论邓小平认识社会主义的方法论特点，粟岚，《社会主义研究》2005年第2期

关于"不争论"的再思考，张文富，《宝鸡文理学院学报》（社会科学版）2005年第2期

坚持历史研究的马克思主义方向——学习邓小平"四项基本原则思想"札记，于沛，《社会科学管理与评论》2005年第1期

简论邓小平社会主义事业依靠力量理论，牛玉峰，《社会科学战线》2005年第2期

解读邓小平的发展机遇观，王烨，《前沿》2005年第4期

解放思想、实事求是与四项基本原则——浅析邓小平对两者关系的认识，左世元，《沙洋师范高等专科学校学报》2005年第3期

"解放思想、实事求是"的现代学阐释，李振刚、董文怡，《华北航天工业学院学报》2005年第5期

经济危机管理：对邓小平理论的新解读，陈心颖，《社科纵横》2005年第1期

究竟什么叫解放思想？——邓小平：解放思想就是实事求是，林源，《南京社会科学》2005年第12期

略论邓小平的错误观，肖生福，《江汉大学学报》（社会科学版）2005年第1期

略论邓小平的发展观，李文静，《社科纵横》2005年第1期

略论邓小平的人本观思想，刘述萍，《广东省社会主义学院学报》2005 年第 2 期

略论邓小平坚持社会主义的思想，王文峰，《经济与社会发展》2005 年第 1 期

略论邓小平以民为本的文艺思想及其指导意义，刘建红，《党史博采》（理论）2005 年第 3 期

论邓小平的爱国情结与社会主义情结的关系——来自价值理性与工具理性的思考，邓周平，《江苏科技大学学报》（社会科学版）2005 年第 1 期

论邓小平的辩证发展观及其时代演进，周松峰，《集美大学学报》（哲学社会科学版）2005 年第 1 期

论邓小平的创新思维，孙洪敏，《马克思主义研究》2005 年第 1 期

论邓小平的发展观，王虹，《黑龙江教育学院学报》2005 年第 1 期

论邓小平的发展观与科学发展观，蔚鲁静，《中国科技信息》2005 年第 2 期

论邓小平的可持续发展思想及其当代价值，魏海青，《广东青年干部学院学报》2005 年第 1 期

论邓小平的马克思主义学风观，徐世杰，《理论探索》2005 年第 1 期

论邓小平的人权思想，耿庆彪，《前沿》2005 年第 4 期

论邓小平的"三农"思想，孙绪民，《理论学习》2005 年第 5 期

论邓小平的社会统筹协调思想，周正刚，《湖南社会科学》2005 年第 1 期

论邓小平的实践哲学，魏博辉，《中国青年政治学院学报》2005 年第 2 期

论邓小平对党的"三大法宝"的继承和发展，林成法，《集美大学学报》（哲学社会科学版）2005 年第 1 期

论邓小平对增强中共政治合法性之贡献，严宏，《贵阳市委党校学报》2005 年第 2 期

论邓小平加快发展思想，许四海，《邵阳学院学报》（社会科学版）2005 年第 1 期

论邓小平理论创新的思维特征，程现昆，《沈阳工程学院学报》（社会科学版）2005 年第 1 期

论邓小平理论的精髓，张绍森，《中共桂林市委党校学报》2005 年第 1 期

论邓小平理论的时代特征与民族特色，周锦年，《洛阳师范学院学报》2005 年第 1 期

论邓小平理论形成过程中的思想交锋，李宝艳，《党史文苑》2005 年第 4 期

论邓小平民主法制思想，李红伟，《党史文苑》2005 年第 6 期

论邓小平南巡讲话中创新思维

的特点，张卫萍，《河北省社会主义学院学报》2005 年第 4 期

论邓小平人权思想的哲学基础——一种对普遍人权的解读，孟凡平，《社会主义研究》2005 年第 1 期

论邓小平社会发展理论中的人文关怀思想，邱焕玲，《山东省青年管理干部学院学报》2005 年第 2 期

论邓小平实践观，罗晓明，《中共宁波市委党校学报》2005 年第 1 期

论邓小平新时期巩固和加强人民民主专政思想，季明，《中共云南省委党校学报》2005 年第 1 期

论邓小平以人为本的发展观，杨洪兵，《重庆工业高等专科学校学报》2005 年第 1 期

论邓小平"以人为本"思想的理论价值，林杰，《新疆石油教育学院学报》2005 年第 4 期

论邓小平政治哲学的外交价值向度，杨德懿，《党史文苑》2005 年第 4 期

浅论邓小平创新思维，张久清，《内蒙古民族大学学报》(社会科学版) 2005 年第 1 期

浅论邓小平的公正思想，刘芳，《党史博采》(理论) 2005 年第 4 期

浅谈邓小平的法制教育思想，边秀琴，《党史博采》(理论) 2005 年第 3 期

浅议邓小平的民主法治思想与人本发展观，任冰，《辽宁公安司法管理干部学院学报》2005 年第 1 期

浅议邓小平文化思想，俞宁，《安徽农业大学学报》(社会科学版) 2005 年第 1 期

让人民更好地行使国家权力——邓小平政治体制改革思想研究，吴东，《中国国情国力》2005 年第 9 期

人民利益是邓小平理论的价值核心，陈秀娥，《吕梁教育学院学报》2005 年第 1 期

试论邓小平对党的执政能力建设的理论贡献，于伟峰，《社会主义研究》2005 年第 2 期

试论邓小平发展观中的"民本"思想，周玉东，《广东省社会主义学院学报》2005 年第 2 期

试论邓小平分析、解决问题的几个特点，季相林，《鞍山师范学院学报》2005 年第 1 期

试析邓小平理论的哲学思想，王英姿，《思想教育研究》2005 年第 1 期

谈邓小平理论的文化体系，刘永吉，《辽宁工程技术大学学报》(社会科学版) 2005 年第 2 期

文如其人，平实而创新——从《邓小平文选》的语言看邓小平同志的人格风范，刘芳，《办公室业务》2005 年第 1 期

"我可不能一花独放"——晚年邓小平的风趣妙语，孟红，《党史纵览》2005 年第 6 期

现代化追求的理性回归，张颖，《武警工程学院学报》2005 年第 3 期

小平同志的三点高见，杨正彦，《炎黄春秋》2005 年第 2 期

新民本——邓小平政治哲学的灵魂，刘汶，《广西大学学报》（哲学社会科学版）2005 年第 1 期

也谈对"草论"和"猫论"的认识，李生峰，《党史文苑》2005 年第 2 期

有中国特色社会主义理论的逻辑解构——从世界历史意识看邓小平理论，袁辉初，《湘潭大学学报》（哲学社会科学版）2005 年第 1 期

语言与思想的一致性——邓小平语言风格浅析，任公伟，《北京联合大学学报》（人文社会科学版）2005 年第 1 期

在时代新变化和实践新发展的层面上进一步深化邓小平理论研究——邓小平百年诞辰纪念后的沉思，包心鉴，《山东理工大学学报》（社会科学版）2005 年第 1 期

在走向体系化的途中——十年来国内邓小平政治哲学研究述评，高靖生，《哈尔滨学院学报》2005 年第 4 期

中国只能走社会主义道路——读《邓小平年谱》中 1992 年后邓小平的论述，王炳权，《社会主义研究》2005 年第 2 期

2006 年

坚持和发展邓小平时代主题论，李志学，《辽宁师范大学学报》（社会科学版）2006 年第 2 期

如何学好邓小平理论概论课，陈耀林，《湖北水利水电职业技术学院学报》2006 年第 2 期

试论邓小平的社会主义观对马克思主义的重大发展，江琼，《西南科技大学高教研究》2006 年第 2 期

把发展提到全人类的高度来认识——论邓小平国际政治理论中的发展战略思想，肖望兵，《理论界》

2006 年第 3 期

从"安定有序"的维度探究邓小平的和谐社会思想，张书林，《胜利油田党校学报》2006 年第 1 期

邓小平的"改革论"，赵丕强、张敬斌，《桂海论丛》2006 年第 2 期

邓小平的共同富裕思想初探，郭红军、丁代林，《重庆城市管理职业学院学报》2006 年第 4 期

邓小平的领导班子建设理论初探，韩立红，《中共山西省委党校学报》2006 年第 1 期

邓小平的农业根本论与当代农村的深层变革，李小芳，《理论月刊》2006年第5期

邓小平的社会主义民主理论研究，洪江，《北方经济》2006年第4期

邓小平的制度伦理思想探析，李仁武，《探求》2006年第1期

邓小平的制度正义思想及启示，何先光，《中共浙江省委党校学报》2006年第1期

邓小平党的建设着重点取向分析，吴九占，《社科纵横》2006年第2期

邓小平对社会主义政治文明建设的贡献，王孝哲，《安徽大学学报》（哲学社会科学版）2006年第1期

邓小平对学习先进的认识，肖东波，《毛泽东思想研究》2006年第1期

邓小平对待资本主义文化成果的科学方法，刘仓，《中国井冈山干部学院学报》2006年第3期

邓小平对二十世纪末中国社会的十大贡献，齐卫平，《中国井冈山干部学院学报》2006年第3期

邓小平对列宁社会主义发展阶段思想的继承与超越，何兴梅，《军队政工理论研究》2006年第1期

邓小平对"什么是马克思主义"的科学回答，编辑部，《社会科学论坛》（学术研究卷）2006年第10期

邓小平发展观的理论探讨，程晋富，《江苏省社会主义学院学报》2006年第1期

邓小平反对官僚主义的思想与社会主义民主政治建设，张维远，《和田师范专科学校学报》2006年第1期

邓小平干部教育思想对我国领导教育理念的启示，王红霞，《北京市工会干部学院学报》2006年第1期

邓小平公正思想论析，徐锦贤，《学海》2006年第1期

邓小平关于奉献精神论的探析，郑历兰，《理论界》2006年第3期

邓小平关于人民内部矛盾问题的若干重要发展，丁晓强，《中共党史研究》2006年第1期

邓小平国家战略的内在逻辑，姜平，《决策导刊》2006年第8期

邓小平恢复和发展了实事求是的思想路线，钟穗，《内江师范学院学报》2006年第5期

邓小平建设社会主义新农村思想探析，吴荣秀，《中共石家庄市委党校学报》2006年第2期

邓小平可持续发展思想的理论基础，杨蕴丽，《内蒙古电大学刊》2006年第2期

邓小平理论的科学预见性和深

远的战略意义，庄福龄，《江西社会科学》2006 年第 2 期

邓小平理论对传统儒家思想文化的继承和发展，张缨，《牡丹江大学学报》2006 年第 9 期

邓小平理论课教学创新的路径探略，张淑明，《广东教育学院学报》2006 年第 1 期

邓小平理论与"三个代表"重要思想"三进"比较，王跃如，《山西财经大学学报》（高等教育版）2006 年第 1 期

邓小平理论与实践剖析，李合敏，《辽东学院学报》（社会科学版）2006 年第 1 期

邓小平历史观的时代特点，段建海，《宁夏社会科学》2006 年第 1 期

邓小平历史观与价值观统一的方法论浅探，刘井山，《绍兴文理学院学报》（哲学社会科版）2006 年第 1 期

邓小平矛盾理论的发展，坚毅，《上饶师范学院学报》2006 年第 1 期

邓小平青少年思想政治教育观述评，辛葆青，《党史文苑》（学术版）2006 年第 4 期

邓小平人格魅力的基本特征，周武兵，《党史文苑》（学术版）2006 年第 2 期

邓小平社会主义本质论的理论

来源，熊启珍，《思想理论教育导刊》2006 年第 2 期

邓小平社会主义本质论中的过程论思想探析，麻海山，《中共山西省委党校学报》2006 年第 1 期

邓小平师德修养观探研，蓝光喜，《沈阳大学学报》2006 年第 1 期

邓小平实效观浅析及探源，王义，《广西青年干部学院学报》2006 年第 2 期

邓小平双赢思想及启示，黄建明，《理论学刊》2006 年第 2 期

邓小平台阶式的现代化目标及其基本实现途径，张秋喜，《理论界》2006 年第 2 期

邓小平同志有关提高人的素质的论述，李旭萍，《山西财经大学学报》（高等教育版）2006 年第 1 期

邓小平同志纵论中国共产党成熟的标志，戴治强，《江汉石油职工大学学报》2006 年第 1 期

邓小平现代化思想内涵的多视角分析，张赣南，《苏州工职院》2006 年第 3 期

邓小平新时期人民民主理论分析，杨德山，《新视野》2006 年第 1 期

邓小平"小康社会"科学构想与科学发展观，赵怀礼，《宝鸡文理学院学报》（社会科学版）2006 年第 1 期

邓小平小康社会思想的哲学思

考，迟成勇，《宁夏党校学报》2006
年第 1 期

邓小平"以人为本"思想的渊
源，刘红英，《长沙大学学报》2006
年第 1 期

邓小平与共和国历史上的三次
思想解放，何云峰，《当代中国史研
究》2006 年第 1 期

邓小平与中国和平崛起发展道
路的开辟，崔淑芳，《辽宁教育行政
学院学报》2006 年第 1 期

邓小平与中国社会变迁中的观
念创新，章征科，《安徽师范大学学
报》（人文社会科学版）2006 年第
1 期

邓小平哲学思想对马克思主义
哲学的创新和发展，钟宁，《江西广
播电视大学学报》2006 年第 1 期

邓小平政党伦理思想初探，李
建华，《湘潭大学学报》（哲学社会科
学版）2006 年第 1 期

邓小平政治哲学的三大特征，
何先光，《宁波经济》（三江论坛）
2006 年第 10 期

邓小平制度伦理思想浅论，陈
雷，《南京政治学院学报》2006 年第
1 期

邓小平资本主义观研究述评，
吴烈水，《百色学院学报》2006 年第
1 期

对邓小平人与社会关系思想的
哲学思考，陈炜晗，《和田师范专科

学校学报》2006 年第 1 期

"感性意识"：邓小平现代化思
维中的"合理理性"，王浩斌，《唐
山职业技术学院学报》2006 年第
1 期

公平正义：邓小平的和谐社会
观，廖艺萍，《理论探索》2006 年第
1 期

近年来邓小平执政思想研究：
现状、评价、展望，谢嘉梁，《高校
社科动态》2006 年第 5 期

科学发展观对邓小平发展观的
继承和发展，朴素艳，《辽宁师范大
学学报》（社会科学版）2006 年第
1 期

论邓小平的国家利益观，张勇，
《实事求是》2006 年第 1 期

论邓小平的国家实力观，陈华，
《毛泽东思想研究》2006 年第 1 期

论邓小平的和谐智慧，康厚德，
《法制与经济》2006 年第 4 期

论邓小平的青年人才思想，欧
阳国庆，《毛泽东思想研究》2006
年第 1 期

论邓小平的人民利益观，石子
球，《湖湘论坛》2006 年第 1 期

论邓小平的实践价值哲学思想，
王玉樑，《天府新论》2006 年第 1 期

论邓小平的"务实"与"务
虚"，谢越，《重庆社会科学》2006
年第 3 期

论邓小平对革命功利主义思想

的坚持和发展，杨国斌，《毛泽东思想研究》2006 年第 1 期

论邓小平对马克思主义意识形态话语权的维护和发展，曹国圣，《南京社会科学》2006 年第 2 期

论邓小平对毛泽东处理人民内部矛盾思想的继承和发展，李觐，《成都教育学院学报》2006 年第 1 期

论邓小平发展思想的人民性特质，肖艳，《湖南社会科学》2006 年第 1 期

论邓小平关于加强党的制度建设思想，耿庆彪，《广西青年干部学院学报》2006 年第 2 期

论邓小平关于稳定周边的思想，李妍，《理论学刊》2006 年第 2 期

论邓小平关于世界多极化的思想，李伯涛，《辽宁行政学院学报》2006 年第 1 期

论邓小平国际战略思想的形成条件和渊源，徐晓霞，《理论月刊》2006 年第 2 期

论邓小平理论的创新思维特色，彭亦兵，《湖湘论坛》2006 年第 1 期

论邓小平理论的精神基础，曾姝，《内蒙古电大学刊》2006 年第 2 期

论邓小平社会公平思想，申文明，《中共银川市委党校学报》2006 年第 5 期

论邓小平小康社会思想形成与发展的历史进程，李景军，《沧桑》2006 年第 1 期

论邓小平政党现代化思想的内容与基本特征，陈燕，《胜利油田党校学报》2006 年第 1 期

论邓小平制度创新思想及现实意义，郑克岭，《理论探讨》2006 年第 1 期

论邓小平制度建设思想，申文明，《党史文苑》(学术版) 2006 年第 4 期

论实事求是——毛泽东、邓小平、江泽民南方讲话的对比分析，王靖远，《台声·新视角》2006 年第 1 期

论科学发展观是邓小平理论范式的新发展，赵华灵，《华北电力大学学报》(社会科学版) 2006 年第 1 期

毛泽东、邓小平、江泽民的实事求是思想，倪培强，《新疆大学学报》(哲学、人文科学、社会科学版) 2006 年第 5 期

毛泽东、邓小平、江泽民忧患意识溯源，朱先平，《荆门职业技术学院学报》2006 年第 1 期

毛泽东、邓小平生产力标准与人民利益标准关系思想比较研究，韩林，《兰州学刊》2006 年第 2 期

毛泽东与邓小平解放思想观点之比较研究，王治涛，《洛阳工业高等专科学校学报》2006 年第 1 期

毛泽东与邓小平实事求是思想之比较研究，宋学来、梁大战，《哈尔滨学院学报》2006年第2期

浅谈邓小平的现代化思想，张翠欣，《中国科技信息》2006年第3期

浅析新时期邓小平社会调查活动的特点，萧铁肩，《广州大学学报》（社会科学版）2006年第1期

全面发展观与邓小平的发展战略，杨小文，《西华师范大学学报》（哲学社会科学版）2006年第1期

实事求是：邓小平治国理论与实践的基石，许耀明，《韶关学院学报》2006年第1期

试论邓小平的群众观，施友佃，《甘肃社会科学》2006年第1期

试论邓小平的社会主义社会建设和管理思想，韦继辉，《中共山西省委党校学报》2006年第1期

试论邓小平的义利观，薛宇峰，《职业技术教育研究》2006年第12期

试论邓小平对当代中国政治权威转换的贡献，张明军，《湖南师范大学社会科学学报》2006年第1期

试论邓小平改革理论的内在结构及其关系，吕宾，《沈阳工程学院

学报》（社会科学版）2006年第1期

试论邓小平理论的社会主义观，刘树萍，《内蒙古电大学刊》2006年第3期

试析邓小平现代化理论的三个历史性突破，郭彦领，《岭南学刊》2006年第1期

试论邓小平小康社会思想的科学体系，李景军，《湖南科技学院学报》2006年第1期

为民主开创道路：对邓小平与中国政治发展的思考，沈亚平，《前沿》2006年第1期

学习邓小平反右防"左"的唯物辩证法思想，庄琳，《理论界》2006年第2期

1949—1965年邓小平执政党建设思想探析，赵光元，《淮北煤炭师范学院学报》（哲学社会科学版）2006年第1期

中国传统文化与邓小平小康社会思想，肖祥敏，《船山学刊》2006年第1期

中庸方法论与邓小平和谐社会观的构建，王强，《河南师范大学学报》（哲学社会科学版）2006年第1期

2007 年

把握新机遇促进新发展——重温邓小平发展机遇思想的若干体会，李宪建，《经济与社会发展》2007年

第1期

超越"政治解放"——马克思主义中国化视阈中的邓小平理论及

其价值，李放，《社会科学》2007 年第 2 期

从列宁"民主特殊规律论"看邓小平"改善党的领导论"的实质，苏伟，《中共天津市委党校学报》2007 年第 11 期

从毛泽东人民主体论到邓小平人文主义思想，姜宏波，《辽宁行政学院学报》2007 年第 2 期

当代中国监督模式选择的和谐取向——兼论邓小平监督思想的基本特征，刘彦昌，《学习论坛》2007 年第 2 期

邓小平诚信思想的主要特点初探，李浩，《桂海论丛》2007 年第 1 期

邓小平德育思想对当前我国学校德育改革的启示，邓朴，《毛泽东思想研究》2007 年第 1 期

邓小平的创造性实践思想，蔡吉波，《新东方》2007 年第 10 期

邓小平的科学思维方式与中国特色社会主义的创新，曾行伟，《中共福建省委党校学报》2007 年第 1 期

邓小平的利益观及其当代价值，吴德慧，《中共山西省委党校学报》2007 年第 1 期

邓小平的"三农"思想与社会主义新农村建设，刘丹，《理论界》2007 年第 11 期

邓小平对传统自强精神的超

越——"邓小平与民族精神的弘扬和培育"研究之一，任民，《百色学院学报》2007 年第 10 期

邓小平对建设社会主义新农村的探索，刘华清，《湖南行政学院学报》2007 年第 1 期

邓小平对苏联模式的反思、突破及成就，谭妹冬，《前沿》2007 年第 1 期

邓小平对毛泽东社会公正观的继承与发展，郭冬红，《北京工业大学学报》（社会科学版）2007 年第 1 期

邓小平对中国传统文化的丰富与发展，张金荣，《山西高等学校社会科学学报》2007 年第 10 期

邓小平发展区域经济的思想与西部大开发战略，杨伟英，《商场现代化》2007 年第 11 期

邓小平发展社会主义理论的方法论创新——试论邓小平对马克思主义中国化的特殊贡献，杨苏，《理论探讨》2007 年第 1 期

邓小平非均衡发展思想与和谐社会建设，邓磊，《江汉论坛》2007 年第 1 期

邓小平"搁置争议，共同开发"战略新思维论析，贺雪瑞，《高校社科动态》2007 年第 4 期

邓小平关于教育发展动力思想的现实意义，苏小桦，《毛泽东思想研究》2007 年第 1 期

邓小平关于社会主义精神文明建设对外开放思想探析，孙继军、李海玉，《理论界》2007年第11期

邓小平改革代价思想探析，贺宾，《四川文理学院学报》2007年第11期

邓小平国际战略思想述论，马建勇，《北京工业大学学报》（社会科学版）2007年第1期

邓小平和谐社会建设思想初探，王振民，《西北大学学报》（哲学社会科学版）2007年第1期

邓小平和谐社会思想研究述评，杨小明，《西安电子科技大学学报》（社会科学版）2007年第1期

邓小平经济法制思想探析，夏澈，《文教资料》2007年第4期

邓小平经济思想的巨大贡献就是发展生产力——纪念邓小平同志逝世10周年，徐汉峰、沈爱珍、徐达、马文涛，《重庆工学院学报》（社会科学版）2007年第12期

邓小平经济思想的现代意义，钟祥财，《探索与争鸣》2007年第11期

邓小平决策恢复高考，龙平平、张曙，《党的文献》2007年第4期

邓小平理论的当代价值，张婷婷，《世纪桥》2007年第11期

邓小平利益协调观对建设和谐社会的启示，赵泽洪、廖敏，《理论导刊》2007年第10期

邓小平民族区域自治理论对民族区域自治工作的贡献，宋玉娟，《贵州工业大学学报》（社会科学版）2007年第5期

邓小平荣辱观初探，于伟峰，《求实》2007年第1期

邓小平社会公正思想探析，徐琛，《求实》2007年第11期

邓小平社会公正思想研究述评，刘峰，《法制与社会》2007年第11期

邓小平社会主义优越性理论系统探析——兼论"优越性社会主义"观，陈湘舸，《理论学刊》2007年第1期

邓小平社会主义信仰的多维判断标准，祝秦，《南方论刊》2007年第11期

邓小平生产力理论的人本思想，李木柳，《中共云南省委党校学报》2007年第5期

邓小平"实践、人民、发展"三位一体思想探析，向宝云，《毛泽东思想研究》2007年第1期

邓小平视察深圳留下的两句谜语，编辑部，《新闻世界》（社会生活）2007年第4期

邓小平思想政治教育实践活动研究，汪早容，《中国水运》（理论版）2007年第11期

邓小平：我的退休方式要简化，赵晓光、刘杰，《党建》2007年第

9 期

邓小平新时期思想政治教育理论及基本原则，焦萍，《南方论刊》2007 年第 1 期

邓小平以人为本思想对构建和谐社会的启迪，廖正君，《世纪桥》2007 年第 11 期

邓小平"一国两制"构想的思维方法论探析，张云霞，《河南师范大学学报》（哲学社会科学版）2007 年第 11 期

邓小平印象记——回忆邓小平 1985 年与穆加贝的一次谈话，张维为，《党建》2007 年第 12 期

邓小平政治合法性思想简论，邓卫文，《理论界》2007 年第 1 期

邓小平政治体制改革思想研究的新视角借鉴西方有益政治经验完善我国政治制度，邓杨睿，《辽宁行政学院学报》2007 年第 12 期

邓小平之农业根本论思想研究，绳会敏，《滨州职业学院学报》2007 年第 2 期

邓小平中国现代化模式的关键概念，刘新华，《陕西行政学院学报》2007 年第 11 期

对邓小平文化建设思想三个问题的思考，朱宗友，《毛泽东思想研究》2007 年第 1 期

对搞好"毛泽东思想、邓小平理论和'三个代表'重要思想概论"课教学的几点思考，马世杰，

《毛泽东思想研究》2007 年第 1 期

多谋·善断·尚行——从邓小平的一段话说起，孙业礼，《党的文献》2007 年第 4 期

发展我国旅游业的意义与要务——再论邓小平的旅游思想，李德栓，《中国水运》（学术版）2007 年第 11 期

高校思想政治理论课教学引力不足的原因探析——以《毛泽东思想、邓小平理论和"三个代表"重要思想概论》教学为例，谭和平，《广西青年干部学院学报》2007 年第 11 期

高校思想政治理论课实践教学的实践与探索——以"毛泽东思想、邓小平理论和'三个代表'重要思想概论"课为例，韦丽华，《经济与社会发展》2007 年第 11 期

构建社会主义和谐社会是对邓小平理论与时俱进的发展，郑莉萍，《福建党史月刊》2007 年第 4 期

纪念邓小平：坚持理念创新，周瑞金，《世界》2007 年第 2 期

价值自觉：邓小平实践价值观发展分析，张文树，《思想教育研究》2007 年第 1 期

略论邓小平教育理论的基本特征，贾淑云，《教育探索》2007 年第 11 期

论邓小平党内民主建设思想，申文明，《胜利油田党校学报》2007

年第 6 期

论邓小平的公平观与和谐社会建设，冯瑞娟，《西江教育论丛》2007 年第 1 期

论邓小平的精简机构思想，李琳，《江海纵横》2007 年第 2 期

论邓小平的党报思想，苏婧，《青年记者》2007 年第 22 期

论邓小平的领导思想对中国现代化建设的指导意义，薛晴，《前沿》2007 年第 1 期

论邓小平的系统观，张文军，《毛泽东思想研究》2007 年第 1 期

论邓小平的政府管理思想，李伟民，《广西大学学报》（哲学社会科学版）2007 年第 1 期

论邓小平的中国和平崛起思想与实践，李合敏，《乌蒙论坛》2007 年第 3 期

论邓小平对建立中央集体领导监督制约机制的贡献，王春玺，《毛泽东思想研究》2007 年第 6 期

论邓小平对马克思主义真理观的贡献——纪念邓小平同志逝世十周年，方自明，《通化师范学院学报》2007 年第 11 期

论邓小平对中共党史学理论的贡献，田兴斌，《中共铜仁地委党校学报》2007 年第 4 期

论邓小平发展理论的科学内涵，刘国华，《湘潭大学学报》（哲学社会科学版）2007 年第 1 期

论邓小平关于肃清封建主义残余影响的思想，宋帮强，《广西大学学报》（哲学社会科学版）2007 年第 1 期

论邓小平国家利益观的共生性，马小茹，《中共山西省委党校学报》2007 年第 6 期

论邓小平建设有中国特色社会主义的理论探索，关进礼，《喀什师范学院学报》2007 年第 5 期

论邓小平“建设社会主义新农村”思想的概念界定，刘保峰、吴荣秀，《滨州职业学院学报》2007 年第 1 期

论邓小平教育政策的价值取向与实践途径，王显军，《教育探索》2007 年第 11 期

论邓小平理论发展观，戚嵩，《苏州工职院学报》2007 年第 3 期

论邓小平农业发展“两个飞跃”思想的现实意义，周伟，《理论界》2007 年第 11 期

论邓小平思想政治教育的内容，董新兵，《经济与社会发展》2007 年第 1 期

论邓小平肃清封建主义残余影响的思想，李合敏，《资料通讯》2007 年第 2 期

论邓小平在解决干部能上能下问题上的贡献及现实意义，张存生，《内蒙古电大学刊》2007 年第 1 期

论邓小平在社会主义改革实践

中中介思想方法的特点，侯东成，《毛泽东思想研究》2007 年第 1 期

论邓小平政治理论中的辩证思维，商爱玲，《毛泽东思想研究》2007 年第 1 期

论邓小平政治稳定思想的形成与发展，田之华，《科技信息》（科学教研）2007 年第 33 期

论邓小平"中央要有权威"的思想，冯志斌、马莉，《郑州航空工业管理学院学报》（社会科学版）2007 年第 12 期

论科学发展观对邓小平发展思想的继承与发展，熊俊钧，《湘潭大学学报》（哲学社会科学版）2007 年第 1 期

论划界思维在邓小平理论创新中的地位和作用，王来金，《思想理论教育》2007 年第 3 期

毛泽东和邓小平的发展战略比较——赶超式发展战略与渐进式发展战略，江龙，《蚌埠党校学报》2007 年第 2 期

毛泽东、邓小平与建国以来党和国家工作重点的两次转移，文道贵、张天政，《党史研究与教学》2007 年第 10 期

毛泽东、周恩来、刘少奇、朱德、邓小平、陈云、江泽民、胡锦涛关于学习和总结历史的论语，本刊编辑部，《党的文献》2007 年第 5 期

浅析邓小平的人口素质观，程磊，《中国水运》（学术版）2007 年第 11 期

浅析邓小平社会主义荣辱观，仇腾飞，《辽宁行政学院学报》2007 年第 11 期

青年邓小平思想政治工作研究，林书红，《福建省社会主义学院学报》2007 年第 4 期

人是实现现代化的关键因素——邓小平教育思想的精髓，水远璇，《教育探索》2007 年第 1 期

深入学习邓小平思想政治教育理论加强高校学生思想政治工作，谢鑫，《职业圈》2007 年第 11 期

实事求是的光辉典范——学习邓小平关于开展批评与自我批评论述的体会，张学俊、张超英，《思想政治工作研究》2007 年第 2 期

试论邓小平的和谐社会思想，徐行、周巍，《中共天津市委党校学报》2007 年第 11 期

试论邓小平的农业发展思想，方运战，《河南商业高等专科学校学报》2007 年第 1 期

试论邓小平的思想政治教育理论体系，李合亮，《中共青岛市委党校》（青岛行政学院学报）2007 年第 1 期

试论邓小平对毛泽东调动积极因素思想的继承和发展，高九江，《理论月刊》2007 年第 2 期

试论邓小平对中国古代和谐思想的继承和弘扬，马喜春、于伟峰，《长春工业大学学报》（社会科学版）2007年第3期

试论邓小平关于发展中国协商民主的思想，黄飞剑，《湖北省社会主义学院学报》2007年第10期

试论邓小平解放思想实事求是的思想，沈晓奎，《法制与社会》2007年第11期

试论邓小平理论的三个基本功能，罗英，《理论界》2007年第12期

试论邓小平理论教育对培养大学生创新素质的作用，张江，《重庆文理学院学报》（社会科学版）2007年第11期

试论邓小平理论与时俱进的理论品质，董玉玲，《科技信息》（科学教研）2007年第31期

试论邓小平对中国古代和谐思想的继承和弘扬，马喜春，《长春工业大学学报》（社会科学版）2007年第3期

试论新时期邓小平的历史教育思想，戴小江，《中共山西省委党校学报》2007年第1期

试析邓小平理论的当代价值——从思维方式的视角考量，梁晓红，《世纪桥》2007年第10期

完整准确地理解邓小平改革理论，赵子林，《求实》2007年第11期

协调发展观：邓小平关于社会主义和谐社会的初步构想，康健，《辽宁师范大学学报》（社会科学版）2007年第6期

学习邓小平"依靠"论的几点认识，海吉林，《理论前沿》2007年第1期

也议邓小平政治哲学的基础——"人本位"思想，刘强，《法制与社会》2007年第11期

一九七七年邓小平关于恢复高考的讲话、谈话和批示选载（一九七七年五月——十一月），本刊编辑部，《党的文献》2007年第4期

"以人为本"是邓小平理论的重要特征，耿相魁，《理论月刊》2007年第11期

与时俱进，不断创新——邓小平对苏联社会主义模式的考察，谭妹冬，《湖北广播电视大学学报》2007年第11期

真理是全面的——对邓小平理论中几个问题的认识，刘林元，《唯实》2007年第2期

朱德与邓小平富民思想比较研究，赵微，《宜宾学院学报》2007年第9期

2008 年

从电大复办看邓小平的大众高教理念，刘海峰，《湖北广播电视大学学报》2008 年第 9 期

从总体小康到全面小康——浅析从邓小平到江泽民两代领导人的小康社会思想，尹江虹，《科教文汇》(上旬刊) 2008 年第 7 期

重温邓小平教育理论奋力改革锐意创新——纪念大学分校建立暨北京联合大学 30 华诞，徐永利，《北京联合大学学报》(人文社会科学版) 2008 年第 9 期

邓小平的科学发展观初探，王焕成、糜红缨，《福建党史月刊》2008 年第 8 期

邓小平的侨务思想与统一战线的壮大，郑志锋，《福建省社会主义学院学报》2008 年第 8 期

邓小平的执政合法性思想，丁玲，《湖北第二师范学院学报》2008 年第 5 期

邓小平对建立中央集体领导体制框架的贡献，王春玺，《党的文献》2008 年第 9 期

邓小平对抗日民主政权建设的卓越贡献，杨育林，《牡丹江大学学报》2008 年第 9 期

邓小平对毛泽东探索"走自己的道路"的继承与发展，曹应旺，《党的文献》2008 年第 9 期

邓小平对生产力理论的创造性运用与发展，庞元正，《学术探索》2008 年第 8 期

邓小平对外开放思想的源起，王莽花，《四川省社会主义学院学报》2008 年第 7 期

邓小平对外开放思想简析，范森林，《中共成都市委党校学报》2008 年第 8 期

邓小平对中国现代化问题的系统解读，田润锋，《经济与社会发展》2008 年第 7 期

邓小平法制思想研究述评，彭瑞英，《福建党史月刊》2008 年第 8 期

邓小平复出始末，童青林，《党建》2008 年第 9 期

邓小平改革开放思想的三重理性意蕴，陈勇、胡军良，《海南大学学报》(人文社会科学版) 2008 年第 8 期

邓小平关于党的执政能力建设思想探析，曾维和，《荆门职业技术学院学报》2008 年第 8 期

邓小平关于反对两极分化的思想及其现实启示，赵明刚，《理论导刊》2008 年第 9 期

邓小平关于干部政治人格塑造的思想，胡春湘，《宝鸡文理学院学报》(社会科学版) 2008 年第 8 期

邓小平关于社会主义改革问题的重要论述摘编，本刊编辑部，《党的文献》2008 年第 5 期

邓小平坚持巩固马克思主义指导地位途径探析，王法学，《山东省农业管理干部学院学报》2008 年第 7 期

邓小平、江泽民现代企业管理思想研究，刘虹、陈世润，《中共云南省委党校学报》2008 年第 8 期

邓小平教育理论与电大办学实践——纪念邓小平批准创办电大 30 周年，周值强，《广东广播电视大学学报》2008 年第 2 期

邓小平解放思想的理论与实践的现实启示，潘玲霞，《湖北省社会主义学院学报》2008 年第 8 期

邓小平解决弱势群体问题思想刍议，惠晓峰，《创新》2008 年第 8 期

邓小平金融改革思想中的方法论，高长武，《中国金融》2008 年第 9 期

邓小平精神文明观对马克思精神生产理论的丰富和发展，樊新华，《安徽文学》2008 年第 8 期

邓小平劳动者为本思想论析，陈洪波，《中共云南省委党校学报》2008 年第 8 期

邓小平论制度建设的途径及其特征，王继宣，《团结》2008 年第 8 期

邓小平民主思想概要，孟宪科，《法制与社会》2008 年第 8 期

邓小平南方讲话的文化精神意蕴——纪念中国改革开放 30 周年，迟成勇，《辽宁师范大学学报》（社会科学版）2008 年第 9 期

邓小平农民思想探微，杨建云，《消费导刊》2008 年第 9 期

邓小平人本政治观的时代价值，赵志勋，《平顶山学院学报》2008 年第 8 期

邓小平社会主义改革开放论的再认识，吴波，《中共珠海市委党校、珠海市行政学院学报》2008 年第 8 期

邓小平适度发展私营经济的思想探源，刘秀华，《天津财经大学学报》2008 年第 8 期

邓小平是如何发动真理标准问题讨论的，曹勇进，《人民论坛》2008 年第 9 期

邓小平思想政治教育社会学理论管窥，周黎鸿，《贵州师范大学学报》（社会科学版）2008 年第 8 期

邓小平先富共富理论与全面建设小康社会，纪爱真，《经济与社会发展》2008 年第 7 期

邓小平小康社会思想的形成与发展新探，李景军、吕学芳，《党史文苑》2008 年第 7 期

邓小平新农村建设思想探析，刘少宝、田起香，《山东省农业管理

干部学院学报》2008 年第 7 期

邓小平印象记——回忆邓小平 1985 年与穆加贝的一次谈话，张维为，《党建》2008 年第 1 期

邓小平与苏联，韩亚光，《理论月刊》2008 年第 9 期

邓小平与中国特色社会主义理论体系，高继文，《理论月刊》2008 年第 8 期

邓小平政治发展的价值取向论简析，毛振军，《中共成都市委党校学报》2008 年第 8 期

改革开放：邓小平理论形成与发展的实践基础，万柳春，《理论导报》2008 年第 8 期

改革开放前夕邓小平关于解放思想的政治动员，张昭国，《广东行政学院学报》2008 年第 8 期

高举邓小平教育思想伟大旗帜为推进终身教育体系做出新贡献——纪念邓小平同志批示创办广播电视大学 30 周年，冀鼎全，《陕西广播电视大学学报》2008 年第 3 期

高山大海般的胸怀——伟人邓小平同志的体育情结，万伯翱，《今日科苑》2008 年第 8 期

关于"毛泽东思想、邓小平理论和三个代表重要思想"整体性教学的若干思考，张若甲，《石家庄铁道学院学报》(社会科学版) 2008 年第 9 期

和平之旅——邓小平"下定改革开放决心"，吴光祥，《党史纵横》2008 年第 8 期

和谐社会下邓小平改革开放思想理论新探，郭弢，《太原城市职业技术学院学报》2008 年第 5 期

横扫千军如卷席——刘伯承、邓小平、贺龙率部解放大西南，冯倩，《党史博览》2008 年第 9 期

加强社会实践是学好邓小平理论的关键——浅说邓小平理论中的方法论问题，张澧妮，《科技信息》(学术研究) 2008 年第 3 期

坚持邓小平选拔干部的思想原则，邵群群、夏子阳、李红霞，《全国商情》(经济理论研究) 2008 年第 8 期

艰难备尝邓小平第二、三次复出始末，柳守忠，《世纪桥》2008 年第 7 期

简论邓小平哲学思想的特点，宋春华，《湖北广播电视大学学报》2008 年第 9 期

解放思想、实事求是——构筑邓小平政治思想的基石，尹学朋，《社会科学论坛》(学术研究卷) 2008 年第 9 期

开启当代中国和谐社会建设的思想先导——对邓小平在十一届三中全会《讲话》时代价值的再解读，潘起造，《中共宁波市委党校学报》2008 年第 9 期

"科学发展观"是对"马克思

列宁主义、毛泽东思想、邓小平理论"的继承和发展——马克思、恩格斯、列宁、毛泽东、邓小平、江泽民发展观综述，于国强，《当代社科视野》2008年第2期

论邓小平党内和谐思想，赵建波，《中共青岛市委党校》(青岛行政学院学报) 2008年第8期

论邓小平的马克思主义观及其与新时期的理论和实践创新——为纪念十一届三中全会和改革开放30周年而作，雷云，《浙江社会科学》2008年第8期

论邓小平的创新精神，常进军，《滨州学院学报》2008年第8期

论邓小平的发展民主思想，刘诚、陈云云，《毛泽东邓小平理论研究》2008年第8期

论邓小平的全民共享观，徐虎，《科学社会主义》2008年第8期

论邓小平对毛泽东哲学本体论的继承与发展，刘希良，《武汉科技大学学报》(社会科学版) 2008年第8期

论邓小平对少数民族地区发展的贡献，鲜乐乐、黄平，《科技创新导报》2008年第9期

论邓小平理论创新的路径选择，曹均学，《科学社会主义》2008年第8期

论邓小平民主立国的法律思想，彭礼明，《武汉公安干部学院学报》

2008年第6期

论邓小平农业现代化思想及其启示，甘路有、杨艳、杨绍安，《乡镇经济》2008年第8期

论邓小平以遵纪守法为荣的思想，于伟峰、商植桐、马立民，《武汉职业技术学院学报》2008年第6期

论邓小平用人理论对中国传统用人思想的发展，赵洪波、赵微，《党史文苑》2008年第7期

论邓小平制度建设思想中的人民性，陈立中，《湖南人文科技学院学报》2008年第6期

论毛泽东邓小平江泽民科学思维方法对建设中国特色社会主义的贡献，姜正国、谭吉华，《湖南师范大学社会科学学报》2008年第7期

浅析邓小平对"三农"问题研究的全面开拓，姜帆，《才智》2008年第8期

浅析毛泽东、邓小平执政为民思想，王相月，《法制与社会》2008年第9期

马克思主义同一观在邓小平理论中的运用和发展，闫丽红，《职大学报》2008年第9期

毛泽东、邓小平独立自主战略思想论略，刘国华，《云梦学刊》2008年第9期

毛泽东、邓小平关于真理标准的表述，本刊编辑部，《党的文献》

2008 年第 9 期

毛泽东、邓小平、江泽民、胡锦涛谈弘扬井冈山精神，李忠、涂微微，《井冈山学院学报》2008 年第 7 期

毛泽东邓小平行政人格观比较研究，陈建斌、伍小乐、王光升，《学术论坛》2008 年第 8 期

毛泽东思想、邓小平理论和"三个代表"重要思想概论课实践教学模式的创新，郭松江，《教育探索》2008 年第 9 期

毛泽东思想、邓小平理论和"三个代表"重要思想概论实践教学探讨，吴兴富，《江苏高教》2008 年第 9 期

毛泽东与邓小平经济思想比较研究，侯雁飞，《商业时代》2008 年第 8 期

试论邓小平的发展观与和谐社会的构建，武慧，《福建党史月刊》2008 年第 8 期

试论邓小平的教育思想，贺海鹏，《职业时空》2008 年第 8 期

试论邓小平的学风、文风与作风，虞文清，《唯实》2008 年第 8 期

试论邓小平的"主张和平的社会主义"——中国总体国际形象思想，王培文，《平顶山学院学报》

2008 年第 8 期

试论邓小平对建设充满活力的社会主义和谐社会的历史性贡献，韩淑杰，《理论月刊》2008 年第 9 期

试论邓小平对社会公平问题的深邃思考及其现实意义，黄金龙，《管理观察》2008 年第 8 期

试论邓小平社会主义观的三重理性向度，胡军良，《思想理论教育》2008 年第 6 期

试论邓小平理论的精髓，邹芳，《科技信息》（科学教研）2008 年第 8 期

试论邓小平宪政思想，张兴连，《皖西学院学报》2008 年第 8 期

孙中山、毛泽东、邓小平社会协调发展思想之比较，张高臣，《山东省农业管理干部学院学报》2008 年第 7 期

一次影响改革开放历史进程的远行——重温邓小平的南方谈话，汪玉明，《南京政治学院学报》2008 年第 7 期

制度建设视野下的邓小平行政管理体制改革思想——《制度与政府行为——邓小平行政体制改革观》评介，杨先农，《毛泽东思想研究》2008 年第 3 期

江泽民文献研究论文题录集

说　明

　　根据初步统计数据，到 2006 年底为止，国内公开发表的江泽民著作篇目大概有 795 篇。为了及时宣传、学习江泽民的相关重要讲话和报告，中央批准人民出版社即时对江泽民 1989 年 6 月担任总书记以来的一些重要讲话和报告出版了单行本 30 多种。党的十五大以后，中央和国家有关部门从不同方面和角度，针对不同时期理论的需要，对江泽民的有关论述进行了整理、归类，并在 1999 年至 2006 年间陆续出版了包括文选在内共有 11 种专题文集和专题摘编。这些重要文献充分地反映了江泽民同志对新时期新形势下如何进一步认识什么是社会主义、怎样建设社会主义，建设什么样的党、怎样建设党的问题所进行的积极思索和理论思考。

　　理论界、学术界对江泽民同志的丰富理论思想，从不同层次、不同方面进行研究，尤其是对他的重要文献的研究。对理论界和学术界研究江泽民同志的重要文献的著作进行系统整理、归类，有利于统计与查阅。

　　在对这些研究论文的整理过程中，主要是按照四大方面来归类：一是研究江泽民同志的单篇文献；二是研究江泽民同志的专题论著与摘编；三是研究"三个代表"重要思想；四是研究《江泽民文选》。在每一类中，尽量按照江泽民同志文献发表或出版的时间先后来排列，同一时间里的研究成果则以作者姓氏的笔画排列。

一　研究江泽民单篇文献的论文题录

（一）研究江泽民《在庆祝中华人民共和国成立四十周年大会上的讲话》的论文

深刻认识党在理论上提高的重要性和紧迫性——认真学习江泽民同志在庆祝中华人民共和国成立四十周年大会上的重要讲话，本刊编辑部，《中国党政干部论坛》1989 年第 11 期

只有社会主义才能解决中国的人口难题——学习江泽民总书记在庆祝中华人民共和国成立四十周年大会上的讲话，邹沧萍、吴鲁平，《人口研究》1989 年第 6 期

学习《讲话》明确方向　深化改革——我校财金系笔谈学习《江泽民总书记在庆祝中华人民共和国成立四十周年大会上的讲话》体会，本刊编辑部，《中南财经政法大学学报》1990 年第 1 期

（二）研究江泽民《在庆祝中国共产党成立七十周年大会上的讲话》的论文

在有中国特色的社会主义经济、政治、文化建设中发挥重要方面军作用——深入学习江泽民同志《在庆祝中国共产党成立七十周年大会上的讲话》，本刊编辑部，《广西社会科学》1991 年第 5 期

指导理论工作的强大思想武器——学习江泽民同志在庆祝中国共产党成立七十周年大会上的讲话，田伯泰，《中州学刊》1991 年第 5 期

要坚持公有制的主体地位——学习江泽民同志《在庆祝中国共产党成立七十周年大会上的讲话》，张景良，《淮阴师范学院学报》（哲学社会科学版）1991 年第 4 期

建设有中国特色的社会主义的纲领——学习江泽民同志《在庆祝中国共产党成立七十周年大会上的讲话》，邹学荣，《西南师范大学学报》（人文社会科学版）1991 年第 4 期

首都文艺界座谈江泽民“七一”讲话，《剧本》1991 年第 8 期

高校党组织应建成为反“和平演变”的战斗堡垒——学习江泽民同志《在庆祝中国共产党成立七十周年大会上的讲话》，郭长征，《辽宁师范大学学报》（社会科学版）1991 年第 5 期

划清界限　增强信念——学习江泽民“七一”讲话的体会，彭珠，《理论月刊》1991 年第 11 期

社会科学工作者的光荣责任——学习江泽民《在庆祝中国共产党成立七十周年大会上的讲话》，

裘真,《浙江社会科学》1991年第4期

走自己的路建设有中国特色的社会主义——学习江泽民《在庆祝中国共产党成立七十周年大会上的讲话》,蔡捷,《天津商学院学报》1991年第4期

共产党必须在宪法和法律的范围内活动——学习江泽民"七一"讲话的体会,章珂,《合肥工业大学学报》(社会科学版)1992年第2期

(三) 研究江泽民《领导干部一定要讲政治》的论文

政治素质是领导干部素质中首要的素质——学习江泽民《领导干部一定要讲政治》的体会,何聚坤,《黄河水利职业技术学院学报》1996年第4期

学习江泽民《领导干部一定要讲政治》一文的体会,张建设,《淮北煤炭师范学院学报》(哲学社会科学版)1996年第3期

讲政治是一个永恒的课题——学习江泽民《领导干部一定要讲政治》的一点体会,涂寿儒,《地方政府管理》1996年第7期

社会学视角下的政治文化——兼谈学习江泽民《领导干部一定要讲政治》讲话的体会,高永强,《理论学习与探索》1996年第3期

讲政治是社会主义现代化建设的根本保证——学习江泽民《领导

干部一定要讲政治》的体会,黄中平,《马克思主义研究》1996年第5期

(四) 研究江泽民《正确处理社会主义现代化建设中的若干重大关系》的论文

社会主义全面发展中的辩证法——学习江泽民同志《正确处理社会主义现代化建设中的若干重大关系》,马蓥伯,《科学社会主义》1995年第6期

社会主义全面发展中的辩证法——学习江泽民同志《正确处理社会主义现代化建设中的若干重大关系》,马蓥伯,《红旗文稿》1995年第24期

总揽全局的新思路——学习江泽民同志《正确处理社会主义现代化建设中的若干重大关系》的体会,王瑞荪,《首都师范大学学报》(社会科学版)1995年第6期

实现宏伟目标的坚实保证——学习江泽民同志《正确处理社会主义现代化建设中的若干重大关系》,吉理文,《新长征》1995年第12期

正确处理社会主义现代化建设中的若干重大关系——江泽民总书记在党的十四届五中全会闭幕时的讲话(摘要),杨佳民,《高校后勤研究》1995年第5期

社会主义现代化建设经验的科学总结——学习江泽民《正确处理

社会主义现代化建设中的若干重大关系》的体会，陈光林、于钦彦，《东岳论丛》1995年第6期

社会主义现代化建设规律认识的新飞跃——学习江泽民《正确处理社会主义现代化建设中的若干重大关系》的体会，陈光林、于钦彦，《山东社会科学》1995年第6期

指导社会主义现代化建设的重要文献——学习江泽民《正确处理社会主义现代化建设中的若干重大关系》，陈光林、于钦彦，《发展论坛》1995年第11期

坚持公有制经济主体地位论——学习江泽民《正确处理社会主义现代化建设中的若干重大关系》的体会，胡岳岷，《当代经济研究》1995年（增刊）

切实加强农业　繁荣农村经济——学习江泽民《正确处理社会主义现代化建设中的若干重大关系》笔记之二，闻凯，《六盘水师范高等专科学校学报》1995年第4期

求实辩证　创新发展——学习江泽民《正确处理社会主义现代化建设中的若干重大关系》的讲话，王关兴，《党政论坛》1996年第2期

社会主义现代化建设的辩证法——学习江泽民《正确处理社会主义现代化建设中的若干重大关系》，韦日平，《广西大学学报》（哲学社会科学版）1996年第2期

跨世纪社会主义建设的纲领性文件——江泽民《正确处理社会主义现代化建设中的若干重大关系》学习札记，石振保，《淮北煤炭师范学院学报》（哲学社会科学版）1996年第2期

唯物辩证法与社会主义现代化建设的光辉结合——学习江泽民同志《正确处理社会主义现代化建设中的若干重大关系》的体会，刘学义，《甘肃理论学刊》1996年第5期

把精神文明建设提到更加突出的地位——学习江泽民《正确处理社会主义现代化建设中的若干重大关系》的体会，朱峻峰、祝彦，《中国特色社会主义研究》1996年第3期

党对社会主义现代化建设规律性认识的新飞跃——略论江泽民同志《正确处理社会主义现代化建设中的若干重大关系》发表的历史原因和背景，余品华，《企业经济》1996年第8期

正确处理集中与分散的关系——学习江泽民同志《正确处理社会主义现代化建设中的若干重大关系》的体会，张奎，《前进》1996年第5期

论中央与地方关系的规范化、法制化——学习江泽民《正确处理社会主义现代化建设中的若干重大关系》的思考，张锡恩，《东岳论

丛》1996年第5期

中国社会主义建设规律探索的新成果——学习江泽民《正确处理社会主义现代化建设中的若干重大关系》的体会，李君如，《党的文献》1996年第4期

正确认识和处理地区差距问题——学习江泽民《正确处理社会主义现代化建设中的若干重大关系》的体会，杨发民、路高信，《陕西师范大学学报》（哲学社会科学版）1996年第2期

努力掌握社会主义现代化建设的辩证法——学习江泽民同志《正确处理社会主义现代化建设中的若干重大关系》，杨春贵，《理论学习》1996年第3期

社会主义现代化建设规律认识的新飞跃——学习江泽民《正确处理社会主义现代化建设中的若干重大关系》的体会，陈光林、于钦彦，《理论学习》1996年第2期

正确认识和处理人与自然的关系——学习江泽民同志《正确处理社会主义现代化建设中的若干重大关系》的一点体会，周邦炳，《中共四川省委省级机关党校学报》1996年第3期

新时期社会主义现代化建设的重要战略指导思想——学习江泽民《正确处理社会主义现代化建设中的若干重大关系》的体会，林莎、阎

凤梧，《党政干部学刊》1996年第1期

认识的飞跃　胜利的保障——学习江泽民《正确处理社会主义现代化建设中的若干重大关系》的体会，郑庆江，《胜利油田党校学报》1996年第1期

试析改革、发展、稳定的关系——学习江泽民同志《正确处理社会主义现代化建设中的若干重大关系》，段若鹏，《特区理论与实践》1996年第1期

一篇马克思主义的重要文献——学习江泽民《正确处理社会主义现代化建设中的若干重大关系》，费迅，《群众》1996年第5期

正确对待个体私营经济的发展问题——学习江泽民《正确处理社会主义现代化建设中的若干重大关系》的体会，赵承亮，《财金贸易》1996年第5期

从实际出发扬长避短　实现中西部全面繁荣——学习江泽民《正确处理社会主义现代化建设中的若干重大关系》笔记之三，闻凯，《六盘水师范高等专科学校学报》1996年第1期

对六盘水市实施科教兴市战略的几点思考——学习江泽民《正确处理社会主义现代化建设中的若干重大关系》笔记之五，闻凯，《六盘水师范高等专科学校学报》1996年

第 3 期

正确处理产业间关系 形成合理的产业结构——学习江泽民《正确处理社会主义现代化建设中的若干重大关系》笔记之四，闻凯，《六盘水师范高等专科学校学报》1996年第 2 期

制度创新：解决低收入人员的生活保障问题的根本出路——学习江泽民《正确处理社会主义现代化建设中的若干重大关系》的体会，夏杰长、胡长清，《消费经济》1996年第 5 期

充满唯物辩证法的光辉文献——学习江泽民《正确处理社会主义现代化建设中的若干重大关系》的体会，陶永富，《广西师范学院学报》（哲学社会科学版）1996年第 2 期

邓小平关于社会主义本质论的人民性——兼论江泽民《正确处理社会主义现代化建设中的若干重大关系》，梅荣政，《武汉大学学报》（哲学社会科学版）1996年第 2 期

坚持市场经济条件下实现社会主义现代化的方法论原则——学习江泽民《正确处理社会主义现代化建设中的若干重大关系问题》的体会，黄为民，《广西社会科学》1996年第 1 期

发展经济必须注重生态平衡——学习江泽民《正确处理社会

主义现代化建设中的若干重大关系》的体会，黄华，《苏州教育学院学报》1996年第 4 期

对建设有中国特色社会主义规律认识的新飞跃——学习江泽民同志《正确处理社会主义现代化建设中的若干重大关系》的体会，蔡醒民，《前进》1996年第 5 期

开创两个文明建设协调发展的局面——学习江泽民《正确处理社会主义现代化建设中的若干重大关系》的体会，戴舟，《中国特色社会主义研究》1996年第 1 期

关于发展金融业的几个问题——学习江泽民同志《正确处理社会主义现代化建设中的若干重大关系》的体会，王吉祥，《金融经济》1997年第 2 期

缩小湖南与东部地区差距之管见——学习江泽民同志《正确处理社会主义现代化建设中的若干重大关系》的一点体会，刘玉珂，《湘潭师范学院学报》（社会科学版）1997年第 1 期

社会主义现代化建设辩证法的新篇章——学习江泽民《正确处理社会主义现代化建设中的若干重大关系》，余品华，《马克思主义研究》1997年第 1 期

试论社会主义经济建设若干重大关系——学习毛泽东《论十大关系》和江泽民《正确处理社会主义

现代化建设中的若干重大关系》，吴青，《现代财经》（天津财经学院学报）1997年第6期

正确处理改革、发展与稳定的关系——学习江泽民《正确处理社会主义现代化建设中的若干重大关系》的体会，张盈，《内蒙古社会科学》（汉文版）1997年第4期

在继承中发展——学习江泽民同志《正确处理社会主义现代化建设中的若干重大关系》，李正文，《西藏发展论坛》1997年第2期

（五）研究江泽民《努力建设高素质的干部队伍》的论文

严重的问题在于教育干部——学习江泽民《努力建设高素质的干部队伍》的体会，吴敏，《红旗文稿》1996年第15期

努力提高干部队伍的整体素质——学习江泽民《努力建设高素质的干部队伍》讲话的体会，谢拴贵，《前进》1996年第9期

抓紧抓好干部队伍素质建设——学习江泽民《努力建设高素质的干部队伍》的体会，杨学富，《学习论坛》1997年第6期

（六）研究江泽民《在纪念党的十一届三中全会召开二十周年大会上的讲话》的论文

伟大的马克思主义的历史性文献——学习江泽民同志《在纪念党的十一届三中全会召开二十周年大会上的讲话》，邓剑秋，《理论月刊》1999年第4期

沿着邓小平开辟的道路继续前进——学习江泽民同志《在纪念党的十一届三中全会召开二十周年大会上的讲话》，邓剑秋，《企业导报》1999年第4期

改革和现代化建设的指路明灯——我校学习中心组成员和部分专家学习江泽民同志《在纪念党的十一届三中全会召开二十周年大会上的讲话》笔谈纪要，刘成胜、胡启南、郑百灵，《求实》1999年第1期

进一步提高对"三讲"的认识——学习江泽民同志《在纪念党的十一届三中全会召开二十周年大会上的讲话》的体会，刘家纪，《钦州师范高等专科学校学报》1999年第1期

走自己的路，建设有中国特色的社会主义——学习江泽民同志《在纪念党的十一届三中全会召开二十周年大会上的讲话》之四，朱峻峰，《求是》1999年第6期

铸就辉煌的二十年——学习江泽民同志《在纪念党的十一届三中全会召开二十周年大会上的讲话》之二，李凤圣，《求是》1999年第4期

伟大的理论　崭新的道路　辉煌的成就——学习江泽民同志《在

纪念党的十一届三中全会召开二十周年大会上的讲话》的体会，陈兆德，《群众》1999年第1期

不断开拓马克思主义的新境界——学习江泽民同志《在纪念党的十一届三中全会召开二十周年大会上的讲话》之三，徐崇温，《求是》1999年第5期

开拓奋进　再创辉煌——学习江泽民同志《在纪念党的十一届三中全会召开二十周年大会上的讲话》，温乐群，《新长征》1999年第2期

总结历史经验　开辟光辉未来——学习江泽民同志《在纪念党的十一届三中全会召开二十周年大会上的讲话》，戴舟，《求是》1999年第3期

科学的总结　前进的方向——学习江泽民同志《在纪念党的十一届三中全会召开二十周年大会上的讲话》，戴舟，《理论学习》1999年第2期

（七）研究江泽民在纪念中国共产党成立七十八周年座谈会上的讲话的论文

国有资产是社会主义制度的重要经济基础——学习江泽民在纪念中国共产党成立七十八周年座谈会上的讲话之三，王新、周春发，《求是》1999年第16期

要坚定正确的理想和信念——学习江泽民在纪念中国共产党成立七十八周年座谈会上的讲话之二，冯虞章，《求是》1999年第15期

要全心全意为人民谋利益——学习江泽民在纪念中国共产党成立七十八周年座谈会上的讲话之四，李栋恒，《求是》1999年第17期

自觉坚持党的民主集中制——学习江泽民在纪念中国共产党成立七十八周年座谈会上的讲话之五，陈焕友，《求是》1999年第18期

（八）研究江泽民在纪念中国共产党成立八十周年大会的讲话的论文

广东哲学界开展学习江泽民“七一”讲话活动，夕哲，《学术研究》2001年第8期

深入学习江泽民“七一”讲话精神推进新时期的人口与计划生育工作，马喜龙、王辉，《黑河学刊》2001年第5期

认真学习江泽民总书记“七一”讲话努力搞好学校内部改革，王乃成，《吉林广播电视大学学报》2001年第3期

从原苏共丧失政权的教训　看夯实党的执政基础的重要性——学习江泽民“七一”讲话，王太广、李唐，《天中学刊》2001年第4期

马克思主义理论创新的旗帜——学习江泽民同志“七一”讲话的体会，王作峰，《徐州师范大学

学报》（哲学社会科学版）2001 年第 3 期

江泽民同志"七一"讲话的逻辑力量，王健平，《人文杂志》2001年第 5 期

先进性是执政党立于不败之地的根本——学习江泽民同志"七一"讲话的体会，王培军，《台州学院学报》2001 年第 5 期

"三个代表"与跨世纪的中国共产党——学习江泽民"七一"讲话，王章维，《锦州师范学院学报》（哲学社会科学版）2001 年第 4 期

马克思主义理论创新的又一伟大成果——学习江泽民"七一"讲话笔谈，邓介曾，《西南交通大学学报》（社会科学版）2001 年第 3 期

什么是中国先进生产力的发展要求——学习江泽民"七一"讲话笔谈，邓介曾，《西南交通大学学报》（社会科学版）2001 年第 4 期

判断人们政治上先进与落后的标准——学习江泽民"七一"讲话体会，邓海弟，《兰州学刊》2001 年第 6 期

新形势下党的建设的伟大纲领——学习江泽民同志"七一"讲话，叶金生，《学习与实践》2001 年第 7 期

我省举行学习江泽民同志"七一"讲话研讨会，叶笙，《学术研究》2001 年第 8 期

理论创新的典范——读江泽民同志"七一"讲话，甘自恒，《发明与革新》2001 年第 10 期

不断提高党报理论宣传水平——学习贯彻江泽民同志"七一"讲话理论宣传的体会，任理，《新闻与写作》2001 年第 11 期

新世纪的中国共产党宣言——读江泽民同志的"七一讲话"，刘西琳，《郑州轻工业学院学报》（社会科学版）2001 年第 3 期

江泽民同志论创新——学习"七一"讲话等文献浅得，刘学忠，《阜阳师范学院学报》（社会科学版）2001 年第 5 期

全省档案局长半年工作座谈会召开　认真贯彻江泽民总书记"七一"讲话精神，刘学圃，《档案天地》2001 年第 5 期

当代中国马克思主义的标尺——学习江泽民"七一"讲话读书笔记，刘林元、周显信，《南京社会科学》2001 年第 11 期

中国共产党 80 年自身建设理论的创新——学习江泽民"七一"讲话体会，刘俊心，《天津成人高等学校联合学报》2001 年第 4 期

进一步解放思想　以创新促发展——学习江泽民同志"七一"讲话的体会，刘咸岳，《广西社会科学》2001 年第 6 期

关于全面贯彻江泽民"七一"

讲话的几点思考，李昌，《哈尔滨工业大学学报》（社会科学版）2001 年第 3 期

论人的全面发展——学习江泽民"七一"讲话精神体会，孙学明，《云南社会科学》2001 年第 6 期

江泽民总书记"七一"讲话是对马克思主义建党学说的重大发现，许广智，《西藏大学学报》（汉文版）2001 年第 3 期

在高校全面贯彻"三个代表"的思想——学习江泽民同志"七一"讲话的体会，严希洪，《玉溪师范学院学报》2001 年第 5 期

追求真理　开拓创新——学习江泽民总书记"七一"讲话，何玉洁，《绥化师专学报》2001 年第 4 期

论高校"两课"教育的"与时俱进"的品质——学习江泽民同志"七一"讲话有感，吴开祥，《宜宾学院学报》2001 年第 4 期

当代中国阶级斗争问题断想——学习江泽民"七一"讲话的一点体会，张子建，《昆明大学学报》2001 年第 2 期

江泽民同志"七一"讲话对党建理论的重大创新，张吉清、邵立峰，《东岳论丛》2001 年第 6 期

用江泽民"七一"讲话精神指导党支部建设刍议，张延富，《阜阳师范学院学报》（社会科学版）2001 年第 5 期

深入学习江泽民同志"七一"讲话精神，推进"三个代表"思想进课堂座谈会综述，李文苓，《教学与研究》2001 年第 10 期

高等教育改革与发展的指针——学习江泽民同志"七一"讲话体会，李怀中，《学校党建与思想教育》2001 年第 9 期

深刻理解江泽民"七一"讲话的基本精神，李抒望，《黑河学刊》2001 年第 5 期

论江泽民"七一"讲话的理论创新，李良明，《高等函授学报》（哲学社会科学版）2001 年第 4 期

深入学习江泽民同志"七一"讲话精神　推进"三个代表"思想进课堂座谈会纪要，李鸣，《思想理论教育导刊》2001 年第 10 期

畅谈《讲话》实践《讲话》——桂林市社科界座谈江泽民同志"七一"讲话，李继荣、庞铁坚、许有旁、陈宪忠、庞果成、唐建国、彭忆红、唐凌、盘福东，《社会科学家》2001 年第 4 期

又一个解放思想、实事求是的宣言书——学习江泽民同志"七一"讲话，李景治，《中国矿业大学学报》（社会科学版）2001 年第 4 期

解放思想、实事求是、勇于创新与与时俱进——学习江泽民同志"七一"讲话，李瑞平，《贵阳师专学报》（社会科学版）2001 年第 4 期

共产党人要确立坚定的共产主义信念——学习江泽民"七一"讲话的一点体会，杨一，《中共山西省委党校学报》1999年第5期

党的第三代领导集体全面成熟的重要标志——学习江泽民"七一"讲话，杨迎春，《锦州师范学院学报》（哲学社会科学版）2001年第4期

马克思主义与时俱进的理论品质与江泽民"七一"讲话的理论创新，杨绍维，《燕山大学学报》（哲学社会科学版）2001年第4期

新世纪党建理论的重大创新——学习江泽民同志"七一"讲话的体会，汪石满，《江淮论坛》2001年第4期

高校科技为地方经济建设服务的思考——学习江泽民"七一"讲话的体会，陈一中，《绵阳师范高等专科学校学报》2001年第6期

学习江泽民同志"七一"讲话推动广东精神文明建设——广东省精神文明建设研究中心召开学习江总书记"七一"讲话座谈会，陈丹红，《广东社会科学》2001年第4期

建设一流大学的根本指导思想——学习江泽民同志"七一"讲话的体会，陈文博，《学校党建与思想教育》2001年第11期

"三个代表"要求与领导人才的素质取向——学习江泽民同志

"七一"讲话体会，陈冬生，《中国人才》2001年第8期

贯彻"三个代表"重要思想全力推进社会主义教育事业 教育厅党组理论中心组学习座谈江泽民同志"七一"讲话，陈庄，《江苏教育》2001年第15期

中共北京市委教育工委发出通知 认真学习、贯彻江泽民"七一"讲话精神，包和春，《北京教育》（高教版）2001年第Z2期

与时俱进是马克思主义生命力之所在——学习江泽民"七一"讲话的体会，陈利民，《大连教育学院学报》2001年第3期

思想理论创新的典范——学习江泽民同志"七一"讲话与时俱进的理论品质，陈育宁，《宁夏大学学报》（人文社会科学版）2001年第6期

推进高校改革和发展的行动指南——学习江泽民同志"七一"讲话的体会，陈景欢，《南京林业大学学报》（人文社会科学版）2001年第3期

"七一"讲话："三个代表"重要思想的系统论述，周向军，《山东科技大学学报》（社会科学版）2001年第4期

新世纪执政党建设的伟大纲领——学习江泽民同志"七一"讲话的几点体会，周向文，《思想、理

论、教育》2001 年第 9 期

高素质是先进生产力的具体表现——学习江泽民"七一"讲话的一点体会，武丹，《人才开发》2001 年第 11 期

江泽民的人才思想——学习江总书记"七一"讲话的体会，罗洪铁，《人才开发》2001 年第 11 期

新世纪的纲领性文献——学习贯彻江泽民同志"七一"《讲话》问答，范伟，《时事》（时事报告中学生版）2001 年第 1 期

论马克思主义中国化——学习江泽民同志"七一"讲话体会，范希贤、徐松林，《景德镇高专学报》2001 年第 3 期

深刻理解和掌握马克思主义与时俱进的理论品质——学习江泽民同志"七一"讲话，金长城，《高等农业教育》2001 年第 9 期

论江泽民"七一"讲话的四大理论突破，施超，《玉溪师范学院学报》2001 年第 5 期

正视"口子"堵塞"口子"——学习江泽民"七一"讲话的一点体会，段义海，《北京观察》1996 年第 11 期

庄严的回答——学习江泽民同志"七一"讲话的感想，祝谦，《当代传播》2001 年第 6 期

创造性理论的代表——学习江泽民同志"七一"讲话体会，胡卫东、徐宝贵、宋明凯，《南昌航空工业学院学报》（社会科学版）2001 年第 4 期

代表先进文化必须做到"八结合"——学习江泽民"七一"讲话中关于先进文化的论述，赵中源、许彬，《理论观察》2001 年第 6 期

统领时代精神的光辉文献——学习江泽民同志的"七一"讲话，赵波、陈如川，《皖西学院学报》2001 年第 3 期

义与利：当前高校师德建设问题的症结——学习江泽民"七一"讲话，赵康太，《思想教育研究》2001 年第 6 期

"努力促进人的全面发展"是建设社会主义新社会的本质要求——学习江泽民同志"七一"讲话的体会，赵锡顺、曲维加，《社会科学》2001 年第 12 期

领导干部要重视谋全局、抓大事——学习江泽民同志"七一"讲话的体会，唐世定，《秘书》2001 年第 11 期

从马克思主义理论角度领会江泽民"七一"讲话的精神实质，唐国贵、钟玉海、王峰，《合肥工业大学学报》（社会科学版）1997 年第 2 期

江泽民"七一"讲话的理论创新，徐玉生，《苏州丝绸工学院学报》2001 年第 6 期

闪耀创新精神的光辉篇章——学习江泽民同志"七一"讲话的理论创新精神，袁纯清，《人文杂志》2001年第5期

认真学习江泽民同志"七一"讲话 自觉实践"三个代表"重要思想，袁贵仁，《思想理论教育导刊》2001年第9期

有了中国共产党，才有了中国新文化——学习江泽民同志"七一"讲话有感，郭云，《海淀走读大学学报》2001年第4期

增强阶级基础扩大群众基础——学习江泽民同志"七一"讲话，钱和辉，《淮北煤炭师范学院学报》（哲学社会科学版）2001年第5期

我们党取得各项事业成功的根本保证——学习江泽民同志"七一"讲话中关于密切联系群众的论述，高中华，《徐州师范大学学报》（哲学社会科学版）2001年第3期

马克思主义理论的重大突破——学习江泽民总书记"七一"讲话的几点体会，淄博日报写作组，《东岳论丛》2001年第6期

共产党员要做实践"三个代表"的模范——学习江泽民"七一"讲话，龚国成，《天中学刊》2001年第4期

学习江泽民同志"七一"讲话二题，曾成贵，《理论月刊》2001年第10期

伟大的理论创新——学习江泽民同志"七一"讲话札记，曾绍阳，《江西社会科学》2001年第7期

解放思想 实事求是——学习和贯彻江泽民同志"七一"讲话，蒋超，《时事》（时事报告中学生版）2001年第1期

锐意创新 与时俱进——学习江泽民同志"七一"讲话，蒲琛，《继续教育与人事》2001年第9期

党建战略调整是社会主义初级阶段理论的逻辑引申——江泽民"七一"讲话学习札记，高雄飞，《暨南学报》（哲学社会科学版）2001年第5期

争做"三个代表"的优秀实践者——民营科技企业家座谈江泽民"七一"讲话，路未，《中国民营科技与经济》2001年第7期

党建学说的建树理论创新的典范——广东省社科院学习江泽民"七一"讲话座谈会纪略，潘莉，《广东社会科学》2001年第4期

新世纪的共产党宣言——论江泽民"七一"讲话的当代意义，马明高，《晋阳学刊》2002年第3期

学习江泽民同志"七一"讲话体会——中国共产党的领导地位是历史的必然选择，王华勇，《保山师专学报》2002年第1期

落实"三个代表"重要思想

开创工会思想政治工作新局面——学习江泽民"七一"讲话体会，王胜利，《工会博览》2002年第7期

促进人的全面发展是社会主义的重要目标——学习江泽民总书记"七一"讲话体会，王荔，《楚雄师范学院学报》2002年第2期

坚持发展和创新　落实"三个代表"——学习江泽民同志"七一"讲话的体会，王顺达、陈适宜，《重庆石油高等专科学校学报》2002年第2期

邓小平南方谈话与江泽民"七一"讲话学术研讨会综述，王瑾，《当代世界与社会主义》2002年第3期

识才、用才、爱才、聚才——学习江泽民同志"七一"讲话有感，邓昌达，《广西社会科学》2002年第3期

中国共产党人认识真理、改造世界的新成就——江泽民"七一"讲话提出的十大创新问题，包心鉴，《马克思主义研究》2002年第1期

高校要做实现"三个代表"要求的先锋——学习江泽民同志"七一"讲话的体会，叶金福，《西北工业大学学报》（社会科学版）2002年第1期

"纪念江泽民同志'七一'讲话发表一周年理论研讨会"综述，本刊编辑部，《中国人民大学学报》2002年第3期

新世纪理论武装的新要求——学习江泽民总书记"七一"讲话的对话，冷溶、杨耕，《中国人民大学学报》2002年第1期

要高度重视从思想上建党——学习江泽民"七一"讲话的体会，田晓玉、张艳红，《大连干部学刊》2002年第1期

"七一"讲话的理论贡献和历史地位，石仲泉，《教学与研究》2002年第5期

学习江泽民"七一"讲话需要注意的几个问题，刘东久、姬建民，《探索与求是》2002年第2期

对马克思主义人的全面发展理论的深刻论述——学习江泽民同志"七一"讲话的一点体会，刘献君，《湖北警官学院学报》2002年第1期

浅谈哲学课如何贯彻江泽民"七一"讲话精神，华建宝，《思想教育研究》2002年第10期

人的全面发展与全面发展的教育——学习江泽民同志"七一"讲话，孙立军，《唐山师范学院学报》2002年第1期

统计工作要全面准确地反映"三个代表"——谈学习江泽民"七一"讲话体会，孙志明，《内蒙古统计》2002年第2期

"七一"讲话与马克思主义发

展史教育,庄福龄,2002 年第 5 期

党的建设的新的里程碑——论江泽民同志"七一"讲话在党的阶级和群众基础等方面的重大理论建树,朱培麟,《重庆交通学院学报》(社会科学版)2002 年第 3 期

论江泽民"七一"讲话对西部大开发的指导作用,朱皎,《上海海运学院学报》2002 年第 1 期

改革和发展的指路明灯——邓小平南方谈话与江泽民"七一"讲话全国研讨会综述,余精华,《安庆师范学院学报》(社会科学版)2002 年第 3 期

高校"两课"教育要"与时俱进"——学习江泽民同志"七一"讲话有感,吴开祥,《毛泽东思想研究》2002 年第 3 期

以江泽民"七一"讲话为指导,全面推进我校学科建设工作,张建中,《上海中医药大学学报》2002 年第 1 期

私营企业主二题新议——学习江泽民总书记"七一讲话"的思考,张昆仑,《前沿》2002 年第 5 期

江泽民"七一"讲话对马克思主义理论的创新,张雷声、郑吉伟,《长春市委党校学报》2002 年第 2 期

当代大德育思维的逻辑支点——学习江泽民同志"七一"讲话的一点思考,张澍军,《教育研究》2002 年第 4 期

实现国际关系民主化的主要途径——江泽民同志"七一讲话"国际部分学习札记,李丹,《福建教育学院学报》2002 年第 7 期

创建面向世界的中国先进文化——学习江泽民同志"七一"讲话的体会,李家寿,《广西社会科学》2002 年第 3 期

中国共产党执政治国的伟大纲领——高中政治常识教学贯彻江泽民"七一"讲话精神的一点思考,杨正刚,《中学政治教学参考》2002 年第 3 期

以"七一"讲话精神统一思想争创学校新的辉煌——学习江泽民同志"七一"讲话收获体会,杨立汉,《广西梧州师范高等专科学校学报》2002 年第 1 期

理论创新的光辉典范——从邓小平南方谈话到江泽民"七一"讲话,汪良发,《安庆师范学院学报》(社会科学版)2002 年第 3 期

江泽民"七一"讲话对高校思想政治教育的指导意义,沈路,《内蒙古师范大学学报》(教育科学版)2002 年第 3 期

从制度创新看反腐败——学习江泽民"七一"讲话体会,肖映胜、覃金莲、欧永美,《玉林师范学院学报》2002 年第 1 期

人民利益高于一切,安全工作

一切之首——纪念江泽民同志"七一讲话"发表一周年,邱成,《安全与健康》2002年第13期

马克思主义中国化与中国化的马克思主义——学习江泽民同志"七一"讲话,邱珂,《唐山师范学院学报》2002年第1期

我党在新形势下面临的挑战研究综述——学习江泽民总书记"七一"讲话的有关思考,陈胜婷,《渝西学院学报》(社会科学版)2002年第2期

做先进生产力发展要求的代表——学习江泽民同志"七一"讲话,周国岭、郭广宇,《中州大学学报》2002年第1期

坚持党的最低纲领和最高纲领的统一——从《共产党宣言》到江泽民"七一"讲话,孟范昆,《哈尔滨市委党校学报》2002年第1期

思想解放 理论创新——学习江泽民"七一"讲话,林建公,《苏州大学学报》(哲学社会科学版)2002年第2期

解放思想、实事求是与社会进步——学习江泽民七一《讲话》的体会,林振平,《发展研究》2002年第4期

立足人的全面发展 提高思想政治工作的实效——学习江泽民"七一"讲话的一点思考,罗成富,《黄冈师范学院学报》2002年第

5期

坚持和发扬马克思主义创新精神——学习江泽民"七一"讲话的体会,郑明中,《求实》2002年第S2期

学习江泽民"七一"讲话须解决三个基本问题,郑茂刚,《黔东南民族师范高等专科学校学报》2002年第2期

从把握、运用规律的高度学习江泽民同志"七一"讲话精神,俞朝卿,《江南社会学院学报》2002年第2期

关于高校思想道德修养课贯彻江泽民"七一"《讲话》精神的认识,胡小岩,《现代教育科学》2002年第5期

提高人的综合素质,促进人的全面发展——学习江泽民"七一"讲话,胡明宝、蒋艳柏,《零陵学院学报》2002年第5期

江泽民《七一讲话》对马克思的劳动价值论的丰富和发展,赵守运、常青,《辽宁工程技术大学学报》(社会科学版)2002年第2期

对马克思主义人的全面发展理论的创新——学习江泽民"七一"讲话的体会,赵菁,《甘肃高师学报》2002年第3期

与时俱进、永无止境的理论创新——从邓小平"南方谈话"到江泽民"七一"讲话,赵智奎,《当代

中国史研究》2002年第2期

试析江泽民"七一"讲话的理论特点，夏莉，《宿州师专学报》2002年第2期

浅谈我国古代廉政思想及廉政制度——学习江泽民同志"七一"讲话的体会，郭武斌，《新疆社科论坛》2002年第3期

江泽民"七一"讲话对中国近现代史教学的指导意义，陶圣建，《历史教学》2002年第4期

满足最大多数人的利益要求——纪念江泽民"七一"讲话发表一周年，顾行超，《江苏省社会主义学院学报》2002年第2期

中国共产党必须坚持工人阶级先锋队的性质——学习江泽民"七一"讲话的体会，黄芝鹏，《宿州师专学报》2002年第1期

从邓小平南方谈话到江泽民"七一"讲话——纪念邓小平南方谈话发表十周年理论研讨会纪要，黄凯锋，《毛泽东邓小平理论研究》2002年第1期

社会主义市场经济与劳动价值理论——学习江泽民同志"七一"讲话的体会，黄健，《广西社会科学》2002年第5期

与时俱进的理论品质 一脉相承的科学体系——从邓小平南方谈话到江泽民"七一"讲话，龚学平，《毛泽东邓小平理论研究》2002

年第1期

从邓小平南方谈话到江泽民七一讲话——纪念南方谈话发表十周年，龚育之，《百年潮》2002年第1期

实践"三个代表"重要思想全面推进学校建设和发展——学习江泽民同志"七一"讲话的体会，惠延德，《榆林高等专科学校学报》2002年第1期

江泽民"七一"讲话对人的全面发展理论的重大贡献，董承耕，《中共福建省委党校学报》2002年第9期

试论我们党关于制度创新的思想与实践——学习江泽民同志"七一"讲话的几点体会，韩东才，《学术研究》2002年第5期

论江泽民"七一"讲话对人的全面发展理论的创新及其意义，韩琳，《理论月刊》2002年第5期

关于"法律基础"课贯彻江泽民同志"七一"讲话精神的几点认识，蔡丹阳，《思想理论教育导刊》2002年第4期

论新时期两代主要领导人的忧患意识——从邓小平南方谈话到江泽民"七一"讲话，蔡炳水、郭更新，《社会主义研究》2002年第4期

加强非公有制经济人士统战工作，切实增强党的阶级基础和扩大党的群众基础——谈学习江泽民同

志"七一讲话"的一点体会，黎细保，《南昌航空工业学院学报》（社会科学版）2002年第1期

高举和平发展旗帜，构建新的国际秩序——江泽民"七一讲话"中的外交思想探析，薛绍斌，《中国矿业大学学报》（社会科学版）2002年第2期

深刻领会江泽民"七一"讲话的重大理论意义和实践意义，籍先菊，《山西高等学校社会科学学报》2002年第1期

新的社会阶层是统一战线的生力军——江泽民"七一"讲话学习札记，张广芳，《广东青年干部学院学报》2003年第1期

（九）研究江泽民"5·31"讲话的论文

"学习贯彻江泽民'5·31'讲话　加强学风建设与理论创新研讨会"综述，王利民、刘玉祥、管延会，《发展论坛》2002年第9期

论贯彻"三个代表"的关键、核心和本质——学习江泽民同志"5·31"讲话的体会，王展飞，《学术探索》2002年第5期

论江泽民同志"5·31"讲话的理论创新，兰亚宾，《理论月刊》2002年第10期

对进一步深化基本经济制度认识问题的几点思考——学习江泽民"5·31"讲话的体会，冯世新，《西

安交通大学学报》（社会科学版）2002年第3期

新境界、新局面、新力量、新活力——学习江泽民"5·31"讲话关于"三个代表"历史地位的论述，边立新，《中国党政干部论坛》2002年第9期

江泽民"5·31"讲话是对"三个代表"思想的丰富和深化，刘向军，《内蒙古统战理论研究》2002年第5期

"与时俱进"是正确认识和深刻理解"三个代表"思想的钥匙——学习江泽民同志"5·31"讲话，孙红军，《苏州铁道师范学院学报》（社会科学版）2002年第3期

关键·核心·本质——学习江泽民"5·31"讲话，余英杰，《武汉市经济管理干部学院学报》2002年第4期

民主政治建设要从中国实际出发——学习江泽民"5·31讲话"的体会，宋良金，《唐山高等专科学校学报》2002年第4期

一脉相承的发展观——学习江泽民同志"5·31"讲话有感，宋保忠，《陕西教育学院学报》2002年第4期

贯彻"三个代表"关键在坚持与时俱进——学习江泽民同志"5·31"讲话　迎接"十六大"，张正光、郭慧，《伊犁师范学院学报》

2002 年第 4 期

论坚定地站在时代潮流的前头——学习江泽民"5·31"讲话精神的体会，张贺福，《党的文献》2002 年第 5 期

论江泽民"5·31"讲话对"三个代表"重要思想的丰富与深化，张喜德，《中共杭州市委党校学报》2002 年第 4 期

学习江泽民"5·31"讲话精神之笔谈，张雄、何玉长、晁钢令、李清伟，《上海财经大学学报》2002 年第 4 期

深刻领会和全面贯彻"三个代表"的基本精神——学习江泽民同志中央党校"5·31"讲话的体会，张蔚萍，《黄河科技大学学报》2002 年第 4 期

论"实事求是"——学习江泽民"5·31"讲话的体会，李光武，《兵团党校学报》2002 年第 5 期

理论创新的光辉典范——学习江泽民"5·31"讲话体会，杜秀娟、辛怡，《理论界》2002 年第 5 期

怎样看待社会主义社会中私营企业主阶层——学习江泽民"5·31"讲话的体会，肖百冶，《桂海论丛》2002 年第 6 期

用"三个代表"思想指导"三个文明"建设——学习江泽民同志"5·31"讲话的体会，陈华光，《南京社会科学》2002 年第 11 期

做好涉外税收工作要与时俱进——关于学习江泽民"5·31"讲话的思考，周红光，《河南税务》2002 年第 18 期

"三个代表"重要思想的进一步阐述——学习贯彻江泽民同志"5·31"讲话精神，郑传芳，《思想理论教育导刊》2002 年第 9 期

认真学习江泽民同志"5·31"讲话精神　用"三个代表"重要思想指导我市人民银行青年工作，郑宝利，《大庆社会科学》2002 年第 5 期

与时俱进　开拓创新　加快高等文科教材建设和学术著作出版步伐——学习江泽民总书记"5·31"讲话的一点体会，郑惠坚，《中国大学教学》2002 年第 Z2 期

富民：中国共产党执政兴国的根本保证——学习江泽民"5·31"讲话的一点体会，唐秀玲，《广西党史》2002 年第 5 期

以江泽民同志"5·31"讲话和"三个代表"重要思想为指导全面推进普通女子高等教育，莫文秀，《中华女子学院学报》2002 年第 5 期

解决当代社会主义历史课题的新视野——学习江泽民"5·31"讲话的一点体会，盖世金、张维忠、吕红波，《西安政治学院学报》2002 年第 3 期

我校召开学习江泽民同志"5·31"讲话座谈会，黄先莲，《广西大学学报》（哲学社会科学版）2002年第5期

保持党的先进性必须坚持与时俱进——学习江泽民"5·31"讲话有感，葛深渭，《中共太原市委党校学报》2002年第5期

论党报与时俱进的品质——学习江泽民"5·31"讲话的体会，潘艳君，《记者摇篮》2002年第8期

（十）研究江泽民十四大报告的论文

适应社会主义市场经济要求积极改革财经教育——我院部分干部、教师学习党的十四大报告笔谈，孔祥振、刘治泰，《现代财经》（天津财经学院学报）1992年第6期

论效率与公平的关系——学习江泽民同志在党的十四大报告的心得，王锐生，《首都师范大学学报》（社会科学版）1992年第5期

学习十四大报告　加速图书馆改革，卢俊业，《河北科技图苑》1992年第4期

十四大报告有关资料汇集，余辑，《社会主义研究》1992年第6期

改革：中国的第二次革命——学习十四大报告对话录，叶枝，《党政论坛》1992年第12期

认真学习十四大报告　积极落实十四大精神，本刊编辑部，《理论学刊》1992年第6期

以市场经济为目标转换商业企业经营机制——学习十四大报告的一点体会，伍卓明，《江苏商论》1992年第12期

代表纵论十四大报告，刘敬怀、李迪斌、孙英兰、陈大钧、要力石、李勤，《瞭望》1992年第42期

确立社会主义市场经济信念推进改革开放深入发展——学习十四大报告的一点体会，安治珍，《红河学院学报》1992年第3期

对社会主义经济理论的重大突破——学习党的十四大报告的一点体会，邢建国，《安徽师范大学学报》（人文社会科学版）1992年第4期

社会主义市场经济和深化体制改革——学习党的十四大报告的体会，何建章，《中共党史研究》1992年第6期

坚持"两手抓"的战略方针——学习党的十四大报告的体会，吴茂栋，《新疆社会科学》1992年第6期

论社会主义市场经济体制——学习十四大报告的体会，吴树青，《高校理论战线》1992年第6期

大力加强社会主义精神文明建设——学习江泽民同志十四大报告的一点体会，李文海，《高校理论战线》1992年第6期

面向实际，加强社会科学理论研究——学习江泽民同志十四大报告的一点体会，李文海，《教学与研究》1992 年第 6 期

十四大报告是时代精神的凝结，李君如，《社会科学》1992 年第 11 期

学习十四大报告笔谈，李海霞、单学文、于小芹、刘满贵，《内蒙古宣传》1992 年第 24 期

首都高校中青年理论工作者学习座谈党的十四大报告，肖白，《高校理论战线》1992 年第 6 期

高举建设有中国特色社会主义的伟大旗帜——学习党的十四大报告的体会，陈光林，《山东社会科学》1992 年第 6 期

社会主义商品经济理论的重大发展——学习十四大报告的一点体会，周叔莲，《经济管理》1992 年第 12 期

计划与市场关系再认识——学习十四大报告的一点体会，赵诗清，《理论月刊》1992 年第 11 期

努力实现我们的伟大目标——学习党的十四大报告点滴体会，钟启泉，《学术论坛》1992 年第 6 期

广西部分社会科学工作者学习十四大报告座谈发言摘编，梁双慰，《广西社会科学》1992 年第 6 期

建立社会主义市场经济的思路——学习江泽民同志十四大报告的一点体会，傅锡寿，《理论建设》

1992 年第 4 期

坚持重视基础理论的研究、学习和宣传——学习十四大《报告》想到的，彭成仁，《科学学与科学技术管理》1992 年第 12 期

认真学好中共十四大报告 深刻领会中共十四大精神，谢伯阳，《中国工商》1992 年第 11 期

毫不动摇地始终坚持党的基本路线——学习十四大报告的体会，滕文生，《前线》1992 年第 Z1 期

建设有中国特色社会主义理论及其体系——学习党的十四大报告的体会，潘春良、刘光慧，《学术交流》1992 年第 6 期

十四大报告对调整和优化产业结构方向的决策有哪些新特点，依据是什么？魏礼群，《前线》1992 年第 Z1 期

十四大报告是如何确定第二产业发展部署和任务的？如何实现这些任务？魏礼群，《前线》1992 年第 Z1 期

学习党的十四大报告的几点体会，丁关根，《理论视野》1993 年第 1 期

学习十四大报告，加速建设有中国特色的社会主义，邢贲思，《理论视野》1993 年第 1 期

学习十四大报告三题，山城客，《文艺理论与批评》1993 年第 1 期

重视和加强培养少数民族干

部——学习十四大报告的体会，孔祥录，《青海民族学院学报》1993 年第 1 期

从十四大报告看中共党史和中国革命史的教学前景，文库，《党史研究与教学》1993 年第 1 期

两次历史性飞跃的回顾——学习十四大报告的一点体会，毛天华，《南京政治学院学报》1993 年第 Z1 期

关于社会主义市场经济体制目标模式的考察分析——十四大报告学习札记，牛福增，《殷都学刊》1993 年第 1 期

中国特色社会主义的建设大纲——十四大报告学习体会，王伯军，《社会科学》1993 年第 1 期

学习党的十四大报告　加快发展城镇集体经济，王定一，《中国集体经济》1993 年第 1 期

新体制下的卫生工作——读十四大报告有感，王致君，《中国卫生事业管理》1993 年第 1 期

九十年代对外经济开放格局刍议——学习党的十四大报告的体会，王寅，《南京政治学院学报》1993 年第 1 期

学习十四大报告中的唯物史观思想，王锐生，《首都师范大学学报》(社会科学版) 1993 年第 1 期

中国工会十四大报告解读，田野，《中国工运》2003 年第 10 期

对进一步做好计划生育工作的思考——学习党的十四大报告的几点体会，彭珮云，《人口与计划生育》1993 年第 1 期

振兴科技必须振兴科技文献情报工作——学习中共十四大报告的感想，白国应，《情报杂志》1993 年第 2 期

探索建设有中国特色社会主义的哲学基础——"十四大报告中的哲学问题座谈会"综述，白杰，《教学与研究》1993 年第 2 期

从新的视角认识社会主义的根本任务——学习党的十四大报告的一点体会，皮晓辉，《绥化学院学报》1993 年第 1 期

共产党员要树立解放思想、改革创新的精神——学习十四大报告体会，刘东辉，《殷都学刊》1993 年第 2 期

走自己的路，建设有中国特色的社会主义——学习十四大报告的一点体会，华钟亮，《未来与发展》1993 年第 1 期

坚持"三个基本"教育是加强党的思想理论建设的核心——学习江泽民同志在党的十四大报告的体会，多杰坚赞，《青海民族研究》1993 年第 1 期

十四大报告丰富和发展了马克思主义的辩证唯物主义认识论，毕顺堂，《河北师范大学学报》(哲学社

会科学版）1993年第1期

努力创造有利于知识分子施展才智的良好环境——学习党的十四大报告的体会，余仕麟，《西南民族大学学报》（人文社科版）1993年第1期

改革是又一次伟大革命——学习十四大报告札记，张文桂，《山东大学学报》（哲学社会科学版）1993年第1期

理论的发展　行动的指南——读十四大报告的一些体会，张达生、冉清文、龚成敏，《青海民族学院学报》1993年第2期

高校工作要面向市场——学习党的"十四大"报告的体会，张景成，《河北理工学院学报》1993年第1期

省劳动学会召开学习十四大报告座谈会，李玲，《南方经济》1993年第1期

论建设有中国特色社会主义理论的方法论原则——学习党的十四大报告的体会，杨之瑜、紫毅龙，《昆明师范高等专科学校学报》1993年第2期

改革开放和现代化建设使四项基本原则获得新的时代内容——学习党的十四大报告体会，杨培德、方宏建，《山东大学学报》（哲学社会科学版）1993年第1期

高举当代中国的马克思主义旗帜　沿着改革开放的道路继续前进——学习党的十四大报告座谈会综述，邹惠卿，《武汉大学学报》（人文科学版）1993年第1期

高科技的特征与我国现代化分三步走——学习十四大报告体会，陈荷清，《首都师范大学学报》（社会科学版）1993年第1期

社会主义市场经济条件下国有商业发展前景广阔——学习十四大报告的体会，林克，《商业时代》1993年第4期

建立市场经济体制是我国社会主义新经济模式的必然选择——学习党的十四大报告的体会，侯恒、张岑晟，《经济经纬》1993年第1期

澄清对社会主义的种种误解——学习十四大报告的一点体会，胜雄、必吾，《党政论坛》1993年第2期

学习十四大报告　加强精神文明建设，赵沨，《音乐研究》1993年第1期

社会主义现代化建设只有在党的领导下才能取得成功——学习党的十四大报告的体会，钟克亮，《南京政治学院学报》1993年第1期

试论新阶段的经济立法——学习党的十四大报告的体会，凌木祖，《法学评论》1993年第1期

重要的问题是教育青年——学习十四大报告体会，袁础，《胜利油

田党校学报》1993 年第 2 期

科学地认识改革的历史方位——学习党的十四大报告的体会，顾杰善,《学术交流》1993 年第 2 期

关于建立社会主义市场经济体制若干问题的思考——学习党的十四大报告的体会，傅殷才,《经济评论》1993 年第 3 期

关于加快四川林业发展的若干问题——学习邓小平同志南巡重要谈话和党的十四大报告的体会，傅道政,《四川林业科技》1993 年第 1 期

深化高等教育改革 适应社会主义市场经济需要——学习党的十四大报告的体会，程肖彭,《苏州大学学报》(哲学社会科学版) 1993 年第 1 期

学会体制改革的设想——学习中共十四大报告的体会，蒋家樟,《学会》1993 年第 2 期

论充分发挥知识分子的作用——学习十四大报告的一点体会，韩兆麟,《胜利油田党校学报》1993 年第 1 期

建立社会主义市场经济的新体制是我国经济体制改革的目标模式——学习十四大报告的体会，雷勉,《昆明师范高等专科学校学报》1993 年第 1 期

学好十四大报告，加速建设有中国特色的社会主义，邢贲思,《社会科学战线》1993 年第 1 期

学习党的十四大报告问题解答，潘家婉、贺军、胡知生,《思想政治课教学》1993 年第 3 期

（十一）研究江泽民十五大报告的论文

理论丰碑 行动指南——学习江泽民同志在十五大的报告笔谈，万戈、绛华、龚培兴、张友南、张志德、黎青平、王晓春,《求实》1997 年第 10 期

加速培养人才 合理使用人才——学习十五大报告的体会，万宁、韩艳,《学校党建与思想教育》1997 年第 6 期

关于十五大报告问答，于光远,《特区经济》1997 年第 11 期

新的理论贡献——学习党的十五大报告的体会，于全,《中国煤炭经济学院学报》1997 年第 4 期

认真学习贯彻党的十五大精神是工会的一项重要任务——学习江泽民同志十五大报告的体会，尤仁,《中国工运》1997 年第 10 期

继承·突破·发展——谈十五大报告的理论贡献，文选德,《学习导报》1997 年第 Z1 期

十五大报告对经济理论有哪些新突破，文魁,《前线》1997 年第 11 期

七绝二首——聆听江总书记十五大报告有感，方荣欣,《前进论

坛》1997 年第 10 期

社会主义公有制的实现形式可以而且应当多样化——学习十五大报告的体会，木火、肖峰，《兰州学刊》1997 年第 5 期

十五大报告和邓小平理论——学习江泽民同志十五大报告的体会，王万宾，《冶金管理》1997 年第 9 期

北京某预备役师组织预任军官学习十五大报告，王子彦、吕维宾，《国防》1997 年第 11 期

大胆探索适合甘肃省情的公有制实现形式——学习十五大报告的体会，王小平、石治平，《发展》1997 年第 11 期

学习贯彻十五大精神 推进学校党的建设——学习十五大报告的体会，王汉武，《云南财贸学院学报》（经济管理版）1997 年第 4 期

高举邓小平理论伟大旗帜 把大庆建设成为高科技现代化城市——学习党的十五大报告的几点体会，王先民，《大庆社会科学》1997 年第 6 期

要切实加强社会主义精神文明建设——学习十五大报告体会，王成，《工会理论与实践—中国工运学院学报》1997 年第 6 期

人行井陉县支行学习十五大报告制定措施抓监管，王丽霞，《河北金融》1997 年第 12 期

学习"十五大"报告精神 进

一步推动我国的教育改革与发展，王志平，《天津市教科院学报》1997 年第 6 期

站在世纪之交 把握时代脉搏——学习十五大报告札记，王连祥，《工会理论研究》（上海工会管理干部学院学报）1997 年第 4 期

反腐倡廉领导干部必须做出表率——学习江泽民同志十五大报告的体会，王茂设，《山西气象》1997 年第 4 期

科学确定中国社会主义的发展道路——学习十五大报告的一点体会，王振耀，《中国民政》1997 年第 11 期

党的十五大报告的特点和思想理论成果，王爱国，《实事求是》1997 年第 6 期

中国迈向新世纪的行动纲领——学习江泽民同志十五大报告的几点认识，王维澄，《山西老年》1997 年第 11 期

反腐败是关系党和国家生死存亡的严重政治斗争——学习党的十五大报告的体会，王锐，《黑河学刊》1997 年第 Z1 期

全面准确地把握邓小平社会主义初级阶段的理论——学习江泽民同志十五大报告的体会，王瑞璞，《理论学习与探索》1997 年第 5 期

旗帜·方向·形象——学习江泽民同志十五大报告的体会，王碧华，

《广州市财贸管理干部学院学报》1997 年第 4 期

高举伟大旗帜 推进宏伟事业——省林业厅党组讨论江泽民同志十五大报告发言摘编，邓双文、何志高，《湖南林业》1997 年第 10 期

谈为人民服务道德观建设——学习十五大报告体会，付国霞，《黑河学刊》1997 年第 Z1 期

面向新世纪 深化学校改革建设一支高素质的师资队伍——学习党的十五大报告心得体会，冯文林，《北京化工大学学报》（社会科学版）1997 年第 2 期

高举邓小平理论伟大旗帜 加快干部制度改革步伐——学习十五大报告的体会，冯秦，《党建与人才》1997 年第 6 期

高举邓小平理论伟大旗帜 加强党的建设——学习党的十五大报告中对党建工作论述的体会，卢学勇，《中国金融》1997 年第 11 期

"跨世纪的治国方略"——刘德福博士谈学习十五大报告的体会，卢钢，《瞭望》1997 年第 48 期

贯彻十五大精神 努力做好林业工作——学习江泽民同志十五大报告的几点认识，圣非，《中国林业》1997 年第 11 期

十五大报告学习思考题，本刊编辑部，《理论与当代》1997 年第

Z2 期

公安大学部分专家学者座谈学习江泽民同志十五大报告精神，本刊编辑部，《公安大学学报》1997 年第 5 期

认真学习和领会中共十五大报告的主要精神，本刊编辑部，《湖北省社会主义学院学报》1997 年第 3 期

解放思想，积极推进所有制结构改革——学习党的十五大报告关于经济体制改革问题的体会，本刊编辑部，《杭州金融研修学院学报》1997 年第 3 期

切实加强青少年思想道德建设——学习江泽民同志十五大报告体会，田建国，《山东工业大学学报》（社会科学版）1997 年第 4 期

谈谈十五大报告的理论贡献，申存良，《前进》1997 年第 11 期

一切从初级阶段的实际出发——十五大报告的启示，龙太江，《衡阳师范学院学报》1997 年第 5 期

有中国特色社会主义文化与电视文艺——学习江泽民同志十五大报告的体会，仲呈祥，《中国电视》1997 年第 11 期

深入持久地开展反腐败斗争学习十五大报告的体会，任龙，《正气》1997 年第 11 期

十五大报告的理论创新，刘云

威,《鞍山师范学院学报》1997 年第 3 期

我院党委举办座谈会学习江泽民同志十五大报告精神，刘凤娥，《新疆警官高等专科学校学报》1997 年第 4 期

明确目标加快高等农业教育改革——学习江泽民同志十五大报告的体会，刘长安，《高等农业教育》1997 年第 5 期

在所有制改革问题上必须解放思想，实事求是——学习十五大报告中关于所有制改革思想的体会，刘伟，《唯实》1997 年第 11 期

十五大报告对经济理论和政策的重大推进，刘国光,《理论前沿》1997 年第 23 期

理论突破必将推动改革实践——十五大报告对经济理论和政策的重大推进，刘国光，《价格理论与实践》1997 年第 10 期

在以公有制为主体的前提下放开手脚发展"五多"——学习十五大报告的一点体会，刘宗发，《企业导报》1997 年第 11 期

论农村集体所有制的实现形式——学习十五大报告的一点体会，刘秉芝,《江西农业经济》1997 年第 6 期

邓小平理论是马克思主义在中国发展的新阶段——学习党的十五大报告的体会，刘树山，《聊城师范学院学报》（哲学社会科学版）1997 年第 4 期

对所有制结构和公有制实现形式的认识——学习党的十五大报告体会，刘荣升，《经济论坛》1997 年第 22 期

学习江泽民同志十五大报告应理解把握的几个重要问题，刘荣惠，《理论导刊》1997 年第 12 期

全面深入地学习宣传好党的十五大报告，吉炳轩，《党员之友》1997 年第 11 期

牢牢把握十五大报告的精髓，吉炳轩,《长白学刊》1997 年第 6 期

高举伟大旗帜不动摇——学习江泽民同志十五大报告，吉炳轩，《盐城师范学院学报》（哲学社会科学版）1997 年第 4 期

扩大企事业民主　保证职工真正行使民主权利——学习党的十五大报告的一点体会，向德荣，《工会理论与实践》（中国工运学院学报）1997 年第 6 期

谈依法治国——学习十五大报告体会，吕叶辉，《西藏发展论坛》1997 年第 4 期

按照党的十五大要求，努力推进和发展档案事业——学习十五大报告的一点思考，孙光礼,《档案时空》1997 年第 6 期

学习十五大报告做好我院正在做的事情，孙明桢,《培训与研究》

（湖北教育学院学报）1997 年第 4 期

坚持以邓小平理论为根本指针全面推进广播影视事业建设——学习江泽民同志十五大报告，孙家正，《新闻战线》1997 年第 11 期

抓住机遇全方位提高我省的戏剧创作水平——学习江泽民总书记"十五大"报告札记，孙德民，《大舞台》1997 年第 6 期

社会主义初级阶段我党与外国政党交往的宗旨与方针——学习江泽民同志十五大报告的一点思考，朱达成，《当代世界》1997 年第 11 期

在"高校学者学习十五大报告座谈会"上的讲话，朱新均，《高校理论战线》1997 年第 10 期

台湾渔民读十五大报告谈祖国统一，汤宏伟、胡军凯，《台声》1997 年第 11 期

充分发挥市场机制作用　健全宏观调控体系——学习十五大报告体会，汤黎虹，《行政与法》1997 年第 4 期

十五大报告的启迪——访浙江省司法厅长于国强，许卫凌，《中国司法》1997 年第 11 期

完善以公有制为主体、多种所有制共同发展的所有制结构——学习十五大报告的体会，许经勇，《东南学术》1997 年第 6 期

深刻理解所有制结构改革上的新突破——学习江泽民同志十五大报告的体会，许树立，《探索与求是》1997 年第 12 期

增强和提高解放思想、实事求是的坚定性和自觉性——学习党的十五大报告，何建林，《求是》1997 年第 22 期

以十五大报告为导向　积极推进所有制改革，何诚颖，《特区理论与实践》1997 年第 12 期

调整和完善所有制结构　加快推进国有企业改革——学习十五大报告的体会，何炼成，《人文杂志》1997 年第 6 期

坚持党性原则　把握正确舆论导向——学习十五大报告关于建设有中国特色社会主义文化的一点体会，何富麟，《当代传播》1997 年第 5 期

完成中华民族历史任务的宏伟蓝图——学习十五大报告的一点体会，何鲁丽，《人民论坛》1997 年第 12 期

十五大报告对社会主义初级阶段理论的深化，初长洲，《长白学刊》1997 年第 6 期

十五大报告进一步强调社会主义初级阶段问题的意义，初长洲，《新长征》1997 年第 11 期

加强文化建设　构建精神支柱——学习党的十五大报告的体会，

吴松,《思想战线》1997年第6期

自觉坚定地高举邓小平理论伟大旗帜——学习党的十五大报告的体会,吴秉元,《理论学习与探索》1997年第5期

所有制理论的重大突破——学习十五大报告心得,吴树青,《中国高等教育》1997年第11期

股份合作制的理论思考——学习党的十五大报告的体会,吴振坤,《民主》1997年第12期

十五大报告在经济理论上有三大突破,吴敬琏,《经济研究参考》1997年第B5期

公有制理论上的新发展与新突破——学习党的十五大报告的一点体会,宋长瑞,《理论学习与研究》1997年第6期

学习贯彻党的十五大精神　全心全意依靠职工办好国有企业——学习江泽民同志十五大报告的体会,张丁华,《中国工运》1997年第11期

建立现代企业制度　加快国有企业改革——学习党的十五大报告的几点感想,张五钢,《经济经纬》1997年第6期

梳理新思路　共商人才市场发展大计——部分省市人才中心主任学习十五大报告座谈纪要,张文春,《中国公务员》1997年第12期

高举邓小平理论伟大旗帜不动摇——学习江泽民同志十五大报告的体会,张江明,《学术研究》1997年第9期

正确认识社会主义初级阶段——学习十五大报告体会,张红保,《地质技术经济管理》1997年第6期

解放思想的三次飞跃——学习党的十五大报告体会,张丽华,《云南财贸学院学报》1997年第6期

历史性决策　跨世纪指南——学习江泽民同志十五大报告的体会,张怀西,《民主》1997年第10期

"十五大"报告对社会主义经济理论的重要贡献,张卓元,《经济研究》1997年第10期

调整和完善所有制结构是经济体制改革的重大任务——学习十五大报告的体会,张绍中,《兵团党校学报》1997年第6期

要自觉高举邓小平理论伟大旗帜——学习江泽民同志十五大报告的体会,张诚,《思想政治课教学》1997年第10期

稳定完善家庭联产承包责任制——学习江泽民同志在党的十五大报告的体会,张柏齐,《古今农业》1997年第4期

十五大报告提出四个"者"的要求,就是高校教师的立业范式,张洪才,《昭通师范高等专科学校学报》1997年第3期

邓小平同志对当代国际关系理论的重大贡献——学习江泽民同志在十五大报告的体会，张炳杰，《北京第二外国语学院学报》1997年第6期

学好十五大报告　扎实推进工作——记全省宣传理论干部学习贯彻十五大精神工作会议，张晋斌，《前进》1997年第11期

十五大报告说到我们心坎里——学习中国共产党第十五次全国代表大会报告的体会，张晓然，《河北水利》1997年第5期

实现中华民族伟大复兴的跨世纪行动纲领——学习十五大报告的心得体会，张涛，《中州统战》1997年第10期

反对腐败　增强党的凝聚力和战斗力——学习江泽民同志十五大报告的体会，张智、晓梦，《正气》1997年第10期

把加速科技进步放在经济社会发展的关键地位——学习江泽民同志十五大报告的体会，张锡杰，《科学学与科学技术管理》1997年第10期

提高电视文艺的文化含量——学习十五大报告关于文化建设论述的一点体会，张德祥，《中国电视》1997年第11期

所有制理论的新突破——学习十五大报告的一点体会，李仁寿，《荆门职业技术学院学报》1997年第4期

迈向二十一世纪的政治宣言——谈十五大报告对建设有中国特色社会主义的新认识，李克章，《党史纵览》1997年第5期

进一步发挥工会的桥梁和纽带作用——学习十五大《报告》的点滴体会，李秀珍，《常州工学院学报》1997年第4期

学习十五大报告问答30题，李连仲，《支部建设》1997年第11期

贯彻十五大精神　实践跨世纪纲领——学习江泽民同志十五大报告的体会，李奇生，《中国工运》1997年第10期

伟大的理论　高扬的旗帜——党的十五大报告学习体会，李建军、邵炳芳，《发展论坛》1997年第10期

抓住资本运营　搞活国有经济——学习十五大报告的体会，李英明，《中国改革》1997年第11期

认真学习　把握要点——学习党的十五大报告的体会，李金海，《淄博学院学报》（社会科学版）1997年第4期

调整和完善所有制结构　加快推进国有企业改革——学习党的十五大报告的体会，李剑阁，《财贸经济》1997年第10期

试论党的十五大报告的六大特

点，李贵荣，《福建论坛》（文史哲版）1997 年第 6 期

首要的问题是转变观念——学习党的十五大报告体会，李耘、范荣华，《中国环境管理》1997 年第 6 期

搞活国有企业，外资工作部门大有可为——学习党的十五大报告的体会，李清森，《特区经济》1997 年第 10 期

推进政治体制改革与民主法制建设——学习江泽民同志在党的十五大报告的体会，李善岳，《地方政府管理》1997 年第 12 期

高举伟大旗帜　迈向新的世纪——学习十五大报告的体会，李敦伯，《四川党的建设（城市版）》1997 年第 Z1 期

精神文明：行政学院建设的根本保证——学习党的十五大报告的体会，李景文，《行政论坛》1997 年第 6 期

试谈社会主义初级阶段的财政政策导向——学习十五大报告心得体会，李登全，《四川财政》1997 年第 12 期

高举邓小平理论伟大旗帜　坚持有中国特色的社会主义——中国社科院财贸所部分专家学者学习党的十五大报告体会，杨圣明、何振一、宋则、温桂芳、张广瑞、冯雷，《财贸经济》1997 年第 11 期

国有小企业改革的现状与思考——学习江泽民同志十五大报告，杨兆余、张德荣，《盐城师范学院学报》（哲学社会科学版）1997 年第 4 期

科学社会主义的时代发展——学习十五大报告关于“初级阶段”的论述，杨兆馀，《河北经贸大学学报》1997 年第 6 期

以邓小平理论为指导加快国有企业改革——学习江泽民同志十五大报告的体会，杨兴富，《中国工运》1997 年第 10 期

高举伟大旗帜　不断开拓前进——学习江总书记十五大报告的体会，杨寿珍，《贵阳师专学报》（社会科学版）1997 年第 4 期

举好旗帜走大路——学习十五大报告的一点体会，杨良全，《人民论坛》1997 年第 11 期

大力促进多种所有制经济共同发展——学习党的十五大报告的体会，杨国和，《中央社会主义学院学报》1997 年第 11 期

完善以公有制为主体，多种所有制经济共同发展的所有制结构——学习江泽民同志十五大报告札记，杨建、张鑫，《河南社会科学》1997 年第 5 期

要进一步突出教育优先发展的战略地位——学习江泽民同志十五大报告的一点体会，杨烨、冯祥斌，

《青海教育》1997 年第 12 期

关于十五大报告中经济发展战略的理论思考——透视邓小平理论的可持续发展思想，杨莉，《昆明师范高等专科学校学报》1997 年第 4 期

学十五大报告 拓宽改革思路，杨群祥，《广东农工商职业技术学院学报》1997 年第 4 期

满怀信心 迎接挑战——学习十五大报告的体会，杨德炎，《出版参考》1997 年第 20 期

迈向新世纪的伟大纲领——学习江泽民同志十五大报告，汪石满，《江淮论坛》1997 年第 5 期

学习十五大报告完善对外开放格局，汪尧田，《世界贸易组织动态与研究》1997 年第 10 期

十五大报告在深化和加快国有经济改革上的主要贡献，沈吾爵，《苏州科技学院学报》(社会科学版) 1997 年第 6 期

十五大报告写上"人权"是一个突破，沈宝祥，《理论前沿》1997 年第 22 期

旗帜问题至关紧要——学习党的十五大报告的体会，纳麒，《思想战线》1997 年第 6 期

经济结构和功能——材料学者学习江泽民同志《十五大报告》的体会，肖纪美，《世界科技研究与发展》1997 年第 6 期

高举旗帜 努力创造"四种风气"——学习十五大报告的体会，肖巍，《党政干部学刊》1997 年第 11 期

学习十五大报告 浅谈人才开发，芮淮艳、李惠贞，《治淮》1997 年第 11 期

强化审计职能 发挥反腐作用——学习江泽民同志十五大报告的点滴体会，苏毅，《当代审计》1997 年第 5 期

高举伟大旗帜 推进宏伟事业——学习江泽民同志十五大报告，邵德山，《青海民族研究》1997 年第 4 期

政治体制改革的行动纲领——学习十五大报告关于政治体制改革的论述，邸乘光，《学习与实践》1997 年第 12 期

初级阶段理论是做好民族工作的思想基础——学习江泽民总书记"十五大"报告的点滴体会，闵文义，《西北民族学院学报》(哲学社会科学版，汉文) 1997 年第 3 期

再来一次思想大解放 推动民营经济大发展——学习十五大报告体会，阿称，《康定民族师范高等专科学校学报》1997 年第 4 期

公有制及其实现形式——学习江泽民十五大报告的几点体会，陈一之，《学术探索》1997 年第 6 期

在铲除腐败现象滋生蔓延的土

壤上下功夫——学习江泽民同志在十五大的报告，陈发芳,《求实》1997 年第 11 期

围绕大目标 发展大团结——学习中共十五大报告的一点体会，陈官权,《四川统一战线》1997 年第 11 期

所有制理论的新突破——学习江泽民同志十五大报告的体会，陈征,《经济学动态》1997 年第 12 期

建设好社会主义文化的基础工程——学习江泽民同志十五大报告，陈金干,《盐城师范学院学报》(哲学社会科学版) 1997 年第 4 期

立足中国大地建设有中国特色社会主义——学习十五大报告的若干思考，陈俊杰,《东南学术》1997 年第 6 期

高等学校在精神文明建设中要充分发挥教师的教书育人作用——学习江泽民同志十五大报告的一点体会，陈荆珊,《黑龙江高教研究》1997 年第 6 期

勇于探索 大胆实践 加快推进港口国有企业改革——学习江泽民总书记在中共十五大报告的体会，陈夏东、陈孔梅,《中国港口》1997 年第 6 期

广东省个体私营经济应有更大发展——学习十五大报告体会，陈铁,《广东经济》1997 年第 5 期

加强金融管理 防范金融风险

努力提高政策性银行经营管理水平——学习十五大报告的几点体会，卓然,《西安金融》1997 年第 11 期

民营经济是公有制有效实现形式——学习十五大报告的体会，单东,《决策与信息》1997 年第 11 期

高举邓小平反腐败理论的旗帜——学习十五大报告的一点体会，周天华,《中国检验检疫》1997 年第 11 期

以我们正在做的事情为中心——学习十五大报告关于学风问题的论述，周文彰,《理论前沿》1997 年第 23 期

向僵化宣战——学习江泽民同志在党的十五大报告精神，周文彰,《江南论坛》1997 年第 10 期

切实把握机遇 加快湖南民族地区经济和社会发展——学习江总书记在党的十五大的报告，周平波,《民族论坛》1997 年第 3 期

抓住机遇 不辱使命——学习江总书记十五大报告的一点体会，周茂棣,《中国房地产》1997 年第 10 期

关键在于对基本国情有统一认识和准确把握——十五大报告中关于社会主义初级阶段论述的重大现实意义，周炳成,《民主》1997 年第 10 期

在实践中深化对社会主义初级阶段的科学认识——学习江泽民同

志十五大报告的一点体会，周炳成，《中共宁波市委党校学报》1997年第6期

十五大报告对社会主义初级阶段理论的丰富和发展，周锡荣，《新视野》1997年第6期

准确把握社会主义初级阶段理论——学习十五大报告的初步体会，周锡荣，《中国党政干部论坛》1997年第10期

跨世纪的纲领性文献——十五大报告学习札记，林兆木，《宏观经济研究》1997年第10期

学习十五大报告的精髓，林焕平，《社会科学家》1997年第6期

高举旗帜 把握机遇 加快发展——学习党的十五大报告的体会，欧阳坚，《经济问题探索》1997年第10期

以更大的改革开放促进海南更快更好的发展——学习江泽民同志十五大报告的体会，罗时祥、程国林，《琼州大学学报》1997年第4期

中国社科院马列所学者专家学习讨论十五大报告，苗煜，《马克思主义研究》1997年第6期

科学认识基本国情 准确把握发展阶段——学习十五大报告关于社会主义初级阶段的论述，范鹏，《甘肃理论学刊》1997年第6期

高举旗帜 迈向新世纪——学习党的十五大报告有感，郑吉伟，《中国高等教育》1997年第10期

世纪之交海南特区市县企业如何改革——学习江泽民同志十五大报告的体会，郑坚毅，《特区展望》1997年第6期

高举伟大旗帜 推进伟大事业——谈学习江泽民同志十五大报告需要着重领会和把握的几个问题，侯伍杰，《支部建设》1997年第11期

正确认识和把握社会主义初级阶段的理论——学习江泽民总书记十五大报告体会，侯远长，《中州统战》1997年第10期

党的十五大《报告》中的新概括 新提法 新观点，姚休，《中共宁波市委党校学报》1997年第5期

高举邓小平理论旗帜不动摇——十五大报告学习体会，姚润皋，《南京大学学报》（哲学、人文科学、社会科学版）1997年第4期

大学生思想政治工作的新机遇 新课题——学习十五大报告的几点体会，姚锋，《莱阳农学院学报》（社会科学版）1997年第2期

站在新百年与新千年的起跑线上——江泽民十五大报告学习札记，姜义华，《复旦学报》（社会科学版）1997年第6期

经济学教研部学习十五大报告理论研讨会综述，姜卉，《大连干部学刊》1997年第5期

按照党的政策　选拔任用好干部——学习十五大报告的体会，姜法魁，《山东工业大学学报》（社会科学版）1997 年第 4 期

迈向新世纪的伟大旗帜——学习江泽民同志十五大报告体会，姜选，《滨州师专学报》1997 年第 3 期

高举旗帜　依法治国——首都法学界学习十五大报告座谈会发言综述，施嵘，《法学杂志》1997 年第 6 期

十五大报告学习要点，柳宝全，《承德民族职业技术学院学报》1997 年第 4 期

解疑释惑，团结奋斗的思想武器——学习十五大报告关于社会主义初级阶段理论新阐述的体会，洪成得，《东南学术》1997 年第 6 期

以培养高素质的劳动者为己任——学习江泽民同志十五大报告的几点体会，洪国良，《中国职工教育》1997 年第 12 期

为社会主义市场经济"正名"——学习十五大报告的体会，胡一华、政史系，《丽水学院学报》1997 年第 6 期

高举邓小平理论伟大旗帜——学习江泽民同志在党的十五大报告的体会，胡金元，《北京第二外国语学院学报》1997 年第 6 期

要高举邓小平理论的伟大旗帜——江泽民同志十五大报告摘要，《中共山西省委党校学报》1997 年第 5 期

尽快建立市场配置企业经营者的用人机制——学习十五大报告研究国企改革新对策，赵乙年，《四川党的建设（城市版）》1997 年第 Z1 期

按劳分配理论的新突破——学习十五大报告体会，赵玉芳，《疏导》1997 年第 6 期

认真学习十五大报告　进一步提高浦东开发开放水平，赵启正，《浦东开发》1997 年第 10 期

论十五大报告在所有制理论上的重大突破，赵学清，《南京政治学院学报》1997 年第 5 期

以小平理论为指导　认真研究解决市场发展问题——学习党的十五大报告的体会，赵金勇，《浙江经济》1997 年第 11 期

把握机遇　迎接挑战　开拓企业档案工作新局面——学习江总书记"十五大"报告的体会，赵维国，《山东档案》1997 年第 6 期

伟大的纲领　深远的影响——学习党的十五大报告的几点体会，钟辉，《学习导报》1997 年第 10 期

我党第三代领导集体的政治宣言——学习党的十五大报告体会，钟瑞添，《广西师范大学学报》（哲学社会科学版）1997 年第 4 期

中国美协召开学习十五大报告

座谈会，钟韵，《美术》1997 年第
12 期

可持续发展战略是人类求得永
续生存和发展的科学战略——学习
党的十五大报告札记，闻凯，《六盘
水师范高等专科学校学报》1997 年
第 4 期

求新务实抓住机遇振兴财
政——学习十五大报告的体会与思
考，原崇信，《山西财税》1997 年第
11 期

以邓小平理论指导修志工
作——学习十五大报告的一些心得，
夏为民，《中国地方志》1997 年第
6 期

运用辩证思维方法加深对邓小
平理论的理解——学习党的十五大
报告的哲学断想，徐宏枝，《辽宁经
济》1997 年第 12 期

把建设有中国特色社会主义事
业全面推向 21 世纪——学习党的十
五大报告体会，徐志刚，《河南社会
科学》1997 年第 5 期

不能动摇的坚定信念——学习
江泽民十五大报告关于高举邓小平
理论伟大旗帜的论述，徐炳熹，《理
论学刊》1997 年第 6 期

经济学：不应抱住昨天的理论
不放——学习十五大报告的体会，
徐唐先、刘开云，《南方经济》1997
年第 6 期

开创国有企业改革和发展时新

局面——学习十五大报告的体会，
徐继东、刘霞，《中华女子学院山东
分院学报》1997 年第 4 期

高举邓小平理论伟大旗帜不动
摇——浅谈如何把握十五大报告精
神的学习体会，殷安阳，《焦作大学
学报》1997 年第 4 期

公有制理论：突破与发展——
学习江泽民同志十五大报告的体会，
浦再明，《党政论坛》1997 年第
12 期

从历史的全局的高度认识高举
邓小平理论旗帜的伟大意义——学
习十五大报告札记，秦家伦，《贵阳
师专学报》(社会科学版) 1997 年第
4 期

党的十五大新提法新观点的启
迪——学习党的十五大报告的体会
之一，秦裕球，《广西市场与价格》
1997 年第 10 期

解放思想与改革的新突破——
学习党的十五大报告体会之二，秦
裕球，《广西市场与价格》1997 年第
12 期

坚持"三个有利于"标准　积
极推进国有物资企业改革——学习
党的十五大报告的体会，耿兆顺，
《中国物资流通》1997 年第 11 期

紧紧抓住改革发展主题　坚决
搞好国有特钢企业——学习党的十
五大报告体会，袁大焕，《冶金管
理》1997 年第 12 期

加强法制建设　坚持依法治国——学习江泽民同志十五大报告的体会，贾志明，《中国工运》1997年第11期

东方社会主义大国的正确抉择——学习十五大报告的若干体会，郭飞、夏晓明，《金融科学》1997年第4期

明确六个坚持　引深反腐斗争——学习江总书记十五大报告的几点体会，郭永忠，《正气》1997年第12期

要重视"社会主义初级阶段"的研究——十五大报告学习笔记之一，郭邦兴，《鄂州大学学报》1997年第4期

高举伟大旗帜　深化行政改革——学习江泽民十五大报告的一点体会，郭宝平、平原，《中国行政管理》1997年第11期

建设跨世纪有中国特色社会主义的音乐教育——学习十五大报告关于有中国特色社会主义文化建设的论述，郭福安，《中国音乐》1997年第4期

初级阶段基本经济制度的创新——学习党的十五大报告体会，顾栋，《经济论坛》1997年第23期

计划生育与可持续发展——党的十五大报告学习体会，高东鹏、杜宪章，《理论学习与探索》1997年第6期

高举邓小平理论伟大旗帜　加快云南大学建设和发展——学习党的十五大报告的体会，高发元，《思想战线》1997年第6期

新闻出版业必须坚持正确的舆论导向——学习十五大报告的体会，高潮，《山东工业大学学报》（社会科学版）1997年第4期

坚持和实行依法治国　建设社会主义法治国家——学习党的十五大江泽民报告的心得体会，崔敏，《公安大学学报》1997年第6期

贯彻落实十五大精神　加快邮电通信发展　抓住特点，把握精神实质——谈学习党的十五大报告，常延廷，《邮电企业管理》1997年第12期

共产党员更要自重——学习党的十五大报告以及新党章有感，康莲生，《疏导》1997年第6期

公有制实现形式与股份制——学习十五大报告关于"公有制"的论述，曹新书，《河北经贸大学学报》1997年第6期

努力提高海南特区对外开放水平——学习十五大报告随感，符琼光，《特区展望》1997年第6期

立足新实践　着眼新发展——学习江泽民同志十五大报告的体会，黄中平，《时事报告》1997年第11期

试论按劳分配理论的新突

破——兼谈学习党的十五大报告关于关于完善分配结构分配方式的论述体会之一，黄少琴，《广西广播电视大学学报》1997年第4期

坚定搞好国有企业职工教育的信心——学习十五大报告体会，黄昌熙，《中国职工教育》1997年第12期

我国经济发达地区并未超越初级阶段——学习党的十五大报告的一点体会，黄胜平，《中国党政干部论坛》1997年第12期

实事求是的宣言　坚持发展的典范——简谈十五大报告的理论新贡献，黄钧儒，《党的生活》1997年第12期

做第三次思想大解放的模范——学习党的十五大报告体会，黄振平，《学海》1997年第6期

迈向新高度的电台经济宣传——学习十五大报告一得，黄晔明，《声屏世界》1997年第12期

广东经济学会座谈十五大报告，黄锡钦，《南方经济》1997年第6期

十五大报告与现行宪法的差异及修宪建议，黄慧鹏，《法学》1997年第12期

认清我国基本国情　坚持党的基本路线——学习江泽民同志十五大报告的体会，黄鹤群，《经济与管理研究》1997年第6期

社会主义初级阶段理论是做好

各项工作的基本依据——学习党的十五大报告的一点体会，彭吉龙，《中国监察》1997年第11期

党的作风建设的根本——学习江泽民同志十五大报告关于"密切联系群众"的体会，彭国甫，《中国行政管理》1997年第12期

积极推进社会主义初级阶段中期的体制创新——学习十五大报告的体会，彭穗宁，《社会科学研究》1997年第6期

正确处理改革、发展同稳定的关系，极端重要——学习"十五大"报告的一点体会，曾仕礼，《昭通师范高等专科学校学报》1997年第3期

努力学习　狠抓落实　开创"三服务"工作的新局面——在中央办公厅理论学习中心组十五大报告学习班上的讲话，曾庆红，《秘书工作》1997年第11期

十五大报告在海南干部群众中引起的反响，温为平，《特区展望》1997年第5期

用旗帜作指南　以改革促发展——学习江泽民同志十五大报告的几点体会，焦焕成，《中国机关后勤》1997年第5期

学习贯彻十五大报告应当着重理解和把握的几个要点，程维高，《党史博采》1997年第10期

社会主义精神文明建设关键在

人——学习十五大《报告》的体会，蒋济雄，《广西社会科学》1997年第6期

伟大的旗帜 光辉的理论——学习十五大报告的体会，谢正禄，《贵州档案》1997年第6期

关于流通领域国有制定位的思考——学习十五大报告的点滴体会，谢洁萍，《北京市财贸管理干部学院学报》1997年第3期

民心所向，政必由之——学习江泽民"十五大"报告中关于调查研究的论述，韩玉晔、刘为民，《决策探索》1997年第12期

落实十五大精神 加快档案事业发展——学习江泽民总书记十五大报告的体会，韩茹，《兰台内外》1997年第6期

水调歌头 听江泽民同志十五大报告，楚庄，《民主》1997年第10期

关于婚姻登记管理工作的思考——初读十五大报告有感，窦玉沛，《中国民政》1997年第11期

社会主义初级阶段理论的全面深化——学习十五大报告的几点体会，蓝蔚青，《浙江经济》1997年第10期

结合教规加强精神文明道德建设——学习十五大报告感受，褚汉雨，《中国天主教》1997年第6期

迎接新世纪 腾飞再腾飞——

十五大报告中的世界经济命题，褚葆一、杨微，《世界经济研究》1997年第5期

旗帜是事业胜利的保证——学习十五大报告的体会，詹培民，《重庆商学院学报》1997年第4期

充满唯物辩证法的宣言和纲领——学习十五大报告体会，路日亮、陈中伟，《湖南社会科学》1997年第6期

关于社会主义初级阶段理论的思考——学习党的十五大报告的体会，雷云，《中共浙江省委党校学报》1997年第6期

高举邓小平理论伟大旗帜奋勇前进——学习十五大报告的体会，靳录祥，《焦作大学学报》1997年第4期

试论邓小平理论的主要特征——党的十五大报告学习札记，廖传忠，《淮北煤炭师范学院学报》（哲学社会科学版）1997年第4期

学习十五大报告 繁荣法学 推进依法治国，廖克林，《当代法学》1997年第6期

高举邓小平理论伟大旗帜不动摇——学习党的十五大报告的体会，廖茂林、杨国强，《广东行政学院学报》1997年第4期

十五大报告是对科学社会主义理论的发展和创新，熊清华，《经济问题探索》1997年第11期

迎接学习邓小平理论的新高潮——学习十五大报告的一点体会，翟振元，《思想教育研究》1997年第5期

对我国经济体制改革的思考——学习江泽民同志十五大报告的一点体会，蔡丽华，《牡丹江师范学院学报》（哲学社会科学版）1997年第4期

高举伟大旗帜　推进土地管理——学习江泽民同志在党的十五大的报告，樊志全，《中国土地》1997年第11期

进一步解放思想、实事求是的宣言——学习江泽民同志十五大报告对邓小平理论的新贡献、新发展，潘春良、刘光慧、庞玉宏，《理论探讨》1997年第6期

深入学习十五大报告　促进祖国和平统一——部分在京台胞座谈十五大，《台声》1997年第11期

实事求是，开拓进取——我读十五大报告，霍小光，《中国高等教育》1997年第10期

切实解决好改革和发展两大问题——学习江泽民同志十五大报告的体会（三），戴舟，《思想政治工作研究》1997年第12期

试论邓小平理论——学习江泽民同志十五大报告的体会，戴舟，《江南论坛》1997年第10期

高高举起邓小平理论的旗帜——学习江泽民同志十五大报告的体会（一），戴舟，《思想政治工作研究》1997年第10期

深刻认识党在社会主义初级阶段的基本路线和纲领——学习江泽民同志十五大报告的体会（二），戴舟，《思想政治工作研究》1997年第11期

进一步提高农业产业化经营的理论认识——学习十五大报告的一点体会，丁力，《农村合作经济经营管理》1998年第3期

重要的理论贡献——关于十五大报告的问答，于光远，《发展论坛》1998年第1期

十五大报告在经济理论问题上的新贡献，于国龙，《长白学刊》1998年第1期

旗帜问题至关紧要——学习党的十五大报告体会，于英丽，《北京人民警察学院学报》1998年第3期

大力调整和优化轻工业经济结构——学习十五大报告的一点体会，于珍，《牙膏工业》1998年第1期

关于批评与自我批评的几点思考——学习十五大报告的体会，于鹏，《前沿》1998年第5期

机构改革探析——学习党的十五大报告的体会，马永光，《云南财贸学院学报》（社会科学版）1998年第2期

学习十五大报告　推动教学改

革　促进学校发展，马润津，《北方工业大学学报》1998 年第 2 期

发展服务实体　促进山区开发——学习十五大报告的一点体会，丰开桥，《中国林业》1998 年第 2 期

社会主义初级阶段所有制理论的重大突破——学习十五大报告的一点体会，尹伯成，《经济评论》1998 年第 1 期

全面理解十五大报告关于社会主义基本经济制度的论述，毛三元，《社会主义研究》1998 年第 6 期

从十五大报告中学习马克思主义的立场、观点、方法，牛耕，《探求》1998 年第 2 期

坚持理论联系实际的优良学风——学习江泽民同志十五大报告的一点认识，王元廷，《支部建设》1998 年第 4 期

卫生改革与发展要在 5 个方面有所突破——学习党的十五大报告体会，王永福、席修璞、何永华，《中国卫生事业管理》1998 年第 9 期

邓小平理论是实践的理论——学习十五大报告的一点体会，王伟然、张心傲、于均萍，《莱阳农学院学报》（社会科学版）1998 年第 1 期

搞好国有企业的几点思考——学习党的十五大报告的体会，王阳，《党政干部学刊》1998 年第 4 期

产权改革是推动经济改革的关键——学习十五大报告体会，王丽丽，《中华女子学院学报》1998 年第 1 期

牢记历史教训抓住历史机遇——学习江泽民同志十五大报告体会，王芳、尹婷，《政法论丛》1998 年第 4 期

认真贯彻十五大报告精神　全面推进和深化高等教育改革，王宗政，《黑龙江高教研究》1998 年第 1 期

积极鼓励引导，加快个体私营经济发展——盐城市委中心组专题学习研讨会十五大报告，王宜民、刘焰光，《群众》1998 年第 1 期

把伟大的思想解放运动继续引向深入——学习邓小平理论和十五大报告的体会，王承钊，《兵团职工大学学报》1998 年第 1 期

论国有外经贸企业改革方向——学习"十五大"报告的体会，王绍熙、叶彩文，《国际贸易问题》1998 年第 1 期

拓展新思路　打好国企改革攻坚战——学习江泽民同志十五大报告的体会，王恒宝，《上海企业》1998 年第 8 期

任务，动力，关键——学习党的十五大报告体会，王恩华，《淄博学院学报》（社会科学版）1998 年第 1 期

高举旗帜，开拓前进——学习

十五大报告几点认识，王爱新，《中共乌鲁木齐市委党校学报》1998年第1期

十五大报告对研究中国特色社会主义理论体系的指导意义，王煜，《马克思主义研究》1998年第1期

所有制理论的新突破与所有制结构的大调整——学习江泽民同志十五大报告的体会，王德民，《广西社会科学》1998年第1期

跨世纪领导人才素质浅谈——学习江泽民同志在党的十五大的报告体会，韦江平，《南宁师范高等专科学校学报》1998年第1期

略谈十五大报告对邓小平经济理论的发展，韦应忠，《学校党建与思想教育》1998年第3期

邓小平新闻思想是指引我们前进的灯塔——学习十五大报告的体会，卢胜金，《采、写、编》1998年第1期

坚持党的宗旨 密切联系群众——学习党的十五大报告关于加强党的作风建设的论述，古丰草，《辽宁师范大学学报》（社会科学版）1998年第2期

改革开放任重道远——学习十五大报告体会，史远香，《金融科学》1998年第2期

对深化电力体制改革若干问题的思考——党的十五大报告学习体会，叶荣泗，《中国电力企业管理》1998年第1期

把化工审计事业全面推向新的世纪——学习十五大报告心得，叶夏声，《中国审计》1998年第1期

高举设备综合管理的旗帜 积极采用高新技术发展中国特色设备管理事业——学习党的十五大报告的两点体会，左一序，《中国设备工程》1998年第3期

关于改进干部考核和工作检查的理论思考——学习十五大报告札记，白玉民，《探索与求是》1998年第1期

理论的旗帜是实践的指南——学习党的十五大报告的体会，艾玉，《玉溪师范学院学报》1998年第2期

高举邓小平理论旗帜深化乌鲁木齐职业大学改革与发展——学习十五大报告的体会，买买提伊明·阿西木，《乌鲁木齐职业大学学报》1998年第Z1期

社会主义所有制理论的重大突破——学习党的十五大报告的体会，任忠英，《山东公安专科学校学报》1998年第2期

要切实把教育摆在优先发展的战略地位——学习党的十五大报告和邓小平教育思想的几点体会，任绪富、张兴华、李廷良、阚兆成，《山东教育》1998年第Z4期

以"三个有利于"为准绳推进

院校全面建设——学习江泽民总书记十五大报告体会，关恒慎，《海军院校教育》1998年第2期

关于电视文化理论与实践的若干思考——学习十五大报告"社会主义文化建设"论述的体会，刘卫民，《电视研究》1998年第3期

党的建设理论新建树——对十四大、十五大报告中党的建设理论的比较，刘大秀，《理论学刊》1998年第1期

高举旗帜　开拓进取　做好工作——学习党的十五大报告体会，刘川生，《中国高等教育》1998年第1期

第三次思想解放与新闻事业发展——学习十五大报告的一点体会，刘广东，《青年记者》1998年第1期

"力度"之辨析——学习十五大报告札记，刘书鹤，《发展论坛》1998年第2期

伟大实践的结晶——学习十五大报告的体会，刘玉莲，《聊城师范学院学报》（哲学社会科学版）1998年第1期

依法治国的纲领　法治国家的框架——十五大报告的社会主义法治思想研究，刘旺洪、肖周录，《南京师大学报》（社会科学版）1998年第4期

依法治国需要重视的几个方面——学习十五大报告关于依法治

国基本方略的体会，刘家峰，《新疆人大》（汉文版）1998年第3期

卫生事业与可持续发展——学习党的十五大报告的体会，印石，《卫生经济研究》1998年第3期

加快经济结构调整　增强整体竞争实力——学习邓小平理论和党的十五大报告有关论述的体会，回良玉，《理论建设》1998年第5期

社会主义所有制理论的新贡献——学习党的十五大报告的体会，孙玉海，《中国集体经济》1998年第1期

学习十五大报告的几点体会，孙宇晖，《当代经济研究》1998年第1期

协调发展，全面推进——学习党的十五大报告的体会，孙宏典，《信阳师范学院学报》（哲学社会科学版）1998年第1期

邓小平理论：开拓了马克思主义新境界——学习党的十五大报告的体会，孙翠萍，《河北金融》1998年第1期

论加强工人阶级执政党建设——学习江泽民同志十五大报告的体会，孙德庆，《江苏社会科学》1998年第3期

十五大报告对初级阶段理论的深化和发展，朱峻峰，《企业文明》1998年第5期

十五大报告精神和哲学课教学，

朱德飞,《中学政治教学参考》1998年第 7 期

"十五大"报告在经济体制改革和经济发展战略部署上的五个重大突破,江其务,《经济研究参考》1998 年第 55 期

十五大报告中的新提法（上）,纪言理,《前进论坛》1998 年第 10 期

论有中国特色社会主义文化建设的特点——学习十五大报告的一点体会,纪培荣,《社会主义研究》1998 年第 6 期

反对腐败必须坚持"六结合"——学习十五大报告关于反对腐败的论述,许彬,《民主》1998 年第 1 期

对社会主义基本经济制度的再认识——学习十五大报告的体会,许毅,《真理的追求》1998 年第 1 期

跨世纪政治体制与行政体制改革的伟大部署——学习党的十五大报告的体会,许耀桐,《中国特色社会主义研究》1998 年第 1 期

在所有制理论创新基础上对国有资产的再认识——学习十五大报告的体会,何东霞,《南方经济》1998 年第 1 期

党的十五大报告若干理论问题探讨,何成学,《广西社会主义学院学报》1998 年第 1 期

谈"解放思想,实事求是"——

学习党的十五大报告心得体会,何江坤,《乌鲁木齐职业大学学报》1998 年第 Z1 期

对完善卫生事业所有制结构的思考——学习十五大报告的体会,何克春,《卫生经济研究》1998 年第 2 期

关于继续调整和完善所有制结构的若干思考——学习十五大报告的体会,何建章,《经济经纬》1998 年第 1 期

历史性的概括与升华——论党的十五大报告对邓小平理论历史地位和指导意义论述的新贡献,余品华,《毛泽东邓小平理论研究》1998 年第 2 期

不断加强和改善党对高校的领导完成跨世纪的伟大历史任务——学习江泽民同志十五大报告的体会,余翔林,《教育与现代化》1998 年第 1 期

第三次解放思想——学习十五大报告的体会,余瑞祥,《社会主义研究》1998 年第 6 期

党的建设跨世纪发展的全面部署——学习十五大报告关于党的建设的论述,劳文浩、方锐,《岭南学刊》1998 年第 1 期

现代企业制度的实现形式可以而且应当多样化——兼论十五大报告关于公有制实现形式新论断的理论与实践,吴文斌,《学习与实践》

1998 年第 2 期

十五大报告对公有制理论的继承与发展，吴长英，《济南大学学报》(社会科学版) 1998 年第 1 期

围绕跨世纪人才培养目标　加快高教改革现代化进程——学习十五大报告心得体会，吴在岭，《连云港职业技术学院学报》1998 年第 1 期

学习十五大报告，积极推进党建工程，吴和培，《广西右江民族师专学报》1998 年第 1 期

防范和化解信贷风险要选准四个着力点——学习十五大报告体会，吴宝书，《贵州农村金融》1998 年第 2 期

公有制实现形式的多样化——学习十五大报告的一点体会，吴振坤，《理论探索》1998 年第 2 期

马克思主义不是教条，而是行动的指南——学习十五大报告关于学风建设的体会，宋华琚，《探求》1998 年（增刊）

面向新世纪的治党方略——论十五大报告对党的建设理论的突出贡献，宋福范，《山东社会科学》1998 年第 2 期

十五大报告在理论方面的重大发展，张小明，《广西大学梧州分校学报》1998 年第 1 期

旗帜就是方向　旗帜就是形象——党的十五大报告学习体会，

张永安，《培训与研究》(湖北教育学院学报) 1998 年第 1 期

民族地区实施可持续发展战略的思考——学习党的十五大报告的一些认识，张永庆，《宁夏社会科学》1998 年第 1 期

把握"初"和"特"发展生产力——学习党的十五大报告的体会，张兴国，《农电管理》1998 年第 2 期

马克思主义发展史上新的里程碑——学习十五大报告心得体会，张合林、王小丁，《中州统战》1998 年第 3 期

把握理论武装环节　提高干部理论素养——学习江泽民同志十五大报告的一点体会，张延富，《阜阳师范学院学报》(社会科学版) 1998 年第 1 期

十五大报告的新思想、新观点、新概括，张式谷，《理论前沿》1998 年第 1 期

深刻领会唯物辩证法思想　指导现代化建设实践——关于十五大报告的哲学思考，张江明，《学术研究》1998 年第 3 期

坚持党的思想路线不动摇——学习党的十五大报告的体会，张卓德，《渭南师范学院学报》1998 年第 1 期

要像抓经济工作那样抓好教育工作——学习十五大报告体会，张国宏，《焦作师范高等专科学校学

报》1998 年第 1 期

十五大报告对邓小平理论的几点新贡献，张明，《淮北煤炭师范学院学报》（哲学社会科学版）1998 年第 1 期

树立正确的义利观是思想道德建设的关键——学习党的十五大报告的体会，张泽元，《黄冈师范学院学报》1998 年第 1 期

公平交易行政执法工作是国家干预的重要组成部分（续）——学习党的十五大报告中初级阶段理论有感，张经，《工商行政管理》1998 年第 4 期

十五大报告对党建理论的新贡献，张顺喜、尹德慈，《特区理论与实践》1998 年第 3 期

关于学风问题——学习党的十五大报告，张晓林，《求是》1998 年第 8 期

牢牢把握社会主义初级阶段的基本路线和纲领——学习十五大《报告》关于社会主义初级阶段问题的论述，张维忠，《陕西社会主义学院学报》1998 年第 1 期

公安机关服务职能刍议——学习党的十五大报告的体会，张普华、张钦，《湖北公安高等专科学校学报》1998 年第 2 期

充分发挥组织优势　服务党的中心工作——学习党的十五大报告的体会，李天太，《支部建设》1998

年第 1 期

论邓小平理论的历史地位——学习"十五大"报告的体会，李天华，《邯郸师专学报》1998 年第 1 期

试论公有制经济的含义及其意义——学习党的十五大报告的体会，李文云，《云南师范大学学报》（教育科学版）1998 年第 3 期

深刻理解　认真实践　转变观念　深化教改——学习党的"十五大"报告体会，李圣一，《沈阳大学学报》1998 年第 1 期

初级阶段、基本路线、基本纲领——学习十五大报告体会，李玉珍，《昆明师范高等专科学校学报》1998 年第 2 期

论如何正确对待马克思主义——学习十五大报告的一点体会，李应春，《福建论坛》（经济社会版）1998 年第 1 期

浅谈"科教兴国"优先发展教育——学习江泽民总书记党的十五大报告的体会，李宝华，《锦州师范学院学报》（哲学社会科学版）1998 年第 1 期

对个人收入分配问题的思考——学习十五大报告的认识，李建宇，《经济问题探索》1998 年第 3 期

公有制经济实现形式的重大突破——学习十五大报告的一点体会，李松龄，《湖南经济》1998 年第 1 期

学习"十五大"报告　深入理解"三改一加强"，李恒光，《喀什师范学院学报》1998年第1期

进一步解放思想　转变观念　深化所有制改革——学习党的十五大报告札记，李春才，《韩山师范学院学报》1998年第1期

深化改革　大力调整　提高效益——学习十五大报告的体会，李相国、杨万贵，《浙江财税与会计》1998年第1期

句式简洁　语言流畅——试析江泽民同志在党的十五大报告的语言特色，李梅，《秘书》1998年第7期

依法治国　发展社会主义民主政治——学习十五大报告关于政治体制改革和民主法制建设的论述，李敬德，《思想政治课教学》1998年第1期

赞十五大报告的语言艺术，李福祥，《秘书工作》1998年第4期

社会主义初级阶段理论是马克思主义的一大创新——学习十五大报告札记，李锡恩，《大理学院学报》(社会科学版) 1998年第4期

旗帜问题至关紧要——学习中共十五大报告札记，李锡恩，《大理学院学报》(社会科学版) 1998年第2期

当前高校师资队伍建设中的几个关系的定位与处理——记在学习

十五大报告之后，李镛，《连云港职业技术学院学报》1998年第1期

结合公安工作实际贯彻十五大精神——学习十五大报告后的几点思考，杨长东，《党史博采》1998年第2期

依法治国是建设有中国特色社会主义民主政治的根本保证——学习党的十五大报告的体会，杨世华，《玉溪师范学院学报》1998年第1期

科学社会主义的时代发展——学习十五大报告关于社会主义初级阶段所有制问题的论述，杨兆馀，《社会主义研究》1998年第1期

邓小平理论是指导我们事业的伟大旗帜——学习党的十五大报告的一点体会，杨光淑，《中共乌鲁木齐市委党校学报》1998年第1期

素质教育的探讨与实践——学习党的十五大报告的体会，杨含荣，《商洛师范专科学校学报》1998年第1期

加快推进国有企业改革——学习党的十五大报告的体会，杨时旺，《经济与管理研究》1998年第1期

刍议校园文化建设的几个问题——兼谈学习党的"十五大"报告的体会，杨国法、杜鸿林，《天津市教科院学报》1998年第1期

摭谈教育的机遇意识——学习党的十五大报告的体会，杨国法，

《天津教育》1998 年第 4 期

高举伟大旗帜　维护中央权威——学习党的十五大报告的体会，杨国强，《广东行政学院学报》1998 年第 3 期

高举伟大旗帜　维护中央权威——学习党的十五大报告的体会，杨国强，《中华女子学院学报》1998 年第 3 期

探索实现形式　促进生产力发展——学习十五大报告，杨学全，《财经理论与实践》1998 年第 1 期

抓住机遇　开拓进取　把苏州农行事业推向新纪元——学习党的十五大报告和邓小平理论的初浅体会，杨鼎美，《现代金融》1998 年第 12 期

《十五大报告》两个段落浅析，汪海洋，《秘书工作》1998 年第 1 期

科学理论的内在本质在于创新——学习中共十五大报告之我见，肖金权、王晓青，《黄冈师范学院学报》1998 年第 2 期

对深化国有企业改革的几点认识——学习十五大报告体会，苏民，《福建行政学院、福建经济管理干部学院学报》1998 年第 1 期

对依法治国等基本概念的理解——学习十五大报告的体会，谷安梁，《中国特色社会主义研究》1998 年第 2 期

论十五大报告对思想政治课教

学改革的指导作用，邹成林，《中学政治教学参考》1998 年第 8 期

准确的国情分析和科学的决策理念——学习党的十五大报告中关于社会主义初级阶段的论述，陆剑杰，《毛泽东邓小平理论研究》1998 年第 3 期

中国共产党迈向新世纪的政治宣言——从政党政治角度研读十五大报告，陈小林，《求实》1998 年第 5 期

反腐败是一场严重的政治斗争——学习党的十五大报告的体会，陈云生，《政治与法律》1998 年第 1 期

所有制改革的突破点——公有制的多种实现形式问题——学习党的十五大报告的一点体会，陈永昌，《中国林业》1998 年第 1 期

集中财力　振兴国家财政——学习"十五大"报告的体会，陈共，《财政研究》1998 年第 2 期

反腐必须标本兼治——学习十五大报告体会，陈宏有，《党风与廉政》1998 年第 1 期

十五大报告对邓小平经济理论的运用与发展，陈征，《福建论坛》（经济社会版）1998 年第 2 期

十五大报告对市场经济理论的运用与发展——《〈资本论〉在社会主义市场经济中的运用与发展》序，陈征，《当代经济研究》1998 年

第 2 期

解放思想，努力实现改革与发展的新突破——学习党的十五大报告的体会，陈树华，《现代金融》1998 年第 4 期

邓小平理论的哲学思想对新时期的指导意义——学习十五大报告体会，陈雪平、赵志杰，《大庆高等专科学校学报》1998 年第 1 期

兴起学习邓小平理论新高潮必须深入学习十五大报告，陈登才，《中国特色社会主义研究》1998 年第 1 期

金秋的思考——学习十五大报告札记，陈毅军，《青年探索》1998 年第 2 期

加强职工医院医德医风建设——学习"十五"大报告精神文明建设部分的体会，单荣娣，《交通医学》1998 年第 2 期

大潮涌来扯满帆——学习十五大报告、浅议发行行业改革过程中的思想解放，周卫滨，《出版发行研究》1998 年第 3 期

初级阶段是最大的实际——万县军分区组织骨干学习十五大报告侧记，周云，《西南民兵杂志》1998 年第 3 期

继往开来的纲领性文件——学习党的十五大报告的体会，周永生，《湖湘论坛》1998 年第 1 期

对权力实行有效监督是防治腐败的关键——学习江泽民同志十五大报告的一点体会，周启先，《学校党建与思想教育》1998 年第 1 期

"十五大"报告在经济理论方面的创新和贡献，周叔莲，《中国工业经济》1998 年第 2 期

以十五大报告为指导　加强劳动争议案件审判工作，周贤奇，《人民司法》1998 年第 1 期

以党的十五大报告为指针　推进高校基层党组织建设，周景来，《陕西师范大学学报》(哲学社会科学版) 1998 年第 S3 期

十五大报告的一个鲜明特点，周锡荣，《人民论坛》1998 年第 2 期

现行政策下的新闻选择——学习十五大报告的现实思考（上），季宗绍，《当代传播》1998 年第 2 期

反腐败斗争　必须多管齐下标本兼治——学习党的十五大报告体会，尚大平，《黑河学刊》1998 年第 1 期

十五大报告与邓小平理论，居继清，《黄冈师范学院学报》1998 年第 1 期

十五大报告坚持和发展了邓小平经济理论，居继清，《桂海论丛》1998 年第 4 期

简论十五大报告关于所有制的新认识，居继清，《唐都学刊》1998 年第 2 期

完善分配结构和分配方式的思

考——学习党的十五大报告笔谈，屈开平，《新疆农垦经济》1998 年第 1 期

新目标，新课题，新举措——学习十五大报告关于加强党的建设的论述，屈明，《南京政治学院学报》1998 年第 1 期

十五大报告在经济理论上的新突破，庞玉宏、刘焕明，《学术交流》1998 年第 1 期

"科教兴国"——世纪之交的选择——学习十五大报告的体会，房少梅、黄仁豪，《兵团党校学报》1998 年第 1 期

牢记三句至理名言——学习十五大报告的体会，林放，《采、写、编》1998 年第 1 期

全面正确理解邓小平理论和十五大报告的精神实质，林泰，《高校理论战线》1998 年第 8 期

不可动摇的立足点——学习十五大报告重新强调社会主义初级阶段理论的体会，果雅礼，《行政与法》1998 年第 1 期

以十五大报告为指针　搞好党员干部的廉洁自律，欧阳锡禹，《地方政府管理》1998 年第 3 期

论三次思想解放——学习党的十五大报告体会，经纬、姜子华，《思想战线》1998 年第 1 期

维护全党的团结统一是我们事业成功的关键环节——学习十五大报告札记，罗尔康，《湖南教育学院学报》1998 年第 1 期

十五大报告和政府工作报告测试题解，范纯炎、安代杰，《中学政治教学参考》1998 年第 5 期

关于调整和完善所有制结构的几点认识——学习十五大报告札记，郑文谦，《泉州师范学院学报》1998 年第 4 期

跨越 21 世纪的历史宣言——学习十五大报告的体会，郑宝银，《国际商务》（对外经济贸易大学学报）1998 年第 3 期

历史与现实的昭示：高举邓小平理论伟大旗帜——学习党的十五大报告的一点体会，侯伍杰，《前进》1998 年第 1 期

解放思想是一项艰巨而又长期的任务　学习十五大报告的体会，侯继庚，《山东省工会管理干部学院学报》1998 年第 2 期

公有制与商业改革——学习十五大报告心得体会，侯善魁，《广西商业经济》1998 年第 1 期

十五大报告中的新提法和新观点，姚休，《工厂管理》1998 年第 2 期

学习伟大理论　指导电力工作——学习党的十五大报告的体会，姚时忆，《浦东开发》1998 年第 1 期

谈社会主义初级阶段的卫生改革与发展——学习十五大报告的一

点体会，姜国和,《卫生经济研究》
1998 年第 3 期

学习邓小平理论要首先弄清楚
"五个是不是"——学习江泽民同
志十五大报告的一点体会，姜德福，
《社会科学》1998 年第 4 期

对加快国有企业改革若干问题
的认识——学习十五大报告的体会，
施雁,《广西商业高等专科学校学
报》1998 年第 1 期

坚持与发展——庄严的历史使
命——学习十五大报告的体会，祝
福恩、李淑金,《北方论丛》1998 年
第 1 期

十五大报告在政治及科社方面
的新思想、新观点、新提法，祝福
恩、赵福志,《齐齐哈尔大学学报》
（哲学社会科学版）1998 年第 4 期

十五大报告对经济理论的新突
破、新概括、新提法，祝福恩,《理
论探讨》1998 年第 3 期

依法治国是治国方略的重大进
步——学习十五大报告的认识和思
考，胡艳萍,《江淮论坛》1998 年第
4 期

开拓文化建设的新视野——学
习十五大报告关于文化建设的论述，
胡蓉,《中国职工教育》1998 年第
1 期

合乎国情的科学决策　搞活经
济的有力保障——学习十五大报告
关于所有制理论的体会，赵仁春,

《新农村》1998 年第 4 期

新突破和新贡献——浅谈学习
党的十五大报告体会，赵秀清,《前
沿》1998 年第 2 期

所有制结构调整与国有企业改
革——学习十五大报告体会，赵晓
芳,《西北民族学院学报》（哲学社会
科学版，汉文版）1998 年第 1 期

科技工作当前应着重解决的几
个问题——学习十五大报告初步体
会，赵铁钢、裴冬梅,《太原科技》
1998 年第 1 期

开拓企业档案工作新局面——
学习"十五大"报告的体会，赵维
国,《中国档案》1998 年第 2 期

谈新形势下民主党派和工商联
工作——学习十五大报告的一点体
会，赵微,《中州统战》1998 年第
4 期

路就在脚下——结合内蒙古物
资再生企业的改革谈学习十五大报
告的体会，党先安,《中国资源综合
利用》1998 年第 3 期

中国特色社会主义文化建设的
指南——学习十五大报告的体会，
凌大志,《理论与改革》1998 年第
2 期

十五大报告闪耀着解放思想实
事求是的光辉，唐振兴、唐木锦,
《商业经济文荟》1998 年第 2 期

论国有商业企业改革和发展的
模式——学习十五大报告札记，夏

天,《商业经济文荟》1998 年第 1 期

社会主义初级阶段与高等教育发展——学习十五大报告的几点认识,夏天阳,《上海大学学报》(社会科学版) 1998 年第 1 期

党的十五大精神的哲学思考——论党的十五大报告主题的内在逻辑及其方法论意义,奚洁人,《毛泽东邓小平理论研究》1998 年第 1 期

高举旗帜 求真务实 开拓前进——学习邓小平理论和十五大报告的体会,徐刚,《山东环境》1998 年第 3 期

论社会主义公有制经济的实现形式——学习十五大报告的体会,徐好新,《兰州商学院学报》1998 年(增刊)

关于国有企业股份制改革的思考——学习十五大报告的体会,徐宝媛,《浙江师大学报》(社会科学版) 1998 年第 3 期

正确认识和处理劳动就业同宏观经济运行中若干问题的关系——学习党的十五大报告的体会,徐政辉,《中国工运》1998 年第 3 期

十五大报告中科学技术的地位,徐德明、曾鹤翠,《学会》1998 年第 1 期

十五大报告对邓小平精神文明建设理论的新发展,晓晔,《内蒙古社会科学》(汉文版) 1998 年第 6 期

当代中国的经济体制改革与经济发展——学习党的十五大报告的几点思考,桂世镛,《教学与研究》1998 年第 1 期

旗帜与纲领:党的第三代领导集体的跨世纪宣言——学习江泽民同志十五大报告,浩斯、包庆德,《内蒙古社会科学》(汉文版) 1998 年第 1 期

国有大中型企业为什么要苦练内功——学习十五大报告笔记,秦一樵,《内蒙古煤炭经济》1998 年第 3 期

加快发展检察教育 培养高素质检察官——学习党的十五大报告的体会,耿国妹,《国家检察官学院学报》1998 年第 1 期

旗帜就是方向 旗帜就是形象——学习十五大报告的理论思考,郭永红,《辽宁大学学报》(哲学社会科学版) 1998 年第 2 期

要完整地把握初级阶段的分配制度——学习十五大报告的一点体会,郭仲藩,《前进论坛》1998 年第 2 期

坚持市场取向 深化金融改革——学习十五大报告的几点思考,郭锦洲,《金融理论与实践》1998 年第 2 期

加强社会主义精神文明建设之我见——学习十五大报告心得,钱朝俊,《工会理论与实践》(中国工运

学院学报）1998 年第 3 期

切实提高艺术院校的教育质量——学习党的十五大报告的一点体会，陶纯孝，《艺术教育》1998 年第 2 期

对深化卫生改革的思考——学习党的十五大报告的体会，陶曦，《卫生经济研究》1998 年第 9 期

加强统计工作　强化统计服务——学习十五大报告体会，顾其军，《江苏统计》1998 年第 10 期

师范为本：师专的可持续发展——学习中共十五大报告关于发展高等教育事业的论述，高翰，《黄冈师范学院学报》1998 年第 2 期

深化我国经济改革的重大战略决策——学习十五大报告关于调整和完善所有制结构有关论述的体会，高衡，《社会科学论坛》1998 年第 2 期

十五大报告对社会主义分配理论的新发展，商文斌，《社会主义研究》1998 年第 6 期

准确把握十五大精神实质　积极调整信贷运作思路——学习党的十五大报告的几点体会，曹正义，《现代金融》1998 年第 5 期

现代企业制度与国有企业发展战略——学习十五大《报告》的一点体会，曹玉宝，《河北审计》1998 年第 1 期

当前职工思想政治工作要搞好

"三个围绕"——学习十五大报告的体会，梁惠强，《广西粮食经济》1998 年第 4 期

贯彻十五大报告精神　促进各民族繁荣进步，维力江·赛力木，《新疆人大》（汉文版）1998 年第 3 期

党的十五大报告对邓小平经济理论新的发展，萨如拉，《内蒙古师范大学学报》（哲学社会科学版）1998 年第 6 期

会计理论建设和会计工作改革的强大动力——学习"十五大"报告的体会，阎达五、耿建新，《会计研究》1998 年第 2 期

坚持从严治党的方针——学习党的十五大报告的体会，黄力平，《甘肃理论学刊》1998 年第 4 期

试论按劳分配实践的突破与发展——兼谈学习党的十五大报告关于完善分配结构和分配方式论述体会之一，黄少琴，《广西广播电视大学学报》1998 年第 2 期

党的十五大给私营经济带来了又一个春天——学习十五大报告关于所有制理论的体会，黄文忠，《社会科学》1998 年第 4 期

谈谈对私营经济若干理论、政策问题的认识——学习十五大报告的一点体会，黄如桐，《真理的追求》1998 年第 2 期

认清我国基本国情　坚持党的

基本路线——学习江泽民同志十五大报告的体会，黄鹤群，《中共山西省委党校学报》1998 年第 2 期

深化改革 振兴茧丝绸行业——学习十五大报告的体会，彭绍初、尹殿东,《四川丝绸》1998 年第 2 期

跨世纪的政治宣言和行动纲领——学习党的十五大报告的几点体会，彭金辉、张远新,《信阳师范学院学报》(哲学社会科学版) 1998 年第 1 期

论面向新世纪的党建工作——学习党的十五大报告的体会，彭景云,《实事求是》1998 年第 4 期

要全力防化金融风险——学习江泽民同志十五大报告的体会，曾炳山,《西安金融》1998 年第 4 期

实现新的理论突破的支点——浅谈党的十五大报告确立的"两个一切"指导方针及其意义，程水凤,《中国党政干部论坛》1998 年第 3 期

高举邓小平理论伟大旗帜——学习中共十五大报告的几点体会，程耀寰,《前进论坛》1998 年第 3 期

分配理论的重大突破——十五大报告对按劳分配理论的发展，童里,《党政论坛》1998 年第 6 期

旗帜问题至关重要——学习十五大报告的几点体会，董延寿、杨汉卿,《洛阳师范学院学报》1998 年

第 3 期

忠实履行武警职能浅议——学习十五大报告关于武警部队的论述，董自孝,《武警工程学院学报》1998 年第 1 期

精神境界与文学水准——学习十五大报告的一点体会，董学文,《求是》1998 年第 6 期

中国共产党理性思维的新飞跃——论党的十五大报告的时代精神与哲学特征，董俊山,《社会科学战线》1998 年第 1 期

论加强和改进党的建设——学习十五大报告体会，谢相勖,《乐山师范学院学报》1998 年第 2 期

凝聚在邓小平理论伟大旗帜下——学习江泽民同志在党的十五大报告，韩振亮,《浙江工程学院学报》1998 年第 1 期

股份合作制企业的性质评析——学习十五大报告关于股份合作制经济问题的体会，鲁冀,《山东财政学院学报》1998 年第 2 期

谈谈对有中国特色社会主义分配制度的几点认识——学习十五大报告的体会，蓝文权、廖立勇,《南宁师范高等专科学校学报》1998 年第 1 期

努力建设高素质的干部队伍——学习十五大报告的体会，虞云耀,《求是》1998 年第 10 期

有中国特色社会主义德育建设

的伟大纲领——学习党的十五大报告的体会，詹万生，《高校理论战线》1998年第1期

十五大报告的几个理论贡献，詹宗佑，《广西大学梧州分校学报》1998年第3期

党对社会主义再认识的一个新成果——学习十五大报告关于有中国特色社会主义文化建设的体会，熊高德，《山西高等学校社会科学学报》1998年第3期

十五大报告对所有制及其结构调整的突破和创新，熊清华，《民族工作》1998年第6期

马克思主义在中国发展的新阶段——学习十五大报告关于邓小平理论的论述，蔡四桂，《企业家天地》1998年第1期

邓小平理论是马克思主义在中国发展的新阶段——学习《十五大报告》的一点体会，蔡军田，《胜利油田党校学报》1998年第1期

生产力是推动一切社会发展的决定力量——学习江泽民总书记"十五大"报告的体会，蔡捷，《生产力研究》1998年第3期

坚定方向　深化改革　促进我院新的发展——学习十五大报告的一点体会，谭泽中，《广东职业技术师范学院学报》1998年第1期

谈"旗帜就是形象　旗帜就是方向"——学习十五大报告的体会，戴建忠、李飞，《社会科学家》1998年（增刊）

坚持从严治党　强化党内监督——浅谈学习党的十五大报告的体会，魏峻青，《中共乌鲁木齐市委党校学报》1998年第1期

抓住机遇　深化卫生改革——学习十五大报告的体会，万里鸣，《卫生经济研究》1999年第2期

社会主义经济理论中的几个是非界限探讨——怎样理解和把握邓小平理论和十五大报告的有关思想，卫兴华，《财经问题研究》2000年第7期

一部与十五大报告精神超前一致的研究成果，毛树礼，《当代经济研究》1999年第3期

初级阶段论在邓小平理论中的地位及其重大现实意义——学习十五大报告的体会与思考，王芬，《北京体育大学学报》1999年第1期

党的十五大报告对我国宪政理论的发展，王德志，《当代法学》1999年第2期

社会主义所有制理论的重大突破——学习党的十五大报告的体会，左桂兰、孙玲，《北方经贸》1999年第1期

从"尊重和保障人权"看工会的维权工作——学习党的十五大报告的体会，田永江、陈竟华、赫红，《天津市工会管理干部学院学报》

1999 年第 4 期

加快经济结构调整 增强整体竞争实力——学习邓小平理论和党的十五大报告有关论述的体会，回良玉，《江淮论坛》1999 年第 1 期

对邓小平所有制理论的再学习——兼谈全面理解十五大报告关于所有制问题的论述，朱佳木，《马克思主义研究》1999 年第 1 期

试析党的"十五大"报告对所有制理论的新发展，吴妙琢，《上海铁道大学学报》1999 年第 7 期

十五大报告对邓小平民主法制理论的丰富和发展，张秀英，《太原师范专科学校学报》1999 年第 1 期

十五大报告的具体化和新发展，张卓元，《经济研究》1999 年第 10 期

所有制结构优化新论——十五大报告对邓小平经济体制改革理论的创造性发展，张建新，《人文杂志》1999 年第 3 期

公安机关服务职能刍议——学习党的十五大报告的体会，张普华、张钦，《北京人民警察学院学报》1999 年第 1 期

论党的十五大报告对社会主义经济理论的贡献，肖军，《南通工学院学报》1999 年第 1 期

科学的构想 伟大的创造——学习十五大报告中有关邓小平理论新贡献的体会，连宽民，《武警工程

学院学报》1999 年第 1 期

要树立三个"长期性"的观念——学习十五大报告的一点体会，陆志平，《康定民族师范高等专科学校学报》1999 年第 2 期

对非公有制经济理论发展的若干问题再认识——学习党的十五大报告精神之体会，和云，《云南民族学院学报》（哲学社会科学版）1999 年第 1 期

国家公务员培训要把握正确的方向——学习党的十五大报告的若干体会，季明明，《辽宁行政学院学报》1999 年第 4 期

论十五大报告在社会主义所有制理论上的重大突破，段小梅，《重庆商学院学报》1999 年第 5 期

对跨世纪统战干部教育工作的思考——学习江泽民总书记十五大报告中关于教育发展思想的体会，胡洪宝，《云南社会主义学院学报》1999 年第 1 期

加强质量建设 走有中国特色的精兵之路——学习江泽民总书记十五大报告的一点体会，徐文松，《国防》1999 年第 2 期

论十五大报告关于经济体制改革的伟大思想，郭晶，《福建论坛》（经济社会版）1999 年第 9 期

坚持"三严"标准严明党内纪律——学习江泽民同志十五大报告的体会，廖朝烈，《创造》1999 年第

5 期

按照中共十五大报告精神，做好下岗职工再就业工作，刘吉,《毛泽东思想研究》2000 年第 5 期

科学把握法制与法治的异同——学习十五大报告的体会与思考，刘锦,《四川省社会主义学院学报》2000 年第 1 期

邓小平理论的历史地位和意义——对党的十四大和十五大报告的再学习，宋凡金,《济宁师范专科学校学报》2002 年第 1 期

重新审视十五大报告的理论内涵，陈立旭,《江汉论坛》2000 年第 2 期

试论按劳分配与按生产要素分配相结合——学习十五大报告的体会，贺光芸、杜金、岳岚,《行政论坛》2000 年第 1 期

由十五大报告看新教材的缺失，韩宏亮,《中学历史教学参考》2000 年第 12 期

（十二）研究江泽民十六大报告的论文

对十六大报告中有关经济问题的理解与思考，卫兴华,《经济理论与经济管理》2002 年第 12 期

意义·主题·灵魂·目标——学习十六大精神，王毅,《大理学院学报》2002 年第 6 期

学习党的十六大精神笔谈，韦建桦、张海滨、王学东、杨金海、张文成、季正矩、戴隆斌,《当代世界与社会主义》2002 年第 6 期

不断推进理论创新：坚持与时俱进的关键，包心鉴,《理论前沿》2002 年第 24 期

理论创新的光辉文献，刘金友,《大庆社会科学》2002 年第 6 期

治国富民的伟大纲领　强党兴邦的行动指南——学习十六大报告的体会，刘显廷,《黑龙江粮食》2002 年第 6 期

坚持"三个代表"重要思想全面建设小康社会——部分专家学者学习十六大报告笔谈，江小涓、李扬、李晓西、米建国、马建堂、裴长洪、王东京、何德旭,《财贸经济》2002 年第 12 期

盛世逢盛会　宏图启新篇，吴阶平,《民主与科学》2002 年第 6 期

略论中共十六大的历史地位，宋坚刚,《行政与法》2004 年第 1 期

从党的十六大做出的"三大"贡献看我们党的成熟，宋洪德,《大庆社会科学》2002 年第 6 期

要认真学习深刻领会党的十六大报告，张学忠,《中国公务员》2002 年第 12 期

要进一步深化对"三个代表"重要思想的理解——学习党的十六大精神，张诚,《思想政治课教学》2002 年第 12 期

马克思主义的光辉文献——学

习党的十六大报告几点体会，李本钧，《南方经济》2002 年第 12 期

十六大关于党建的十大亮点，李忠杰，《中共石家庄市委党校学报》2002 年第 11 期

十六大的历史性贡献——论"三个代表"重要思想载入党章，李捷，《党的文献》2002 年第 6 期

抓卫生　促健康　建小康——学习江泽民十六大报告有感，李鸿光，《中国卫生质量管理》2002 年第 6 期

党的十六大，吹响了推动理论创新的号角，杨育光，《黑龙江省社会主义学院学报》2002 年第 4 期

发展是党执政兴国的第一要务——学习江泽民同志在党的十六大会上的报告，杨梅芳，《武汉交通管理干部学院学报》2002 年第 4 期

赞党的十六大，苏庸碧，《四川省社会主义学院学报》2002 年第 4 期

学习十六大报告　认真贯彻"三个代表"，陈宜林，《求实》2002 年第 S2 期

发展当代中国先进文化的几个问题——读十六大报告后的一点思考，陈晋，《党的文献》2002 年第 6 期

论党的十六大的理论创新，周勇、苏伟，《重庆行政》2002 年第 6 期

开创新局面的伟大纲领——学习江泽民十六大报告的体会，周锦尉，《党政论坛》2002 年第 11 期

贯彻"三个代表"重要思想全面建设小康社会——学习江泽民同志十六大报告体会，孟建波，《南方金融》2002 年第 12 期

党的十六大的历史性贡献，厚锋，《中共福建省委党校学报》2002 年第 12 期

十六大报告充满创新，胡延华，《深圳职业技术学院学报》2002 年第 3 期

继往开来　与时俱进　在先进文化建设中不断开拓创新——学习党的十六大报告的几点思考，赵微，《决策探索》2002 年第 12 期

党的十六大的历史性贡献，凌厚锋，《中共福建省委党校学报》2002 年第 12 期

坚持党的解放思想　实事求是与时俱进的思想路线——学习党的十六大报告的心得体会，《理论观察》2002 年第 6 期

"三个代表"：十六大报告的主线和灵魂，袁秉达，《党政论坛》2002 年第 12 期

"十六大的理论创新"研讨会综述，屠春友，《理论前沿》2002 年第 24 期

新世纪的盛会　新发展的指南——学习中共十六大报告的一点

体会，盖山林，《内蒙古统战理论研究》2002 年第 6 期

理论创新的伟大成果——学习十六大报告，黄中平，《学习导报》2002 年第 12 期

深刻认识十六大的重大意义为实现十六大确定的奋斗目标而努力奋斗，曾庆红，《求是》2002 年第 24 期

变压力为动力　加快小康进程——学习十六大报告的一点体会，潘健，《当代贵州》2002 年第 12 期

深化对"三个代表"重要思想的认识——学习十六大对"三个代表"重要思想的新阐述，丁国安、康民，《甘肃理论学刊》2003 年第 4 期

简评《江泽民十六大报告英译本》，万丽、龙友元，《湖北师范学院学报》（哲学社会科学版）2003 年第 3 期

"科教治国"——历史的必然——"十六大"精神解读之一，王义高，《比较教育研究》2003 年第 5 期

深刻领会十六大的创新精神，王天玺，《党建》2003 年第 3 期

满眼生机转化钧——学习十六大的创新精神，王天玺，《北京师范大学学报》（社会科学版）2003 年第 1 期

论十六大报告的理论创新，王月高，《内蒙古统战理论研究》2003 年第 2 期

党的十六大对所有制理论的创新与发展，王世勇，《山西高等学校社会科学学报》2003 年第 9 期

深入扎实地学习贯彻十六大精神，王平，《政工学刊》2003 年第 5 期

马克思主义理论创新的重要文献——全面深入地把握十六大报告的主要精神，王伟光，《天津行政学院学报》2003 年第 1 期

略论党的十六大的历史地位，王希谭，《甘肃高师学报》2003 年第 6 期

十六大感怀，王梅芳，《党员干部之友》2003 年第 1 期

与时俱进　开拓创新——"十六大的理论创新"研讨会综述，王勤，《求是》2003 年第 1 期

十六大报告的理论创新，包心鉴，《理论学刊》2003 年第 1 期

马克思主义理论的光辉篇章——学习党的十六大报告，本刊编辑部，《理论视野》2003 年第 1 期

论十六大报告的创新精神，汇江，《山东省工会管理干部学院学报》2003 年第 5 期

先进文化·哲学社会科学·继承和创新——学习中共十六大报告的几点体会，田远，《文史杂志》2003 年第 1 期

牢牢把握党的十六大精神的灵魂——兼谈高校如何学习贯彻"三个代表"重要思想，田建国，《山东科技大学学报》（社会科学版）2003年第1期

建设先进文化　培育民族精神——学习江泽民同志"十六大报告"的体会，白炜，《榆林学院学报》2003年第2期

马克思主义中国化的理论新篇章——谈十六大的理论创新，龙观水，《桂海论丛》2003年第1期

牢牢把握十六大会议的主题——学习十六大会议精神的体会，刘士军，《牡丹江师范学院学报》（哲学社会科学版）2003年第1期

十六大：全面推进党的建设新的伟大工程的战斗号角，刘永哲，《甘肃理论学刊》2003年第2期

社会主义民主理论的新发展——学习江泽民十六大报告，刘诚，《扬州大学学报》（人文社会科学版）2003年第1期

全面建设小康社会　开创中国特色社会主义事业新局面，刘浩群，《甘肃行政学院学报》2003年第2期

面向实践的理论创新——学习中国共产党十六大报告，孙恪廉，《中共成都市委党校学报》2003年第1期

中共十六大与中国共产党的历史，师吉金，《锦州师范学院学报》（哲学社会科学版）2003年第1期

十六大报告中的经济理论创新，纪玉山，《长春市委党校学报》2003年第2期

"三个代表"重要思想是十六大的灵魂和主线，何虎，《武警工程学院学报》2003年第1期

论十六大对"三个代表"重要思想的推进和定位，何萍，《实事求是》2003年第2期

十六大解决"三农"问题的新思路，吴玉才，《湖北社会科学》2003年第8期

党的十六大对"三个代表"重要思想的理论贡献，吴玉才，《北京工业大学学报》（社会科学版）2003年第2期

党的十六大最突出的历史性贡献，吴玉才，《思想理论教育导刊》2003年第5期

党的十六大对"三个代表"重要思想的丰富和发展，张国祚，《前线》2003年第4期

党的十六大报告提出的新思想，张蔚萍，《江南社会学院学报》2003年第1期

历史性的决策　历史性的贡献，李君如，《浙江社会科学》2003年第1期

解读十六大报告，李学东，《理论与当代》2003年第4期

"三个代表"重要思想是党建理论的又一座里程碑——学习十六大报告的体会，李金玺，《党建与人才》2003 年第 1 期

党的十六大对十五大的理论发展，李炳亮，《探索与求是》2003 年第 4 期

党的十六大对社会主义文化建设理论的新发展，杜艳华、司徒琪，《上海党史与党建》2003 年第 7 期

妥善处理各方面的利益关系——学习中共十六大报告的一点体会，沈学明，《铜陵学院学报》2003 年第 3 期

从总体小康生活到全面小康社会——谈党的十六大对小康目标的新发展，肖新烈，《财经科学》2003 年第 2 期

中国现代化的当代选择：新型工业化之路——学习中国共产党十六大报告的体会，邹林、夏文斌，《北京大学学报》（哲学社会科学版）2003 年第 1 期

深刻认识十六大的伟大意义，陈世禄，《思想教育研究》2003 年第 2 期

让生产力进一步解放——从十六大报告解读中国经济的发展前景，周俊成，《滨州师专学报》2003 年第 3 期

坚持独立自主的和平外交政策，推动国际关系的发展——学习江泽民"十六大"报告的国际部分的体会，苗华寿，《国际政治研究》2003 年第 1 期

新世纪锐意创新、加速发展的伟大纲领——十六大报告的鲜明特点，侯远长，《决策与信息》2003 年第 2 期

新世纪新阶段的伟大行动纲领——学习十六大报告的几点体会，侯树栋，《理论与现代化》2003 年第 1 期

学习十六大报告　重点把握"六个一"，施菊生，《江南论坛》2003 年第 2 期

实现从"革命"到"执政"的全面转轨——为中共十六大的理论贡献而歌，胡义成，《榆林学院学报》2003 年第 4 期

深入学习贯彻十六大精神，胡锦涛，《当代经济》2003 年第 1 期

以经济眼光看十六大报告的理论创新，赵兴罗，《理论月刊》2003 年第 8 期

继往开来　是党的十六大的鲜明特色，赵钧，《中国石化》2003 年第 3 期

深入学习贯彻党的十六大精神全面推进党的建设新的伟大工程，赵廉，《西藏发展论坛》2003 年（增刊）

关键在于站得高、吃得透、用得活——对于学习贯彻落实十六大

精神的三点体会，赵德明，《法制与经济》2003 年第 1 期

十六大报告提出的新观点，郝铁川，《管理科学文摘》2003 年第 2 期

十六大的旗帜·灵魂·主线，闻立树，《北京党史》2003 年第 1 期

怎样把握十六大的灵魂，凌泽生，《党的生活》2003 年第 4 期

重要的在于真抓实干——学习贯彻十六大精神的一点体会，唐传喜，《求是》2003 年第 10 期

全面贯彻"三个代表"是中共十六大的灵魂，徐崇温，《中国社会科学院研究生院学报》2003 年第 3 期

社会发展和变革的先导——学习党的十六大报告，徐崇温，《北京社会科学》2003 年第 1 期

浅论十六大报告中的理论创新，郭亚莉、唐利，《宁夏党校学报》2003 年第 2 期

十六大对社会主义财富理论的创新和发展，郭洲，《天水行政学院学报》2003 年第 4 期

伟大的理论　科学的指南，高成林，《延边党校学报》2003 年第 2 期

"三个代表"：理论创新行动指南，高杨林，《党政论坛》2003 年第 5 期

与邻为善　以邻为伴　平等互利　共同发展——学习十六大报告中关于"国际形势和对外工作"的体会，常庆，《俄罗斯中亚东欧研究》2003 年第 1 期

一个代表最广大人民根本利益的报告——学习十六大报告的体会，曹勇进，《湖北社会科学》2003 年第 5 期

"三个代表"重要思想是党的十六大的灵魂，曹德，《常熟高专学报》2003 年第 1 期

试论十六大报告对我党马克思主义观的创新，符原菁，《湖南行政学院学报》2003 年第 3 期

以十六大精神为指导　加强和改进新时期党的建设，隋松智、于维军，《烟台师范学院学报》（哲学社会科学版）2003 年第 1 期

北京大学"党的十六大与马克思主义理论创新"研讨会综述，雪秋，《北京大学学报》（哲学社会科学版）2003 年第 1 期

十六大报告的理论创新（上），黄中平，《党的生活》2003 年第 1 期

十六大报告的理论创新（下），黄中平，《党的生活》2003 年第 3 期

"三个代表"重要思想的历史地位，黄中平，《中共石家庄市委党校学报》2003 年第 7 期

论十六大报告的基本精神，黄建国，《求索》2003 年第 1 期

十六大对"三个代表"重要思

想的新发展，黄飚，《广西社会科学》2003 年第 9 期

解读十六大报告的理论创新，喻新安、阎德民、阎恒、李太淼、牛苏林、任晓莉、王友洛、吴海峰、韩宇宏，《中州学刊》2003 年第 1 期

党的十六大的历史性贡献，曾瑞芝，《湖北社会科学》2003 年第 2 期

全面建设小康社会 开创中国特色社会主义事业新局面的伟大纲领，程天权，《高校理论战线》2003 年第 1 期

全面建设小康社会——读十六大报告有感，葛立成，《浙江学刊》2003 年第 1 期

党的十六大对"三个代表"重要思想的提升，覃柳琴，《广西社会科学》2003 年第 10 期

创新是十六大的灵魂——学习十六大报告体会，谢正禄，《贵州档案》2003 年第 1 期

继往开来的十六大，道伦，《中学生天地》2003 年第 1 期

"党的十六大的理论创新"研讨会综述，韩立红、韩凤朝，《理论前沿》2003 年第 3 期

解读十六大报告中的"发展"，韩益，《思想教育研究》2003 年第 2 期

全面推进党的建设新的伟大工程——学习十六大党建理论的体会，

熊模英，《南昌教育学院学报》2003 年第 3 期

党的十六大的重大理论创新，蔡永生，《贵州师范大学学报》（社会科学版）2003 年第 1 期

十六大报告的主题品格与文风特征，薛建华，《广播电视大学学报》（哲学社会科学版）2003 年第 2 期

理论的创新与创新的理论，于作敏，《河南科技大学学报》（社会科学版）2004 年第 1 期

十六大报告亮点试析，王进戈，《西华大学学报》（哲学社会科学版）2004 年第 3 期

新时期政治上先进与落后的评判标准——对十六大报告中"三看"论述的一种解读，孙英，《中共成都市委党校学报》2004 年第 1 期

党的十六大精神与中华人民共和国史研究，朱佳木，《高校理论战线》2004 年第 1 期

大力倡导和谐精神——学习党的十六大报告点滴体会，吴得民，《中华文化论坛》2004 年第 2 期

略论中共十六大的历史地位，宋坚刚，《行政与法》2004 年第 1 期

关键 核心 本质——学习十六大报告的几点体会，张勇，《芜湖职业技术学院学报》2004 年第 2 期

深刻理解党的十六大精神，段英师，《武警工程学院学报》2004 年

第 1 期

党的十六大报告对社会主义分配理论的创新，凌雁、徐定华，《党史文苑》2004 年第 10 期

"三个代表"重要思想是发展的、前进的——解读十六大报告的一个重要论断，雷云，《中共杭州市委党校学报》2004 年第 2 期

浅析十六大对党的执政理念的重大创新，王明健，《理论界》2005 年第 9 期

对十六大《报告》的再认识，刘晓敏，《延安教育学院学报》2005 年第 2 期

论十六大对党建学说的重大发展，吕东升，《理论月刊》2005 年第 4 期

当今中国社会主义建设的纲领性文件——浅析十六大报告对《共产党宣言》的继承和发展，朱志成、莫岳云，《郑州航空工业管理学院学报》（社会科学版）2005 年第 2 期

论中共十六大的贡献和历史地位，张克敏，《理论建设》2005 年第 3 期

创新是我党永葆生机的源泉——对江泽民十六大报告创新思想的理解，李尚志，《攀枝花学院学报》2005 年第 2 期

试析党的十六大报告关于社会主义民主政治建设的新发展，周雪松、赵静，《前沿》2005 年第 7 期

研究民族精神应当以党的十六大的概括为指导，郑师渠，《史学史研究》2006 年第 1 期

二　研究江泽民专题论著（含摘编）的论文题录

（一）研究江泽民《论科学技术》的论文

科技进步与国防建设——学习江泽民《论科学技术》，尹庆立，《求是》2001 年第 17 期

努力在全球信息网络化的发展中占据主动地位——学习江泽民《论科学技术》中关于互联网问题的论述，王学勤，《中国特色社会主义研究》2001 年第 3 期

创新　创新　再创新——学习江泽民《论科学技术》，王珉，《中国行政管理》2001 年第 7 期

创新　创新　再创新——学习江泽民《论科学技术》，王珉，《群众》2001 年第 7 期

全面理解科学技术的社会功能——学习江泽民《论科学技术》的心得，刘冠军，《洛阳师范学院学报》2001 年第 6 期

切实把科学技术放在优先发展的战略地位——学习江泽民同志

《论科学技术》，吕书正，《中共天津市委党校学报》2001 年第 2 期

新世纪加强科普工作的行动纲领——学习江泽民《论科学技术》，张玉台，《求是》2001 年第 6 期

经济建设要向依靠科技进步和提高劳动者素质转轨——学习江泽民《论科学技术》，张明杰，《上海党史与党建》2001 年第 6 期

科学技术是精神文明建设的重要基石——学习江泽民《论科学技术》，张明杰，《理论学刊》2001 年第 3 期

科学精神的本质就是解放思想、实事求是——学习江泽民《论科学技术》一书的几点体会，张贺福，《前线》2001 年第 3 期

学习江泽民《论科学技术》体会笔谈，陆佑楣、周济、张正铀、季益贵、刘家栋、唐良智、蔡昌文、刘良炎、李光，《科技进步与对策》2001 年第 3 期

论科技创新的社会环境建设——学习江泽民同志《论科学技术》，茆诗珍、吴静波，《科技进步与对策》2001 年第 7 期

以《论科学技术》为指针加速科技进步与创新，姚聚川，《河南科技》2001 年第 5 期

加强和改善党对科技工作的领导——学习江泽民《论科学技术》一书的体会，贺福，《党建研究》

2001 年第 3 期

正确判断世界形势：马克思主义的一个重大理论和现实问题——学习江泽民《论科学技术》一书的体会，赵迎新，《甘肃广播电视大学学报》2001 年第 4 期

学习江泽民《论科学技术》的几点认识，席义方，《四川行政学院学报》2001 年第 1 期

知识分子是实现"三个代表"的一支生力军——学习江泽民《论科学技术》，魏刚，《内蒙古统战理论研究》2001 年第 5 期

实施科教兴市"一号工程"实现新的战略转移——学习江泽民同志《论科学技术》一书的体会，王永康，《中国城市经济》2002 年第 10 期

努力加快我国科学技术事业的发展步伐——学习江总书记《论科学技术》一书的点滴体会，王国忠，《云南科技管理》2002 年第 1 期

论科技创新与"三个代表"——学习"三个代表"重要思想和《论科学技术》的体会，刘亚川，《资源产业》2002 年第 2 期

江泽民辩证唯物主义科学技术观的框架体系研究——学习江泽民《论科学技术》一书的体会，刘冠军，《科学技术与辩证法》2002 年第 2 期

论江泽民辩证唯物主义科学技

术观的内涵——学习江泽民《论科学技术》一书的札记，刘冠军，《山东师范大学学报》（人文社会科学版）2002 年第 1 期

科学技术与西部大开发——学习江泽民《论科学技术》一书的几点体会，何虎生、刘艳宇，《社科纵横》2002 年第 6 期

加强基础研究　探索高新技术　创建一流大学——学习江泽民同志《论科学技术》的体会，张文修、朱因远、陈钟颀，《西安交通大学学报》（社会科学版）2002 年第 2 期

江泽民科学技术思想论纲——学习江泽民《论科学技术》，李志峰，《广西师范学院学报》（哲学社会科学版）2002 年第 2 期

江泽民科学技术思想探析——读江泽民《论科学技术》，肖东波，《党的文献》2002 年第 1 期

时代的科技伦理——学习江泽民《论科学技术》，李华荣，《山西高等学校社会科学学报》2003 年第 2 期

（二）研究江泽民《论"三个代表"》的论文

"三个代表"思想：深化改革、创新体制的不竭动力——学习江泽民《论"三个代表"》，石仲泉，《中共党史研究》2001 年第 6 期

马克思主义理论创新的最新成果——读江泽民《论"三个代表"》一书有感，朱峻峰，《求是》2001 年第 17 期

推进理论创新是社会科学工作者的神圣职责——学习江泽民同志《论"三个代表"》的体会，何秉孟，《学术界》2001 年第 5 期

理论创新的光辉典范——江泽民《论"三个代表"》简介，张诚，《思想政治课教学》2001 年第 9 期

全面加强党的作风建设的光辉指针——学习江泽民《论"三个代表"》的一点体会，杨亚利，《理论学刊》2001 年第 6 期

以"三个代表"为指导加强中国政治安全建设——学习江泽民《论"三个代表"》的体会，陈友，《国际政治研究》2001 年第 4 期

马克思主义中国化的新境界，治党治国的新方略——学习江泽民同志《论"三个代表"》的体会，苗长发、孙业礼，《党的文献》2001 年第 6 期

理论创新：马克思主义的本质要求——学习江泽民《论"三个代表"》的体会，于喜廷，《胜利油田党校学报》2002 年第 5 期

中国共产党人新世纪的伟大旗帜——学习《论"三个代表"》的体会，四川省社会科学院"三个代表"课题组，《社会科学研究》2002 年第 5 期

"三个代表"重要思想是新世纪全面加强党的建设的伟大纲领——学习江泽民《论党的建设》和《论"三个代表"》，张贺福，《教学与研究》2002 年第 1 期

略论江泽民对马克思主义利益观的坚持和发展——学习《论"三个代表"》札记，胡启锐，《贵州工业大学学报》（社会科学版）2002 年第 1 期

"党政兴亡"在《论"三个代表"》一书中的重要地位，张羽天，《晋中师范高等专科学校学报》2003 年第 1 期

（三）研究江泽民《论党的建设》的论文

与时俱进、创新理论是党的建设的基础——学习江泽民同志《论党的建设》，马琨茂，《西昌师范高等专科学校学报》2002 年第 2 期

党的作风建设的根本切入点：转变领导作风——学习江泽民《论党的建设》体会，刘晓钟、迟兴臣，《中共成都市委党校学报》2002 年第 3 期

一部伟大的文献——学习《论党的建设》，曲真儒，《大连干部学刊》2002 年第 1 期

"三个代表"重要思想是新世纪全面加强党的建设的伟大纲领——学习江泽民《论党的建设》和《论"三个代表"》，张贺福，《教学与研究》2002 年第 1 期

把党建设成为领导社会主义现代化事业的更加坚强的核心力量——学习江泽民《论党的建设》，《求是》2002 年第 5 期

江泽民党的干部监督思想简论——读江泽民《论党的建设》，杨成敏，《求实》2002 年第 5 期

共产党执政规律的理论创新——学习江泽民《论党的建设》，肖和平、罗昭义，《求是》2002 年第 6 期

论江泽民的中国共产党形象观——读《论党的建设》笔记，凌厚锋，《中共福建省委党校学报》2002 年第 5 期

群众路线是新时期执政党作风建设的核心——学习江泽民同志《论党的建设》，宋增伟，《理论建设》2003 年第 1 期

江泽民论党的建设与经济发展的关系，张先友，《邵阳学院学报》2003 年第 6 期

执政党应当对党员提出更高的要求——读江泽民同志《论党的建设》札记，鄢新萍、鄢舟，《湖北社会科学》2003 年第 2 期

（四）研究江泽民《论国防和军队建设》的论文

论江泽民国防和军队建设思想的方法论特色，陈志波，《燕山大学学报》（哲学社会科学版）2004 年第

1 期

论国防和军队建设中坚持以人为本，吴志忠，《西安政治学院学报》2006 年第 1 期

江泽民同志论国防和军队建设的战略转移，李薇、张平远，《毛泽东思想研究》2007 年第 4 期

新世纪新阶段创新军事理论的指南——学习江泽民《论国防和军队建设》的体会，赵宝云，《南京政治学院学报》2007 年第 1 期

（五）研究《江泽民论有中国特色社会主义》（专题摘编）的论文

尊重历史发展规律是共产党人先进性的根本体现——读《江泽民论有中国特色社会主义》（专题摘编），丁晋清，《上海党史与党建》2002 年第 11 期

关于学习《江泽民论有中国特色社会主义》（专题摘编）的通知，中共教育部党组，《思想理论教育导刊》2002 年第 9 期

《江泽民论有中国特色社会主义》对邓小平理论的创新和发展，王世谊，《兵团党校学报》2002 年第 6 期

"建设社会主义政治文明"是全面创新建设中国特色社会主义的重要内容——学习《江泽民论有中国特色社会主义》（专题摘编）笔记，王兆铮，《实事求是》2002 年第 6 期

忠实代表人民的根本利益　充分发挥党的先锋队作用——学习《江泽民论有中国特色社会主义》（专题摘编）体会，王光华、刘道贵，《四川党的建设城市版》2002 年第 Z1 期

以改革的精神全面推进党的建设新的伟大工程——学习《江泽民论有中国特色社会主义》（专题摘编），王均伟，《党建研究》2002 年第 10 期

结合实际深入学习全面贯彻落实"三个代表"重要思想——在云南省学习《江泽民论有中国特色社会主义》（专题摘编）座谈会上的讲话，王学仁，《学术探索》2002 年第 6 期

"三个代表"重要思想是指导我国经济工作的强大思想武器——学习《江泽民论有中国特色社会主义》的体会，王德民，《桂海论丛》2002 年第 6 期

建设全面发展的社会主义新社会——学习《江泽民论有中国特色社会主义》（专题摘编），乐正，《特区理论与实践》2002 年第 10 期

与时俱进：建设有中国特色社会主义的思想保证——学习《江泽民论有中国特色社会主义》（专题摘编），冯学军，《学术论坛》2002 年第 6 期

用发展着的马克思主义指导新

的实践——学习《江泽民论有中国特色社会主义》（专题摘编），本刊编辑部，《中共贵州省委党校学报》2002 年第 5 期

统一思想 团结奋进 迎接党的十六大召开——深入学习和宣传《江泽民论有中国特色社会主义》，本刊编辑部，《理论前沿》2002 年第 21 期

对有中国特色社会主义理论的丰富和发展——学习《江泽民论有中国特色社会主义》（专题摘编），石仲泉，《理论视野》2002 年第 6 期

在广西党校系统"学习《江泽民论有中国特色社会主义》迎接十六大"理论研讨会上的讲话，龙观水，《桂海论丛》2002 年第 6 期

创新的理论 行动的指南——学习《江泽民论有中国特色社会主义》的一点体会，刘绍怀，《云南财贸学院学报》2002 年第 6 期

与时俱进 开拓创新——学习《江泽民论有中国特色社会主义》（专题摘编），刘钰，《群众》2002 年第 10 期

党的十三届四中全会以来党风廉政建设和反腐败斗争的基本经验——学习《江泽民论有中国特色社会主义》（专题摘编）的体会，孙载夫，《当代思潮》2002 年第 6 期

从超前创新看经济特区还要"特"——学习《江泽民论有中国特色社会主义》（专题摘编），许经勇，《特区经济》2002 年第 12 期

坚持邓小平理论 发展邓小平理论——学习《江泽民论有中国特色社会主义》（专题摘编）的体会，许耀桐，《中共天津市委党校学报》2002 年第 4 期

积极实施"引进来"和"走出去"并举的开放战略——学习《江泽民论有中国特色社会主义》（专稿摘编），严学军、肖光恩，《理论月刊》2002 年第 11 期

开创新局面的行动指南——学习《江泽民论有中国特色社会主义》（专题摘编），冷溶，《党建》2002 年第 10 期

理论创新的精华和典范——学习《江泽民论有中国特色社会主义》（专题摘编），张岱梨，《学习与实践》2002 年第 9 期

加快干部人事制度改革的步伐——学习《江泽民论有中国特色社会主义》（专题摘编）的体会，张明杰，《党政干部学刊》2002 年第 11 期

实践"三个代表"坚持科教兴昆——学习《江泽民论有中国特色社会主义》的粗浅体会，张家贵、张立新，《昆明大学学报》2002 年第 2 期

全面贯彻"三个代表"要求不断加强和改进党的领导——学习

《江泽民论有中国特色社会主义》（专题摘编）体会，李万青，《西南交通大学学报》（社会科学版）2002年第4期

贯彻"三个代表"要求 加强和改进党的领导——学习《江泽民论有中国特色社会主义》（专题摘编）体会，李万青，《四川党的建设城市版》2002年第Z1期

邓小平理论是时代的旗帜——学习《江泽民论有中国特色社会主义》体会之一，李元祥，《北京市计划劳动管理干部学院学报》2002年第4期

有中国特色社会主义的伟大理论成果——学习《江泽民论有中国特色社会主义》（专题摘编）体会，李本钧，《岭南学刊》2002年第6期

代表先进文化前进方向 探索民族文化建设途径——学习《江泽民论有中国特色社会主义》（专题摘编）的体会，李俊，《楚雄师范学院学报》2002年第5期

巩固和发展最广泛的爱国统一战线在推进大庆可持续发展进程中发挥职能作用——学习《江泽民论有中国特色社会主义》（专题摘编），李景华、韩明礼，《大庆社会科学》2002年第6期

建设有中国特色社会主义的光辉指南——学习《江泽民论有中国特色社会主义》（专题摘编）一书的

体会，李新泰，《理论学刊》2002年第6期

中国城市特色建设问题——学习《江泽民论有中国特色社会主义》（专题摘编）的体会，杨重光，《中国城市经济》2002年第8期

国有企业改革发展的强大思想武器——学习《江泽民论有中国特色社会主义》（专题摘编），杨朝林，《企业天地》2002年第11期

依法治国 建设社会主义政治文明——学习《江泽民论有中国特色社会主义》（专题摘编）的体会，肖飒，《云南社会科学》2002年第6期

对人的现代化问题的思考——学习《江泽民论有中国特色社会主义》（专题摘编）有感，陈范华、何舰，《毛泽东思想研究》2002年第6期

学习理论 统一思想 与时俱进 开拓创新——学习《江泽民论有中国特色社会主义》（专题摘编），实华，《中国石化》2002年第10期

创建学习型政党的指针——学习《江泽民论有中国特色社会主义》（专题摘编）的一点体会，郑镇，《中共福建省委党校学报》2002年第12期

全面推进建设有中国特色社会主义的伟大事业——学习《江泽民论有中国特色社会主义》（专题摘

编),倪文,《学习导报》2002年第10期

弘扬与时俱进精神　不断推进理论创新——《江泽民论有中国特色社会主义》(专题摘编)学习体会,徐崇温,《特区理论与实践》2002年第10期

把发展作为执政兴国的第一要务——学习《江泽民论有中国特色社会主义》(专题摘编),徐腾,《江苏教育学院学报》(社会科学版)2002年第5期

指导解决新世纪中国人口问题的创新理论成果——学习《江泽民论有中国特色社会主义》(专题摘编)的体会,桂世勋,《人口与计划生育》2002年第12期

与时俱进,不断开拓马克思主义新境界——学习《江泽民论有中国特色社会主义》(专题摘编)一书体会,郭金平,《社会科学论坛》2002年第11期

打造中华民族复兴的飞轮——学习《江泽民论有中国特色社会主义》(专题摘编),顾海良、沈壮海,《求是》2002年第20期

党的第三代领导集体赋予统一战线的一项新任务——学习《江泽民论有中国特色社会主义》(专题摘编)的一点体会,高智生,《云南社会主义学院学报》2002年第4期

历史发展的新阶段　科学理论的新境界——学习《江泽民论有中国特色社会主义》(专题摘编),康民、曹振江,《甘肃理论学刊》2002年第6期

弘扬马克思主义的优良学风——学习《江泽民论有中国特色社会主义》(专题摘编),梅荣政,《高校理论战线》2002年第10期

科学的总结　宝贵的经验——学习《江泽民论有中国特色社会主义》(专题摘编),黄中平,《理论学习》2002年第12期

新的实践需要不断创新的理论的指导——学习《江泽民论有中国特色社会主义》(专题摘编),董建萍,《中共浙江省委党校学报》2002年第6期

伟大实践的记录　理论创新的结晶　新阶段工作的指南——学习《江泽民论有中国特色社会主义》(专题摘编),蒋正华,《前进论坛》2002年第11期

哲学社会科学工作要与时俱进开拓创新——学习《江泽民论有中国特色社会主义》(专题摘编)的体会,谢本书,《云南民族学院学报》(哲学社会科学版)2002年第6期

广西党校系统"学习《江泽民论有中国特色社会主义》,迎接十六大"理论研讨会综述,谢有武,《桂海论丛》2002年第6期

党的十六大的重要政治、思想、理论准备——学习江泽民《论有中国特色社会主义》（专题摘编），蔡丹阳，《思想教育研究》2002年第11期

建设有中国特色社会主义的伟大理论成果——学习《江泽民论有中国特色社会主义》（专题摘编）体会，雒树刚，《中国特色社会主义研究》2002年第5期

创新的事业最辉煌——学习《江泽民论有中国特色社会主义》（专题摘编）有感，燕歌，《国土资源通讯》2002年第10期

主题·中心·宗旨——学习《江泽民论有中国特色社会主义》（专题摘编），魏茂明，《理论学习》2002年第12期

在着重学习领会"三个代表"重要思想上下功夫——谈学习《江泽民论有中国特色社会主义》（专题摘编），门泉东，《理论界》2003年第1期

联系新的实际　弘扬延安精神——学习《江泽民论有中国特色社会主义》（专题摘编）的一点体会，马汉儒，《中共云南省委党校学报》2003年第2期

讲学习是讲政治、讲正气的前提和基础——学习《江泽民论有中国特色社会主义》，冯梯云，《中央社会主义学院学报》2003年第1期

在建设有中国特色社会主义中经济特区的历史使命——学习《江泽民论有中国特色社会主义》（专题摘编），许经勇，《社会主义研究》2003年第3期

《江泽民论有中国特色社会主义》（专题摘编）对马克思主义的丰富和发展，吴龙章，《钦州师范高等专科学校学报》2003年第1期

深刻理解发展这个第一要务的丰富内涵——学习《江泽民论有中国特色社会主义》（专题摘编），张建新，《理论学习》2003年第1期

论马克思主义中国化新的历史进程——学习《江泽民论有中国特色社会主义》（专题摘编）和十六大精神的体会，张贺福，《中共云南省委党校学报》2003年第3期

治党治国理论的系统展示与重大发展——学习《江泽民论有中国特色社会主义》，李振连，《探求》2003年第1期

有中国特色社会主义民族理论的新发展——学习《江泽民论有中国特色社会主义》（专题摘编），杨中刚，《湖北民族学院学报》（哲学社会科学版）2003年第3期

正确处理好领导干部的二重性——学习《江泽民论有中国特色社会主义》（专题摘编）体会，周建琨，《当代贵州》2003年第2期

马克思主义在中国发展的新篇

章——学习《江泽民论有中国特色社会主义》（专题摘编），姜汉斌，《莱阳农学院学报》（社会科学版）2003 年第 1 期

江泽民论有中国特色社会主义的系统论特色，胡良厚，《池州师专学报》2003 年第 2 期

人民性是"三个代表"的显著特征——学习《江泽民论有中国特色社会主义》，胡和勤，《临沂师范学院学报》2003 年第 4 期

当代中国社会主义的理论拓展——学习《江泽民论有中国特色社会主义》（专题摘编），唐秀玲、师小玲，《上海党史与党建》2003 年第 1 期

知识分子是民族复兴的伟大力量——学习《江泽民论有中国特色社会主义》（专题摘编），聂火云、刘霁雯，《江西农业大学学报》（社会科学版）2003 年第 1 期

正确认识和应对经济全球化问题——学习《江泽民论有中国特色社会主义》（专题摘编），鲁媛风、刘春鹏，《山东电大学报》2003 年第 3 期

论江泽民人才思想——学习

《江泽民论有中国特色社会主义》（专题摘编）有感，谭群鸣、杨桂华、吴剑波、刘联、刘善玖，《赣南医学院学报》2003 年第 6 期

"三点论"江泽民论有中国特色社会主义的理论特色，张兰军，《忻州师范学院学报》2004 年第 4 期

江泽民对党的先进性理论的创新和发展——学习《江泽民论有中国特色社会主义》，陈元中，《湖北社会科学》2004 年第 1 期

马克思主义人才观的新发展——学习《江泽民论有中国特色社会主义》（专题摘编）有感，谭群鸣、杨桂华、刘联，《企业经济》2005 年第 2 期

（六）研究江泽民《论社会主义市场经济》的论文

一部探索社会主义市场经济理论的力作——评《论社会主义市场经济》，何维达，《当代财经》2001 年第 8 期

全面推进国有企业的改革与发展——学习《江泽民文选》和江泽民《论社会主义市场经济》，项启源，《红旗文稿》2006 年第 21 期

三　研究江泽民关于"三个代表"重要思想的论文题录

浅论"三个代表"思想的理论意义和实践意义，于新恒，《长白学刊》2000 年第 4 期

论"三个代表"的时代意义，

马剑波,《洛阳工学院学报》(社会科学版) 2000 年（增刊）

论"三个代表", 王为民,《党政干部论坛》2000 年第 11 期

论"三个代表"与"三个有利于"的一致性, 冯晶丽,《学习论坛》2000 年第 10 期

面向新世纪的答卷——论"三个代表"思想的时代价值, 包心鉴,《社会科学研究》2000 年第 5 期

论"三个代表"与高校宣传思想政治工作的"三新"——关于创新意识和创新能力的思考, 叶桉,《南昌职业技术师范学院学报》2000 年第 4 期

一以贯之的理论 开创未来的指南——论"三个代表"与"三个有利于"的内在统一, 刘定昌、王毅,《军队政工理论研究》2000 年第 4 期

论"三个代表"的理论意义与实践意义——学习江总书记"三个代表"重要思想的体会, 刘密,《江西省团校学报》2000 年第 4 期

论"三个代表"的时代背景和深刻思想内涵, 刘雁湖,《实事求是》2000 年第 5 期

论"三个代表"思想与社会主义本质, 吕高原,《山东电大学报》2000 年第 2 期

论"三个代表"思想与邓小平理论的一致性, 安育中、陈立民,

《理论前沿》2000 年第 17 期

论"三个代表"的理论渊源和实践, 阮鼎勋,《福建医科大学学报》(社会科学版) 2000 年第 1 期

新时期党的建设的伟大纲领——论"三个代表"的科学内涵及对党的建设的作用, 张作祖,《新疆石油教育学院学报》2000 年第 3 期

论"三个代表"对社会主义精神文明建设的重大影响, 张树俊,《理论月刊》2000 年第 Z2 期

论"三个代表"的系统性特征, 李海萍,《理论学刊》2000 年第 4 期

前瞻·创新·发展——论"三个代表"思想对马克思主义建党学说的新发展, 李淇,《工会理论研究》(上海工会管理干部学院学报) 2000 年第 4 期

论"三个代表"思想在根本任务上对邓小平党建理论的发展, 沈刚克,《中共云南省委党校学报》2000 年第 5 期

略论"三个代表"与新时期党的建设, 陆初卿,《湖南财经高等专科学校学报》2000 年第 5 期

略论"三个代表"的时代特征, 陈石军,《湖南社会科学》2000 年第 5 期

论"三个代表"重要思想的显著特点, 陈明辉,《淮阴工学院学

报》2000年第4期

论"三个代表"思想提出的依据，屈明，《南京政治学院学报》2000年第5期

略论"三个代表"思想在检察工作中的实践，苑晓华，《成都行政学院学报》2000年第5期

论"三个代表"对党的先进性新概括的重要意义，郑昌华，《科学社会主义》2000年第4期

论"三个代表"的科学精神，南俊英，《河南社会科学》2000年第4期

浅论"三个代表"的科学内涵，项淮涛，《皖西学院学报》2000年第4期

中国共产党建设的一条基本规律——论"三个代表"的辩证关系，唐晓清、潘立魁、赵岩，《科学社会主义》2000年第4期

论"三个代表"思想的时代特色，夏义生，《南华大学学报》（社会科学版）2000年第3期

论"三个代表"思想的党建哲学意义，贾小明，《新疆师范大学学报》（哲学社会科学版）2000年第4期

论"三个代表"对高校德育的意义，贾民伟、邱观建，《武汉交通科技大学学报》（社会科学版）2000年第3期

论"三个代表"与社会主义民主，陶传友、黄裕冲、扈树生、李振，《内部文稿》2000年第18期

论"三个代表"的思想与我国的文化建设，曹泉海，《石油化工管理干部学院学报》2000年第3期

论"三个代表"思想对马克思主义建党理论的新贡献，隋秀英，《辽阳石油化工高等专科学校学报》2000年第4期

论"三个代表"思想产生的基础，虞明甫，《扬州大学学报》（人文社会科学版）2000年第5期

论"三个代表"的三重基本属性，潘峰，《山西师大学报》（社会科学版）2000年第4期

论"三个代表"的理论基础，潘峰，《理论前沿》2000年第9期

论"三个代表"，戴舟，《求是》2000年第13期

论"三个代表"重要思想对当前高校共青团工作的指导意义，于健，《中山大学学报论丛》2002年第3期

理论创新：马克思主义的本质要求——学习江泽民《论"三个代表"》的体会，于喜廷，《胜利油田党校学报》2002年第5期

伟大实践的理论升华——论"三个代表"重要思想的历史地位，广西"三个代表"重要思想学习研究小组，《求是》2002年第18期

论"三个代表"思想的哲学内

涵，马家国，《党政论坛》2002 年第5 期

论"三个代表"重要思想的新颖性，中共广东省委党校课题组，《岭南学刊》2002 年第 6 期

论"三个代表"与《共产党宣言》的内在联系，太学英，《毛泽东思想研究》2002 年第 6 期

论"三个代表"对历史唯物主义观的体现，尹颖尧，《陕西师范大学学报》（哲学社会科学版）2002 年（增刊）

略论"三个代表"与执政党的合法性，尹德慈，《探求》2002 年第 2 期

论"三个代表"的世界眼光，文锦菊，《湖湘论坛》2002 年第 6 期

论"三个代表"与社会主义法制建设的辩证关系，方江宁，《南京理工大学学报》（社会科学版）2002 年第 2 期

论"三个代表"思想与"三个有利于"标准的关系，方江虹，《中共浙江省委党校学报》2002 年第 4 期

论"三个代表"重要思想的形成与发展，王世谊，《江汉论坛》2002 年第 11 期

论"三个代表"是党必须长期坚持的指导思想，王观松，《长江论坛》2002 年第 6 期

论"三个代表"的理论蕴含，王丽萍，《怀化师专学报》2002 年第 1 期

浅论"三个代表"的历史唯物主义思想特色，王剑，《晋阳学刊》2002 年第 5 期

论"三个代表"思想与马克思主义学风，王南雁，《理论观察》2002 年第 4 期

论"三个代表"思想对"两课"教学的新要求，王玲玲，《云南教育》2002 年第 18 期

新世纪文化建设的纲领——论"三个代表"与我国当代文化建设的基本原则，王准，《燕山大学学报》（哲学社会科学版）2002 年第 2 期

简论"三个代表"思想的文化理论创新，王惠君，《西北工业大学学报》（社会科学版）2002 年第 3 期

论"三个代表"是教育改革与发展的指导纲领，王毓珣，《天津市教科院学报》2002 年第 2 期

从苏共下台的历史教训论"三个代表"理论的重要性，王静美，《求实》2002 年（增刊）

论"三个代表"与"以德治国"的一致性，韦有多，《桂海论丛》2002 年第 1 期

简论"三个代表"思想对历史唯物主义的创新，冯增强，《经济师》2002 年第 6 期

中国共产党人新世纪的伟大旗

帜——学习《论"三个代表"》的体会，四川省社会科学院"三个代表"课题组，《社会科学研究》2002年第5期

略论"三个代表"的本质，平文艺，《毛泽东思想研究》2002年第6期

论"三个代表"的时代性、实践性、创新性——兼论提高"三个代表""三进"的实效性，田毅、陈景璐，《河北职业技术师范学院学报》（社会科学版）2002年第2期

论"三个代表"实现马克思主义与时俱进的方法，石国亮，《求索》2002年第5期

论"三个代表"的基本思想与党的基本路线、基本纲领的关联性，乔耀章，《南京航空航天大学学报》（社会科学版）2002年第1期

党的建设的伟大纲领 民族复兴的伟大旗帜——论"三个代表"思想的精神实质，刘书文，刘亚文，《重庆行政》2002年第4期

论"三个代表"思想与思想政治工作机制创新，刘建国，《湖湘论坛》2002年第3期

论"三个代表"与新世纪的宗教工作，刘金峰，《洛阳师范学院学报》2002年第3期

论"三个代表"与"三个有利于"的统一性，刘洪英，《胜利油田党校学报》2002年第6期

论"三个代表"与"三个有利于"的逻辑联系，刘爱莲、颜素珍，《河海大学学报》（哲学社会科学版）2002年第4期

论"三个代表"的思想在高校思想政治工作中的地位，刘景林，《内蒙古民族大学学报》（社会科学版）2002年第2期

论"三个代表"在国际共运发展中的意义，刘锦屏，《曲靖师范学院学报》2002年第1期

论"三个代表"与领导班子和干部队伍建设，安四兴，《宁夏社会科学》2002年第1期

顺应发展生产力的时代呼唤——论"三个代表"思想对社会主义探索的理论建树，朱坚强，《社会主义研究》2002年第5期

论"三个代表"的理论创新和实践意义，汤长全，《合肥工业大学学报》（社会科学版）2002年第3期

论"三个代表"的核心，许玉干，《淮阴师范学院学报》（哲学社会科学版）2002年第5期

论"三个代表"与依法治国，何士青，《湖北大学学报》（哲学社会科学版）2002年第5期

论"三个代表"思想的哲学内涵，何厚发，《保险职业学院学报》2002年第5期

浅论"三个代表"的深刻内涵，何晓峰，《徐州教育学院学报》

2002 年第 1 期

从革命到改革到创新——兼论"三个代表"与创新，余育国，《河北省社会主义学院学报》2002 年第 4 期

革命·改革·创新——兼论"三个代表"与创新，余育国，《探索与求是》2002 年第 1 期

论"三个代表"的实现机制，余树华，《华南理工大学学报》（社会科学版）2002 年第 3 期

论"三个代表"重要思想在理论上的创新，佟向民，《广西大学学报》（哲学社会科学版）2002 年第 1 期

论"三个代表"与"两个基本问题"的一致性，冷福榜，《理论前沿》2002 年第 18 期

论"三个代表"思想的开放性理论品格，吴君，《山东省青年管理干部学院学报》2002 年第 4 期

论"三个代表"与人民主体性要求的充分反映，吴国斌、汪早容、邓义，《湖北社会科学》2002 年第 3 期

论"三个代表"与人民民主专政，宋海庆，《中共云南省委党校学报》2002 年第 6 期

论"三个代表"思想对邓小平发展理论的继承和创新，宋艳萍，《河南社会科学》2002 年第 5 期

马克思主义党建理论的与时俱进——兼论"三个代表"的理论创新，宋镜明，《社会主义研究》2002 年第 3 期

论"三个代表"的科学内涵，张光年，《高等函授学报》（哲学社会科学版）2002 年第 2 期

论"三个代表"与高校思想政治工作的互动关系，张国艳，《黑龙江农垦师专学报》2002 年第 1 期

论"三个代表"重要思想的理论地位，张实红、黄晓凤，《军事经济学院学报》2002 年第 1 期

浅论"三个代表"重要思想的历史基础，张彦，《新疆石油教育学院学报》2002 年第 4 期

论"三个代表"对共产党人理想信念教育的指导作用，张洪萍，《宜春学院学报》2002 年第 1 期

"三个代表"重要思想是新世纪全面加强党的建设的伟大纲领——学习江泽民《论党的建设》和《论"三个代表"》，张贺福，《教学与研究》2002 年第 1 期

论十六大历史性决策和历史性贡献的理论意义——兼论"三个代表"重要思想被确立为党的指导思想的逻辑必然，张贺福，《马克思主义研究》2002 年第 6 期

论"三个代表"思想对唯物史观的丰富和发展，张继红，《连云港职业技术学院学报》2002 年第 3 期

论"三个代表"与依法治国理

论，张嶂，《中共伊犁州委党校学报》2002 年第 3 期

论"三个代表"与科教兴国，李万庆，《河北建筑科技学院学报》（社会科学版）2002 年第 2 期

论"三个代表"思想的内在联系，李永红，《淮南职业技术学院学报》2002 年第 3 期

论"三个代表"与素质教育，李伟，《长春理工大学学报》（社会科学版）2002 年第 2 期

论"三个代表"重要思想与"三个有利于"标准的一脉相承性，李合敏、许玉建，《大连干部学刊》2002 年第 5 期

论"三个代表"思想的历史地位和指导意义，李志国、左伟，《长春师范学院学报》2002 年第 4 期

论"三个代表"提出的时代背景，李学文，《理论观察》2002 年第 1 期

对中国共产党执政规律的认识——学习江泽民《论"三个代表"》，李明顺，《中共山西省委党校学报》2002 年第 5 期

论"三个代表"思想与"三个有利于"标准的一致性，李松祥，《湖北社会科学》2002 年第 1 期

论"三个代表"对执政党建设的普遍意义，李俊伟，《理论前沿》2002 年第 6 期

实践·认识·价值·自由——论

"三个代表"思想的哲学意义，李勇，《理论前沿》2002 年第 11 期

试论"党的性质"范畴——兼论"三个代表"是对党的本质的揭示，李勇华，《求实》2002 年第 4 期

论"三个代表"思想的社会主义意义，李振宇，《长白学刊》2002 年第 4 期

论"三个代表"的美育价值，李崇辉，《呼伦贝尔学院学报》2002 年第 5 期

十六大的历史性贡献——论"三个代表"重要思想载入党章，李捷，《党的文献》2002 年第 6 期

略论"三个代表"思想对马克思主义建党理论的发展，李耀建，《高校理论战线》2002 年第 9 期

论"三个代表"与党的先进性，杨礼宾，《湖北社会科学》2002 年第 3 期

论"三个代表"与文化创新，杨光宗，《西北民族学院学报》（哲学社会科学版）2002 年第 2 期

论"三个代表"重要思想的哲学意识，杨宗芬，《牡丹江师范学院学报》（哲学社会科学版）2002 年第 2 期

论"三个代表"重要思想对社会主义理论的新贡献，杨杰，《新疆财经学院学报》2002 年第 4 期

论"三个代表"对"三个有利于"的丰富和发展，杨梅，《西南民

族学院学报》（哲学社会科学版）
2002 年第 12 期

论"三个代表"思想与基础教
育的发展，杨德萍，《四川行政学院
学报》2002 年第 3 期

论"三个代表"与党员干部素
质，杨懂，《广东省社会主义学院学
报》2002 年第 3 期

论"三个代表"与解放思想的
统一性，肖芳，《怀化学院学报》
2002 年第 4 期

论"三个代表"思想与科学社
会主义，肖浩辉，《湖南社会科学》
2002 年第 1 期

论"三个代表"与"依法治
国、以德治国"的内在统一，邵允
振，《探求》2002 年第 3 期

论"三个代表"思想在党建理
论上的创新，陈国岱，《福建商业高
等专科学校学报》2002 年第 1 期

略论"三个代表"重要思想的
特点及精神实质，陈景波，《胜利油
田党校学报》2002 年第 2 期

一脉相承和重大发展——论
"三个代表"思想对马克思主义的
发展，单晓铭，《金华职业技术学院
学报》2002 年第 1 期

论"三个代表"的理论创新，
周尚文，《上海党史与党建》2002 年
第 11 期

论"三个代表"的组织目标功
能与价值，周明星、黄健美，《零陵

师范高等专科学校学报》2002 年第
2 期

论"三个代表"与国家统一和
民族团结，周治滨，《西南民族学院
学报》（哲学社会科学版）2002 年第
12 期

论"三个代表"重要思想与战
略思维，周感华，《探索》2002 年第
6 期

对人类社会辩证发展本性的自
觉把握——兼论"三个代表"重要
思想的历史唯物主义内涵，周曙光、
任治忠，《学术界》2002 年第 2 期

论"三个代表"重要思想的形
成和发展，季明，《中共云南省委党
校学报》2002 年第 5 期

论"三个代表"思想与儒家文
化，宗景才、李克军、宋家起、董
蕾，《山东行政学院、山东省经济管
理干部学院学报》2002 年第 6 期

论"三个代表"与高校学生思
想政治工作创新，岳银芳，《河南金
融管理干部学院学报》2002 年第
3 期

用"三个代表"重要思想指导
"三个育人"实践——湖北商专学
习江泽民论"三个代表"经验交流
综述，易嘉聪，《湖北商业高等专科
学校学报》2002 年第 1 期

论"三个代表"思想的理论品
格和内涵，罗芸，《云南师范大学学
报》（哲学社会科学版）2002 年第

2 期

论"三个代表"重要思想的历史地位，范印华，《求是》2002 年第 23 期

论"三个代表"的价值性定位思维，郑红，《理论界》2002 年第 6 期

论"三个代表"和"以德治国"的互动关系，金刚，《中共济南市委党校、济南市行政学院、济南市社会主义学院学报》2002 年第 3 期

论"三个代表"重要思想的历史地位——中国化的马克思主义的第三个重要理论成果，金晓钟、唐晓清、齐文学，《党政干部学刊》2002 年第 7 期

论"三个代表"的人权意义，姚天祥，《云南社会科学》2002 年第 3 期

论"三个代表"与非公有制经济组织党建的逻辑关系，姚建华，《中共浙江省委党校学报》2002 年第 5 期

简论"三个代表"的理论依据与实践价值，姜晓梅，《理论与现代化》2002 年第 6 期

"三个代表"思想是与时俱进的马克思主义——兼论"三个代表"思想的科学内涵与时代特征，政哲，《马克思主义研究》2002 年第 2 期

当代党史研究的理论指南——三论"三个代表"的时代价值，段建海，《西安联合大学学报》2002 年第 3 期

浅论"三个代表"重要思想与企业的思想政治工作，段美英，《经济问题》2002 年第 7 期

一个伟大思想理论的诞生——论"三个代表"重要思想产生的历史背景，秋石、林建公，《求是》2002 年第 21 期

论"三个代表"的科学内涵，秋石，《求是》2002 年第 5 期

略论"三个代表"与党的建设，胡北平，《唐都学刊》2002 年第 1 期

论"三个代表"思想对"三个有利于"标准的继承和发展，胡延华，《中国农业银行武汉培训学院学报》2002 年第 6 期

略论江泽民对马克思主义利益观的坚持和发展——学习《论"三个代表"》札记，胡启锐，《贵州工业大学学报》(社会科学版) 2002 年第 1 期

论"三个代表"的创新思维，胡学军，《湖南大众传媒职业技术学院学报》2002 年第 3 期

论"三个代表"的重要思想与警务规范化建设，胡循南，《政法学刊》2002 年第 2 期

论"三个代表"重要思想在党

支部建设中的实现方式，赵仁波，《理论学习与探索》2002 年第 4 期

论"三个代表"的哲学基础，赵玉伟，《平原大学学报》2002 年第 3 期

论"三个代表"思想的理论创新意义，赵建平、谷文平，《山西青年管理干部学院学报》2002 年第 2 期

论"三个代表"思想的理论创新，赵保佑，《长江论坛》2002 年第 4 期

论"三个代表"的重要思想是对马克思主义工运理论的丰富与发展，赵健杰，《山东省工会管理干部学院学报》2002 年第 2 期

论"三个代表"与高校素质教育，赵湖兰，《江苏高教》2002 年第 6 期

论"三个代表"重要思想与社会主义本质论的内在统一，赵焱，《理论探索》2002 年第 4 期

论"三个代表"重要思想提出的历史依据，钟瑞添，《广西师范大学学报》（哲学社会科学版）2002 年第 1 期

论"三个代表"思想对毛泽东、邓小平党建理论的继承和发展，饶国宾，《南昌航空工业学院学报》（社会科学版）2002 年第 4 期

与时俱进的光辉典范——论"三个代表"重要思想的理论品质，

唐之享，《湖南师范大学社会科学学报》2002 年第 6 期

浅论"三个代表"与"三个有利于"思想的内在联系，唐宜高，《邵阳师范高等专科学校学报》2002 年第 4 期

论"三个代表"与党的群众路线的统一，唐忠义、张英，《武汉科技大学学报》（社会科学版）2002 年第 1 期

论"三个代表"对《共产党宣言》的继承和发展，唐朝莉，《成都行政学院学报》2002 年第 5 期

论"三个代表"是实现党的纲领的思想保证，徐念农，《学术论坛》2002 年第 4 期

论"三个代表"的社会主义价值，徐明善，《社会主义研究》2002 年第 1 期

论"三个代表"重要思想的马克思主义哲学内涵，晏双生，《北方经贸》2002 年第 3 期

论"三个代表"重要思想的精神实质是永葆党的先进性，桑学成，《政治学研究》2002 年第 2 期

论"三个代表"思想的理论基础，莫胜权，《湖南公安高等专科学校学报》2002 年第 2 期

论"三个代表"与"三个有利于"的统一，贾顺梅，《实事求是》2002 年第 1 期

论"三个代表"和"三个有利

于"的关系，高玉峰,《山东社会科学》2002年第5期

发展马克思主义的原则、道路和常态——兼论"三个代表"是对马克思主义的最新发展，高恒天、石敦国,《汉中师范学院学报》2002年第5期

略论"三个代表"和"三个有利于"的关系，章松寿,《嘉兴学院学报》2002年第4期

略论"三个代表"的意义，黄成泰,《广西社会科学》2002年第3期

论"三个代表"重要思想的形成，黄宏、郭凤海,《当代中国史研究》2002年第6期

论"三个代表"的统一性、实践性和创新性，黄英,《黔东南民族师范高等专科学校学报》2002年第5期

论"三个代表"重要思想的哲学基础，龚振黔,《贵州师范大学学报》(社会科学版) 2002年第3期

论"三个代表"重要思想的科学性，龚海珍,《湖南省政法管理干部学院学报》2002年第6期

论"三个代表"的理论品格及创新意义，彭洁,《贵州师范大学学报》(社会科学版) 2002年第2期

论"三个代表"重要思想的精髓，彭洪升、赵奇伟、刘立丰,《湖南省政法管理干部学院学报》2002年（增刊）

略论"三个代表"重要思想对邓小平理论的新发展，彭富明,《洛阳农业高等专科学校学报》2002年第4期

论"三个代表"与高校领导班子思想政治建设，程六生,《河南金融管理干部学院学报》2002年第4期

论"三个代表"与中国共产党执政规律，童越善,《内蒙古社会科学》(汉文版) 2002年第5期

论"三个代表"的哲学基础，董振华,《中国矿业大学学报》(社会科学版) 2002年第3期

论"三个代表"体现科学真理取向与科学价值取向的有机统一，蒋艳丽、周晓阳,《求索》2002年第3期

论"三个代表"与"着重从思想上建设党"的一致性，谢广生,《赣南师范学院学报》2002年第1期

论"三个代表"对马克思主义的继承与发展，谢建辉,《求索》2002年第6期

论"三个代表"思想与高校德育工作，韩东才,《广州大学学报》(社会科学版) 2002年第8期

论"三个代表"指导下的高校思想政治工作，韩振兰、王新,《煤炭高等教育》2002年第2期

论"三个代表"的重大理论创新，韩振亮、樊文娟，《浙江学刊》2002 年第 5 期

论"三个代表"的根本要求，蓝蔚青，《中共浙江省委党校学报》2002 年第 6 期

论"三个代表"与"三个有利于"的统一性，雷云，《科学社会主义》2002 年第 5 期

论"三个代表"重要思想的时代价值，雷琳、唐文睿，《新疆社科论坛》2002 年第 5 期

论"三个代表"重要思想提出的理论和现实依据，廖良初，《北京党史》2002 年第 3 期

论"三个代表"重要思想中的创新精神，熊平安，《上海商业职业技术学院学报》2002 年（增刊）

论"三个代表"与理论创新，蔡永生，《中共贵州省委党校学报》2002 年第 5 期

论"三个代表"与当代中国企业家的价值取向，蔡玉珍，《湖北社会科学》2002 年第 3 期

论"三个代表"思想对"三个有利于"标准的新发展，谭晓靖，《求实》2002 年第 S2 期

论"三个代表"在高校工作中的地位和作用，潘艳纯，《黄石高等专科学校学报》2002 年第 3 期

再论"三个代表"重要思想对马克思主义的继承和创新，黎之焕，

《广西大学学报》（哲学社会科学版）2002 年第 6 期

简论"三个代表"重要思想的电视宣传，万江麟，《江西社会科学》2003 年第 1 期

论"三个代表"重要思想的理论创新，万斌、王学川，《高校理论战线》2003 年第 6 期

论"三个代表"在马克思主义发展史上的重要地位，马小林，《马钢职工大学学报》2003 年第 1 期

论"三个代表"重要思想产生的党情条件，马小林，《理论建设》2003 年第 6 期

简论"三个代表"重要思想及其"三进"，马举贤、徐太秀，《达县师范高等专科学校学报》2003 年第 1 期

论"三个代表"对高校思想政治工作的指导性，马春生，《浙江工商职业技术学院学报》2003 年第 4 期

论"三个代表"重要思想的历史地位，中央社会主义学院理论学习中心组，《中央社会主义学院学报》2003 年第 6 期

论"三个代表"重要思想的发展观，中共陕西省委党校课题组，《党建研究》2003 年第 9 期

论"三个代表"重要思想的本质——立党为公、执政为民的原因及意义，乌凤琴、王志凌，《辽宁师

专学报》（社会科学版）2003 年第 6 期

用科学的方法解读科学的理论——再论"三个代表"的先进性，尹东松、王久才，《佳木斯大学社会科学学报》2003 年第 2 期

论"三个代表"重要思想的科技背景，方卫兵，《毛泽东思想研究》2003 年第 5 期

论"三个代表"与领导干部的"三立经"，方忠，《甘肃行政学院学报》2003 年第 2 期

论"三个代表"重要思想的理论基础和现实基础，方益权，《求索》2003 年第 5 期

论"三个代表"重要思想提出的背景，王一凡，《昭乌达蒙族师专学报》2003 年第 1 期

略论"三个代表"同"与时俱进"的辩证关系，王心建，《淮北煤炭师范学院学报》（哲学社会科学版）2003 年第 2 期

论"三个代表"的领导观，王文军，《理论导刊》2003 年第 11 期

论"三个代表"重要思想与公安机关依法行政，王世卿、杨永太，《中国人民公安大学学报》2003 年第 5 期

略论"三个代表"重要思想的科学理论特征，王玉秀、何晓波，《辽宁行政学院学报》2003 年第 6 期

论"三个代表"与"延安精神"，王立国、王洋聪，《武警工程学院学报》2003 年第 1 期

论"三个代表"重要思想对民主党派建设高素质参政党的指导意义，王军英，《云南社会主义学院学报》2003 年第 4 期

论"三个代表"重要思想的理论特征，王有福，《理论学习》2003 年第 6 期

光辉的思想　伟大的理论——论"三个代表"重要思想的历史地位、重要作用和根本要求，王国永，《浙江万里学院学报》2003 年第 3 期

论"三个代表"重要思想的实践基础，王国柱，《学术交流》2003 年第 12 期

论"三个代表"与依法治国，王建东、毛亚敏，《杭州商学院学报》2003 年第 6 期

源头·活水·力量——略论"三个代表"重要思想，王海兵，《唯实》2003 年第 Z1 期

论"三个代表"的历史定位，王真，《教学与研究》2003 年第 4 期

论"三个代表"与我国法制建设，王富国、董杰，《南通职业大学学报》2003 年第 4 期

论"三个代表"重要思想对马克思主义辩证思维的传承，王晶雄，《中共银川市委党校学报》2003 年

第 6 期

论"三个代表"新发展观的主要特征，王琳，《求实》2003 年第 12 期

论"三个代表"的实践，王超，《党建研究》2003 年第 7 期

论"三个代表"与党的建设，邓小明，《内江师范学院学报》2003 年第 5 期

论政党执政的合法性及其获得途径——兼论"三个代表"思想的重要意义，邓遂，《党政干部学刊》2003 年第 1 期

论"三个代表"重要思想与"三个文明"并举的一致性，韦有多，《理论月刊》2003 年第 10 期

略论"三个代表"重要思想，韦胜，《广西社会科学》2003 年第 10 期

论"三个代表"重要思想对党的建设的实践价值，冯万举，《当代审计》2003 年第 4 期

论"三个代表"重要思想的理论底蕴，冯婧，《兰州学刊》2003 年第 6 期

论"三个代表"重要思想的哲学基础，卢有才，《郑州经济管理干部学院学报》2003 年第 4 期

论"三个代表"的科学理论精神，卢建国，《闽江学院学报》2003 年第 3 期

从人的价值理论看毛泽东群众

路线的意义——兼论"三个代表"重要思想对群众路线的发展，卢黄熙、张少杰，《佳木斯大学社会科学学报》2003 年第 6 期

论"三个代表"重要思想的理论价值和实践意义，古长星，《武警工程学院学报》2003 年第 5 期

论"三个代表"重要思想的创新理论体系，史本成，《发展论坛》2003 年第 6 期

论"三个代表"重要思想所体现的马克思主义哲学观，史战芳，《河南大学学报》（社会科学版）2003 年第 6 期

论"三个代表"重要思想形成的历史背景，叶利军，《长沙铁道学院学报》（社会科学版）2003 年第 Z1 期

论"三个代表"重要思想指导下的社会主义政治文明，平章起、弓丽娜，《道德与文明》2003 年第 2 期

略论"三个代表"在统战工作中的指导功能，田灿，《长沙大学学报》2003 年第 1 期

论"三个代表"重要思想与民族精神培育，白马京、李康平，《江西社会科学》2003 年第 10 期

论"三个代表"的理论创新，石子球，《常德师范学院学报》（社会科学版）2003 年第 3 期

跨世纪历史思考的理论结

晶——论"三个代表"重要思想的内在价值，石来宗，《新疆社会科学》2003年第2期

论"三个代表"重要思想的现实意义，石国亮，《毛泽东思想研究》2003年第3期

论"三个代表"重要思想的基本特征，石国亮，《山西高等学校社会科学学报》2003年第5期

论"三个代表"重要思想的继承性与创新性，石俊田，《沈阳农业大学学报》(社会科学版) 2003年第1期

论"三个代表"与哲学社会科学期刊的价值追求，石潇纯，《怀化学院学报》2003年第4期

论"三个代表"重要思想的哲学基础，乔国平，《中共郑州市委党校学报》2003年第3期

论"三个代表"的宪政思想，任万兴、张东华、折喜芳、田华，《河北法学》2003年第5期

论"三个代表"与文化创新，全毅、魏然，《福建论坛》(经济社会版) 2003年第12期

论"三个代表"思想的历史必然性，关淑平，《洛阳工业高等专科学校学报》2003年第2期

论"三个代表"的逻辑起点，刘元根，《求索》2003年第4期

面向新世纪的中国共产党宣言——略论"三个代表"重要思想的历史地位，刘开美，《理论月刊》2003年第6期

论"三个代表"是唯物史观在当代的创新，刘世文，《陕西省行政学院、陕西省经济管理干部学院学报》2003年第1期

论"三个代表"重要思想与毛泽东思想的共同点，刘平，《河南纺织高等专科学校学报》2003年第4期

论"三个代表"重要思想与人才队伍建设，刘汉民，《政法学刊》2003年第1期

论"三个代表"重要思想的科学内涵，刘吉，《红旗文稿》2003年第10期

论"三个代表"重要思想与实现祖国统一，刘宗武，《湖北社会科学》2003年第2期

论"三个代表"重要思想对社会主义政治文明建设的指导作用，刘修华，《湖北省社会主义学院学报》2003年第4期

论"三个代表"重要思想的世界历史性蕴涵，刘勇，《南京医科大学学报》(社会科学版) 2003年第2期

论"三个代表"重要思想的理论体系，刘政权，《湖湘论坛》2003年第6期

论"三个代表"重要思想的当代价值，刘炳玲，《胜利油田师范专

科学校学报》2003 年第 3 期

论"三个代表"重要思想与教育创新，刘祖庆，《黔东南民族师范高等专科学校学报》2003 年第 5 期

论"三个代表"思想与反对官僚主义，刘荣华、姚庆武，《桂海论丛》2003 年第 1 期

论"三个代表"重要思想对党的建设的实践价值，刘康民、刘秦民，《新长征》2003 年第 1 期

论"三个代表"重要思想的历史地位，刘绵勇，《江西科技师范学院学报》2003 年第 4 期

论"三个代表"重要思想的认同与批判功能，刘敦俊、王思怀，《商洛师范专科学校学报》2003 年第 3 期

论"三个代表"与校园文化建设的关系，刘德宇，《教育探索》2003 年第 7 期

论"三个代表"重要思想的历史地位，刘霞、张恒泉，《北方经贸》2003 年第 4 期

论"三个代表"重要思想与新世纪中共治党的新思路，吕书正，《上海党史与党建》2003 年第 9 期

论"三个代表"重要思想在教育教学工作中的实践，吕文硕，《华东船舶工业学院学报》（社会科学版）2003 年第 2 期

论"三个代表"对执政党建设着力点的把握，吕志，《理论月刊》

2003 年第 6 期

论"三个代表"重要思想的哲学特点及功能，吕爱兰，《中共乌鲁木齐市委党校学报》2003 年第 3 期

论"三个代表"重要思想与中华民族伟大复兴，朱文兴，《中共济南市委党校、济南市行政学院、济南市社会主义学院学报》2003 年第 3 期

中国特色的发展之路——论"三个代表"思想与可持续发展战略，朱华桂，《江南社会学院学报》2003 年第 1 期

论"三个代表"重要思想的唯物史观基础，朱道忠，《零陵学院学报》2003 年第 6 期

论"三个代表"思想与实事求是的思想路线，朱颖原，《太原理工大学学报》（社会科学版）2003 年第 1 期

论"三个代表"重要思想之哲学意蕴，权宗田，《青海师专学报》2003 年第 1 期

略论"三个代表"重要思想对马克思主义党建学说的新发展，毕红梅，《乌鲁木齐成人教育学院学报》2003 年第 2 期

略论"三个代表"的科学实践，毕忠梅，《山东行政学院、山东省经济管理干部学院学报》2003 年（增刊）

论"三个代表"与可持续发

展，汤建龙，《江苏广播电视大学学报》2003 年第 5 期

论"三个代表"与可持续发展，汤建龙，《兵团党校学报》2003 年第 4 期

略论"三个代表"重要思想的精神实质，纪淑云，《中共石家庄市委党校学报》2003 年第 8 期

论"三个代表"蕴含的哲学思想，许定雄，《江西社会科学》2003 年第 2 期

论"三个代表"的重要思想指导地位的客观必然性，许跃辉，《华东经济管理》2003 年第 6 期

浅论"三个代表"重要思想与全面建设小康社会，许箭星、柏丽华，《阿坝师范高等专科学校学报》2003 年第 1 期

论"三个代表"与社会主义现代化建设本质的一致性，邢古城，《胜利油田党校学报》2003 年第 1 期

论"三个代表"与社会主义社会劳动价值，邢亚莉，《南京社会科学》2003 年（增刊）

开创中国特色社会主义事业新局面的理论指南——论"三个代表"重要思想的历史地位，闫弘宇，《军队政工理论研究》2003 年第 5 期

论"三个代表"重要思想对执政党建设理论的重大创新，齐光文，《实事求是》2003 年第 6 期

论"三个代表"重要思想中的权力观，余章华，《毛泽东思想研究》2003 年第 2 期

论"三个代表"与农村基层党组织创新，佛见光，《学术交流》2003 年第 8 期

既与时俱进　又一脉相承——略论"三个代表"重要思想对马克思列宁主义、毛泽东思想、邓小平理论的继承和发展，冷溶，《理论前沿》2003 年第 14 期

论"三个代表"重要思想的忧患意识和责任意识，初波、王甬，《理论与实践》2003 年第 5 期

论"三个代表"在《法律基础》教学中的贯彻，吴亚娥，《安康师专学报》2003 年第 3 期

论"三个代表"对社会主义本质理论的新贡献，吴俊松，《广州广播电视大学学报》2003 年第 4 期

论"三个代表"重要思想对唯物史观的新发展，吴娟，《东南大学学报》（哲学社会科学版）2003 年第 1 期

论"三个代表"重要思想的哲学基础，吴蓁蓁，《鹭江职业大学学报》2003 年第 4 期

论"三个代表"重要思想对邓小平理论的创新，宋萌荣，《新视野》2003 年第 5 期

略论"三个代表"思想蕴涵的

辩证唯物主义及历史唯物主义思想，张卫红，《铜仁师范高等专科学校学报》2003年第4期

论"三个代表"与社会主义法的本质，张小罗、周刚志，《中南林学院学报》2003年第3期

论"三个代表"思想形成的历史必然性，张广智，《行政论坛》2003年第1期

略论"三个代表"思想的科学体系，张广智，《行政与法》2003年第12期

论"三个代表"重要思想的历史地位，张文彦，《理论学刊》2003年第5期

科学判断我党所处的历史方位——论"三个代表"实现理论创新的前提，张伟，《山西高等学校社会科学学报》2003年（增刊）

论"三个代表"重要思想与邓小平社会主义本质论的内在统一性，张守成，《青海学刊》2003年第1期

"党政兴亡"在《论"三个代表"》一书中的重要地位，张羽天，《晋中师范高等专科学校学报》2003年第1期

论"三个代表"建党思想的特色，张芝晶，《水利电力机械》2003年第1期

论"三个代表"重要思想的精神实质，张学宽，《江西公安专科学校学报》2003年第4期

信念转型：对社会主义建设中一个重要变量的考察——兼论"三个代表"与社会主义发展信念的关系，张学森，《宁夏社会科学》2003年第3期

论"三个代表"与"第一要务"，张忠良，《湖南经济》2003年第1期

略论"三个代表"重要思想与高校纪检工作的内在联系，张明，《大理学院学报》2003年第6期

论"三个代表"重要思想的人民性，张星炜，《理论与改革》2003年第4期

论"三个代表"重要思想的"中国作风和中国气派"，张显刚，《大连干部学刊》2003年第6期

论"三个代表"重要思想的理论框架，张健，《中共山西省委党校学报》2003年第4期

论"三个代表"重要思想的历史脉络，张晓民，《天中学刊》2003年第4期

论"三个代表"对我国知识产权制度建设的重大意义，张晟义、刘心鸣，《理论前沿》2003年第1期

论"三个代表"重要思想提出的社会历史条件，张爱武，《社会主义研究》2003年第4期

体现时代性　把握规律性　富于创造性——论"三个代表"重要思想的鲜明特征，张瑞枝，《广西社

会科学》2003 年第 12 期

科学判断我党所处的历史方位——论"三个代表"提出的时代背景和科学依据，张蔚萍，《红旗文稿》2003 年第 6 期

论"三个代表"在法与政策关系中的重要价值——兼论法与政策关系理论的完善，张巍、刘燕玲，《理论学刊》2003 年第 5 期

论"三个代表"与"两个基本问题"的关系，李云清，《本溪冶金高等专科学校学报》2003 年（增刊）

论"三个代表"思想与辩证发展的统一，李世仿、周代怀，《天府新论》2003 年第 3 期

论"三个代表"与我国高校党建工作的契合，李幼平，《广西青年干部学院学报》2003 年第 4 期

论"三个代表"重要思想对"三个有利于"标准的丰富和发展，李合敏、孙宛永，《山西农业大学学报》(社会科学版) 2003 年第 1 期

论"三个代表"重要思想的发展观，李向国，《广东经济管理学院学报》2003 年第 5 期

论"三个代表"的实践品格，李庆宗，《山东省青年管理干部学院学报》2003 年第 2 期

论"三个代表"重要思想与社会主义政治文明建设的关系，李延明，《平原大学学报》2003 年第 1 期

理论创新的实质是解释原则的超越——兼论"三个代表"重要思想理论创新的哲学内涵，李兵，《中共云南省委党校学报》2003 年第 5 期

论"三个代表"重要思想的实践基础，李君如，《求是》2003 年第 13 期

论"三个代表"与艰苦奋斗，李英田，《厦门特区党校学报》2003 年第 4 期

论"三个代表"与以德治国的一致性，李保清、孟宪秋，《哈尔滨市委党校学报》2003 年第 3 期

论"三个代表"对新时期高校育人工作的战略指导，李勇，《淮阴工学院学报》2003 年第 6 期

论"三个代表"重要思想蕴涵的领导文化创新，李诸平，《攀登》2003 年（增刊）

论"三个代表"的长期指导性，李康平、肖华平，《马克思主义与现实》2003 年第 6 期

论"三个代表"重要思想提出的时代背景和历史条件，李景治，《思想理论教育导刊》2003 年第 10 期

论"三个代表"重要思想对马克思主义的理论贡献，李翔海，《理论与现代化》2003 年第 4 期

论"三个代表"重要思想的时代与实践基础，李雅儒，《首都师范

大学学报》（社会科学版） 2003 年第 S2 期

真理追求与价值追求的统一——兼论"三个代表"重要思想的学理意义，杨乃初，《新疆社会科学》2003 年第 4 期

论"三个代表"重要思想蕴涵的忧患意识，杨之兴、胡宗洪、罗光旺，《求实》2003 年第 10 期

论"三个代表"与"三个文明"建设，杨之兴、黄明哲，《求实》2003 年第 1 期

论"三个代表"重要思想的理论创新，杨国斌，《新乡教育学院学报》2003 年第 4 期

论"三个代表"重要思想的先进性，杨荣德，《天水行政学院学报》2003 年第 5 期

论"三个代表"与"三个文明"的统一，杨竞业，《福州党校学报》2003 年第 3 期

论"三个代表"重要思想的理论价值，杨章钦、黄丽惠，《闽江学院学报》2003 年第 3 期

建设社会主义政治文明的基本途径——兼论"三个代表"的重要思想与民主政治，杨鹏亮、王维国，《实事求是》2003 年第 6 期

论"三个代表"与领导干部素质的培养，沈强，《新长征》2003 年第 12 期

论"三个代表"重要思想蕴含

的辩证与创新思维方法，狄国忠，《宁夏党校学报》2003 年第 4 期

论"三个代表"重要思想与党的先进性，肖建忠，《洛阳师范学院学报》2003 年第 1 期

"三个代表"重要思想与"唯成分论"的终结——论"三个代表"与保持党的工人阶级先锋队性质的一致性，肖泳冰、庄琳，《湖北社会科学》2003 年第 1 期

论"三个代表"重要思想的两个出发点和根本点，苏会芝，《信阳师范学院学报》（哲学社会科学版）2003 年第 4 期

论"三个代表"的原创性，谷明光，《求索》2003 年第 6 期

论"三个代表"思想与"三个有利于"标准的关系，陆春茂，《唐山学院学报》2003 年第 2 期

浅论"三个代表"与党的建设，陈方，《理论月刊》2003 年第 9 期

论"三个代表"对我国教育的指导作用，陈可阔、卢琪，《安徽工业大学学报》（社会科学版） 2003 年第 2 期

论"三个代表"重要思想是我党必须长期坚持的指导思想，陈甲优、段华明，《探求》2003 年第 5 期

论"三个代表"重要思想的理论体系，陈立旭，《河北学刊》2003 年第 5 期

论"三个代表"思想蕴涵的育人观，陈华林，《中国成人教育》2003 年第 7 期

马克思主义党建理论的全新境界——论"三个代表"重要思想的理论价值与实践意义，陈伯君、甘时勤，《毛泽东思想研究》2003 年第 1 期

论"三个代表"重要思想所蕴涵的三维统一的实践方法，陈和钦，《南昌大学学报》(人文社会科学版) 2003 年第 6 期

论"三个代表"重要思想与"三大规律"的关系——兼从探索"三大规律"的层面看"三个代表"重要思想的历史地位，陈尚伟，《理论与现代化》2003 年第 5 期

论"三个代表"重要思想的价值基础，陈建强，《六盘水师范高等专科学校学报》2003 年第 3 期

论"三个代表"重要思想的时代意义，陈忠萍，《西南农业大学学报》(社会科学版) 2003 年第 1 期

论"三个代表"与发展创新的内在统一性，陈适宜，《西华师范学院学报》(社会科学版) 2003 年第 4 期

论"三个代表"重要思想形成的基础，陈家付，《前沿》2003 年第 1 期

论"三个代表"重要思想对建设干部队伍的意义，陈清明、宋珽，

《宁夏大学学报》(人文社会科学版) 2003 年第 2 期

论"三个代表"重要思想与全面建设小康社会，陈跃，《中国特色社会主义研究》2003 年第 4 期

论"三个代表"重要思想与高校德育改革的整体关系，陈福生，《求索》2003 年第 6 期

论"三个代表"重要思想的理论定位，陈锡喜，《党政论坛》2003 年第 12 期

论"三个代表"重要思想的精髓，周云华，《湖南行政学院学报》2003 年第 5 期

论"三个代表"重要思想的理论品质，周发源，《求是》2003 年第 18 期

人民的利益高于一切——论"三个代表"思想的归宿，周成仓，《青海大学学报》(自然科学版) 2003 年第 1 期

中国共产党对民初政治的特殊视角及其影响——兼论"三个代表"对无产阶级进步性的新定位，周祖成，《黑龙江省社会主义学院学报》2003 年第 2 期

论"三个代表"重要思想中的历史意识，周茜蓉，《政法学刊》2003 年第 5 期

论"三个代表"重要思想的理论创新和实践创新，周荫祖，《南京社会科学》2003 年（增刊）

论"三个代表"重要思想的创立及其体系结构，周振国，《河北学刊》2003 年第 4 期

论"三个代表"重要思想之哲学意蕴，周腾蛟、权宗田，《宜宾学院学报》2003 年第 1 期

论"三个代表"与"三大规律"之关系，周镇宏，《理论前沿》2003 年第 17 期

论"三个代表"与三个文明的统一性，居继清，《黄冈师范学院学报》2003 年第 4 期

浅论"三个代表"重要思想进大学生头脑，岳培荣，《山西高等学校社会科学学报》2003 年（增刊）

论"三个代表"重要思想的理论基础，帕丽达·买买提，《乌鲁木齐成人教育学院学报》2003 年第 3 期

论"三个代表"思想内涵的哲学意蕴，庞跃辉，《理论与改革》2003 年第 1 期

与时俱进是马克思主义活的灵魂——兼论"三个代表"思想的精髓，易方，《攀登》2003 年第 1 期

论"三个代表"重要思想的与时俱进精神，林军，《山东省农业管理干部学院学报》2003 年第 3 期

论"三个代表"的哲学基础，林德发，《湖北社会科学》2003 年第 7 期

论"三个代表"是中国共产党立于不败之地的基础，罗兆祥、熊远培、王应国，《理论月刊》2003 年第 4 期

论"三个代表"与时俱进的理论品质，罗威，《广西社会科学》2003 年第 5 期

论"三个代表"重要思想的创新意义，罗威，《广西社会科学》2003 年第 7 期

论"三个代表"重要思想的理论特色，罗惠兰、李果正，《南京社会科学》2003 年（增刊）

论"三个代表"重要思想的发展观，罗朝良，《中共福建省委党校学报》2003 年第 10 期

江泽民的政治哲学思想初探——兼论"三个代表"的政治哲学蕴涵，苟志效、齐杏发，《中共杭州市委党校学报》2003 年第 5 期

论"三个代表"的政治合法性蕴涵，苟志效，《上海党史与党建》2003 年第 11 期

论"三个代表"重要思想体现的主体性意识，范季海，《理论学刊》2003 年第 5 期

论"三个代表"重要思想的理论体系及其新贡献——关于胡锦涛同志"七一"讲话的理论思考，郑又贤，《东南学术》2003 年第 5 期

简论"三个代表"的理论体系和理论创新，郑国玺，《四川行政学院学报》2003 年第 3 期

论"三个代表"重要思想同马克思列宁主义、毛泽东思想和邓小平理论一脉相承，金长城，《高等农业教育》2003年第2期

论"三个代表"重要思想对当代社会主义本质特征的丰富和发展——社会主义发展历史进程研究，青敏、凌琦、黄诚，《贵州大学学报》(社会科学版) 2003年第1期

论"三个代表"相统一的思想对马克思政治经济学的充实与发展，侯东成，《西南民族大学学报》(人文社科版) 2003年第11期

论"三个代表"重要思想对马克思主义实践观的丰富与发展，侯伦广、李学林，《毛泽东思想研究》2003年第3期

论"三个代表"重要思想与发展高等教育，侯光明，《中国党政干部论坛》2003年第11期

论"三个代表"的信仰价值，侯惠勤、方章东，《群众》2003年第5期

论"三个代表"重要思想的党性特征，侯惠勤、姜喜咏，《南京林业大学学报》(人文社会科学版) 2003年第2期

略论"三个代表"重要思想的理论创新，姚桓，《理论学刊》2003年第6期

论"三个代表"重要思想的科学内涵，姜汉斌、颜晓峰，《中国特色社会主义研究》2003年第4期

论"三个代表"思想的时代精神，姜怀忠、黄丹，《天中学刊》2003年第3期

论"三个代表"的教育学意义，施晶晖，《江西社会科学》2003年第2期

论"三个代表"在"两课"教学中的具体化，柏春林，《零陵学院学报》2003年第4期

论"三个代表"重要思想形成的历史条件，柳国庆，《绍兴文理学院学报》2003年第6期

论"三个代表"重要思想的实践主体，柳菊兴，《培训与研究》(湖北教育学院学报) 2003年第3期

论"三个代表"思想的哲学意蕴，段方乐，《德州学院学报》2003年第5期

哲学思维方式是人的存在状态的理论表达——兼论"三个代表"重要思想的哲学价值，段保君，《岭南学刊》2003年第3期

论"三个代表"思想产生的时代背景，祝莉萍，《重庆邮电学院学报》(社会科学版) 2003年第2期

论"三个代表"重要思想与"三个有利于"标准的辩证关系，禹兰，《求索》2003年第3期

论"三个代表"重要思想与"三个有利于"标准的辩证关系，胡大刚、刘峰、刘卫儒，《阿坝师范

高等专科学校学报》2003 年第 1 期

论"三个代表"是马克思主义需要理论的新发展，胡文彬，《思茅师范高等专科学校学报》2003 年第 2 期

论"三个代表"思想的渊源及其哲学基础，胡刘，《西华师范学院学报》(社会科学版) 2003 年第 2 期

论"三个代表"重要思想形成和发展的过程及其重要特征，胡安全,《株洲工学院学报》2003 年第 3 期

"知识工人阶级"的诞生：党的阶级基础先进性的体现——论"三个代表"思想对党的阶级基础理论的发展，胡俊，《党政干部论坛》2003 年第 11 期

论"三个代表"思想对马克思主义方法论的发展与创新，胡振宇、廖翠兰,《南昌高专学报》2003 年第 3 期

论"三个代表"重要思想形成的时代背景和科学依据，胡效英，《理论建设》2003 年第 6 期

论"三个代表"重要思想的体系结构，荣开明，《学习与实践》2003 年第 9 期

论"三个代表"重要思想对建设有中国特色社会主义理论的发展，荣长海、张达、黄沙，《理论与现代化》2003 年第 1 期

论"三个代表"重要思想的历

史性价值，费迅、刘勇，《华东船舶工业学院学报》(社会科学版) 2003 年第 3 期

论"三个代表"重要思想的价值特征，赵元茂，《中共青岛市委党校、青岛行政学院学报》2003 年第 6 期

论"三个代表"重要思想的特点，赵国敏，《辽宁教育行政学院学报》2003 年第 11 期

为有源头活水来——论"三个代表"重要思想与广播电视受众研究创新的关系，赵彦华，《中国广播电视学刊》2003 年第 8 期

论"三个代表"的主体、时态和空间意蕴，赵智奎，《马克思主义研究》2003 年第 4 期

艰辛探索 伟大实践——兼论"三个代表"重要思想的里程碑意义，钟兴瑜，《陕西社会主义学院学报》2003 年第 3 期

论"三个代表"重要思想与社会主义本质理论的辩证统一，钟君，《理论前沿》2003 年第 8 期

简论"三个代表"重要思想的唯物史观基础、社会历史意义和历史性内涵，倪娜，《新长征》2003 年第 8 期

论"三个代表"重要思想对马克思主义的重大发展，倪晓林，《滁州师专学报》2003 年第 4 期

论"三个代表"的"三性"，

唐中明,《湖湘论坛》2003 年第 3 期

"三个代表"重要思想：当代马克思主义的执政学说——论"三个代表"重要思想的历史定位,唐昌黎,《探索》2003 年第 4 期

论"三个代表"与高校德育工作,唐柏林,《长春工业大学学报》（高教研究版）2003 年第 4 期

论"三个代表"科学体系的三大理论特征,唐晓清、潘立魁,《中山大学学报论丛》2003 年第 6 期

论"三个代表"重要思想的科学体系,唐晓清,《中共乐山市委党校学报》2003 年第 4 期

论"三个代表"重要思想的体系结构和理论精髓,唐晓清,《延边党校学报》2003 年第 3 期

论"三个代表"重要思想的科学体系,唐晓清,《党建研究》2003 年第 6 期

论"三个代表"的理论内涵与价值底蕴,徐力、喻晓玲,《塔里木农垦大学学报》2003 年第 2 期

论"三个代表"的内涵及相互关系,徐天发,《湖北社会科学》2003 年第 8 期

浅论"三个代表"对邓小平党的领导理论的丰富和发展,徐兰,《盐城师范学院学报》（人文社会科学版）2003 年第 2 期

从"两个文明"到"三个代表"——简论"三个代表"重要思想形成的内在理论逻辑,徐荣良,《中共成都市委党校学报》2003 年第 2 期

论"三个代表"重要思想的方法论特征,徐静、游涛、董利华,《江西农业大学学报》（社会科学版）2003 年第 4 期

论"三个代表"思想与"两课"教学的关系,秦宏毅,《改革与战略》2003 年第 5 期

论"三个代表"重要思想的科学体系,秦宣,《北京教育》（高教版）2003 年第 10 期

论"三个代表"重要思想的主体、时态、实践及要旨,耿硕星,《齐齐哈尔大学学报》（哲学社会科学版）2003 年第 2 期

论"三个代表"思想和"三个有利于"标准的共性,聂彩林,《四川教育学院学报》2003 年第 S2 期

论"三个代表"思想对马克思主义党建理论的继承与发展,郭亚平,《固原师专学报》2003 年第 4 期

马克思主义中国化的第三个里程碑——论"三个代表"重要思想作为党的指导思想的重大意义,郭伟,《萍乡高等专科学校学报》2003 年第 3 期

论"三个代表"重要思想的理论特色,郭国祥,《安徽理工大学学报》（社会科学版）2003 年第 1 期

论"三个代表"重要思想与坚

持和实践党的先进性，郭忠孝，《辽宁行政学院学报》2003 年第 6 期

略论"三个代表"重要思想的价值观，钱学平、吴建华，《唯实》2003 年第 Z1 期

理论创新植根于深厚的实践沃土——论"三个代表"重要思想的实践基础，高原青青，《云南社会主义学院学报》2003 年第 4 期

略论"三个代表"与共产党人的理想信念，高燕，《胜利油田党校学报》2003 年第 2 期

目标与手段——浅论"三个代表"与"三讲"之关系，崔向华，《山东行政学院、山东省经济管理干部学院学报》2003 年第 4 期

论"三个代表"思想与"三个有利于"标准的高度统一，常素梅，《太原教育学院学报》2003 年第 1 期

论"三个代表"重要思想的时代意义，庹宗国，《党政干部论坛》2003 年第 9 期

一脉相承的科学理论体系——论"三个代表"重要思想形成的理论基础，曹阳、张冰，《军队政工理论研究》2003 年第 6 期

论"三个代表"重要思想的科学性，曹志鸿，《石家庄师范专科学校学报》2003 年第 4 期

论"三个代表"重要思想的历史地位，梁代生，《攀登》2003 年

（增刊）

与时俱进　创新发展——略论"三个代表"重要思想的科学性，符坚，《广东农工商职业技术学院学报》2003 年第 3 期

论"三个代表"思想的主体、时态、运作及要旨，鄂焕成，《江苏省社会主义学院学报》2003 年第 3 期

论"三个代表"重要思想中的危机性意识，鄂焕成，《中共云南省委党校学报》2003 年第 3 期

论"三个代表"重要思想的主体、时态、运作及要旨，鄂焕成，《大连干部学刊》2003 年第 3 期

论"三个代表"重要思想的哲学意义，黄志恒，《桂海论丛》2003 年第 3 期

论"三个代表"重要思想的认识论特征，黄凯锋、哲评，《毛泽东邓小平理论研究》2003 年第 1 期

论"三个代表"重要思想的时代价值，黄晓云，《理论月刊》2003 年第 11 期

略论"三个代表"重要思想对道德建设的指导意义，彭柏林，《党建研究》2003 年第 6 期

新世纪的指南——论"三个代表"重要思想的现实和理论意义，彭富春，《武汉大学学报》（人文科学版）2003 年第 6 期

论"三个代表"重要思想对唯

物史观的创造性运用，温习勇，《安康师专学报》2003 年第 3 期

论"三个代表"的科学性，游秋梅，《宁夏大学学报》（人文社会科学版）2003 年第 4 期

"三个代表"重要思想是新时期治党治国的伟大旗帜——论"三个代表"重要思想的辩证统一性，湛东亮，《兵团教育学院学报》2003 年第 3 期

论"三个代表"重要思想对邓小平理论的继承和发展，琚春林，《华北煤炭医学院学报》2003 年第 6 期

论"三个代表"的重要思想对学校体育工作的指导意义，程义志，《湖北体育科技》2003 年第 2 期

论"三个代表"重要思想在世界共产主义运动中的历史地位和重大意义，程玉海、林建华，《聊城大学学报》（社会科学版）2003 年第 5 期

论"三个代表"与时俱进的理论品质和理论创新，粟珍，《广西教育学院学报》2003 年第 6 期

论"三个代表"的时代价值，董小龙，《人文杂志》2003 年第 5 期

论"三个代表"思想在马克思主义党建史上的地位，董立仁，《湖北大学学报》（哲学社会科学版）2003 年第 1 期

论"三个代表"对思想政治工作的指导价值，蒋笃君、蒋桂莲，《郑州工业高等专科学校学报》2003 年第 4 期

略论"三个代表"重要思想对高校德育建设的实践意义，韩苏蓉，《中南民族大学学报》（人文社会科学版）2003 年第 6 期

论"三个代表"重要思想的时代特色，韩振峰，《北京工业大学学报》（社会科学版）2003 年第 2 期

论"三个代表"重要思想与执政党的先进性，蓝梅丽，《玉林师范学院学报》2003 年第 2 期

论"三个代表"重要思想理论创新的基本内容，詹学德，《前沿》2003 年第 4 期

论"三个代表"与执政党建设，詹斌，《攀登》2003 年第 5 期

论"三个代表"重要思想与马克思主义哲学的中国化，路淑英，《大同职业技术学院学报》2003 年第 3 期

又一个"四新归一新"——论"三个代表"重要思想是马克思主义在中国发展的最新成果，雷雯，《中共珠海市委党校珠海市行政学院学报》2003 年第 4 期

论"三个代表"重要思想与人的全面发展，熊小青，《赣南师范学院学报》2003 年第 4 期

论江泽民的"一脉相承"思想——兼论"三个代表"的历史地

位，熊宏俊,《江西行政学院学报》2003 年第 4 期

论"三个代表"与"与时俱进"，蔡永生,《贵州师范大学学报》（社会科学版）2003 年第 4 期

论"三个代表"重要思想是对马克思主义的继承和发展，蔡金发,《中共福建省委党校学报》2003 年第 9 期

论"三个代表"重要思想的科学内涵，赛买提·阿布力克木,《新疆师范大学学报》（哲学社会科学版）2003 年第 4 期

论"三个代表"重要思想与高校校园文化创新，潘志华,《学海》2003 年第 6 期

论"三个代表"重要思想对历史唯物主义的坚持和发展，戴胜华,《石家庄师范专科学校学报》2003 年第 5 期

对当代中国政党政治与社会主义民主的一些思考——兼论"三个代表"的现实意义，魏崇辉,《山东行政学院、山东省经济管理干部学院学报》2003 年第 2 期

论"三个代表"的基本价值评价与实现机制，魏崇辉,《理论月刊》2003 年第 9 期

论"三个代表"重要思想对人民内部矛盾理论的创新，瞿磊,《泰山学院学报》2003 年第 1 期

论"三个代表"重要思想的体系特征，丁俊萍,《长江大学学报》（社会科学版）2004 年第 1 期

论"三个代表"重要思想的"源"和"流"，于咏华,《郑州大学学报》（哲学社会科学版）2004 年第 2 期

论"三个代表"重重要想的理论性，于清华、刘志强、付忠文,《中共石家庄市委党校学报》2004 年第 6 期

论"三个代表"重要思想的理论和实践基础，于蓓蕾、项丽莺,《理论月刊》2004 年第 6 期

论"三个代表"重要思想的形成，马若义,《池州师专学报》2004 年第 1 期

简论"三个代表"重要思想载入宪法的重大意义，马超,《内江师范学院学报》2004 年（增刊）

论"三个代表"蕴涵的"结合"艺术，文锦菊,《湖湘论坛》2004 年第 5 期

从执政规律的高度深刻把握"三个代表"的基本内涵——论"三个代表"作为执政规律的基本特征和基本要求，牛余庆,《中共石家庄市委党校学报》2004 年第 4 期

论"三个代表"重要思想的哲学理论基础，王世超,《理论月刊》2004 年第 5 期

论"三个代表"重要思想与高校改革和发展的关系，王庆军,《中

华女子学院山东分院学报》2004 年第 3 期

论"三个代表"重要思想的理论创新，王克亚，《安阳师范学院学报》2004 年第 1 期

论"三个代表"重要思想写入宪法的意义，王克群，《福州党校学报》2004 年第 2 期

论"三个代表"与政府官员行政道德，王宝国，《行政与法》2004 年第 7 期

论"三个代表"重要思想的发展属性，王浩军，《河北省社会主义学院学报》2004 年第 2 期

论"三个代表"重要思想对马克思主义辩证思维方式的传承，王晶雄，《军队政工理论研究》2004 年第 1 期

论"三个代表"对邓小平理论的继承与发展，王皓、山林、蒋峰、冯晋，《四川教育学院学报》2004 年第 S2 期

论"三个代表"的中国立场，王鹏，《岳阳职业技术学院学报》2004 年第 2 期

论"三个代表"重要思想对社会主义本质论的深化，王鹏，《湖南行政学院学报》2004 年第 2 期

论"三个代表"重要思想的价值观，邓晓华，《中南民族大学学报》（人文社会科学版）2004 年（增刊）

新时期宪政建设的精神指南与宏观框架——论"三个代表"重要思想入宪的宪政意义，邓联繁，《社会主义研究》2004 年第 3 期

简论"三个代表"重要思想的价值理论意义，冯显德，《理论月刊》2004 年第 10 期

论"三个代表"与可持续发展，卢莉芳，《北京化工大学学报》（社会科学版）2004 年第 1 期

论"三个代表"重要思想与时俱进的理论品质，田孝金、方万军，《胜利油田党校学报》2004 年第 4 期

略论"三个代表"重要思想在高校的"三进"工作，田建国、任一峰，《内蒙古农业大学学报》（社会科学版）2004 年第 2 期

浅论"三个代表"重要思想与人的全面发展，白雪鹏，《内江师范学院学报》2004 年（增刊）

浅论"三个代表"重要思想的世界观和方法论意义，乔淑梅，《鸡西大学学报》2004 年第 6 期

论"三个代表"重要思想与信仰、信念、信任和信心教育，刘大军，《思想理论教育导刊》2004 年第 3 期

论"三个代表"对政治文明建设的指导作用，刘伟、罗海英，《沙洋师范高等专科学校学报》2004 年第 6 期

论"三个代表"与师德教育，刘光明，《零陵学院学报》2004年第8期

论"三个代表"与办公室工作创新，刘和军，《咸宁学院学报》2004年第5期

论"三个代表"重要思想的时代意义——学习胡锦涛总书记在"三个代表"理论研讨会上的讲话，刘青、李晓梅，《广东交通职业技术学院学报》2004年第3期

论"三个代表"与高校校园文化建设，刘咸卫，《煤炭高等教育》2004年第4期

论"三个代表"重要思想的本质，刘玲，《辽宁行政学院学报》2004年第5期

论"三个代表"思想对大学生人生追求的导航作用，刘景新，《江苏高教》2004年第3期

论"三个代表"的价值取向，危琦，《思想政治教育研究》2004年第3期

论"三个代表"重要思想在我国应对经济全球化中的指导意义，向宇，《毛泽东思想研究》2004年第6期

论"三个代表"重要思想向实践转化的重要环节，孙续功，《理论探索》2004年第2期

论"三个代表"对高校改革与发展的新要求，孙德彪，《北华大学学报》（社会科学版）2004年第1期

论"三个代表"重要思想的出发点和落脚点，庄琳，《理论月刊》2004年第2期

论"三个代表"与建立干部对人民负责机制，朱文兴，《理论学刊》2004年第4期

论"三个代表"重要思想的精神特征，朱平，《求实》2004年第8期

论"三个代表"重要思想与"全面建设小康社会"目标，朱必任，《中共云南省委党校学报》2004年第2期

论"三个代表"是马克思主义精义的最新表述，朱荣英，《胜利油田党校学报》2004年第2期

深化执政规律认识　体现最高价值标准——论"三个代表"重要思想的理论创新，祁志群、徐克明，《大庆高等专科学校学报》2004年第1期

论"三个代表"重要思想的基本特征，许耀桐，《国家行政学院学报》2004年第2期

论"三个代表"重要思想对高校工作的指导，邢永琴、刘晓琳，《石河子大学学报》（哲学社会科学版）2004年（增刊）

论"三个代表"思想与良法之治，何峻，《四川行政学院学报》2004年第1期

论"三个代表"与党的现代化，吴长庚，《株洲工学院学报》2004年第3期

浅论"三个代表"重要思想如何进入高校学生干部的头脑，吴杰，《内江师范学院学报》2004年（增刊）

论"三个代表"重要思想的实践品格，吴增基，《淮海工学院学报》（人文社会科学版）2004年第2期

论"三个代表"的哲学底蕴，宋思运，《彭城职业大学学报》2004年第1期

略论"三个代表"与中国特色社会主义——"三个代表"重要思想的学习心得，宋醒民，《江西财经大学学报》2004年第1期

简论"三个代表"内在的与时俱进性，张义明，《汉中师范学院学报》2004年第5期

论"三个代表"重要思想与教育创新，张小飞，《同济大学学报》（社会科学版）2004年第3期

论"三个代表"重要思想对中国特色社会主义理论的创新与发展，张广智，《理论界》2004年第6期

论"三个代表"重要思想科学体系的主要内容，张广智，《前沿》2004年第9期

论"三个代表"的人本观，张书颖、刘志明，《武警学院学报》

2004年第2期

论"三个代表"与反腐败的关系及机制创新研究，张玉林，《贵阳市委党校学报》2004年第6期

简论"三个代表"重要思想的实践特质，张立今，《巢湖学院学报》2004年第4期

论"三个代表"重要思想的理论创新特色，张伟，《青海民族研究》2004年第1期

论"三个代表"重要思想的发展观，张军果，《唯实》2004年第Z1期

论"三个代表"重要思想的实践性要求，张华庭、吴红兵、陈锋，《理论月刊》2004年第1期

论"三个代表"重要思想对"三大规律"认识的理论创新，张志申，《乌鲁木齐职业大学学报》2004年第4期

论"三个代表"重要思想与宪法修改，张俊、李长江，《理论月刊》2004年第5期

论"三个代表"重要思想理论体系的逻辑起点，张春新，《天津社会科学》2004年第6期

论"三个代表"重要思想的物质利益观，张晓华、赵尊英，《河北职业技术学院学报》2004年第1期

论"三个代表"的实践基础，张理海、徐自军，《西安政治学院学报》2004年第2期

论"三个代表"重要思想的主题，张鼎如，《莆田学院学报》2004年第2期

论"三个代表"重要思想的哲学底蕴，张新杰，《中共浙江省委党校学报》2004年第3期

论"三个代表"重要思想对共青团工作的指导，李从浩，《湖北社会科学》2004年第5期

论"三个代表"重要思想的政治伦理观，李兰芬，《岭南学刊》2004年第2期

论"三个代表"与共产党的价值取向，李发红，《和田师范专科学校学报》2004年第1期

论"三个代表"重要思想对"三个有利于"标准的丰富和发展，李合敏，《黑龙江省社会主义学院学报》2004年第1期

实践的理论如何实践？——论"三个代表"重要思想的学习问题，李安义，《思想教育研究》2004年第6期

论"三个代表"重要思想与社会主义文明建设，李志强，《西北农林科技大学学报》（社会科学版）2004年第2期

论"三个代表"重要思想对中国共产党执政规律的揭示，李凯，《学术交流》2004年第12期

论"三个代表"重要思想的精髓，李宝平，《沈阳教育学院学报》

2004年第1期

论"三个代表"与"三个文明"的内在关系，李泽华，《思想战线》2004年第1期

论"三个代表"的价值观内涵与时代特色，李俊、唐芳，《宜宾学院学报》2004年第5期

中国共产党一面新的伟大旗帜——论"三个代表"重要思想对"三大规律"认识的深化，李康平，《江西社会科学》2004年第7期

论"三个代表"重要思想与新时期的思想政治工作，李雪，《湖南行政学院学报》2004年第5期

论"三个代表"重要思想的宪法地位，李强，《理论与改革》2004年第2期

论"三个代表"的宪法意义，李湘刚，《广西社会科学》2004年第3期

保持党的先进性的长期性——论"三个代表"重要思想的"始终"，李锡儒、翁礼成，《高等农业教育》2004年第4期

论"三个代表"与"三个文明"，杜飞进，《新长征》2004年第6期

论"三个代表"的人文关怀思想，杜敏、周燕军，《杭州商学院学报》2004年第2期

论"三个代表"发展观的新特点，杨小强，《新疆师范大学学报》

（哲学社会科学版）2004 年第 1 期

论"三个代表"重要思想对马克思主义唯物史观的科学运用与发展，杨丹娜，《探求》2004 年第 1 期

论"三个代表"重要思想对马克思社会主义理论的发展，杨丹娜，《社会主义研究》2004 年第 1 期

论"三个代表"重要思想的世界历史意义，杨丽娟，《扬州大学学报》（人文社会科学版）2004 年第 2 期

论"三个代表"重要思想的思维方式，杨建毅，《甘肃理论学刊》2004 年第 1 期

论"三个代表"的本体论意蕴，杨经录，《社会科学家》2004 年第 1 期

论"三个代表"重要思想的理论特色，杨根乔，《中共合肥市委党校学报》2004 年第 1 期

论"三个代表"重要思想的伦理意蕴，杨德才，《理论与改革》2004 年第 3 期

论"三个代表"重要思想的继承发展，汪全忠，《中共合肥市委党校学报》2004 年第 4 期

略论"三个代表"重要思想的思维基础——辩证思维方式的基本原则，苏民，《福建行政学院、福建经济管理干部学院学报》2004 年第 1 期

论"三个代表"重要思想的科

学体系，苏爱萍，《理论学习》2004 年第 11 期

相同的理论实质——浅论"三个代表"重要思想是"三个有利于"标准的丰富和发展，陈永斌，《浙江传媒学院学报》2004 年第 1 期

论"三个代表"重要思想是我国当代行政思想的核心，陈石，《贵州社会科学》2004 年第 1 期

论"三个代表"与"三个文明"的辩证统一，陈仲，《党史文苑》2004 年第 4 期

论"三个代表"重要思想的国际意义，陈伟、朱桂芳、李慧星，《电子科技大学学报》（社会科学版）2004 年第 1 期

论"三个代表"重要思想的科学理论体系，陈利军，《湖南税务高等专科学校学报》2004 年第 4 期

论"三个代表"对"两个基本问题"的新突破，陈妍，《中北大学学报》（社会科学版）2004 年第 3 期

论"三个代表"与苏共丧失执政地位的教训与启示，陈承红，《湖州师范学院学报》2004 年第 3 期

论"三个代表"要求与"三个代表"重要思想的关系，陈锡喜，《思想理论教育导刊》2004 年第 4 期

论"三个代表"重要思想的政治资源意义，周圣平、徐容雅，《哈

尔滨学院学报》2004 年第 4 期

论"三个代表"重要思想与"三个为民"具体要求，周和平，《求索》2004 年第 7 期

论"三个代表"重要思想的世界性特征，周贤山，《中共石家庄市委党校学报》2004 年第 2 期

论"三个代表"对高校思想政治工作的现实指导意义，周倩，《铁道警官高等专科学校学报》2004 年第 1 期

论"三个代表"与党的先进性，季笃武，《华南热带农业大学学报》2004 年第 3 期

论"三个代表"重要思想与人的全面发展，尚红印，《桂海论丛》2004 年第 6 期

论"三个代表"重要思想在社会政治过程中的引导提升作用，岳德常，《黄河科技大学学报》2004 年第 4 期

从理论整合化的布构到实践合力论性的创新——论"三个代表"重要思想的体系原创精神，明世才，《辽东学院学报》2004 年第 S2 期

论"三个代表"重要思想的理论特征，林德发，《湖北社会科学》2004 年第 1 期

探索社会主义建设规律的三次飞跃——论"三个代表"重要思想和科学发展观形成的历史背景与现实意义，欧阳志远，《河南大学学

报》（自然科学版）2004 年第 4 期

论"三个代表"对电视文化价值观的阐释与定位，苑志强、李强，《中共石家庄市委党校学报》2004 年第 3 期

论"三个代表"重要思想对社会主义本质论的丰富和发展，范希贤、戴强，《求实》2004 年第 7 期

历史实践主体与历史价值主体的统一——论"三个代表"的人民主体思想，范明英、卢杨，《长白学刊》2004 年第 1 期

建一个好的党是建设社会主义事业的关键——《论"三个代表"思想在社会主义认识史上的地位》之二，茅生荣，《宁波大学学报》（人文科学版）2004 年第 6 期

论"三个代表"与建设社会主义政治文明，金刚，《中央社会主义学院学报》2004 年（增刊）

浅论"三个代表"重要思想的科学理论体系，侯利民，《辽宁中医学院学报》2004 年第 2 期

论"三个代表"重要思想与"三个文明"协调发展，姚正先，《湖南社会科学》2004 年第 6 期

一脉相承 与时俱进 开拓创新——论"三个代表"重要思想的历史地位，姜业福，《西藏发展论坛》2004 年第 2 期

论"三个代表"重要思想的实践内涵，姜喜咏，《前沿》2004 年第

2 期

论"三个代表"重要思想的本质在于立党为公、执政为民，祝黄河、詹建志，《社会主义研究》2004年第 1 期

论"三个代表"重要思想和邓小平理论的关系，荣开明，《长江论坛》2004 年第 1 期

论"三个代表"重要思想的发展观，荣开明，《湖北广播电视大学学报》2004 年第 1 期

论"三个代表"重要思想与党的建设现代化，贺可栋，《广西右江民族师专学报》2004 年第 1 期

论"三个代表"与全面建设小康社会时期的政治资源，贺鉴，《前沿》2004 年第 11 期

论"三个代表"与时俱进的理论品格，赵平俊、王双喜，《渭南师范学院学报》2004 年第 4 期

论"三个代表"的理论创新，赵平俊、姬文波，《山西高等学校社会科学学报》2004 年第 5 期

略论"三个代表"概念体系的基本内涵，赵先锋，《皖西学院学报》2004 年第 4 期

论"三个代表"重要思想与高校党的建设，赵福浩、王可俐，《重庆大学学报》(社会科学版) 2004 年第 6 期

论"三个代表"重要思想的本质，钟瑞琴，《白城师范学院学报》

2004 年第 2 期

论"三个代表"重要思想的创新理路，唐昌黎，《理论学刊》2004年第 6 期

论"三个代表"重要思想的历史意义，徐佩东，《唐山学院学报》2004 年第 3 期

论"三个代表"重要思想与时俱进理论品格的依据，徐强，《重庆工业高等专科学校学报》2004 年第 2 期

汪田丰，论"三个代表"与思想政治工作的关系，徐楷，《前沿》2004 年第 1 期

论"三个代表"重要思想与党政"一把手"的权力观，秦岭，《社会主义研究》2004 年第 5 期

论"三个代表"重要思想的方法论特征，耿相魁，《河南职业技术师范学院学报》2004 年第 2 期

论"三个代表"和"三个有利于"的共性，聂彩林，《毛泽东思想研究》2004 年第 6 期

论"三个代表"重要思想对邓小平政治哲学的继承和创新，袁久红，《东南大学学报》(哲学社会科学版) 2004 年第 4 期

论"三个代表"蕴含的行政伦理观，袁雅莎，《理论导刊》2004 年第 6 期

论"三个代表"重要思想与科学发展观的融合，郭松江、张瑞敏，

《武汉科技学院学报》2004 年第7 期

论"三个代表"思想的哲学时空内涵，钱进、陈勇江，《中共济南市委党校学报》2004 年第 3 期

论"三个代表"重要思想的人民性，钱莉，《辽宁工学院学报》（社会科学版）2004 年第 3 期

论"三个代表"重要思想对"三大规律"的深化和发展，高原丽，《黑龙江教育学院学报》2004 年第 4 期

论"三个代表"重要思想的三大渊源，高敏，《安徽工业大学学报》（社会科学版）2004 年第 6 期

论"三个代表"与社会主义本质的统一，屠静芬，《湖北社会科学》2004 年第 4 期

论"三个代表"重要思想与反腐倡廉，崔强，《天中学刊》2004 年第 3 期

伟大的时代　呼唤伟大的理论——论"三个代表"重要思想产生的必然性，曹均学，《四川职业技术学院学报》2004 年第 2 期

论"三个代表"内在的有机联系，梅德英、段春梅，《楚天主人》2004 年第 10 期

论"三个代表"重要思想中的"利益观"，黄代翠、余仰涛，《学习与实践》2004 年第 11 期

论"三个代表"重要思想的历

史唯物主义基础，黄宏，《求是》2004 年第 11 期

论"三个代表"之间的辩证统一关系，黄教珍、张国占，《江西科技师范学院学报》2004 年第 1 期

论"三个代表"重要思想与社会主义民主政治建设，曾昭伟，《湖北省社会主义学院学报》2004 年第 1 期

论"三个代表"重要思想的解放思想意义，程万寿，《河南师范大学学报》（哲学社会科学版）2004 年第 5 期

论"三个代表"重要思想的哲学基础，程绪彪，《池州师专学报》2004 年第 5 期

论"三个代表"与高校统战工作，舒荣江、唐闻捷，《兰州学刊》2004 年第 1 期

论"三个代表"对马克思主义的信仰重建，葛晓梅，《安徽电子信息职业技术学院学报》2004 年第 2 期

简论"三个代表"重要思想的理论主题，韩振峰，《胜利油田党校学报》2004 年第 2 期

论"三个代表"对历史唯物主义的新发展，赖恒蓉，《天府新论》2004 年第 3 期

论"三个代表"重要思想的基本特征，鄢彬华、杨莉，《党史文苑》2004 年第 8 期

论"三个代表"重要思想的政治资源意义，雷志成，《湖南税务高等专科学校学报》2004 年第 3 期

论"三个代表"重要思想的历史根据，雷国珍，《湖湘论坛》2004 年第 1 期

论"三个代表"思想与行政组织变革的动因分析，蔡小慎、贺利军，《前沿》2004 年第 1 期

论"三个代表"的政治发展意义，蔡明干、李红，《广西社会科学》2004 年第 5 期

论"三个代表"重要思想的新哲学观，潘绍龙、汪光皎，《南京政治学院学报》2004 年第 1 期

论"三个代表"重要思想的新唯物史观，潘绍龙，《中共合肥市委党校学报》2004 年第 1 期

论"三个代表"重要思想与党的执政意识，潘晓珍，《唯实》2004 年第 4 期

论"三个代表"重要思想的时空方位，操国胜，《池州师专学报》2004 年第 2 期

论"三个代表"的价值观与唯物史观的统一，薛伟江，《中南民族大学学报》（人文社会科学版）2004 年第 3 期

论"三个代表"重要思想"三进"工作的深化，霍福，《学校党建与思想教育》2004 年第 10 期

论"三个代表"关于人的全面发展观，戴慧莉，《湖北财经高等专科学校学报》2004 年第 1 期

论"三个代表"重要思想的价值观，鞠健，《江苏教育学院学报》（社会科学版）2004 年第 5 期

论"三个代表"重要思想对马克思主义群众观的创新，于昆，《黑龙江社会科学》2005 年第 5 期

论"三个代表"重要思想与中国现代化，于美玲，《辽宁教育行政学院学报》2005 年第 8 期

论"三个代表"重要思想的形成及历史地位，于淑清，《黑龙江教育学院学报》2005 年第 1 期

论"三个代表"重要思想的基本特征，云荣布扎木苏，《内蒙古农业大学学报》（社会科学版）2005 年第 1 期

论"三个代表"重要思想与马克思主义的一脉相承性，王双喜，《山西农业大学学报》（社会科学版）2005 年第 1 期

体现时代性 把握规律性 富于创造性——论"三个代表"重要思想的精神实质，王坚强，《北京石油管理干部学院学报》2005 年第 1 期

论"三个代表"重要思想在邓小平理论基础上的发展，王明初，《湖北社会科学》2005 年第 8 期

论"三个代表"思想与"社会主义本质"理论的高度统一，王姝、

刘晓波,《成都航空职业技术学院学报》2005年第1期

论"三个代表"重要思想的精神实质, 王炳林、于昆,《高校理论战线》2005年第11期

论"三个代表"重要思想产生的社会历史条件, 邓如辛,《河南师范大学学报》(哲学社会科学版) 2005年第4期

论"三个代表"与"两个先锋队", 韦玉凤,《黑龙江省社会主义学院学报》2005年第4期

论"三个代表"重要思想载入宪法的精神实质, 冯来兴、栗国旗,《九江学院学报》(社会科学版) 2005年第1期

论"三个代表"重要思想科学体系的理论基石, 石国亮,《中国青年政治学院学报》2005年第2期

论"三个代表"重要思想与政府建设, 艾医卫,《中国行政管理》2005年第6期

论"三个代表"重要思想指导下的高校学生思想政治工作, 刘光勇,《理论界》2005年第3期

论"三个代表"重要思想对党执政规律的进一步认识与发展, 刘冰,《行政与法》2005年第7期

论"三个代表"、"三个文明"与党的执政地位的合法性, 刘晓春,《党史文苑》2005年第14期

论"三个代表"的民本性, 吕卫民,《重庆交通学院学报》(社会科学版) 2005年第1期

简论"三个代表"重要思想对党的性质理论的重大发展, 孙志军,《胜利油田党校学报》2005年第2期

略论"三个代表"重要思想的哲学基础, 孙晓毛,《海南师范学院学报》(社会科学版) 2005年第5期

从"健全社会主义法制"到"依法治国"——论"三个代表"重要思想对邓小平法制理论的继承和发展, 朱力宇,《海南大学学报》(人文社会科学版) 2005年第2期

论"三个代表"重要思想对共产党执政规律的深刻揭示, 许宁,《理论前沿》2005年第2期

论"三个代表"载入宪法的精神实质, 何贵忠,《理论月刊》2005年第3期

略论"三个代表"重要思想与党的执政本质, 别永兰,《理论学刊》2005年第1期

论"三个代表"重要思想形成的历史必然性, 吴怀友,《理论月刊》2005年第10期

略论"三个代表"重要思想对邓小平社会主义本质论的继承与发展, 吴娟,《东南大学学报》(哲学社会科学版) 2005年第1期

论"三个代表"的价值观, 宋培基,《理论月刊》2005年第1期

论"三个代表"重要思想对体育文化建设的推进意义，张立和，《辽宁体育科技》2005 年第 3 期

论"三个代表"与党的思想建设，张多来、黄秋生，《湖南师范大学社会科学学报》2005 年第 6 期

论"三个代表"重要思想对共产党员先进性的启示，张秀珍，《党政干部论坛》2005 年第 11 期

论"三个代表"思想对马克思主义哲学的发展，张治中，《辽宁师专学报》（社会科学版）2005 年第 2 期

论"三个代表"重要思想的直接理论来源，张保和、熊小红，《井冈山学院学报》（社会科学版）2005 年第 4 期

论"三个代表"重要思想的主题——兼论与邓小平理论主题的联系与区别，张春新，《天津大学学报》（社会科学版）2005 年第 3 期

论"三个代表"重要思想与执政党的合法性，张健，《江西行政学院学报》2005 年第 1 期

论"三个代表"重要思想中的教育学理论意义，李长爱，《承德民族师专学报》2005 年第 4 期

科学与价值的统一——论"三个代表"的哲学基础，李彤宇，《理论研究》2005 年第 5 期

论"三个代表"重要思想的内在活力，李雅兴，《前沿》2005 年第 7 期

论"三个代表"重要思想的意蕴，杨友良，《滁州学院学报》2005 年第 4 期

论"三个代表"思想对新时期新闻宣传的指导，杨晓丽、赵铁民、周少莹，《吉林师范大学学报》（人文社会科学版）2005 年第 6 期

从道德理想到底线伦理——论"三个代表"精神实质对社会主义道德建设的指导作用，邹庆春，《改革与战略》2005 年第 1 期

论"三个代表"重要思想对科学实践观的发展，陆秋林，《金陵科技学院学报》（社会科学版）2005 年第 2 期

论"三个代表"是良法的标准，陈仲，《党史文苑》2005 年第 4 期

论"三个代表"重要思想作为国家指导思想的规范性，陈刚，《社会主义研究》2005 年第 6 期

论"三个代表"重要思想的体系特征，陈俊明，《泉州师范学院学报》2005 年第 3 期

论"三个代表"重要思想对中国特色社会主义的新发展，单晓铭，《金华职业技术学院学报》2005 年第 3 期

论"三个代表"思想指导下大学生信息素质教育，宗诚、丁子剑，《哈尔滨金融高等专科学校学报》

2005 年第 2 期

论"三个代表"思想与儒家文化，宗景才、李明、董蕾、李克军、宋家起，《山东行政学院、山东省经济管理干部学院学报》2005 年（增刊）

论"三个代表"的哲学基础，林可华，《铜仁师范高等专科学校学报》2005 年第 1 期

"三个代表"重要思想对中国特色社会主义的拆解——兼论"三个代表"重要思想与邓小平理论的关系，范秋迎，《求实》2005 年（增刊）

论"三个代表"的世界观方法论特征，郑永香，《黑龙江教育学院学报》2005 年第 2 期

论"三个代表"与党的执政能力建设的良性互动关系，金刚，《中共济南市委党校学报》2005 年第 1 期

论"三个代表"发展观的特征，姜华有，《合肥工业大学学报》（社会科学版）2005 年第 3 期

论"三个代表"重要思想对多党合作制度的影响，宫捷，《广西社会主义学院学报》2005 年第 3 期

论"三个代表"与马克思主义社会结构理论，柳德雄，《湖北民族学院学报》（哲学社会科学版）2005 年第 4 期

从社会文明结构看"三个代表"重要思想——兼论"三个代表"重要思想的内在统一，徐永赞、李克荣，《求实》2005 年第 S2 期

论"三个代表"思想对马克思主义的继承和创新，徐宏兰，《青海师范大学民族师范学院学报》2005 年第 1 期

论"三个代表"的理论思维向度，袁佩球，《成都教育学院学报》2005 年第 12 期

论"三个代表"重要思想对马克思主义政治经济学的新发展，郭跃军，《中共云南省委党校学报》2005 年第 2 期

论"三个代表"的国际战略眼光，高君，《吉林省教育学院学报》2005 年第 1 期

论"三个代表"重要思想的本质要求，黄丰平，《浙江科技学院学报》2005 年第 1 期

论"三个代表"重要思想与社会主义法治建设，黄书建，《南方论刊》2005 年第 1 期

论"三个代表"与依法治国的有机统一，游训龙，《湖南人文科技学院学报》2005 年第 1 期

论"三个代表"重要思想与世界历史发展大趋势，程卫华、顾林元，《社会主义研究》2005 年第 1 期

论"三个代表"对西部大开发的理论支持，董燕，《党史博采》（理论版）2005 年第 7 期

论"三个代表"重要思想与行政文化创新，谢如广，《胜利油田党校学报》2005年第6期

论"三个代表"与"三个有利于"的内在统一，解伟邦，《青海师专学报》2005年第S2期

论"三个代表"重要思想对历史唯物主义发展的重大贡献，鄢松超，《决策探索》2005年第7期

论"三个代表"的政治决策意义，蔡明干，《理论与当代》2005年第4期

论"三个代表"重要思想与高校统战文化的辩证关系，戴承欢，《文史博览》2005年第Z1期

论"三个代表"重要思想在马克思主义发展史上的重要地位，戴承欢，《云南财贸学院学报》（社会科学版）2005年第4期

论"三个代表"重要思想的历史地位，戴承欢，《泰州职业技术学院学报》2005年第5期

论"三个代表"与法治和德治的关系，魏薇、李海，《企业家天地》（下半月）2005年第3期

论"三个代表"与发展民主政治，王垒，《党史博采》（理论版）2006年第6期

简论"三个代表"重要思想对唯物史观的发展，王家芳，《福建论坛》（人文社会科学版）2006年第3期

论"三个代表"重要思想对政治体制改革的指导作用，王晓峰、边久民，《理论界》2006年第2期

论"三个代表"重要思想对构建和谐社会的五个重要启示，邓伟、蔡益群，《赣南师范学院学报》2006年第5期

论"三个代表"重要思想的"三观"教育功能，韦有多，《学术论坛》2006年第1期

论"三个代表"重要思想与高等教育创新，冯涌，《社科纵横》2006年第3期

论"三个代表"重要思想科学体系的历史形成，石国亮，《新视野》2006年第5期

论"三个代表"重要思想的创新，刘爱萍、仇永民，《中共银川市委党校学报》2006年第4期

简论"三个代表"重要思想的辩证特性，孙志红，《淮北职业技术学院学报》2006年第1期

论"三个代表"重要思想对历史唯物主义的创新，何广寿，《经纪人学报》2006年第3期

论"三个代表"重要思想对马克思主义党建学说的贡献，张迪，《河南教育》（高校版）2006年第4期

论"三个代表"重要思想价值观的哲学基础，张觉力，《渤海大学学报》（哲学社会科学版）2006年第

4 期

论"三个代表"重要思想在新时期统战工作中的纲领性作用，李红宾、伊绯、王二青，《河北农业大学学报》（农林教育版）2006 年第 1 期

论"三个代表"重要思想与时俱进的理论创新品格，杜军林，《世纪桥》2006 年第 5 期

论"三个代表"重要思想的理论根源及其创新发展，杨文秀，《文教资料》2006 年第 28 期

论"三个代表"重要思想的文化实力内涵，陈华、秦福富，《毛泽东思想研究》2006 年第 6 期

论"三个代表"重要思想的科学内涵和创新价值，宝胜，《渤海大学学报》（哲学社会科学版）2006 年第 1 期

论"三个代表"相统一的思想对马克思主义的新贡献，侯东成，《毛泽东思想研究》2006 年第 1 期

略论"三个代表"重要思想与邓小平理论的关系，俞志，《辽宁行政学院学报》2006 年第 10 期

浅论"三个代表"重要思想，哈丽旦·阿布都热依木，《和田师范专科学校学报》2006 年第 1 期

论"三个代表"重要思想的发展观，赵迎欢，《理论界》2006 年第 7 期

论"三个代表"重要思想对党的先进性建设理论的丰富和发展，重庆市保持共产党员先进性长效机制研究课题组、孟东方、吴大兵、余宁，《重庆邮电学院学报》（社会科学版）2006 年第 2 期

浅谈"三个代表"重要思想的继承性和创新性——兼论"三个代表"重要思想与两大历史性课题的关系，倪晓晓、李祖祥，《科教文汇》（下半月）2006 年第 12 期

论"三个代表"重要思想"三进"工作的深化，徐兰，《经济与社会发展》2006 年第 10 期

略论"三个代表"重要思想的哲学意蕴，殷云飞，《中国农业银行武汉培训学院学报》2006 年第 4 期

略论"三个代表"对"三个有利于"标准的丰富和发展，涂全中，《理论观察》2006 年第 1 期

论"三个代表"重要思想与人的全面发展，阚有林、王骥骏，《金陵科技学院学报》（社会科学版）2006 年第 2 期

论"三个代表"重要思想的先进性品格，王丽琴，《福建理论学习》2007 年第 2 期

论"三个代表"重要思想的理论价值和现实意义，何金泉，《毛泽东思想研究》2007 年第 2 期

浅论"三个代表"重要思想的方法论基础及其意义，张森年，《扬州大学学报》（人文社会科学版）

2007 年第 3 期

论"三个代表"重要思想与高校共青团建设，李开学，《六盘水师范高等专科学校学报》2007 年第 2 期

论"三个代表"的系统思维特征，李永胜，《乌鲁木齐职业大学学报》(人文社会科学版) 2007 年第 1 期

论"三个代表"重要思想的人学底蕴，迟成勇，《党史文苑》(学术版) 2007 年第 6 期

论"三个代表"重要思想对马克思主义理论的延伸和发展，孟宪平，《北方经济》2007 年 (增刊)

论"三个代表"重要思想创新的逻辑构成，罗宝成，《理论月刊》

2007 年第 4 期

略论"三个代表"思想的价值意蕴，姜雪凤、陈宪章，《科教文汇》(中旬刊) 2007 年第 6 期

论"三个代表"重要思想对恩格斯"合力论"思想的发展，赵卓煜，《理论月刊》2007 年第 2 期

再论"三个代表"和共产党执政规律的辩证关系，唐建军，《广西广播电视大学学报》2007 年第 1 期

论"三个代表"重要思想与当代大学生成才，韩丹，《商丘职业技术学院学报》2007 年第 1 期

论"三个代表"重要思想的价值及其实现，薛德合、焦存朝，《集团经济研究》2007 年第 4 期

四　研究《江泽民文选》的论文题录

深入学习《江泽民文选》和全国统战工作会议精神　切实加强我党宣传工作和党刊工作——农工党中央召开全国宣传工作暨党刊工作会议，丁灿辉，《前进论坛》2006 年第 11 期

把学习《江泽民文选》活动引向深入，刁吉海、彭成，《企业文明》2006 年第 10 期

深入学习全面用好《江泽民文选》不断开创浙江社会主义现代化建设新局面，习近平，《今日浙江》

2006 年第 23 期

践行"三个代表"重要思想树立共产党人的价值观——学习《江泽民文选》第三卷的体会，马九如，《石油政工研究》2006 年第 5 期

坚持和发展马克思主义的典范——学习《江泽民文选》的体会，中共湖北省社会科学院党组理论学习中心组，《政策》2006 年第 10 期

论江泽民同志对我党发展理论

的杰出贡献——学习《江泽民文选》的一点体会，孔陆泉，《长春市委党校学报》2006年第6期

认真学习《江泽民文选》巩固壮大新世纪新阶段统一战线，尤兰田，《中国统一战线》2006年第12期

伟大的理论指导伟大的实践——红河州学习《江泽民文选》的主要做法及经验，方红明，《阵地与熔炉》2006年第3期

抓住执政党建设的关键 推进党建新的伟大工程——学习《江泽民文选》的体会，牛君，《厦门特区党校学报》2006年第5期

认真学习《江泽民文选》不断加强民建会的思想建设，王少阶，《湖北省社会主义学院学报》2006年第6期

与时俱进、开拓创新：《江泽民文选》中展示的深刻主题，王世谊，《扬州大学学报》(人文社会科学版)2006年第6期

简论《江泽民文选》中的党建思想，王世谊，《探索》2006年第6期

落脚点是指导社会主义实践——《江泽民文选》座谈会综述，王永磊，《马克思主义研究》2006年第12期

在以正确舆论引导人方面发挥重要作用——学习《江泽民文选》关于新闻工作论述的体会，王立松，《临沧教育学院学报》2006年第4期

认真学习《江泽民文选》开创全院工作新局面，王光荣，《湖南林业科技》2006年第6期

马克思主义教育理论在中国发展的最新成果——深入学习《江泽民文选》关于教育的重要论述，王向明，《求是》2006年第9期

《江泽民文选》：对马克思主义的新贡献，王克群，《南方论刊》2006年第9期

顺应时代发展 不断改革创新 推动人口和计划生育事业健康持续发展——学习《江泽民文选》的几点体会，王国强，《人口与计划生育》2006年第11期

弘扬民族精神 塑造时代精神——学习《江泽民文选》的一点认识，王保畬，《武汉学刊》2006年第5期

社科理论界要当好学习《江泽民文选》的先行者，王爱国，《阵地与熔炉》2006年第3期

《江泽民文选》是推进社会主义政治文明建设的范本，王璐，《山西财经大学学报》2006年第2期

加强和改进党的思想政治工作——学习《江泽民文选》的体会，王璐，《当代经理人》(中旬刊)2006年第21期

《江泽民文选》与马克思主义中国化，韦日平，《广西大学学报》（哲学社会科学版）2006年第6期

"哪一化也离不开信息化"——学习《江泽民文选》关于信息化建设系列论述，冯仿娅，《广东党史》2006年第6期

顺应时代要求 把握发展规律——学习《江泽民文选》的体会，包心鉴、刘相，《理论学习》2006年第12期

顺应时代要求 把握发展规律——学习《江泽民文选》，包心鉴，《中共青岛市委党校、青岛行政学院学报》2006年第4期

认真学习《江泽民文选》不断提高政协履行职能水平，叶家松，《政协天地》2006年第10期

学习《江泽民文选》与加强组织部门自身建设相结合，司祝建，《党政干部文摘》2006年第10期

论《江泽民文选》的民族精神和时代精神，四川省邓小平理论研究中心，《四川行政学院学报》2006年第5期

学习《江泽民文选》搞好行政管理，邵景均，《中国行政管理》2006年第9期

认真学习全面领会《江泽民文选》，本刊编辑部，《西藏发展论坛》2006年第6期

认真学好用好《江泽民文选》，本刊编辑部，《石油化工管理干部学院学报》2006年第3期

全面深入学习《江泽民文选》推进干部教育事业科学发展，本刊编辑部，《蚌埠党校学报》2006年第3期

学习《江泽民文选》贯彻"三个代表"重要思想，本刊编辑部，《实事求是》2006年第5期

学习《江泽民文选》必须做到"三个结合"，本刊编辑部，《兵团党校学报》2006年第5期

学习《江泽民文选》应注重把握好三个维度，本刊编辑部，《领导之友》2006年第5期

贯彻落实科学发展观 建设繁荣富裕和谐的新疆——学习《江泽民文选》中的相关内容、胡锦涛总书记考察新疆的重要讲话、十六届六中全会精神、自治区党的第七次代表大会的综述，本刊编辑部，《中共乌鲁木齐市委党校学报》2006年第4期

以德治国与"官德"修养——学习《江泽民文选》的体现，申宝凤，《石油政工研究》2006年第6期

"三个代表"重要思想：贯穿《江泽民文选》的一条红线，白立强，《南方论刊》2006年第10期

用"三个代表"重要思想指导金融工作——学习《江泽民文选》心得体会，白克荣，《甘肃金融》

2006 年第 12 期

"学以致用 用有所成"——谈《江泽民文选》的实践特征，石媛，《山西社会主义学院学报》2006 年第 3 期

迅速兴起学习《江泽民文选》的热潮，边言，《云南支部生活》2006 年第 10 期

学习《江泽民文选》的重大现实意义，龙凤英、路荣荣，《中共石家庄市委党校学报》2006 年第 12 期

中国共产党人的理论创新之路——学习《江泽民文选》的体会，乔翔，《学习与实践》2007 年第 2 期

《江泽民文选》的思想特点，任大立，《湖北社会科学》2006 年第 11 期

认真学习《江泽民文选》进一步推进反腐倡廉工作，伍祖文，《中国监察》2006 年第 19 期

学习《江泽民文选》发展马克思主义，伦书、海达，《当代广西》2006 年第 18 期

从更开阔的视野深刻理解和全面把握"三个代表"重要思想——学习《江泽民文选》，全春，《探索》2006 年第 6 期

围绕主题 抓住关键 把握精髓 把学习《江泽民文选》引向深入，刘云山，《党建》2006 年第 11 期

掌握基本观点 把握理论体系 践行反腐倡廉——学习《江泽民文选》反腐倡廉理论体会，刘文柱、黄耀利，《政工学刊》2006 年第 12 期

把握《江泽民文选》灵魂 以创新求内涵促发展，刘伦，《重庆交通学院学报》（社会科学版）2006 年第 4 期

全国统一战线各界人士学习《江泽民文选》座谈会召开，刘若瑟，《中国天主教》2006 年第 5 期

社会主义民主政治的优势和人民政治利益的实现——学习《江泽民文选》中社会主义民主思想，刘诚，《毛泽东邓小平理论研究》2006 年第 8 期

《江泽民文选》与中国共产党的伟大理论创新，刘焕明，《江南大学学报》（人文社会科学版）2006 年第 6 期

《江泽民文选》是学习"三个代表"重要思想的最好教材，刘雪颖，《探索》2006 年第 5 期

治党治国必须重视对历史的学习——《江泽民文选》中关于历史学习重要性的思想述评，刘雄、陈瑞泉，《理论研究》2006 年第 6 期

学习《江泽民文选》必须把握三个重点，匡胜，《中国井冈山干部学院学报》2006 年第 3 期

学好用好《江泽民文选》的重大意义和现实要求，孙学玉、蒋宏宾、王建润，《群众》2006年第9期

与时俱进的理论创新——学习《江泽民文选》的一点体会，孙桂琴，《阵地与熔炉》2006年第4期

党的干部队伍建设理论的新飞跃——学习《江泽民文选》关于干部队伍建设思想的体会，孙铁民，《党政干部论坛》2006年第11期

学习《江泽民文选》，用发展的马克思主义指导新实践，安梅，《阵地与熔炉》2006年第3期

《江泽民文选》中的特区建设思想，朱华友，《今日海南》2006年第11期

解放思想、实事求是、与时俱进，是"三个代表"重要思想活的灵魂——学习胡锦涛《在学习〈江泽民文选〉报告会上的讲话》，朱海峰，《毛泽东邓小平理论研究》2006年第10期

浅谈领导干部学习能力的培养——学习《江泽民文选》的一点体会，江玉安，《湖北经济学院学报》(人文社会科学版)2006年第11期

学习《江泽民文选》加强机关党的建设，祁兵，《党史天地》2007年第4期

淮南分行组织党员认真学习《江泽民文选》，臣巨，《安徽农村金融》2006年第10期

引导经济特区健康发展的指针——《江泽民文选》学习体会，许经勇，《厦门特区党校学报》2006年第5期

江泽民对家庭承包制理论的丰富与发展——《江泽民文选》的学习体会，许经勇，《福建理论学习》2006年第10期

认真学习《江泽民文选》努力开创科研合作的新局面，许耀桐，《山东行政学院、山东省经济管理干部学院学报》2006年第6期

必须牢牢把握建设中国特色社会主义的主题——学习《江泽民文选》的体会，阳国亮，《广西大学学报》(哲学社会科学版)2006年第6期

感悟于《科学对待马克思主义》——学习《江泽民文选》体会，何家银，《重庆城市管理职业学院学报》2006年第4期

马克思主义中国化新的重大理论成果——谈谈深入学习研究《江泽民文选》，余英杰，《武汉建设》2006年第3期

科学对待马克思主义的典范——学习《江泽民文选》的一点体会，余品华，《江西社会科学》2006年第9期

加强和改进领导干部作风建设的思考——学习《江泽民文选》体

会，余晓林，《黔东南民族职业技术学院学报》2007 年第 1 期

党代表着先进文化的前进方向——《江泽民文选》学习体会，吴冰，《福州党校学报》2006 年第 5 期

学习《江泽民文选》要抓住三个切入点，吴波，《今日海南》2006 年第 9 期

高瞻远瞩、高屋建瓴——学习《江泽民文选》对国际形势分析的体会，吴恩远，《社会科学管理与评论》2006 年第 4 期

加强社会治安综合治理　促进社会稳定和谐——学习《江泽民文选》第三卷《切实加强社会治安工作》的体会，吴敏，《开放潮》2006 年第 4 期

《江泽民文选》十大创新用语，宋福范，《学习月刊》2006 年第 18 期

指导中国共产党执政的强大思想武器——学习《江泽民文选》，宋福范，《求是》2006 年第 19 期

马克思主义理论品质的集中体现——学习《江泽民文选》的体会，张月泉，《桂海论丛》2006 年第 6 期

江泽民同志论培养选拔年轻干部——学习《江泽民文选》的体会，张世飞，《党建研究》2006 年第 12 期

认真学习《江泽民文选》做好新时期纪检监察干部队伍建设，张古江，《河北科技大学学报》（社会科学版）2006 年第 4 期

国防建设、经济建设协调发展与科学发展观——《江泽民文选》学习体会，张生荣，《基层后勤研究》2006 年第 4 期

中国先进文化命题的形成阶段与基本特征——读《江泽民文选》有关学习体会，张丽萍，《中共山西省委党校省直分校学报》2006 年第 6 期

浅谈《江泽民文选》回答的两大基本问题，张学悦，《党史博采》（理论版）2007 年第 7 期

关于江泽民同志的执政党建设思想——学习《江泽民文选》的体会，张欣，《中共石家庄市委党校学报》2006 年第 12 期

论江泽民同志对马克思主义中国化作出的历史性贡献——学习《江泽民文选》的若干体会，张贺福，《马克思主义研究》2006 年第 10 期

领导干部一定要讲学习、讲政治、讲正气——学习《江泽民文选》，重温江泽民"三讲"重要思想，张峻峰，《江苏省社会主义学院学报》2006 年第 5 期

认真学习《江泽民文选》，张维庆，《人口与计划生育》2006 年第

10 期

深入学习《江泽民文选》推进铁路跨越式发展，张琳文，《理论学习与探索》2006 年第 5 期

宣传思想工作是软指标硬功夫——学习《江泽民文选》心得体会，张殿新，《当代贵州》2006 年第 17 期

认真学习《江泽民文选》忠诚实践"三个代表"，张慧，《前进》2006 年第 10 期

全面把握《江泽民文选》的丰富内容和基本观点切实抓好《江泽民文选》进课堂工作，李小三，《中国井冈山干部学院学报》2006 年第 3 期

学习江泽民文化建设思想　大力发展社会主义文化——学习《江泽民文选》的体会，李书群、黄利平，《兵团党校学报》2006 年第 5 期

在全省离退休干部中掀起学习《江泽民文选》的热潮，李仁和，《山西老年》2006 年第 10 期

把握理论精髓　坚持学以致用——以学习《江泽民文选》为契机，全面推进学校党的建设和教育事业的发展，李水弟，《南昌工程学院学报》2006 年第 4 期

最好的教材——学习《江泽民文选》的体会，李乐刚，《政策》2006 年第 12 期

重视人才　首倡创新——学习《江泽民文选》心得，李伟，《共产党人》2006 年第 21 期

《江泽民文选》：创立"三个代表"重要思想历史过程的生动记录，李君如，《中国特色社会主义研究》2006 年第 6 期

学习《江泽民文选》的现实意义，李君如，《毛泽东邓小平理论研究》2006 年第 10 期

以学习《江泽民文选》为动力助推政协各项工作跨越新台阶，李宏英，《乡音》2006 年第 10 期

中国二十一世纪上半叶的国家战略——《江泽民文选》主旨研究，李志峰、杨小英，《广西党史》2006 年第 22 期

与时俱进：《江泽民文选》的理论精髓，李宝艳、郑逸芳，《华中农业大学学报》（社会科学版）2006 年第 6 期

紧紧抓住中国特色社会主义的主题——学习《江泽民文选》，李忠杰，《理论前沿》2006 年第 19 期

不断创新与时俱进的发展道路——学习《江泽民文选》体会，李英仙，《新东方》2006 年第 11 期

走一条适合民族地区发展的新路——学习《江泽民文选》的几点认识，李金英，《共产党人》2006 年第 23 期

如何增强党的基层组织的凝聚力、战斗力、创造力——学习《江

泽民文选》关于党的基层组织建设的论述，李俊伟，《兵团党校学报》2006年第6期

《江泽民文选》对马克思主义哲学的主要贡献，李勇，《延边党校学报》2006年第4期

《江泽民文选》对党的思想路线的阐述与发展，李恒瑞，《探求》2006年第6期

《江泽民文选》丰富和拓展了党的思想路线，李珂，《今日海南》2006年第11期

重温江泽民调查研究思想——学习《江泽民文选》的一点体会，李衍增，《中共太原市委党校学报》2006年第5期

构建和谐社会　维护社会稳定——学习《江泽民文选》的几点体会，李顺桃，《共产党人》2006年第21期

理论创新是党的事业前进的重要保证——学习《江泽民文选》体会，李海洋，《河北经贸大学学报》（综合版）2006年第4期

科学社会主义理论的新发展——学习《江泽民文选》的一点认识，李爱华，《阵地与熔炉》2006年第3期

认真学习《江泽民文选》推进高校和谐校园建设，李斌雄，《学校党建与思想教育》2006年第10期

学习《江泽民文选》的"一、二、三"，李颖，《中共石家庄市委党校学报》2006年第10期

认真学习《江泽民文选》切实提高公务员的素质和能力，李膺，《甘肃行政学院学报》2006年第4期

学好用好《江泽民文选》是党的思想政治建设和党员干部理论学习培训的重要任务，杨永茂，《理论导刊》2006年第10期

机关和谐　重在行动——学习《江泽民文选》心得，杨汝鉴，《云南档案》2006年第6期

把科学理论成果转化为红河经济发展的强大精神力量——《江泽民文选》学习体会，杨丽云，《阵地与熔炉》2006年第4期

《江泽民文选》：马克思主义中国化的重大理论成果，杨松，《党政干部论坛》2006年第10期

深入学习《江泽民文选》扎实推进现代化都市文化休闲区的建设——中共崇文区委理论学习中心组学习实录，杨宾，《前线》2006年第10期

深入学习《江泽民文选》促进核工业又快又好又安全地发展——学习《江泽民文选》笔记，汪兆富，《中国核工业》2006年第12期

中国统一战线史上的第三次理论飞跃——学习《江泽民文选》的体会，沈殿忠，《前进论坛》2006年

第 11 期

深化"三个代表"重要思想理论意义和实践价值的认识——学习《江泽民文选》的体会，纳麒，《云南社会科学》2006 年第 6 期

学习《江泽民文选》实践"三个代表"重要思想，苏皖，《理论学习与探索》2006 年第 5 期

深入学习贯彻"三个代表"重要思想的最好教材——论学习《江泽民文选》的重大现实意义，迟克举，《党政干部学刊》2006 年第 11 期

《江泽民文选》第三卷《党的作风是党的形象》学习有感，邱家政，《广西烟草》2006 年第 4 期

学校要认真做好《江泽民文选》学习工作，陈文俊，《云南教育》(视界时政版) 2006 年第 12 期

中国共产党的经济理论创新——学习《江泽民文选》体会，陈平祥，《四川省社会主义学院学报》2006 年第 4 期

共同的思想基础——学习《江泽民文选》笔谈，陈永霞，《共产党人》2006 年第 24 期

和谐社会领导观与增强民族凝聚力——学习《江泽民文选》的几点认识，陈伟，《探求》2006 年第 6 期

认真学习《江泽民文选》全面提高行政管理能力，陈庆修，《中共珠海市委党校、珠海市行政学院学报》2006 年第 6 期

让年轻干部在实践锻炼中健康成长——学习《江泽民文选》心得体会，陈国勇，《党员干部之友》2006 年第 12 期

认真学习《江泽民文选》深入推进惩防体系建设，陈松根，《浙江国土资源》2006 年第 10 期

中国井冈山干部学院举办"第二期高校中青年干部培训班"学习《江泽民文选》座谈会，陈胜华，《中国井冈山干部学院学报》2006 年第 3 期

有力的思想武器　科学的行动指南——读《江泽民文选》有感，陈茵，《中共珠海市委党校、珠海市行政学院学报》2006 年第 6 期

马克思主义中国化新的重大成果——《江泽民文选》导读，陈祥骥，《宁夏党校学报》2006 年第 5 期

学习《江泽民文选》的重大现实意义，陈德金，《云南支部生活》2006 年第 11 期

依靠创新推动发展——学习《江泽民文选》的实践与思考，《当代广西》2006 年第 21 期

认真学习《江泽民文选》，周世平，《中国石油石化》2006 年第 19 期

顺应时代要求　把握发展规律——学习《江泽民文选》的几点

体会，包心鉴，《山东农业大学学报》（社会科学版）2006 年第 3 期

先进文化思想的重要旗帜——学习《江泽民文选》体会，周宜开，《湖北省社会主义学院学报》2006 年第 6 期

论"三个代表"重要思想的体系及系统结构——《学习江泽民文选》的体会，周荫祖，《中共南京市委党校、南京市行政学院学报》2006 年第 5 期

《江泽民文选》中的金融思想，周清玉，《农村金融研究》2006 年第 12 期

实践、时代和历史主动性——《江泽民文选》所展示的理性品格，周毅之，《江苏行政学院学报》2006 年第 6 期

建设中国特色社会主义的独特性理论研究——学习《江泽民文选》体会札记，季建林，《江海纵横》2006 年第 5 期

中国社会主义政治文明建设的基本道路——学习《江泽民文选》的体会，林尚立，《求是》2006 年第 19 期

学习《江泽民文选》深刻把握中国的发展战略，林尚立，《学习月刊》2006 年第 18 期

增强抓好发展的自觉性坚定性——学习《江泽民文选》的体会，罗殿龙，《当代广西》2006 年第 22 期

试论江泽民的创新观——《江泽民文选》初读，范前锋、殷德龙，《江苏省社会主义学院学报》2006 年第 6 期

江泽民现代思想政治工作实践理论的创新——学习《江泽民文选》的体会，范碧鸿、王承就，《广西大学学报》（哲学社会科学版）2006 年第 6 期

牢牢把握解放思想、实事求是、与时俱进这个活的灵魂——学习《江泽民文选》的体会，郑镇，《福州党校学报》2006 年第 5 期

推进党的建设新的伟大工程的可靠保证——学习《江泽民文选》的几点体会，侯小亮，《中共银川市委党校学报》2006 年第 5 期

打牢基础　永远保持党同人民的血肉联系——学习《江泽民文选》体会，侯俊生，《先锋队》2006 年第 19 期

江泽民的青年观——学习《江泽民文选》的体会，侯静，《中共云南省委党校学报》2006 年第 5 期

新的战略转移——学习《江泽民文选》的一点体会，俞善龙，《科技成果纵横》2006 年第 6 期

论当代中国民主政治建设的新思路——学习《江泽民文选》关于中国特色民主政治建设的若干重要论述，姜迎春，《中共南京市委党校、

南京市行政学院学报》2006 年第 6 期

要求认真学习《江泽民文选》加强领导班子思想政治建设，姜斯宪，《企业与文化》2006 年第 5 期

论"人民公仆"理论的历史由来和基本要求——对《江泽民文选》中"公仆意识"的政治学解读，柳成焱，《云南行政学院学报》2006 年第 6 期

深刻理解《江泽民文选》的重大意义，洪永成，《湖北省社会主义学院学报》2006 年第 6 期

研究马克思列宁主义应着眼于新的实践和新的发展——学习《江泽民文选》中《理论工作要面向实际》等篇目，胡为雄，《毛泽东邓小平理论研究》2006 年第 10 期

论信用文化建设在构建和谐银企关系中的作用——学习《江泽民文选》的体会，胡伟，《扬州大学税务学院学报》2006 年第 4 期

学习《江泽民文选》的现实意义，胡敏生，《党政干部论坛》2006 年第 11 期

学习《江泽民文选》关于"三农"问题的体会，赵小湖，《蚕桑茶叶通讯》2006 年第 4 期

坚持科学的马克思主义观——学习《江泽民文选》，赵存生，《求是》2006 年第 20 期

运用马克思主义科学方法的光

辉典范——学习《江泽民文选》的体会，赵春营，《中共南宁市委党校学报》2006 年第 6 期

新世纪新阶段加强和改进党的建设的强大思想武器——学习《江泽民文选》的几点体会，赵洪祝，《党建研究》2006 年第 10 期

认真学习《江泽民文选》促进新农村建设，赵根军，《乡音》2006 年第 10 期

当代中国马克思主义民族理论的发展与实践——学习《江泽民文选》关于民族工作的论述，郝时远、王希恩、周竞红、陈建樾，《民族研究》2006 年第 6 期

以马克思主义的科学态度学习《江泽民文选》，钟玉海、权怡，《合肥工业大学学报》（社会科学版）2006 年第 6 期

论《江泽民文选》的重大意义，钟言、闻实，《求是》2006 年第 16 期

按照"三个代表"重要思想扎实推进党的建设新的伟大工程——学习《江泽民文选》关于加强党的建设重要论述的体会，钟怡祖，《求是》2006 年第 21 期

联系实际学习和掌握江泽民同志的改革观——学习《江泽民文选》的体会，钟怡祖，《党建研究》2006 年第 11 期

全面推进国有企业的改革与发

展——学习《江泽民文选》和江泽民《论社会主义市场经济》，项启源，《红旗文稿》2006 年第 21 期

在深化改革中壮大国有经济——学习《江泽民文选》的一点体会，项启源，《马克思主义研究》2006 年第 12 期

以创新精神统领教育思想　全面提高高等教育质量——学习《江泽民文选》心得体会，唐立山、李万波，《长春工业大学学报》（高教研究版）2006 年第 4 期

运用《江泽民文选》科学理论推动业务工作的深入开展，宾能雄，《广西烟草》2006 年第 5 期

论《江泽民文选》的理论价值，徐万珉，《中共青岛市委党校、青岛行政学院学报》2006 年第 4 期

《江泽民文选》是理论创新的又一标志性成果，徐璞英、蓝蔚青，《资料通讯》2006 年第 10 期

《江泽民文选》在新疆隆重发行，晓鸽，《新疆新闻出版》2006 年第 5 期

执政党建设理论的历史传承与时代超越——《江泽民文选》对全面推进党的建设新的伟大工程的理论贡献，桑学成、周延胜，《唯实》2006 年第 10 期

"三个代表"重要思想的孕育、形成和发展——学习《江泽民文选》的体会，郭杰忠，《江西社会科

学》2006 年第 9 期

求真　求新　求实　求深——学习《江泽民文选》感言，顾海良，《中国高等教育》2006 年第 20 期

创新发展思路　加快延边经济的健康发展—　学习《江泽民文选》经济建设思想体会，崔美瑛，《新东方》2006 年第 9 期

《江泽民文选》的理论创新有哪些，崔常发、徐明善、方永刚，《当代广西》2006 年第 20 期

谱写统一战线理论创新发展的新篇章——学习《江泽民文选》统一战线理论的点滴体会，崔德富、曾昭平，《铜仁地委党校学报》2006 年第 6 期

牢牢把握活的灵魂　又快又好发展海门——学习《江泽民文选》关于深化党的思想路线的认识与思考，曹斌，《江海纵横》2006 年第 6 期

谱写党的军事指导理论创新发展的新篇章——学习《江泽民文选》关于国防和军队建设的重要论述，章传家、颜晓峰、孙伟，《求是》2006 年第 18 期

马克思主义中国化的重大理论成果——学习《江泽民文选》的体会，黄中平，《党建》2006 年第 9 期

繁荣发展中国特色的哲学社会科学——学习《江泽民文选》的体

会，黄传新、李涛，《求是》2006 年第 22 期

加强国防和军队建设的根本指针——学习《江泽民文选》关于新时期国防与军队建设的体会，黄宏、刘熙武，《天津行政学院学报》2006 年第 4 期

学通弄懂　学以致用——学习《江泽民文选》的一点方法论体会，黄远固，《探索》2006 年第 5 期

努力建设具有中国特色、中国风格、中国气派的哲学社会科学——学习《江泽民文选》关于哲学社会科学工作的论述，黄浩涛，《社会科学管理与评论》2006 年第 4 期

增强执政为民意识　提高执政为民本领——学习《江泽民文选》的几点体会，黄德康，《今日浙江》2006 年第 24 期

爱国爱教　团结进步　努力为构建和谐社会发挥积极作用——学习《江泽民文选》的体会，傅铁山，《中国天主教》2006 年第 5 期

重温农民三个"最"——读《江泽民文选》兼点评最近几宗涉农事，储瑞耕，《中共石家庄市委党校学报》2006 年第 9 期

深入学习《江泽民文选》扎实推进首都反腐倡廉工作，强卫，《前线》2006 年第 10 期

学习《江泽民文选》推进科学

发展观，彭亮，《中学政史地》2006 年第 10 期

《江泽民文选》是马克思主义中国化的新成果，景京，《大同职业技术学院学报》2006 年第 4 期

学习《江泽民文选》积极发展集体经济，曾牧野，《中国集体经济》2006 年第 10 期

对依法治国与政治文明的辩证思考——学习《江泽民文选》有感，游训龙，《湖南人文科技学院学报》2006 年第 5 期

在改革中巩固和加强社会主义经济基础——学习《江泽民文选》的一点体会，程恩富，《社会科学管理与评论》2006 年第 4 期

新时期思想政治教育的指针——学习《江泽民文选》中关于思想政治教育的论述，程样国、陈世润，《求实》2006 年第 12 期

学习《江泽民文选》要认真做到"五个必须"，蒋于彪，《中共桂林市委党校学报》2006 年第 4 期

"毫不动摇"地推动集体经济健康发展——广州集体经济研究会学习《江泽民文选》座谈会侧记，集宣，《中国集体经济》2006 年第 12 期

马克思主义中国化的重大理论成果——学习《江泽民文选》的体会，韩振峰，《天津行政学院学报》2006 年第 4 期

重大的理论创新 科学的行动指南——《江泽民文选》的理论与实践意义，路云辉，《特区实践与理论》2006年第5期

自治区建设厅举办学习十六届六中全会精神及《江泽民文选》辅导讲座，雷靖，《广西城镇建设》2006年第12期

认真学习《江泽民文选》努力提高公司党建工作的层次和水平，廖泽龙，《云南电业》2006年第10期

试论江泽民的经济全球化思想——学习《江泽民文选》的一点体会，樊一发、郝士宏，《大同职业技术学院学报》2006年第4期

西南铝践行"三个代表"重要思想的强企之路——学习《江泽民文选》体会，樊代兴，《企业文明》2006年第10期

以求真务实的精神学习领会《江泽民文选》，薛鑫良，《中共珠海市委党校、珠海市行政学院学报》2006年第5期

社会主义文化建设的光辉旗帜——学习《江泽民文选》关于"先进文化建设"思想的几点体会，戴木才、洪波，《政工研究动态》2006年第17期

学好用好《江泽民文选》推动经济社会协调发展，魏宏广，《中共珠海市委党校、珠海市行政学院学报》2006年第5期

从党史角度重温"三个代表"——学习《江泽民文选》有感，尹茂祥，《济宁师范专科学校学报》2007年第1期

紧紧抓住党的建设这个关键——学习领会《江泽民文选》中的党建思想，王大力，《共产党人》2007年第2期

科学地回答社会主义若干重大问题——学习《江泽民文选》的一点体会，王长平，《长白学刊》2007年第3期

论江泽民理论创新的重大意义——学习《江泽民文选》的几点体会，王官明，《学习月刊》2007年第2期

认真学习《江泽民文选》确保学习取得实实在在的成效，王贤玖，《党史天地》2007年第1期

群众路线是党的作风建设的核心——学习《江泽民文选》的心得体会，王春燕，《共产党人》2007年第3期

以《江泽民文选》为指导创新高等医药院校思想政治教育，王海霞、曲丽红，《中国科教创新导刊》2007年第7期

理论的成熟是政治上成熟的基础——学习《江泽民文选》的一点体会，司马义·尼牙孜，《乌鲁木齐成人教育学院学报》2007年第1期

深入学习《江泽民文选》的重要意义——访中共河南省委书记徐光春，刘炳香，《中国党政干部论坛》2007年第4期

进一步完善我国收入分配制度更加注重社会公平——学习《江泽民文选》的体会，刘晓竹，《贵阳市委党校学报》2007年第3期

深入理解和把握《江泽民文选》的精髓，刘道福、端木婕，《中共石家庄市委党校学报》2007年第1期

加强新疆各民族团结　坚决维护祖国统一——学习《江泽民文选》关于新疆问题论述的心得体会，吉力力·阿不都热依木，《巴音职教》2007年第2期

江泽民制度创新思想探析——学习《江泽民文选》的体会，孙发锋、郑培军，《学术论坛》2007年第1期

关系党生死存亡的根本政治问题——学习《江泽民文选》中党群关系的体会，孙志芳、王一鸣，《胜利油田党校学报》2007年第3期

认真贯彻"三个代表"更好地"为人民服务"——学习《江泽民文选》的体会，成善一，《中国煤炭工业》2007年第1期

江泽民可持续发展观的政治生态学分析——读《江泽民文选》有感，何可能，《遵义师范学院学报》2007年第1期

科学对待马克思主义——学习《江泽民文选》的几点启示，何家银，《中共珠海市委党校、珠海市行政学院学报》2007年第2期

江泽民宗教观述论——学习《江泽民文选》中《论宗教》等篇目，余翔，《广东省社会主义学院学报》2007年第3期

用发展着的马思主义指导新的实践——省委举行《江泽民文选》专题学习会综述，吴红霞，《今日浙江》2007年第10期

完整准确地把握党的第三代中央领导集体的执政思想——学习《江泽民文选》，宋福范，《山东师范大学学报》（人文社会科学版）2007年第1期

学习《江泽民文选》三题，张丽、李天华，《泰山乡镇企业职工大学学报》2007年第2期

坚持党的领导　人民当家作主依法治国的有机统一　不断推进中国特色社会主义民主政治建设——学习《江泽民文选》有关民主政治建设方面论述的体会，张玲，《天津市社会主义学院学报》2007年第1期

深刻领会和把握《江泽民文选》的精髓，张淑莉，《湖南农机》2007年第5期

学习《江泽民文选》应把握的

几个要素，张斌，《学校党建与思想教育》2007 年第 1 期

论学习《江泽民文选》，张蔚萍，《江南社会学院学报》2007 年第 1 期

推动学习《江泽民文选》和学习贯彻"三个代表"重要思想继续向深度和广度发展，李长春，《求是》2007 年第 6 期

人的发展理论的里程碑——学习《江泽民文选》的一点理论启示，李本松，《商丘职业技术学院学报》2007 年第 3 期

人的发展理论的里程碑——学习《江泽民文选》的体会，李本松，《中共珠海市委党校、珠海市行政学院学报》2007 年第 2 期

试论江泽民的青年观——学习《江泽民文选》的体会，李同果，《经济与社会发展》2007 年第 5 期

深入学习《江泽民文选》的现实意义，李君如，《前线》2007 年第 3 期

赋予思想政治工作与时俱进的品质——学习《江泽民文选》关于思想政治工作重要论述的体会，李俊伟，《思想政治工作研究》2007 年第 2 期

进一步深化对坚持农村基本经营制度不动摇的认识——学习《江泽民文选》的体会，李洪波，《农村经营管理》2007 年第 4 期

认真学习《江泽民文选》，李炳钟、李一新，《当代学生》2007 年第 Z1 期

论《江泽民文选》中的社会全面发展思想，李葆珍，《长春市委党校学报》2007 年第 1 期

弘扬祖国优秀传统文化的光辉典范——学习《江泽民文选》的体会，李福祥，《前线》2007 年第 3 期

学习《江泽民文选》要学以致用，李慧萍，《中共太原市委党校学报》2007 年第 1 期

"三个代表"重要思想与邓小平理论的关系——学习《江泽民文选》的体会，杨福和，《内蒙古电大学刊》2007 年第 5 期

在实践中不断推进理论创新——学习《江泽民文选》体会，肖贵新，《福建行政学院、福建经济管理干部学院学报》2007 年第 3 期

学习《江泽民文选》推进油田持续有效发展，邰魁，《集团经济研究》2007 年第 10 期

学习《江泽民文选》要紧密联系党校工作实际，陈一元，《西藏发展论坛》2007 年第 3 期

《江泽民文选》是"三个代表"重要思想创立历史过程的生动记录——《江泽民文选》一至三卷介绍，陈德金，《云南支部生活》2007 年第 3 期

把学习《江泽民文选》同贯彻

落实科学发展观紧密结合起来，陈德金，《云南支部生活》2007年第5期

学习《江泽民文选》需要把握的几个重点内容，陈德金，《云南支部生活》2007年第1期

学习《江泽民文选》浅谈社会主义市场经济建设，陈燕和、张乐才，《北方经贸》2007年第5期

必须坚持社会主义初级阶段的基本经济制度——学习《江泽民文选》的一点体会，周新城，《学习论坛》2007年第1期

江泽民：始终高举邓小平理论伟大旗帜——学习《江泽民文选》，季明，《理论学习》2007年第2期

江泽民与邓小平理论指导地位的确立——学习《江泽民文选》，季明，《中共云南省委党校学报》2007年第1期

依法治国是一条科学发展之路——学习《江泽民文选》体会，林湛，《共产党人》2007年第4期

《江泽民文选》中的广东，林雄辉，《广东工业大学学报》（社会科学版）2007年第2期

《江泽民文选》中的文化价值思想探析，罗绍康，《广西大学学报》（哲学社会科学版）2007年第1期

《江泽民文选》与大学生思想政治教育工作，姚贵库，《山西农业大学学报》（社会科学版）2007年第3期

以《江泽民文选》的精神引领高校思想政治教育，姚晔，《文教资料》2007年第8期

加强和改进大学生思想政治教育的理论指南——学习《江泽民文选》，宫志峰，《山东师范大学学报》（人文社会科学版）2007年第1期

"三个代表"重要思想的全方位展示——学习《江泽民文选》的体会，胡三敦，《天水行政学院学报》2007年第2期

与时俱进：实践创新和理论创新的方法论武器——学习《江泽民文选》，荣开明，《湖北行政学院学报》2007年第2期

《江泽民文选》理论创新思想的时代意义，赵文艳，《北京人民警察学院学报》2007年第1期

《江泽民文选》中的发展思想与科学发展观，赵存生，《高校理论战线》2007年第3期

深入系统学习《江泽民文选》提高运用马克思主义解决新问题的能力，郝清杰，《思想理论教育导刊》2007年第4期

切实改进和加强干部监督工作——学习《江泽民文选》的体会，钟祖鉴，《党建研究》2007年第6期

不断深化对三大规律的认

识——学习《江泽民文选》中一个重要创新论点，钟锐，《创新》2007年第3期

大学生思想政治教育的时代性课题：创新精神的培养——学习《江泽民文选》的体会，倪培霖，《思想理论教育导刊》2007年第5期

《江泽民文选》指导下的高职学生思想道德建设，徐念农，《济南职业学院学报》2007年第3期

理论的品质与价值——《江泽民文选》的理论地位与贡献，徐敏豪，《武汉学刊》2007年第1期

论《江泽民文选》的思想体系，秦正为，《山西社会主义学院学报》2007年第1期

科学把握《江泽民文选》的思想体系，秦正为，《大连干部学刊》2007年第2期

在执法为民中坚持以人为本——学习《江泽民文选》中关于执法为民思想的一点体会，袁金明，《蚌埠党校学报》2007年第1期

实现知与行的高度统一——谈学习《江泽民文选》的一些体会，康子明，《天津人大》2007年第1期

西部大开发战略认识发展的新境界——学习《江泽民文选》关于西部大开发论述有感，盛新娣，《新疆财经学院学报》2007年第1期

在宪法视角下，看"三个代表"重要思想——读《江泽民文选》三卷札记，黄建水，《华北水利水电学院学报》（社会科学版）2007年第3期

《江泽民文选》思想的价值，曾家华，《当代广西》2007年第7期

在科学发展和改革中巩固和加强社会主义的经济基础——《江泽民文选》研读有感，程恩富，《学习论坛》2007年第1期

学习《江泽民文选》做到与时俱进，董强，《党的建设》2007年第1期

江泽民同志循环经济思想研究——学习《江泽民文选》的有关论述，蒋淑晴、张新，《毛泽东思想研究》2007年第2期

从《江泽民文选》看江泽民的马克思主义观，覃采萍，《大连干部学刊》2007年第1期

马克思主义宗教观与时俱进的新成果——解读《江泽民文选》的宗教观，蒲长春，《中共石家庄市委党校学报》2007年第3期

江泽民文化工作的理论与实践研究——学习《江泽民文选》的体会，熊晓琼，《兵团党校学报》2007年第2期

学好《江泽民文选》做好统战宣传工作，翟小纯，《上海市社会主义学院学报》2007年第1期

执政党建设思想是"三个代表"

思想的重要组成部分——学习《江泽民文选》的体会，翟红芬，《实践》（思想理论版）2007 年第 4 期

　　世纪之交马克思主义中国化探索及成果——读《江泽民文选》，谭运宏，《湖南行政学院学报》2007

年第 1 期

　　专家学者研讨《江泽民文选》（发言摘登），滕文生、虞云耀、陈群、杨胜群、李忠杰、李慎明、有林、李崇富、赵存生、张宏志，《党的文献》2007 年第 1 期

后　记

　　《马克思主义经典文献研究著作名录集》和《马克思主义经典文献研究论文题录集》是两部学术资料检索工具书。本书的框架设计、内容策划和初稿审改由课题主持人庄前生负责，曹剑同志协助。各章文稿撰写分工如下：马恩部分由刘德中副研究员承担；列宁部分由刘志明副研究员承担；斯大林部分由苑秀丽副研究员承担；毛泽东部分由陈建波助理研究员承担；邓小平部分由孙应帅副研究员承担；江泽民部分由贺新元副研究员承担。

　　百多年来，研究马克思主义经典著作的书籍和文章多如恒河之砂。我们尽力收集了一些不同历史时期较有影响的研究书目和篇目。由于课题时间、经费等方面的局限，加之经验水平的欠缺，遗漏和不当在所难免。这些有待后续研究去修正，有待读者去指教。

庄前生

2010 年 4 月 12 日

● 本书获中国社会科学院出版基金资助

● 本书获中国社会科学院出版基金资助

马克思主义
经典文献研究论文题录集

（上）

LIST OF TITLES OF RESEARCH PAPERS ON
MARXIST CLASSICAL DOCUMENTS

（Ⅰ）

庄前生 主编　曹剑 副主编

中国社会科学出版社

图书在版编目（CIP）数据

马克思主义经典文献研究论文题录集（上下）／庄前生主编．—北京：
中国社会科学出版社，2010.7
ISBN 978-7-5004-8879-8

Ⅰ.①马…　Ⅱ.①庄…　Ⅲ.①马克思著作研究—题录　Ⅳ.①A813

中国版本图书馆 CIP 数据核字（2010）第 119401 号

责任编辑　田　文　郭　鹏
责任校对　王雪梅
封面设计　孙元明
技术编辑　李　建

出版发行　**中国社会科学出版社**
社　　址　北京鼓楼西大街甲 158 号　　邮　编　100720
电　　话　010—84029450（邮购）
网　　址　http://www.csspw.cn
经　　销　新华书店
印刷装订　北京一二零一印刷厂
版　　次　2010 年 7 月第 1 版　　　印　次　2010 年 7 月第 1 次印刷
开　　本　710×1000　1/16
印　　张　62　　　　　　　　　　　插　页　4
字　　数　1036 千字
定　　价　110.00 元（上下）

序　言

　　《马克思主义经典文献研究著作名录集》和《马克思主义经典文献研究论文题录集》是中国社会科学院的重大研究课题"马克思主义经典文献整理和研究"的两个成果，经过三年多的辛勤劳作和集体努力，现在终于出版了。作为课题的主持人，既颇感欣慰，也有些许不安。

　　马克思主义的问世，如果以 1848 年《共产党宣言》的发表为标志，迄今已有 160 余年的历史了。从那时开始，马克思主义这个原本徘徊于欧洲上空的"幽灵"，发出了震撼世界的呐喊，射出了照耀人类道路的光芒。当时，欧洲各国的共产党人和进步人士都争相学习和研究马克思主义的经典著作。马克思主义经典作家也在艰苦斗争中笔耕不辍，发表了大量的论著，为人们学习和研究马克思主义提供了源源不断的精神食粮，从而形成了马克思主义经典著作发表、翻译、出版和传播的第一次高潮。

　　19 世纪末至 20 世纪初，世界革命的中心从西欧逐渐转向俄国。以列宁和斯大林为代表的俄国共产党（布尔什维克）人，坚持马克思主义的指导，开创了十月社会主义革命的新道路，在世界上领土最辽阔的国度，建立起了社会主义制度，并在这个过程中创立了列宁主义的伟大学说。列宁主义既是马克思主义的坚持和继承，也是马克思主义的发展和创新。因此，列宁和斯大林的著作也就成为马克思主义经典著作的重要组成部分。自十月社会主义革命特别是苏联诞生后，随着马克思、恩格斯著作的大量翻译出版以及列宁、斯大林著作的大量出版发行，形成了马克思主义经典著作发表、翻译、出版和传播的第二次高潮。

　　马克思主义经典著作传入中国，大致始于 20 世纪之初，而大规模的介绍和宣传是在五四运动前后。当时，内忧外患、灾难深重的中国，为马克思主义的植入和成长提供了丰厚的土壤，而马克思主义的传入和传播，又为中国共产党的孕育提供了思想和理论的养料。以毛泽东为领袖的中国共产党人把马克思主义的普遍原理与中国革命的伟大实践结合起来，创造性地发展了马克思主义，形成了毛泽东思想这一伟大理论。在毛泽东思想的指导下，中国共产党人在世界上人口最众多的国度建立了社会主义制度。中国共产党的诞生虽然在苏共之后，但它开辟的独特革命道路和独创的科学理论体系，同十月革命和列宁主义一样可与日月同辉。基此认识，我们将毛泽东等三代中国主要领导人的论著同样列入马克思主义的经典著作序列。五四运动以来，特别是新中国成立以来，随着马克思主义中国化进程的不断深入，中国的马克思主义经典著作也大量问世，并相继形成了毛泽东思想和中国特色社会主义理论两大理论成果。同时，在这一过程中形成了编译出版和学习研究马克思主义经典著作的第三次高潮。

现在，人类社会已经步入 21 世纪。在全球化的背景下，资本主义似乎如日中天。但深入分析当代世界的各种矛盾及其解决途径，马克思主义越来越凸显其整体解决的科学生命力。当前，不仅在各个社会主义国家，即使在广大第三世界，甚至在发达的资本主义国家，学习、研究和编译、出版马克思主义经典著作依然大有人在。可以毫不夸张地说，一百多年来，马克思主义经典著作在世界各国的出版发行总量早已汗牛充栋，翻译、阐释马克思主义经典著作的书籍和文章更是浩如烟海，从而构成了人类精神世界无与伦比的一座奇峰。

"马克思主义经典文献整理和研究"课题的最初立项，是时任中国社会科学院党组副书记、常务副院长并兼任马克思主义研究院院长的冷溶同志提议的。他提出，马克思主义研究院首先要在文献整理方面下工夫，要把整理和研究马克思主义经典文献当作马研院建院的"首要工程"。并指定由我负责承担。为此，本人忍痛割爱，放弃了长期研究的"中国特色社会主义理论体系建构"课题的申报，邀请马研院一批有实力的青年学者如刘德中、刘志明、苑秀丽、陈建波、孙应帅、贺新元以及院外学者曹剑、田哲、吴秋玲等十多位同志参与其中，特别是曹剑同志协助我做了大量统筹、设计和审、修初稿的工作。还有刘志明和陈建波两位青年学者也分别在课题研究的前期和后期帮助我做了不少联系和协调工作。

在课题申报书中，我提出课题的研究任务是：（1）全面收集和系统梳理国内外关于马克思主义经典文献挖掘、整理、翻译和研究资料，力求对马克思主义经典文献的翻译、出版、传播和考证的基本情况有一个整体的掌握。（2）全面收集马克思主义经典文献研究的著作，整理编辑《马克思主义经典文献研究著作名录集》。（3）全面收集马克思主义经典文献的研究代表性论文，整理编辑《马克思主义经典文献研究论文题录集》。（4）全面收集和系统梳理 1992 年以来，特别是党的十六大以来胡锦涛总书记的重要讲话和文章，编辑出版供马研院内部研究之需的《胡锦涛文稿》。

由于该课题研究的领域十分宽广，且跨越年限很长，我们在课题调研和设计上作了精心准备，课题申报立项过程十分顺利。2006 年 7 月，上报申报材料；10 月，院学术委员会和院务会议通过立项；11 月，课题开始启动。从此，我和课题组成员夜以继日地投入了工作。

经过 3 年多的努力，课题组综合研究和整理了国内外有关马克思主义经典著作的编辑、出版、翻译、传播、研究等方面的情况，完成的最终成果分为以下几部分：（1）《马克思主义经典文献的出版和传播研究》；（2）《马克思主义经典文献研究著作名录集》；（3）《马克思主义经典文献研究论文题录集》；（4）《胡锦涛文稿》（内部版）。在以上工作的基础上，设计、制作了"马克思主义经典文献研究的著作名录和论文题录"数据库软件。

马克思主义经典文献的整理和研究，是马克思主义理论研究的基础性工作。从学术发展的角度看，这项研究是一个不断积累和深化的过程。我们的全部工作虽然已经形成了三百多万字的成果，也只是其中很小的一部分，或者说仅是这项工作的一个开端。大量的资料整理和内容更新需要持续的努力方可完成，而体系的完善更需几代马克思主义学者的持续奋斗，方可实现。

如果说上述成果有什么创新之处，也仅仅在于为 160 余年来马克思主义经典文献在世界各国的出版和传播历程，初次勾画了一个大致的轮廓，描绘出一条粗略的线索。此外，《马克思主义经典文献研究著作名录集》和《马克思主义经典文献研究论文题录集》，为读者进一步学习和研究马克思主义经典著作，提供了一部便于检索的工具书。

《马克思主义经典文献研究著作名录集》和《马克思主义经典文献研究论文题录集》以及整个课题的完成，首先要感谢中国社会科学院科研局的大力扶持。感谢课题结项评议专家组的程恩富教授、梁树发教授、张树华研究员、韦莉莉研究员、郑一明研究员等众多学者对课题成果的指导和肯定。感谢中国社会科学出版社的热情支持和高效工作。在课题的研究过程中，我们首先充分利用了国内已有的研究资料。可以说，没有这些资料积累，没有这些可敬的理论研究工作者的努力，我们的研究成果就无从谈起，更不可能在短短的三年内达到目前的状况。在这里，我代表课题组向他们表示衷心的感谢！

马克思主义是常青之树，继承和发展皆未有穷期；马克思主义经典文献是智慧之源，发掘和研究也须与时俱进。此项课题研究的完成，既是终点，亦为起点。本人与课题组全体成员愿以抛砖引玉之诚，期推陈出新之效，以共同推动马克思主义研究事业的进展。在书稿付印之际，谨作此序，以记历程并述心志。浅陋之见，敬请指正。

庄前生

2010 年 4 月 12 日

目　　录

（上）

马克思恩格斯文献研究论文题录集

说　明

　　本部分辑录了直接研究马克思恩格斯经典著作或者与经典著作密切相关的论文、译文。按照文章发表的时间排列，除 1977 年（含）以前的合在一起、1978 年与 1979 合在一起外，每年单独编为一部分。收录时间截止到 2007 年 11 月。

　　这些论文，大致反映了我国介绍、研究马克思恩格斯经典著作的历程。从中可以看出我国一代代学人的成长历程，可以管窥有关学科的发展历程。从一个侧面，也可以看出我国社会发展的重要关节点。

　　由于时间关系、目力所限，虽尽力搜求，仍难免遗珠之憾，敬请广大读者批评指正。

一　马克思恩格斯文献研究论文题录(1979 年以前)

1978 年以前

恩格斯的《论住宅问题》，林之樵，《新建设》1952 年第 1 期

读"马克思、恩格斯论中国"，兼论中国封建社会的历史分期问题，杨向奎，《文史哲》1953 年第 2 期

读"马克思恩格斯论宗教"，葛懋春，《文史哲》1955 年第 7 期

在"共产党宣言"发表以前马克思恩格斯关于国家和法的著作，〔苏〕叶·米·谢米里亨，《教学与研究》1956 年第 5 期

《共产党宣言》和它的伟大力量——纪念马克思诞辰一百三十八周年，宏万，《光明日报》1956 年 5 月 5 日

《英国工人阶级状况》提出和解决了什么问题？殷叙彝，《工人日报》1956 年 7 月 18 日

介绍"马克思恩格斯关于历史唯物主义的信"，志安，《光明日报》1956 年 9 月 6 日

论"权威"是反对无政府主义的理论武器——纪念恩格斯诞生一百三十七周年，雷云，《浙江日报》1957 年 11 月 28 日

马克思资本论中"物"和"关系"的范畴，〔苏〕曼尼科夫斯，《哲学译丛》1957 年第 5 期

马克思和所谓"贫困化规律"，莫勒斯·道伯著，江泽宏译，《世界经济文汇》1957 年第 7 期

关于马克思"资本论"的一本很有价值的书（评罗森塔尔著"马克思'资本论'中的辩证法"一书），〔苏〕非古尔诺夫，《哲学译丛》1958 年第 1 期

读恩格斯的"论权威"（读书笔记），俞明仁，《教学与研究》1958 年第 4 期

"共产党宣言"的基本思想——纪念马克思诞辰 140 周年，朱宁远，《学术月刊》1958 年第 5 期

介绍"马克思恩格斯全集主题索引"，方索，《教学与研究》1958 年第 6 期

科学是历史的革命力量——介绍马克思、恩格斯、列宁《论技术革命》，郭英，《读书》1958 年第 17 期

锐利的武器——介绍马克思、恩格斯"反对机会主义"，村人，《学术研究》1958 年第 8 期

关于《共产党宣言》一书的介绍提要，范若愚，《历史教学》1958

年第 1 期

学习马克思著《法兰西内战》，杨甫，《历史教学》1958 年第 7 期

《共产党宣言》的基本思想，朱宁远，《学术月刊》1958 年第 5 期

《共产党宣言》一百一十周年，姜椿芳，《光明日报》1958 年 2 月 26 日

伟大的历史的声音——纪念《共产党宣言》出版一百一十周年，傅客，《工人日报》1958 年 2 月 28 日

马克思在"经济学—哲学手稿"（1844 年）中对黑格尔的主体—客体概念的批判，［苏］帕日特诺夫，《哲学译丛》1958 年第 4 期

马克思论节约劳动时间和提高劳动生产率，［苏］列昂节夫，《经济学译丛》1959 年第 9 期

马克思主义者应当如何对待革命的群众运动，侯永、王愈明，《教学与研究》1959 年第 9 期

介绍马克思恩格斯《论艺术》，程代熙，《读书》1959 年第 22 期

评《马克思恩格斯列宁斯大林论共产主义社会》的三本名词解释的书，退思，《读书》1959 年第 10 期

无产阶级的战斗的机关报——介绍在我国影印出版的"新莱茵报"和"火星报"，梁明、于兆年，

《新闻战线》1959 年第 23 期

"资本论"是怎样一个关系人类命运的伟大著作，王亚南，《学术月刊》1959 年第 12 期

资本论总结构的系统理解，王亚南，《中国经济问题》1960 年第 2 期

体现在"资本论"中的辩证法——关于资本论的总结构、辩证法及体系对于政治经济学研究的影响（1—3），王亚南，《中国经济问题》1960 年第 6、7、9 期

马克思、恩格斯论现实主义和浪漫主义，周来祥，《山东大学学报》（哲学社会科学版）1960 年第 21 期

学习《马克思恩格斯反对机会主义》文集，胡永钦，《读书》1960 年第 1 期

"资本论"的研究对象，王学文，《经济研究》1961 年第 1 期

关于"资本论"方法论的几个问题，王学文，《经济研究》1961 年第 2 期

读恩格斯著"家庭、私有制和国家的起源"，李志远，《北京大学学报》1961 年第 6 期

介绍《法兰西内战》的初稿和第二稿，林基洲，《人民日报》1961 年 12 月 20 日

马克思在政治经济学研究对象

和方法上所完成的革命——学习《政治经济学批判》序言和导言的体会，李志远，《经济研究》1961年第10期

马克思历史哲学中的命运与意志，丹尼尔斯著，顾长声译，《国外社会科学文摘》1961年第3期

马克思恩格斯在国家问题上反对机会主义的斗争——学习国际共产主义运动史读书笔记，李思温，《历史教学》1961年第7期

恩格斯的"政治经济学批判大纲"，石再，《光明日报》1961年6月19日

恩格斯"自然辩证法"简介，群文，《教学与研究》1961年第1期

"哲学的贫困"是部什么样的书？柯千，《文汇报》1961年11月25日

略论"资本论"的体系及其对政治经济学社会主义部分的意义，何建章，《经济研究》1961年第9期

"资本论"第一卷概况，王学文，《经济研究》1962年第11期

"资本论"的综合系统理解，王亚南，《学术月刊》1962年第5期

"资本论"的方法，王亚南，《经济研究》1962年第12期

货币转化为资本的辩证法——关于"资本论"的逻辑问题学习笔记，吴传启，《哲学研究》1962年第

1期

政治和经济的辩证法——关于"资本论"中的辩证法问题学习笔记，吴传启，《哲学研究》1962年第6期

无产阶级政治经济学的开端——读恩格斯的"政治经济学批判大纲"，李志远，《北京大学学报》1962年第1期

对"价值是生产费用对效用的关系"的初步探讨，作沅，《光明日报》1962年11月26日

对恩格斯关于价值概念一段话的不同理解，勋才，《江汉论坛》1962年第8期

恩格斯关于思维和存在同一性问题的含义，叶立煊，《哲学研究》1962年第5期

恩格斯是怎样论述思维和存在的同一性问题的？——与叶立煊同志商榷，林京耀，《哲学研究》1962年第6期

再论"恩格斯肯定了思维与存在的同一性"，艾思奇，《哲学研究》1962年第5期

马克思恩格斯在《新莱茵报》上如何嘲笑敌人——学习马克思恩格斯政论笔法札记，郑远，《新闻战线》1962年第11期

关于"资本论"的方法问题，吴传启，《哲学研究》1963年第2期

"德意志意识形态"一书对于历史唯物主义原理的阐述，张仲实，《人民日报》1963年1月19日

对王亚南同志《再论〈资本论〉的方法》一文的商榷，林享跃等，《哲学研究》1963年第4期

也谈关于《资本论》的方法——对吴传启同志和王亚南同志争论的商榷，刘景泉，《光明日报》1963年5月31日

"资本论"产生的时代背景与阶级历史任务，王亚南，《中国经济问题》1963年第2、3期

关于《资本论》的方法问题——对王亚南同志的《〈资本论〉的方法》的商榷，吴传启，《哲学研究》1963年第2期

马克思恩格斯著作在中国的出版和传播，张允侯，《历史教学》1963年第7期

第一国际时期马克思恩格斯反对无政府主义的斗争，管敬绪，《历史教学》1963年第3期

如何理解马克思关于"人的自我异化"的思想，霍伟光、方克立，《光明日报》1963年11月1日

马克思的"工资、价格和利润"简介，何伟，《北京日报》1963年1月9日

恩格斯《政治经济学批判大纲》一书中的价值理论，黄仲熊，《经济研究》1963年第11期

恩格斯与马克思的《资本论》，〔苏〕列昂节夫，《经济学译丛》1963年第2期

"价值是生产费用对效用的关系"浅解，魏立言，《江海学刊》1964年第1期

《共产党宣言》的几篇序言，郑文竹，《人民日报》1964年5月31日

马克思手稿《直接生产过程的结果》的创作经过，田光，《光明日报》1964年6月22日

恩格斯《政治经济学批判大纲》并没有否认了劳动价值论，姜启谓，《光明日报》1964年7月6日

科学的利剑、革命的号角（读马克思《经济学—哲学手稿》），肖锟焘，《江海学刊》1964年第5期

马克思恩格斯反对蒲鲁东主义和巴枯宁主义的斗争——纪念第一国际成立100周年，李征平，《西北师大学报》（社会科学版）1964年第2期

马克思恩格斯论太平天国，郭存孝，《史学月刊》1964年第10期

怎样理解"普选制是'工人阶级成熟的指标'，在现代国家中，普选制不能而且永远不会提供更多的东西"？林修坡，《前线》1964年第16期

马克思的《哥达纲领批判》的写作和发表经过，李宗正、向伟，《教学与研究》1964年第4期

马克思恩格斯反对巴枯宁主义的斗争，史运，《复旦学报》（社会科学版）1964年第1期

"工人没有祖国"原理的国际主义本质，安苗、火胜，《教学与研究》1964年第4期

《资本论》的结构与体系，王亚南，《中国经济问题》1964年第1期

《资本论》第二卷学习提要及其问题，王亚南，《中国经济问题》1964年第6期

学习《资本论》第三卷值得注意的若干问题，王亚南，《中国经济问题》1964年第10期

《资本论》是一部政治经济学典范也是一部阶级学典范，王亚南，《学术月刊》1964年第5期

关于《资本论》方法问题的商榷，卓炯，《学术研究》1964年第2期

《资本论》中关于矛盾结构学说的几个问题，许瑞详等，《武汉大学学报》1964年第2期

关于马克思的《1844年经济学—哲学手稿》的评价，[苏]马雷舍，《经济学译丛》1964年第7期

决不能从《资本论》里面去找利润是社会主义的目的理论根据，王亚南，《中国经济问题》1965年第5期

马克思的思想起源中的人与历史，E.麦茨克著，梁志学译，《世界哲学》1965年第5期

卡尔·马克思辩证法的根本问题，A.维尔德姆特著，郭官义译，《世界哲学》1965年第3期

怎样理解恩格斯对《城市姑娘》的评价——学习马克思、恩格斯论文学艺术笔记，昭文、凌柯，《学术月刊》1965年第10期

马克思恩格斯反对"真正的社会主义"的斗争，邱成希，《历史教学》1965年第11期

反对机会主义的光辉典范——介绍《哥达纲领批判》写作和发表的历史背景，伊兵，《黑龙江日报》1974年6月13日

哲学革命是政治革命的前导——读《路德维希费尔巴哈和德国古典哲学的终结》的体会，钦正效等，《文汇报》1974年7月22日

一部科学社会主义的纲领性文献——纪念《哥达纲领批判》写作一百周年，伊彬，《吉林师范大学学报》1975年第2期

学习马克思的革命精神，容河，《河北大学学报》（哲学社会科学版）1975年第1期

决不能拿原则做交易——学习《哥达纲领批判》的体会，任厚奎、刘恩庭，《四川大学学报》（哲学社会科学版）1975 年第 4 期

马克思、恩格斯、列宁关于学校应当成为无产阶级专政工具的部分论述，《比较教育研究》1975 年第 7 期

革命导师关于反对投降派和投降主义的部分论述，《安徽大学学报》（哲学社会科学版）1975 年第 2 期

马克思、恩格斯反对"真正的社会主义"的斗争——学习《共产党宣言》笔记之一，许永璋，《郑州大学学报》（哲学社会科学版）1975 年第 3 期

理论问题不能含糊不清——学习《哥达纲领批判》的一点体会，洪涛，《郑州大学学报》（哲学社会科学版）1975 年第 1 期

沙俄的霸权野心——读恩格斯

《俄国沙皇政府的对外政策》，王庆民，《齐鲁学刊》1977 年第 4 期

必须维护无产阶级革命权威——学习《论权威》的体会，李虹，《辽宁大学学报》（哲学社会科学版）1977 年第 3 期

《资本论》的革命精神永放光芒，文贞，《南京大学学报》1977 年第 2 期

向资产者发射的最厉害的炮弹——纪念《资本论》第一卷问世一百一十周年，王锦涛，《历史研究》1977 年第 1 期

《资本论》对资产阶级法权的剖析——纪念《资本论》第一卷出版一百一十周年，周之美，《文史哲》1977 年第 2 期

无产阶级革命的基本理论——纪念《资本论》第一卷发表一百一十周年，徐敬君，《思想战线》1977 年第 6 期

1978—1979 年

关于人类掌握世界的方式问题——学习马克思《〈政治经济学批判〉导言》札记一则，夏放，《外国文学研究》1978 年第 1 期

马克思恩格斯在统一战线问题上同拉萨尔的斗争，张文焕，《世界历史》1978 年第 1 期

正确看待民主主义作家及其作品的光辉典范——从马克思恩格斯怎样对待海涅说起，郑公盾，《外国文学研究》1978 年第 2 期

关于文艺的倾向性和真实性——马克思、恩格斯美学思想学习札记，彭立勋，《外国文学研究》

1978 年第 2 期

学习马克思、恩格斯致斐·拉萨尔两封信札记，姜东赋，《齐鲁学刊》1978 年第 6 期

有关马列论物质利益的几个问题，张友仁，《齐鲁学刊》1978 年第 4 期

马克思恩格斯对摩尔根《古代社会》的评价，胡起望、莫俊卿，《学术论坛》1978 年第 1 期

革命导师是坚持实践检验真理标准的光辉范例，曾道宏、张季和，《学术论坛》1978 年第 1 期

学习马克思勤奋研读的革命精神，杨世光，《思想战线》1978 年第 3 期

探索"两种生产的制约"的真谛——兼评近百年来对这一提法的各种理解，朱本源，《陕西师范大学学报》（哲学社会科学版）1978 年第 3 期

马克思主义经典著作的出版形式与查找有关篇章、语录和专题的方法，冯锦生，《山西大学学报》（哲学社会科学版）1978 年第 1 期

巴枯宁主义是"左"的反革命修正主义——学习马克思恩格斯列宁论巴枯宁主义的札记，关勋夏，《学术研究》1978 年第 2 期

漫谈价值规律——《资本论》读书札记，熊映梧，《商业研究》

1978 年第 2 期

读马克思恩格斯论文学艺术的五封信，马清福，《延边大学学报》（社会科学版）1978 年第 2 期

读马克思恩格斯论文学艺术的五封信（续一），马清福，《延边大学学报》（社会科学版）1978 年第 3 期

读马克思恩格斯论文学艺术的五封信（续二），马清福，《延边大学学报》（社会科学版）1978 年第 4 期

评马克思恩格斯全集新版的出版，L. 格尔曼、R. 斯培尔著，燕宏远译，《世界哲学》1978 年第 2 期

学习马克思恩格斯论典型笔记，张少康，《社会科学战线》1978 年第 4 期

纪念《反杜林论》一百周年，金羽，《社会科学战线》1978 年第 4 期

牢固树立实践第一的观点——学习《关于费尔巴哈的提纲》的一点体会，肖官礼，《贵州日报》1978 年 12 月 6 日

"神圣家族"的新伙伴，胡宝琛，《理论与实践》1978 年第 11 期

不畏劳苦勇攀高峰的光辉榜样——马克思怎样写作《资本论》，宋洪训，《人民日报》1978 年 7 月 15 日

无产阶级将获得整个世界——纪念《共产党宣言》发表一百三十周年，范若愚，《人民日报》1978年2月18日

原则不是研究的出发点——学习《反杜林论》的一点体会，林德宏，《南京大学学报》1978年第3期

认真学习《反杜林论》，坚决粉碎"四人帮"的反动思想体系——纪念《反杜林论》发表一百周年，吴黎平，《哲学研究》1978年第6期

无产阶级的文艺宣言：读恩格斯致哈克奈斯的信，郑思之，《外国文学研究》1978年第1期

《德意志意识形态》既没有否定"按劳分配"，也没有提出"按需分配"，汤在新、曾启贤，《武汉大学学报》（哲学社会科学版）1978年第3期

《大纲》作为社会理论：青年马克思和成熟马克思之间的链环，〔美〕约翰·埃利奥特，《国外社会科学》1979年第1期

马克思主义经济学遗产中的《反杜林论》，〔苏〕维戈德斯基，《经济学译丛》1979年第1期

《反杜林论》的产生过程和历史作用，〔德〕乌尔利希，《哲学译丛》1979年第4期

恩格斯《反杜林论》中的经济理论问题，〔苏〕马雷什，《马列著作编译资料》第11辑

《哲学的贫困》是《资本论》的萌芽，〔苏〕马雷什，《马列著作编译资料》第9辑

第二国际社会党内围绕马克思《资本论》所进行的理论斗争，〔苏〕阿季，《马列著作编译资料》第18辑

马克思《资本论》创作史，〔苏〕维戈德斯基，《经济学译丛》1979年第2期

《资本论》法文版的科学意义，〔日〕林直道，《经济学译丛》1979年第10期

评恩格斯关于《家庭、私有制和国家的起源》的若干修改，林加坤，《历史研究》1979年第3期

《反杜林论》中译本的五十年，吴黎平，《文汇报》1979年8月31日

闪耀着辩证法光芒的文献——恩格斯《自然辩证法》准备材料手稿学习札记，潘吉星，《自然辩证法文集》，吉林人民出版社1979年版

共产主义的"幽灵"是怎样游荡到中国来的——谈谈《共产党宣言》的几个中译本，广路，《书林》1979年第1期

《共产党宣言》的第一个稿本，高放，《读书》1979年第4期

从《共产党宣言》的七篇《序

言》看马克思和恩格斯怎样用社会实践来检验自己的理论，王典泽，《四川日报》1979 年 12 月 6 日

《资本论》结构形成的早期阶段——读马克思《1857—1858 年经济学手稿》，田光，《中国社会科学院经济研究所集刊》第 1 辑，1979 年 7 月

谈谈《资本论》在我国的传播，杨国昌，《北京师范大学学报》1979 年第 2 期

马克思、恩格斯早期著作中关于无产阶级革命和无产阶级专政思想的论述，张红旗，《破与立》1979 年第 3 期

关于"过渡时期"问题的一些历史材料，汤玉其，《教学与研究》1979 年第 5 期

巴黎手稿中的异化范畴，墨哲兰，《国内哲学动态》1979 年第 8 期

对如何按原文校订马恩经典著作的一点粗浅看法——读成仿吾同志新译《共产党宣言》，敬恩，《外语教学与研究》1979 年第 3 期

马克思恩格斯写的书评，仲民，《读书》1979 年第 1 期

抽象劳动是一个永恒范畴——读《〈政治经济学批判〉导言》札记，周之美，《文史哲》1979 年第 6 期

历史发展动力问题的再探讨，

伍宗华、冉光荣，《四川大学学报》（哲学社会科学版）1979 年第 2 期

恩格斯论"真正的社会主义"的诗歌，聂建军，《齐鲁学刊》1979 年第 4 期

马克思、恩格斯早期著作中关于无产阶级革命和无产阶级专政思想的论述——读书笔记，张红旗，《齐鲁学刊》1979 年第 3 期

读马克思恩格斯论文学艺术的五封信（续三），马清福，《延边大学学报》（社会科学版）1979 年第 1 期

马克思恩格斯写的序跋，仲民，《读书》1979 年第 3 期

马克思、恩格斯、列宁、斯大林的全集、选集、文选、文集、文稿出版概况，《中国出版》1979 年第 1 期

关于亚细亚生产方式概念的探讨，徐启基，《学术月刊》1979 年第 11 期

从马克思恩格斯的著作看完整地准确地掌握马克思主义的重要意义，萧灼基，《学术月刊》1979 年第 4 期

马克思恩格斯与自然科学，童鹰，《武汉大学学报》（哲学社会科学版）1979 年第 4 期

诗的继承与创新——学习马克思主义经典作家论诗札记，任愫，《学习

与探索》1979 年第 1 期

马克思明确地提出了"集体所有制"这个概念，梅文杰，《经济研究》1979 年第 12 期

马克思、恩格斯是怎样批判马尔萨斯人口论的——兼论我们今后的人口研究工作，张立中，《经济研究》1979 年第 9 期

《反杜林论》与杜林的经济论战，刘惠林，《经济研究》1979 年第 9 期

马克思对劳动价值论的伟大变革，陈振羽，《经济研究》1979 年第 7 期

对《〈资本论〉在我国翻译出版四十周年》一文的几点意见，杨国昌，《经济研究》1979 年第 5 期

怎样理解恩格斯关于悲剧问题的一个论述——与《光明日报》几篇文章商榷，郝孚逸，《华中师范大学学报》（人文社会科学版）1979 年第 4 期

马克思恩格斯对欧洲典型理论的革新，曾胜如，《华中师范大学学报》（人文社会科学版）1979 年第 2 期

恩格斯是怎样学习外国语的，马中平，《河南师范大学学报》（哲学社会科学版）1979 年第 1 期

从马克思主义的发展看"亚细亚生产方式"——与志纯、学盛同

志商榷，宋敏，《东北师大学报》（哲学社会科学版）1979 年第 4 期

读马克思恩格斯论文学艺术的五封信（续完），马清福，《延边大学学报》（社会科学版）1979 年第 2 期

正确理解历史唯物主义的基本原理——与朱光潜同志商榷，彭思铸，《徐州师范大学学报》（哲学社会科学版）1979 年第 4 期

试论马克思主义文艺理论的建立和发展，傅其三，《青海师范大学学报》（哲学社会科学版）1979 年第 1 期

怎样理解马克思所说的"生产劳动和教育的早期结合"，王干，《学术研究》1979 年第 2 期

马恩列斯著作的最早中译文本（之一），雍桂良，《社会科学战线》1979 年第 3 期

马克思的历史唯物主义，E. 弗洛姆著，张文杰译，《世界哲学》1979 年第 3 期

两个马克思主义还是一个？R. 塔克尔著，周鹤译，《世界哲学》1979 年第 3 期

马克思 1841 年 3 月至 1843 年 3 月间世界观的发展问题，I. 陶伯尔著，燕宏远译，《世界哲学》1979 年第 3 期

论黑格尔的历史哲学和马克思

恩格斯列宁对它的扬弃，M. 布尔著，郭官义译，《世界哲学》1979 年第 2 期

对马克思早期哲学思想发展的新认识，I. 陶伯尔、H. 拉布斯克著，燕宏远译，《世界哲学》1979 年第

1 期

马克思摈弃李嘉图的劳动价值理论和批判黑格尔的劳动概念的意义和深远影响，A. 科尔纽著，郭官义译，《世界哲学》1979 年第 1 期

二　马克思恩格斯文献研究论文题录（1980—1989 年）

1980 年

《资本论》在世界上的传播，杨国昌，《北京师范大学学报》（社会科学版）1980 年第 1 期

恩格斯对"青年派"的批判，奚广庆，《天津师范大学学报》（社会科学版）1980 年第 1 期

谈《资本论》的研究对象——兼谈我国政治经济学的研究对象，张魁峰，《山西财经大学学报》（社会科学版）1980 年第 1 期

马克思恩格斯在农民问题上同拉萨尔主义的斗争，关勋夏，《华南师范大学学报》（社会科学版）1980 年第 4 期

关于马克思论人的本质问题的探讨，陈知命，《华南师范大学学报》（社会科学版）1980 年第 3 期

学习恩格斯反对个人迷信的科学态度，黄子云，《华南师范大学学报》（社会科学版）1980 年第 2 期

"否定之否定"规律不能取消——读《反杜林论》札记，徐

亮，《求是学刊》1980 年第 4 期

从《家庭、私有制和国家的起源》与《资本论》的比较看科学的方法论，邓晓芒，《江汉论坛》1980 年第 4 期

坚持科学社会主义——读恩格斯《社会主义从空想到科学的发展》，于凤梧，《北京师范大学学报》（社会科学版）1980 年第 5 期

马克思恩格斯同维利希沙佩尔集团的斗争，吴豪德，《北京师范大学学报》（社会科学版）1980 年第 4 期

辩证法也有它保守的方面——学习恩格斯《费尔巴哈和德国古典哲学的终结》一书笔记，冒从虎，《天津师范大学学报》（社会科学版）1980 年第 2 期

谈谈马克思恩格斯列宁关于无产阶级贫困问题的理论，陆立军，《世界经济》1980 年第 11 期

马克思对亚细亚生产方式的提

出、研究和结论，胡德平，《社会科学》1980 年第 5 期

关于"商品二重性"一词的质疑——学习《资本论》札记，洪大璘，《社会科学》1980 年第 5 期

论马克思恩格斯有关历史唯物论通信的特点——马克思恩格斯关于历史唯物论书信介绍（摘登之一），高清海，《吉林大学社会科学学报》1980 年第 4 期

马克思恩格斯提出过"同时胜利"的理论吗？李良瑜，《江淮论坛》1980 年第 6 期

马克思恩格斯青年时期所论及的人性和人道主义问题，杨柄，《江淮论坛》1980 年第 6 期

马克思恩格斯与莎士比亚，刘秉书，《江淮论坛》1980 年第 2 期

马克思恩格斯无产阶级贫困理论初探，陆立军，《河南大学学报》（社会科学版）1980 年第 3 期

马克思、恩格斯与文学，贺庆升、罗中起，《吉林师范大学学报》（人文社会科学版）1980 年第 2 期

马克思恩格斯的著作中到底有没有集体所有制的概念或思想？文传洋，《经济问题探索》1980 年第 5 期

人的解放——马克思世界观转变过程的中心问题，雷永生，《天津师范大学学报》（社会科学版）1980 年第 5 期

对"马克思恩格斯论文学和艺术"编译的意见，朱光潜，《武汉大学学报》（人文科学版）1980 年第 5 期

"社会主义革命不能在单独一国获胜"并非马、恩的观点，袁亚愚，《社会科学研究》1980 年第 5 期

怎样理解"这种社会主义就是宣布不断革命"，孤闻，《社会科学研究》1980 年第 5 期

马克思恩格斯创立人民报刊的思想初探，童兵，《社会科学辑刊》1980 年第 5 期

偶访恩格斯——漫谈联系、共性及其它，张明，《齐鲁学刊》1980 年第 4 期

真实地描写生活——学习马克思、恩格斯论现实主义札记，张少康，《齐鲁学刊》1980 年第 1 期

马克思恩格斯对反动文艺的批判，潘烨，《内蒙古大学学报》（人文社会科学版）1980 年第 21 期

马克思和恩格斯在第一国际中反对英国工联主义的斗争，周旺芳，《内蒙古大学学报》（人文社会科学版）1980 年第 21 期

五一国际劳动节的形成及恩格斯与五一国际劳动节，金愈庆，《内蒙古大学学报》（人文社会科学版）1980 年第 1 期

马克思、恩格斯论《弗兰茨·冯·济金根》的悲剧冲突，饶芃子，

《暨南学报》(哲学社会科学版)
1980 年第 2 期

怎样理解马克思和恩格斯对马尔萨斯人口理论的一些评述,李宗正、李竞能,《人口研究》1980 年第 2 期

按原文校订马恩经典著作时应注意的两个问题——再读成仿吾同志新译《共产党宣言》,敬恩,《外国语》(上海外国语大学学报) 1980 年第 6 期

论马克思著作中的异化主题,J. 哈梅恩著,肖俊明、朱小红译,《国外社会科学》1980 年第 12 期

对恩格斯一句名言的理解,龙炘成,《贵州社会科学》1980 年第 3 期

浅谈马克思分析商品的方法——《资本论》学习札记,李建平,《福建师范大学学报》(哲学社会科学版) 1980 年第 4 期

马克思怎样写作《资本论》,陈征,《福建师范大学学报》(哲学社会科学版) 1980 年第 1 期

马克思、恩格斯和《美国新百科全书》,周锡荣,《辞书研究》1980 年第 2 期

正本清源消除误解——马克思恩格斯早已预见到在社会主义社会将存在集体所有制和商品货币关系,霍俊超,《财贸经济》1980 年第 2 期

创立时期的马克思主义唯物史

观——学习《马克思致巴·瓦·安年柯夫》,周勇胜,《厦门大学学报》(哲学社会科学版) 1980 年第 3 期

坚持美学观点和历史观点统一的批评标准——学习马克思恩格斯文艺思想札记,李衍柱,《山东师范大学学报》(人文社会科学版) 1980 年第 5 期

恩格斯和《资本论》,关志健,《广西师范学院学报》(哲学社会科学版) 1980 年第 4 期

马克思恩格斯列宁论典型,王家骏,《扬州大学学报》(人文社会科学版) 1980 年第 1 期

马克思恩格斯列宁论古代社会革命同资产阶级革命的根本区别——兼评《中国史稿》中的古代社会革命论,朱本源,《陕西师范大学学报》(哲学社会科学版) 1980 年第 1 期

革命导师是怎样论述“过渡时期”的? 郑本法,《社会主义研究》1980 年第 4 期

马克思主义发展史上一个重大理论问题的质疑——马克思恩格斯提出过“同时胜利”的理论吗? 李良瑜,《社会主义研究》1980 年第 4 期

从马克思恩格斯的早期著作看唯物史观的雏形,黄克剑,《江汉论坛》1980 年第 1 期

马克思列宁主义哲学——人道

主义哲学——论马克思、恩格斯、列宁的美学观点在唯物史观中的作用，弗洛贝著，马积华译，《国外社会科学文摘》1980 年第 3 期

现实主义三题——学习马克思、恩格斯论现实主义札记，叶纪彬，《辽宁师范大学学报》（社会科学版）1980 年第 2 期

对马克思、恩格斯关于社会主义公有制设想的探讨，梅兴保，《经济研究》1980 年第 10 期

马克思、恩格斯对浪漫主义文学思潮的科学分析，周伟民，《华中师范大学学报》（人文社会科学版）1980 年第 2 期

"首先谈形式……"——读马克思恩格斯论文学艺术的五封信，平仑，《北华大学学报》（社会科学版）1980 年第 1 期

马克思恩格斯关于两种公有制社会主义社会的科学预见，骆耕漠，《学术月刊》1980 年第 1 期

恩格斯与马克思和马克思主义，苏玉明，《新疆大学学报》（哲学、人文科学、社会科学版）1980 年第 4 期

马克思、恩格斯及其在民族科学发展中的作用，C. A. 托卡列夫著，杨允译，《世界民族》1980 年第 1 期

一部科学巨著的诞生——关于《资本论》的创作过程，杨国昌，《社会科学战线》1980 年第 4 期

恩格斯关于社会主义制度下生活资料分配的思想，罗郁聪，《社会科学战线》1980 年第 3 期

对胡秋原关于马克思巴黎手稿的批判的批判，刘惠林，《社会科学战线》1980 年第 3 期

对《关于费尔巴哈的提纲》译文的商榷，朱光潜，《社会科学战线》1980 年第 3 期

对乐燕平同志著《〈路德维希·费尔巴哈和德国古典哲学的终结〉解说》的几点商榷，全载植，《社会科学战线》1980 年第 2 期

马克思最喜欢的一句格言，方长如，《社会科学战线》1980 年第 1 期

《黑格尔法哲学批判》中的辩证法思想，房良钧，《学术研究》1980 年第 3 期

捍卫两种生产学说的权威，王声多，《温州师范学院学报》1980 年第 2 期

马克思和数理经济学，森岛通夫著，李建译，《国外社会科学文摘》1980 年第 8 期

马克思的《经济学—哲学手稿》中的美学问题，朱光潜，《美学》1980 年第 2 期

"异化劳动"和对黑格尔辩证法的初步批判——关于马克思《1844 年经济学—哲学手稿》，孙伯揆，《南京大学学报》1980 年第 4 期

《经济学—哲学手稿》的辩证法思想，房良钧，《社会科学战线》1980 年第 4 期

论青年马克思的异化与人道主义思想——《1844 年经济学—哲学手稿》研究，何新，《未定稿》1980 年第 15 期

辩证法在《资本论》中的应用，张薰华，《学术月刊》1980 年第 7 期

关于资本主义社会工人贫困和劳动折磨"成正比"和"成反比"问题（读《资本论》札记），奚兆永，《经济研究》1980 年第 3 期

对《资本论》第一卷一些译文的商榷，沈佩林，《经济研究参考资料》1980 年第 30 期

《资本论》在世界上的传播，杨国昌，《北京师范大学学报》（哲学社会科学版）1980 年第 1 期

《资本论》在我国的出版与传播，王圣学，《人文杂志》1980 年第 1 期

学习马克思关于资本循环的理论——《资本论》第二卷第一篇内容简介，张曙光，《经济研究》1980 年第 10 期

《资本论》第二卷第二篇内容简介，胡均，《经济研究》1980 年第 11 期

《马克思恩格斯全集》百卷版的主要内容与特点，肖辉英，《世界

史研究动态》1980 年第 7 期

试校《资本论》某些计算问题，张薰华，《中国社会科学》1980 年第 3 期（第 6 期发表了 2 篇关于此文的补充和意见，1981 年第 2 期又发表 1 篇）

《共产党宣言》在中国出版六十周年，杨荣华，《安徽师范大学学报》1980 年第 2 期

按劳分配中资产阶级权利的内容没有改变——学习《哥达纲领批判》札记，黄山河，《中国经济问题》1980 年第 5 期

对《社会主义从空想到科学的发展》一书中关于"现代社会主义"的理解，白占群，《南开学报》1980 年第 6 期

资本主义的某些新变化不能改变社会发展规律——纪念《社会主义从空想到科学的发展》发表一百周年，王庆功等，《中央民族学院学报》1980 年第 4 期

马克思《法兰西内战》一书的写作、出版和传播，吴惕安，《马列著作编译资料》第 9 辑

学习马克思《路易波拿巴的雾月十八日》，汤玉奇，《历史教学》1980 年第 4 期

解释经典著作要力求准确——对《〈路德维希费尔巴哈和德国古典哲学的终结〉解说》的几点意见，张启华，《人文杂志》1980 年第

5 期

恩格斯《家庭、私有制和国家的起源》一书的创作史,［苏］塔尔塔科夫斯基,《哲学译丛》1980 年第 5 期

关于《德意志意识形态》第一章的手稿及其整理编排,王福民,《马克思主义研究参考资料》1980

年第 44 期

怎样理解"社会主义就是宣布不断革命",辛仲勤、薛汉伟,《人民日报》1980 年 6 月 19 日

马恩早期著作中关于科学技术的思想,钟南,《南京大学学报》1980 年第 2 期

1981 年

1863—1867 年马克思写作《资本论》的情况,［苏］鲍尔迪列夫,《马列主义发展史参考资料》1981 年第 1 辑

恩格斯编辑整理《资本论》第二卷所做的工作,［苏］哈里托诺夫,《马列著作编译资料》第 16 辑

恩格斯为准备出版马克思《资本论》第三卷而进行的工作,［苏］卡兹米娜,《马克思主义研究参考资料》1981 年第 28 期

马克思写作《资本论》第二卷和第三卷的若干情况,［苏］卡兹明纳,《马列著作编译资料》第 16 辑

正确理解马克思恩格斯关于人的全面发展学说,王汉澜,《河南大学学报》(社会科学版) 1981 年第 4 期

马克思是怎样使用最终产品概念的,郑新立,《中国社会科学院研究生院学报》1981 年第 3 期

略论马克思恩格斯关于社会主

义社会可以划分阶段的思想,李金奎,《湘潭大学学报》(哲学社会科学版) 1981 年第 1 期

人道主义和异化问题——《1844 年经济学—哲学手稿》读书笔记,汤龙发,《求索》1981 年第 4 期

浅谈马克思恩格斯的报刊思想,陈大维,《青海社会科学》1981 年第 4 期

应当注重马克思、恩格斯解决哲学基本问题的"思维工艺"——兼谈决定作用和反决定作用,许德祥,《杭州师范学院学报》(社会科学版) 1981 年第 2 期

马克思、恩格斯没有"同时胜利"的思想吗? 余汉熙,《华南师范大学学报》(社会科学版) 1981 年第 4 期

试论《资本论》中的自然观,黄顺基、刘炯忠,《河北大学学报》(哲学社会科学版) 1981 年第 4 期

试论"莎士比亚在戏剧发展史上的意义"——马克思、恩格斯《致斐迪南·拉萨尔》学习札记，石宗山，《河北大学学报》（哲学社会科学版）1981年第3期

对马克思恩格斯是否预见到社会主义要经过商品经济阶段的看法，房洪贵，《税务与经济》1981年第2期

《共产主义信条草案》的作者是恩格斯吗？——和王先恒同志商榷，蔡金发，《江西社会科学》1981年第1期

哲学的基本问题和最高问题——学习恩格斯《终结》一文的体会，魏全和、刘晓辰，《天津师范大学学报》（社会科学版）1981年第1期

从马克思恩格斯的社会主义设想看中国，吴惠之，《社会科学》1981年第6期

马克思恩格斯论悲剧，薛纯华，《吉林大学社会科学学报》1981年第6期

马克思论个体活动与历史规律的关系——马克思恩格斯历史唯物论书信介绍（摘登之二），高清海，《吉林大学社会科学学报》1981年第6期

马克思、恩格斯对十九世纪五十年代欧洲革命前景的考察，张式谷，《世界历史》1981年第4期

马恩设想革命"同时发生"并未提出"一国胜利"观点，金重，《北京大学学报》（哲学社会科学版）1981年第4期

恩格斯晚年论反对沙俄霸权主义，张汉清，《北京大学学报》（哲学社会科学版）1981年第2期

论马克思经济异化理论的形成及其特点，商德文，《北京大学学报》（哲学社会科学版）1981年第1期

费尔巴哈给了马克思以巨大影响的是《基督教的本质》吗？——与朱德生、李真二同志商榷，田其治，《山西师大学报》（社会科学版）1981年第3期

"惊险的跳跃"和铁饭碗——重读《资本论》的笔记，于祖尧，《财贸经济》1981年第3期

社会所有制和国家所有制——读马克思恩格斯著作札记，汤在新，《武汉大学学报》（人文科学版）1981年第3期

马克思早期著作中关于异化的起源问题，赵仲英，《思想战线》1981年第1期

马克思、恩格斯关于德国统一问题的主张和拉萨尔的剧本《弗兰茨·冯·济金根》，陈忠雄，《史学月刊》1981年第2期

《德意志意识形态》应为马克思主义形成的标志，宗玛丽，《社会

科学辑刊》1981 年第 6 期

马克思《资本论》中从抽象上升到具体的科学分析方法，刘涤源、梅荣政，《社会科学辑刊》1981 年第 2 期

恩格斯在致布洛赫的信中没有把意识形态列为上层建筑的一种因素吗？——与朱光潜先生商榷，王岳、姜葆夫，《齐鲁学刊》1981 年第 1 期

马克思主义与住宅问题，周叔莲，《社会科学研究》1981 年第 6 期

社会主义革命"同时论"或"一国论"都是马、恩的观点，刘振清，《社会科学研究》1981 年第 5 期

也谈"社会主义革命不能在单独一国获胜"并非马、恩的观点，马健行，《社会科学研究》1981 年第 1 期

马克思的异化观及其意义，李德辉、朱红，《东北师大学报》（哲学社会科学版）1981 年第 1 期

马克思恩格斯著作中的"同一性"范畴，房良钧，《江汉论坛》1981 年第 5 期

马克思早期思想与人道主义，柳田谦十郎著，张萍译，《国外社会科学》1981 年第 7 期

恩格斯论物质形态的进化，韩民青，《东岳论丛》1981 年第 4 期

从特殊性上把握否定之否定规律的普遍性——学习《反杜林论》的体会，孙奎贞，《学术论坛》1981 年第 6 期

新世界观的天才萌芽——读马克思《关于费尔巴哈的提纲》，任吉悌，《安徽大学学报》（哲学社会科学版）1981 年第 1 期

马克思在晚年放弃了"亚细亚"这一概念了吗？——兼论马克思"亚细亚"概念的两重含义及其发展，姜洪、江于，《文史哲》1981 年第 5 期

马克思的科研历程初探，吴达槐、邝永英，《广西民族学院学报》（哲学社会科学版）1981 年第 4 期

《资本论》中的生产力概念——读《资本论》札记，徐杰，《东岳论丛》1981 年第 6 期

马克思主义唯物史观形成和发展的光辉纪录——读《马克思恩格斯书简》，周勇胜，《厦门大学学报》（哲学社会科学版）1981 年第 4 期

试论《资本论》的逻辑与历史一致性原则，郑道传、黄九如、刘嘉水，《厦门大学学报》（哲学社会科学版）1981 年第 4 期

对《资本论》第二卷一段译文的质疑，李忠民，《西北大学学报》（哲学社会科学版）1981 年第 2 期

再谈马克思的不断革命论——答徐经泽同志，辛仲勤、薛汉伟，《文史哲》1981 年第 3 期

产业资本在流通领域中的形式、职能的二重化问题——《资本论》学习札记，姜启渭，《中南财经政法大学学报》1981年第4期

马克思学说何时介绍到中国，彭明，《社会主义研究》1981年第2期

官僚机构弊病四例——读《黑格尔法哲学批判》札记，吴学灿，《晋阳学刊》1981年第3期

学习马克思恩格斯关于过渡时期的理论，汤在新，《江汉论坛》1981年第3期

《家庭、私有制和国家的起源》注释（选登），李长林，《湖南师范大学社会科学学报》1981年第3期

读马克思的书评《珀歇论自杀》，程代熙，《读书》1981年第5期

资本主义社会内部不可能产生社会主义经济因素吗？——读《资本论》有感，洪远朋，《复旦学报》（社会科学版）1981年第1期

正确总结历史事件的光辉范例——重读《路易·波拿巴的雾月十八日》，李幼芬，《复旦学报》（社会科学版）1981年第1期

马克思恩格斯反对维利希—沙佩尔集团的斗争，胡文建，《当代世界与社会主义》1981年第2期

教育是历史范畴也是永恒范畴——重读《共产党宣言》，谢景隆，《陕西师范大学学报》（哲学社会科学版）1981年第3期

论恩格斯与杜林哲学论战的实质，刘修水，《陕西师范大学学报》（哲学社会科学版）1981年第3期

暴力革命是无产阶级革命的普遍规律吗？——马克思恩格斯的暴力革命论与和平过渡论初探，朱本源，《陕西师范大学学报》（哲学社会科学版）1981年第2期

马克思和"不断革命论"——一点质疑，匡萃坚，《上饶师范学院学报》1981年第1期

学习马克思资本周转的理论，李秉忠，《前线》1981年第3期

人的自然性是马克思异化学说的理论前提吗？——与兰秀良同志商榷，王锐生，《哲学动态》1981年第12期

六、七十年代外国学者对于马克思异化理论的研究动向，陶济，《哲学动态》1981年第11期

马克思主义文艺批评规律琐议——学习马克思、恩格斯有关文艺批评论著的体会，纪怀民，《文学评论》1981年第6期

关于马克思恩格斯社会主义集体所有制理论的研究，张鸿文，《经济研究》1981年第11期

关于马克思恩格斯是否设想过集体所有制问题初探，车有道、张维，《华中师范大学学报》（人文社会

科学版）1981 年第 4 期

人的本质与美的规律——就《手稿》的一段译文同程代熙同志商榷，墨哲兰，《学习与探索》1981 年第 6 期

恩格斯写的短新闻，闻习，《新闻大学》1981 年第 1 期

怎样理解马克思对人性的论述，杨星映，《学术月刊》1981 年第 8 期

马克思恩格斯关于感觉的理论，王丕，《心理学探新》1981 年第 2 期

试论马克思主义的人性观，孙子威，《华中师范大学学报》（人文社会科学版）1981 年第 2 期

《马恩列斯文艺论著选读》序言，包忠文、应启后，《苏州大学学报》（哲学社会科学版）1981 年第 1 期

友谊的结晶事业的开端——读马克思、恩格斯的《神圣家族》，崔绪治，《苏州大学学报》（哲学社会科学版）1981 年第 1 期

马克思的再生产理论，张魁峰，《山西财经大学学报》1981 年第 2 期

恩格斯现实主义典型观的体系性，祝敏申，《上海文学》1981 年第 8 期

关于历史的起点和人的本质的一点理解——读《德意志意识形态》的札记，雁征，《青海师专学报》1981 年第 2 期

苏共中央马列主义研究院及其研究成果，张坚，《国际观察》1981 年第 3 期

谈西方对马克思的研究，马泽民、徐若木，《编辑之友》1981 年第 1 期

学习马克思关于社会总资本扩大再生产的理论，李秉忠，《前线》1981 年第 6 期

学习马克思关于社会总资本简单再生产的理论，李秉忠，《前线》1981 年第 5 期

关于马恩著作中的"集体所有制"、"合作社占有制"和"社会所有制"问题，余学本，《教学与研究》1981 年第 2 期

《法兰西内战》的写作及在中国的翻译和出版，周文熙，《教学与研究》1981 年第 2 期

马克思严格区分敌友的范例，张文焕，《当代世界与社会主义》1981 年第 1 期

空想与科学的一次冲突——魏特林与马克思恩格斯之间，胡文建，《当代世界与社会主义》1981 年第 1 期

论提高资金使用效果与经济调整的关系——学习马克思关于资本周转理论的体会，胡厚钧，《社会科学战线》1981 年第 3 期

谈谈马克思的《资本论》的引证，徐国喜，《社会科学战线》1981

年第 1 期

正确理解马克思所说的"资产阶级权利"，申金奎，《甘肃理论学刊》1981 年第 3 期

恩格斯说，德意志统一有三条道路；列宁说，德意志统一有两条道路，应当如何理解？韩承文，《历史教学》1981 年第 7 期

建国以来有关巴黎公社著作编译出版的情况，陈叔平，《历史教学》1981 年第 4 期

论《1844 年经济学哲学手稿》的文本结构，李鹏程，《学习与探索》1981 年第 3 期

论青年马克思的思想发展，关士勋，《学习与探索》1981 年第 3 期

马克思对"矛盾"的用法，劳伦斯·克拉克著，李国海译，《国外社会科学文摘》1981 年第 8 期

新的《马克思恩格斯全集》出版情况，温·施瓦茨著，孙常敏译，《国外社会科学文摘》1981 年第 5 期

马克思、恩格斯和列宁关于党的概念，罗·施太格瓦尔特著，孙常敏译，《国外社会科学文摘》1981 年第 5 期

马克思恩格斯与民族运动——多样性问题，伊恩·卡明斯著，王建华译，《国外社会科学文摘》1981 年第 5 期

新世界观天才萌芽的第一个文件——试论《关于费尔巴哈的提纲》在马克思主义哲学发展史上的意义，叶汝贤，《中山大学学报》1981 年第 2 期

马克思的异化劳动理论及其向唯物史观的过渡——马克思《1844 年经济学哲学手稿》研究，张文煜，《未定稿》1981 年第 1 期

马克思恩格斯关于公有条件下的生产资料出租及合作生产的观点，霍俊超，《未定稿》1981 年第 23 期

关于评介马克思《一八四四年经济学哲学手稿》的一些问题，杨适，《中国社会科学》1981 年第 6 期

马克思是怎样使用最终产品概念的？郑新立，《学习与思考》1981 年第 3 期

马克思在晚年放弃了"亚细亚"这一概念了吗？姜洪等，《文史哲》1981 年第 5 期

"异化劳动"理论初探——读《经济学—哲学手稿》，胡福明，《群众论丛》1981 年第 3 期

《1844 年经济学哲学手稿》在马克思经济学中的地位，王晓桦，《学术月刊》1981 年第 9 期

学习《资本论》第二卷第三篇必须注意马克思所运用的方法，陈征，《福建师范大学学报》1981 年第 1 期

谈谈学习《资本论》，许涤新，《学习与思考》1981 年第 1 期

《资本论》中范畴的逻辑顺序和历史顺序问题，沈佩林，《中国社会科学》1981 年第 2 期

《资本论》第一卷与十九世纪六十年代国际工人运动，郭继严，《教学与研究》1981 年第 2 期

《资本论》第二卷的研究对象和基本结构，胡均，《教学与研究》1981 年第 2 期

《资本论》第二卷的研究对象和任务，陈敏之，《社会科学》1981 年第 2 期

论马克思的历史观点与社会发展的五阶段公式——马克思《1857—1858 年经济学手稿》研究，何新，《晋阳学刊》1981 年第 6 期

《资本论》年表，王乃恒，《吉林大学社会科学学报》1981 年第 2 期

恩格斯论歌德，钱中文，《美学论丛》1981 年第 3 期

重读恩格斯《神灵世界中的自然科学》，于光远，《哲学研究》1981 年第 12 期

《资本论》中的生产力概念——读《资本论》札记，徐杰，《东岳论丛》1981 年第 6 期

马克思《资本论》中从抽象上升到具体的科学分析方法，刘涤源等，《社会科学辑刊》1982 年第 2 期

《资本论》创作史初探，丁之江，《杭州大学学报》1981 年第 4 期

《资本论》中范畴的逻辑顺序与历史顺序不一致吗？干丛，《争鸣》1981 年第 3 期

唯物辩证法是《资本论》的根本方法，侯征，《学术月刊》1981 年第 5 期

对《资本论》第一卷内在结构的一点看法，巫继学等，《学术月刊》1981 年第 5 期

马克思建立《资本论》结构的三个基本方法，田光，《学术月刊》1981 年第 10 期

论《资本论》的对象问题，田光，《经济研究》1981 年第 5 期

《资本论》中关于生产力的问题，熊映梧，《学术月刊》1981 年第 11 期

不必轻易抛弃《资本论》的经济范畴，张薰华，《学术月刊》1981 年第 10 期

要用严肃认真的态度研究《资本论》，洪远朋，《学术月刊》1981 年第 10 期

研究《资本论》要重点与全面结合，黄强华，《学术月刊》1981 年第 10 期

《共产主义信条》的作者是恩格斯吗？蔡金发，《江西社会科学》1981 年第 1 期

社会主义民主的重要措施（重读《法兰西内战》），马驹，《读书》1981 年第 5 期

《〈黑格尔法哲学批判〉导言》译文商兑，张契尼，《中国社会科学》1981 年第 3 期

青年马克思对封建专制理论的批判——读《黑格尔法哲学批判》，李鹏程等，《学习与思考》1981 年第 1 期

对《资本论》译文中几个问题的研究，奚兆永，《中国经济问题》1981 年第 1 期

社会主义在曲折前进——纪念《社会主义从空想到科学的发展》出版 101 周年，马知明，《新疆大学学报》1981 年第 3 期

恩格斯在致布洛赫的信中没有把意识形态列为上层建筑的一种因素吗？王岳等，《齐鲁学刊》1981 年第 1 期

坚持马克思主义的权威观：学习恩格斯关于权威问题的论述，徐鸿武等，《科学社会主义研究》1981 年第 1 期

如何理解《反杜林论》关于道德阶级性的论点，苏厚重，《教学与研究》1981 年第 4 期

马克思《1844 年经济学—哲学手稿》中的异化劳动，[苏] 奥伊则尔曼，《哲学译丛》1981 年第 6 期

《1844 年经济学—哲学手稿》中关于劳动的辩证法问题，[苏] 萨玛尔斯卡娅，《马克思主义研究参考资料》1981 年第 3 期

论马克思《关于费尔巴哈的提纲》第 6 条中"人的本质"的定义，[德] 奎纳，《马克思主义研究参考资料》1981 年第 22 期

马克思异化理论的重要转折——《德意志意识形态》异化思想的探讨，乐志强，《学术研究》1981 年第 4 期

也谈"社会主义就是宣布不断革命"——与辛仲勤、薛汉伟同志商榷，徐经泽，《文史哲》1981 年第 1 期

恩格斯有过同时发生的观点，也有过一国胜利的观点，夏小林，《未定稿》1981 年第 22 期

马克思和恩格斯《德意志意识形态》第一章手稿的结构和内容，[苏] 巴加图里亚，《马克思主义研究参考资料》1981 年第 22 期

《资本论》的科学理论概念，[法] 阿尔都塞，《经济学译丛》1981 年第 3 期

马克思《资本论》的逻辑和社会主义政治经济学的逻辑，[苏] 法因布尔格等，《经济学译丛》1981 年第 12 期

1982 年

生产价格与生产社会化——学习《资本论》关于生产价格理论的

札记，孙连成、胡培兆，《兰州学刊》1982年第1期

科学地进行文学批评的宝贵启示——马克思、恩格斯《致斐迪南·拉萨尔》学习札记，申家仁，《九江师专学报》1982年第1期

论劳动力的一般性与特殊性——《资本论》学习笔记，洪大璘，《兰州学刊》1982年第2期

马克思恩格斯论文艺的真实性，边平恕，《杭州师范学院学报》（社会科学版）1982年第2期

论马克思恩格斯对摩尔根《古代社会》的批判继承与发展，卓天华，《华南师范大学学报》（社会科学版）1982年第4期

马克思恩格斯早期著作中唯物史观的萌芽，黎克明、徐超眉，《华南师范大学学报》（社会科学版）1982年第1期

马克思、恩格斯认为私有制是商品生产的基础吗？文传洋，《云南社会科学》1982年第1期

再谈马克思恩格斯对社会主义商品经济阶段的科学预见，房洪贵，《税务与经济》1982年第2期

试论马克思恩格斯关于经济落后国家爆发无产阶级革命的思想，李忠杰，《江西社会科学》1982年第3期

论费尔巴哈"人的本质的异化"和青年马克思的"真正的人道主义"概念，靳辉明，《江西社会科学》1982年第2期

巴黎公社的革命实践和马克思的民主理论，周海乐，《江西社会科学》1982年第1期

马克思主义经典作家论黑格尔的"绝对理念"与客观世界的关系，郭大俊，《湖北大学学报》（哲学社会科学版）1982年第6期

马克思恩格斯的"不断革命"论的真正含义是什么？陆善炯，《湖北大学学报》（哲学社会科学版）1982年第3期

第一国际时期马克思对无产阶级专政理论的贡献，葛锡有，《湖北大学学报》（哲学社会科学版）1982年第3期

论马克思和黑格尔、费尔巴哈的关系，W.毕雅拉斯著，燕宏远译，《世界哲学》1981年第3期

论恩格斯对黑格尔自然哲学的评价，张国祺、高兴华，《四川大学学报》（哲学社会科学版）1982年第1期

关于马克思恩格斯的文艺遗产——西方对马恩文艺遗产研究的历史考察，吴元迈，《江淮论坛》1982年第5期

西周的公社是农村公社，还是家长制家庭公社？——学习马克思、恩格斯关于公社问题若干论述的体会，赵世超，《河南大学学报》（社会

科学版）1982 年第 1 期

恩格斯关于上层建筑的特点和反作用的思想——读恩格斯书简札记，李茂，《中州学刊》1982 年第 4 期

略述马克思恩格斯现实主义理论的发展，王至元，《中国社会科学院研究生院学报》1982 年第 4 期

试论马克思实践理论的形成——纪念马克思逝世一百周年，牛福增，《殷都学刊》1982 年第 4 期

马克思关于鸦片战争的分析，侯明儒，《殷都学刊》1982 年第 4 期

马克思、恩格斯在文学批评中的辩证唯物主义，徐志祥，《咸宁学院学报》1982 年第 1 期

建设社会主义精神文明的思想武器——学习马克思、恩格斯关于文明观的体会，杨康民，《天津社会科学》1982 年第 6 期

恩格斯关于哲学基本问题的提法不可动摇，封毓昌，《天津社会科学》1982 年第 5 期

学习马克思、恩格斯关于城市的论述——发挥城市在我国经济建设中的作用，鄢湞五、刘象森，《天津社会科学》1982 年第 5 期

马克思怎样考察艺术规律，董学文，《天津社会科学》1982 年第 1 期

马克思恩格斯对青年黑格尔派的清算（上），萧灼基，《求索》

1982 年第 4 期

马克思恩格斯对青年黑格尔派的清算（下），萧灼基，《求索》1982 年第 5 期

如何正确理解马克思恩格斯著作中的集体所有制？左理，《兰州学刊》1982 年第 3 期

《资本论》的研究对象问题，卫兴华，《经济理论与经济管理》1982 年第 1 期

关于《资本论》的研究对象，王永锡、张天性，《财经科学》1982 年第 4 期

全面理解马克思关于生产劳动的规定，丁任重，《财经科学》1982 年第 3 期

对马克思恩格斯著作中"社会主义"和"共产主义"二词的若干考辨，荣长海，《天津师范大学学报》（社会科学版）1982 年第 6 期

社会主义没有任何一劳永逸的现成方案——学习恩格斯关于社会主义的一些论述，陈凯，《天津师范大学学报》（社会科学版）1982 年第 5 期

马克思劳动价值理论的基本内容，陈征，《南昌大学学报》（人文社会科学版）1982 年第 3 期

试论马克思恩格斯的集体所有制思想，吴惠之，《财经研究》1982 年第 5 期

马克思《1844 年经济学—哲学

手稿》一书的出版情况，李稳山，《社会科学》1982 年第 1 期

卡·马克思对摩尔根原始社会史学说的批判和改造——马克思原始社会史理论研究之一，汪连兴，《民族研究》1982 年第 3 期

马克思恩格斯论波兰，郭庆仕，《俄罗斯中亚东欧研究》1982 年第 3 期

关于流动资金周转额问题的探讨——学习马克思关于资本循环与周转理论的一点体会，许耀钧，《上海金融》1982 年第 11 期

《反杜林论》中的"经济基础"范畴考证，黎克明、徐超眉，《哲学研究》1982 年第 10 期

国外正在重新编辑恩格斯的《自然辩证法》，俞长彬、钱学敏，《哲学研究》1982 年第 1 期

社会主义公有制具有集团性——马克思恩格斯关于社会主义"集团所有"制的论述读后，梅文杰,《社会科学辑刊》1982 年第 4 期

马克思、恩格斯、列宁都把否定之否定看作是唯物辩证法的核心吗？纪玉祥,《社会科学辑刊》1982 年第 3 期

异化学说在马克思著作中的地位，马林堂,《社会科学辑刊》1982 年第 3 期

马克思恩格斯对拉萨尔的历史剧《济金根》的批评，杨柄，《社会科学辑刊》1982 年第 1 期

马克思是如何论述竞争理论的？王永江、杜一，《经济问题探索》1982 年第 3 期

人的本质观上的革命变革，施德福、余其铨，《北京大学学报》(哲学社会科学版) 1982 年第 5 期

马克思恩格斯对西方典型理论的批判继承和发展，杨星映，《北京大学学报》(哲学社会科学版) 1982 年第 4 期

马克思经济理论中的效用分析，晏智杰，《北京大学学报》(哲学社会科学版) 1982 年第 3 期

马克思著作中一个词语的翻译问题，冉曙光，《文史哲》1982 年第 3 期

试析"共产主义革命同时发生"的含义——兼对"同时胜利"论的质疑，滕世宗，《郑州大学学报》(哲学社会科学版) 1982 年第 2 期

关于《资本论》的研究对象问题——与卫兴华同志商榷，胡钧，《经济理论与经济管理》1982 年第 6 期

马克思论思想，P.凯恩著，肖晓译，《国外社会科学》1982 年第 11 期

《资本论》中的社会主义，不破哲三著，金德泉译，《国外社会科学》1982 年第 10 期

马克思恩格斯论共产主义制度下民族的未来，M. 洛伊著，肖俊明译，《国外社会科学》1982 年第 8 期

关于《马克思恩格斯全集》俄文第 2 版补卷，Б. 塔尔塔科夫斯基著，文华译，《国外社会科学》1982 年第 6 期

马克思与日本，不破哲三著，金德泉译，《国外社会科学》1982 年第 1 期

对《资本论》德、法文本中一个不同提法的理解，唐建设，《学术论坛》1982 年第 5 期

试论《资本论》的研究对象与生产方式，秦庆武，《学术论坛》1982 年第 5 期

马、恩的合作制思想与我国的农业集体化，朱峻峰，《学术论坛》1982 年第 2 期

农村公社与"亚细亚生产方式"——对马克思、恩格斯有关农村公社论述的历史考察，徐鸿修，《文史哲》1982 年第 4 期

马克思论印度沦为英国殖民地的原因和结果，严钟奎，《史学月刊》1982 年第 4 期

准确理解马克思的生产资料所有制理论，杜一、王永江，《社会科学辑刊》1982 年第 5 期

坚持恩格斯区分唯物主义和唯心主义的标准——与黄枬森同志商榷，刘继岳，《社会科学辑刊》1982年第 5 期

马克思、恩格斯究竟如何评价拉萨尔的《济金根》，练文修，《福建论坛》（社科教育版）1982 年第 6 期

第一级生产关系内涵和广义生产关系——读《资本论》札记，干丛、罗兴，《福建论坛》（社科教育版）1982 年第 4 期

马克思与自然辩证法，林可济，《福建论坛》（社科教育版）1982 年第 4 期

具体分析马克思早期和后期的异化理论——对薛德震文章的商榷，童星，《江汉论坛》1982 年第 7 期

1843—1846 年间马克思关于人的本质的几种提法——马克思早期著作学习札记之一，黄克剑，《江汉论坛》1982 年第 3 期

《政治经济学批判（1857—1858 年草稿）》在马克思再生产理论形成史上的地位，赵洪，《东北师大学报》（哲学社会科学版）1982 年第 4 期

黑格尔的著名哲学命题及恩格斯对它的改造，李万钟、薛文华，《东北师大学报》（哲学社会科学版）1982 年第 4 期

马克思恩格斯与社会调查——读书笔记，肖原，《社会》1982 年第 2 期

试论马克思恩格斯对共产主义

社会的设想，张式谷，《东岳论丛》1982 年第 1 期

恩格斯晚年对科学社会主义的发展，李良瑜，《安徽师范大学学报》（人文社会科学版）1982 年第 1 期

马克思异化劳动理论的形成和发展，洪历建，《社会科学研究》1982 年第 5 期

《手稿》在马克思主义学说形成中的地位与作用，李鹏程，《社会科学研究》1982 年第 4 期

社会存在就是社会实践——学习《德意志意识形态》，张侯真，《社会科学研究》1982 年第 3 期

关于异化和人道主义的问题——学习马克思《1844 年经济学哲学手稿》，康电，《社会科学研究》1982 年第 2 期

正确理解马克思的异化理论，陶人，《社会科学研究》1982 年第 1 期

论马克思对"人"的类概念的使用，冯宪光，《社会科学研究》1982 年第 1 期

共产主义就是人道主义吗？——对《经济学哲学手稿》的学习和探讨，马羽，《社会科学研究》1982 年第 1 期

马克思和弗莱里格拉特，聂健军，《齐鲁学刊》1982 年第 5 期

马克思的经济表，于洪波，《齐鲁学刊》1982 年第 5 期

《资本论》与统计科学的发展，黄良文，《厦门大学学报》（哲学社会科学版）1982 年第 3 期

马克思恩格斯文艺批评理论初探，王家骏、弓惠英，《文艺理论研究》1982 年第 4 期

人性问题——介绍《马克思恩格斯论人性和人道主义》，程代熙，《文艺理论研究》1982 年第 3 期

倾向愈隐蔽愈好——学习马克思、恩格斯文艺倾向观札记，曾垂提，《贵州民族学院学报》（哲学社会科学版）1982 年第 3 期

提高劳动强度是剩余价值的一种特殊生产方法——读《资本论》札记，石启志，《福建师范大学学报》（哲学社会科学版）1982 年第 4 期

对马恩关于社会主义商品关系的预见的理解，吴有根，《福建师范大学学报》（哲学社会科学版）1982 年第 3 期

价值形式辩证法试探——读《资本论》札记，李建平，《福建师范大学学报》（哲学社会科学版）1982 年第 2 期

应当区分客观的生产劳动与资本家观念中的生产劳动——读《资本论》的一点体会，何干强，《福建师范大学学报》（哲学社会科学版）1982 年第 1 期

从马克思人性概念的歧义性看他同传统人道主义的关系，丁学良，《复旦学报》（社会科学版）1982年第6期

知识分子："总体工人"的成员——学习马克思恩格斯的有关论述，唐代望，《复旦学报》（社会科学版）1982年第6期

建设高度精神文明是科学社会主义题中应有之义——介绍马克思、恩格斯、列宁、斯大林关于精神文明的论述，马德太、汤有伦、刘玉芬，《东岳论丛》1982年第3期

试论马克思早期的革命现实主义历史观点，梅荣政、刘德厚，《武汉大学学报》（人文科学版）1982年第5期

试论马克思的无产阶级贫困化理论的实质和核心，侯征，《陕西师范大学学报》（哲学社会科学版）1982年第3期

劳动异化与人的本质，栾栋，《陕西师范大学学报》（哲学社会科学版）1982年第2期

《法德农民问题》是马克思主义的光辉文献，孙连成、林圃，《贵州社会科学》1982年第2期

《新莱茵报》时期马克思恩格斯论民族解放，陈曼蓉、补资生，《中南民族大学学报》（人文社会科学版）1982年第4期

"求实精神"在马克思早期思想形成中的作用，边士江，《山西大学学报》（哲学社会科学版）1982年第3期

马克思恩格斯对社会主义革命的一个重要设想——兼评对"同时发生"、"同时胜利"的不同观点，王洪福、孙玉春，《社会主义研究》1982年第2期

论马克思恩格斯创建共产主义政党的理论与实践，曹普澄，《辽宁大学学报》（哲学社会科学版）1982年第6期

马克思恩格斯对数学的研究——哲学教学要从数学中吸取辩证法思想，孙小礼，《教学与研究》1982年第6期

马克思《1844年经济学哲学手稿》重点句试解——有关社会主义和共产主义的论述部分（一），李鹏程，《教学与研究》1982年第1期

马克思恩格斯关于"生产方式"概念的含义，陈文灿，《复旦学报》（社会科学版）1982年第4期

马克思、恩格斯和道德相对性，乔治·布伦克著，冯凭译，《国外社会科学文摘》1982年第9期

关于马克思对李嘉图"比较成本说"的评价问题，朱国兴、王绍熙，《国际贸易》1982年第8期

《资本论》札记（两则），洪远朋，《复旦学报》（社会科学版）1982年第3期

第一国际初期马克思同马志尼派的斗争，洪肇龙，《当代世界与社会主义》1982年第4期

美学和历史观点的批评——学习马克思恩格斯对《济金根》的评论，吴德辉，《云南师范大学学报》（哲学社会科学版）1982年第1期

关于一段译文的译法——答墨哲兰同志，程代熙，《学习与探索》1982年第5期

马克思经济学中的系统性原则，左大培、康荣平，《学习与探索》1982年第4期

不拘一格的新闻写作——读马克思、恩格斯在《新莱茵报》上发表的作品，陈力丹，《新闻大学》1982年第4期

马克思恩格斯是怎样对待在报纸上开展批评的？陈大维，《新闻大学》1982年第2期

社会主义商品价值中m范畴的探索——兼论《资本论》中的剩余价值范畴，蒋明，《学术月刊》1982年第6期

试论《资本论》中的演绎体系，刘炯忠，《学术月刊》1982年第4期

马克思恩格斯论意识与实践活动，王丕，《心理学探新》1982年第3期

马克思的按劳分配理论与社会主义的按劳分配实践——为纪念马克思逝世一百周年而作，毓来，《青海师专学报》1982年第2期

人的"种属能力"初探——《资本论》和《1844年经济学—哲学手稿》学习札记，陈依元《青海师专学报》1982年第1期

人类思想发展史上一次最光辉的日出——学习马克思、恩格斯的社会主义理论，萧金权，《黄冈师范学院学报》1982年第1期

"倾向应当从场面和情节中自然而然地流露出来"——读恩格斯《致敏娜·考茨基》，王家骏，《扬州大学学报》（人文社会科学版）1982年第21期

马克思、恩格斯对巴枯宁的蒙昧主义的批判，任钟印，《教育研究与实验》1982年第1期

马克思、恩格斯著作中的"亚细亚生产方式"与"亚细亚的所有制形式"，张忠民，《徐州师范大学学报》（哲学社会科学版）1982年第2期

试谈马克思主义经典作家的意识观点，李世棣，《心理学探新》1982年第2期

约翰·伯克等编著：《马克思主义与美好社会》，周亢美，《国外社会科学文摘》1982年第8期

再生产理论的基本原理和运用——学习《资本论》第二卷第三篇的体会，张旿，《唯实》1982年第

1 期

资本循环理论和资金运动规律——学习《资本论》第二卷第一篇的体会，杨怀宇，《唯实》1982 年第 1 期

对马克思恩格斯著作中"社会主义"和"共产主义"二词的若干考辨，荣长海，《天津师范大学学报》（社会科学版）1982 年第 6 期

马克思对欧文人的全面发展思想的批判继承，苏渭昌，《北京师范大学学报》（社会科学版）1983 年第 2 期

马克思恩格斯文艺论著在中国翻译出版情况简述，刘庆福，《北京师范大学学报》（社会科学版）1983 年第 2 期

马克思恩格斯论图书馆工作，周文骏，《图书馆杂志》1982 年第 1 期

《资本论》出版与传播，雍桂良，《图书馆理论与实践》1982 年第 2 期

马克思恩格斯理论遗产中的"生产力"范畴，巴加图里亚著，李树柏译，《世界哲学》1982 年第 2 期

马克思社会资本再生产理论的建立过程，郭继严，《社会科学战线》1982 年第 3 期

论马克思关于生产劳动和非生产劳动的理论，刘诗白，《社会科学战线》1982 年第 3 期

马克思对黑格尔、费尔巴哈异化观的改造，齐云、尚德，《学术研究》1982 年第 6 期

《共产党宣言》的产生，于奇，《历史教学》1982 年第 5 期

如何理解马克思在《提纲》中关于"人的本质"的论断，陈村富（北京），《学习与研究》1982 年第 5 期

试谈恩格斯《费尔巴哈论》的方法论，任平，《苏州大学学报》1982 年第 1 期

关于恩格斯对《费尔巴哈论纲》的若干修改，纪玉祥，《哲学研究》1982 年第 10 期

马克思《1844 年经济学哲学手稿》重点句试介——有关社会主义和共产主义的论述部分（1—3），李鹏程，《教学与研究》1982 年第 1—3 期

马克思异化理论的两次转折，陈先达，《中国社会科学》1982 年第 2 期

马克思的异化劳动理论与社会主义的异化现象，晓亮，《经济科学》1982 年第 1 期

《资本论》第一卷第一篇"商品"的性质，卫兴华，《学术月刊》1982 年第 1 期

绝对地租与垄断价格——兼评对《资本论》中有关论述的误介，

卫兴华,《经济研究》1982 年第 4 期

《资本论》第三卷对社会主义经济建设的指导意义,萧灼基,《学习与探索》1982 年第 3 期

《资本论》的方法和政治经济学社会主义部分的研究,马家驹,《学术月刊》1982 年第 3 期

生产劳动范畴的外延、内涵及定义——读《资本论》札记,干丛等,《贵州社会科学》1982 年第 2 期

怎样理解马克思的货币流通规律公式,王惟中等,《学术月刊》1982 年第 5 期

马克思再生产理论的基本原理必须坚持,邓力群,《红旗》1982 年第 5—7 期

全国第一次《资本论》学术讨论会暨中国《资本论》研究会成立大会侧记,陆南如等,《经济学动态》1982 年第 2 期

《资本论》的结构问题,骆耕漠,《社会科学辑刊》1982 年第 3—4 期

论《资本论》的生命力,许涤新,《经济研究》1982 年第 2 期

论《资本论》研究对象,胡培兆等,《社会科学》1982 年第 2 期

政治经济学应重视研究商品的使用价值——学习《资本论》的体会,赵洪等,《社会科学战线》1982 年第 1 期

试论《资本论》阐述的经济效果问题,潘英丽,《求索》1982 年第 2 期

资本主义经济形式的矛盾和发展极限——学习马克思《1857—1858 年经济学手稿》,刘佑成,《未定稿》1982 年第 7 期

《资本论》中关于内含扩大再生产的论述与我国社会主义经济建设,寇银章,《兰州大学学报》1982 年第 2 期

论《资本论》的逻辑与三种历史的不同关系,田光,《中国社会科学》1982 年第 1 期

有关《资本论》研究的几个问题,于光远,《经济研究》1982 年第 2 期

关于《反杜林论》翻译方面某些差错的商榷,刘相安,《社会科学辑刊》1982 年第 1 期

《法德农民问题》是马克思主义的光辉文献,孙连成、林圃,《贵州社会科学》1982 年第 2 期

观察与理论思维:学习恩格斯《自然辩证法》札记,王新涛,《河北学刊》1982 年第 4 期

恩格斯致哈克奈斯信与现实主义理论问题,吴元迈,《中国社会科学》1982 年第 3 期

关于马恩提出"同时胜利"还是"一国首先胜利"的争论,王梅贵,《解放日报》1982 年 1 月 14 日

马克思的《危机笔记(一八五

七——一八五八)》,［日］川锅正敏,《马克思主义研究参考资料》1982 年第 7 期

《关于费尔巴哈的提纲》的评注,［澳］萨奇廷,《马克思主义研究参考资料》1982 年第 19 期

马克思的《关于费尔巴哈的提纲》,［苏］鲍古斯拉夫斯基,《马列著作编译资料》第 18 辑

《德意志意识形态》中关于个性的唯物主义理论,［法］泰克布叶,《哲学译丛》1982 年第 2 期

马克思的《资本论》和修正主义对它的批判,［苏］胡多柯尔莫夫,《经济学译丛》1982 年第 6 期

《反杜林论》中的辩证法理论及其规律,［苏］纳尔斯基,《哲学译丛》1982 年第 6 期

1983 年

马克思的第一个伟大发现——略论唯物史观的形成,祝大征,《人文杂志》1983 年第 1 期

《资本论》创作简史,袁博文,《人文杂志》1983 年第 1 期

马克思和恩格斯研究人口问题的方法——纪念马克思逝世一百周年,杨德清,《人口与经济》1983 年第 1 期

马克思著作的文学风格论,王哲刚,《税务与经济》1983 年第 2 期

略论《资本论》的结构形式,高明久,《税务与经济》1983 年第 1 期

从马克思、恩格斯评《济金根》看戏剧的"意识到的历史内容",马家骏,《人文杂志》1983 年第 4 期

恩格斯表述哲学基本问题的特点及其深刻含义,李振伦,《求是学刊》1983 年第 5 期

马克思对黑格尔唯心辩证法的批判继承,何玉德,《内蒙古社会科学》(汉文版) 1983 年第 3 期

简述马克思的辩证逻辑思想,且大有,《内蒙古社会科学》(汉文版) 1983 年第 3 期

《神圣家族》和历史唯物主义的形成,王长里,《江西社会科学》1983 年第 5 期

"在马克思看来,只有一件事情是重要的"——为纪念马克思逝世一百周年而作,李成勋,《江西社会科学》1983 年第 2 期

"莎士比亚化"和"席勒式"——简介马克思、恩格斯《致斐·拉萨尔》的两封信,贺季萱,《解放军外国语学院学报》1983 年第 4 期

马克思主义在中国早期传播的历史特点,胡邦宁,《湖北大学学报》(哲学社会科学版) 1983 年第

3 期

浅谈马克思和恩格斯的人民主权思想，聂运林，《湖北大学学报》（哲学社会科学版）1983 年第 2 期

《马克思、恩格斯论文艺的倾向性》漫评，游藜，《当代文坛》1983 年第 9 期

马克思与档案，吴宝康，《档案学通讯》1983 年第 21 期

马克思恩格斯的社会主义经济形态学说的形成，古克武，《财贸研究》1983 年第 1 期

从异化劳动向唯物史观的过渡——论分工范畴的历史作用，王卫国，《北京师范大学学报》（社会科学版）1983 年第 4 期

学习马克思的治学精神——纪念马克思逝世一百周年，朱健安，《湖州师范学院学报》1983 年第 1 期

马克思《经济表》和魁奈《经济表》的对比分析，黄公元，《杭州师范学院学报》（社会科学版）1983 年第 2 期

"亚洲新纪元的曙光"——学习马克思有关中国近代史的论述，邹身城，《杭州师范学院学报》（社会科学版）1983 年第 1 期

《资本论》中关于科学技术在生产上的应用的理论与我国社会主义经济建设，顾绍荣，《杭州师范学院学报》（社会科学版）1983 年第

1 期

马克思恩格斯关于不发达国家实现社会主义的启示，黄家驹、张存辉，《华南师范大学学报》（社会科学版）1983 年第 2 期

正确理解马克思的唯物史观公式，黎克明、徐超眉，《华南师范大学学报》（社会科学版）1983 年第 1 期

马克思的求实精神，陈忠雄，《河南大学学报》（社会科学版）1983 年第 3 期

马克思建立无产阶级革命政党的理论与实践——纪念马克思逝世一百周年，白毅，《河南大学学报》（社会科学版）1983 年第 3 期

学习马克思恩格斯赞扬中国人民爱国主义精神的光辉论述，余世诚，《河北学刊》1983 年第 4 期

谈谈《资本论》对社会主义经济建设的指导意义，李子建，《河北学刊》1983 年第 1 期

马克思论法律的本质，李龙、朱开化，《湖北师范学院学报》（哲学社会科学版）1983 年第 1 期

马克思与法国革命，张树森，《河北大学学报》（哲学社会科学版）1983 年（增刊）

马克思的语言风格及其典范意义，罗淑芳，《河北大学学报》（哲学社会科学版）1983 年（增刊）

文艺批评中的两个问题——学

习马克思恩格斯论文艺札记，孙振笃，《河北大学学报》（哲学社会科学版）1983 年（增刊）

学习马克思的现实主义真实论，王德勇，《河北大学学报》（哲学社会科学版）1983 年（增刊）

马克思恩格斯关于用赎买办法剥夺剥夺者的设想在中国的实现，曾昭顺，《河北大学学报》（哲学社会科学版）1983 年（增刊）

继承和发展马克思关于社会主义文明的光辉思想，吴琼、刘荣兴，《河北大学学报》（哲学社会科学版）1983 年（增刊）

学习马克思的唯物史观试论社会进步的标志，任玉岭，《河北大学学报》（哲学社会科学版）1983 年（增刊）

马克思关于人的本质和全面发展的学说与我国的教育目的，康汉湘，《河北大学学报》（哲学社会科学版）1983 年（增刊）

人的本质是什么？——学习马克思主义人论札记，李宪如，《河北大学学报》（哲学社会科学版）1983 年（增刊）

马克思的唯物史观和精神文明——试探精神文明的发展规律，韩佳辰，《河北大学学报》（哲学社会科学版）1983 年第 3 期

从马克思的思想史看《资本论》关于研究方法和叙述方法的关系问题，刘炯忠，《河北大学学报》（哲学社会科学版）1983 年第 3 期

《资本论》与两种文明建设，阎革，《广西大学学报》（哲学社会科学版）1983 年第 1 期

马克思恩格斯对主观唯心主义创作思想的批判及其美学意义，林宝全，《广西师范大学学报》（哲学社会科学版）1983 年第 3 期

教育会生产劳动能力——学习马克思有关教育的经济意义的论述，郭道明，《广西师范大学学报》（哲学社会科学版）1983 年第 2 期

深入研究马克思有关统计的论述提高统计工作的科学水平，陆戈，《中国统计》1983 年第 3 期

建设社会主义精神文明的宝贵思想财富——学习马克思恩格斯有关精神文明的论述，刘平斋、姜忠，《西南民族大学学报》（人文社科版）1983 年第 1 期

马克思著作在中国的翻译出版概述——纪念马克思逝世一百周年，永早、爱荣，《图书馆工作与研究》1983 年第 1 期

必须重视内含的扩大再生产——学习《资本论》关于扩大再生产理论的一点体会，李云、秦瑞杰，《山西财经大学学报》1983 年第 5 期

个性是艺术典型的生命——学习马克思恩格斯关于典型塑造理论

的札记，秦忠翼，《湖南城市学院学报》1983年第2期

也论《手稿》的异化观——与蔡仪、郭因同志商榷，刘志洪，《西藏民族学院学报》(哲学社会科学版) 1983年第3期

学习《手稿》二题，刘一沾，《西藏民族学院学报》(哲学社会科学版) 1983年第3期

以马克思光辉的一生为典范努力开创社会主义现代化建设的新局面，郭有为，《西藏民族学院学报》(哲学社会科学版) 1983年第1期

略谈马克思实践观的形成，张剑伟，《信阳师范学院学报》(哲学社会科学版) 1983年第2期

马克思人口思想浅述，张孝纯，《信阳师范学院学报》(哲学社会科学版) 1983年第2期

永恒的社会纪念碑——马克思逝世百周年祭，黄安淼，《信阳师范学院学报》(哲学社会科学版) 1983年第1期

马克思关注中国，周宏府，《湘潭大学社会科学学报》1983年第2期

马克思论人的全面发展，唐爱菊，《湘潭大学社会科学学报》1983年第2期

马克思《1844年经济学—哲学手稿》的主要中译本，张景荣，《天津社会科学》1983年（增刊）

一个全面发展的人的审美——马克思批评观管窥，滕云，《天津社会科学》1983年（增刊）

马克思恩格斯现实主义思想概述（上），李思孝，《齐齐哈尔大学学报》(哲学社会科学版) 1983年第1期

马克思恩格斯现实主义思想概述（下），李思孝，《齐齐哈尔大学学报》(哲学社会科学版) 1983年第2期

对马克思恩格斯致拉萨尔的两封信的再认识，欧阳松、毛微昭，《青海社会科学》1983年第6期

马克思恩格斯在建党学说方面的伟大贡献，张蔚萍，《青海社会科学》1983年第3期

马克思恩格斯《新莱茵报》时期的报刊思想，郑保卫，《青海社会科学》1983年第2期

马克思恩格斯论文艺的莎士比亚化，木子，《宁夏大学学报》(人文社会科学版) 1983年第2期

学习马克思论科学技术的几点体会，石倬英，《宁夏大学学报》(人文社会科学版) 1983年第1期

革命导师马克思恩格斯与诗人海涅，王捷，《丽水师范专科学校学报》1983年第Z1期

马克思、恩格斯是为革命而学外语的典范，张建中，《湖州师范学院学报》1983年第1期

对马克思哲学诞生地的探索——读杨适《马克思〈经济学—哲学手稿〉述评》，史敏，《哲学研究》1983 年第 6 期

马克思恩格斯对资产阶级道德的批判，宋惠昌，《哲学研究》1983 年第 3 期

马克思和十八世纪法国哲学，韩震，《哲学研究》1983 年第 2 期

立志·立德·立业——读《马克思恩格斯全集》第四十卷札记，陈民惟，《社会科学》1983 年第 8 期

马克思与 1863 年波兰起义——纪念马克思逝世一百周年，李玥，《首都师范大学学报》(社会科学版)1983 年第 1 期

马克思、恩格斯关于阿富汗的论述，唐宝才，《西亚非洲》1983 年第 2 期

马克思、恩格斯与非洲——纪念马克思逝世一百周年，陈宗德，《西亚非洲》1983 年第 1 期

从艺术本质论看马恩的文艺观点体系，汪裕雄，《江淮论坛》1983 年第 5 期

论马克思、恩格斯美学、文艺学体系，李中一，《江淮论坛》1983 年第 3 期

马克思和知识分子，张云生、李新忠、朱迅，《江淮论坛》1983 年第 2 期

科学社会主义理论中的一个重要问题——马克思、恩格斯关于没有经过资本主义充分发展阶段的国家可能走上社会主义道路的理论，段若非，《江淮论坛》1983 年第 2 期

马克思恩格斯的文学比较方法，刘秉书，《江淮论坛》1983 年第 1 期

马克思关于落后国家向社会主义过渡的思想，陈启能、汤重南，《世界历史》1983 年第 2 期

马克思是无产阶级税收理论的奠基人，董庆铮，《中央财经大学学报》1983 年第 1 期

学习马克思关于计划经济的理论，黄振奇，《中央财经大学学报》1983 年第 1 期

两个"彻底决裂"与建设高度的社会主义精神文明，黎勇、何海华，《求实》1983 年第 3 期

人类法律史上宏伟的里程碑——学习《共产党宣言》中法的阶级性原理的体会，倪正茂、杨海坤，《政法论坛》1983 年第 2 期

简论马克思主义的继承观，王遂起，《政法论坛》1983 年第 1 期

马克思的社会经济结构理论及其方法论意义，刘勇，《中州学刊》1983 年第 3 期

历史唯物主义产生的时间和标志，王昕杰，《中州学刊》1983 年第 2 期

再论《资本论》关于扩大再生产基本公式问题，许兴亚、陆立军，

《中州学刊》1983 年第 1 期

坚持和发展马克思、恩格斯的现实主义创作论，龚依群，《中州学刊》1983 年第 1 期

关于马克思平均利润和生产价格理论的一点探讨，汪水波，《中国社会科学院研究生院学报》1983 年第 3 期

论马克思的"劳动"概念的历史发展，严昭柱，《中国社会科学院研究生院学报》1983 年第 3 期

重新学习马克思剩余劳动理论的现实意义——纪念马克思逝世一百周年，王绍飞、李茂生，《中国社会科学院研究生院学报》1983 年第 2 期

马克思的商业价格理论与我国的物资供应价格改革，张维达，《财贸经济》1983 年第 12 期

《资本论》中的"两种生产"思想，陈明立，《财经科学》1983 年第 4 期

马克思的人口理论，吴忠观，《财经科学》1983 年第 2 期

《资本论》序言中的"生产方式"是指生产力，郑邦才，《财经科学》1983 年第 1 期

《资本论》中的法学理论与社会主义经济管理，武尚理，《财经科学》1983 年第 1 期

马克思教育学说研究中的一个问题，苏渭昌，《天津师范大学学报》（社会科学版）1983 年第 2 期

《〈政治经济学批判〉序言》一段译文的商榷，佟更、巴新生、靳润成，《天津师范大学学报》（社会科学版）1983 年第 1 期

马克思主义打碎国家机器的原理及其在实践中的发展——纪念《路易·波拿巴的雾月十八日》问世 130 周年，李振海，《天津师范大学学报》（社会科学版）1983 年第 1 期

马克思对人的认识，谭钧荣，《南昌大学学报》（人文社会科学版）1983 年第 2 期

文艺的真实性与文艺的社会作用——学习马克思恩格斯文艺论著札记，曾奕禅，《南昌大学学报》（人文社会科学版）1983 年第 1 期

马克思按劳分配思想的形成和发展，蔡松鹤，《南昌大学学报》（人文社会科学版）1983 年第 1 期

论马克思、恩格斯关于生产资料"社会所有"、"全社会所有"与"国家所有"的设想，吴惠之，《财经研究》1983 年第 3 期

马克思的人道观和对人道主义的批判，李成蹊，《社会科学》1983 年第 7 期

用发展观点研究《资本论》，熊映梧，《社会科学》1983 年第 7 期

科学社会主义的灵魂是科学——学习《社会主义从空想到科学的发展》，马勤，《社会科学》

1983 年第 5 期

马克思关于语言发展的理论，张彦昌，《吉林大学社会科学学报》1983 年第 3 期

马克思与莎士比亚，张泗洋，《吉林大学社会科学学报》1983 年第 3 期

论青年马克思的异化理论与历史唯物主义的区别和联系——兼论《手稿》在唯物史观形成中的地位和作用，刘福森，《吉林大学社会科学学报》1983 年第 2 期

美学观点与历史观点的统一——学习马克思、恩格斯的文艺批评理论，薛纯华，《吉林大学社会科学学报》1983 年第 2 期

青年马克思为创立科学世界观而进行的探索，冯煜章，《哲学研究》1983 年第 10 期

关于《资本论》从抽象上升到具体的方法的几个问题，曾德盛，《学术论坛》1983 年第 2 期

资产阶级的灭亡和无产阶级的胜利是同样不可避免的，张可尧，《学术论坛》1983 年第 2 期

马克思论人的本质，李道中，《天津师范大学学报》(社会科学版) 1983 年第 6 期

《资本论》法文版在教育问题论述上的独立科学价值，苏渭昌，《天津师范大学学报》(社会科学版) 1983 年第 5 期

共产主义一定要实现——纪念马克思逝世一百周年，李世琮，《山西师大学报》(社会科学版)，1983 年第 1 期

学习《资本论》是提高金融理论的根本——写在《〈资本论〉自学辅导》的前面，张天性，《西南金融》1983 年第 4 期

社会必要劳动时间与我国经济发展战略——读《资本论》的一点体会，盛远谟，《南京师大学报》(社会科学版) 1983 年第 4 期

教育与生产劳动结合思想的根本变革——学习马克思教育学说的体会，丁沅，《南京师大学报》(社会科学版) 1983 年第 2 期

纯粹服务劳动不创造价值——学习《资本论》的体会，何干强，《南京师大学报》(社会科学版) 1983 年第 2 期

马克思学生时代的思想演变，徐耀新，《南京师大学报》(社会科学版) 1983 年第 2 期

无产阶级的国际联合和独立自主——学习马克思恩格斯的国际主义思想，李淑，《南京师大学报》(社会科学版) 1983 年第 2 期

试论马、恩对莎士比亚的评价——兼谈莎剧研究，邱永川，《福建师范大学学报》(哲学社会科学版) 1983 年第 3 期

马克思、恩格斯教育学说的创

建是教育科学中的伟大变革，李明德，《福建师范大学学报》（哲学社会科学版）1983年第2期

学习马克思珍贵的历史科学遗产，范传贤，《福建师范大学学报》（哲学社会科学版）1983年第2期

试论原始社会质变形式的特点——学习《家庭、私有制和国家的起源》，林嘉声，《福建师范大学学报》（哲学社会科学版）1983年第1期

恩格斯《自然辩证法》中从抽象上升到具体的方法，林可济，《福建师范大学学报》（哲学社会科学版）1983年第1期

浅谈马克思青年时代的诗歌创作，赖耀先，《福建师范大学学报》（哲学社会科学版）1983年第1期

马克思观点形成的一个重要阶段——读马克思青年时代著作，范一，《福建师范大学学报》（哲学社会科学版）1983年第1期

青年马克思——学习《马克思恩格斯全集》第四十卷札记，许崇信，《福建师范大学学报》（哲学社会科学版）1983年第1期

马克思和科学技术，杨新华，《福建师范大学学报》（哲学社会科学版）1983年第1期

马克思创立了历史唯物主义的科学体系，王之波，《福建师范大学学报》（哲学社会科学版）1983年第

1期

浅谈中介在马克思分析工资中的作用——读《资本论》札记，李建平，《福建师范大学学报》（哲学社会科学版）1983年第1期

关于合作经济的历史考察——学习《资本论》第三卷第二十七章笔记，金学渊，《福建师范大学学报》（哲学社会科学版）1983年第1期

《资本论》阐述的经济效果问题及其对我们的启示，郭铁民，《福建师范大学学报》（哲学社会科学版）1983年第1期

马克思五十年代手稿中的个人消费理论——读《经济学手稿（1857—1858年）》札记，陈惠如，《福建师范大学学报》（哲学社会科学版）1983年第1期

从《资本论》的创作学习马克思的治学精神，陈征，《福建师范大学学报》（哲学社会科学版）1983年第1期

对《马克思、恩格斯的著作中是如何使用"社会学"名称的》一文质疑，袁缉辉，《社会》1983年第4期

马克思编制《工人调查表》前后，严建，《社会》1983年第1期

马克思的"普遍劳动义务制"和我国城镇劳动就业问题，张志昂、李平、钱筱申，《社会》1983年第

1 期

马克思的家庭生产理论与我国农民的伟大创造——学习《资本论》的一点体会，聂春玉，《农业经济》1983 年第 5 期

马克思恩格斯论莫扎特及其歌剧，王东路，《音乐研究》1983 年第 3 期

作为新闻工作者的卡尔·马克思，阿伦·赫特著，陈力丹译，《国际新闻界》1983 年第 1 期

马克思与《新莱茵报》编辑部工作组织，傅显明，《国际新闻界》1983 年第 1 期

学习马克思关于社会主义计划经济的理论，张友仁，《北京大学学报》（哲学社会科学版）1983 年第 4 期

马克思与数学，孙小礼，《北京大学学报》（哲学社会科学版）1983 年第 2 期

马克思恩格斯和波兰民族解放运动，刘祖熙，《北京大学学报》（哲学社会科学版）1983 年第 1 期

马克思在第一国际中的地位和作用，张汉清，《北京大学学报》（哲学社会科学版）1983 年第 1 期

马克思的辩证逻辑思想刍议，且大有，《内蒙古师范大学学报》（哲学社会科学版）1983 年第 1 期

马克思与自然科学，李迪，《内蒙古师范大学学报》（哲学社会科学版）1983 年第 1 期

马克思、恩格斯与巴黎公社——纪念马克思逝世一百周年，许永璋，《郑州大学学报》（哲学社会科学版）1983 年第 2 期

马克思在政治经济学领域所完成的伟大革命及其意义——纪念马克思逝世一百周年，陈克、俞岸，《郑州大学学报》（哲学社会科学版）1983 年第 2 期

马克思是坚持民主集中制的光辉典范——纪念马克思逝世一百周年，李景行，《郑州大学学报》（哲学社会科学版）1983 年第 2 期

马克思是怎样看待资本主义文明的？——纪念马克思逝世一百周年，滕世宗，《郑州大学学报》（哲学社会科学版）1983 年第 1 期

马克思关于物质生产、人口生产和精神生产相统一的社会生产理论，金泓汎，《福建论坛》（社科教育版）1983 年第 3 期

学习马克思关于科学技术的革命作用的原理，严正，《福建论坛》（社科教育版）1983 年第 3 期

再论劳动的政治经济学研究对象——《资本论》研读的思考，朱玲、巫继学，《福建论坛》（社科教育版）1983 年第 2 期

马克思、恩格斯的作家论，陈辽，《当代外国文学》1983 年第 1 期

《资本论》和现代资产阶级经

济学，张幼文，《世界经济研究》1983 年第 2 期

朕兆、幽灵、怪影及其他——关于《共产党宣言》中两句译文的商榷，吴好好，《外国语》（上海外国语大学学报）1983 年第 5 期

马克思与德国诗人海涅，周骏章，《外国文学研究》1983 年第 2 期

法国出版《马克思恩格斯通信集》第 9 卷，程晓燕，《国外社会科学》1983 年第 7 期

马克思、恩格斯与辩证法，P. 卡因著，子华译，《国外社会科学》1983 年第 3 期

马克思的翻译活动和建树——为纪念马克思逝世一百周年而作，余士雄，《国外社会科学》1983 年第 3 期

马克思和恩格斯论共产主义社会形态的形成，W. 施奈德著，燕宏远译，《国外社会科学》1983 年第 3 期

《哲学的贫困》马克思批注影印本出版和马克思研究的发展，田中菊次著，金德泉译，《国外社会科学》1983 年第 1 期

法的科学性与科学性的法——纪念马克思逝世一百周年，王传生，《法学》1983 年第 3 期

《1857—1858 年经济学手稿》是马克思经济学说形成的里程碑，丁之江，《浙江学刊》1983 年第 2 期

马克思恩格斯的悲剧观，郭志今，《浙江学刊》1983 年第 1 期

生产自动化与马克思的劳动价值论，金道常、顾榴珍，《浙江学刊》1983 年第 1 期

共产主义与现代化经济建设——纪念马克思逝世一百周年，林牧、金恒，《浙江学刊》1983 年第 1 期

关于"最彻底的决裂"、"请出亡灵"与"永久的魅力"——学习马克思有关文艺问题学说的三则笔记，徐中玉，《文艺理论研究》1983 年第 2 期

马克思、恩格斯与文学批评，黄世瑜，《文艺理论研究》1983 年第 1 期

论马克思关于艺术掌握世界的方式，周来祥，《文史哲》1983 年第 6 期

马克思对李嘉图地租理论的发展，胡世凯，《文史哲》1983 年第 5 期

论简单商品生产的矛盾——读《资本论》第一卷第一篇札记，周之美，《文史哲》1983 年第 2 期

马克思对以往经济学家评价的历史态度，周守正，《史学月刊》1983 年第 2 期

巴黎手稿和《资本论》中的异化范畴"截然不同"么？——就童星对薛德震文章商榷的商榷，黄克

剑,《社会科学辑刊》1983 年第 4 期

马克思论消除人的异化, 马句、连俊沛,《社会科学辑刊》1983 年第 4 期

《资本论》和社会主义经济的基本特征——为纪念马克思逝世一百周年而作, 卫兴华,《社会科学辑刊》1983 年第 1 期

也谈马克思主义 "两种生产" 理论的几个问题, 盛明富,《人口学刊》1983 年第 2 期

试论马克思、恩格斯 "两种生产" 理论的形成和发展——纪念马克思逝世一百周年, 曹思文,《人口学刊》1983 年第 2 期

古典经济学人口思想和马克思完成人口学说的革命, 沈斌华,《内蒙古大学学报》(人文社会科学版) 1983 年第 4 期

从《手稿》到《提纲》——对 1844—1845 年初马克思同费尔巴哈关系问题的一点浅见, 侯相林,《内蒙古大学学报》(人文社会科学版) 1983 年第 3 期

试论科学社会主义的诞生——纪念马克思逝世一百周年, 丁俊民,《内蒙古大学学报》(人文社会科学版) 1983 年第 1 期

马克思关于无产阶级专政理论的形成, 周呈芳,《内蒙古大学学报》(人文社会科学版) 1983 年第 1 期

《资本论》与社会主义经济建设——纪念马克思逝世一百周年, 周学曾、梁中堂,《宁夏社会科学》1983 年第 2 期

马克思关于人的需要即人的本质的学说, 远志明、薛德震,《江汉论坛》1983 年第 3 期

《资本论》第一卷中的一处误译, 余名汉,《江汉论坛》1983 年第 2 期

魁奈的再生产原理与马克思的再生产理论——纪念马克思逝世一百周年, 小舟,《甘肃社会科学》1983 年第 1 期

彻底的唯物主义　科学的共产主义——学习马克思实现 "两个转变"、创立崭新世界观的历史, 杨明震,《甘肃社会科学》1983 年第 1 期

借助于费尔巴哈超过了费尔巴哈, 池超波,《福建论坛》(社科教育版) 1983 年第 5 期

马克思和自然辩证法, 查汝强,《自然辩证法通讯》1983 年第 4 期

马克思《资本论》中的唯物主义历史观——纪念马克思逝世一百周年, 尹进,《武汉大学学报》(人文科学版) 1983 年第 1 期

马克思的比较分析法与世界经济研究, 江泽宏,《世界经济文汇》1983 年第 2 期

马克思与古代史研究, 程德祺,《苏州大学学报》(哲学社会科学版)

1983 年第 1 期

马克思对美学建立的贡献，杨咏祁，《苏州大学学报》（哲学社会科学版）1983 年第 1 期

马克思早期革命实践和科学共产主义理论的创立，杨恒源，《苏州大学学报》（哲学社会科学版）1983 年第 1 期

在政治经济学研究对象问题上必须坚持历史唯物主义——由《资本论》的一个脚注说起，少小文，《苏州大学学报》（哲学社会科学版）1983 年第 1 期

论马克思恩格斯的人道主义观，陈辽，《苏州大学学报》（哲学社会科学版）1983 年第 1 期

论马克思的科学世界观的形成，崔绪治，《苏州大学学报》（哲学社会科学版）1983 年第 1 期

推荐《马克思恩格斯与自然科学》，肖愚，《史学史研究》1983 年第 1 期

《资本论》"有其历史局限性"吗？——四川成都地区部分经济理论工作者讨论会综述，烈祖，《社会科学研究》1983 年第 6 期

马克思劳动人口规律浅探，许改玲，《社会科学研究》1983 年第 6 期

马克思是怎样创立劳动力商品学说的，李善明，《社会科学研究》1983 年第 5 期

《资本论》的经济危机理论与当代资本主义现实，李达昌，《社会科学研究》1983 年第 5 期

试论社会主义绝对地租——读《资本论》札记，洪远朋，《社会科学研究》1983 年第 5 期

向坚持马、恩有"同时论"观点的同志质疑，袁亚愚，《社会科学研究》1983 年第 2 期

马、恩的"同时发生"与列宁的"一国胜利"，朱光明，《社会科学研究》1983 年第 2 期

马克思的不断革命理论及其在中国的实践，淳于毓济，《社会科学研究》1983 年第 2 期

马克思的国家学说和无产阶级国家的本质，洪韵珊，《社会科学研究》1983 年第 2 期

马克思计划经济的理论与实践，白伟，《社会科学研究》1983 年第 1 期

学习和发扬马克思的革命学风，柯研楚，《社会科学研究》1983 年第 1 期

从恩格斯晚年的书信看政治与经济的关系，龚榆，《社会科学辑刊》1983 年第 6 期

共产主义是"消灭现存状况的现实的运动"——马克思对德国"真正的社会主义"的批判，吴根梁，《复旦学报》（社会科学版）1983 年第 2 期

论恩格斯在《反杜林论》中对唯物辩证法的阐述和发展，余少波，《东岳论丛》1983年第4期

也谈马克思和"不断革命论"——与匡萃坚同志商榷，张绥华，《东岳论丛》1983年第3期

马克思的《1844年经济学哲学手稿》中的伦理思想，许启贤，《东岳论丛》1983年第3期

马克思的民主思想及其在中国的实践，孙斌、董崇山、王毅平，《东岳论丛》1983年第1期

试谈《1844年经济学哲学手稿》中的伦理思想，张景荣，《道德与文明》1983年第4期

马克思关于"自由人联合体"的设想——学习《资本论》，邹积贵，《齐鲁学刊》1983年第6期

马克思恩格斯开辟的美学新航向，李欣复，《齐鲁学刊》1983年第3期

马克思恩格斯论艺术的起源和发展，陈辽，《齐鲁学刊》1983年第2期

试论"不断革命论"在科学社会主义中的地位，朱光明、马振凯，《齐鲁学刊》1983年第2期

马克思主义文献中的"文明"概念，李培栋，《齐鲁学刊》1983年第1期

马克思研究经济学的主要活动，方兴起，《经济问题探索》1983年第4期

《哥达纲领批判》的一条译文与按劳分配问题，文传洋，《经济问题探索》1983年第3期

《资本论》与社会主义政治经济学，林圃、杜一，《经济问题探索》1983年第3期

也谈《资本论》中的一句译文，孙高潮，《江汉论坛》1983年第5期

最终产品就是纯产品——学习马克思有关论述的体会，孙振声，《江汉论坛》1983年第5期

与人道主义决裂是马克思哲学革命的实质，张战生，《江汉论坛》1983年第4期

《关于费尔巴哈的提纲》的产生与无产阶级的革命实践，曾盛林，《江汉论坛》1983年第4期

马克思预测共产主义社会经济关系的方法及其特点，汤在新，《江汉论坛》1983年第4期

马克思流亡伦敦（四幕话剧），赵寰，《剧本》1983年第2期

马恩为《美国新百科全书》撰稿的科学精神，李长林，《湖南师范大学社会科学学报》1983年（增刊）

早期马克思与费尔巴哈在人的学说上的对立，唐道能、彭崇谷，《湖南师范大学社会科学学报》1983年（增刊）

从费尔巴哈的人本主义看马克思的人的本质概念，刘伏海，《湖南师范大学社会科学学报》1983 年（增刊）

马恩的科学实践观，胡义成，《湖南师范大学社会科学学报》1983 年（增刊）

马克思说的"社会经济形态"和"社会形态"是两个不同的概念，龚杰，《湖南师范大学社会科学学报》1983 年（增刊）

试论马克思关于生产劳动的两种定义，陈兰新，《湖南师范大学社会科学学报》1983 年（增刊）

剥夺者被剥夺与否定之否定规律——《资本论》的辩证法学习札记，易培强，《湖南师范大学社会科学学报》1983 年（增刊）

对《〈资本论〉提要》的一点异议，梅其国，《复旦学报》（社会科学版）1983 年第 3 期

试论马克思历史观的逻辑起点，孙承叔，《复旦学报》（社会科学版）1983 年第 2 期

神话的科学基石——马克思神话理论的意义，潘定智，《贵州民族学院学报》（哲学社会科学版）1983 年第 3 期

马克思主义美学原则的起点——读《1844 年经济学—哲学手稿》，祝秉权、曾庆富，《贵州民族学院学报》（哲学社会科学版）1983

年第 3 期

试论马克思哲学思想转变的初始，周远，《贵州民族学院学报》（哲学社会科学版）1983 年第 3 期

从《资本论》的起点看逻辑、辩证法、认识论的一致性，潘正文，《中山大学学报》（社会科学版）1983 年第 1 期

试谈产品价值与商品价值——学习《资本论》的体会，张明龙，《浙江师范大学学报》（社会科学版）1983 年第 1 期

论两种生产的矛盾特性和辩证关系——纪念马克思逝世一百周年，姜井水，《浙江师范大学学报》（社会科学版）1983 年第 1 期

论马克思主义在社会主义精神文明建设中的指导作用——纪念马克思逝世一百周年，朱桂谦，《浙江师范大学学报》（社会科学版）1983 年第 1 期

试论马克思恩格斯的"不断革命"论，刘永高，《延安大学学报》（社会科学版）1983 年第 2 期

恩格斯《自然辩证法》对科学方法论的伟大贡献，马名驹，《西北师大学报》（社会科学版）1983 年第 3 期

"美的规律"考论，叶舒宪，《西北师大学报》（社会科学版）1983 年第 3 期

马克思对黑格尔历史观的批判

继承和发展，张学军、陈力军，《西北师大学报》（社会科学版）1983年第2期

马克思的一般形态过剩人口思想试探，程度、王冰，《西北人口》1983年第2期

学习马克思人性理论二题，吴予敏，《西北大学学报》（哲学社会科学版）1983年第2期

马克思恩格斯共产主义社会发展阶段理论形成的几个问题，刘德厚，《武汉大学学报》（人文科学版）1983年第5期

关于脑力劳动创造价值的几个问题——学习《资本论》札记，周浩礼，《武汉大学学报》（人文科学版）1983年第4期

学习马克思主义关于农民的理论，孙达人，《陕西师范大学学报》（哲学社会科学版）1983年第1期

《资本论》中找不到两种生产理论的根据吗？廖捷衡、温应乾，《人口学刊》1983年第4期

学习马克思的社会总产品分配原理促进我国消费生产和建设协调地增长——纪念马克思逝世一百周年，李济模，《当代经济科学》1983年第1期

在社会联系中认识和研究商品的使用价值——学习《资本论》札记，李映青，《当代经济科学》1983年第1期

马克思的学说与社会主义统计，程懋辉、李协和，《当代财经》1983年第2期

马克思劳动价值论的历史考察——读书札记，陶永立，《当代财经》1983年第1期

马克思、恩格斯是怎样描写歌德的？刘秉书，《安徽大学学报》（哲学社会科学版）1983年第4期

马克思、恩格斯对庇尔法及通货学派和银行学派的研究，李扬，《安徽大学学报》（哲学社会科学版）1983年第4期

马克思、恩格斯对真理观的革命变革，姚传旺，《安徽大学学报》（哲学社会科学版）1983年第2期

关于《手稿》的评价问题，孟宪鸿，《江汉论坛》1983年第10期

怎样理解马克思的异化理论——与黄枬森同志商榷，刘蔚华，《江汉论坛》1983年第10期

《手稿》肯定的人道主义是非马克思主义的，何国瑞，《江汉论坛》1983年第9期

马克思利用图书馆的伟大革命实践，郭星寿，《图书情报知识》1983年第1期

试论马克思经济理论不同阶段上的成熟程度，周成启、李善明、吴世泰，《贵州社会科学》1983年第2期

高举马克思主义伟大旗帜走有

中国特色的社会主义现代化道路——纪念马克思逝世一百周年，本刊编辑部，《贵州社会科学》1983年第2期

关于文学的倾向性——学习马克思恩格斯的几封信，朱恩彬，《山东师范大学学报》（人文社会科学版）1983年第2期

论"最彻底的决裂"和批判继承的关系——为纪念马克思逝世一百周年而写，苏双碧，《历史教学问题》1983年第1期

从马克思的劳动价值论看价格的杠杆作用，刘波，《辽宁大学学报》（哲学社会科学版）1983年第3期

审美对象历史具体性问题刍议——学习马克思美学思想札记，洪凤桐，《辽宁大学学报》（哲学社会科学版）1983年第2期

略论马克思恩格斯与"共产主义者同盟"，杨惠萍，《辽宁大学学报》（哲学社会科学版）1983年第2期

唯物史观体系的起点初探——学习《德意志意识形态》，廖新泉，《辽宁大学学报》（哲学社会科学版）1983年第2期

恩格斯怎样看待艺术典型的根本特征，许奕谋，《兰州大学学报》（社会科学版）1983年第3期

马克思唯物史观的形成，严钟奎，《暨南学报》（哲学社会科学版）1983年第2期

学习《共产党宣言》的教育思想，王汉澜，《河南师范大学学报》（哲学社会科学版）1983年第3期

马克思建立无产阶级革命政党的理论与实践——纪念马克思逝世一百周年，白毅，《河南师范大学学报》（哲学社会科学版）1983年第3期

人们称他"将军"——恩格斯和他的军事评论，敬恩，《读书》1983年第4期

应当借鉴的一个重要方面——读两本关于青年马克思的书有感，杨适，《读书》1983年第3期

论马克思恩格斯早期关于共产主义社会分配和共产主义社会划分阶段的思想，黄志贤，《厦门大学学报》（哲学社会科学版）1983年第2期

"历史结构"及其它——看马克思恩格斯以美学的和历史的观点评歌德，井绪东，《厦门大学学报》（哲学社会科学版）1983年第1期

恩格斯并没有讲真理可以包含错误，吴开胜，《西北民族大学学报》（哲学社会科学版）1983年第3期

马克思新世界观的天才萌芽——学习马克思《关于费尔巴哈的提纲》，郭海云，《西北民族大学

学报》（哲学社会科学版）1983 年第
3 期

实践观点与马克思的共产主义
思想体系的形成，彭树智，《西北大
学学报》（哲学社会科学版）1983 年
第 1 期

马克思恩格斯关于目录学方面
的论述和实践编年（上），毛昨非，
《图书馆学研究》1983 年第 2 期

马克思恩格斯关于目录学方面
的论述和实践编年（下），毛昨非，
《图书馆学研究》1983 年第 3 期

关于马克思主义经典作家目录
学理论的研究综述，刘烈，《图书馆
学研究》1983 年第 3 期

马恩列斯著作集在我国的出版，
雍桂良，《图书馆》1983 年第 2 期

坚持马克思主义的普遍真理建
设有中国特色的社会主义——纪念
马克思逝世一百周年，李维，《思想
战线》1983 年第 2 期

《1844 年经济学哲学手稿》中
关于人的本质的论述——读书札记，
张志忠、孙恭恒，《山西大学学报》
（哲学社会科学版）1983 年第 2 期

《莱茵报》与青年马克思世界
观的转变——为纪念马克思逝世一
百周年而作，冷允清，《山西大学学
报》（哲学社会科学版）1983 年第
2 期

马克思恩格斯为维护《资本
论》的科学性而斗争，萧灼基，《马

克思主义研究》1983 年第 2 期

马克思恩格斯关于农民问题理
论的形成和发展，孙连成，《马克思
主义研究》1983 年第 2 期

学习《国际工人协会共同章
程》的权利义务观，吴越，《社会主
义研究》1983 年第 2 期

马克思阶级斗争理论在我国社
会主义实践中的新发展，李会滨，
《社会主义研究》1983 年第 2 期

马克思关于民族殖民地理论的
历史和现实意义，俞思念，《社会主
义研究》1983 年第 1 期

社会公仆·人民管理·防止异
化——学习马克思主义关于社会主
义国家机关建设的思想，包心鉴，
《社会主义研究》1983 年第 1 期

光辉的思想行动的指南——学
习马克思关于建设社会主义精神文
明的思想，徐育苗、徐勇，《社会主
义研究》1983 年第 1 期

《资本论》中的异化概念，徐
杰，《山东师范大学学报》（人文社会
科学版）1983 年第 5 期

近年来关于马克思《1844 年经
济学——哲学手稿》中的美学思想
问题讨论综述，东方牧、周均平，
《山东师范大学学报》（人文社会科
学版）1983 年第 2 期

应当怎样理解"自由自觉的活
动"，黄克剑，《哲学动态》1983 年
第 1 期

读恩格斯《论权威》，杨朴羽，《中南民族大学学报》（人文社会科学版）1983 年第 2 期

马克思关于无产阶级"争得民主"的思想及其在革命和建设中的发展，赵擎，《中南财经政法大学学报》1983 年第 2 期

马克思的科学社会主义与我国的经济体制改革，张寄涛，《中南财经政法大学学报》1983 年第 2 期

马克思的再生产理论与社会主义计划管理的几个理论问题，何建章，《中南财经政法大学学报》1983 年第 1 期

马克思对刑法理论的贡献——纪念马克思逝世一百周年，徐逸仁，《政治与法律》1983 年第 4 期

马克思主义法学的光辉历程——为纪念马克思逝世一百周年而作，程辑雍，《政治与法律》1983 年第 4 期

马克思恩格斯论文艺思潮，陆贵山，《云南社会科学》1983 年第 5 期

关于历史唯物主义的出发点问题——重读《德意志意识形态》札记，李维，《云南社会科学》1983 年第 5 期

"美学和历史的观点"内涵浅探，叶纪彬，《云南社会科学》1983 年第 4 期

马克思主义指明了民族研究的

正确方向——纪念马克思逝世一百周年，牙含章，《云南社会科学》1983 年第 3 期

用社会主义文艺培养共产主义道德——学习马克思恩格斯关于文艺和道德的论述，周忠厚，《云南社会科学》1983 年第 3 期

评黑格尔的历史观——兼论马克思历史观的思想来源，张尚仁，《云南社会科学》1983 年第 2 期

马克思与马克思主义民族学——为纪念马克思逝世一百周年而作，陈克进，《云南社会科学》1983 年第 2 期

精湛的写作艺术——读马克思恩格斯写的短新闻，陈力丹，《新闻战线》1983 年第 2 期

马克思对无产阶级历史使命的早期探索，梁云彤，《教学与研究》1983 年第 1 期

马克思恩格斯论独立自主原则，程毅，《华中师范大学学报》（人文社会科学版）1983 年第 2 期

马克思对古希腊原子理论的研究，周义澄，《复旦学报》（社会科学版）1983 年第 4 期

试论《反杜林论》三编的内在联系，屠玉琴，《复旦学报》（社会科学版）1983 年第 4 期

马克思恩格斯与《平等报》，彭光，《当代世界与社会主义》1983 年第 3 期

可能派和马克思恩格斯对它的批判，辛庚，《当代世界与社会主义》1983年第3期

修正马克思主义的最早的一次尝试——论伯恩施坦在一八四八年法国革命经验问题上同马克思的对立，殷叙彝，《当代世界与社会主义》1983年第3期

马克思"赎买"理论的胜利，阮方确，《企业经济》1983年第4期

马克思恩格斯关于社会主义社会所有制的设想和我国的实践，王谦光，《企业经济》1983年第4期

资本概念的辩证法——《经济学手稿（1857—1858年）》研究，颜鹏飞，《晋阳学刊》1983年第3期

马克思对自然辩证法的贡献——纪念马克思逝世一百周年，郑经纬，《河北农业大学学报》1983年第2期

也谈"自由自觉的活动"，周穗明，《哲学动态》1983年第10期

马克思恩格斯的初次会见，卜空，《学习与探索》1983年第1期

《资本论》在我国的传播，胡培兆、林圃，《学习与探索》1983年第1期

走出自己的新道路——马克思逝世百年祭，宋振庭，《学习与探索》1983年第1期

马克思恩格斯怎样看待署名和稿酬，陈力丹，《新闻记者》1983年第9期

寓意深邃战斗性强——马克思恩格斯写的三篇短新闻，陈大维，《新闻记者》1983年第2期

马克思和无产阶级报刊，陈力丹，《新闻记者》1983年第2期

我国近年来关于马克思的新闻活动和报刊思想的研究简介，谷明，《新闻大学》1983年第1期

十九世纪六十年代马克思恩格斯反对《社会民主党人报》办报方针的斗争，严石，《新闻大学》1983年第1期

马克思心目中的"党刊"——读新发现的《马克思一八四七年给费尔特海姆的信》，黎汶，《新闻大学》1983年第1期

马克思和新闻学，徐培汀，《新闻大学》1983年第1期

试论马克思恩格斯后期的党报思想，陈大维，《新闻大学》1983年第1期

卡尔·马克思和苏联心理科学——纪念马克思诞辰165周年和逝世100周年，杨德庄，《心理学探新》1983年第3期

马克思的犯罪概念是刑法理论的根本变革，邓定一、康松林，《现代法学》1983年第2期

马克思论社会主义法，石玉川，《现代法学》1983年第2期

马克思恩格斯共产主义社会发

展阶段理论形成的几个问题，刘德厚，《武汉大学学报》（哲学社会科学版）1983 年第 5 期

马克思和恩格斯对原始社会史的态度及摩尔根的若干理论问题，Н. Б. 捷尔—阿科皮扬、奥普著，蔡曼华译，《世界民族》1983 年第 3 期

谈谈早期恩格斯对历史唯物主义的特殊贡献，陶侃，《绍兴文理学院学报》（社会科学版）1983 年第 2 期

马克思与图书馆，庄红雨，《山东图书馆季刊》1983 年第 1 期

论对待青年的马克思主义态度——纪念马克思逝世一百周年，朱荣、邝海春，《青年研究》1983 年第 2 期

马克思论科技人才，徐纪敏，《科学学与科学技术管理》1983 年第 3 期

科学技术工作要面向经济建设——纪念马克思逝世一百周年，刘鹏，《科学学与科学技术管理》1983 年第 3 期

学习马克思关于管理性质的论述，夏禹龙，《科学学与科学技术管理》1983 年第 3 期

马克思理论宝库中的科学学思想，颜泽贤，《科学学与科学技术管理》1983 年第 3 期

是"时钟"响了，还是"丧钟"响了？——对《马克思恩格斯全集》第 23 卷一句译文的辨正，郭志琦、张明义，《教学与研究》1983 年第 4 期

略论马克思对工业较不发达国家社会主义革命可能性问题的研究，张式谷、章显培，《教学与研究》1983 年第 3 期

对国家"自行消亡"的理解，应克复，《教学与研究》1983 年第 2 期

马克思恩格斯对无产阶级本质的分析是否适用于当代发达资本主义国家？纪军，《教学与研究》1983 年第 2 期

哲学的大师与哲学的解放——为纪念马克思逝世一百周年而作，李之鉴，《河南师范大学学报》（自然科学版）1983 年（增刊）

马克思是如何研究自然科学的，侯愚，《河北师范大学学报》（哲学社会科学版）1983 年第 2 期

马克思论美、美感、美的规律——读书笔记，杨景祥，《河北师范大学学报》（哲学社会科学版）1983 年第 1 期

实践是马克思主义哲学最基本的特点——纪念马克思逝世一百周年，杨正兴，《固原师专学报》1983 年第 1 期

马克思关于社会再生产两种类型的理论及其现实意义，谭乃彰，《甘肃理论学刊》1983 年第 5 期

马克思与巴黎公社，丘少伟，《甘肃理论学刊》1983年第4期

努力培养时代需要的全面发展的人才——学习《自然辩证法》中的人才观，张凯丁，《甘肃理论学刊》1983年第2期

社会主义时期《资本论》普及工作的几个问题，武文军，《甘肃理论学刊》1983年第2期

中国国际贸易学会召开《马克思国际贸易理论》学术讨论会简况，宗起，《国际商务研究》1983年第3期

在马克思主义指导下研究我国对外贸易发展战略，陈舜年，《国际商务研究》1983年第1期

马克思、恩格斯与文书档案工作——纪念马克思逝世一百周年，王光宇，《档案时空》1983年第2期

马克思和海德门断绝关系的原因，薛希，《当代世界与社会主义》1983年第2期

学习马克思重视档案的唯物主义思想，毛云卿，《中国档案》1983年第2期

几件马克思手稿的来历，费云东，《中国档案》1983年第2期

纪念马克思逝世百周年各地出版社积极出版有关图书，宗和，《中国出版》1983年第3期

帝国主义侵略中国的开端——重温马克思、恩格斯关于中英鸦片战争的论述，周新国，《扬州大学学报》（人文社会科学版）1983年第1期

论马克思、恩格斯的人性观，陈辽、刘静生，《扬州大学学报》（人文社会科学版）1983年第1期

发扬马克思永不停息的顽强的学习精神——纪念马克思逝世一百周年，薛宝，《云南师范大学学报》（哲学社会科学版）1983年第2期

马克思怎样对待传统观念，陈家义，《学习与探索》1983年第1期

"美学和历史的观点"内涵浅探，叶纪彬，《辽宁师范大学学报》（社会科学版）1983年第2期

马克思谈到"造就全面发展的人的唯一方法"时为何未提德育，苏渭昌，《辽宁教育研究》1983年第2期

马克思主义教育学说在中国的传播与发展——纪念马克思逝世一百周年，孙喜亭，《辽宁教育研究》1983年第2期

马克思恩格斯的社会主义经济形态学说的形成——纪念马克思逝世100周年，古克武，《理论建设》1983年第6期

《共产党宣言》是共产主义胜利的灯塔——纪念马克思逝世一百周年，王向远，《南都学坛》1983年第1期

实践唯物主义的胜利——纪念

马克思逝世一百周年，李孝尘,《南都学坛》1983 年第 1 期

学习马克思、恩格斯关于印度村社的论断——纪念马克思逝世一百周年，尚会鹏,《南亚研究》1983 年第 1 期

马克思恩格斯的友谊给我们的启示，沈春藻、徐杰强,《科学学与科学技术管理》1983 年第 7 期

马克思与自然科学，吴义生,《科学学与科学技术管理》1983 年第 7 期

新的历史时期与坚持马克思主义两个"决裂"的基本思想，杨钦泉、于幼军,《开放时代》1983 年第 1 期

劳动资料的无偿服务不能创造价值——读《资本论》札记，王元璋,《长江大学学报》(社会科学版) 1983 年第 3 期

唯物史观的发现是马克思的一大贡献，司徒锡钧,《江西师范大学学报》(哲学社会科学版) 1983 年第 2 期

马克思的"自行扬弃"论与国家垄断资本主义，陈其人,《经济研究》1983 年第 11 期

一份珍贵的遗产——读马克思《资本论》中的脚注，李成勋,《经济研究》1983 年第 4 期

马克思恩格斯关于社会主义可能在经济落后国家取得胜利的思想，张鸿文,《经济研究》1983 年第 4 期

试论马克思关于自然科学的研究——纪念马克思逝世一百周年，徐悦仁,《河南师范大学学报》(自然科学版) 1983 年（增刊）

论马克思研究数学的方法——纪念马克思逝世一百周年，黄克萍,《河南师范大学学报》(自然科学版) 1983 年（增刊）

无产阶级革命不能没有知识分子——有感于马克思恩格斯的初期革命活动，王荣阁,《河南师范大学学报》(社会科学版) 1983 年（增刊）

马克思、恩格斯关于农业集体化思想和我国的实践，魏关松,《河南师范大学学报》(社会科学版) 1983 年（增刊）

对《资本论》中逻辑与历史统一问题的一点看法，刘玉珂,《河南师范大学学报》(社会科学版) 1983 年（增刊）

马克思教育学说研究中的一个问题，苏渭昌,《天津师范大学学报》(社会科学版) 1983 年第 2 期

马克思主义打碎国家机器的原理及其在实践中的发展——纪念《路易·波拿巴的雾月十八日》问世 130 周年，李振海,《天津师范大学学报》(社会科学版) 1983 年第 1 期

马克思恩格斯对主观唯心主义创作思想的批判及其美学意义，林

宝全,《广西师范学院学报》（哲学社会科学版）1983 年第 3 期

论马克思同青年黑格尔派的决裂,丘国仁,《广西师范学院学报》（哲学社会科学版）1983 年第 2 期

导师、诗人——马克思与海涅,农方团,《广西师范学院学报》（哲学社会科学版）1983 年第 1 期

马克思主义人口理论与马尔萨斯人口论的原则界限,戴叔千,《绍兴文理学院学报》（社会科学版）1983 年第 1 期

关于"劳动创造了美"——学习马克思《1844 年经济学—哲学手稿》札记,任中夏,《上饶师范学院学报》1983 年第 2 期

从马克思的科学研究活动看图书资料工作,赵炳熙,《上饶师范学院学报》1983 年第 1 期

马克思无产阶级专政理论的形成,坚毅,《上饶师范学院学报》1983 年第 1 期

浅析马克思恩格斯的青年观点,张大均,《青年研究》1983 年第 7 期

青年和马克思主义——为纪念马克思逝世一百周年而作,陈启懋,《当代青年研究》1983 年第 2 期

实事求是地揭示作品的美和缺点——学习马克思、恩格斯文艺批评论著札记,欧阳松、毛微昭,《青海师范大学学报》（哲学社会科学版）1983 年第 4 期

从马克思《手稿》谈对自然美的认识,钱正坤,《青海师范大学学报》（哲学社会科学版）1983 年第 2 期

伟大的创见——简论马克思唯物史观的形成,周荫祖,《青海师范大学学报》（哲学社会科学版）1983 年第 2 期

建设社会主义的伟大指针——学习马克思《哥达纲领批判》,张扬,《青海师范大学学报》（哲学社会科学版）1983 年第 1 期

论马克思的民族观,王坤、周双利,《内蒙古民族大学学报》（社会科学版）1983 年第 1 期

马克思、恩格斯论民族与民族语的形成,周双利,《内蒙古民族大学学报》（社会科学版）1983 年第 1 期

关于《巴黎手稿》评价问题的几点看法,茅原,《南京艺术学院学报》（音乐与表演版）1983 年第 2 期

马克思和民族问题——纪念马克思逝世一百周年,黄铸,《中国民族》1983 年第 3 期

《货币章》在《资本论》创作史上的地位,田光,《学术月刊》1983 年第 3 期

实践观点是马克思主义哲学的基石,邢志第,《学术论坛》1983 年第 4 期

学习马克思的计划经济理论,

罗季荣,《厦门大学学报》(哲学社会科学版) 1983 年第 3 期

自我意识的成熟是人的意识的本质特征——马克思恩格斯与心理科学研究之一,袁振国、朱永新,《心理学探新》1983 年第 1 期

马克思恩格斯关于思维的论述,王丕,《心理学探新》1983 年第 1 期

马克思论心理学,刘泽如,《心理学探新》1983 年第 1 期

马克思关于戏剧艺术的论述,孙福良、金星火,《戏剧艺术》1983 年第 2 期

马克思、恩格斯的悲剧观和喜剧观,陈辽,《戏剧艺术》1983 年第 2 期

教育和生产劳动相结合是建设两种文明所必需——学习马克思关于教育和生产劳动相结合思想的体会,吴光普,《现代教育论丛》1983 年第 3 期

马克思的革命活动与报刊,许俊基,《现代传播》1983 年第 2 期

马克思和无产阶级报刊的党性,王珏,《现代传播》1983 年第 2 期

略论马克思主义宗教观与费尔巴哈宗教观的区别——纪念马克思逝世一百周年,张清廉,《许昌学院学报》1983 年第 1 期

马克思、恩格斯的美学和历史的批评,陈涌,《文学评论》1983 年第 1 期

马克思理论遗产中的异化问题,纳尔斯基、马积华,《国外社会科学文摘》1983 年第 8 期

马克思恩格斯关于国家与法的科学理论,K. A. 莫基切夫著,王成懋译,《国外社会科学文摘》1983 年第 2 期

马克思运用英国《经济学家》杂志的资料研究革命理论,米勒著,陈鸿寿译,《国外社会科学文摘》1983 年第 2 期

恩格斯是《资本论》的校订人,吕贝尔著,夏伯铭译,《国外社会科学文摘》1983 年第 2 期

活的辩证法——关于《资本论》的方法,洪远朋,《唯实》1983 年第 5 期

马克思恩格斯著作集的中文版本简介,李正耀,《唯实》1983 年第 2 期

共产主义是历史的必然——读《家庭、私有制和国家的起源》,周沛,《唯实》1983 年第 2 期

马克思论人的本质,李道中,《天津师范大学学报》(自然科学版) 1983 年第 6 期

《资本论》法文版在教育问题论述上的独立科学价值,苏渭昌,《天津师范大学学报》(自然科学版) 1983 年第 5 期

马克思恩格斯早期的人民民主思想,朱挹清,《西南师范大学学

报》（人文社会科学版）1983 年第 2 期

马克思恩格斯关于中国近代史的著述——纪念马克思逝世一百周年，范若愚，《历史教学》1983 年第 5 期

学习马克思的历史研究方法——关于马克思论中国的两篇论文，易廷镇，《历史教学》1983 年第 3 期

马克思恩格斯与辞书编纂，洪波，《杭州大学学报》（哲学社会科学版）1983 年第 4 期

马恩现实主义理论的特点和它的历史地位，李寿福，《杭州大学学报》（哲学社会科学版）1983 年第 1 期

马克思论法律的本质——纪念马克思逝世一百周年，李龙、朱开化，《法学杂志》1983 年第 2 期

光辉的榜样，深刻的启示——纪念马克思逝世 100 周年，倪家泰，《俄罗斯研究》1983 年第 2 期

马克思主义文艺理论中的一个原则问题——论"莎士比亚化"的实质，王向峰，《渤海大学学报》（哲学社会科学版）1983 年第 1 期

马克思是一个严格的修辞学家，张德明，《渤海大学学报》（哲学社会科学版）1983 年第 1 期

商品的使用价值在政治经济学中的地位和作用探讨——学习《资本论》的一点体会，张振华，《阴山学刊》1983 年第 2 期

关于劳动力商品的使用价值——学习《资本论》第四、五章札记，张林忠，《阴山学刊》1983 年第 2 期

略论马克思对人的本质的三个规定，张兴琨，《阴山学刊》1983 年第 2 期

马克思对费尔巴哈态度转变的原因，张兴琨，《阴山学刊》1983 年第 1 期

马克思的民主信念，刘庆桂，《云梦学刊》1983 年第 Z1 期

学习"两个不可避免"的科学论断——纪念马克思逝世一百周年，齐平、梁超伦，《西藏研究》1983 年第 1 期

论马克思对原始社会史的分期，丁季华，《学术月刊》1983 年第 3 期

关于马克思的人化自然学说和美的本质，周来祥，《学术月刊》1983 年第 3 期

论马克思早期思想的特质和分期，尹继佐、黄万盛，《学术月刊》1983 年第 3 期

列宁怎样研读马克思、恩格斯著作，徐汶，《图书馆杂志》1983 年第 1 期

介绍几部马克思的著作及其出版情况，雍桂良，《图书馆理论与实践》1983 年第 1 期

马克思恩格斯在 1845 至 1847 年期间对政治概念的研究，U.胡阿尔著，郭官义译，《世界哲学》1983 年第 1 期

马克思、恩格斯的著作中是如何使用"社会学"名称的，王胜泉，《社会科学战线》1983 年第 1 期

马克思的实践观与共产主义学说，李敏生、曾盛林，《社会科学战线》1983 年第 1 期

揭开历史谜底的巨著——《德意志意识形态》，杨琪，《社会科学战线》1983 年第 1 期

马克思主义在中国的传播，丁守和，《社会科学战线》1983 年第 1 期

马克思的文艺观——纪念马克思逝世一百周年，狄其骢，《山东文学》1983 年第 3 期

学习恩格斯关于悲剧问题的论述，孙玫，《淮阴师范学院学报》（哲学社会科学版）1983 年第 4 期

马克思的货币理论和我国社会主义经济的实践，蔡馥生，《学术研究》1983 年第 5 期

对马克思恩格斯关于科学生产力思想的探讨，钟阳胜，《学术研究》1983 年第 3 期

也谈恩格斯对《关于费尔巴哈的提纲》的修改，周敦耀，《哲学研究》1983 年第 7 期

新闻工作者的素质及其智能构成：马克思恩格斯对记者工作的论述，童兵，《新闻广播电视研究》1983 年第 4 期

马克思恩格斯论卫生工作，印石，《医学与哲学》1983 年第 4 期

马克思恩格斯论艺术的起源和发展，陈辽，《齐鲁学刊》1983 年第 2 期

学习恩格斯《自然辩证法》中的方法论，胡玉衡，《郑州大学学报》1983 年第 3 期

努力掌握事物发展过程中"顺向"和"逆向"的辩证法——学习恩格斯《自然辩证法》的一点体会，胡玉衡，《中州学刊》1983 年第 2 期

经得起历史检验的生命观——重读恩格斯的《自然辩证法》，傅杰青，《江西社会科学》1983 年第 3 期

论恩格斯在《反杜林论》中对唯物辩证法的阐述和发展，余少波，《东岳论丛》1983 年第 4 期

试论《反杜林论》三编的内在联系，屠玉琴，《复旦学报》1983 年第 4 期

1984 年

恩格斯对杜林关于人的学说的批判：学习《反杜林论》札记，侯

树栋,《思想战线》1984 年第 1 期

共产主义必胜的宣言书:《家庭、私有制和国家的起源》发表百年纪念,卓天华,《华南师范大学学报》1984 年第 2 期

一八四八年德国统一斗争中马克思的爱国主义理论和实践,易明,《湖北大学学报》(哲学社会科学版)1984 年第 3 期

马克思恩格斯与医学道德,许立人,《道德与文明》1984 年第 3 期

马克思在友谊上的修养,王元新,《道德与文明》1984 年第 2 期

论《资本论》创作过程中的研究方法和叙述方法,刘炯忠,《河北大学学报》(哲学社会科学版)1984 年第 2 期

马克思对人类想象的基本见解,王振德,《河北大学学报》(哲学社会科学版)1984 年第 1 期

充分发挥新闻评论的作用——学习马克思报刊理论的一点体会,李春邦,《广西大学学报》(哲学社会科学版)1984 年第 2 期

《莱茵报》时期马克思提出的人民报刊内在规律的涵义,王能昌,《赣南师范学院学报》1984 年第 4 期

马克思论配第在统计史上的地位,鸿光,《中国统计》1984 年第 5 期

马克思设计的两份工人阶级状

况调查大纲,汪彰隽,《中国统计》1984 年第 5 期

神话是特定历史阶段的产物——学习马克思、恩格斯关于神话的论述,秦家华,《云南社会科学》1984 年第 5 期

建立马克思主义哲学的伟大纲领——学习《关于费尔巴哈的提纲》,李鹏程,《云南社会科学》1984 年第 5 期

运用和发展马克思的定量研究方法,严健,《云南社会科学》1984 年第 4 期

马克思恩格斯对民族学的伟大贡献,李绍明,《云南社会科学》1984 年第 4 期

《家庭、私有制和国家的起源》论略,陈克进,《云南社会科学》1984 年第 4 期

论马克思俄国公社的理论和在我国的实践,黄万纶,《云南社会科学》1984 年第 3 期

学习马克思对统计理论和方法的启示,黄良文,《统计研究》1984 年第 1 期

马克思恩格斯的商品消亡理论及其现实意义,纪尽善、李云,《山西财经大学学报》1984 年第 2 期

马克思恩格斯论共产主义道德的基本原则,宋惠昌,《人文杂志》1984 年第 5 期

建国后出版的马克思恩格斯关

于民族问题的文集和新编《马克思恩格斯论民族问题文集》，华辛芝，《内蒙古社会科学》（汉文版）1984年第6期

重读《家庭、私有制和国家的起源》札记，寒璋，《内蒙古社会科学》（汉文版）1984年第3期

马克思恩格斯论完美的文学，马永真，《内蒙古社会科学》（汉文版）1984年第1期

谬误、错误、无知是通向真理、正确和知的必由之路——恩格斯为什么"请求鸭嘴兽原谅"？林青山，《江西社会科学》1984年第6期

马克思对历史必然性学说的贡献，陆云彬、苍道来，《江西社会科学》1984年第5期

略论社会主义的新型家庭——学习《家庭、私有制和国家的起源》，潘继延，《江西社会科学》1984年第5期

马克思恩格斯论土地问题——学习札记，孙连成，《江西社会科学》1984年第5期

恩格斯在不来梅时期的思想发展——读《马克思恩格斯全集》第41卷，萧灼基，《江西社会科学》1984年第3期

对马克思所有制理论中"占有"范畴的研究，王逸舟，《中国社会科学院研究生院学报》1984年第4期

运输业的特殊性质及其作用——学习马克思关于运输业的论述，夏晓汛、何家成，《中国社会科学院研究生院学报》1984年第3期

马克思对费尔巴哈人本主义的批判，何新，《中国社会科学院研究生院学报》1984年第1期

马克思按劳分配学说与我国分配结构的改革，康耀、林水，《青海社会科学》1984年第3期

马克思恩格斯体育思想初探，卓汉容、何文洪，《华南师范大学学报》（社会科学版）1984年第3期

认真学习马克思恩格斯关于人的全面发展的理论，王北生，《河南大学学报》（社会科学版）1984年第6期

马克思著作中的"社会生产机体"概念，李维森，《河南大学学报》（社会科学版）1984年第6期

从马克思关于"自由人联合体"的设想到农业生产责任制的实践，耿明斋，《河南大学学报》（社会科学版）1984年第6期

马克思恩格斯的早期建党思想，王进国，《河南大学学报》（社会科学版）1984年第3期

试析马克思恩格斯1848年革命中所论述的不断革命理论——兼与匡萃坚、陈成发等同志商榷，姜大为，《河南大学学报》（社会科学版）1984年第3期

新世界观的"天才萌芽"——读马克思《关于费尔巴哈的提纲》，曹立安，《河北学刊》1984年第4期

浅议马克思人的本质观，陈耀彬，《河北学刊》1984年第3期

马克思的异化劳动概念和"社会主义异化论"的错误，王洪斌，《河北学刊》1984年第2期

试谈马克思、恩格斯关于文学创作主体的论述，郭太平、赵景春，《郑州大学学报》（哲学社会科学版）1984年第2期

劳动异化是马克思经济思想发展的早期阶段——从马克思的经济思想发展过程看异化问题，王弘远，《南昌大学学报》（人文社会科学版）1984年第2期

马克思唯物史观的创立标志着早期异化理论的终结，何建辉，《南昌大学学报》（人文社会科学版）1984年第1期

马克思是怎样对待资产阶级古典政治经济学价值论的（一），王惟中、洪大璘，《财经研究》1984年第6期

从劳动异化思想到剩余价值理论——读马克思《1844年经济学哲学手稿》的一些体会，漆光瑛，《财经研究》1984年第3期

从农产品价值的决定看马克思的价值决定理论，梁华，《财经研究》1984年第1期

马克思恩格斯论建党的必要性，陈觉万，《吉林大学社会科学学报》1984年第6期

马恩列斯关于资本主义计划性的论述，解德源，《世界经济》1984年第5期

《〈政治经济学批判〉（1861—1863年草稿）》是马克思的宝贵遗产——中国《资本论》研究会《资本论》创作史组第二次学术讨论会简介，王代敬，《中州学刊》1984年第5期

马克思协作理论的系统方法整体性原则，刘勇，《中州学刊》1984年第4期

马克思的唯物史观在形式上的直接来源初探，刘平，《昭乌达蒙族师专学报》1984年第1期

旧唯物主义陷入唯心史观的认识根源——读马克思《关于费尔巴哈的提纲》，王晗霞，《安徽大学学报》（哲学社会科学版）1984年第1期

马克思早期经济学研究的主要成就，袁隆生，《内蒙古师范大学学报》（哲学社会科学版）1984年第4期

"被曲解了的形式"是"普遍的形式"——读马克思致斐·拉萨尔信札记，章利国，《天津师范大学学报》（社会科学版）1984年第3期

马克思两大发现相互关系试析，

冯子标,《山西师大学报》(社会科学版) 1984 年第 3 期

共产党在德国 1848 年革命中的纲领、策略和活动,高放,《南京师大学报》(社会科学版) 1984 年第 3 期

《资本论》中的异化概念和对人性的分析,何干强,《南京师大学报》(社会科学版) 1984 年第 2 期

试论《资本论》的叙述方法,黄泰岩,《经济理论与经济管理》1984 年第 5 期

关于《资本论》中的脑力劳动和体力劳动分工问题,张林忠,《经济理论与经济管理》1984 年第 4 期

正确理解马克思的价值理论——读《资本论》的体会,陈乃圣,《经济理论与经济管理》1984 年第 4 期

马克思的市场营销思想初探,陶桓祥,《财贸经济》1984 年第 7 期

试论《政治经济学批判大纲》中的价值理论,杨致恒,《财经科学》1984 年第 6 期

从《资本论》的科学抽象法看开篇商品的性质,周述永,《财经科学》1984 年第 3 期

正确认识马克思所讲的"异化劳动",张友仁,《财经科学》1984 年第 3 期

《资本论》的基本原理必须坚持——对熊映梧同志"用发展观点

研究《资本论》"一文的商榷意见,谭本源,《财经科学》1984 年第 1 期

马克思的艺术论,志天升、童斌,《国外社会科学》1984 年第 2 期

新世界观的天才尝试——读《1844 年经济学—哲学手稿》,王复三,《文史哲》1984 年第 2 期

马克思恩格斯对《济金根》批评意见之管见,姚鹤鸣,《齐鲁学刊》1984 年第 3 期

如何理解马克思的生产方式概念,古汉岗,《南方经济》1984 年第 5 期

马克思的成本价格理论及其现实意义——读《资本论》札记,周治平,《南方经济》1984 年第 5 期

马克思关于劳动力所有制问题的论述,杜一、康德琯,《南方经济》1984 年第 4 期

关于马克思恩格斯不断革命思想的几个问题,金重,《北京大学学报》(哲学社会科学版) 1984 年第 6 期

马克思自由观的演变,赵常林,《北京大学学报》(哲学社会科学版) 1984 年第 4 期

论《政治经济学批判》结构史的形成——马克思《1857—1858 年经济学手稿》研究,商德文,《北京大学学报》(哲学社会科学版) 1984 年第 3 期

热情歌颂叱咤风云的无产阶级

革命者——学习马克思恩格斯关于塑造英雄人物的论述，金家年，《安徽大学学报》（哲学社会科学版）1984 年第 2 期

"卓越的个性刻画"及其他——马克思恩格斯典型理论札记，余昌谷，《安徽大学学报》（哲学社会科学版）1984 年第 1 期

切莫把《反杜林论》中的"社会主义"误解为社会主义社会，张鸿文，《经济问题探索》1984 年第 1 期

评介马克思 1861—1863 年手稿——"工具"与"机器"篇，M.利萨著，杨国顺译，《国外社会科学》1984 年第 8 期

用马克思关于管理具有二重性的思想，指导我们实现管理现代化——在企业管理现代化座谈会上的发言提纲，蒋一苇，《管理现代化》1984 年第 2 期

马克思、恩格斯怎样对待古典文学遗产，公盾，《外国文学研究》1984 年第 1 期

马克思《手稿》的自然观与科学观探要，周义澄，《福建论坛》（人文社会科学版）1984 年第 6 期

关于《资本论》结构的两个问题，涂西畴，《财经理论与实践》1984 年第 1 期

马克思恩格斯论现实主义，弗里德连迭尔著，程代熙译，《文艺理论研究》1984 年第 1 期

学习恩格斯批判继承德国古典哲学的方法——读《路德维希·费尔巴哈和德国古典哲学的终结》的体会，葛懋春，《文史哲》1984 年第 6 期

《家庭、私有制和国家的起源》写作、出版的历史条件及其重大意义，涂赞琥，《武汉大学学报》（人文科学版）1984 年第 5 期

一个长期被曲解的科学原理应该彻底澄清——纪念《家庭、私有制和国家的起源》发表一百周年，李则鸣，《武汉大学学报》（人文科学版）1984 年第 5 期

应当怎样看待马克思早期使用的异化概念，严建，《思想战线》1984 年第 1 期

关于《资本论》商品性质讨论述评，吴克烈，《社会科学辑刊》1984 年第 2 期

马克思的异化劳动学说和所谓"社会主义的异化"，胡宝琛，《社会科学辑刊》1984 年第 1 期

全面理解马克思、恩格斯关于人口规律一般与特殊的分析，邓大松、魏华林，《人口学刊》1984 年第 5 期

再论马克思的过剩人口理论——兼答刘长茂同志，王冰，《人口学刊》1984 年第 3 期

马克思主义哲学形成中的决定

意义的一步——读《〈黑格尔法哲学批判〉导言》，陶富源，《江西师范大学学报》（哲学社会科学版）1984年第4期

马克思恩格斯的早期建党思想，王进国，《河南师范大学学报》（哲学社会科学版）1984年第3期

试析马克思恩格斯1848年革命中所论述的不断革命理论——兼与匡萃坚、陈成发等同志商榷，姜大为，《河南师范大学学报》（哲学社会科学版）1984年第3期

实事求是的楷模——学习马克思对资产阶级经济学的批判，刘振坤，《河南师范大学学报》（哲学社会科学版）1984年第3期

正确理解恩格斯关于婚姻问题的两句"名言"，龙华，《广西民族学院学报》（哲学社会科学版）1984年第1期

对马克思的从抽象上升到具体方法的一些理解，金顺福，《武汉大学学报》（哲学社会科学版）1984年第5期

《资本论》的方法及其意义，顾志明，《社会科学辑刊》1984年第5期

马克思和恩格斯对民族学的贡献，金天明，《社会科学辑刊》1984年第5期

在社会主义建设中发展《资本论》的理论，张薰华，《复旦学报》（社会科学版）1984年第5期

马克思恩格斯在文学批评中运用比较方法的特征，朱立元，《复旦学报》（社会科学版）1984年第4期

谈亚细亚生产方式问题的两种生产方式说，宋敏，《东北师大学报》（哲学社会科学版）1984年第4期

浅谈马恩文论的文学色彩，关连珠，《东北师大学报》（哲学社会科学版）1984年第4期

论马克思世界观转变的分期，郑祥福，《浙江师范大学学报》（社会科学版）1984年第4期

对马克思四十年代后半期经济思想的探讨，丁之江，《浙江学刊》1984年第3期

马克思与自然辩证法，李培、马海平，《延安大学学报》（社会科学版）1984年第1期

学习马克思恩格斯对重商主义以前经济思想的分析——兼论研究中国古代经济思想史的方法和目的问题，李守庸，《武汉大学学报》（人文科学版）1984年第6期

马克思的消费论试析，梁万成，《经济问题探索》1984年第12期

马克思恩格斯合作制理论中一个不容混淆的问题，黄泰岩，《经济问题探索》1984年第10期

正确理解马克思关于异化的思想，刘敏江，《经济问题探索》1984

年第 5 期

如何理解马恩关于地租关系的某些论断，马庆泉，《江汉论坛》1984 年第 4 期

生产和消费同一性表现的第二项能用"相互依存"来概括吗？——读《政治经济学批判·导言》，房良钧，《江汉论坛》1984 年第 3 期

《哲学的贫困》是《资本论》理论形成的起点，汤在新，《江汉论坛》1984 年第 2 期

马克思早期对异化概念的理解和使用，毛平，《江汉论坛》1984 年第 2 期

马克思对异化论的批判——驳"异化论是马克思主义的方法论"，张学军，《西北师大学报》（社会科学版）1984 年第 1 期

马克思何时开始提出"无产阶级专政"？王守山，《科学社会主义》1984 年第 5 期

在革命的实践中开创社会主义建设的新局面——重读《关于费尔巴哈的提纲》札记，尚元璋，《科学社会主义》1984 年第 4 期

要正确理解恩格斯关于防止"由社会公仆变为社会主人"的思想，葛静华，《科学社会主义》1984 年第 4 期

马克思恩格斯共产主义社会发展阶段理论形成的几个问题，刘德厚，《科学社会主义》1984 年第 1 期

《神圣家族》在马克思主义哲学形成中的历史地位，赵常林，《晋阳学刊》1984 年第 4 期

认真学习马克思恩格斯关于人的全面发展的理论，王北生，《河南师范大学学报》（哲学社会科学版）1984 年第 6 期

《资本论》中的动态、静态分析和质、量分析，周守正，《河南师范大学学报》（哲学社会科学版）1984 年第 6 期

浅论《反杜林论》一书的结构，金顺尧，《东岳论丛》1984 年第 2 期

应该怎样理解恩格斯"劳动创造了人"的论断？——与朱长超同志商榷，张系朗，《东岳论丛》1984 年第 1 期

马克思恩格斯论华侨，吴泽、施子年，《历史教学问题》1984 年第 2 期

黑格尔的辩证法与马克思的历史观，程志民，《辽宁大学学报》（哲学社会科学版）1984 年第 5 期

试谈马克思研究人的方法论问题，裴烽、王炳德，《辽宁大学学报》（哲学社会科学版）1984 年第 5 期

关于马克思恩格斯不断革命思想的几个问题，金重，《科学社会主义》1984 年第 12 期

简论马克思和恩格斯从"同时

胜利论"到"一国胜利论"的思想发展，许英鹏、陈钟，《科学社会主义》1984年第12期

马克思恩格斯对民族学的伟大贡献，李绍明，《科学社会主义》1984年第9期

恩格斯晚年对无产阶级革命策略的贡献，吴家宝，《科学社会主义》1984年第9期

论马克思俄国公社的理论和在我国的实践，黄万纶，《科学社会主义》1984年第6期

共产主义必胜的宣言书——《家庭、私有制和国家的起源》发表百年纪念，卓天华，《科学社会主义》1984年第6期

关于马克思首次提出"无产阶级专政"的时间，张式谷，《科学社会主义》1984年第6期

马克思、恩格斯对未来社会计划经济的设想和我国现阶段计划经济的实现条件，李龙，《中山大学学报》（社会科学版）1984年第3期

正确理解马克思的异化劳动概念，沈伊俐，《中南财经政法大学学报》1984年第1期

马克思恩格斯与1848—1849年匈牙利民族解放战争，胡永树，《厦门大学学报》（哲学社会科学版）1984年第4期

从马克思的异化思想看"社会主义异化论"的错误，刘可元，《西北师大学报》（社会科学版）1984年第2期

恩格斯对于创立马克思主义的伟大贡献，肖晖，《马克思主义研究》1984年第3期

马克思、恩格斯、列宁、斯大林、毛泽东关于学习新的科学知识，向落后愚昧作斗争的部分论述，陶厚明，《科学学与科学技术管理》1984年第5期

马克思1861—1863年经济学手稿中的商业资本理论，林述舜，《福建师范大学学报》（哲学社会科学版）1984年第4期

《共产党宣言》在世界各国的传播，赵小军，《当代世界与社会主义》1984年第2期

《爱尔福特纲领》研究中的几个问题，唐亮、张世鹏，《当代世界与社会主义》1984年第2期

浅论马克思空间经济理论的几个问题，黄荣滋、左春文，《当代财经》1984年第3期

马克思恩格斯是怎样创立科学社会主义理论的，匡萃坚，《上饶师范学院学报》1984年第4期

马克思恩格斯神话观试探，张铭远，《民族文学研究》1984年第4期

马克思的异化概念和社会主义现实，张启华，《科学社会主义》1984年第3期

对马克思恩格斯几个理论观点理解上的差异——再议阐述马克思主义原著应忠于原意，张式谷，《教学与研究》1984 年第 4 期

集体所有制与合作制——对马列主义经典作家有关论述的考证，黄道霞，《经济研究》1984 年第 1 期

关于《资本论》第一卷第五章劳动过程的两个理论问题，张朝宁，《河北师范大学学报》（哲学社会科学版）1984 年第 3 期

马克思的一八六一——一八六三年经济学手稿，张钟朴，《读书》1984 年第 3 期

马克思恩格斯手稿纪事，徐觉哉、孙常敏，《马克思主义研究》1984 年第 2 期

论马克思的劳动交换思想，严铭，《马克思主义研究》1984 年第 2 期

马克思和费尔巴哈的人本主义，樊公裁，《马克思主义研究》1984 年第 2 期

对历史唯物主义原理必须历史地理解——评关于恩格斯两种生产理论的争论，章力，《马克思主义研究》1984 年第 2 期

马克思对科学时代的预言，曹天予，《马克思主义研究》1984 年第 2 期

当代资产阶级国家本质仍然没有改变——纪念《家庭、私有制和国家的起源》发表一百周年，李湘昆，《科学社会主义》1984 年第 10 期

马克思恩格斯的早期建党思想，王进国，《科学社会主义》1984 年第 7 期

只有私有制社会的分工才会产生异化——《德意志意识形态》学习笔记，彭崇谷，《湖南师范大学社会科学学报》1984 年第 2 期

也谈马克思关于固定资产折旧理论及其对实践的指导意义——与田椿生同志商榷，刘海南、樊友斌，《会计研究》1984 年第 2 期

对马克思关于会计职能论述的理解，冬冰，《会计研究》1984 年第 1 期

马克思恩格斯注重学习和研究自然科学的启示，倪正太，《苏州大学学报》（哲学社会科学版）1984 年第 1 期

马克思对自私自利者思想的精彩剖析，吴木，《前线》1984 年第 4 期

马克思和语言学，王今铮，《内蒙古民族大学学报》（社会科学版）1984 年第 1 期

马克思怎样看待《济金根》的题材，白皓，《长江大学学报》（社会科学版）1984 年第 1 期

马克思和恩格斯的人物性格论，刘伟林，《海南大学学报》（人文社会

科学版）1984 年第 1 期

论马克思劳动实践观点在文艺学上的划时代意义，葛启进，《西华师范大学学报》（哲学社会科学版）1984 年第 1 期

马克思唯物史观的形成过程及其理论结构——历史的逻辑的相一致的系统考察，张曙光，《社会科学战线》1984 年第 2 期

《马克思与东方学及其它》一文商榷，宋敏，《社会科学战线》1984 年第 1 期

评长篇小说《巴黎的秘密》——马克思恩格斯论现实主义（之一），弗里德连迭尔著，程代熙译，《山花》1984 年第 5 期

评"真正的社会主义"——马克思恩格斯论现实主义（之二），弗里德连迭尔著，程代熙译，《山花》1984 年第 6 期

评拉萨尔的历史剧《弗兰茨·冯·济金根》——马克思恩格斯论现实主义（之三），弗里德连迭尔著，程代熙译，《山花》1984 年第 8 期

按劳分配与平等权利——读《哥达纲领批判》，曹鹏，《贵州大学学报》（社会科学版）1984 年第 1 期

锋颖精密远见卓识——马克思政论《中国革命和欧洲革命》的写作特色，胡文龙，《新闻与写作》1984 年第 3 期

马克思恩格斯的合作工厂思想，古牛，《甘肃理论学刊》1984 年第 5 期

马克思关于人的哲学观点的形成（1844 年止），弗里德里希著，宣燕音译，《世界哲学》1984 年第 5 期

马恩著作的出版和研究情况概述，R. 库姆普弗、M. 克律克纳著，关益译，《世界哲学》1984 年第 1 期

恩格斯的《家庭、私有制和国家的起源》在中国的传播，李长林，《社会科学战线》1984 年第 4 期

无产阶级政治经济学的开篇章——纪念恩格斯《政治经济学批判大纲》发表 140 周年，彭勋，《经济研究》1984 年第 5 期

1985 年

试论恩格斯关于人的理论中的几个问题——纪念恩格斯逝世九十周年，余其铨，《云南社会科学》1985 年第 1 期

论马克思思想发展历程中的两次重大转折，张式谷，《社会主义研究》1985 年第 1 期

各尽所能和按劳分配关系的考察——从空想社会主义到马克思、恩格斯，许崇正，《成都大学学报》（社会科学版）1985 年第 4 期

重视统计，善于分析——为纪

念恩格斯逝世九十周年而作，杨坚白，《统计研究》1985年第3期

《社会主义从空想到科学的发展》一书在中国的传播，白占群，《社会主义研究》1985年第6期

论恩格斯关于唯物辩证法科学体系的一些构想，余少波，《人文杂志》1985年第5期

恩格斯与辩证唯物主义自然观——纪念恩格斯逝世九十周年，余其铨，《内蒙古社会科学》（汉文版）1985年第4期

新技术革命研究指南——学习马克思《1861—1863年经济学手稿》札记，董瑞华，《江西社会科学》1985年第2期

对恩格斯晚年关于俄国资产阶级革命胜利将成为世界社会主义革命开端的思想的初步探讨，俞良早、吕志刚，《湖北大学学报》（哲学社会科学版）1985年第5期

审美主体与美的创造——学习马克思恩格斯现实主义美学思想札记，郎保东，《天津社会科学》1985年第4期

驳资产阶级学者对《资本论》关于价值转化为生产价格的非议，田光，《天津社会科学》1985年第1期

马克思《摩尔根〈古代社会〉一书摘要》写作背景初探，汪连兴，《苏州科技学院学报》（社会科学版）

1985年第1期

试论马克思学说的实质——兼评美国学者哈尔·德雷珀和查理·N.亨特的"新观点"，鲁兰沁、张宝瑞、朱毅，《齐齐哈尔大学学报》（哲学社会科学版）1985年第4期

《哲学的贫困》在《资本论》哲学思想发展中的地位及其意义，冯景源，《青海社会科学》1985年第6期

实现马克思哲学凤愿的第一次伟大尝试——论恩格斯《自然辩证法》，王东，《青海社会科学》1985年第4期

建国后出版的马恩关于民族问题的文集概述，华辛芝，《青海民族学院学报》1985年第2期

关于文学批评——学习马列及外国经典作家文论的笔记，胡宗健，《零陵学院学报》1985年第1期

恩格斯晚年关于社会主义革命可以在一国取得胜利的思想，任军、黄力，《河南大学学报》（社会科学版）1985年第6期

论恩格斯晚年对社会规律的新探索——纪念恩格斯逝世九十周年，李茂，《河南大学学报》（社会科学版）1985年第6期

恩格斯与1848年欧洲革命中的民族问题，韩承文、徐云霞，《河南大学学报》（社会科学版）1985年第4期

马克思恩格斯在事业上合作的思想基础，李靖宇，《河南大学学报》（社会科学版）1985 年第 3 期

恩格斯对待马克思主义的科学态度，陈耀彬，《河北学刊》1985 年第 5 期

恩格斯论科学发展的加速律，邢新力，《河北学刊》1985 年第 4 期

论恩格斯晚年关于夺取政权的策略思想，刘国华，《贵阳师范高等专科学校学报》（社会科学版）1985 年第 2 期

略谈对马克思青年时代诗歌的评价，林宝全，《广西师范大学学报》（哲学社会科学版）1985 年第 3 期

分工的消灭和马克思恩格斯关于共产主义所有制的科学假设，林岗，《哲学研究》1985 年第 10 期

马克思恩格斯早期价值观的转变，鲁明学，《南开经济研究》1985 年第 3 期

关于《剩余价值理论》一书的一点浅见，李宏硕、李竞能，《南开经济研究》1985 年第 1 期

《剩余价值理论》研究的起点问题，兰宗政，《四川大学学报》（哲学社会科学版）1985 年第 3 期

略论《资本论》对科学社会主义学说的论证，蓝蔚青，《理论探讨》1985 年第 1 期

《神圣家族》并未从根本上形成唯物史观——与彭立荣同志商榷，兴恺、江林，《江淮论坛》1985 年第 3 期

《共产党宣言》在中国，李凤兰，《东北林业大学学报》1985 年第 S2 期

伟大的楷模——纪念恩格斯逝世 90 周年，韦秉超，《江苏经贸职业技术学院学报》1985 年第 1 期

很需要从思想方法、工作方法上提高一步——马恩列斯《论思想方法和工作方法》学习札记，李崇富，《中国社会科学院研究生院学报》1985 年第 5 期

恩格斯论国际主义与独立自主，王兴斌，《信阳师范学院学报》（哲学社会科学版）1985 年第 3 期

马克思关于分工协作的两个重要思想及其现实意义，周昱今，《经济理论与经济管理》1985 年第 3 期

商品使用价值范畴在《资本论》中的地位，王干一，《经济理论与经济管理》1985 年第 2 期

也谈两种含义的社会必要劳动时间，刘兴斌，《经济理论与经济管理》1985 年第 1 期

评萨缪尔森对马克思转化理论的诋毁，严正，《福建师范大学学报》（哲学社会科学版）1985 年第 2 期

《资本论》地租学说中的赋税思想初探，王国清，《财经科学》

1985 年第 6 期

恩格斯晚年书信对唯物史观的坚持和发展，刘尊武，《南昌大学学报》（人文社会科学版）1985 年第 3 期

归结物质运动为五种基本形式不符合恩格斯原意，罗恒元，《南昌大学学报》（人文社会科学版）1985 年第 1 期

马克思恩格斯与文字学，宋振华，《吉林大学社会科学学报》1985 年第 6 期

运用商品两因素原理做好对外贸易工作——学习马克思《资本论》札记，陈英、王寿椿，《国际贸易问题》1985 年第 5 期

从马、恩的有关论述看商品生产在社会主义初期阶段的存在，霍俊超，《福建论坛》（社科教育版）1985 年第 2 期

恩格斯在唯物史观形成和发展中的作用，余其铨，《北京大学学报》（哲学社会科学版）1985 年第 4 期

马克思在经济学手稿中对科学技术的论述，袁隆生，《内蒙古师范大学学报》（哲学社会科学版）1985 年第 3 期

《自然辩证法》与《资本论》的逻辑体系比较——兼谈改革现行哲学体系的原则，姜兴宏，《内蒙古师范大学学报》（哲学社会科学版）

1985 年第 2 期

图拉古尔，谈《资本论》中的哲学问题，《内蒙古师范大学学报》（哲学社会科学版）1985 年第 2 期

马克思是怎样对待资产阶级古典政治经济学价值论的（二），王惟中、洪大璘，《财经研究》1985 年第 1 期

恩格斯后期对历史唯物主义的三大贡献——纪念恩格斯逝世九十周年，蔡灿津，《学术论坛》1985 年第 12 期

恩格斯论普遍联系与科学发展，李怀君，《学术论坛》1985 年第 9 期

恩格斯对马克思主义哲学的重大贡献——纪念恩格斯逝世九十周年笔谈，张景荣、葛树先、吴振海、郝贵生、杜云治、霍树生、马迈，《天津师范大学学报》（社会科学版）1985 年第 4 期

科学法哲学观的理论形态——学习《德意志意识形态》，公丕祥，《南京师大学报》（社会科学版）1985 年第 4 期

马克思的学说对人口研究的现实意义，P.卡拉特巴里著，关山译，《国外社会科学》1985 年第 7 期

论马克思对商品使用价值的政治经济学分析，张仁寿，《浙江学刊》1985 年第 4 期

恩格斯与《资本论》第三卷，王荣，《浙江学刊》1985 年第 3 期

关于马克思恩格斯向科学共产主义转变的时间问题，王树盛，《文史哲》1985 年第 3 期

关于《资本论》逻辑与历史一致的几点认识，戴述雨，《文史哲》1985 年第 2 期

论恩格斯婚姻家庭理论对唯物史观的新贡献及其现实意义，杨恒源，《齐鲁学刊》1985 年第 4 期

《资本论》中的政治学及其方法论研究，陈其人、王明侠，《复旦学报》（社会科学版）1985 年第 1 期

试论青年马克思关于离婚问题的伦理思想，焦国成，《道德与文明》1985 年第 2 期

恩格斯对科学社会主义理论的贡献——纪念恩格斯逝世九十周年，曹玉文，《长江论坛》1985 年第 4 期

《资本论》研究对象新论——关于"资本主义生产方式"含义考析及启示，杨欢进、王毅武，《武汉大学学报》（人文科学版）1985 年第 5 期

《神圣家族》和马克思的哲学史观，徐瑞康，《武汉大学学报》（哲学社会科学版）1985 年第 1 期

恩格斯的反"左"倾与革命策略，杨恒源，《苏州大学学报》（哲学社会科学版）1985 年第 3 期

略论恩格斯晚年对唯物史观的丰富和发展，陈少英，《苏州大学学报》（哲学社会科学版）1985 年第 3 期

怎样看待恩格斯对杜林"未来学校计划"的批判，陈桂生，《苏州大学学报》（哲学社会科学版）1985 年第 2 期

"历史观点"不就是历史真实——马克思恩格斯文艺思想学习札记，刘绍智，《宁夏社会科学》1985 年第 2 期

试论《资本论》从"抽象上升到具体"的方法所依据的原则，吕文平，《辽宁大学学报》（哲学社会科学版）1985 年第 6 期

马克思《资本论》中的逻辑——逻辑、辩证法和认识论的同一，曹广斌，《辽宁大学学报》（哲学社会科学版）1985 年第 6 期

恩格斯与《资本论》——纪念恩格斯逝世九十周年，刘金垣、周柏村，《辽宁大学学报》（哲学社会科学版）1985 年第 5 期

马克思恩格斯论建党的必要性，陈觉万，《科学社会主义》1985 年第 1 期

是资本主义商品还是简单商品——探讨《资本论》开篇中商品的性质，熊穆权，《江西师范大学学报》（哲学社会科学版）1985 年第 2 期

恩格斯对《资本论》的伟大贡献——纪念恩格斯逝世九十周年，周治平，《暨南学报》（哲学社会科

版）1985 年第 3 期

马克思三大社会形态理论与当前经济改革，孙承叔、王东，《江汉论坛》1985 年第 8 期

马克思《手稿》中关于"人化自然"的思想，邢新力，《江汉论坛》1985 年第 1 期

要重视对《〈马克思和恩格斯通信集〉提要》的研究，孟宪忠，《哲学动态》1985 年第 6 期

恩格斯对《资本论》创作的伟大贡献，丁之江，《浙江学刊》1985 年第 6 期

从系统的过程—结构看《资本论》中逻辑与历史的统一，郑道传、张小金，《厦门大学学报》（哲学社会科学版）1985 年（增刊）

《资本论》与农民个体经济，许经勇，《厦门大学学报》（哲学社会科学版）1985 年（增刊）

全面理解马克思恩格斯关于社会主义的论述，王晓言，《新视野》1985 年第 6 期

马克思是否写了《美学》条目，刘志一，《西北师大学报》（社会科学版）1985 年第 3 期

使用价值范畴新探——学习《资本论》札记，郝仁平，《西北大学学报》（哲学社会科学版）1985 年第 4 期

《资本论》中的辩证矛盾在科学抽象中的作用，梅荣政，《山西大学学报》（哲学社会科学版）1985 年第 1 期

马克思恩格斯经济学说的形成和发展，萧灼基，《社会科学研究》1985 年第 6 期

马克思理论中的生产力范畴，贾贵生，《内蒙古大学学报》（人文社会科学版）1985 年第 1 期

恩格斯对马克思的利润学说的贡献，朱宗炎，《安徽大学学报》（哲学社会科学版）1985 年第 4 期

《费尔巴哈论》对研究马克思主义哲学形成史的几点启示，王暄霞，《安徽大学学报》（哲学社会科学版）1985 年第 3 期

马克思主义认识论诞生的标志——《德意志意识形态》，江丹林，《安徽大学学报》（哲学社会科学版）1985 年第 1 期

试论马克思著作中的"异化"概念，陈濯，《甘肃社会科学》1985 年第 2 期

《政治经济学批判》（1861—1863 年草稿）中的平均利润和生产价格理论，王振贤，《东北师大学报》（哲学社会科学版）1985 年第 5 期

马克思、恩格斯论悲剧冲突的必然性，邹英，《东北师大学报》（哲学社会科学版）1985 年第 2 期

关于恩格斯"两种生产"理论的涵义，史国藩，《思想战线》1985

年第 4 期

恩格斯与民族学，林耀华，《思想战线》1985 年第 1 期

《资本论》与农民，许经勇，《企业经济》1985 年第 9 期

马克思的思想臻于成熟的一个界碑，张式谷，《科学社会主义》1985 年第 7 期

马克思和恩格斯对社会主义农业合作制没有具体设想吗？张仪芳，《科学社会主义》1985 年第 6 期

关于马克思恩格斯向科学共产主义转变的时间问题，王树盛，《科学社会主义》1985 年第 6 期

建国后出版的马克思恩格斯关于民族问题的文集和新编《马克思恩格斯论民族问题文集》，华辛芝，《科学社会主义》1985 年第 2 期

马克思、恩格斯在共产主义者同盟到第一国际时期对党的组织原则的发展，雒树刚，《科学社会主义》1985 年第 2 期

马克思恩格斯论落后国家向社会主义过渡，车有道，《科学社会主义》1985 年第 2 期

马克思、恩格斯预测方法探析，缪再生、曹德琪，《预测》1985 年第 5 期

《资本论》的叙述方法新探，唐咸正，《马克思主义研究》1985 年第 3 期

马克思的工资理论与拉萨尔的

工资铁则，孟氧，《马克思主义研究》1985 年第 3 期

论青年马克思的哲学革命——兼与陈先达同志商榷，刘忆江，《马克思主义研究》1985 年第 3 期

马克思论人的本质和他的科学世界观的形成，王伟光，《马克思主义研究》1985 年第 3 期

对马克思的“亚细亚生产方式”概念的探讨——兼评一种理论观点，王逸舟，《马克思主义研究》1985 年第 3 期

恩格斯和第一个伟大发现——纪念恩格斯逝世九十周年，汤亚南，《马克思主义研究》1985 年第 3 期

马克思的货币理论，邱兆祥、王慎之，《马克思主义研究》1985 年第 1 期

试析马克思劳动价值论——读《资本论》的体会，洪远朋，《马克思主义研究》1985 年第 1 期

马克思的《资本论》与美国学者，武文军，《马克思主义研究》1985 年第 1 期

《政治经济学批判》（1861—1863 年手稿）在《资本论》创作史上的历史地位，郭继严，《马克思主义研究》1985 年第 1 期

本质与形式：《资本论》的基本逻辑结构，郭树清，《马克思主义研究》1985 年第 1 期

论《资本论》对唯物史观的证

明，刘炯忠，《马克思主义研究》1985 年第 1 期

第一国际后恩格斯关于国际工人运动实践经验的基本总结，郭庆仕，《马克思主义研究》1985 年第 1 期

关于马克思社会主义理论的科学性的历史考察，匡萃坚，《马克思主义研究》1985 年第 1 期

马克思恩格斯论资本主义生产方式的"自行扬弃"——马克思主义扬弃论不是资本主义自行消亡论，罗郁聪、王锦涛，《马克思主义研究》1985 年第 1 期

历史唯物主义与外国文学——马克思恩格斯著作学习札记，王国庆，《上海师范大学学报》（哲学社会科学版）1985 年第 1 期

恩格斯晚年建党思想初探，刘积高，《社会主义研究》1985 年第 5 期

正确理解《共产党宣言》中关于"废除继承权"的论述，覃天云，《社会科学研究》1985 年第 4 期

试论马克思的社会系统观——《德意志意识形态》研究，郭国勋，《社会科学辑刊》1985 年第 2 期

恩格斯对《资本论》的贡献——为纪念恩格斯逝世九十周年而作，徐杰、陈光林、陈乃圣，《山东师范大学学报》（人文社会科学版）1985 年第 3 期

马克思恩格斯关于共产主义运动进程的思想发展，周其斌，《华中师范大学学报》（人文社会科学版）1985 年第 5 期

论雅典奴隶制国家的形成——读恩格斯《家庭、私有制和国家的起源》的点滴体会，张航，《惠州学院学报》1985 年第 2 期

马克思恩格斯关于"具有普遍性形式的思想"的基本观点，张文，《河北师范大学学报》（哲学社会科学版）1985 年第 4 期

作家的个性与创作——学习马克思恩格斯文艺论著札记，吴质富，《安庆师范学院学报》（社会科学版）1985 年第 1 期

太平天国历史发展的辩证法——学习马克思恩格斯论太平天国笔记，徐川一，《安徽史学》1985 年第 1 期

恩格斯关于未来社会的经济思想，周成启，《马克思主义研究》1985 年第 2 期

《哲学的贫困》是马克思一部重要的经济学著作，袁隆生，《马克思主义研究》1985 年第 2 期

重新考察马克思科学实践观的理论来源，余文烈，《马克思主义研究》1985 年第 2 期

马克思论共产主义的目的就是为了人的全面自由的发展，丁学良，《马克思主义研究》1985 年第 2 期

怎样理解马克思所说的分工的消失，严铭，《马克思主义研究》1985 年第 2 期

论马克思主义关于集体领袖的思想，周振声，《马克思主义研究》1985 年第 2 期

恩格斯与民族学，林耀华，《科学社会主义》1985 年第 3 期

第一国际时期马克思恩格斯关于民族运动的几个重要思想，廖谨慎、周存诚，《科学社会主义》1985 年第 3 期

论民族形成的上限——学习马克思恩格斯关于民族形成的理论，陈曼蓉，《中南民族大学学报》（人文社会科学版）1985 年第 4 期

第一国际时期马克思恩格斯关于民族运动的几个重要思想，廖谨慎、周存诚，《中南民族大学学报》（人文社会科学版）1985 年第 1 期

略论恩格斯关于科学分类的思想，吕国忱，《科学学与科学技术管理》1985 年第 3 期

他从毕生所献身的事业中获得永生，许征帆，《教学与研究》1985 年第 4 期

马克思恩格斯探讨未来社会的主要方法，奚广庆，《教学与研究》1985 年第 3 期

恩格斯对马克思的垄断理论的发展，韩淑颖，《教学与研究》1985 年第 3 期

马克思恩格斯关于社会主义经济的理论与社会主义建设的实践——兼议"传统观念"，张宇，《教学与研究》1985 年第 3 期

马克思、恩格斯、列宁是怎样分析让步这种历史现象的，谢天佑，《华中师范大学学报》（人文社会科学版）1985 年第 2 期

马克思恩格斯论落后国家向社会主义过渡，车有道，《华中师范大学学报》（人文社会科学版）1985 年第 1 期

学习恩格斯为共产主义理想献身的革命精神和科学态度，杨恒源，《扬州大学学报》（人文社会科学版）1985 年第 3 期

坚持心理科学的理论思维——马克思恩格斯与心理科学研究之二，朱永新、袁振国，《心理学探新》1985 年第 4 期

学习恩格斯关于社会主义法制的光辉思想，罗新民，《现代法学》1985 年第 3 期

恩格斯的《家庭、私有制和国家的起源》一书与历史过程理论的一些问题，Н.Б. 捷尔—阿科皮扬著，何星亮译，《世界民族》1985 年第 5 期

恩格斯、马克思和摩尔根的关系，L.克拉德著，靳翠微译，《世界民族》1985 年第 1 期

澄清《导言》的两个问题，沈

连元,《马克思主义研究》1985 年第 4 期

关于马克思价值规律理论的研究, 陈振羽,《马克思主义研究》1985 年第 4 期

《哲学的贫困》对历史唯物主义的科学表述——兼论《哲学的贫困》在历史唯物主义形成中的地位, 杨耕,《马克思主义研究》1985 年第 4 期

对马克思《费尔巴哈论纲》版本问题的再探讨, 纪玉祥,《马克思主义研究》1985 年第 4 期

马克思恩格斯国际主义思想探究, 郭庆仕,《马克思主义研究》1985 年第 4 期

马克思恩格斯经济学创建纪略, 李中舟,《马克思主义研究》1985 年第 4 期

历史科学研究在马克思主义形成过程中的重要作用, 马延斌,《马克思主义研究》1985 年第 4 期

"社会发展是自然历史过程"初探, 李茗,《华北电力大学学报》1985 年（增刊）

对马克思的使用价值学说的初探, 荆楠,《北华大学学报》(社会科学版) 1985 年第 Z1 期

通向唯物史观的道路——读恩格斯的《费尔巴哈论》, 张脉飞,《安庆师范学院学报》(社会科学版) 1985 年第 4 期

马克思恩格斯关于共产主义运动进程的思想发展, 周其斌,《科学社会主义》1985 年第 10 期

马克思恩格斯怎样看待资本主义德育, 陈桂生,《教育理论与实践》1985 年第 1 期

论莎士比亚化——谈马克思对无产阶级文学的希望, 阎诚、孙冰,《内蒙古民族大学学报》(社会科学版) 1985 年第 2 期

历史地分析、科学地看待马克思对共产主义社会的论述, 王怀超,《理论月刊》1985 年第 10 期

也谈恩格斯和毛泽东关于绝对真理的一种提法, 赵宝云,《理论月刊》1985 年第 4 期

浅谈恩格斯完善马克思主义自然观的伟大启示, 李孝尘,《南都学刊》1985 年第 2 期

高举共产主义的旗帜胜利前进——纪念恩格斯逝世九十周年, 李书智,《南都学刊》1985 年第 2 期

马克思恩格斯的"三权"理论与我国土地所有制形式, 孙东富,《经济问题探索》1985 年第 1 期

马克思恩格斯未来学思想初探, 冯良勤、缪再生,《未来与发展》1985 年第 4 期

马克思的《1848 年至 1850 年的法兰西阶级斗争》, 韩承文,《历史教学》1985 年第 3 期

透彻的历史洞察力——《路

易·波拿巴的雾月十八日》介绍，王伟光，《历史教学》1985 年第 1 期

学习恩格斯，关注科学技术的发展，宋定国，《中国青年政治学院学报》1985 年第 3 期

马克思与达尔文的交往，延之，《徐州师范大学学报》（哲学社会科学版）1985 年第 3 期

马克思恩格斯关于思维的理论，王丕，《心理学探新》1985 年第 3 期

马克思恩格斯与史学，麦克伦南著，王德峰译，《国外社会科学文摘》1985 年第 5 期

恩格斯晚年对唯物史观的捍卫和发展，马迈，《天津师范大学学报》（社会科学版）1985 年第 4 期

哲学基本问题的确立，霍树生，《天津师范大学学报》（社会科学版）1985 年第 4 期

恩格斯与唯物辩证法，吴振海，《天津师范大学学报》（社会科学版）1985 年第 4 期

青年恩格斯和唯物辩证法的创立，张景荣，《天津师范大学学报》（社会科学版）1985 年第 4 期

在实践中发展马克思再生产理论，熊映梧、王恺，《社会科学战线》1985 年第 4 期

论马克思、恩格斯关于社会主义社会的预测性，张海旺、梁金霞，《理论探索》1985 年第 17 期

马克思恩格斯在第一国际时期对无产阶级政党组织原则的制定（1864—1873），库尼娜著，张文焕译，《当代世界与社会主义》1985 年第 3 期

成立土地和劳动同盟是马克思在英国建立无产阶级政党的尝试吗？卞晋平，《当代世界与社会主义》1985 年第 3 期

1986 年

关于"人的本质对象化"——学习马克思《1844 年经济学哲学手稿》札记，李（全竟）春，《佛山科学技术学院学报》（社会科学版）1986 年第 1 期

马克思也是一位杰出的幽默大师，殷仪，《东疆学刊》1986 年第 1 期

科学进步与社会发展——对马克思关于科学社会作用理论的探讨，李德义，《成都信息工程学院学报》1986 年第 1 期

恩格斯论国家所有、集体经营，李子猷，《人文杂志》1986 年第 6 期

从"同时发生论"到"一国胜利论"——对马克思恩格斯列宁社会主义革命论的再认识，郭鹏，《理论导刊》1986 年（增刊）

恩格斯晚年策略思想及其现实意义，焦士英，《理论导刊》1986 年

（增刊）

关于唯物史观形成的几个问题，冯景源，《理论导刊》1986 年第 3 期

马克思恩格斯按劳分配思想的形成，黄建芬，《江西社会科学》1986 年第 4 期

论马克思恩格斯无产阶级革命学说的变迁，张式谷，《湖北大学学报》（哲学社会科学版）1986 年第 2 期

试论马克思恩格斯人的全面发展理论的萌芽和形成，许崇正，《北京师范大学学报》（社会科学版）1986 年第 6 期

对马克思、恩格斯未来社会取消商品生产和货币理论的一点思考，杨世发，《怀化学院学报》1986 年第 4 期，

马克思恩格斯关于经济基础和上层建筑学说的阐发过程，杜志清，《河北学刊》1986 年第 6 期

马克思恩格斯研究科学社会主义的方法论，陈耀彬，《河北学刊》1986 年第 2 期

论《资本论》开端的商品的性质问题，刘炯忠，《河北大学学报》（哲学社会科学版）1986 年第 2 期

从马克思论希腊神话看人类文化价值的永恒性，王杰、王川娅，《广西师范大学学报》（哲学社会科学版）1986 年第 3 期

恩格斯晚年思想与社会主义建设，李忠杰，《长白学刊》1986 年第 5 期

怎样理解《共产党宣言》中关于两个"决裂"的思想，信德初，《社会主义研究》1986 年第 2 期

《共产党宣言》的中心思想之我见，李承，《社会主义研究》1986 年第 2 期

马克思恩格斯关于无产阶级专政的十九处论述，朱红、崔启明，《社会主义研究》1986 年第 1 期

马克思恩格斯论犯罪构成，周振想，《法律科学——西北政法学院学报》1986 年第 2 期

试论马克思恩格斯伦理思想的基本特点，李兆方，《法律科学——西北政法学院学报》1986 年第 2 期

再论社会主义现阶段存在商品经济和商品货币消亡的理论并无矛盾——马克思、恩格斯的科学预见和现实的比较，汤国钧，《中央财经大学学报》1986 年第 5 期

马克思论俄国资本主义的发展，于沛，《世界历史》1986 年第 11 期

学习马克思主义的科学态度——读《共产党宣言》序言的笔记，李凤兰，《东北林业大学学报》1986 年第 S2 期

马克思青年时代的思想特点，李秀，《石油大学学报》（社会科学版）1986 年第 2 期

一个重要的美学原则——学习

马克思、恩格斯关于艺术倾向的理论，何楚熊，《云南民族大学学报》（哲学社会科学版）1986年第1期

恩格斯对无产阶级历史使命学说形成的贡献，詹成付，《信阳师范学院学报》（哲学社会科学版）1986年第2期

马克思恩格斯论戏剧——纪念恩格斯逝世九十周年，马家骏，《渭南师范学院学报》1986年第1期

论马克思恩格斯的相互作用思想，李振宏，《天津社会科学》1986年第6期

象马克思那样思考问题——马克思主义给我们提供的是什么？若非，《天津社会科学》1986年第6期

马克思人性观的历史探巡，万俊人，《社会科学家》1986年第1期

国外马克思、恩格斯对立论思潮的产生和发展，余品华，《求索》1986年第1期

马克思与黑格尔在异化问题上的根本对立，夏永翔、郑晓江，《学术论坛》1986年第1期

马克思主义哲学形成的标志是什么？——论《德意志意识形态》的核心思想，彭赟，《南昌大学学报》（人文社会科学版）1986年第4期

谈谈马克思遗著的名篇问题，许志刚，《哲学研究》1986年第10期

应着重从社会历史角度理解马克思主义关于"自由王国"的理论——兼与李延明同志商榷，陈晏清、李淑梅，《哲学研究》1986年第8期

关于坚持和发展《资本论》基本原理的争鸣，杨永华，《社会科学》1986年第3期

《剩余价值理论》和马克思的生产劳动学说，冀有江，《南开经济研究》1986年第6期

谈谈我对经典作家使用的所有制概念的理解，段晓光，《领导之友》1986年第2期

坚持社会主义条件下的权威原则——重读恩格斯的《论权威》，刘土尧，《领导之友》1986年第2期

评《马克思创立的是历史唯物主义一体化哲学》的引证方法，翟光，《哲学研究》1986年第2期

谈马克思恩格斯对德国统一的策略，姜德昌，《史学集刊》1986年第4期

马克思恩格斯论词源学，刘伶，《吉林大学社会科学学报》1986年第5期

"灌输论"的首创者不是考茨基而是马克思恩格斯，金重，《北京大学学报》（哲学社会科学版）1986年第6期

全国马克思恩格斯早期哲学思想讨论会综述，李淑珍，《北京大学

学报》（哲学社会科学版）1986 年第
5 期

恩格斯晚年社会系统论思想初探，冯瑞芳，《北京大学学报》（哲学社会科学版）1986 年第 1 期

经典作家关于人类历史及其内容表述的综合考察，蒋大椿，《史学史研究》1986 年第 4 期

恩格斯关于哲学与自然科学关系的两个论断之我见，郑吉林，《上海海事大学学报》1986 年第 2 期

《自然辩证法》与《资本论》中的矛盾观，姜兴宏，《内蒙古师范大学学报》（哲学社会科学版）1986 年第 3 期

马克思的资本积累理论在《1861—1863 年经济学手稿》中的重大进展，袁隆生，《内蒙古师范大学学报》（哲学社会科学版）1986 年第 1 期

实践在马克思批判改造黑格尔哲学过程中的地位，谷景华，《郑州大学学报》（哲学社会科学版）1986 年第 5 期

略论恩格斯转变为共产主义者的途径和特点，罗定虹，《现代哲学》1986 年第 3 期

恩格斯在九十年代对历史唯物主义的贡献，毋德印，《山西师大学报》（社会科学版）1986 年第 1 期

《基督教的本质》与马克思恩格斯，董仲其，《探索》1986 年第 4 期

论马克思对使用价值范畴的改造，姚海明、卜海，《南京师大学报》（社会科学版）1986 年第 2 期

浅论第一国际时期马克思主义者同工联在波兰问题上的合作，乔哲青，《史学月刊》1986 年第 4 期

也谈《宣言》中法的定义——与张宗厚同志商榷，任中杰，《法学》1986 年第 11 期

用马克思的思想方法来发展生产劳动理论，郭羽诞，《浙江学刊》1986 年第 Z1 期

列宁的"国家所有制"与马克思"社会所有制"的理论联系，马凤书，《文史哲》1986 年第 2 期

恩格斯晚年对无产阶级政党学说的贡献，张疏受，《苏州大学学报》（哲学社会科学版）1986 年第 2 期

关于马克思恩格斯所有制理论的几个问题，胡健，《陕西师范大学学报》（哲学社会科学版）1986 年第 2 期

恩格斯论思维和存在的同一性，祝大征，《陕西师范大学学报》（哲学社会科学版）1986 年第 1 期

关于《资本论》开篇商品的"简单"规定性问题，刘朝明，《陕西师范大学学报》（哲学社会科学版）1986 年第 1 期

马克思恩格斯关于无产阶级建

党学说的形成，周吐芳，《内蒙古大学学报》（人文社会科学版）1986 年第 3 期

马克思早期所有制思想初探，曹之虎，《上海经济研究》1986 年第 5 期

《资本论》对美学研究的若干启示，向翔，《社会科学辑刊》1986 年第 4 期

要正确理解马克思社会必要劳动时间学说，陈振羽，《宁夏社会科学》1986 年第 4 期

关于"两种生产"真正含义的辨析，孙美堂，《东岳论丛》1986 年第 3 期

马克思恩格斯关于股份制度的基本思想，施佑生，《安徽大学学报》（哲学社会科学版）1986 年第 3 期

马克思论资本的伟大文明作用，陈荣富，《江汉论坛》1986 年第 12 期

早期马克思对费尔巴哈学说态度的演变（1841 年底—1844 年 8 月），董仲其，《社会科学研究》1986 年第 3 期

马克思恩格斯创立过"立即革命转变论"吗？朱桂谦，《社会科学研究》1986 年第 1 期

马克思恩格斯关于无产阶级政党建设的理论，孔繁锦，《中山大学学报》（社会科学版）1986 年第 2 期

论《资本论》对归纳演绎法的运用，黄九如，《厦门大学学报》（哲学社会科学版）1986 年第 4 期

唯物主义历史观与《资本论》的对象，李绪蔼，《厦门大学学报》（哲学社会科学版）1986 年第 4 期

不能否定马克思的劳动力商品学说，林长华，《厦门大学学报》（哲学社会科学版）1986 年第 3 期

神学世界观—法学世界观—唯物史观——从恩格斯对哲学史的概括谈到时代对哲学的抉择，黄克剑、黄平，《厦门大学学报》（哲学社会科学版）1986 年第 2 期

马克思恩格斯与意大利民族统一运动，胡永树，《厦门大学学报》（哲学社会科学版）1986 年第 1 期

领导者的地位与阶级的形成——学习《家庭、私有制和国家的起源》札记，刘景华，《武汉大学学报》（哲学社会科学版）1986 年第 3 期

恩格斯对辩证唯物主义认识论的主要贡献，李砚田，《武汉大学学报》（人文科学版）1986 年第 2 期

《资本论》第二卷结构的形成——纪念《资本论》第二卷出版一百周年，汤在新，《武汉大学学报》（人文科学版）1986 年第 1 期

深入的科学研究是马克思政治立场转变的直接原因，李晓慧，《社会科学研究》1986 年第 4 期

马克思恩格斯对社会主义生产资料所有制问题的预测，王永江，《社会科学研究》1986年第4期

恩格斯为什么不提共产主义的两个阶段，洪韵珊，《社会科学研究》1986年第4期

政治经济学社会主义部分的范畴体系不应是一个封闭的体系——学习《资本论》的一点体会，王初根，《江西师范大学学报》（哲学社会科学版）1986年第4期

信息时代与马克思的公有制学说，李万忍，《当代经济科学》1986年第3期

正确评价费尔巴哈《基督教的本质》对马克思、恩格斯世界观转变的影响，宫凤鸣，《东北师大学报》（哲学社会科学版）1986年第2期

恩格斯论哲学发展，张脉飞，《安庆师范学院学报》（社会科学版）1986年第1期

全国马恩早期哲学思想讨论会侧记，曾盛林，《哲学动态》1986年第9期

恩格斯军事辩证法思想研究，夏征难，《哲学动态》1986年第5期

从现代科技革命看马克思的生产力"五要素"理论，潘春葆，《复旦学报》（社会科学版）1986年第5期

马克思的第二个伟大发现和

《1844年经济学哲学手稿》，石一，《长沙理工大学学报》（社会科学版）1986年第2期

恩格斯《自然辩证法》中译本，陈晓，《马克思主义研究》1986年第2期

试论马克思的劳动形态理论及其意义——兼与贺长元同志商榷，田锡宋，《马克思主义研究》1986年第2期

恩格斯论无产阶级的民主制，刘东文，《马克思主义研究》1986年第2期

马克思与三类社会的划分，陈荣富，《马克思主义研究》1986年第2期

论信贷资金运动及其规律——学习《资本论》的体会，张亦春，《马克思主义研究》1986年第2期

恩格斯对马克思主义认识论体系形成的贡献，齐云、田丰，《马克思主义研究》1986年第2期

关于无产阶级革命的道路问题——《〈法兰西阶级斗争〉导言》再研究，周海乐，《马克思主义研究》1986年第1期

马克思恩格斯走向科学共产主义道路异同考，王树盛，《马克思主义研究》1986年第1期

关于《德意志意识形态》中"交往"的概念，吴晓东，《上饶师范学院学报》1986年第3期

试论模糊观点在经济学方法体系中的作用——对《资本论》方法的辩证思考，王弘远，《企业经济》1986年第1期

恩格斯的公式与"自由王国"的到来，冯玉忠，《辽宁大学学报》（哲学社会科学版）1986年第4期

各尽所能和按劳分配关系的考察——从空想社会主义到马克思、恩格斯，许崇正，《科学社会主义》1986年第3期

合理性是一个哲学范畴，罗予秋，《湖南师范大学社会科学学报》1986年第5期

恩格斯关于美的起源和本质的思想，向翔，《福建论坛》（人文社会科学版）1986年第1期

马克思恩格斯教育经济理论初探，张硕城、黄静波，《开放时代》1986年第6期

马克思《导言》浅释（之一），梁万成，《阜阳师范学院学报》（社会科学版）1986年第4期

让伟大的思想永远哺育人类——简论马克思、恩格斯对档案工作的重视，韩宝华，《北京档案》1986年第2期

完整地理解恩格斯的婚姻道德观，黄志坚，《中国青年政治学院学报》1986年第3期

十九世纪五十年代马克思恩格斯论印度、中国民族运动，杨朴羽，《中南民族大学学报》（人文社会科学版）1986年第4期

这句话不是马克思的话，陈力丹，《新闻战线》1986年第7期

首都理论界、翻译出版界热烈庆贺《马克思恩格斯全集》五十卷中文版全部出齐，马编，《马克思主义研究》1986年第3期

伟大的理论宝库——关于《马克思恩格斯全集》原文版，周亮勋，《马克思主义研究》1986年第3期

马克思恩格斯关于生活方式问题的基本思想探讨，徐勇，《马克思主义研究》1986年第3期

马克思的"个人所有制"就是劳动者所有制，葛守昆，《马克思主义研究》1986年第3期

马克思恩格斯列宁斯大林著作——中文本书目、版本、简介，《马克思主义研究》1986年第3期

国外关于马克思晚年人类学笔记的研究，叶林、张显扬，《马克思主义研究》1986年第3期

马克思恩格斯关于资本主义薄弱环节思想初探，叶卫平，《马克思主义研究》1986年第3期

略论马克思恩格斯无产阶级国家学说的形成，马国泉，《马克思主义研究》1986年第3期

认真学习和研究马克思恩格斯著作，于光远，《马克思主义研究》1986年第3期

恩格斯在无产阶级政治经济学创建初期的重大贡献，韩学瑜，《新疆大学学报》（哲学、人文科学、社会科学版）1986年第4期

论马克思历史唯物主义法律观的三个理论层次，杜万华，《现代法学》1986年第2期

恩格斯对无产阶级历史使命学说的形成所作出的贡献，詹成付，《许昌学院学报》1986年第4期

黑格尔的辩证法与马克思主义哲学——纪念《费尔巴哈论》发表一百周年，陈濯，《天津商学院学报》1986年第3期

人类学与马克思、恩格斯的研究，莫里斯·布洛克著，冯利、覃光广译，《世界民族》1986年第3期

宏大的翻译工程　丰富的理论宝库（文摘），顾锦屏、王锡君，《理论月刊》1986年第9期

《共产党宣言》中一条长期被忽视的策略纲领，张佩航，《理论月刊》1986年第6期

《资本论》在科学社会主义学说史上的地位，张式谷，《理论月刊》1986年第3期

社会是一个系统——读《〈政治经济学批判〉序言》，陆钟，《理论月刊》1986年第2期

试析《资本论》在叙述方法上的主要特点，杨高潮，《理论月刊》1986年第1期

如何理解恩格斯在致拉萨尔信中关于悲剧问题的论述，白巍，《河北师范大学学报》（哲学社会科学版）1986年第4期

流通在社会主义再生产中的地位和作用——学习《资本论》第二卷的一点体会，杨文瑞，《河北师范大学学报》（哲学社会科学版）1986年第1期

马克思恩格斯早期哲学观初探，李怀、金维克、刘啸庭，《绥化学院学报》1986年第4期

恩格斯怎样规定"为我之物"，张南，《教学与管理》1986年第1期

马克思恩格斯是否预见到在社会主义一定阶段上存在商品生产，纪宝成，《教学与研究》1986年第1期

关于恩格斯晚年的议会斗争策略，陈慧生，《当代世界与社会主义》1986年第3期

马克思恩格斯与德国社会民主党的议会活动，张世鹏，《当代世界与社会主义》1986年第1期

试论恩格斯的议会斗争策略，杨仁志，《当代世界与社会主义》1986年第1期

《资本论》进一步论证和发展了科学社会主义学说，廖文生，《科学社会主义》1986年第10期

按照原意理解和运用马克思的不断革命思想，朱桂谦，《科学社会

主义》1986 年第 10 期

马克思恩格斯关于无产阶级建党学说的形成，周呈芳，《科学社会主义》1986 年第 10 期

马克思恩格斯创立过"立即革命转变论"吗？朱桂谦，《科学社会主义》1986 年第 9 期

恩格斯为什么不提共产主义的两个阶段？洪韵珊，《科学社会主义》1986 年第 9 期

应该历史地理解恩格斯关于科学社会主义研究对象的表述，李晓慧，《科学社会主义》1986 年第 9 期

恩格斯对无产阶级历史使命学说形成的贡献，詹成付，《科学社会主义》1986 年第 7 期

论马克思恩格斯无产阶级革命学说的变迁，张式谷，《科学社会主义》1986 年第 5 期

《资本论》在科学社会主义学说史上的地位，张式谷，《科学社会主义》1986 年第 4 期

马克思恩格斯研究科学社会主义的方法论，陈耀彬，《科学社会主义》1986 年第 4 期

马克思的社会主义社会设想的再认识，李湘昆，《科学社会主义》1986 年第 1 期

论马克思恩格斯对无产阶级革命学说的三次修正，张式谷，《科学社会主义》1986 年第 1 期

试谈马克思恩格斯产业革命思想，陈耀彬，《晋阳学刊》1986 年第 6 期

马克思恩格斯著作中"社会关系"概念的几种含义，权文荣，《晋阳学刊》1986 年第 3 期

谈谈怎样看待马克思、恩格斯社会主义学说的真理性，钱小芊，《思想政治课教学》1986 年第 8 期

《反杜林论》中译本某些误译商榷，刘相安，《辽宁师范大学学报》(社会科学版) 1986 年第 1 期

试论恩格斯科学看待社会主义的思想，周绍禄，《科学社会主义》1986 年第 12 期

从《资本论》的体系、结构看社会主义政治经济学的体系、结构，培伊，《贵州师范大学学报》(社会科学版) 1986 年第 3 期

浅探《德意志意识形态》中关于人的全面发展理论，陈桂生，《杭州大学学报》(哲学社会科学版) 1986 年第 1 期

马克思恩格斯论未来文艺，林树明，《贵州大学学报》(社会科学版) 1986 年第 2 期

马克思的《中国记事》给人的启示，章士晋，《浙江师范大学学报》(社会科学版) 1986 年第 1 期

按照原意理解和运用马克思的不断革命思想，朱桂谦，《浙江师范大学学报》(社会科学版) 1986 年第 1 期

论恩格斯晚年策略思想的变化，

王国富,《渤海大学学报》(哲学社会科学版) 1986 年第 1 期

马克思早期国家思想的演变, 张兴琨,《阴山学刊》1986 年第 1 期

回到马克思——辩证法为什么会被形而上学化, 吴甘霖,《云梦学刊》1986 年第 1 期

论西方资本主义对近代中国社会的冲击——学习马克思恩格斯关于中国近代史的有关论述, 姜鲁鸣,《学习与探索》1986 年第 6 期

马克思原始社会理论的历史考察, 白津夫,《学习与探索》1986 年第 3 期

新世界观萌芽的"第一个文件"只是指《关于费尔巴哈的提纲》吗? 周碧晴,《探索与争鸣》1986 年第 3 期

对《辞海》关于《自然辩证法》撰写时间的订正, 赵宝云,《社会科学战线》1986 年第 2 期

1987 年

马克思恩格斯关于社会公有制进程的三方面思想, 许国,《晋中师范高等专科学校学报》1987 年第 1 期

学习马恩列斯关于社会主义国家对外经济关系的论述, 黄文忠,《杭州师范学院学报》(社会科学版) 1987 年第 1 期

《资本论》的直接性—间接性—直接性和间接性统一的方法初探, 陈俊明,《华侨大学学报》(哲学社会科学版) 1987 年第 1 期

关于马克思恩格斯美学思想研究的几个问题, 董学文,《文艺理论与批评》1987 年第 5 期

马克思的货币流通速度理论研究, 郑先炳,《税务与经济》1987 年第 3 期

马恩著作中"社会主义社会"

的含义探讨, 胡帆,《社会主义研究》1987 年第 5 期

试述马克思、恩格斯关于落后国家革命和建设的预见及若干原理, 韩佳辰,《社会主义研究》1987 年第 4 期

马克思、恩格斯统一战线理论在 1848 年德国革命的实践, 吴家宝,《社会主义研究》1987 年第 3 期

马克思早期无神论思想的演变及与费尔巴哈的关系, 董仲其,《人文杂志》1987 年第 4 期

马克思恩格斯论宗教与艺术的关系, 周忠厚,《求是学刊》1987 年第 2 期

马克思恩格斯民族理论的形成和转变, 周呈芳,《内蒙古社会科学》(汉文版) 1987 年第 5 期

马克思恩格斯国家学说的特点

及其当前的研究，王农,《理论导刊》1987 年第 7 期

略论金钱与个人幸福的关系——学习马克思恩格斯的有关论述，肖群忠,《道德与文明》1987 年第 2 期

马克思对区分不变资本和可变资本的贡献及其现实意义，杨国昌,《北京师范大学学报》(社会科学版)1987 年第 3 期

马克思恩格斯著作所见之历史研究方法三种，蒋大椿,《求索》1987 年第 2 期

马克思恩格斯关于人的全面发展学说的理论体系，王北生,《河南大学学报》(社会科学版)1987 年第 6 期

浅谈生产方式与政治经济学研究对象的关系——学习《资本论》札记，唐培海,《河南大学学报》(社会科学版)1987 年第 6 期

马克思绝对贫困化理论的发展过程及其理解，巫继学、王建生,《河南大学学报》(社会科学版)1987 年第 3 期

青年马克思资本概念的起源与异化劳动，谢霖,《河北学刊》1987 年第 4 期

马克思恩格斯早期自然观刍议，王复三,《河北学刊》1987 年第 1 期

马克思和诗，袁明光,《广西师范大学学报》(哲学社会科学版)1987 年第 1 期

论马克思"异化论"的社会内容，朴会阳,《长白学刊》1987 年第 5 期

历史唯物主义出发点辨析——学习《德意志意识形态》札记，杜国钧,《理论探讨》1987 年第 1 期

对马克思的雇佣劳动论的理解，许国新,《中国劳动》1987 年第 3 期

唯物史观在军事科学领域的创造性运用——谈谈马克思对建立无产阶级军事理论的贡献，鲍世修,《军事历史研究》1987 年第 4 期

马克思的货币流通速度理论研究，郑先炳,《中央财经大学学报》1987 年第 3 期

试论马克思关于精神生产的思想，郭福平,《东北林业大学学报》1987 年第 S5 期

塑造一个完整的艺术品——《资本论》的创作过程，萧灼基,《兰州商学院学报》1987 年第 3 期

学习马克思、恩格斯关于竞争的学说，陈家彦,《兰州商学院学报》1987 年第 2 期

论保管费用范畴的性质及其加价的界限——读《资本论》第二卷关于流通费用理论的体会，罗耀辉,《兰州商学院学报》1987 年第 2 期

为新时代觅取火种的普罗米修斯——马克思《博士论文》探微，黄克剑,《哲学研究》1987 年第 6 期

谈恩格斯对待空想社会主义的

科学态度，刘贝金，《山东大学学报》（哲学社会科学版）1987年第2期

马克思从费尔巴哈走向历史（和辩证）唯物主义，谭钧荣，《南昌大学学报》（人文社会科学版）1987年第1期

马克思的生产力范畴与历史唯物主义，储小平，《哲学研究》1987年第3期

马克思关于产业革命的理论——《政治经济学批判》（1861—1863）研究，颜鹏飞，《南开经济研究》1987年第4期

修正马克思、恩格斯著作中的错误——从《资本论》第四卷中的失误谈起，季陶达，《南开经济研究》1987年第1期

现代艺术的启示录——学习马克思、恩格斯一段论述，贺野，《美术》1987年第7期

论马恩列斯关于政治经济学对象思想的一致性，詹连富，《吉林大学社会科学学报》1987年第1期

卡尔·马克思是怎样研究市场结构和市场职能的，宋则，《商业研究》1987年第6期

马克思研究政治经济学的动因及其对我们的启示，杨培德，《山东大学学报》（哲学社会科学版）1987年（增刊）

马克思、恩格斯、列宁是怎样

论述社会发展阶段能否超越问题的，丁民、孟宪慧，《内蒙古师范大学学报》（哲学社会科学版）1987年（增刊）

论恩格斯早期思想发展的三个转折，苗尤凤，《郑州大学学报》（哲学社会科学版）1987年（增刊）

马克思恩格斯著作中的经济基础范畴始终包含着生产力，张立仁，《学术界》1987年第6期

恩格斯在创立唯物史观中的贡献，张文煜，《学术界》1987年第3期

怎样认识马恩关于"过渡时期"商品经济关系的理论，闻仲，《福建师范大学学报》（哲学社会科学版）1987年第3期

关于跨越资本主义"卡夫丁峡谷"问题——对东方社会发展道路的哲学思考，荣剑，《哲学研究》1987年第11期

对恩格斯晚年的预言和预测的一些看法，H.施瓦伯、何仪，《国外社会科学》1987年第11期

马克思论宗教与艺术，于朝贵，《文艺争鸣》1987年第3期

关于马克思的资本原始积累理论——兼谈我国的资本原始积累，许惠民，《思想战线》1987年第3期

马克思提出了"直接过渡"的设想吗？刘井山，《社会科学研究》1987年第5期

马克思并不排除社会主义存在商品的可能性，梁中堂，《内蒙古大学学报》（人文社会科学版）1987年第2期

马克思关于共产主义社会发展阶段理论的形成，王君正，《理论学刊》1987年第4期

马克思恩格斯论悲剧，赵立波，《理论学刊》1987年第3期

恩格斯晚年对科学社会主义的新贡献，马玉珍，《理论学刊》1987年第3期

略谈马克思研究社会主义的科学方法，王怀超，《科学社会主义》1987年第6期

恩格斯对无产阶级历史使命学说的形成所作出的贡献，詹成付，《科学社会主义》1987年第1期

"灌输论"的首创者不是考茨基而是马克思恩格斯，金重，《科学社会主义》1987年第1期

对马克思的国家和社会理论的再认识，荣剑，《江汉论坛》1987年第4期

更好地贯彻教育与生产劳动相结合的方针——学习马列教育文选的一点体会，梁祥云，《高教探索》1987年第2期

"两种生产"涵义再辨析——与孙美堂同志商榷，朱法贞，《东岳论丛》1987年第3期

马克思关于人的属性及其有关概念的界说和意义，张瑞甫，《东岳论丛》1987年第1期

关于马克思著作中"城市化"一词的译法——与陈光庭同志商榷，王全民，《城市问题》1987年第2期

马克思著作中的"城市化"一词是误译，陈光庭，《城市问题》1987年第1期

应该全面正确地理解恩格斯的典型理论，徐静兰，《宝鸡文理学院学报》（社会科学版）1987年第2期

恩格斯的精神动力思想探析，张脉飞，《安庆师范学院学报》（社会科学版）1987年第4期

恩格斯对唯物史观的主要贡献，涂赞琥，《武汉大学学报》（人文科学版）1987年第6期

马克思恩格斯关于无产阶级建党学说的发展，周呈芳，《内蒙古大学学报》（人文社会科学版）1987年第4期

马克思的文化思想，吴彤，《内蒙古大学学报》（人文社会科学版）1987年第4期

马克思恩格斯对农民道德的阐述及其现实意义，任明，《广西民族学院学报》（哲学社会科学版）1987年第2期

《资本论》与当代——《〈资本论〉专题研究与讲解》序，卫兴华，《经济纵横》1987年第11期

坚持马克思恩格斯的现实主义

理论原则，郭志今，《浙江学刊》1987 年第 4 期

浅谈《资本论》第二册第 Ⅰ、Ⅱ 稿资本循环理论，王荣，《浙江学刊》1987 年第 2 期

关于《资本论》的现实意义问题，李绪蔼，《厦门大学学报》（哲学社会科学版）1987 年第 4 期

《资本论》与我国社会主义现代化经济建设——纪念马克思《资本论》第一卷发表 120 周年，许一经，《上海师范大学学报》（哲学社会科学版）1987 年第 3 期

马克思恩格斯论尼德兰革命的世界历史地位，刘远图，《辽宁大学学报》（哲学社会科学版）1987 年第 2 期

马恩哲学思想分期之管见，徐俊忠，《中山大学学报》（社会科学版）1987 年第 3 期

马克思、恩格斯论 1848—1849 年革命时期的民族运动，杨朴羽，《中南民族大学学报》（人文社会科学版）1987 年第 3 期

《资本论》与社会主义——《〈资本论〉（1—4 卷）学习问题解答》序，卫兴华，《学术交流》1987 年第 5 期

恩格斯对《资本论》的最初宣传——纪念《资本论》第一卷出版一百二十周年，周学俭，《学术交流》1987 年第 3 期

论马克思恩格斯的现实主义与传统现实主义的异同，刘秀兰，《西北大学学报》（哲学社会科学版）1987 年第 3 期

"片断"应归何处——《〈德意志意识形态〉第一卷手稿片断》出处索想，穆怀中，《马克思主义研究》1987 年第 3 期

《哥达纲领批判》中译本里的"共产主义社会高级阶段"应译成"共产主义社会的一个更高的阶段"，于光远，《马克思主义研究》1987 年第 3 期

马克思恩格斯经济思想史研究中的新探索——评《马克思主义政治经济学的产生》和《马克思主义政治经济学的创立》，杨国昌，《马克思主义研究》1987 年第 1 期

恩格斯对待马克思主义的严谨科学态度，郭庆仕，《马克思主义研究》1987 年第 1 期

马克思经济学手稿学习札记两则，束景尘，《社会科学研究》1987 年第 2 期

试论分工范畴与《资本论》诸范畴的关系，秦庆武，《齐鲁学刊》1987 年第 5 期

也谈《基督教的本质》与马克思、恩格斯——与董仲其同志商榷，郑伟建，《南京政治学院学报》1987 年第 Z1 期

马克思研究人类历史规律给我

们的启迪，都红岩，《领导科学》1987 年第 11 期

美的规律及其它——马克思《1844 年经济学哲学手稿》读后，石红，《贵州民族学院学报》（哲学社会科学版）1987 年第 2 期

政治解放的进步意义及其阶级局限性——学习马克思《论犹太人问题》兼与杨明等同志商榷，叶向平，《福建论坛》（人文社会科学版）1987 年第 5 期

马克思主义经典作家划分社会阶段的思想，常樵，《科学社会主义》1987 年第 6 期

马克思关于原始社会观点的发展，捷尔—阿科皮扬著，王培英译，《世界民族》1987 年第 2 期

论审美感觉观的革命变革——学习《1844 年经济学哲学手稿》札记之二，李威，《内蒙古民族大学学报》（社会科学版）1987 年第 4 期

论人类早期文字的起源——读马克思《摩尔根〈古代社会〉一书摘要》，周双利，《内蒙古民族大学学报》（社会科学版）1987 年第 1 期

恩格斯是第一个马克思主义哲学史家——论恩格斯对马克思主义哲学史的贡献，祝大征、叶孟理，《陕西理工学院学报》（社会科学版）1987 年第 2 期

马克思主义的道德观——学习恩格斯《反杜林论》的体会，靳希斌，《黑龙江高教研究》1987 年第 3 期

马克思按劳分配理论及其在我国的实践，赵桂珍，《河北医科大学学报》1987 年（增刊）

分工是生产力和生产关系的中介——《德意志意识形态》中关于分工的理论，李丕荣，《广西财经学院学报》1987 年第 4 期

亚细亚生产方式和马克思的历史过程理论，孙承叔，《复旦学报》（社会科学版）1987 年第 4 期

论马克思的社会人类学思想，俞吾金，《复旦学报》（社会科学版）1987 年第 1 期

马克思恩格斯论机器，舍伍德著，陆建申译，《国外社会科学文摘》1987 年第 9 期

浅谈马恩列斯对青年的研究，樊新民，《青年研究》1987 年第 6 期

论美的规律的提出和运用——学习《一八四四年经济学哲学手稿》札记之一，李威，《内蒙古民族大学学报》（社会科学版）1987 年第 3 期

资本主义与人的发展——《资本论》学习笔记，范学德，《理论月刊》1987 年第 6 期

波拿巴主义再现是对资产阶级民主政治的否定——读马克思《路易·波拿巴的雾月十八日》的体会，李玥，《理论月刊》1987 年第 5 期

不断探索、开拓、创新是马克思主义的本质和要求——学习恩格斯的有关论述，廉汶，《理论月刊》1987年第5期

试论异化劳动与美的创造——读马克思《1844年经济学哲学手稿》，陈朴，《杭州师范学院学报》（社会科学版）1987年第1期

马克思、恩格斯的宗教观与现实主义艺术观，周兰苴，《安徽教育学院学报》1987年第1期

略论马克思和列宁对费尔巴哈实践观评价的"差异"，宋建平，《探索与争鸣》1987年第3期

马恩关于近代艺术思维的思想——对"莎士比亚化"的再认识，柳和勇，《文艺理论与批评》1988年第3期

马克思、恩格斯是怎样评价资产阶级经济学说的，王晓，《华东经济管理》1987年第2期

马克思、恩格斯创立历史唯物主义思想线索之比较，杨耕，《学术研究》1987年第6期

《资本论》第二册"计划单页"写作时间初探，王荣，《杭州大学学报》（哲学社会科学版）1987年第

3期

马克思恩格斯价值命题的比较研究——兼论《政治经济学批判大纲》中价值命题的现实运用，罗郁聪、陈其林，《学术月刊》1987年第9期

马克思、恩格斯悲剧观的整体构架，曾簇林，《文学评论》1987年第4期

马克思《1844年经济学哲学手稿》和《德意志意识形态》中关于哲学与自然科学的相互关系问题，布特伦著，黄定奎译，《国外社会科学文摘》1987年第7期

马克思和马克思主义者论农业发展，伯格著，楼培敏译，《国外社会科学文摘》1987年第5期

马克思恩格斯文艺批评标准管见，王钦韶，《天中学刊》1987年第1期

浅谈马恩列斯对青年的研究，樊新民，《青年研究》1987年第6期

论美的规律的提出和运用——学习《一八四四年经济学哲学手稿》札记之一，李威，《内蒙古民族大学学报》（社会科学版）1987年第3期

1988 年

对马克思恩格斯社会主义物质基础理论的再认识，王占阳、王小英，《长白学刊》1988年第6期

马克思恩格斯早期著作中的自然辩证法思想述要（读《1844年经济学哲学手稿》、《德意志意识形

态》札记），徐刚，《自然辩证法研究》1988 年第 5 期

学习马克思主义统计理论的一本重要读物——介绍《马克思、恩格斯、列宁、斯大林论统计》，李成瑞，《中国统计》1988 年第 3 期

重温马克思主义创始人关于私有制社会后社会发展阶段的理论——研究我国社会主义初级阶段问题的笔记，于光远，《社会科学》1988 年第 1 期

马克思的社会形态理论及其当代争论，沈耕、毛怡红，《四川大学学报》（哲学社会科学版）1988 年第 1 期

恩格斯《自然辩证法》中关于物质的论述不是物质定义，赵宝云，《南昌大学学报》（人文社会科学版）1988 年第 4 期

马克思的社会发展三形态理论，刘佑成，《哲学研究》1988 年第 12 期

论马克思的实践唯物主义，李景源，《哲学研究》1988 年第 11 期

西方历史认识论的形成和马克思恩格斯在该学科中的划时代作用，朱本源，《世界历史》1988 年第 5 期

马克思早期几篇文章中关于哲学与时代关系的论述，张剑伟，《信阳师范学院学报》（哲学社会科学版）1988 年第 2 期

堵塞任何要求独裁的密谋狂的

道路——马克思恩格斯在工人运动中的民主实践，荣剑，《天府新论》1988 年第 3 期

挟科学以并举　乘时代而高翔——马克思晚年人类学笔记的启示，汪连兴，《苏州科技学院学报》（社会科学版）1988 年第 Z1 期

论马克思恩格斯的人类学思想，靳绍彤，《求索》1988 年第 4 期

马克思对人的本质的探索过程之探索，李文彬，《娄底师专学报》1988 年第 1 期

论《德意志意识形态》对个人基本关系的揭示，宫敬才，《河北大学学报》（哲学社会科学版）1988 年第 3 期

究竟马克思恩格斯怎样看待剩余价值范畴，冯天才，《成都信息工程学院学报》1988 年（增刊）

从理性的革命回到现实的革命——试析 1848 年德国革命中马克思革命策略思想的变化，王铁之，《史学月刊》1988 年第 1 期

论马克思《人类学笔记》中的几个理论问题，商德文，《国外社会科学》1988 年第 10 期

恩格斯历史观的形成和发展（1839—1842 年），I. 保勒、A. 利佩特著，童国木、李文堂译，《国外社会科学》1988 年第 3 期

马克思世界观转变之路探索，王金福，《苏州大学学报》（哲学社会

科学版）1988 年第 4 期

马克思三大社会形态理论和社会主义社会经济性质，顾乃忠，《南京师大学报》（社会科学版）1988 年第 1 期

论劳动过程的二重化本质——学习马克思恩格斯关于劳动理论的札记，李业杰，《文史哲》1988 年第 6 期

马恩现实主义理论的历史地位，张冠华，《郑州大学学报》（哲学社会科学版）1988 年第 5 期

论马克思的自由观，田盛颐，《学术论坛》1988 年第 5 期

论马克思恩格斯对技术的哲学抽象——兼评技术论的 50 年发展，宋德生，《学术论坛》1988 年第 3 期

对科学社会主义"科学"二字的再思考——读《反杜林论》中《社会主义》编之新见，马进，《南京政治学院学报》1988 年第 4 期

《资本论》中的计划经济与当代资本主义的经济计划，白永秀，《陕西师范大学学报》（哲学社会科学版）1988 年第 4 期

恩格斯晚年根据德国党的实践发展了科学社会主义理论，朱本源，《陕西师范大学学报》（哲学社会科学版）1988 年第 2 期

马克思《1857—1858 年经济学手稿》中的生产力理论，汪斌，《生产力研究》1988 年第 1 期

略论《手稿》的异化劳动理论和共产主义学说，孔德元，《内蒙古大学学报》（人文社会科学版）1988 年第 1 期

马克思恩格斯民族理论的形成和转变，周呈芳，《内蒙古大学学报》（人文社会科学版）1988 年第 1 期

殖民主义的历史作用"功大于罪"吗？——学习马克思关于殖民主义双重使命的论述，陈峰钧，《理论学刊》1988 年第 5 期

学习恩格斯《法德农民问题》一书的教益，马玉珍，《理论学刊》1988 年第 3 期

坚持并发展《共产党宣言》的基本思想，高放，《理论学刊》1988 年第 3 期

关于《共产党宣言》"红线"的探讨，邹积贵，《理论学刊》1988 年第 2 期

《资本论》与社会主义初级阶段理论，陈书生，《经济纵横》1988 年第 9 期

从黑格尔的历史辩证法到马克思的历史辩证法，杨耕，《江汉论坛》1988 年第 2 期

马克思恩格斯自我实现思想发微，韩东屏，《江汉论坛》1988 年第 1 期

马克思"意识形态"概念论要，庄国雄，《复旦学报》（社会科学

版）1988 年第 6 期

马克思早期人类解放思想辨析，张澍军，《东北师大学报》（哲学社会科学版）1988 年第 4 期

回到马克思，发展马克思——坚持和发展马克思主义唯物史观，尚劝余，《宝鸡文理学院学报》（社会科学版）1988 年第 2 期

对马克思社会形态理论的再思考，顾乃忠，《宝鸡文理学院学报》（社会科学版）1988 年第 2 期

恩格斯晚年论党的建设，韩之荃，《学术交流》1988 年第 3 期

试论恩格斯对马克思主义哲学的新论断——《反杜林论》哲学编读书札记，马云鹏、李晓明，《学术交流》1988 年第 2 期

关于《资本论》中的生产力形式的理论初探，李广智，《学术交流》1988 年第 2 期

马克思的社会主义理论与中国的初级阶段，周永学、杨青基，《学术交流》1988 年第 1 期

个人的意义与历史的逻辑——一种对青年马克思的研究，黄克剑，《福建论坛》（人文社会科学版）1988 年第 5 期

从"政治解放"到"人类解放"——对马克思的历史主体思想的一种探索，胡建，《福建论坛》（人文社会科学版）1988 年第 4 期

唯物主义还是客观唯心主义？——"莱茵报"时期马克思世界观的基本性质再探，王金福，《福建论坛》（人文社会科学版）1988 年第 4 期

恩格斯哲学性质、对象和功能思想探析，张脉飞，《安庆师范学院学报》（社会科学版）1988 年第 4 期

马克思如何起草第一国际的成立宣言和章程，曾国良，《中南民族大学学报》（人文社会科学版）1988 年第 5 期

马克思恩格斯论 1848—1849 年革命时期民族运动联合的经验与同盟军作用，杨朴羽，《中南民族大学学报》（人文社会科学版）1988 年第 1 期

发掘马克思主义哲学宝藏的指路牌——恩格斯《终结》新论，郭必选，《延安大学学报》（社会科学版）1988 年第 2 期

马克思主义美学的诞生地和秘密——《1844 年经济学哲学手稿》美学思想札记，彭治平、郭育新，《社会科学战线》1988 年第 2 期

关于《共产党宣言》德文原文与 1888 年英译本的翻译问题，屈连璧，《阴山学刊》1988 年第 3 期

马克思生产力与生产关系理论的形成，张兴琨，《阴山学刊》1988 年第 1 期

"外国语是人生斗争的一种武器"——马克思与外语，文华，《现

代教育论丛》1988 年第 2 期

马克思恩格斯文艺思想的"体系"问题谈片，庄锡华，《唯实》1988 年第 4 期

恩格斯与第一国际，高朝明，《新疆大学学报》（哲学、人文科学、社会科学版）1988 年第 4 期

把《共产党宣言》放在历史中去认识，荣长海，《天津师范大学学报》（社会科学版）1988 年第 2 期

学习马克思恩格斯关于社会资本主义的论述，于光远，《马克思主义研究》1988 年第 4 期

自我意识哲学探源——关于马克思《博士论文》的一点思考，马泽民，《马克思主义研究》1988 年第 3 期

马克思和恩格斯评论中国古代科学技术，员智凯、来兴显，《马克思主义研究》1988 年第 3 期

马克思恩格斯没有为后人铸造一个"社会主义社会模式"——学习马克思主义创始人关于未来社会的论述，郭庆仕，《马克思主义研究》1988 年第 2 期

从马克思对《资本论》法文版的修订看生产方式的内涵，汤安中、于洪波，《山东师范大学学报》（人文社会科学版）1988 年第 2 期

马克思交往理论初探，刘忠世，《齐鲁学刊》1988 年第 3 期

马克思地租理论与城市土地问题，周治平，《暨南学报》（哲学社会科学版）1988 年第 3 期

要实事求是地评价马克思的地租理论——与熊映梧同志商榷，吕长征，《暨南学报》（哲学社会科学版）1988 年第 1 期

试论马克思"个人所有制"思想的萌芽、形成和内含，许崇正，《安徽教育学院学报》1988 年第 2 期

马克思、恩格斯与青年黑格尔派关系新论，沈真，《哲学动态》1988 年第 6 期

论马克思恩格斯关于同时代文学的评论，梁树人，《西北师大学报》（社会科学版）1988 年第 2 期

《马克思恩格斯文艺和美学评传》的写作构思，杨柄，《文艺争鸣》1988 年第 6 期

对恩格斯的"美学的历史的观点"的再理解，陆贵山，《文艺争鸣》1988 年第 2 期

马克思："纯批判的态度"，姜东赋，《文学自由谈》1988 年第 4 期

马恩严格区分"公有"与"社会所有"，不应都译成"公有"——一个在理论上具有重要性质的翻译问题，于光远，《马克思主义研究》1988 年第 1 期

试论马克思《人类学笔记》对社会形态理论的发展，王桂泉，《辽宁大学学报》（哲学社会科学版）

1988 年第 4 期

从文论发展史看马恩的美学要求，刘庆璋，《兰州大学学报》（社会科学版）1988 年第 1 期

"利益规律"质疑，李宏，《广西社会科学》1988 年第 4 期

从爱尔维修到马克思：如何正确理解"利益规律"——敬答李宏同志的《"利益规律"质疑》，张成兴，《广西社会科学》1988 年第 4 期

论利益规律在思想政治工作中的地位和作用，佟明忠，《广西社会科学》1988 年第 4 期

唯物史观之光——读《走向历史的深处》，许征帆，《读书》1988 年第 5 期

怎样查检马克思主义经典著作，李惠心，《中共山西省委党校学报》1988 年第 1 期

马克思、恩格斯论股份公司，郑步淮，《江苏商论》1988 年第 2 期

恩格斯、列宁辩证法定义比较，祁之泰，《青海师专学报》1988 年第 1 期

生产力是人类全部历史的基础——马恩三篇早期著作中生产力

原理初探，唐志龙，《华中师范大学学报》（人文社会科学版）1988 年第 4 期

马克思恩格斯的国有合作经济思想，李金奎，《湖南师范大学社会科学学报》1988 年第 2 期

纪念马克思，做改革的开拓者，甘成忠，《黑河学刊》1988 年第 2 期

马克思、恩格斯对十九世纪中后期资本主义的认识，周友光，《湖北社会科学》1988 年第 3 期

马克思恩格斯"人的本质"定义献疑，祁志样，《探索与争鸣》1988 年第 2 期

马克思与印度尼西亚初步笔记，弗·狄克曼著，林强译，《世界民族》1988 年第 2 期

《资本论》第一卷德文第一版的科学价值，张钟朴，《理论月刊》1988 年第 4 期

《家庭、私有制和国家的起源》的意义和影响，［德］海尔曼，《马列主义研究资料》1988 年第 1 辑

《资本论》的哲学意义和历史命运，王东、孙承叔，《马列主义研究资料》1988 年第 1 辑

1989 年

马克思、恩格斯社会发展理论中的三个缺环，佘树声，《人文杂志》1989 年第 1 期

恩格斯晚年对无产阶级革命理

论和策略的新贡献，刘元钦，《河北大学学报》（哲学社会科学版）1989 年第 1 期

重新认识私有制的命运——读

马克思恩格斯论私有制，林慧勇，《兰州学刊》1989年第2期

科学的劳动价值理论的完成——《资本论》终篇研究之二，陈俊明，《华侨大学学报》（哲学社会科学版）1989年第2期

重新认识马克思恩格斯对近代中国的论述，王燕军，《河北学刊》1989年第3期

论马克思的缩小再生产理论，刘崇民，《长白学刊》1989年第4期

谈谈《德意志意识形态》中的精神生产思想，顾行德、杜秀娟，《鞍山师范学院学报》1989年第4期

马克思主义民族学的奠基石——《马克思恩格斯全集》第45卷中所显示的马克思主义民族学原理，李惠铨，《云南社会科学》1989年第5期

马克思、恩格斯论合作经济的地位和作用，林文益，《山西财经大学学报》1989年第5期

马克思恩格斯论资产阶级国家公债的性质，张大龙，《税务与经济》1989年第2期

马克思恩格斯权力制约思想初探，叶皓，《社会主义研究》1989年第3期

马克思和恩格斯的哲学史思想和某些哲学思想的完整再现——读《马克思恩格斯论哲学史》，黄枬森，《人文杂志》1989年第4期

浅论马克思恩格斯的创作主体观，郭郁烈，《人文杂志》1989年第3期

对《费尔巴哈论纲》第6条的再思考——关于人的本质，尤西林，《人文杂志》1989年第3期

评所谓"马克思对资本主义发展普遍性的历史品格的失落"——与佘树声商榷，陈扬，《理论导刊》1989年第8期

生产费用、效用与价值——也谈马克思恩格斯的价值决定理论，王百荣，《江西社会科学》1989年第3期

"市民社会决定国家"开拓了通向历史唯物主义之路——读《黑格尔法哲学批判》札记，吴海燕，《江西社会科学》1989年第2期

用马克思的思想统一对实践唯物主义的认识，徐崇温，《哲学研究》1989年第12期

试析马克思不发表《给〈祖国纪事〉杂志编辑部的信》之原因，甘建民，《哲学研究》1989年第11期

马克思的三种历史分期方法，钟文静、王小丁，《学术界》1989年第6期

论马克思的实践唯物主义，陈志良、杨耕，《学术界》1989年第2期

试论恩格斯的历史合力思想，顾家靖，《社会科学》1989 年第 7 期

马克思恩格斯的心理意识学说与心理学研究的方法论问题，李屏西，《内蒙古师范大学学报》（哲学社会科学版）1989 年第 3 期

马克思恩格斯论罗马法，于沛霖，《法律科学》（西北政法学院学报）1989 年第 4 期

再论《剩余价值理论》手稿的起点问题，李善明、杨致恒，《财经科学》1989 年第 3 期

马克思恩格斯悲剧理论的实质与核心，于朝贵，《中国人民大学学报》1989 年第 2 期

马克思的东方社会学说与中国的社会主义初级阶段理论，张奎良，《社会科学》1989 年第 3 期

论马克思恩格斯关于股份制的思想，田浩，《南开经济研究》1989 年第 4 期

马克思、恩格斯曾以明确的语言预见过社会主义阶段存在商品经济吗？——与李世华同志商榷，马灿云，《中国党政干部论坛》1989 年第 6 期

马克思、恩格斯预见过社会主义阶段存在商品生产吗？——与李世华同志商榷，刘鹏，《中国党政干部论坛》1989 年第 5 期

马克思、恩格斯预见过社会主义阶段存在商品生产，李世华，《中国党政干部论坛》1989 年第 2 期

马克思明确提出"民族自决权"原则的时间，陈力，《民族研究》1989 年第 3 期

马克思主义学说中几个重要理论问题的评述（上），侯远长，《理论前沿》1989 年第 76 期

马克思主义学说中几个重要理论问题的评述（下），侯远长，《理论前沿》1989 年第 77 期

马克思关于社会主义所有制的三类论述，忠东，《中央财经大学学报》1989 年第 2 期

马克思思想的新界碑，李朝远，《江汉论坛》1989 年第 4 期

马克思的人与自然关系思想简论，邓自强，《江汉论坛》1989 年第 3 期

马克思讲过一切社会都是多种经济成份并存吗？卫兴华，《当代经济科学》1989 年第 3 期

出发点和理论基础的重大转变——《1844 年经济学哲学手稿》与《德意志意识形态》比较研究之一，崔绪治、徐惠仁，《苏州大学学报》（哲学社会科学版）1989 年第 1 期

《马克思恩格斯全集》中"不断革命"术语出现了多少次？翰燕，《内蒙古大学学报》（人文社会科学版）1989 年第 4 期

马克思恩格斯关于工农联盟理

论的形成和发展，周呈芳，《内蒙古大学学报》（人文社会科学版）1989年第4期

马克思主义对人的需要理论的最初哲学探索——《德意志意识形态》研究札记，迟克举，《辽宁大学学报》（哲学社会科学版）1989年第5期

马克思在晚年背离了历史唯物论吗？兰云，《现代哲学》1989年第3期

探讨马克思新哲学体系的几个方法论问题——马克思新哲学体系探讨之二，高齐云，《现代哲学》1989年第3期

再谈马克思的社会形态理论，刘志芳、邵晓慧，《山西师大学报》（社会科学版）1989年第4期

恩格斯两种生产理论再探讨——与王贵明同志商榷，朱法贞，《探索》1989年第1期

为什么马克思和列宁对费尔巴哈实践观评价不同，严高鸿，《南京政治学院学报》1989年第4期

社会科学工作者的必由之路——《德意志意识形态》读后断想，乐志强，《高校理论战线》1989年第6期

马克思对人与自然关系的实践把握，陈先达，《高校理论战线》1989年第5期

论马克思恩格斯的共产主义发

展阶段学说的形成，陈为群，《马克思主义研究》1989年第3期

国家职能与财产关系——马克思恩格斯和现代产权理论，陈实，《马克思主义研究》1989年第3期

论马克思的社会结构轴心思想——兼论社会结构轴心问题对政治经济学的意义，毛立言，《马克思主义研究》1989年第1期

马克思由唯心主义向唯物主义彻底转变的自主发展，李万古，《齐鲁学刊》1989年第5期

李嘉图地租论与马克思级差地租学说的创立，李善明，《经济问题探索》1989年第8期

马克思经济学计划手稿和世界经济学的研究对象，谢康，《世界经济研究》1989年第5期

理解马克思哲学革命的一把钥匙，林剑，《福建论坛》（人文社会科学版）1989年第5期

论恩格斯的自然辩证法及当代对它的批评，庄国雄，《复旦学报》（社会科学版）1989年第5期

关于"马克思的设想"问题，李龙牧，《复旦学报》（社会科学版）1989年第5期

马克思对人的价值的一般理解，陈中亚，《复旦学报》（社会科学版）1989年第2期

《黑格尔法哲学批判》与费尔巴哈的"颠倒方法"，陶富源，《安

徽大学学报》(哲学社会科学版)
1989 年第 4 期

马克思创立地租理论的有关问题，李善明，《陕西师范大学学报》(哲学社会科学版) 1989 年第 4 期

马克思恩格斯关于领导者就是公仆思想初探，潘志华，《理论学刊》1989 年第 5 期

马克思的东方社会学说与中国的社会主义初级阶段理论，张奎良，《科学社会主义》1989 年第 5 期

马克思恩格斯在个人消费品分配问题上的理论局限，张国平，《经济纵横》1989 年第 8 期

马克思的对象化理论与主体问题，潘知水，《甘肃社会科学》1989 年第 5 期

马克思主义哲学发生学和形态学——恩格斯《终结》新论之三，郭必选，《延安大学学报》(社会科学版) 1989 年第 4 期

马克思晚年对社会主体的探索——读马克思的《人类学笔记》，高九江，《延安大学学报》(社会科学版) 1989 年第 4 期

马克思《博士论文》自由思想探微，徐俊忠，《中山大学学报》(社会科学版) 1989 年第 3 期

对马克思"审判程序和法"关系论述的再认识，王祺国，《政治与法律》1989 年第 2 期

论马克思的自由观，王翠英、

温映瑞，《西北师大学报》(社会科学版) 1989 年第 3 期

再论马克思恩格斯的现实主义与传统现实主义的异同，刘秀兰，《西北大学学报》(哲学社会科学版) 1989 年第 3 期

经济关系和权利关系——读《资本论》札记，李绪蔼，《马克思主义研究》1989 年第 4 期

马克思实现"两个转变"的契机，李淑珍、师扬，《马克思主义研究》1989 年第 4 期

恩格斯世界观转变与费尔巴哈哲学的关系，牛旭光，《马克思主义研究》1989 年第 4 期

马克思的《莱茵报》论文在马克思经济学说形成中的地位，丁之江，《马克思主义研究》1989 年第 4 期

完整地把握恩格斯的社会革命思想，张鸿高，《读书》1989 年第 10 期

试论恩格斯晚年的历史合力理论，张文木，《财经论丛》1989 年第 3 期

试论马克思恩格斯对教育社会学理论的贡献，林永柏，《北华大学学报》(社会科学版) 1989 年第 4 期

恶的历史作用辨析——读恩格斯《路德维希·费尔巴哈和德国古典哲学的终结》一书的札记，冯溪屏，《延安大学学报》(社会科学版) 1989 年第 2 期

论马克思、恩格斯在所有制问题上的理论局限，张国平,《学习与探索》1989 年第 2 期

马克思劳动异化概念的两重划分及其现实意义，张浩,《探索与争鸣》1989 年第 1 期

《1844 年经济学哲学手稿》中的主客体思想——兼论《手稿》在马克思主义哲学形成中的作用，陈尚伟,《内蒙古民族大学学报》(社会科学版) 1989 年第 2 期

马克思预测的历史反差与现实的社会主义，杨学谅,《辽宁教育行政学院学报》1989 年第 4 期

马克思恩格斯关于印度"不存在土地私有制"的真正含义，黄思骏,《南亚研究》1989 年第 4 期

浅析马克思关于教育具有经济意义的思想，贾奉章,《黑龙江高教研究》1989 年第 1 期

试论马克思恩格斯思想的异同，谢斌,《北京社会科学》1989 年第 3 期

简评《马克思恩格斯书信论哲学》，肖明,《哲学动态》1989 年第 7 期

马克思恩格斯创立共产主义理论初期关于民族问题的思想，杨朴羽,《中南民族大学学报》(人文社会科学版) 1989 年第 1 期

认真研读艰辛思考——评《〈反杜林论〉哲学编新解》，朱传

榮、陈治桃,《学术交流》1989 年第 5 期

论马克思关于普法战争策略的几个问题，张锡恩,《东岳论丛》1989 年第 1 期

恩格斯笔下的音乐家，姜小明,《读书》1989 年第 12 期

简论马克思恩格斯现实主义创作方法思想，顾祖钊,《安庆师范学院学报》(社会科学版) 1989 年第 1 期

马克思对跨越资本主义问题认识的三个阶段，郑镇,《学术研究》1989 年第 2 期

恩格斯伦理思想简论，朱法贞,《浙江大学学报》(人文社会科学版) 1989 年第 1 期

正确理解马克思恩格斯对社会主义某些经济特征的设想，杜晓平,《渤海大学学报》(哲学社会科学版) 1989 年第 4 期

马克思恩格斯文艺学美学方法论举要，柴自生,《渤海大学学报》(哲学社会科学版) 1989 年第 1 期

《资本论》研究对象新探，王圣学,《唐都学刊》1989 年第 4 期

马克思恩格斯没有民主集中制思想，刘炳香,《理论探讨》1989 年第 1 期

对马克思恩格斯的公有制论的再认识，延涛,《科学经济社会》1989 年第 3 期

学习马克思艰苦奋斗的精神，

郑培义,《教学与管理》1989 年第 4 期

指导成人教育的理论基础——马克思主义经典作家成人教育思想学习札记,彭广荣,《广西社会科学》1989 年第 6 期

《德意志意识形态》中的"分工"范畴,黄陵东,《中共福建省委党校学报》1989 年第 Z1 期

读马克思《评普鲁士最近的书报检查令》札记,叶向平,《中共福建省委党校学报》1989 年第 Z1 期

浅论《莱茵报》时期马克思的革命民主主义思想,曾行伟,《中共福建省委党校学报》1989 年第 Z1 期

正确理解马克思的生产劳动理论,陈振羽,《中共福建省委党校学报》1989 年第 Z1 期

劳务再生产问题不能纳入马克思的社会再生产理论,陈振羽,《中共福建省委党校学报》1989 年第 5 期

把握特殊对象的特殊逻辑——读《黑格尔法哲学批判》,王晓升、池超波,《中共福建省委党校学报》1989 年第 5 期

简述马克思、恩格斯人口理论的形成,王干一,《社会科学战线》1989 年第 4 期

马克思晚年人类学研究的背景与启示,叶林,《社会科学战线》1989 年第 2 期

三　马克思恩格斯文献研究论文题录(1990—1999 年)

1990 年

马克思主义实践观在创立时期的发展——《1844 年经济学哲学手稿》与《德意志意识形态》实践概念的比较,李伟民,《广西大学学报》(哲学社会科学版)1990 年第 1 期

马克思诉讼法律思想初探,王莹文、顾培东,《广西大学学报》(哲学社会科学版),1990 年第 1 期

马克思恩格斯的社会进步尺度理论,刘锋,《社会主义研究》1990 年第 1 期

马克思的法概念析义,若然,《烟台大学学报》(哲学社会科学版)1990 年第 4 期

试论马克思主义政治经济学的历史观和方法论——读《卡尔·马克思〈政治经济学批判〉》札记,许桂娟、刘建华,《税务与经济》1990 年第 3 期

马克思恩格斯完成"两个转变"的比较,李宝怀,《社会主义研

究》1990 年第 4 期

马克思恩格斯关于无产阶级专政形式的思想，华清，《社会主义研究》1990 年第 2 期

对马克思恩格斯"两个必然"理论的探讨，程思进、王洪楚，《四川师范大学学报》（社会科学版）1990 年第 5 期

马克思恩格斯商品货币理论探讨，高林远，《四川师范大学学报》（社会科学版）1990 年第 1 期

马克思青年时代文学和美学思想综论，于朝贵，《求是学刊》1990 年第 5 期

马克思主义经典著作介绍——《费尔巴哈·唯物主义观点和唯心主义观点的对立》介绍，王安琦，《理论导刊》1990 年第 8 期

马克思、恩格斯对文艺与政治关系审视的一个角度，李希贤，《湖北大学学报》（哲学社会科学版）1990 年第 5 期

论马克思、恩格斯的主体观，胡敏，《求索》1990 年第 4 期

马克思恩格斯关于社会主义经济发展的理论，谢世荣，《青海师范大学学报》（哲学社会科学版）1990 年第 3 期

论马克思恩格斯的文艺创作主体性思想，周祖谦，《河北学刊》1990 年第 2 期

《德意志意识形态》对个人的

一般界说，宫敬才，《河北大学学报》（哲学社会科学版）1990 年第 4 期

论人的本质的单一性和完整性——对马克思的人的本质观的再认识，郝贵生，《河北大学学报》（哲学社会科学版）1990 年第 2 期

马克思、恩格斯民族运动理论体系形成的轨迹，杨健吾，《广西大学学报》（哲学社会科学版）1990 年第 4 期

马克思关于实践的要素和发展的思想——马克思新哲学体系探讨之八，高齐云，《广东社会科学》1990 年第 4 期

既要反对教条论又要反对过时论——读《马克思恩格斯财政思想研究》，钟良，《东南学术》1990 年第 3 期

关于马克思的一条重要方法论原则，王荫庭，《江淮论坛》1990 年第 3 期

文学是马克思生命活动的一部分，谢武军，《中国党政干部论坛》1990 年第 8 期

试论马克思恩格斯无产阶级政党思想的发展阶段，王晓春，《求实》1990 年第 5 期

马克思、恩格斯预见过社会主义社会存在商品生产吗？姜法瑞，《胜利油田党校学报》1990 年第 1 期

论意识形态与经济基础相互作用的间接性——学习恩格斯一组书信的札记，李留记，《中州学刊》1990 年第 6 期

古史研究与马克思主义理论的拓展——关于马、恩对人类学研究的方法论启示，萧父，《中州学刊》1990 年第 3 期

恩格斯反对经济唯物主义的斗争，殳安英，《浙江社会科学》1990 年第 3 期

马克思晚年探索的划时代意义，张奎良，《天津社会科学》1990 年第 5 期

《人类学笔记》在马克思思想发展史中的重要地位，刘明如，《天津社会科学》1990 年第 2 期

对马克思关于"人的全面发展"涵义的重新理解，赵卫，《哲学研究》1990 年第 4 期

马克思"世界历史"思想辨析，丰子义，《哲学研究》1990 年第 4 期

青年马克思与费尔巴哈，陶富源，《哲学研究》1990 年第 3 期

论马克思的社会有机体理论，陈志良、杨耕，《哲学研究》1990 年第 1 期

"悲剧论争"的实质及其悲剧类型——重读马、恩关于悲剧《济金根》与拉萨尔的通信，常存文、缴树奇，《内蒙古师范大学学报》（教育科学版）1990 年第 Z1 期

关于"重建个人所有制"的理论观点综述，刘晶，《中国人民大学学报》1990 年第 2 期

马克思社会主义理论的层次分析——兼论坚持和发展马克思主义，孙代尧，《社会科学》1990 年第 12 期

凌霜傲雪香愈烈——温读《共产党宣言》有感，赵文生，《经济问题》1990 年第 9 期

学习《马克思恩格斯关于历史唯物主义的七封信》，高光，《领导之友》1990 年第 5 期

恩格斯"背离"了马克思吗——与柯木火同志商榷，乐志强，《现代哲学》1990 年第 1 期

谁背离了马克思，梁玉泉，《现代哲学》1990 年第 1 期

马克思总体方法论论析，顾海良，《学术界》1990 年第 4 期

马克思论法的现象与利益，公丕祥，《南京师大学报》（社会科学版）1990 年第 4 期

恩格斯对《基督教的本质》的评价的基本观点依然正确——评 D.麦克莱伦对恩格斯的非难，李毓章，《高校理论战线》1990 年第 5 期

关于马克思"人的全面发展"涵义的商榷，韩庆祥，《哲学研究》1990 年第 6 期

关于马克思的"现实主体"范

畴，许景行，《哲学研究》1990 年第
6 期

再论马克思的文化思想，吴彤，
《内蒙古大学学报》（人文社会科学
版）1990 年第 4 期

《费尔巴哈论》中的实践观点，
宗占林，《理论探讨》1990 年第 4 期

论马克思《手稿》中研究人的
本质问题的方法，于文军，《理论探
讨》1990 年第 4 期

试述马克思对法的本质认识的
形成和发展，胡土贵，《法学》1990
年第 4 期

马克思论自由的历史发展，陈
刚，《南京政治学院学报》1990 年第
4 期

学习恩格斯的高尚品格——从
唯物史观发端说开去，贡沈平，《南
京政治学院学报》1990 年第 3 期

人的社会性在马克思人性理论
中的地位，彭钧华、李爱军，《南京
政治学院学报》1990 年第 2 期

马克思关于发展经济学的三个
重要理论，卫星，《南京政治学院学
报》1990 年第 1 期

不容歪曲马克思关于"重建个
人所有制"的论断，张善波、吴康
龙、赵俭，《南京政治学院学报》
1990 年第 1 期

准确理解"重建劳动者个人所
有制"的科学思想，赵学清、余红，
《南京政治学院学报》1990 年第

1 期

也谈在生产资料公有制基础上
"重新建立个人所有制"，曹麟章，
《上海经济研究》1990 年第 6 期

马克思集体主义理论特质探要，
徐俊忠，《现代哲学》1990 年第 4 期

恩格斯和马克思主义哲学，刘
筌，《现代哲学》1990 年第 3 期

论马克思的"感性世界"理
论，王永昌，《文史哲》1990 年第
2 期

马克思早期关于人的本质的思
想演变，孙昌育、涂赞琥，《武汉大
学学报》（人文科学版）1990 年第
1 期

马克思关于东方社会特殊发展
道路的研究，陈国新，《思想战线》
1990 年第 6 期

西方关于马克思晚年"人类学
笔记"主要观点论析，江丹林，《北
京大学学报》（哲学社会科学版）
1990 年第 1 期

对马克思《摩尔根〈古代社
会〉一书摘要》一处译文质疑，林
放，《马克思主义与现实》1990 年第
10 期

《反杜林论》中"现代社会主
义"这个概念究竟是什么涵义？马
兵，《马克思主义与现实》1990 年第
10 期

毛泽东读马列著作，逄先知，
《马克思主义与现实》1990 年第

10 期

达尔文学说对马克思和恩格斯的重要意义，A.泰勒、亦舟，《国外社会科学》1990 年第 11 期

进化学派的人类学与马克思——读《马克思人类学笔记》，黄淑娉，《社会科学辑刊》1990 年第 6 期

论马克思对人的社会本质的分析，杨纯富，《社会科学辑刊》1990 年第 6 期

马克思《1844 年经济学—哲学手稿》中的人和自然的关系，李万古，《齐鲁学刊》1990 年第 2 期

马克思的艺术主体意识论与弗洛伊德的潜意识，柴自生，《齐鲁学刊》1990 年第 1 期

马克思要在社会主义社会重建何种"个人所有制"，胡培兆，《经济学家》1990 年第 3 期

论范畴运动的辩证法——读马克思的《哲学的贫困》，池超波、王晓升，《福建论坛》（人文社会科学版）1990 年第 6 期

马克思的生产—劳动概念——兼评 A.施密特的《马克思的自然概念》，吴晓明，《复旦学报》（社会科学版）1990 年第 6 期

马克思实践观与列宁实践观之比较，王起奎，《东岳论丛》1990 年第 2 期

重温马克思、恩格斯生产资料公有制的理论，凌木双，《财经理论与实践》1990 年第 6 期

马克思恩格斯列宁关于科学技术与生产的关系的一些论述，本刊编辑部，《中国科技论坛》1990 年第 5 期

马克思恩格斯论鸦片战争——为鸦片战争 150 周年而作，吴廷桢，《西北师大学报》（社会科学版）1990 年第 4 期

评西方学者对恩格斯晚期哲学本体论思想的理解，靖建瑞，《深圳大学学报》（人文社会科学版）1990 年第 3 期

《资本论》与理想方法，张晓金，《东南学术》1990 年第 5 期

亡灵·辞藻·利益——马克思《路易·波拿巴的雾月十八日》对思想史研究的方法论意义，晓煦，《东南学术》1990 年第 2 期

马克思关于资本家数量界定思想及意义，陈英鸿，《安庆师范学院学报》（社会科学版）1990 年第 3 期

论人类学在马克思思想史中的地位与作用，李安民，《中山大学学报》（社会科学版）1990 年第 4 期

马克思恩格斯在所有制问题上的理论贡献，张国平，《学术交流》1990 年第 4 期

马克思关于实践的性质和形态的思想——马克思新哲学体系探讨之七，高齐云，《现代哲学》1990 年

第 2 期

马克思恩格斯的喜剧观念，于成鲲，《上海大学学报》（社会科学版）1990 年第 1 期

不能否定马克思的价值和价值规律理论——与王立亭同志商榷，于天义、周军伟，《山东师范大学学报》（人文社会科学版）1990 年第 2 期

论《1844 年经济学哲学手稿》关于真正的人的思想，柳耀福、郭永军，《山东师范大学学报》（人文社会科学版）1990 年第 2 期

马克思东方社会理论与历史唯物主义的社会开放范畴，李广增、赵君，《齐鲁学刊》1990 年第 6 期

学习恩格斯《俄国沙皇政府的对外政策》一文的体会，于文，《外交评论》1990 年第 1 期

1844 年马克思的共产主义理论——科学共产主义的胚胎学，卢明，《辽宁大学学报》（哲学社会科学版）1990 年第 3 期

唯物史观与社会主义从空想到科学的发展——读《反杜林论》"概论"，赵小芒，《科学社会主义》1990 年第 6 期

马克思和恩格斯对社会主义制度下的商品生产持两种态度吗？陈时兴、徐徐，《科学社会主义》1990 年第 6 期

马克思预测的历史反差与现实的社会主义，杨学谅，《科学社会主义》1990 年第 1 期

马克思所说的古代所有制形式并非奴隶所有制形式，杨共乐、陈凤姑，《江汉论坛》1990 年第 8 期

必须正确理解马克思关于"重建个人所有制"的论点，刘光杰，《江汉论坛》1990 年第 3 期

也谈马克思的"个人所有制"，苏文才，《淮北煤炭师范学院学报》（哲学社会科学版）1990 年第 3 期

论马克思新世界观的出发点，王勤，《淮北煤炭师范学院学报》（哲学社会科学版）1990 年第 2 期

马克思生产劳动理论的方法论意义，龙世祥，《东北师大学报》（哲学社会科学版）1990 年第 3 期

论青年马克思的主客体思想，池超波，《厦门大学学报》（哲学社会科学版）1990 年第 2 期

马克思的唯物史观不可动摇——评《马克思晚年的困惑》，洪成得、周勇胜，《厦门大学学报》（哲学社会科学版）1990 年第 1 期

辩证理性审视下的鸦片战争——重温"马克思、恩格斯论鸦片战争"述感，火山，《湖北社会科学》1990 年第 6 期

笔走春秋说马列，何言，《读书》1990 年第 3 期

马克思与最低工资论，杨国昌，《当代经济研究》1990 年第 3 期

马克思的价值—生产价格理论与社会主义的价格形成，弓孟谦，《当代经济研究》1990年第3期

是机械历史观还是辩证历史观——驳西方学者对恩格斯唯物史观的责难，余其铨，《北京社会科学》1990年第3期

无产阶级作家必须使自己无产阶级化——学习马克思恩格斯论世界观与创作体会之一，吴质富，《安庆师范学院学报》（社会科学版）1990年第2期

马克思的艺术主体意识论与弗洛伊德的潜意识，柴自生，《学习与探索》1990年第1期

应当正确理解马克思的"个人所有制"，孔陆泉，《学习与探索》1990年第1期

马克思关于公有制社会劳动理论的形成和发展，曹晨辉，《新视野》1990年第6期

《资本论》是社会主义商品经济理论的基础，董凤岐，《新视野》1990年第5期

"恩格斯与马克思对立论"述评，姚剑波，《探索与争鸣》1990年第6期

恩格斯反对马克思吗——驳西方学者对恩格斯哲学思想的歪曲和攻击，金顺尧，《探索与争鸣》1990年第6期

马克思的生产力标准与不发达

国家的无产阶级革命，宋培基，《绍兴文理学院学报》（社会科学版）1990年第3期

马克思、恩格斯民族学书信研究，王小丁，《上海社会科学院学术季刊》1990年第3期

浅析马克思的"重建个人所有制"——兼与持不同意见者商榷，卜范达，《内蒙古民族大学学报》（社会科学版）1990年第4期

作家应举起时代的旗帜——学习马克思恩格斯关于作家的论述，李井发，《内蒙古民族大学学报》（社会科学版）1990年第4期

马克思创立唯物史观的三阶段，边吉，《华中师范大学学报》（人文社会科学版）1990年第S2期

略论恩格斯"合力"思想的方法论意义，洪晓楠，《安徽教育学院学报》1990年第3期

马克思恩格斯设想的社会主义只有一种模式吗？屈炳祥、潘海涛，《科学社会主义》1990年第5期

马克思恩格斯的评析：民主社会主义即社会改良主义，金重，《教学与研究》1990年第5期

《马列著作选读·政治经济学》评介，卫兴华，《教学与研究》1990年第4期

一个错误的引证——所谓马克思关于"价值普遍概念"提法的考察，夏道平，《教学与研究》1990年

第 4 期

关于《政治经济学批判》（1857—1858 年）草稿中《资本章》的分篇问题，汤在新，《经济研究》1990 年第 6 期

关于"重新建立个人所有制"含义的讨论，杜浩智、欧宏，《经济研究》1990 年第 4 期

怎样理解马克思的社会形态理论，刘世文，《陕西理工学院学报》（社会科学版）1990 年第 3 期

谈谈恩格斯对唯物辩证法的贡献，李正元，《河西学院学报》1990 年第 1 期

马克思恩格斯竞争思想初探，林康，《湖湘论坛》1990 年第 4 期

论马克思和恩格斯的建党思想，伍时霖，《湖湘论坛》1990 年第 2 期

马克思恩格斯民族理论的形成和发展，杨海蛟、唐金连，《广西民族学院学报》（哲学社会科学版）1990 年第 4 期

马克思论主体和客体的相互作用——马克思新哲学体系探讨之六，高齐云，《学术研究》1990 年第 1 期

马克思恩格斯论艺术的产生与早期宗教的关系，林树明，《贵州大学学报》（社会科学版）1990 年第 2 期

马克思恩格斯对现实主义的新贡献，柴自生，《渤海大学学报》（哲学社会科学版）1990 年第 3 期

马克思唯物史观创立的辨踪，邓宝双，《渤海大学学报》（哲学社会科学版）1990 年第 2 期

关于马克思分配理论的新认识，邹传教，《云南财贸大学学报》1990 年第 1 期

评"社会主义社会属于'以物的依赖性为基础'的社会形态"，丁光，《西北大学学报》（哲学社会科学版）1990 年第 1 期

马克思论异化（上），马尔科维奇著，李国海译，《国外社会科学文摘》1990 年第 5 期

马克思恩格斯的书评、序跋和笔记，杜德山、李放放，《中共山西省委党校学报》1990 年第 4 期

马克思、恩格斯揭示的资本主义制度的基本矛盾是什么？马仲良，《前线》1990 年第 6 期

马克思恩格斯从黑格尔哲学中到底继承了哪些遗产？张系朗，《聊城大学学报》（社会科学版）1990 年第 1 期

马克思的实践反思规律——理论体系演化的根本规律，陈志良，《社会科学战线》1990 年第 1 期

对魁奈《经济表》和马克思再生产理论的探讨，赵海成，《社会科学战线》1990 年第 1 期

1991 年

人本主义还是马克思主义？——《马克思论人》中译本译编者序，陈世夫，《人文杂志》1991 年第 5 期

对《共产党宣言》中关于民族问题论述的理解，师亨，《内蒙古社会科学》（汉文版）1991 年第 2 期

马克思恩格斯的经济过程系统思想初探，程民选，《江西社会科学》1991 年第 6 期

马克思对西方中心论的批判，彭赟、赖志凌，《江西社会科学》1991 年第 4 期

马克思恩格斯计划经济思想探源，杨小苏，《江西社会科学》1991 年第 4 期

恩格斯与辩证唯物主义体系，郭大俊，《湖北大学学报》（哲学社会科学版）1991 年第 4 期

现实的人的生命表现——关于马克思恩格斯人论的札记，廖全京，《当代文坛》1991 年第 4 期

科学的剩余价值理论的完成——《资本论》终篇研究之四，陈俊明，《华侨大学学报》（哲学社会科学版）1991 年第 1 期

沿着马克思指引的道路奋勇前进——纪念马克思诞辰 173 周年，王昭干、席庆义，《合肥工业大学学报》（社会科学版）1991 年第 1 期

马克思恩格斯文艺批评辨，张

爱剑，《湖北师范学院学报》（哲学社会科学版）1991 年第 4 期

马克思"社会共和国"的理论及其在中国的光辉实践，李瑞平，《贵阳师范高等专科学校学报》（社会科学版）1991 年第 3 期

恩格斯与"唯物主义的批判的社会主义"——学习恩格斯研究社会主义的方法，马中柱，《广东社会科学》1991 年第 5 期

关于马克思"世界历史"范畴的理解，江丹林、孙麾，《哲学动态》1991 年第 11 期

论马克思恩格斯整体论的典型观，谭好哲，《文艺理论与批评》1991 年第 4 期

马克思恩格斯有关城乡关系问题的思想及其现实意义，徐勇，《社会主义研究》1991 年第 6 期

科学社会主义是否存在"空想成分"之争的有关历史考察与辨析，孙代尧，《社会主义研究》1991 年第 5 期

科学理解《共产党宣言》的历史和理论地位，蔡典维，《社会主义研究》1991 年第 4 期

论马克思的实践辩证法思想——读马克思《1844 年经济学—哲学手稿》，郁建兴，《人文杂志》1991 年第 6 期

要牢牢把握马克思的基本思想，

徐崇温,《人文杂志》1991 年第 6 期

大国争霸与欧洲和平——马克思、恩格斯关于普法战争述评的学习笔记,周尚文,《军事历史研究》1991 年第 3 期

马克思恩格斯共产主义民族观的确立与形成,刘东国,《中央民族大学学报》(哲学社会科学版) 1991 年第 6 期

《社会主义从空想到科学的发展》是恩格斯改写的一部通俗的著作吗?魏鸿彬,《理论探讨》1991 年第 6 期

恩格斯论马克思主义哲学实现的变革,宗占林,《理论探讨》1991 年第 4 期

马恩对未来社会分配模式的两次重大突破,张庆仁,《理论探讨》1991 年第 2 期

1848 年和 1850 年马克思恩格斯著作中关于"民主社会主义"的用语,贾春峰,《理论前沿》1991 年第 Z2 期

深化对《共产党宣言》中"争得民主"问题的理解,李爱华,《石油大学学报》(社会科学版) 1991 年第 4 期

马克思股份公司理论的几个问题,侯恒、崔朝栋,《中州学刊》1991 年第 5 期

论恩格斯与杜林在平等观上的根本对立,杨瑞勇,《郑州轻工业学院学报》(社会科学版) 1991 年第 2 期

马克思恩格斯思想研究中的偏向——兼驳马克思恩格斯"对立"的谬论,张文喜,《浙江社会科学》1991 年第 2 期

论马克思恩格斯的观念观,张剑伟、李道义,《信阳师范学院学报》(哲学社会科学版) 1991 年第 2 期

试论马克思关于跳越资本主义"卡夫丁峡谷"设想的本义及其思想价值,刘新宜,《天津社会科学》1991 年第 4 期

马克思恩格斯关于社会进步与道德关系的思想,刘锋,《求索》1991 年第 4 期

三论要正确理解马克思恩格斯关于奴隶制度的论述,朱晞,《青海社会科学》1991 年第 1 期

马克思恩格斯到底是怎样看待私有制的,李慕之,《青海民族学院学报》1991 年第 2 期

相对独立地研究恩格斯的哲学思想——"恩格斯与现时代"哲学讨论会述评,董乃桂、童奇,《南京社会科学》1991 年第 4 期

论马克思恩格斯实践精神的共同性,冯景源,《南京社会科学》1991 年第 1 期

晚年马克思与非资本主义道路,额尔敦扎布,《内蒙古师范大学学报》(哲学社会科学版) 1991 年第 4 期

马克思科学实践观形成过程探析，杨·巴特尔，《内蒙古师范大学学报》（哲学社会科学版）1991年第1期

晚年马克思与亚细亚生产方式，额尔敦扎布，《内蒙古师范大学学报》（哲学社会科学版）1991年第1期

恩格斯哲学思维方式探微，彭赟，《南昌大学学报》（人文社会科学版）1991年第1期

马克思东方社会理论研究中的几个问题，张书学，《高校理论战线》1991年第6期

重温《共产党宣言》，坚定社会主义信念，吴倬，《高校理论战线》1991年第4期

马克思世界历史的社会发展理论与当代社会主义，王霁，《领导之友》1991年第6期

马克思著作中的生产力范畴探析，杨玉珍，《领导之友》1991年第5期

《资本论》的多重意义和伟大生命力，鲁从明，《领导之友》1991年第1期

马克思主义经典作家关于生产力发展的部分论述，本刊编辑部，《经济问题》1991年第9期

坚定共产主义信念——重温《家庭、私有制和国家的起源》，秦仲和，《经济问题》1991年第8期

"团结起来到明天"——读《共产党宣言》札记，本刊编辑部、赵文生，《经济问题》1991年第1期

寻求精神家园——大学生中的学马列现象，黎芜，《瞭望》1991年第47期

试析早期马克思对共产主义的态度，董仲其，《探索》1991年第1期

谈对马克思"重建个人所有制"理论的几点认识，夏英祝，《学术界》1991年第3期

恩格斯晚年社会主义社会思想的启迪，林修果，《福建师范大学学报》（哲学社会科学版）1991年第1期

马克思的两句"名言"辨正，刘井山，《哲学研究》1991年第9期

恩格斯与"跨越卡夫丁峡谷"问题，徐俊忠，《哲学研究》1991年第9期

再谈社会主义的价值和价值观——兼答刘井山的质疑，王锐生，《哲学研究》1991年第9期

马克思晚年对社会结构理论的发展，孙麾，《哲学研究》1991年第4期

从主、客体关系的理解来看的马克思哲学——对马克思哲学的一种历史透察，侯才，《哲学研究》1991年第4期

关于恩格斯的自然辩证法的科

学性问题，李凯林，《哲学研究》
1991 年第 4 期

论马克思历史观中的科学原则
与价值原则的统一，林剑，《哲学研
究》1991 年第 3 期

析马克思关于社会历史发展似
自然性的特设规定，张一兵，《哲学
研究》1991 年第 2 期

我对马恩著作中危机概念的理
解，晓鸣，《马克思主义与现实》
1991 年第 1 期

对马克思"跨越论"的几点看
法，赵常林，《北京大学学报》（哲学
社会科学版）1991 年第 3 期

捍卫发展无产阶级专政理论的
不朽文献——纪念恩格斯《〈法兰
西内战〉一书导言》发表 100 周年，
张汉清，《北京大学学报》（哲学社会
科学版）1991 年第 2 期

恩格斯的哲学思想与社会主义
探要，孙纪成，《浙江学刊》1991 年
（增刊）

马克思恩格斯美学思想的体系，
庄锡华，《苏州大学学报》（哲学社会
科学版）1991 年第 4 期

马克思恩格斯人格理论探新，
郭昀，《社会科学辑刊》1991 年第
6 期

《反杜林论》与西方"马克思
学"，乐燕平，《社会科学辑刊》
1991 年第 1 期

晚年马克思与农村公社，额尔

敦扎布，《内蒙古大学学报》（人文社
会科学版）1991 年第 1 期

马克思与《福格特先生》，齐
刚，《南方文坛》1991 年第 6 期

正确理解恩格斯论住宅的观点，
温文泉，《经济问题探索》1991 年第
3 期

青年马克思的人格特点初探，
徐光、徐长安，《南京政治学院学
报》1991 年第 4 期

黑格尔对马克思早期美学思想
的影响，张健，《思想战线》1991 年
第 5 期

马克思恩格斯的需要建构思想
与心理科学的研究，郭祖仪，《陕西
师范大学学报》（哲学社会科学版）
1991 年第 3 期

马克思恩格斯职业社会学思想
探微，肖宁灿，《社会科学研究》
1991 年第 3 期

马克思早期著作中人的本质思
想发展轨迹，伏绍宏，《社会科学研
究》1991 年第 2 期

马克思的社会发展理论与改革，
洪韵珊，《社会科学研究》1991 年第
1 期

马克思恩格斯的集体所有制和
合作社若干论述的辨析，杨继瑞，
《财贸研究》1991 年第 4 期

马克思早期哲学思想论纲，葛
洪泽，《马克思主义与现实》1991 年
第 3 期

商品经济与社会道德——从恩格斯的一篇序言说起，菊如，《马克思主义与现实》1991年第2期

分工、集体与自由——学习《德意志意识形态》的一点体会，马良清，《科学社会主义》1991年第6期

科学技术是推动社会变革的强大力量——学习马克思恩格斯关于科学技术的论述，杨晋川，《科学社会主义》1991年第6期

《德意志意识形态》中的共产主义思想，宫敬才，《科学社会主义》1991年第1期

《资本论》的多重意义和现实生命力，鲁从明，《江汉论坛》1991年第4期

怎样正确理解马克思的"重建个人所有制"——与余陶生同志商榷，杨胜刚、胡艳超，《江汉论坛》1991年第3期

论马克思的两个"预言"与我国集体所有制经济，严闻广，《江汉论坛》1991年第3期

《资本论》中的"抽象——具体"方法论意义，吴远，《江苏社会科学》1991年第3期

"世界观与创作矛盾说"质疑——学习马克思恩格斯论世界观与创作体会之二，吴质富，《安庆师范学院学报》（社会科学版）1991年第2期

关于马克思1844年巴黎手稿文本的研究，李建平，《福建师范大学学报》（哲学社会科学版）1991年第4期

对法学的探索——青年马克思思想演变的起点，程乃胜，《安徽师范大学学报》（人文社会科学版）1991年第1期

马克思和恩格斯论个人自由——读《德意志意识形态》，解民，《中山大学学报》（社会科学版）1991年第4期

马克思哲学的基本前提和总体特征，张奎良，《学术交流》1991年第2期

学习马克思关于劳务和劳务消费的理论，尹世杰，《消费经济》1991年第1期

恩格斯的人学理论与现代主题——兼评西方学者的若干观点，陈治桃，《现代哲学》1991年第2期

略论马克思主义哲学的实质——马克思恩格斯哲学思想比较研究之一，乐志强，《现代哲学》1991年第2期

关于马克思恩格斯哲学思想的关系问题的断想，李恒瑞，《现代哲学》1991年第2期

恩格斯在与马克思合作创立新哲学体系过程中的贡献，张奎良，《现代哲学》1991年第2期

"恩格斯与现时代"哲学学术

讨论会观点综述，徐俊忠、艾求索，《现代哲学》1991 年第 2 期

全面理解马克思和恩格斯的自然辩证法理论，安维复，《齐鲁学刊》1991 年第 1 期

巴黎公社的创举和马克思、恩格斯对《共产党宣言》的"唯一修改"，董晓川，《东北师大学报》（哲学社会科学版）1991 年第 2 期

马克思的地租理论与我国土地使用制度改革，于俊文，《东北师大学报》（哲学社会科学版）1991 年第 2 期

马克思恩格斯论艺术的产生，杨柄，《长沙理工大学学报》（社会科学版）1991 年第 3 期

马克思晚年笔记与恩格斯对私有制、阶级和国家起源问题的解决，江丹林、孙麾，《安徽大学学报》（哲学社会科学版）1991 年第 2 期

对《共产党宣言》成仿吾译本的几点看法，朱桂谦、朱绍平，《浙江大学学报》（人文社会科学版）1991 年第 1 期

马克思和恩格斯的珠联璧合，张奎良，《江汉论坛》1991 年第 10 期

消灭私有制是共产主义的特征——重读《共产党宣言》驳"私有化论"，朱曰强，《河南师范大学学报》（哲学社会科学版）1991 年第 4 期

马克思恩格斯预见过社会主义阶段存在商品生产吗？——与李世华同志商榷，张圣亮，《河南师范大学学报》（哲学社会科学版）1991 年第 3 期

论马克思文化观的逻辑结构，邹广文，《东岳论丛》1991 年第 3 期

马克思恩格斯经济伦理准则探析，郭剑雄，《延安大学学报》（社会科学版）1991 年第 2 期

马克思恩格斯与编辑出版工作（上），鸿池，《辽宁大学学报》（哲学社会科学版）1991 年第 6 期

马克思论人的需要与人的发展，邵晓光，《辽宁大学学报》（哲学社会科学版）1991 年第 2 期

恩格斯与"唯物主义的批判的社会主义"——学习恩格斯研究社会主义的方法，马中柱，《科学社会主义》1991 年第 12 期

《德意志意识形态》在马克思主义哲学史中的地位和意义，吴晓明，《湖北社会科学》1991 年第 10 期

恩格斯晚年意识形态斗争实践的几点启示，蔡典维，《湖北社会科学》1991 年第 9 期

马克思、恩格斯关于意识形态论述摘编之三，喻承久，《湖北社会科学》1991 年第 3 期

马克思、恩格斯的意识形态学说摘编之二，喻承久，《湖北社会科

学》1991 年第 2 期

马克思恩格斯的意识形态学说，喻承久,《湖北社会科学》1991 年第 1 期

试论马克思设想的社会主义和我国社会主义的实践，苏建春、胡英,《科学社会主义》1991 年第 7 期

用生产力观点理解人的本质——马克思人的本质思想初探，耿一介,《阜阳师范学院学报》(社会科学版) 1991 年第 1 期

正确理解马恩关于人的自由发展的论述，曹巨涛,《党政论坛》1991 年第 12 期

恩格斯《德国农民战争》的梗概及其重要启示——纪念恩格斯诞辰 170 周年，刘明翰,《中国青年政治学院学报》1991 年第 1 期

马克思对方法论的沉思，摩雷、陈江淮,《国外社会科学文摘》1991 年第 11 期

论马克思恩格斯的典型性格观——兼论其理论与实践来源，谭好哲,《山东社会科学》1991 年第 4 期

对马克思关于未来社会商品命运设想的再认识，卢东华,《齐鲁学刊》1991 年第 6 期

马克思的社会主义学说"失败"了吗？洪韵珊,《理论探索》1991 年第 1 期

马克思关于物质生产与艺术生

产关系的论述中的"平衡"思想初探——兼评《不平衡规律新探》中的几个观点，李建平,《广西社会科学》1991 年第 2 期

马克思主义诞生的标志是《神圣家族》，傅敏智、曾鸣,《湖南师范大学社会科学学报》1991 年第 4 期

试探马克思恩格斯关于社会主义经济管理思想的形成，金开好,《淮北煤炭师范学院学报》(哲学社会科学版) 1991 年第 4 期

马恩奴隶制理论的再思考，莫金山,《广西民族学院学报》(哲学社会科学版) 1991 年第 1 期

廉政建设与强化公仆意识——学习《法兰西内战》的笔记，刘文仲,《甘肃理论学刊》1991 年第 4 期

恩格斯晚年对议会道路的探索，周作翰,《当代世界与社会主义》1991 年第 1 期

恩格斯晚年社会主义思想的启迪，林修果,《当代世界与社会主义》1991 年第 1 期

坚持《资本论》专题研究的又一硕果——评说王惟中、洪大璘《〈资本论〉专题研究及其应用》的特色，程恩富、施镇平,《当代经济研究》1991 年第 1 期

马克思货币理论在现实中运用的两个问题，黄敏,《当代经济研究》1991 年第 1 期

马克思在《资本论》及其手稿中对自然科学和技术科学的研究，刘焱，《当代经济研究》1991 年第 1 期

马克思市场范畴研究，成保良，《当代经济研究》1991 年第 1 期

马克思、恩格斯论法文化，刘学灵，《当代法学》1991 年第 3 期

在更高的阶段上实现劳动者与生产资料的直接结合——对马克思"重新建立个人所有制"的理解，刘源，《云南师范大学学报》（哲学社会科学版）1991 年第 2 期

论马克思和恩格斯的经济法律思想及其现实意义，李昌麒，《现代法学》1991 年第 6 期

马克思恩格斯论宗教与艺术的关系，周忠厚，《江西师范大学学报》（哲学社会科学版）1991 年第 2 期

马克思和恩格斯关于社会主义基本原则理论的现实意义，高敬增，《当代世界与社会主义》1991 年第 4 期

马克思的社会发展理论与现代化，丰子义，《北京社会科学》1991 年第 2 期

马克思设想与现实社会主义的矛盾略论，李树春，《科学社会主义》1991 年第 8 期

《共产党宣言》在现代中国，杨惠卿，《枣庄学院学报》1991 年第 3 期

恩格斯列宁论世界观和创作，柴自生、迟红梅，《渤海大学学报》（哲学社会科学版）1991 年第 4 期

马克思的未来社会商品命运理论新探，卢东华，《学习与探索》1991 年第 3 期

马克思、恩格斯和鸦片战争，商友仁，《学习与探索》1991 年第 1 期

一条缩短人类历史进程的道路——马克思、恩格斯论 1861 年后俄国社会发展的前景，陈宝江，《学习与探索》1991 年第 1 期

马恩共产主义社会的物质前提，徐旭东，《温州师范学院学报》1991 年第 1 期

艺术哲学的革命——论马克思恩格斯艺术哲学的体系特征和审美理想，狄其骢、谭好哲，《文学评论》1991 年第 3 期

全国马列文论研究会第十一届学术讨论会综述，李中一，《文学评论》1991 年第 2 期

自然生态与社会经济的相互关系——马克思和恩格斯的有关论述，N.柏森斯著，滕有正译，《生态经济》1991 年第 2 期

试析恩格斯的历史合力思想，孟桂英，《商丘师范学院学报》1991 年第 4 期

恩格斯：一位多才多艺的无产阶级的"将军"，学恩，《科学社会

主义》1991 年第 4 期

恩格斯在 1890—1895 年对国际共运新问题的探索，高敬增，《科学社会主义》1991 年第 4 期

论马克思晚年的社会人类学研究，赖大仁，《晋阳学刊》1991 年第 1 期

马克思恩格斯论社会从必然王国向自由王国的飞跃，孙恭，《武汉交通职业学院学报》1991 年第 1 期

关于对马克思"两权分离"理论问题的研讨，侯恒、崔朝栋，《经济经纬》1991 年第 2 期

马克思的唯物论思想和毛泽东同志的贡献，李莉，《社会科学战线》1991 年第 3 期

1992 年

正确理解马克思恩格斯关于人的自由全面发展理论，赖大仁，《江淮论坛》1992 年第 1 期

科学社会主义理论基础的完成——《资本论》终篇研究之六，何志成，《华侨大学学报》(哲学社会科学版) 1992 年第 1 期

马克思的虚拟资本理论，郭飞，《金融科学》1992 年第 4 期

怎样认识马克思恩格斯的合作制理论，黄文忠，《杭州师范学院学报》(社会科学版) 1992 年第 4 期

所有制关系之嬗变——马克思早期的所有制理论研究之二，庄培章，《华侨大学学报》(哲学社会科学版) 1992 年第 Z1 期

所有制范畴的形成——马克思早期的所有制理论研究之一，何志成，《华侨大学学报》(哲学社会科学版) 1992 年第 Z1 期

马克思五种社会形态理论与中国的社会主义，任玲、梁木，《合肥工业大学学报》(社会科学版) 1992 年第 2 期

论《德意志意识形态》对费尔巴哈的批判，宫敬才，《河北大学学报》(哲学社会科学版) 1992 年第 1 期

马克思恩格斯对未来社会的所有制设想与我国现阶段的所有制结构，马徒，《广西大学学报》(哲学社会科学版) 1992 年第 5 期

宗教观的转变是马克思恩格斯世界观转变的逻辑起点，楼凡，《宗教学研究》1992 年第 Z1 期

马克思恩格斯关于俄国农村公社与东方社会发展道路的理论，赵仲英，《云南社会科学》1992 年第 5 期

马克思恩格斯的艺术起源观，谭好哲，《文艺理论与批评》1992 年第 5 期

试论马克思恩格斯有关人权问题的思想及特点，陈洪江，《社会主

义研究》1992 年第 3 期

《共产党宣言》也是无产阶级的人权宣言，王洪楚，《四川师范大学学报》（社会科学版）1992 年第 5 期

试论马克思恩格斯关于党的理论建设的基本思想和实践经验，陈令军，《湖北大学学报》（哲学社会科学版）1992 年第 5 期

"每个人"和"一切人"的自由发展——《共产党宣言》中一段论述的理解，赵欣，《道德与文明》1992 年第 3 期

恩格斯和"哲学共产主义"，刘尊武，《南昌大学学报》（人文社会科学版）1992 年第 4 期

简论《德意志意识形态》中的交往范畴，宫敬才，《社会科学》1992 年第 12 期

马克思恩格斯和施蒂纳，仓理新，《首都师范大学学报》（社会科学版）1992 年第 1 期

在社会学与美学的交汇点上——论马克思恩格斯研究妇女问题的独特视角，庄锡华，《社会学研究》1992 年第 4 期

马克思主义哲学史研究方法论刍议——兼述《神圣家族》体现的马克思主义哲学史方法论观点，刘亚政，《理论探讨》1992 年第 6 期

马克思恩格斯通过批判费尔巴哈人本主义走上历史唯物主义——

读《德意志意识形态》的一点体会，宗占林，《理论探讨》1992 年第 3 期

《社会主义从空想到科学的发展》通俗著作考——兼与魏鸿彬同志商榷，杨玲，《理论探讨》1992 年第 2 期

马克思恩格斯社会主义理论研究中的几个问题，徐雅民，《江淮论坛》1992 年第 5 期

马克思重建个人所有制思想与中国改革，钟良，《中央财经大学学报》1992 年第 2 期

马克思的需要理论及其对精神文化需要研究的指导意义，张民耕，《中国党政干部论坛》1992 年第 5 期

坚持和发展马克思的劳动价值论建立自然资源有价值论，贾芝锡，《中国国土资源经济》1992 年第 9 期

马克思人的本质观探微，李学照，《石油大学学报》（社会科学版）1992 年第 2 期

马克思、恩格斯在实践中创立了马克思主义妇女观，求聪琴，《中华女子学院学报》1992 年第 1 期

《费尔巴哈论》对研究马克思主义哲学史的方法论意义，王皑霞，《浙江社会科学》1992 年第 3 期

恩格斯晚年对西方发达国家历史进程的新探索，王三秀，《信阳师

范学院学报》（哲学社会科学版）
1992 年第 1 期

马克思的哲学革命及其革命哲
学，张奎良，《天津社会科学》1992
年第 2 期

全国马哲史学术讨论会观点综
述，陈衍辉，《天府新论》1992 年第
1 期

马克思第二大发现究竟是什么，
吴慧颖，《求索》1992 年第 5 期

从马恩列的有关论述再探社会
主义社会的基本经济特征，张达生、
冉清文，《青海民族学院学报》1992
年第 2 期

马克思的"五形态论"与"三
形态论"，叶险明，《学术界》1992
年第 1 期

马克思东方社会理论与历史评
价的两种尺度，启良，《学术界》
1992 年第 1 期

论主体本质为形式因——兼析
马克思的"对象化—主体化生产—
消费"系统，潘知水，《哲学研究》
1992 年第 12 期

论马克思晚年设想的方法论意
义——兼对有关问题的论辩，彭赟，
《哲学研究》1992 年第 11 期

评对马克思道德思想的一种曲
解，苏晓离，《哲学研究》1992 年第
10 期

论马克思历史观对事实与价值
冲突的两种解决，刘森林，《哲学研

究》1992 年第 9 期

从"活的历史"研究中掌握活
的马克思主义——纪念马克思《路
易·波拿巴的雾月十八日》发表 140
周年，刘奔，《哲学研究》1992 年第
6 期

也谈马克思晚年有关东方社会
问题的思维成果——兼论历史唯物
主义研究方法，胡欣，《哲学研究》
1992 年第 5 期

究竟怎样理解马克思的人的
"全面发展"思想？——兼答韩庆
祥同志，赵卫，《哲学研究》1992 年
第 4 期

评所谓马克思晚年认识转变论，
奚兆永，《哲学研究》1992 年第 1 期

马克思的社会有机体理论与现
代社会运行，林坚，《中国人民大学
学报》1992 年第 5 期

马克思恩格斯的首次建党实践，
李如海，《中国人民大学学报》1992
年第 4 期

《人类学笔记》与《资本论》，
额尔敦扎布，《内蒙古师范大学学
报》（哲学社会科学版）1992 年第
4 期

马克思《人类学笔记》的理论
价值和现实意义，龚廷泰、智百鸣，
《南京师大学报》（社会科学版）
1992 年第 3 期

辩证方法论与唯物史观关系探
析——恩格斯晚年对唯物史观的重

大发展，谭晓梅,《南京政治学院学报》1992 年第 2 期

创造性的"结合"是对马克思的最好纪念——纪念马克思逝世 109 周年，马进,《南京政治学院学报》1992 年第 2 期

关于马克思产权理论若干问题的研究，程启智、朱旗,《财经研究》1992 年第 3 期

对"所谓'马克思的东方社会理论'质疑"的质疑——与葛树先同志商榷，谢霖,《现代哲学》1992 年第 2 期

关于马克思东方社会发展道路理论的几点辨析，荣长海、高松安,《天津师范大学学报》（社会科学版）1992 年第 4 期

人类的崇高精神之光——谈马克思和恩格斯的友谊，刘秉书,《学术界》1992 年第 6 期

马克思晚年"人类学笔记"对两种生产理论的贡献，吴家华,《学术界》1992 年第 2 期

论《资本论》中科学批判和价值批判——马克思《资本论》的认识论思想研究，杨雅华,《福建师范大学学报》（哲学社会科学版）1992 年第 2 期

自然条件在社会发展中的作用——马克思论东、西方发展差异的一个原因，陈其人,《复旦学报》（社会科学版）1992 年第 5 期

从浪漫主义到现实主义——论马克思恩格斯早期文艺思想的转变，谭好哲,《东岳论丛》1992 年第 3 期

马克思"重建个人所有制"的科学涵义，于俊文,《东北师大学报》（哲学社会科学版）1992 年第 2 期

马克思"重建个人所有制"理论新诠，杜亚斌,《厦门大学学报》（哲学社会科学版）1992 年第 3 期

略论列菲弗尔对马克思国家学说的"恢复"和"革新"，方贻岩,《厦门大学学报》（哲学社会科学版）1992 年第 3 期

论马克思的人的本质实现观，袁祖社,《陕西师范大学学报》（哲学社会科学版）1992 年第 4 期

恩格斯 1844 年的人学观——兼评人道主义的马克思与科学主义的恩格斯的对立说，祝大征,《陕西师范大学学报》（哲学社会科学版）1992 年第 4 期

总体性逻辑是马克思研究社会历史的基本方法，陈建涛,《陕西师范大学学报》（哲学社会科学版）1992 年第 1 期

马克思恩格斯的文艺生态观，高翔,《社会科学辑刊》1992 年第 5 期

晚年马克思与两种生产理论，额尔敦扎布,《内蒙古大学学报》（人文社会科学版）1992 年第 2 期

《资本论》研究的新成果——读刘波教授的《〈资本论〉概说》,鲁军,《辽宁大学学报》(哲学社会科学版) 1992 年第 2 期

辩证法是主观的还是客观的——驳西方批评者对恩格斯自然辩证法的责难,余其铨,《北京大学学报》(哲学社会科学版) 1992 年第 4 期

正确理解马克思的"科学作为生产过程的独立因素"的观点,杨尧军,《马克思主义与现实》1992 年第 4 期

马克思早期对资产阶级人权的批判,李淑珍,《马克思主义与现实》1992 年第 4 期

完整地掌握马克思关于人类历史进程的学说,王复三,《马克思主义与现实》1992 年第 3 期

《马克思恩格斯论社会主义社会和共产主义社会》简介,牛亚和,《马克思主义与现实》1992 年第 1 期

谈谈马克思和恩格斯对社会主义社会的看法,E.康德尔、李锁贵,《国外社会科学》1992 年第 5 期

马丁·路德大学马克思《伦敦笔记》研究简述,升录,《国外社会科学》1992 年第 3 期

开辟马恩文论研究的新天地——《马克思恩格斯艺术哲学》读后,高岩,《文史哲》1992 年第 6 期

马克思恩格斯论权利与法,孔庆明,《文史哲》1992 年第 1 期

我国哲学界关于马克思恩格斯早期哲学思想的论争,郭国勋,《社会科学辑刊》1992 年第 4 期

恩格斯晚年历史唯物主义方法论探析,权锡鉴,《齐鲁学刊》1992 年第 3 期

《资本论》与社会主义商品经济,刘志钧,《学术交流》1992 年第 1 期

马克思恩格斯对"诗坛俗物"的抨击,侯敏,《苏州大学学报》(哲学社会科学版) 1992 年第 1 期

论唯物辩证法的规定——从恩格斯到毛泽东,冉昌光,《社会科学研究》1992 年第 5 期

马克思恩格斯的社会学研究方法论,舒东、高晖,《社会科学研究》1992 年第 3 期

马克思关于国家与社会关系的论点述略,洪韵珊,《社会科学研究》1992 年第 1 期

略论马克思和恩格斯的生态智慧,佘正荣,《宁夏社会科学》1992 年第 3 期

马克思主义经典作家评克劳塞维茨及其《战争论》,夏征难,《军事历史》1992 年第 6 期

马克思的人权概念,公丕祥,《江苏社会科学》1992 年第 6 期

马克思"重新建立个人所有制"理论新探，秦庆武、陈炬，《江苏社会科学》1992 年第 5 期

马克思的人本质概念，陈刚，《江苏社会科学》1992 年第 4 期

马克思与历史主义，启良，《甘肃社会科学》1992 年第 4 期

《费尔巴哈》论中生产力观点再认识，赵建利，《甘肃社会科学》1992 年第 4 期

论马克思恩格斯的多党合作思想，谢挺，《西华师范大学学报》（哲学社会科学版）1992 年第 5 期

关于《资本论》结构体系两个争论问题的述评，王代敬，《西华师范大学学报》（哲学社会科学版）1992 年第 4 期

马克思的两类生产关系理论与当前的改革，李华恩，《党政论坛》1992 年第 9 期

重新学习马克思关于不经过资本主义的"卡夫丁峡谷"而进入社会主义的论断，王兰坦、侯振彤，《科学社会主义》1992 年第 5 期

马克思"重建个人所有制"理论研究——再论重建劳动能力个人所有制，袁中良、王东京，《江汉论坛》1992 年第 7 期

论马克思"科学是生产力"观点的理论内涵与启示，赵凌云，《江汉论坛》1992 年第 7 期

恩格斯对摩尔根学说的吸取，潘湘生，《江汉论坛》1992 年第 3 期

关于两种生产理论的思考——学习《家庭、私有制和国家的起源》，马柏元、张彦修，《河南师范大学学报》（哲学社会科学版）1992 年第 1 期

马克思的社会发展理论与当代，杨亮才、寇东亮，《延安大学学报》（社会科学版）1992 年第 3 期

论马克思关于人的发展思想，冯兆荣，《上海大学学报》（社会科学版）1992 年第 2 期

马克思经济学著作计划与社会主义政治经济学研究对象，汤在新，《经济学家》1992 年第 1 期

青年马克思的解释学——根据马克思关于德谟克利特的哲学和伊壁鸠鲁的哲学的研究，奥戴德·巴拉班著，肖俊明译，《第欧根尼》1992 年第 1 期

法国大革命对青年马克思思想形成的影响，马克西米利安·吕贝著，陆象淦译，《第欧根尼》1992 年第 1 期

马克思人类解放思想论，任宣敏，《浙江学刊》1992 年第 4 期

"世界历史"：马克思的现代社会发展观，冯钢，《浙江学刊》1992 年第 2 期

马克思"意识形态"概念探究——传统教科书有关阐述存疑，李志宏，《延边大学学报》（社会科学

版）1992 年第 1 期

我国历史唯物主义研究中存在的问题——读恩格斯晚年的书信，刘福森，《学术交流》1992 年第 5 期

评"马克思与恩格斯对立"论，杨韬，《中国青年政治学院学报》1992 年第 5 期

马克思恩格斯系统思想初探，黄发玉，《中南民族大学学报》（人文社会科学版）1992 年第 4 期

论马克思阶级理论的基本点，丁惠宁，《徐州师范大学学报》（哲学社会科学版）1992 年第 2 期

马克思恩格斯历史视野中的艺术与宗教，庄锡华，《徐州师范大学学报》（哲学社会科学版）1992 年第 2 期

对马克思关于流通理论的研究，刘冰冰、朱伟，《江苏商论》1992 年第 4 期

试析恩格斯研究军事历史的方法，李智舜，《军事历史》1992 年第 2 期

马克思恩格斯人口迁移与流动理论及其实践意义，辜胜阻，《经济评论》1992 年第 6 期

也论马克思对斯图亚特经济思想的评价问题，兰宗政，《经济评论》1992 年第 2 期

略论马克思关于人的全面发展学说，霍文达，《江汉大学学报》（社会科学版）1992 年第 2 期

艺术起源的终极原因是人类的物质生产和生殖生产——读恩格斯《家庭、私有制和国家的起源》，兼评"艺术起源于劳动说"，徐汝霖，《江苏社会科学》1992 年第 2 期

马克思、恩格斯界说中的"现实的人"，赵军政、景彤，《陕西理工学院学报》（社会科学版）1992 年第 1 期

马克思恩格斯与列宁形势观之比较，王佳友，《阜阳师范学院学报》（社会科学版）1992 年第 2 期

马克思哲学思想中的自由与实践观，许凯，《湖北社会科学》1992 年第 10 期

《资本论》中的经济效益理论及其对我们的启示，马壮昌，《当代经济研究》1992 年第 1 期

论黑格尔哲学的二重性——1844 年马克思对黑格尔的批判及其价值，陈寿灿，《财经论丛》1992 年第 2 期

科学历史观的实质——学习马克思恩格斯早期著作，齐巧霞，《西华大学学报》（哲学社会科学版）1992 年第 2 期

是实践本体论还是物质本体论——驳西方批评者对恩格斯哲学思想的责难，余其铨、段勇，《北京社会科学》1992 年第 1 期

马克思、恩格斯论科学技术，周克忠，《盐城师范学院学报》（人文

社会科学版）1992 年第 4 期

由恩格斯评价作品的"最高的标准"想到的，王善忠，《文学评论》1992 年第 2 期

论马克思的人的本质概念的规定方法及内涵，叶壬虎，《探索与争鸣》1992 年第 4 期

马克思的意识考古学方法，俞吾金，《探索与争鸣》1992 年第 3 期

恩格斯的"两种生产"论与马克思主义国家学说的发展，李宗楼，《理论建设》1992 年第 1 期

试析马克思恩格斯的党报思想，吴廷俊，《华中科技大学学报》（社会科学版）1992 年第 Z1 期

对马克思的商品经济——一般与特殊理论的再认识，高凤岐、王荣刚，《河北师范大学学报》（哲学社会科学版）1992 年第 3 期

恩格斯与 1891 年德国社会民主党纲领，赵建中，《扬州大学学报》（人文社会科学版）1992 年第 2 期

马克思的晚年与人类学笔记，陈胜华，《学习与探索》1992 年第 2 期

《费尔巴哈论》中的哲学思想

及其现实意义，杨新新，《许昌学院学报》1992 年第 3 期

《资本论》第 1 卷几种版本对结构的调整，汤在新，《武汉大学学报》（哲学社会科学版）1992 年第 4 期

对马恩关于未来社会特征论述的思考，武克全，《探索与争鸣》1992 年第 1 期

《1844 年经济学哲学手稿》：新世界观的雏形，朱立元，《探索与争鸣》1992 年第 1 期

正确理解马克思恩格斯关于"旧分工"的概念，姚俊，《辽宁教育行政学院学报》1992 年第 4 期

马克思恩格斯法律思想研究的新进展——评《马克思恩格斯法律思想史》，葛洪义，《中国法学》1992 年第 5 期

《法兰西内战》在中国的传播，郭秀芝，《社会科学战线》1992 年第 4 期

马克思恩格斯研究共产主义社会基本特征的方法论初探，张允金，《淮阴师范学院学报》（哲学社会科学版）1992 年第 3 期

1993 年

论马克思恩格斯的文艺价值观，赖大仁，《河北学刊》1993 年第 1 期

试析《资本论》中"个人所有制"的本意，王凤和，《鞍山师范学

院学报》1993 年第 1 期

恩格斯谈集体主义的一封信，宋人，《道德与文明》1993 年第 1 期

马克思给查苏利奇四篇复信草

稿的相互关系，王旭章，《苏州科技学院学报》（社会科学版）1993 年第 3 期

马克思恩格斯的家庭形式理论的比较——兼评克拉德等西方学者的"对立论"，朱传棨，《南京社会科学》1993 年第 4 期

马克思主义理论宝库中的光辉篇章——《劳动在从猿到人转变过程中的作用》新探，张兴杰，《兰州学刊》1993 年第 6 期

从《共产党宣言》看"三分法"的运用，坚毅，《九江师专学报》1993 年第 1 期

马克思恩格斯论革命和建设都必须有本国的特点，余汉熙，《华南师范大学学报》（社会科学版）1993 年第 2 期

试析马克思和恩格斯在俄国农村公社思想上的"殊途同归"——兼驳马恩对立论，许春华、张炳亮，《河北大学学报》（哲学社会科学版）1993 年第 3 期

青年马克思的自我意识观，庞耀辉，《广西大学学报》（哲学社会科学版）1993 年第 2 期

一脉相承，不断发展——综论马克思、恩格斯、列宁、斯大林、毛泽东对现实主义创作方法的认识，张越，《抚州师专学报》1993 年第 3 期

马克思恩格斯论城市发展与市场、流通、商业的关系，林文益，《北京工商大学学报》（社会科学版）1993 年第 2 期

马克思恩格斯的社会分工思想，官欣荣，《四川大学学报》（哲学社会科学版）1993 年第 4 期

马克思的经济理论在建立社会主义市场经济体制中的指导作用，苏星，《理论前沿》1993 年第 8 期

"重建个人所有制"的马恩本义，唐宗焜，《经济社会体制比较》1993 年第 6 期

全面领会马克思对未来社会的科学预见，荀阳，《经济理论与经济管理》1993 年第 3 期

马克思恩格斯计划思想与社会主义市场经济，杨小苏，《经济理论与经济管理》1993 年第 1 期

学习马克思产权理论札记，石水，《中共山西省委党校学报》1993 年第 4 期

马克思的异化和主体思想简论——兼评阿尔都塞的"决裂"说，黄忠晶，《中共山西省委党校学报》1993 年第 2 期

马克思晚年《笔记》的价值之争，解庭晨，《石油大学学报》（社会科学版）1993 年第 2 期

从马克思的价值论体系看第二种意义的社会必要劳动时间与价值的关系，陈振羽，《华侨大学学报》（哲学社会科学版）1993 年第 2 期

谈马克思和恩格斯赋予个人所有制范畴的涵义的一致性，王清海，《昭乌达蒙族师专学报》1993 年第 Z1 期

恩格斯晚年的党建思想和新形势下执政党建设，商文斌，《咸宁学院学报》1993 年第 3 期

马克思的"历史进步代价"理论与发展问题，刘怀玉，《哲学研究》1993 年第 6 期

马克思的哲学价值观与劳动价值论探略，张曙光，《哲学研究》1993 年第 1 期

马克思的市场经济学说初探，陶玉泉，《哲学研究》1993 年第 1 期

历史发展"五形态论"质疑——重读《德意志意识形态》，段忠桥，《中国人民大学学报》1993 年第 4 期

马克思的科学抽象法：一个再思考，杨耕，《中国人民大学学报》1993 年第 3 期

现代个人主义的一面镜子——马克思和恩格斯对施蒂纳个人主义理论的批判，邓泽球，《中国人民大学学报》1993 年第 2 期

马克思东方社会思想的形成，陈胜华，《学术界》1993 年第 4 期

略论《共产党宣言》之"最"，陈小林，《南昌大学学报》（人文社会科学版）1993 年第 2 期

"我播下的是龙种收获的却是跳蚤"，吴慧颖，《高校理论战线》1993 年第 5 期

马克思恩格斯生态哲学观初探，张惠敏，《中国青年政治学院学报》1993 年第 6 期

马克思恩格斯论资本主义社会的拜金主义，曲春郊，《中国青年政治学院学报》1993 年第 4 期

恩格斯的"合力"思想及其方法论意义，沈焱，《社会科学》1993 年第 4 期

马恩对未来社会产品分配的第三种模式，雷堂化，《山东社会科学》1993 年第 6 期

马克思恩格斯与摩尔根社会进化理论比较研究，黄凤炎，《学术界》1993 年第 2 期

马克思与马克思主义中国化——纪念马克思逝世 110 周年，刘兴，《学术界》1993 年第 2 期

论马克思"个人能力充分发展是最大生产力"思想的当代意义，韩庆祥，《学术界》1993 年第 1 期

《资本论》是体现和运用系统思想的典范，靳共元，《内蒙古师范大学学报》（哲学社会科学版）1993 年第 2 期

论马克思的"世界历史"思想，沈晓阳，《南京政治学院学报》1993 年第 2 期

毛泽东对马克思恩格斯伦理思想的继承与发展，刘锡钧，《天津师

范大学学报》(社会科学版) 1993 年
第 6 期

马克思的世界历史理论及其意义，郭正红，《山西师大学报》(社会科学版) 1993 年第 1 期

马克思唯物史观新诠，何中华，《山东大学学报》(哲学社会科学版) 1993 年第 2 期

哲学在马克思法律思想演进过程中的作用，储士家，《法律科学》(西北政法学院学报) 1993 年第 2 期

实践·历史必然性·价值——马克思的价值概念辨析，方军、刘奔，《哲学研究》1993 年第 11 期

马克思的异化和主体思想简论——兼评阿尔都塞的 "决裂" 说，黄忠晶,《理论学刊》1993 年第 3 期

关于《德意志意识形态》中的精神生产思想，杜秀娟,《辽宁大学学报》(哲学社会科学版) 1993 年第 6 期

马克思 "重建个人所有制" 对探索公有制实现形式的启示，刘祖护,《当代经济科学》1993 年第 3 期

恩格斯对 "真正的社会主义" 的批判及其意义，刘尊武,《南昌大学学报》(人文社会科学版) 1993 年第 3 期

马克思的美学、经济学和唯物主义，I. 金著，李锁贵译,《国外社会科学》1993 年第 5 期

一部受到马克思重视的佛学专著，成彦,《佛教文化》1993 年第 3 期

生命的黄昏，思想的黎明——评《马克思晚年的创造性探索——"人类学笔记" 研究》，李明桂,《马克思主义与现实》1993 年第 3 期

"人的本质是社会关系的总和"：一个被误解的命题，丁立群,《马克思主义与现实》1993 年第 1 期

马克思是谁，蔡仲德,《高校理论战线》1993 年第 4 期

从重复性到不可避免性：马克思对历史发展规律的探索，刘森林,《探索》1993 年第 1 期

马克思《人类学笔记》与社会形态理论，王桂泉,《社会科学辑刊》1993 年第 3 期

关于马克思哲学逻辑转换中三个难题的深层解决，张一兵,《江苏社会科学》1993 年第 5 期

关于马克思社会历史理论的批判性的探讨，辛敬良、胡承槐,《复旦学报》(社会科学版) 1993 年第 6 期

马克思法权思想研究，渠东,《复旦学报》(社会科学版) 1993 年第 2 期

关于马克思、恩格斯的欧洲近代上限说，王占阳,《东北师大学

报》(哲学社会科学版) 1993 年第 3 期

马克思的公平观与效率观, 许军,《陕西师范大学学报》(哲学社会科学版) 1993 年第 1 期

哲学形态观的一次伟大革命——马克思、恩格斯哲学形态思想巡礼, 郑文先、吴玉华,《社会科学研究》1993 年第 6 期

阶级地位与市场机遇: 韦伯的阶级理论——兼与马克思的阶级理论比较, 刘欣,《社会科学研究》1993 年第 5 期

马克思的一般生产劳动概念不包括生产非物质产品的劳动, 陈振羽,《社会科学研究》1993 年第 3 期

浅论马克思恩格斯的悲剧观——对近年来若干马恩悲剧观阐释的思考, 赵成林,《社会科学研究》1993 年第 2 期

论文学批评的世界文学意识——关于学习马克思恩格斯一个重要论断的札记, 廖全京,《社会科学研究》1993 年第 1 期

马克思和恩格斯对股票和股票市场的论述, 马壮昌,《宁夏社会科学》1993 年第 1 期

恩格斯与军事历史研究, 李惠,《军事历史》1993 年第 1 期

企业股与马克思的"三权"理论, 陈湘舸,《长沙理工大学学报》(社会科学版) 1993 年第 3 期

马克思早期哲学思想的性质和特征, 朱宝信,《文史哲》1993 年第 1 期

马克思和恩格斯对待资本主义的科学态度, 李爱华,《科学社会主义》1993 年第 2 期

关于马克思如何评价斯图亚特的再商榷, 李善明,《经济学家》1993 年第 2 期

马克思社会整体性思想探析, 郁广健、仝秀丽,《延安大学学报》(社会科学版) 1993 年第 2 期

是物质一元论还是实践一元论——评西方学者对恩格斯实践与认识理论的诘难, 余其铨,《深圳大学学报》(人文社会科学版) 1993 年第 3 期

略论马克思文学社会学思想中的辩证法原则, 杨立民,《山东师范大学学报》(人文社会科学版) 1993 年第 2 期

自然界的人化和人的社会化——再谈马克思 1844 年《手稿》中人与自然的关系, 李万古,《山东师范大学学报》(人文社会科学版) 1993 年第 2 期

马克思恩格斯的社会系统观, 孙国华,《齐鲁学刊》1993 年第 6 期

马克思的公社二重性理论, 黄凤炎,《浙江学刊》1993 年第 1 期

《德意志意识形态》中关于共产主义的论证, 吴晓东,《上饶师范

学院学报》1993 年第 2 期

试论《关于费尔巴哈的提纲》的主体理论及其意义，冯景源，《商丘师范学院学报》1993 年第 3 期

无产阶级文艺创作美学要求的反思——马克思恩格斯美学思想学习札记，王佑江，《理论月刊》1993 年第 5 期

对"个人全面发展"概念的理解，姚俊，《辽宁教育行政学院学报》1993 年第 4 期

马克思的劳动力过剩理论学习札记，赵定理，《世界经济研究》1993 年第 3 期

从实践唯物主义看《反杜林论》和《唯物主义与经验批判主义》，朱宝信，《广西社会科学》1993 年第 5 期

马克思竞争理论的两个问题，张之光、万桂兰，《当代经济研究》1993 年第 2 期

产品社会运动的轨道与动力——《〈政治经济学批判〉导言》的社会主义运用，罗郁聪，《当代经济研究》1993 年第 2 期

《资本论》与社会主义市场经济，刘炳瑛，《当代经济研究》1993 年第 2 期

《资本论》中生产力范畴简析，马仲良，《北京社会科学》1993 年第 4 期

马克思恩格斯关于德国古典哲

学理论实质的思想，温纯如，《安徽师范大学学报》（人文社会科学版）1993 年第 2 期

论马克思恩格斯的文艺心理学思想，刘伟林，《汕头大学学报》（人文社会科学版）1993 年第 1 期

对恩格斯关于自由与必然思想的阐释，肖安邦，《理论探索》1993 年第 4 期

马克思恩格斯意识形态概念述要，秦刚，《科学社会主义》1993 年第 1 期

马克思的"人学"与费尔巴哈"人本主义"之比较，杨景祥，《河北师范大学学报》（哲学社会科学版）1993 年第 1 期

《资本论》与社会主义经济学的逻辑起点——当代马克思主义哲学的使命（之六），孙可庸，《改革与战略》1993 年第 6 期

马克思恩格斯晚年研究人类学问题的目的意图初探，陶晴，《创造》1993 年第 4 期

马克思法律思想初探，孟咸美，《扬州大学学报》（人文社会科学版）1993 年第 1 期

正确认识社会主义民主建设的长期性——学习马克思关于社会主义民主的论述，王太高，《扬州大学学报》（人文社会科学版）1993 年第 1 期

无产阶级政权的公职人员是人

民公仆——学习马克思恩格斯关于"社会公仆"论述的体会，张成统，《扬州大学学报》（人文社会科学版）1993 年第 1 期

1848—1857 年马克思对革命时机的估计，徐旭东，《温州师范学院学报》1993 年第 2 期

马克思给查苏利奇四篇复信草稿的相互关系，王旭章，《苏州科技学院学报》（社会科学版）1993 年第 3 期

宏观调控重点抓紧"货币权力"——学习《资本论》的一点体会，赵连山、董亚华、董玉林，《商讯商业经济文荟》1993 年第 6 期

现实主义：历史的选择——马克思恩格斯现实主义理论重识，庄锡华，《文学评论》1993 年第 3 期

论马克思恩格斯关于"消灭劳动"的思想，秦庆武，《上海社会科学院学术季刊》1993 年第 1 期

1994 年

马克思对象化理论概念辨析，潘知水，《甘肃社会科学》1994 年第 1 期

传统东方社会法律文化的固有逻辑——马克思晚年的理论探索，公丕祥，《法律科学：西北政法学院学报》1994 年第 1 期

马恩列斯在计划与市场理论上的递次推进，周明生，《现代经济探讨》1994 年第 9 期

论唯物主义与理想主义的内在统一——马克思、费尔巴哈和当代实践，侯惠勤，《江海学刊》1994 年第 6 期

理想与科学的统一——论马克思恩格斯关于人的美学生成的思想，庄锡华、朱义豪，《江苏社会科学》1994 年第 6 期

马克思关于主客体范畴科学理论的确立及其系统化，张传开，《江苏社会科学》1994 年第 4 期

试论马克思恩格斯晚年思想方法上的一个重要差别，刘鸿辉，《解放军外国语学院学报》1994 年第 2 期

和谐是马克思恩格斯美学思想的终极追求，庄锡华，《湖南师范大学社会科学学报》1994 年第 6 期

马恩的公有制理论是完整的科学体系——评"马恩公有制理论的整个体系都存在缺陷"，邱珍，《高校理论战线》1994 年第 4 期

《共产党宣言》：马克思主义政治学的第一个纲要，张兴杰，《甘肃社会科学》1994 年第 5 期

马克思恩格斯的传播心理观，陈力丹，《中国广播电视学刊》1994 年第 5 期

马克思论印度及其他，童澎，《当代思潮》1994年第4期

马克思社会总劳动分配和控制的理论对社会主义市场经济的现实意义，成保良，《当代经济研究》1994年第6期

社会主义社会和商品经济——澄清对马克思有关论述的误解，汤在新，《当代经济研究》1994年第5期

浅议马克思恩格斯的税收思想，王振宁，《当代经济研究》1994年第4期

对马克思恩格斯著作中若干理论问题的思考，冯文光，《当代经济研究》1994年第1期

马克思、恩格斯和列宁极其重视档案、资料工作，孙木香，《档案与建设》1994年第3期

关于马克思恩格斯设想社会主义的基本思路，荣开明，《社会主义研究》1994年第4期

马克思恩格斯现代化思想探析，吴忠民，《社会主义研究》1994年第3期

马克思的社会交往理论，范进，《社会科学战线》1994年第6期

试析马克思、恩格斯对法的本质的理解，蒋德海，《社会科学》1994年第12期

科学地理解人在社会历史发展中的主体地位——《德意志意识形态》读后，张一兵，《人文杂志》1994年第2期

马克思恩格斯关于未来社会分配模式的思想，雷堂化，《求实》1994年第5期

马克思恩格斯广义艺术生产过程论，李中一，《求是学刊》1994年第1期

试论马克思恩格斯对费尔巴哈人本主义历史观的批判，柳耀福、张维建，《齐鲁学刊》1994年第2期

马克思预测未来社会的方法，张康之，《内蒙古社会科学》（汉文版）1994年第6期

关于《共产党宣言》创作史的若干史实，王先恒，《内蒙古大学学报》（社会科学版）1994年第4期

马克思主义创始人何时开始使用"科学社会主义"一词，周翰，《内蒙古大学学报》（社会科学版）1994年第2期

在实践历程中不断发展马克思主义——马克思恩格斯是用实践检验真理的光辉典范，周呈芳，《内蒙古大学学报》（社会科学版）1994年第2期

马克思给查苏利奇复信草稿的思路，王旭章，《南京大学学报》（哲学社会科学版）1994年第3期

马克思哲学初始地平线中的关系本体论——析广松涉的马克思主义原像观，张一兵，《马克思主义与

现实》1994 年第 4 期

马克思恩格斯著作中的公有制和社会所有制概念，王锡君，《马克思主义与现实》1994 年第 3 期

关于马克思恩格斯分析社会主义的若干方法，薛汉伟，《马克思主义与现实》1994 年第 2 期

关于陈望道译《共产党宣言》，赵英，《鲁迅研究月刊》1994 年第 3 期

从多样性探寻规律——马克思《历史学笔记》的启示，庞卓恒，《历史研究》1994 年第 2 期

马克思早期共产主义思想发展轨迹探析，焦坤，《理论探讨》1994 年第 1 期

马克思恩格斯合作社理论新探，尹世洪，《江西社会科学》1994 年第 2 期

马克思的社会主义学说究竟是科学还是空想——答对马克思的一种诘难，张式谷，《教学与研究》1994 年第 4 期

马克思关于对外开放的几个基本观点，孙德杰，《经济学家》1994 年第 4 期

马克思世界历史理论的当代意义，杨耕，《北京社会科学》1994 年第 4 期

马克思恩格斯美学理论的建构特点，庄锡华，《北京社会科学》1994 年第 2 期

马克思关于人的全面发展的涵义，王霞，《安徽教育学院学报》（社会科学版）1994 年第 2 期

对马克思恩格斯创建科学实践观过程的探析，聂世明、郑发全，《郑州大学学报》（哲学社会科学版）1994 年第 4 期

唯物史观的人学意蕴——兼答徐亦让、唐正东同志，张奎良，《哲学研究》1994 年第 12 期

马克思主义哲学不是"以人为本"——与张奎良同志商榷，徐亦让，《哲学研究》1994 年第 9 期

马克思恩格斯的分工思想辨析——兼与郭寿玉同志商榷，赵卫，《哲学研究》1994 年第 9 期

马克思"必然王国"向"自由王国"转换的理论真谛，张一兵，《哲学研究》1994 年第 8 期

试论马克思以人为本的哲学发展轨迹，张奎良，《哲学研究》1994 年第 2 期

伟大的实践推动伟大的理论——恩格斯晚年唯物史观新探索的启迪，王岂霞，《哲学动态》1994 年第 4 期

恩格斯道德研究的方法论述介，李士菊，《哲学动态》1994 年第 2 期

马克思晚年的设想与邓小平建设有中国特色社会主义理论，张奎良，《中国社会科学》1994 年第 6 期

马克思恩格斯著作中的"公

有"、"社会所有"、"个人所有"及其他，李光远，《中国社会科学》1994 年第 6 期

实践辩证法解析——兼论恩格斯的自然概念，王贵友，《自然辩证法研究》1994 年第 1 期

论马克思的社会有机体方法，杨耕，《学习与探索》1994 年第 1 期

马克思学说中的存在范畴，丁大同，《学术月刊》1994 年第 2 期

马克思恩格斯关于爱情描写的一些论述，李中一，《文学评论》1994 年第 3 期

无产阶级对待民族运动的伟大范例——学习马克思恩格斯关于爱尔兰问题著作的札记，冯特君，《外交学院学报》1994 年第 2 期

马克思恩格斯关于文化艺术语言的理论，李中一，《文艺理论与批评》1994 年第 6 期

马克思对"历史之谜"的科学解答——学习马克思《1844 年经济学哲学手稿》札记，张浩，《史学理论研究》1994 年第 2 期

《资本论》的逻辑——从辩证逻辑的角度看《资本论》，刘路光，《贵州教育学院学报》（社会科学版）1994 年第 4 期

浅论《资本论》的逻辑起点，乐和平，《广西师范大学学报》（哲学社会科学版）1994 年第 S2 期

关于马克思革命理论的若干问题，薛汉伟，《思想理论教育导刊》1994 年第 8 期

《资本论》的研究应推动社会主义市场经济的发展，王代敬，《四川师范学院学报》（哲学社会科学版）1994 年第 5 期

马克思的思路："别无选择"导致"不可避免"——马克思历史决定论思想透析及评波普尔的诘难，黄学惠，姚军毅，《东南学术》1994 年第 2 期

对《反杜林论》哲学编中提到的"相对的谬误"的理解，尹华斌，《大连教育学院学报》1994 年第 1 期

试论马克思的人与自然同一思想，惠吉峰、王雅丽，《东方论坛》1994 年第 4 期

比较批评的典范——重读《致斐迪南·拉萨尔》，傅义忠，《郴州师范高等专科学校学报》1994 年第 1 期

对马克思经济效益观的深层思考，杨作书，《重庆商学院学报》1994 年第 2 期

也谈马克思的"重建个人所有制"，黄新初、曾军，《重庆商学院学报》1994 年第 1 期

"重新建立个人所有制"新解，张洪武，《长白学刊》1994 年第 6 期

论马克思从黑格尔哲学到费尔巴哈哲学的转化过程，姚安泽，《鹭

江职业大学学报》1994 年第 Z1 期

关于马克思恩格斯首次提出"科学社会主义"的探索，高放，《科学社会主义》1994 年第 2 期

马克思、恩格斯关于民族运动的理论与 1848 年欧洲民族独立运动，杨健吾，《康定民族师范高等专科学校学报》1994 年第 1 期

马克思恩格斯关于农业集体所有制设想的再思考，王志毅，《晋阳学刊》1994 年第 5 期

马克思恩格斯论自由与必然的关系，王开宁，《武汉交通管理干部学院学报》1994 年第 2 期

马克思恩格斯关于科学文化是现代军队发展必需条件的理论，金邦秋，《军事历史研究》1994 年第 2 期

马克思恩格斯的需要理论初探，赵军政，《汉中师范学院学报》1994 年第 3 期

浅谈马克思恩格斯的浪漫主义理论，李倩，《广西社会科学》1994 年第 1 期

马克思的市场价值理论探讨，陈振羽，《华侨大学学报》（哲学社会科学版）1994 年第 2 期

逻辑与历史的统一：实质、程序及意义——学习马克思的政治经济学方法札记，陈俊明，《华侨大学学报》（哲学社会科学版）1994 年第 2 期

马克思考察的资本主义生产劳动范畴不存在由抽象上升到具体，陈振羽，《华侨大学学报》（哲学社会科学版）1994 年第 1 期

马克思恩格斯悲剧理论新解，祁志祥，《河南大学学报》（社会科学版）1994 年第 3 期

如何理解《共产党宣言》中"工人没有祖国"的论述，汤伯杞，《河北学刊》1994 年第 5 期

基督教与共产主义关系探微——学习恩格斯对宗教的有关论述，李士菊、马云鹏，《河北师范大学学报》（哲学社会科学版）1994 年第 2 期

生产力研究的重要方法论启示——重温马克思评弗·李斯特手稿，崔永和，《青海社会科学》1994 年第 4 期

费尔巴哈和青年马克思的关系，李锦昆，《内蒙古民族师范学院学报》（汉文版·哲学社会科学版）1994 年第 3 期

挑战与转型：马克思的东西方法律文化关系图式，公丕祥、侔怀青，《南京社会科学》1994 年第 8 期

我们不必苦于资本主义生产的发展——对马克思一个观点的新解，乔耀章，《南京社会科学》1994 年第 3 期

恩格斯关于哲学基本问题阐述的本义，正理，《领导之友》1994 年

第 5 期

马克思列宁廉政思想探述，张明清，《理论月刊》1994 年第 8 期

"源头"与"活水"——从马克思的社会主义观到邓小平的社会主义根本任务论，张式谷，《理论前沿》1994 年第 6 期

马克思跨越理论的方法论原则，何建华，《中共浙江省委党校学报》1994 年第 3 期

正确理解马克思"重建劳动者个人所有制"的思想，范正，《真理的追求》1994 年第 3 期

马克思对股份制的论述及其现实意义，童年成、王茂林，《中国流通经济》1994 年第 5 期

简论恩格斯晚年关于资本主义和社会主义的新认识新观点及其思想理论根基——学习恩格斯晚年著述札记，朱传启，《山东理工大学学报》（社会科学版）1994 年第 1 期

国家应当由社会主人变为社会公仆——学习马克思恩格斯的民主理论，马啸原，《学术探索》1994 年第 3 期

《资本论》与配置资源的三大机制，徐世义，《新疆社会科学》1994 年第 5 期

恩格斯关于道德研究的方法论标准，李士菊，《天津师范大学学报》（社会科学版）1994 年第 4 期

马克思恩格斯狭义艺术生产过程论，李中一，《广西师范学院学报》（哲学社会科学版）1994 年第 2 期

略论马克思和恩格斯在俄国公社问题上的"不同意见"——驳"马恩对立论"，毛石成，《学术界》1994 年第 2 期

关于马克思《历史学笔记》研究的几个问题，冯景源，《求索》1994 年第 6 期

论恩格斯自然概念的合理性——兼评 A. 施密特《马克思的自然概念》一书，王贵友，《武汉大学学报》（哲学社会科学版）1994 年第 6 期

马、恩著作中的"公有"、"社会所有"、"个人所有"及其它，李光远，《内部文稿》1994 年第 14 期

寓深刻政治内容于感人细节之中——读马克思的《奥康埔尔的葬礼》，万联众，《新闻三昧》1994 年第 8 期

马克思关于人与自然、社会与自然相统一的社会历史观——对当代生存环境危机的几点看法，李湘崑，《牡丹江师范学院学报》（哲学社会科学版）1994 年第 4 期

马克思、恩格斯的设想与市场经济，张林峰，《牡丹江师范学院学报》（哲学社会科学版）1994 年第 2 期

社会主义：马克思的构想和我

们的实践，黄伟力，《上海交通大学学报》（哲学社会科学版）1994 年第 1 期

百年前的思索——从法兰西内

战看马克思对社会主义民主的解析，尤存，《华东理工大学学报》（社会科学版）1994 年第 5 期

1995 年

马克思对东方社会发展问题的研究——从《德意志意识形态》到《资本论》及其三大手稿，江丹林，《北京大学学报》（哲学社会科学版）1995 年第 6 期

《社会主义政治经济学从马克思恩格斯到列宁的发展》序，宋涛，《经济评论》1995 年第 1 期

马克思对市场经济的理论考察，汤在新，《经济学家》1995 年第 1 期

马克思恩格斯有关语言学的论述和对当代语言研究的意义，伍铁平，《湖北大学学报》（哲学社会科学版）1995 年第 6 期

马克思劳动价值论的科学性与现实性，张维达、吴宇晖，《高校理论战线》1995 年第 8 期

恩格斯重建劳动者个人所有制的思想，方竹兰，《高校理论战线》1995 年第 7 期

马克思主义研究的重大成果——张兴杰著《〈共产党宣言〉研究》评介，于泽俊，《甘肃社会科学》1995 年第 5 期

马克思主义经典作家的世界经济一体化思想探析，罗丙志，《国际经贸探索》1995 年第 2 期

马恩对"劳动价值论一元论"的反驳，胡义成，《福建论坛》（经济社会版）1995 年第 11 期

德意志人的氏族和国家——学习《家庭、私有制和国家的起源》的体会，温永灼，《福建师范大学学报》（哲学社会科学版）1995 年第 2 期

重温恩格斯关于无产阶级政党建设的思想——纪念恩格斯逝世 100 周年，郭庆仕，《当代世界社会主义问题》1995 年第 2 期

学习恩格斯关于权威问题的论述，李宗楼，《党建研究》1995 年第 7 期

正确理解马克思关于"重新建立个人所有制"的论断，张蔚萍，《党建研究》1995 年第 6 期

马克思的"社会所有制"之我见，王贵秀，《当代世界与社会主义》1995 年第 4 期

恩格斯对女工状况的研究，仓理新，《当代世界与社会主义》1995 年第 4 期

马克思学说的历史命运，吴铭，

《当代世界与社会主义》1995年第4期

对马克思的资本观与社会主义资本范畴的再认识，廖进球，《当代财经》1995年第12期

学习马克思的国际价值学说，杨圣明，《财贸经济》1995年第7期

马克思、恩格斯的股份公司理论研究，林忠，《财经问题研究》1995年第4期

恩格斯的认识主体性思想论纲，徐梦秋，《北京大学学报》（哲学社会科学版）1995年第6期

《费尔巴哈论》继承和发展了《提纲》所提出的新世界观——纪念恩格斯逝世一百周年，宗占林，《理论探讨》1995年第4期

《德意志意识形态》中的交往思想探要，贾英健，《理论学刊》1995年第6期

马克思的市场理论及其现实意义，王道禹，《理论与改革》1995年第9期

无产阶级革命策略原则性与灵活性的统一——纪念恩格斯逝世100周年，郑克强、汤乐毅，《江西社会科学》1995年第12期

恩格斯历史主体性思想探析——兼评西方马克思主义对恩格斯的误释，王长里、刘尊武，《江西社会科学》1995年第11期

试论马克思恩格斯对"自我中心困境"问题的揭示——马克思恩格斯思想与新实在论观点比较，黄玄，《江西社会科学》1995年第8期

马克思经济学手稿研究领域领先之作——评汤在新的著作《马克思经济学手稿研究》，张钟朴，《经济评论》1995年第2期

马克思人学研究的方法论原则，袁贵仁，《江海学刊》1995年第4期

对马克思恩格斯时间节约理论的探讨，许国新，《江汉论坛》1995年第2期

人本主义逻辑的亚意图颠覆——马克思《评李斯特》的文本解读，张一兵，《江苏社会科学》1995年第6期

唯物主义和实事求是——为纪念恩格斯逝世100周年而作，孙伯鍨，《江苏社会科学》1995年第4期

从传统自然观到环境哲学——马克思恩格斯自然观的现代意义，郇庆治，《山东大学学报》（社会科学版）1995年第2期

关于马克思的社会自我批判的思想，李亚宁、王仲士，《四川大学学报》（哲学社会科学版）1995年第4期

马克思《历史学笔记》研究的意义——打开"马克思晚年困惑"的钥匙，冯景源，《人文杂志》1995年第1期

马克思恩格斯著作中表述未来

社会所有制的几个概念辨析，宋书声、王锡君、王学东，《求是》1995年第18期

学习恩格斯　坚持和发展科学社会主义，焦克明，《求实》1995年第9期

马克思、恩格斯与资本主义社会结构理论，吴国庆，《欧洲》1995年第2期

纪念恩格斯逝世一百周年学术座谈会纪要，张书琛，《内蒙古社会科学》（汉文版）1995年第5期

关于人类起源的价值分析——学习恩格斯《劳动在从猿到人转变过程中的作用》的体会，张书琛，《内蒙古社会科学》（汉文版）1995年第5期

恩格斯晚年对无产阶级建党学说的新贡献——纪念恩格斯逝世100周年，周呈芳，《内蒙古大学学报》（社会科学版）1995年第3期

马克思主义哲学新视界的初始地平——新版《费尔巴哈》（《德意志意识形态》第一章手稿）研究，张一兵，《南京大学学报》（哲学社会科学版）1995年第1期

恩格斯"宇宙观"及其现实意义，王志伟、高中华，《马克思主义与现实》1995年第4期

恩格斯对跨越资本主义"卡夫丁峡谷"的独特探索及其当代意义，江丹林，《马克思主义与现实》1995年第3期

恩格斯对历史唯物主义的贡献，荣敬本，《马克思主义与现实》1995年第3期

中央编译局马列部负责人就马恩著作新版《全集》和《选集》若干问题答本刊记者，李惠斌、苑洁，《马克思主义与现实》1995年第1期

谈人文精神——恩格斯的人文精神及其现代启迪，杨金海，《毛泽东邓小平理论研究》1995年第4期

马克思恩格斯的中国观，许苏民，《中共福建省委党校学报》1995年第1期

读恩格斯《论俄国社会问题》的启示，洪韵珊，《探索》1995年第6期

怎样理解马克思关于"市民社会"的用法——与朱宝信先生商榷，杨霞，《马克思主义研究》1995年第6期

从马克思对"生产力"概念的分类看科学与技术的关系，刘炯忠、叶险明，《马克思主义研究》1995年第6期

恩格斯晚年对社会主义的新贡献，康双成，《马克思主义研究》1995年第5期

恩格斯与唯物史观命题，张艳国，《马克思主义研究》1995年第5期

恩格斯与对立统一学说，陈立旭，《马克思主义研究》1995年第5期

青年恩格斯的人学思想发展轨迹初探，郝贵生，《马克思主义研究》1995年第5期

恩格斯对马克思主义的独特贡献，郭庆仕，《马克思主义研究》1995年第5期

生产力决定论：从恩格斯到当代，徐崇温，《马克思主义研究》1995年第5期

马克思恩格斯的理念体系概念简论，李毅嘉、王娅，《马克思主义研究》1995年第4期

马克思企业理论初探，周景勤，《马克思主义研究》1995年第4期

略论恩格斯的马克思主义观，许征帆，《马克思主义研究》1995年第3期

在探索社会主义发展道路的漫漫征途上——从马克思到毛泽东，包心鉴，《马克思主义研究》1995年第3期

论恩格斯晚年对资本主义变化的新认识及其哲学基础，朱传启，《马克思主义研究》1995年第2期

百卷本《马克思恩格斯全集》的命运，李国麟，《马克思主义研究》1995年第1期

读一些马列著作和毛泽东著作——写在新版《马克思恩格斯选集》、《列宁选集》出版之际，顾海良，《中国特色社会主义研究》1995年第6期

恩格斯的东方理论和实现这一理论的成功之路，赵曜，《中国特色社会主义研究》1995年第4期

在新的历史条件下继承和发展恩格斯的民主思想，徐育苗，《社会主义研究》1995年第5期

马克思：共产主义与人类主体的现实解放，张一兵，《社会主义研究》1995年第4期

历史唯物论与马克思的东方社会理论——兼与几种流行观点商榷，杨筱刚，《社会科学研究》1995年第3期

世界现代化进程中社会矛盾的变迁——从《英国工人阶级状况》说起，张秋俭，《社会学研究》1995年第5期

马克思恩格斯信仰思想论，刘建军，《云南社会科学》1995年第2期

马克思恩格斯关于价值掌握的理论，李中一，《学习与探索》1995年第6期

介绍马克思有关消费的两段精辟论述，于光远，《学习与探索》1995年第5期

风格即其人——试论马克思和恩格斯的写作风格与人格特征，郑保卫，《新闻与写作》1995年第

12 期

马克思自由观的"自由王国"范畴探本——兼与欧力同先生商榷，郁建兴，《学术月刊》1995 年第 12 期

马克思历史评价理论辨析，江丹林，《学术月刊》1995 年第 4 期

"自由王国"的此岸性与彼岸性——马克思与恩格斯的自由观比较研究，欧力同，《学术月刊》1995 年第 4 期

马克思哲学的时代内涵及其与马克思主义哲学的关系，张奎良，《学术交流》1995 年第 4 期

马克思关于人的本质及其实现机制新论——兼谈教育在人本质实现中的作用，李臣之，《西南师范大学学报》（哲学社会科学版）1995 年第 1 期

马克思、恩格斯文学批评中的比较方法，张思涛，《外国文学评论》1995 年第 1 期

掌握精髓 坚持和发展科学社会主义——纪念恩格斯逝世一百周年，余其铨，《深圳大学学报》（人文社会科学版）1995 年第 4 期

马克思古代东方社会理论形成的历史，郑祖铤，《史学月刊》1995 年第 1 期

马克思的三大社会形态理论，段忠桥，《史学理论研究》1995 年第 4 期

马克思对世界历史理论的建构，叶险明，《史学理论研究》1995 年第 3 期

1978 年以来亚细亚生产方式问题研究的若干思考，朱政惠，《史学理论研究》1995 年第 3 期

亚细亚生产方式理论再探究，张雅琴，《史学理论研究》1995 年第 3 期

对马克思亚细亚生产方式理论实质的曲解——评魏特夫的《东方专制主义》，王敦书、谢霖，《史学理论研究》1995 年第 2 期

怎样看待魏特夫的《东方专制主义》？林甘泉，《史学理论研究》1995 年第 1 期

没有公有制便没有社会主义——纪念恩格斯逝世 100 周年，蔡金发，《中共福建省委党校学报》1995 年第 7 期

试论恩格斯晚年与马克思在东方社会发展道路问题上之异同，方爱东，《中共福建省委党校学报》1995 年第 5 期

马克思"现实的人"思想的意蕴及现代意义，杨金海，《郑州大学学报》（哲学社会科学版）1995 年第 4 期

关于马克思晚年理论研究的几个史实——与张奎良、唐正东、徐亦让等同志商榷，李伟，《哲学研究》1995 年第 7 期

重新认识马克思的哲学和黑格尔哲学的关系，俞吾金，《哲学研究》1995 年第 3 期

费希特与马克思，沈真、梁志学，《中国社会科学》1995 年第 6 期

马克思与现代人文精神的重建，郁建兴、王小章，《中国社会科学》1995 年第 6 期

马克思的产权理论与国有企业产权改革，吴易风，《中国社会科学》1995 年第 1 期

马克思关于"亚细亚生产方式"的科学论断不容否定，朱晞，《中国史研究》1995 年第 1 期

不断探索真理，同时代一起前进——纪念恩格斯逝世 100 周年，萧灼基，《中国党政干部论坛》1995 年第 9 期

德国学者马丁·洪特论"恩格斯与 21 世纪"，王学东，《国外理论动态》1995 年第 31 期

世纪更替之际的光辉灯塔——纪念恩格斯逝世 100 周年，张汉清，《国际政治研究》1995 年第 3 期

恩格斯晚年对马克思主义理论的发展，周作翰，《湖南社会科学》1995 年第 5 期

恩格斯对科学社会主义学说的卓越贡献，肖浩辉，《湖南社会科学》1995 年第 5 期

试论恩格斯晚年与马克思在东方社会发展道路问题上观点之异同，方爱东，《东岳论丛》1995 年（增刊）

也谈马克思的历史分期理论——与启良同志商榷，孟庆仁，《东岳论丛》1995 年第 2 期

略论马克思恩格斯的文明论及其现实意义，李鸿烈，《东南学术》1995 年第 2 期

略论马克思恩格斯对国际政治理论的贡献，黄学贤，《长沙电力学院学报》（社会科学版）1995 年第 3 期

论"历史的必然要求"——也谈马克思恩格斯悲剧观的普遍意义，杨从荣，《重庆师院学报》1995 年第 4 期

青年马克思的价值观及其导向意义，冯景源，《常德师范学院学报》（社会科学版）1995 年第 2 期

马思绝对拒斥效用价值论吗？——与一种"主流见解"对话，胡义成，《北京社会科学》1995 年第 3 期

恩格斯对意识形态理论的重大贡献——纪念恩格斯逝世一百周年，赵守智，《北方论丛》1995 年第 4 期

马恩关于经济基础与上层建筑范畴的确立及其系统化，张传开，《安徽师范大学学报》（人文哲学社会科学版）1995 年第 2 期

论恩格斯晚年对马克思主义民主理论的补充与完善，李宗楼，《安

徽教育学院学报》（社会科学版）1995 年第 4 期

论恩格斯晚年对社会历史理论的新探索——兼驳"马恩对立论"，任暟，《江淮论坛》1995 年第 6 期

现代化的实质与进程——马克思对现代化的基本看法，丰子义，《江淮论坛》1995 年第 3 期

论《资本论》中的市场学，屈炳祥，《江汉大学学报》1995 年第 4 期

马克思劳动价值论的科学性与现实，张维达、吴宇晖，《吉林财税高等专科学校学报》1995 年第 3 期

马恩文论中文艺倾向性概念内涵刍议，袁定坤，《华中理工大学学报》（社会科学版）1995 年第 1 期

马克思建构社会主义学说的方法论探本，郁建兴、陆建强，《杭州大学学报》（哲学社会科学版）1995 年第 4 期

论资本理论的活力《资本论》终篇研究之十三，陈俊明，《华侨大学学报》（哲学社会科学版）1995 年第 3 期

论马克思资本理论的现实价值——《资本论》终篇研究之十二，陈俊明，《华侨大学学报》（哲学社会科学版）1995 年第 2 期

历史过程中的主体选择和客观制约的统一——马克思"跨越论"主旨初探，冯锋，《合肥工业大学学报》（社会科学版）1995 年第 2 期

马克思恩格斯关于社会主义社会概念的论述——纪念恩格斯逝世100 周年，汤润千，《河北学刊》1995 年第 6 期

特性　体系　价值——论对马克思恩格斯美学思想的把握，庄锡华，《河北学刊》1995 年第 5 期

与恩格斯晚年关于无产阶级斗争策略理论相关的几个问题，石振保，《淮北煤炭师范学院学报》（哲学社会科学版）1995 年第 4 期

马克思、恩格斯论亚细亚的、古典的所有制形式与东西方古代社会发展问题，臧世俊，《淮北煤炭师范学院学报》（哲学社会科学版）1995 年第 2 期

论"非欧社会"没有产生近代资本主义的基本原因——马克思的社会发展理论研究之二，朱晓鹏，《河北大学学报》（哲学社会科学版）1995 年第 2 期

以科学态度对待科学社会主义——纪念恩格斯逝世100 周年，邹沧萍，《贵州社会科学》1995 年第 4 期

马克思与现代化，什洛莫·阿维南雷（墨西哥）、赵亚麟、黄艳华，《贵州民族学院学报》（哲学社会科学版）1995 年第 1 期

关于"劳动创造人"的讨论三题，张培炎，《广西大学学报》（哲学

社会科学版）1995 年第 6 期

在新编马列著作出版座谈会上的讲话，刘云山，《思想理论教育导刊》1995 年第 10 期

恩格斯思想与现时代——纪念恩格斯逝世 100 周年研讨会综述，魏小萍，《思想理论教育导刊》1995 年第 9 期

研究《共产党宣言》的一部力作——张兴杰同志所著《马克思主义的歌中之歌》评介，望工、王兴泉、吕剑龙，《兰州学刊》1995 年第 4 期

"研究《资本论》的入门"——《共产党宣言》经济学思想发微，张兴杰、尚炳珍，《兰州学刊》1995 年第 1 期

恩格斯的社会主义观，徐明善、王淑梅，《辽宁师范大学学报》（社会科学版）1995 年第 4 期

理论和实践的统一——浅议马克思恩格斯的文艺批评，孙英杰，《理论与创作》1995 年第 4 期

马克思恩格斯论鸦片战争，魏淑艳，《辽宁教育学院学报》1995 年第 2 期

马克思恩格斯价值理论与劳动价值论关系新探，胡义成，《黑龙江社会科学》1995 年第 4 期

纪念恩格斯学习恩格斯，江流，《科学社会主义》1995 年第 5 期

恩格斯和科学社会主义，张海燕，《科学社会主义》1995 年第 4 期

恩格斯论社会主义公有制——纪念恩格斯忌辰 100 周年，王皑霞、任吉悌，《学术界》1995 年第 4 期

马克思恩格斯悲剧理论阐释之我见，张平，《学术界》1995 年第 1 期

世界经济一体化与马克思的"同时发生"论，李时春、薛汉伟，《上饶师专学报》1995 年第 1 期

性爱的历史发展与婚姻基础的历史发展趋势——读《家庭、私有制和国家的起源》，魏军虎，《商洛师范专科学校学报》1995 年第 3 期

《资本论》中的市场经济原理及其现实意义，王与君，《社科纵横》1995 年第 3 期

作为世界历史进程的社会主义——纪念科学社会主义巨匠恩格斯逝世一百周年，徐觉哉，《学术季刊》1995 年第 4 期

恩格斯在唯物史观创立上的贡献——兼斥"马克思恩格斯对立"谬论，冯景源，《求索》1995 年第 4 期

"劳动价值论"与"效用价值论"的互补——马恩有关论述的本义，胡义成，《攀枝花大学学报》1995 年第 2 期

恩格斯法律思想初探，彭友锋，《攀登》1995 年第 6 期

社会意识理论的嬗变与建

构——从《德意志意识形态》到恩格斯晚年书信，郝永平，《内蒙古师范大学学报》（哲学社会科学版）1995年第3期

马克思恩格斯的个性观——兼评现代西方人生哲学的个性理论和我国当前的价值导向，姚顺良，《南京社会科学》1995年第9期

恩格斯思想发展的内在机制及其研究的现代意义——兼评马克思恩格斯共生论，冯景源，《南京社会科学》1995年第7期

青年恩格斯的哲学思想轨迹探索——纪念恩格斯逝世100周年，张一兵，《南京社会科学》1995年第7期

论两篇费尔巴哈论的逻辑，蔡维屏，《南京社会科学》1995年第5期

实践：作为人的文化本质——马克思恩格斯论人本质的两条道路，邵建，《南京社会科学》1995年第3期

马克思的自我实现理论，韩成送、韩伯言，《徐州师范大学学报》（哲学社会科学版）1995年第1期

论实践是马克思人学思想的核心范畴，牧迢、张远新，《信阳师范学院学报》（哲学社会科学版）1995年第1期

把马恩的价值理论归结为劳动价值论并不准确——论马恩主张劳动价值论与效用价值论相综合的思路，胡义成，《陕西社会主义学院学报》1995年第3期

恩格斯关于经济不发达的俄国实现社会主义的思想及启示，李兴中，《学习论坛》1995年第9期

马克思晚年的社会主义理论及其当代形式，景中强，《学习论坛》1995年第3期

马克思的社会历史进程理论与商品市场经济，王友洛，《学习论坛》1995年第2期

《共产党宣言》马克思主义的歌中之歌，高放，《新视野》1995年第2期

交融与优化——论马克思恩格斯的美学思想与经济思想的关系，庄锡华，《学海》1995年第3期

恩格斯关于消费的论述及其启示——纪念恩格斯逝世一百周年，易培强，《消费经济》1995年第4期

论马克思艺术消费与生产关系的思想，郭郁烈，《西北民族学院学报》（哲学社会科学版）1995年第2期

东方道路与晚年马克思的理论难题，启良，《湘潭师范学院学报》1995年第5期

恩格斯在马克思主义发展史上的崇高地位及其杰出贡献，朱传启，《武汉大学学报》（哲学社会科学版）1995年第4期

论分工在历史唯物主义创立过程中的地位和作用——学习《德意志意识形态》笔记，黎延年、宋文霞，《唐山师范学院学报》1995年第3期

"人是社会动物"非亚里士多德所说辨——《马恩全集》第12卷的一则注释错误，汪连兴，《苏州铁道师范学院学报》（社会科学版）1995年第4期

正确理解恩格斯关于"文明时代"的论述，李爱华，《石油大学学报》（社会科学版）1995年第1期

马克思的市场经济与人的发展观初探，陶玉泉，《南京政治学院学报》1995年第5期

马克思恩格斯为人类解放事业而刻苦学习科学知识，田乃吉，《科技文萃》1995年第11期

马克思唯物史观二题新议，何中华，《中州学刊》1995年第2期

论恩格斯对社会主义学说的杰出贡献——纪念恩格斯逝世100周年，朱传启，《枣庄师范专科学校学报》1995年第3期

马克思劳动价值观与西方非劳动价值观土地价值与价格理论，刘书楷，《中国土地科学》1995年第6期

翻译马恩著作是一种极其艰辛的劳动，周亮勋，《真理的追求》1995年第12期

批判错误思潮，发展科学理论——学习马克思恩格斯社会主义观札记之五，严枝，《真理的追求》1995年第12期

人的现实关系和观念关系的全面性——学习马克思恩格斯社会主义观札记之四，严枝，《真理的追求》1995年第11期

对社会主义社会经济运行形式的总体思考——学习马克思恩格斯社会主义观札记之三，严枝，《真理的追求》1995年第10期

用马克思反对马克思主义——评所谓马克思恩格斯"对立"论，曾枝盛，《真理的追求》1995年第10期

走在新世纪前头的恩格斯，春阳，《真理的追求》1995年第10期

对社会主义社会基本经济特征的科学探讨——学习马克思恩格斯社会主义观札记之二，严枝，《真理的追求》1995年第9期

有责任透彻地理解社会主义理论问题——学习马克思恩格斯社会主义观札记之一，严枝，《真理的追求》1995年第8期

试论马克思关于人的全面发展学说，张艳玲，《张家口师专学报》1995年第1期

马恩现实主义理论形成的历史必然性，刘秀兰，《延安大学学报》（哲学社会科学版）1995年第3期

马克思的艺术生产理论及其现实意义，秦忠翼，《益阳师专学报》1995 年第 4 期

马克思、恩格斯"同时胜利论"的再探讨，李心华、孙绳山，《烟台师范学院学报》（哲学社会科学版）1995 年第 4 期

马克思恩格斯主张什么样的社会主义所有制，崔文华，《重庆社会科学》1995 年第 6 期

试论马克思恩格斯对社会主义经济管理的科学预见，王斌，《江西科技师范学院学报》1995 年第 1 期

恩格斯在唯物史观创立中的作用及其研究的意义——兼评"人类中心说"与"物质决定论"对唯物史观的歪曲，冯景源，《商丘师范学院学报》1995 年第 3 期

马克思恩格斯不断革命理论的形成和基本内容——纪念恩格斯逝世 100 周年，周呈芳，《内蒙古工业大学学报》（社会科学版）1995 年第 2 期

是美学的和历史的……——马克思恩格斯现实主义理论阐释，张平，《阜阳师范学院学报》（社会科学版）1995 年第 1 期

马克思人的发展学说的本质特征，栗冬生，《大连干部学刊》1995 年第 2 期

马克思的刻苦治学方法，王昭干，《理论建设》1995 年第 1 期

试探马克思的"重建个人所有制"及在我国的实现，王光辉，《财贸研究》1995 年第 5 期

试论马克思、恩格斯的"司法独立"思想，乔桂银，《云南大学学报》（法学版）1995 年第 4 期

呼唤严肃而科学的文艺论争——从马克思恩格斯的一次论争谈起，浩明，《社科信息文荟》1995 年第 17 期

1996 年

迎接新时代理论创新的典范——纪念恩格斯逝世一百周年，奚广庆，《华中师范大学学报》（哲学社会科学版）1996 年第 1 期

恩格斯对社会主义理论的独特贡献，李会滨，《华中师范大学学报》（哲学社会科学版）1996 年第 1 期

环境的改变与人的改变——论

马克思恩格斯关于人的美学生成的思想，庄锡华，《江苏社会科学》1996 年第 1 期

道德的自律和他律——兼谈对马恩原著的正确理解，刘余莉，《道德与文明》1996 年第 1 期

马克思所有制理论的几个基本观点研究，曹钢，《当代经济科学》（陕西财经学院学报）1996 年第

2 期

换个角度看问题如何？——重读《共产党宣言》，王建民，《当代世界与社会主义》1996 年第 4 期

马克思关于非实物使用价值充当价值承担者的思想探讨，李江帆，《当代经济研究》1996 年第 6 期

马克思恩格斯的所有制形式理论与我国的公有制形式创新，黄灼明、郑志国，《当代经济研究》1996 年第 5 期

恩格斯"价值是生产费用对效用的关系"命题研究，奚兆永，《当代财经》1996 年第 7 期

恩格斯的历史认识和史学研究，董小川，《东北师大学报》(哲学社会科学版) 1996 年第 6 期

恩格斯晚年对东方落后国家走向社会主义的探索，马润青，《北京师范大学学报》(社会科学版) 1996 年第 2 期

制度变迁理论：马克思与诺斯，高德步，《经济学家》1996 年第 5 期

《马克思恩格斯全集》中文第二版编译介绍，周亮勋，《经济学动态》1996 年第 12 期

试述马克思市民社会理论中的法哲学思想，朱庞正，《江苏社会科学》1996 年第 1 期

马克思恩格斯关于世界历史的理论与中国现代文学研究，吴建波，《华中师范大学学报》(哲学社会科

学版) 1996 年第 4 期

关于《家庭、私有制和国家的起源》若干注释的商榷，李长林，《湖南师范大学社会科学学报》1996 年第 5 期

恩格斯"三融合"论新探，李留记，《河南师范大学学报》(哲学社会科学版) 1996 年第 1 期

马克思与犹太人，肖宪，《世界历史》1996 年第 6 期

试论马克思恩格斯的民族观，许立坤，《广西民族学院学报》(哲学社会科学版) 1996 年第 2 期

马克思社会经济结构理论初探，贾贵生，《内蒙古大学学报》(社会科学版) 1996 年第 6 期

从马克思恩格斯文艺论著看其女性观，高明霞，《内蒙古大学学报》(社会科学版) 1996 年第 5 期

恩格斯对欧洲中世纪史研究的杰出贡献，苑一博，《内蒙古大学学报》(社会科学版) 1996 年第 5 期

马克思对社会历史的理解方式——兼论唯物史观中真理和价值的统一，陈章龙，《南京师大学报》(社会科学版) 1996 年第 4 期

试论马克思关于人的价值观，陈耀彬，《马克思主义与现实》1996 年第 3 期

五大解读模式：从青年马克思到马克思主义，张一兵，《马克思主义与现实》1996 年第 2 期

重新理解马克思哲学和费尔巴哈哲学的关系，俞吾金，《马克思主义与现实》1996 年第 1 期

论马克思历史观的人道主义哲学精神实质及其科学理论形态——由丛大川与王金福二同志之争所想到的，刘怀玉，《理论探讨》1996 年第 5 期

恩格斯晚年对社会主义理论的发展和贡献，李元书，《理论探讨》1996 年第 4 期

恩格斯的"狂风暴雨时期"，宗占林，《理论探讨》1996 年第 3 期

马克思社会形态研究的方法论启示，刘玲玲，《理论探讨》1996 年第 1 期

关于社会结构中基础和上层建筑相互作用的思考——学习马恩唯物史观八封信的体会，乔润芳，《理论导刊》1996 年第 10 期

家庭的产生、发展与消亡——学习马克思主义有关论述札记，李志凯，《理论导刊》1996 年第 9 期

"晚年马克思"新解，王东，《教学与研究》1996 年第 5 期

论马克思的市民社会与国家的思想及其历史与现实意义，李淑珍，《学术月刊》1996 年第 9 期

马克思关于人的价值观，陈耀彬，《学术研究》1996 年第 9 期

试论马克思关于社会主体本质的思想，韩安贵，《现代哲学》1996 年第 4 期

从马克思创办《莱茵报》的活动看"政治家办报"，冯宋彻，《现代传播：北京广播学院学报》1996 年第 6 期

马克思恩格斯文艺史论概观，王佑江，《外国文学研究》1996 年第 3 期

马克思的价值理论与资本国际化思想，刘逖，《世界经济文汇》1996 年第 6 期

马克思恩格斯对"旧意识形态"的批判，徐海波，《深圳大学学报》（人文社会科学版）1996 年第 3 期

马克思关于印俄农业村社及其前途论述的比较研究，郑祖铤，《史学月刊》1996 年第 1 期

马克思"人本主义"思维路向的消解，陈胜云，《探索》1996 年第 5 期

马克思恩格斯的阶级划分思想探析——马克思主义经典著作学习札记，张鑫，《马克思主义研究》1996 年第 4 期

恩格斯始终是一位革命家，郭值京，《马克思主义研究》1996 年第 4 期

交往理论与经济学研究对象——马克思主义经典著作学习札记，栾文莲，《马克思主义研究》1996 年第 2 期

马克思恩格斯东方社会主义学说与邓小平建设有中国特色社会主义理论，李仲才，《中国特色社会主义研究》1996年第1期

马克思对人的本质的发现，张国祺，《社会科学研究》1996年第3期

谈马克思对人与社会三重关系的界说，张曙光，《社会科学辑刊》1996年第3期

也论马克思晚年的理论贡献——兼与冯景源先生商榷，张凌云，《人文杂志》1996年第2期

马克思的三大社会形态学说与物役性理论，张一兵，《求实》1996年第10期

马克思的日常生活批判理论与中国文化现代化的三大主题，刘怀玉，《求是学刊》1996年第6期

马克思恩格斯哲学思想解读——兼评《马克思恩格斯哲学思想比较研究》，钟人，《求是学刊》1996年第5期

恩格斯晚年对未来社会主义的科学预见，汪恩键，《郑州大学学报》（哲学社会科学版）1996年第1期

95巴黎"国际马克思大会"的启示，江丹林，《哲学研究》1996年第10期

全面理解马克思关于资本主义发展趋势的理论，安维复，《哲学研究》1996年第10期

马克思视野中的人权，徐俊忠，《哲学研究》1996年第10期

马克思的社会发展理论研究述评，吴兆雪、杨耕，《中国社会科学》1996年第1期

论马克思恩格斯对黑格尔预言的扬弃，江丹林，《中国人民大学学报》1996年第6期

论马克思"不费分文"的生产力思想——兼论科技在价值增殖过程中的作用，刘冠军，《自然辩证法研究》1996年第8期

世纪之交：马克思社会发展理论研究的视角转换，戴茂堂，《云南社会科学》1996年第6期

更深刻地理解马克思的新闻思想——马克思《莱茵报》时期论著新旧中译文对比和分析，陈力丹，《新闻与传播研究》1996年第2期

学习马克思恩格斯论法的心得笔记，傅光明，《法学杂志》1996年第4期

关于马克思恩格斯文艺创作理论主张的描述，王佑江，《鄂州大学学报》1996年第4期

马克思《资本论》中的法哲学观初探，张学志，《四川师范学院学报》（哲学社会科学版）1996年第5期

社会主义开放观对封闭观的否定——马克思恩格斯"跨越峡谷

论"理论内涵的再思考，刘彦生、连长栢，《东南学术》1996 年第 6 期

略论马克思主义经典作家的公仆观，邹积贵、付如良，《长沙电力学院学报》（社会科学版）1996 年第 1 期

马克思世界观转变探微，杨耕，《北京社会科学》1996 年第 3 期

马克思"世界历史性个人"思想及其现实意义，曲萌，《北京社会科学》1996 年第 1 期

恩格斯与中国特色的社会主义，刘井山，《杭州大学学报》（哲学社会科学版）1996 年第 4 期

论唯物主义的三种形态——兼论马克思唯物主义的人本特色，朱宝信，《广西社会科学》1996 年第 3 期

马克思的所有制理论，赵学增，《华南师范大学学报》（社会科学版）1996 年第 5 期

恩格斯关于哲学基本问题阐述的本义，郑守林，《邯郸职业技术学院学报》1996 年第 3 期

马克思关于交通运输业在生产力发展中的方法论论述，刘炯忠、刘厚国，《河北师院学报》（社会科学版）1996 年第 3 期

马克思恩格斯关于未来社会发展阶段及其基本特征的原则构想，孙厚权、王志林，《湖北工学院学报》1996 年第 4 期

试论马克思关于人的价值观，陈耀彬，《河北大学学报》（哲学社会科学版）1996 年第 4 期

马克思恩格斯关于未来社会阶段划分的理论贡献，许全林，《辽宁税务高等专科学校学报》1996 年第 2 期

论《共产党宣言》中的马克思主义人权观，李靖宇、姜辉，《辽宁师范大学学报》（社会科学版）1996 年第 3 期

马克思的人本质思想及当代人学研究的重要课题，牛乃喜，《理论月刊》1996 年第 12 期

请不要误解马克思——关于"跨越资本主义卡夫丁峡谷"的辨析，许全兴，《理论前沿》1996 年第 18 期

马克思主义经典作家对于公有制的论述及其在实践中的发展，张大军，《理论前沿》1996 年第 15 期

关于马克思的新唯物主义——纪念马克思写作《关于费尔巴哈的提纲》150 周年，徐崇温，《开放时代》1996 年第 4 期

也谈恩格斯与"亚细亚生产方式"，朱晞，《江西师范大学学报》（哲学社会科学版）1996 年第 1 期

马克思对德国古典哲学的革命改造，赵刚，《集宁师专学报》1996 年第 2 期

马克思恩格斯军事理论的理论

来源探寻，张树德，《军事历史研究》1996 年第 1 期

马克思主义经典作家关于认识的主体性的微观机制的思想，高岸起，《济南大学学报》（社会科学版）1996 年第 1 期

马克思的人权思想，韩庆祥、宋明贤，《江淮论坛》1996 年第 3 期

马克思过剩人口理论与近代中国人口问题，郑祖铤，《求索》1996 年第 6 期

人本学的青年马克思：一个过去了的神话（下）——关于 1843—1844 年马克思思想变体的一点史考，张一兵，《求索》1996 年第 2 期

数学·哲学·马克思——马克思有关数学的重要论述学习札记，韦煜，《黔南民族师范学院学报》1996 年第 2 期

马克思恩格斯的按劳分配理论再探析，冉清文，《青海师专学报》1996 年第 2 期

从"市民社会"到唯物史观——马克思恩格斯早期思想比较研究，牛苏林，《青海社会科学》1996 年第 2 期

试论恩格斯关于辩证法核心问题的思想，刘海泉，《黔东南民族师范高等专科学校学报》1996 年第 2 期

青年马克思的择业观对当代青年的择业启示，王莉萍，《前沿》1996 年第 5 期

论马克思科学地解决人道主义哲学问题的三条途径，刘怀玉，《南京社会科学》1996 年第 10 期

《资本论》中的劳动力市场理论与社会主义劳动力市场，唐德才，《南京社会科学》1996 年第 5 期

让马克思从费尔巴哈的阴影中走出来，俞吾金，《南京社会科学》1996 年第 1 期

关于马克思的新唯物主义——纪念马克思写作《关于费尔巴哈的提纲》150 周年，徐崇温，《南京社会科学》1996 年第 1 期

分工是生产方式矛盾运动的中介——马克思、恩格斯《德意志意识形态》给我们的一点启示，李少雄，《广西师范学院学报》（哲学社会科学版）1996 年第 2 期

重新理解马克思，俞吾金，《学术界》1996 年第 5 期

浅谈马克思晚年"人类学笔记"的写作原因，陈维杰、梁淑芳，《绥化师专学报》1996 年第 3 期

从生存到发展，再到人的自由发展——马克思的社会主义价值观初探，朱坚劲，《学术季刊》1996 年第 1 期

恩格斯关于自由与必然的思想，陈冲，《韶关大学学报》（社会科学版）1996 年第 1 期

论马克思恩格斯的知识分子思想，陈德金、曲峡，《山东医科大学

学报》(社会科学版) 1996 年第 3 期

恩格斯"社会公仆"思想探析，梁秀华，《山东医科大学学报》(社会科学版) 1996 年第 1 期

论《资本论》时代马克思的世界历史思想，曲萌、孟根龙，《山东社会科学》1996 年第 5 期

《英国工人阶级状况》与马克思主义社会学，仓理新，《首都师范大学学报》(社会科学版) 1996 年第 4 期

马克思的东方社会理论有一个自身发展过程，陈国新，《学术探索》1996 年第 6 期

马克思晚年理论活动探析，赵仲英，《学术探索》1996 年第 4 期

科学社会主义创始人对社会主义社会不存在商品货币的设想及失误，李维贵，《学术探索》1996 年第 1 期

恩格斯晚年对社会主义理论的贡献，雷琳，《新疆社会科学》1996 年第 2 期

马克思生产关系概念的基本内容及其在唯物史观中的地位，刘向军，《西北第二民族学院学报》(哲学社会科学版) 1996 年第 4 期

恩格斯晚年对唯物史观的贡献——纪念恩格斯逝世一百周年，李荣兴，《温州师范学院学报》1996 年第 2 期

对"百科全书式"的科学巨著

《反杜林论》的新研究——评《〈反杜林论〉研究》，朱传启，《武汉大学学报》(哲学社会科学版) 1996 年第 3 期

马克思的社会经济形态理论与社会主义市场经济，任暟，《财贸研究》1996 年第 3 期

恩格斯晚年对马克思主义法学的贡献，宋柱修、徐玲、初明新，《枣庄师范专科学校学报》1996 年第 4 期

马列经典在政治课中的作用，杨毅春，《中学政治教学参考》1996 年第 7 期

正确理解马克思关于土地构成的观点，周诚，《中国土地科学》1996 年第 4 期

对哲学及其当代任务的一种审视——兼评恩格斯哲学观的现代性，侯才，《中国社会科学院研究生院学报》1996 年第 2 期

恩格斯"历史合力论"适用范围辨正，董根洪，《嘉兴学院学报》1996 年第 1 期

为工人阶级的伟大历史作传——论马克思、恩格斯热情评鉴描写工人的文艺作品，朱捷，《扬州职业大学学报》1996 年第 1 期

恩格斯晚年对社会主义理论的探索及其启示，刘常喜，《延安大学学报》(哲学社会科学版) 1996 年第 1 期

论马克思恩格斯悲、喜剧观的历史底蕴，庄锡华，《益阳师专学报》1996年第3期

马克思恩格斯经济管理思想探微，邓兆明，《甘肃省经济管理干部学院学报》1996年第1期

经济节约中当前应当注意的几个问题——马克思给我们的启示，向国成、朱有志，《湖南商学院学报》1996年第5期

试析马克思恩格斯的环境哲学思想，王树恩，《哲学研究》1996年第6期

德里达和马克思，陆扬，《哲学研究》1996年第5期

马克思时空观新论，俞吾金，《哲学研究》1996年第3期

马克思走向哲学新视界的三次非常性思想探索，张一兵，《哲学研究》1996年第2期

对马克思《1844年经济学哲学手稿》的异化问题的新思索，王浩吾、杨东，《中共四川省委省级机关党校学报》1996年第4期

从唯物史观的创立过程看马克思、恩格斯对思想资料借鉴的几种形式，李占一，《中共山西省委党校学报》1996年第4期

论恩格斯晚期历史观实质，吴家华，《理论建设》1996年第4期

物质利益原则启示马克思研究政治经济学，王昭干，《理论建设》1996年第3期

重温《资本论》随笔——写在1996年3月14日马克思逝世113周年，谢景星，《景德镇高专学报》1996年第1期

疑义相与析——马恩语辨二题，尔建，《艺术广角》1996年第3期

1997 年

马克思恩格斯关于不发达国家向共产主义过渡的理论及其现实意义，邱海平，《当代经济研究》1997年第1期

回到马克思、超越马克思，薛汉伟，《当代世界社会主义问题》1997年第3期

马克思的1861～1863年经济学手稿在《马克思恩格斯全集》中文第二版中的编排情况，卢晓萍，《当

代经济研究》1997年第2期

马克思的制度变迁理论及其对改革的启示，周小亮，《当代财经》1997年第4期

马克思的文化类型人学研究和我们今天，杨适，《北京大学学报》（哲学社会科学版）1997年第2期

社会主义改革开放的精神武器——读《马克思恩格斯选集》中文第二版，江丹、林荆忠，《北京大

学学报》（哲学社会科学版）1997 年第 1 期

企业要注意发挥货币资金的伸张力作用——《资本论》学习札记，萧定智，《南昌大学学报》（社会科学版）1997 年第 4 期

马克思恩格斯早期的民族理论经典——读《德意志意识形态》，何润，《民族研究》1997 年第 3 期

《共产党宣言》是何日出版的？高放，《马克思主义与现实》1997 年第 6 期

浅谈对商品使用价值属性的理解——重读《资本论》第一卷第一篇札记，侯廷智，《马克思主义与现实》1997 年第 5 期

理解"重新建立个人所有制"的方法论问题，应克复，《马克思主义与现实》1997 年第 5 期

世界性普遍交往与共产主义，栾文莲，《马克思主义与现实》1997 年第 4 期

《共产党宣言》在美国的早期传播，李锁贵，《马克思主义与现实》1997 年第 3 期

《马克思恩格斯全集》中文第二版第 30 卷的译文校订情况，张钟朴，《马克思主义与现实》1997 年第 1 期

交往范畴的科学定位——《德意志意识形态》中的交往范畴，张亮，《理论探讨》1997 年第 3 期

试论马克思《资本论》中的经济人思想，王初根，《江西社会科学》1997 年第 6 期

马克思恩格斯与生态学，刘辉，《江西社会科学》1997 年第 5 期

马克思的语言观与现代西方哲学"语言的转向"，韩东晖，《教学与研究》1997 年第 11 期

浅析马克思的产权理论及其现实意义，乔骥，《解放军外国语学院学报》1997 年第 4 期

马克思是怎样对待资产阶级经济学的，陈恕祥，《高校理论战线》1997 年第 2 期

18 世纪法国无神论思想对马克思恩格斯宗教学说的影响，楼凡，《四川大学学报》（哲学社会科学版）1997 年第 4 期

谈对马克思道德理论的评价——评美国《道德百科全书》对马克思道德理论的歪曲，金可溪，《人文杂志》1997 年第 4 期

还马、恩关于所有制改造理论以本来面目，徐博涵，《人文杂志》1997 年第 1 期

马克思恩格斯史前家庭研究的历史考察，魏茂恒，《齐鲁学刊》1997 年第 6 期

论青年马克思向共产主义者转变的思想轨迹，韩金峰、赵玉华，《齐鲁学刊》1997 年第 3 期

否定之否定：揭开马克思"重

建个人所有制"之谜的关键，国康，《齐鲁学刊》1997 年第 1 期

马克思的文化概念，王仲士，《清华大学学报》（哲学社会科学版）1997 年第 1 期

"蒙古原则"、"蒙古精神"和"蒙古人时代"：黑格尔、施蒂纳的阐释与马克思、恩格斯的评论，呼斯勒，《内蒙古社会科学》（汉文版）1997 年第 4 期

搞好国有大中型企业——学习马克思资本形态变化理论的体会，张翠珍，《内蒙古大学学报》（人文社会科学版）1997 年第 6 期

方法·本质·现实性——马克思"人的全面发展"思想新析，徐辉，《南京师大学报》（社会科学版）1997 年第 3 期

马克思和民粹派关于俄国村社论述的比较研究，郑祖铤，《史学月刊》1997 年第 2 期

马克思的历史创造者观探究，杨振辉，《中共福建省委党校学报》1997 年第 11 期

试论马克思恩格斯对社会主义社会不存在商品货币的设想与社会主义实践的关系——兼与"失误论"者商榷，要战通、李廷海，《探索》1997 年第 3 期

马克思的商品理论和社会主义市场经济——也论一种研究马克思主义的方法，文力，《马克思主义研究》1997 年第 6 期

恩格斯晚年思想新探本，郁建兴，《马克思主义研究》1997 年第 6 期

《德意志意识形态》辨析，杨百成、邢燕，《马克思主义研究》1997 年第 5 期

"唯一者"与马克思的个性观，谭培文，《马克思主义研究》1997 年第 4 期

我对马克思"重新建立个人所有制"思想的理解，何临勇，《马克思主义研究》1997 年第 3 期

对马克思恩格斯"两个转变"的再探讨，张式谷，《马克思主义研究》1997 年第 1 期

马克思对两极分化问题的论述及思考，严林彪，《马克思主义研究》1997 年第 1 期

正确理解马克思的人的全面发展思想，马德普，《社会主义研究》1997 年第 6 期

"是艺术创造了特殊的科学"——简论马恩文艺思想的艺术基础，杨名中，《社会科学研究》1997 年第 4 期

马克思的世界历史思想与共产主义学说，徐少兵，《学习与探索》1997 年第 4 期

论马克思哲学三大学说，朱宝信，《学习与探索》1997 年第 1 期

马克思货币经济理论探索，常

永胜,《学术月刊》1997 年第 12 期

对马克思关于"美的规律"论述的几点思考——向陆梅林先生请教,朱立元,《学术月刊》1997 年第 12 期

马克思的世界历史概念及其意义,顾红亮,《学术月刊》1997 年第 11 期

唯物史观是马克思的哲学观念吗,丛大川,《学术月刊》1997 年第 8 期

晚年马克思、恩格斯对社会结构理论的新发展及其对非西方社会的方法论意义,江丹林,《学术月刊》1997 年第 8 期

马克思的实践观点有别于康德的实践理性,俞兆平,《文学评论》1997 年第 3 期

马克思关于现代社会发展的两个模式,安维复,《文史哲》1997 年第 2 期

马克思恩格斯文艺本质观的系统考察,王佑江,《外国文学研究》1997 年第 4 期

作为艺术精神的美学观点和历史观点——马克思恩格斯的艺术精神之三,董中锋,《外国文学研究》1997 年第 3 期

马克思与海涅二三事——为纪念海涅诞生 200 周年而作,程代熙,《文艺理论与批评》1997 年第 6 期

文艺批评的叙述方法——马恩文艺批评的理论和实践,李中一,《文艺理论与批评》1997 年第 2 期

从《德意志意识形态》看马克思关于人的本质观的革命变革,陈家长,《郑州大学学报》(哲学社会科学版)1997 年第 6 期

伯恩施坦的市民社会理论与马克思,郁建兴,《哲学研究》1997 年第 4 期

马克思是怎样分析资本主义社会阶级结构的演变问题的? 高健生,《哲学研究》1997 年第 2 期

马克思早期的艺术生产论的现代意义,童庆炳,《中国文学研究》1997 年第 4 期

马恩"现实主义的真实性"观念的再读解,黄裳裳,《中国人民大学学报》1997 年第 5 期

苏联东欧裂变与马克思恩格斯民族理论问题,吴楚克,《中国人民大学学报》1997 年第 5 期

马克思东方社会理论的方法论特征,张云飞,《中国人民大学学报》1997 年第 3 期

马克思: 劳动者私人资本的理论,许国新,《中南财经大学学报》1997 年第 2 期

对马克思关于未来社会新型国家构想的探讨,张星炜,《中共中央党校学报》1997 年第 4 期

马克思恩格斯关于利益问题的理论探索,王伟光,《中共中央党校

学报》1997年第4期

论马克思社会主义学说的科学品格，张式谷，《中共中央党校学报》1997年第1期

马克思新世界观的提纲和名称，王仲士，《烟台大学学报》（哲学社会科学版）1997年第3期

"德意志意识形态"辨析，杨百成、邢燕，《华北电力大学学报》（社会科学版）1997年第1期

马克思社会形态理论的形成，柴艳萍，《河北师范大学学报》（哲学社会科学版）1997年第4期

恩格斯关于哲学基本问题阐述的本义，郑守林，《河北师范大学学报》（哲学社会科学版）1997年第4期

恩格斯早期的社会主义必然性理论及其现代意义，王志林、孙厚权，《湖北工学院学报》1997年第2期

马克思、恩格斯创立唯物史观的基本思路，王芳恒，《贵州民族学院学报》（哲学社会科学版）1997年第2期

恩格斯对经济不发达的俄国发生社会主义革命的科学预见，李兴中，《甘肃理论学刊》1997年第4期

马克思东方社会理论与当代中国社会主义经济建设的理论和实践，解民，《广东社会科学》1997年第6期

恩格斯晚年对工农联盟理论的贡献及其意义，尧克宁，《党政干部论坛》1997年第10期

也谈《关于费尔巴哈的提纲》第十一条的理解，张金成，《达县师范高等专科学校学报》1997年第3期

马克思恩格斯思维方式研究论纲，杨楹，《渝西学院学报》（社会科学版）1997年第3期

对马克思产权理论的几点探讨，张宗新，《长白学刊》1997年第3期

马克思的教育法治思想，柏立华、郝春东，《北方论丛》1997年第6期

马克思的商品拜物教理论与社会主义市场经济的现实，杨旭东，《科学社会主义》1997年第4期

论马克思的社会主义社会学说的提出，王元璋，《荆州师范学院学报》1997年第3期

简单劳动是马克思劳动价值理论的一个出发点，郑怡然，《晋阳学刊》1997年第2期

马克思论美国内战，陈海宏，《军事历史》1997年第1期

论马克思恩格斯对"真正的社会主义"哲学基础的批判，朱进东，《江苏教育学院学报》（社会科学版）1997年第4期

从马克思、恩格斯自身的理论道路看马克思主义哲学的产生，顾

易铭,《南京金融高等专科学校学报》1997年第3期

美国内战的原因——读《马克思恩格斯论美国内战》笔记之一,关励夏,《军事历史研究》1997年第4期

《资本论》是生产关系论,葛守昆、金毅,《江南论坛》1997年第1期

论马克思人的全面发展的涵义及其实现之条件,龚天平、王世楠,《华中理工大学学报》(社会科学版)1997年第1期

劳动——马克思自由理论的奠基石——读《一八八四年经济学哲学手稿》,周志军、张超,《淮阴师范学院学报》(哲学社会科学版)1997年第1期

把握马克思资本循环原理 实现国有企业"资本运营"与"人本管理"的统一,檀秀枝,《河北学刊》1997年第3期

马克思恩格斯论刑法的基本原则,高格,《法制与社会发展》1997年第6期

马克思个人理论探析,王昭锋,《山东医科大学学报》(社会科学版)1997年第1期

马克思的社会批判理论初探,陈胜云,《求索》1997年第1期

马克思、恩格斯眼中的鸦片战争与香港,陆庆良,《紫金岁月》1997年第1期

《哲学的贫困》中的雇佣劳动概念,杨建平,《南京社会科学》1997年第10期

《哲学的贫困》中的社会批判方法,陈胜云,《南京社会科学》1997年第10期

分工与马克思社会批判话语的变革,张涣久,《南京社会科学》1997年第10期

马克思恩格斯对"天赋人权论"掩饰下帝国主义侵略和战争本质的揭露,胡义成,《内江师范学院学报》1997年第1期

《德意志意识形态》中对实践唯物主义的探讨,马俊苹,《龙岩师专学报》1997年第1期

马恩对空想社会主义"人权"理论的改造,胡义成、王雷,《洛阳师范学院学报》1997年第1期

《共产党宣言》与跨世纪人才培养目标,刘雯,《辽宁师范大学学报》(社会科学版)1997年第5期

马克思恩格斯唯物史观的形成和发展,孙秀民,《辽宁教育学院学报》1997年第2期

论市场经济的资本运行:马克思的资本流通理论新探,易培强,《益阳师专学报》1997年第2期

试论"尺度"与"美的规律"的关系——马克思《1844年经济学哲学手稿》学习札记,张运贵,《学

术探索》1997 年第 3 期

马克思研究公社所有制的历程与亚细亚生产方式的谜底，李杰，《学术探索》1997 年第 2 期

马克思恩格斯的民主观，艾新强，《西北第二民族学院学报》（哲学社会科学版）1997 年第 2 期

学习马克思东方革命理论的若干思考，柏苏宁，《唯实》1997 年第 4 期

马克思社会形态学说及其当代发展——"可跨越论"与"不可跨越论"的辩证统一，李海涛，《天津师范大学学报》（社会科学版）1997 年第 3 期

对马克思资本主义发展趋势理论的几点看法——和安维复商榷，徐久刚，《山西大学学报》（哲学社会科学版）1997 年第 2 期

《德意志意识形态》中关于所有制的论述，吴晓东，《上饶师范学院学报》1997 年第 2 期

马克思和恩格斯对股票和股票市场的分析和论述，陈晴晔，《广东商学院学报》1997 年第 3 期

马克思的市场经济观念的嬗变，郭佳新，《文明与宣传》1997 年第 4 期

论马克思的自然观，肖中舟，《武汉大学学报》（哲学社会科学版）1997 年第 1 期

看马克思、恩格斯如何评述鸦片战争，詹世亮，《世界知识》1997 年第 13 期

《马克思恩格斯论喝酒》新版序言，于光远，《领导文萃》1997 年第 1 期

从马克思到毛泽东：对外开放思想纵论，周荣，《中共山西省委党校学报》1997 年第 2 期

涉世之初的马克思，刘大胜，《人才开发》1997 年第 2 期

马克思恩格斯民族与国际主义关系探析，赵蕾，《山东大学学报》（哲学社会科学版）1997 年第 2 期

重读马克思晚年"设想"的启示，李喜英，《内蒙古工业大学学报》（社会科学版）1997 年第 1 期

马克思恩格斯民族纲领述论，许立坤，《广西社会主义学院学报》1997 年第 2 期

马克思人文思想探析，王致钦，《理论建设》1997 年第 3 期

马克思经济社会伦理观三题，宋月娥、刘怀玉，《中州学刊》1997 年第 5 期

马克思美育思想初探，安员、郭声健，《中国音乐教育》1997 年第 6 期

马克思对市场经济工资运动的系统分析及其现实意义，魏民，《中共浙江省委党校学报》1997 年第 1 期

1998 年

马克思美学的现象学解读，戴茂堂，《湖北大学学报》（哲学社会科学版）1998 年第 1 期

当代资本主义社会阶级结构的变化与《共产党宣言》，孟全生，《当代世界与社会主义》1998 年第 1 期

写在《宣言》发表 150 周年之际，顾海民，《高校理论战线》1998 年第 4 期

唤醒世界的伟大"幽灵"——纪念《共产党宣言》问世一百五十周年，李润海，《高校理论战线》1998 年第 2 期

关于马克思人类社会发展规律原理原委的探析，张昭梅，《甘肃社会科学》1998 年第 2 期

《资本论》与社会主义市场经济，王儒化，《改革与理论》1998 年第 2 期

马克思论市场与市场开拓，黄瑾，《福建师范大学学报》（哲学社会科学版）1998 年第 4 期

每个人的自由发展是一切人的自由发展的条件——纪念《共产党宣言》发表 150 周年，胡文建，《当代世界社会主义问题》1998 年第 2 期

道德的自律与他律——马恩与康德的两种不同的道德自律观，王淑芹，《道德与文明》1998 年第 4 期

也谈经济危机的作用——重读《共产党宣言》兼与王建民同志商榷，檀雪菲、赵湘江，《当代世界与社会主义》1998 年第 2 期

一八四八年二月的《共产党宣言》——有关印刷史和流传情况的新研究成果，沃尔夫冈·麦泽尔著，佐海娴译，《当代世界与社会主义》1998 年第 2 期

阶级和阶级斗争是《共产党宣言》中的一个基本原理，李延明，《当代思潮》1998 年第 4 期

我的政治经济学研究对象观——关于《资本论》的研究对象的研究之三，奚兆永，《当代经济研究》1998 年第 6 期

关于《资本论》第三册主要手稿写作顺序的新老观点综述，卢晓萍，《当代经济研究》1998 年第 6 期

《资本论》与东南亚金融危机，崔向阳，《当代经济研究》1998 年第 6 期

究竟如何理解马克思所说的"生产方式"——关于《资本论》的研究对象的研究之一，奚兆永，《当代经济研究》1998 年第 4 期

社会主义意义的市场经济对资本主义市场经济之比较优势——马克思《政治经济学批判》导言关于

产品社会运动"中间环节"理论的社会主义运用，罗郁聪，《当代经济研究》1998年第2期

马克思恩格斯资本市场理论及我国资本市场的发展，纪尽善，《当代经济研究》1998年第2期

再论汉译马克思著作中的"城市化"一词系误译，陈光庭，《城市问题》1998年第5期

历史观和价值观在《共产党宣言》中的统一，彭穗宁，《理论与改革》1998年第3期

马克思恩格斯设想的公有制及其实现形式的启示，王国清，《理论与改革》1998年第2期

《共产党宣言》是怎样论述资本主义和社会主义的——兼论当代资本主义的新变化和社会主义的发展前景，周治滨，《理论与改革》1998年第2期

社会主义：150年的回顾与思考——纪念《共产党宣言》发表150周年，王诚安，《理论导刊》1998年第4期

马克思恩格斯在世时《共产党宣言》传播情况，张光明、李锁贵，《历史教学》1998年第9期

马克思技术哲学思想探析，李三虎，《科学技术与辩证法》1998年第1期

马列主义经典作家关于小生产个体经济理论的发展，尹世洪，《江西社会科学》1998年第11期

论《共产党宣言》基本思想的现实意义，汤水清，《江西社会科学》1998年第7期

《共产党宣言》的当代价值，陈先达，《教学与研究》1998年第2期

马克思恩格斯论犯罪概念，高格，《吉林大学社会科学学报》1998年第1期

马克思的自然力理论及其启迪——读《资本论》及其手稿的笔记，李成勋，《经济研究》1998年第7期

马克思两种权力学说与财政分配，王国清，《经济学家》1998年第4期

价值概念——费用与效用关系的重新研究——兼评胡义成先生"综合价值论"及其对马克思恩格斯原著的严重曲解，田本国、姜启渭，《经济评论》1998年第4期

马克思恩格斯的股份制思想及其启示，叶建新、牛福增，《经济经纬》1998年第2期

马克思的发展理论与主体素质的建构，韩成，《江海学刊》1998年第3期

现实的个人：历史唯物主义的开端——论施蒂纳哲学对马克思创立唯物史观的影响，谭培文，《江海学刊》1998年第2期

马克思恩格斯美学中的现实主义艺术精神，董中锋，《华中师范大学学报》（人文社会科学版）1998年第3期

论马克思关于社会认识对象的本体特征，刘远传，《华中师范大学学报》（人文社会科学版）1998年第1期

《家庭、私有制和国家的起源》新译本献疑，李长林，《湖南师范大学社会科学学报》1998年第5期

需要的平面化及其消除——马克思关于需要异化的理论，李文阁、赵勇，《求是学刊》1998年第2期

技术：人与自然的中介——马克思和恩格斯对技术的本质和功能的哲学思考，郝海燕，《齐鲁学刊》1998年第3期

论马克思的世界历史理论及其现实意义，郑吉伟，《内蒙古社会科学》（汉文版）1998年第1期

我们坚持的是发展的马克思主义——纪念马克思诞辰180周年和《共产党宣言》发表150周年，浩斯、刘欣，《内蒙古大学学报》（人文社会科学版）1998年第3期

对马克思"跨越卡夫丁峡谷"设想研究的几点思考，姚亚平，《南昌大学学报》（社会科学版）1998年第4期

推动社会主义发展的动力是合力——恩格斯晚年书信的启示，陈立旭，《南昌大学学报》（社会科学版）1998年第1期

马克思论音乐，蔡德予，《音乐研究》1998年第4期

恩格斯晚年的构想与建设有中国特色社会主义，万军，《毛泽东思想研究》1998年第1期

当代国外《共产党宣言》研究综述，闫月梅，《马克思主义与现实》1998年第3期

《共产党宣言》与中国的三次结合，罗燕明，《马克思主义与现实》1998年第2期

为弘扬《共产党宣言》尽一份力，胡文建，《马克思主义与现实》1998年第2期

马克思主义是颠扑不破的真理——纪念《共产党宣言》发表150周年，韦建桦，《马克思主义与现实》1998年第2期

贯穿《宣言》的基本思想，哥特弗里德·施蒂勒著，鲁路译，《马克思主义与现实》1998年第1期

马克思股份资本理论及其现实性，李其庆，《马克思主义与现实》1998年第1期

马克思在唯物史观形成过程中对利益问题的探索，马春骐、董翔薇，《理论探讨》1998年第2期

真理的光辉是永存的——纪念《共产党宣言》发表150周年，焦益众，《理论探讨》1998年第2期

从马克思"世界历史"理论看我国社会主义的发展，郑健蓉、吴文新，《理论探索》1998 年第 6 期

高举科学理论旗帜　走社会发展必由之路——纪念《共产党宣言》发表 150 周年，曹长盛，《中国特色社会主义研究》1998 年第 2 期

论马克思恩格斯无产阶级国家政体理论，金太军，《社会主义研究》1998 年第 4 期

马克思论人的科学方法研究，谭培文，《社会科学战线》1998 年第 2 期

关于马克思世界历史理论研究中的两个问题——兼论马克思对"西方中心论"的批判，叶险明，《社会科学研究》1998 年第 1 期

需要即人的本性——对马克思需要理论的解读，李文阁，《社会科学》1998 年第 5 期

生活的实践高于书本的公式——马克思"苦恼的疑问"的启示，江丹林、梁正康，《社会科学》1998 年第 4 期

对马克思恩格斯"跨越"设想问题的再认识，陈海燕、王韶兴，《山东大学学报》（社会科学版）1998 年第 1 期

马克思等经典作家政治革命观的重新理解，张福记，《山东师范大学学报》（社会科学版）1998 年第 4 期

恩格斯与马克思的东方社会理论——恩格斯晚年对东方社会问题的思考及其意义，傅永军，《山东师范大学学报》（社会科学版）1998 年第 1 期

论马克思、恩格斯文艺论述的体系问题，李跃红，《四川师范大学学报》（哲学社会科学版）1998 年第 1 期

《共产党宣言》和现实中国的社会主义实践，王兆铮，《求实》1998 年第 2 期

马克思辩证法的时代内涵，林艳梅，《求是学刊》1998 年第 3 期

论马克思晚年转向人类学研究的原因和目的，周世兴，《西北师大学报》（社会科学版）1998 年第 4 期

论马克思恩格斯的语言艺术观，丁云亮，《义艺理论与批评》1998 年第 4 期

马克思、恩格斯关于民族问题的著作概述，华辛芝，《世界民族》1998 年第 2 期

马克思若干商业理论的辩证关系，吕庆华，《山西财经大学学报》1998 年第 2 期

马克思恩格斯到列宁：无产阶级世界革命战略的演变，李春放，《探索》1998 年第 6 期

写在人类精神中的《宣言》——《共产党宣言》的理想、力量和眼界，李国军，《探索》1998

年第 3 期

面对自然界的"报复"——恩格斯关于人与自然关系思想探究，徐民华，《马克思主义研究》1998 年第 6 期

《共产党宣言》与邓小平所有制理论的建立，蒋菊琴、董显堂，《马克思主义研究》1998 年第 6 期

私有财产与异化现象的关系——对马克思早期关注问题的辨析，魏小萍，《马克思主义研究》1998 年第 5 期

工人阶级解放的伟大旗帜，王正萍，《马克思主义研究》1998 年第 5 期

《共产党宣言》的科学方法论与今日改革实践，刘书林，《马克思主义研究》1998 年第 4 期

马克思的产权理论论纲，杨秋宝，《马克思主义研究》1998 年第 3 期

马克思论股份制——读书笔记，周宁，《马克思主义研究》1998 年第 2 期

马克思历史理论中的主体和客体——对历史唯物主义的一种理解，张一兵、杨建平，《马克思主义研究》1998 年第 1 期

《共产党宣言》永远指引着我们，马鋆伯，《马克思主义研究》1998 年第 1 期

对马克思恩格斯"消灭私有制"思想的再认识，王学东，《中国特色社会主义研究》1998 年第 3 期

马克思论科学在生产中的应用，陈筠泉，《哲学研究》1998 年第 4 期

马克思的"市民社会"思想新思考，王兆良，《哲学动态》1998 年第 7 期

对马克思、恩格斯商品生产理论的再探析，卫兴华，《中国社会科学》1998 年第 2 期

费希特与马克思的实践唯物主义，张荣、李喜英，《中国人民大学学报》1998 年第 2 期

经典作家若干影响深远的基本观点，胡家勇，《中南财经大学学报》1998 年第 2 期

马克思、恩格斯人权思想研究，万其刚，《政法论坛》1998 年第 4 期

新世界观的崛起：马克思的实践人学理论，万光侠，《烟台大学学报》（哲学社会科学版）1998 年第 3 期

马克思恩格斯的传统观与文学史观念，姚文放，《云南社会科学》1998 年第 1 期

马克思关于精神生产是社会生产一部分的基本思想，蒋斌、郑毅，《学术研究》1998 年第 11 期

马克思恩格斯悲剧理论新探，李益荪，《西南民族学院学报》（哲学社会科学版）1998 年第 1 期

历史中的两种次序与马克思晚

年设想的思维框架，刘忠世，《现代哲学》1998 年第 1 期

如何理解马克思提出的"信用制度的二重性质"，邱德生，《东岳论丛》1998 年第 4 期

研究马克思在《资本论》中阐明的价值规律理论对发展我国国有工业企业商品生产的作用，宋涛，《东南学术》1998 年第 3 期

从《共产党宣言》中得到的几点启示，任从辉、金正一，《东疆学刊》1998 年第 3 期

150 年大飞跃：从《共产党宣言》到"新世纪宣言"，于海君，《东疆学刊》1998 年第 3 期

脚踏实地地为远大理想奋斗——纪念《共产党宣言》发表一百五十周年，王兆铮，《党政干部学刊》1998 年第 2 期

论科学技术是第一生产力思想的基石——马克思科学是生产力思想新探，杨明刚，《常州工学院学报》1998 年第 3 期

马克思恩格斯的股份制基本理论探讨，唐青阳，《重庆师院学报》（哲学社会科学版）1998 年第 2 期

自然唯物主义、人本学唯物主义与社会唯物主义——《神圣家族》的哲学解读，张一兵，《长白学刊》1998 年第 4 期

《共产党宣言》1882 年俄文版序言研究，宋泽滨、齐爱兰，《北京科技大学学报》（社会科学版）1998 年第 3 期

"人类学笔记"称谓质疑——兼论马克思晚年笔记的思想主旨和理论空间，许春华、蒋树屏，《北方论丛》1998 年第 4 期

论《共产党宣言》的基本思想与邓小平理论——纪念《共产党宣言》发表 150 周年，余少波、王雁菊、马云鹏，《北方工业大学学报》1998 年第 4 期

《共产党宣言》的人学视野与旨归，陈立新、王义德，《安徽师范大学学报》（人文社会科学版）1998 年第 1 期

浅析恩格斯晚年对议会斗争的论述，黄洪雷，《安徽农业大学学报》（社会科学版）1998 年第 4 期

《家庭、私有制和国家的起源》是恩格斯晚年一部重要的独立著作，陈克进，《中央民族大学学报》（哲学社会科学版）1998 年第 1 期

马克思哲学与后现代主义，杨耕、张立波，《哲学研究》1998 年第 9 期

马克思论精神生产力与物质生产力，马仲良、韩长霞，《哲学研究》1998 年第 8 期

关于马克思哲学与费尔巴哈哲学关系的反思，常守柱，《淮北煤炭师范学院学报》（哲学社会科学版）1998 年第 2 期

马克思恩格斯对蒲鲁东诡辩论的批判，杜国辉，《贵州师范大学学报》（社会科学版）1998年第2期

论道德建设的现实基础——马克思对哲学道德化诘难的科学意蕴，谭培文，《广西师范大学学报》（哲学社会科学版）1998年第3期

日本学术界近年来研究《资本论》及其手稿的概况，刘焱，《国外理论动态》1998年第11期

关于《共产党宣言》最初版本研究的新成果，周亮勋，《国外理论动态》1998年第5期

论马克思人的全面发展理论，周国琴，《高等函授学报》（哲学社会科学版）1998年第3期

试论马克思恩格斯的人权观，钟瑞添，《桂海论丛》1998年第4期

《共产党宣言》——一部解放和发展生产力的宣言，黄新跃，《桂海论丛》1998年第4期

马克思视野中的社会过程理论及其对东方社会的方法论意义，江丹林，《广东社会科学》1998年第3期

谁的"思维着的新世界观"？——评丛大川先生的《1844年经济学哲学手稿》研究，张亮，《福建论坛》（文史哲版）1998年第4期

国际共产主义运动的不朽文献——《共产党宣言》——纪念《共产党宣言》发表150周年，郭三清，《四川师范学院学报》（哲学社会科学版）1998年第1期

创造性——马克思主义生命力之所在——纪念《共产党宣言》发表150周年，陈尹士，《党政干部论坛》1998年第3期

马克思实践观形成新论，原方，《晋阳学刊》1998年第5期

从马克思恩格斯基本观点看可持续发展，王传利，《济宁师专学报》1998年第4期

《共产党宣言》和二十世纪中国的历史巨变，陈文源，《江南学院学报》1998年第3期

马克思公有制理论与社会主义实践的科学结论，王其龙，《军队政工理论研究》1998年第1期

浅析马克思《关于费尔巴哈的提纲》一书中的实践观，沈佳强，《浙江海洋学院学报》（人文科学版）1998年第4期

马克思的英名和事业永存人间——纪念马克思诞辰180周年，吴雄丞，《湖湘论坛》1998年第5期

从生态学看马克思的自然观，［美］约翰·克拉克著，黄炎平译，《湖南商学院学报》1998年第5期

略论马克思《关于费尔巴哈的提纲》的基本问题和理论框架，马拥军，《华侨大学学报》（哲学社会科学版）1998年第2期

如何理解马克思观察世界的宽广眼界，杨志，《河南社会科学》1998年第1期

国情·宪法·《资本论》——《〈资本论〉教学与研究纲要》序，周守正、许兴亚，《河南大学学报》（社会科学版）1998年第1期

《资本论》中的经济效益理论的启示，徐文燕，《黑龙江财专学报》1998年第4期

异化概念与马克思经济学批判初始方法论的形成，冯锋、陶传增，《合肥工业大学学报》（社会科学版）1998年第3期

马克思人学理论的价值视界，袁祖社，《河北学刊》1998年第5期

马克思恩格斯关于未来社会发展阶段理论与苏联东欧巨变及启示，王志林，《湖北师范学院学报》（哲学社会科学版）1998年第2期

论《共产党宣言》的历史地位——为这部划时代著作发表150周年而作，李靖宇，《辽宁师范大学学报》（社会科学版）1998年第1期

略论《共产党宣言》中的人学思想，曹亚雄、周先荣，《理论月刊》1998年第1期

继承马克思超越马克思——我对"主客体关系学"的几点看法，高放，《理论前沿》1998年第22期

马克思恩格斯为何没写专门人权文章，魏汉章、丁爱玲，《理论前沿》1998年第18期

不断开拓马克思主义的新境界——在纪念《共产党宣言》发表150周年座谈会上的讲话，郑必坚，《理论前沿》1998年第8期

马克思关于股份制的重要思想，董耀鹏，《理论界》1998年第3期

对马克思关于人的本质思想的再认识，潘科，《理论观察》1998年第5期

论马克思、恩格斯关于未来理想社会新人的基本思想——读解马克思、恩格斯的《德意志意识形态》与《资本论》等经典著作，杨兆山，《理论观察》1998年第4期

马克思的英名和事业永存人间——纪念马克思诞辰180周年，吴雄丞，《科学社会主义》1998年第3期

《共产党宣言》的历史地位和现实意义，郭建平，《科学社会主义》1998年第2期

《共产党宣言》的基本原理与当今世界的现实，张中云，《科学社会主义》1998年第2期

重温《宣言》，再论共产主义理想，张式谷，《科学社会主义》1998年第2期

《共产党宣言》和建设有中国特色的社会主义，赵曜，《科学社会主义》1998年第2期

学习《宣言》，坚定信念，努

力实践十五大的战略部署——在纪念《共产党宣言》发表一百五十周年研讨会上的讲话，江流,《科学社会主义》1998年第2期

全面把握《宣言》的基本思想 坚持和发展马克思主义，李兴耕,《科学社会主义》1998年第1期

"两个必然"的思想永放光芒，徐崇温,《科学社会主义》1998年第1期

论知识社会——纪念《共产党宣言》发表150周年，张守一,《开发研究》1998年第3期

坚持党的工人阶级先锋队性质，是党建永恒的主题——纪念《共产党宣言》发表150周年，黄淑珍,《天津外国语学院学报》1998年第2期

全面理解马克思的劳动价值理论，刘冠军,《天津师范大学学报》（社会科学版）1998年第1期

马克思主义经典文献被引分析，白崇远,《泰安师专学报》1998年第2期

马克思东方社会理论的逻辑依据——兼论邓小平的理论贡献，宋培基,《绍兴文理学院学报》1998年第4期

从《1844年经济学哲学手稿》看青年马克思的伦理思想，姜迎春,《绍兴文理学院学报》1998年第3期

马克思主义强大的生命力永恒——纪念《共产党宣言》发表150周年，许国生、高健生,《山西老年》1998年第11期

浅析马克思恩格斯关于1848年德国革命任务的论述，张淑钏,《山西高等学校社会科学学报》1998年第5期

富之源与社会主义理想——《哥达纲领批判》读后感，刘向先、李文清,《山西高等学校社会科学学报》1998年第2期

论作为哲学范畴的市场经济——马克思市场经济理论的当代沉思，孙承叔,《学术界》1998年第3期

论马克思哲学的本质，俞吾金,《学术界》1998年第1期

对马克思社会形态理论的再认识，任春晓、任映红,《上饶师范学院学报》1998年第2期

科学社会主义理论在实践中发展——纪念《共产党宣言》发表150周年，廖开顺,《三明高等专科学校学报》1998年第S3期

要有"使用实践力量的人"——《神圣家族》的特殊贡献，赵民,《社科纵横》1998年第4期

消灭私有制的理性光辉不灭——纪念《共产党宣言》发表一百五十周年，乔耀章,《学术季刊》

1998 年第 2 期

论马克思主义的历史命运——纪念《共产党宣言》发表 150 周年，周树志，《山东社会科学》1998 年第 4 期

马克思的人学研究方法及其当代价值，王勤，《求索》1998 年第 1 期

马克思恩格斯民族理论的创立，阿拉塔高娃，《前沿》1998 年第 7 期

恩格斯从未提出社会主义社会存在集体所有制的设想，王元璋，《培训与研究：湖北教育学院学报》1998 年第 2 期

马克思"跨越论"的深厚底蕴与社会主义初级阶段理论，韩向民，《南京社会科学》1998 年第 11 期

试论马克思恩格斯的自然观及其与当代生态学思路的一致性——从生态学马克思主义的诘难谈起，于世刚、孙洪梅，《延边大学学报》（社会科学版）1998 年第 3 期

马克思、恩格斯"两个必然"结论新解——纪念《共产党宣言》发表 150 周年，孙宝林，《延边大学学报》（社会科学版）1998 年第 3 期

马克思的世界历史思想及其意义，黄维民，《西藏民族学院学报》（哲学社会科学版）1998 年第 4 期

艰苦奋斗乃人生第一需要——从马克思的劳动价值观看人生实践的本质意义，武模桥、郑廷坤，《学习论坛》1998 年第 5 期

马克思关于"美的规律"的客观性（上）——对一个老是论误了的问题的驳正，曾簇林，《湘潭大学社会科学学报》1998 年第 4 期

马克思关于"美的规律"的客观性（下）——对一个老是论误了的问题的驳正，曾簇林，《湘潭大学社会科学学报》1998 年第 5 期

内在于唯物史观的马克思主义文化观——写于《共产党宣言》发表 150 周年，谢龙，《新视野》1998 年第 5 期

论马克思人的全面发展理论，倪志娟，《孝感学院学报》1998 年第 3 期

《博士论文》：马克思矛盾范畴理论的雏形，徐赟，《孝感学院学报》1998 年第 1 期

《共产党宣言》与现时代，陈先达，《武汉大学学报》（人文社会科学版）1998 年第 2 期

辩证看待资本主义基本矛盾的运动——纪念《共产党宣言》发表 150 周年，王庆五，《唯实》1998 年第 4 期

论《德意志意识形态》中的"交往形式"范畴，应云进，《浙江师大学报》（社会科学版）1998 年第 2 期

论马克思的"卡夫丁峡谷"说，胡文政，《中国青年政治学院学

报》1998 年第 1 期

马克思的英名和事业永存人间——纪念马克思诞辰一百八十周年，吴雄丞，《真理的追求》1998 年第 7 期

阶级和阶级斗争是《共产党宣言》中的一个基本原理，李延明，《真理的追求》1998 年第 6 期

"魔化"、"神化"都无损于科学的真理——为马克思诞辰一百八十周年而作，许征帆，《真理的追求》1998 年第 6 期

从两种制度的建立发展过程看"两个必然"的历史发展趋势——纪念《共产党宣言》发表 150 周年，程林胜，《真理的追求》1998 年第 2 期

马克思恩格斯交互主体思想初探，周宏，《湛江师范学院学报》(社会科学版) 1998 年第 3 期

一座耸立于人类认识史上的丰碑——读恩格斯《自然辩证法·导言》及《〈反杜林论〉旧序》，王传利，《中国海洋大学学报》(社会科学版) 1998 年第 2 期

为绝大多数人谋利益——纪念《共产党宣言》发表 150 周年，邹积贵，《中国海洋大学学报》(社会科学版) 1998 年第 2 期

"两个必然"依然闪耀着真理的光辉——纪念《共产党宣言》发表 150 周年，闫红卫，《政法论丛》

1998 年第 3 期

马克思历史主体思想初探，吴爱民、寇东亮，《延安大学学报》(哲学社会科学版) 1998 年第 2 期

马克思恩格斯关于不大发达国家首先开始革命的思想，李心华、姜建英，《烟台师范学院学报》(哲学社会科学版) 1998 年第 3 期

马克思非资本主义道路设想论可以休矣——与孙宝林同志商榷，徐久刚，《延边大学学报》(社会科学版) 1998 年第 3 期

要像马克思那样思考问题，刘立范，《胜利油田党校学报》1998 年第 4 期

《共产党宣言》诞生记，萧体焕，《人民论坛》1998 年第 2 期

人文形态初论——马克思社会形态理论新解，周民锋，《华东理工大学学报》(社会科学版) 1998 年第 2 期

关于马克思恩格斯排斥未来社会中商品经济范畴的评析，甄宇，《北京人民警察学院学报》1998 年第 2 期

共产党人理论原理的强大生命力——纪念《共产党宣言》发表 150 周年，周尚文，《华东师范大学学报》(哲学社会科学版) 1998 年第 2 期

也谈《德意志意识形态》中"交往"范畴，张秀琴，《阜阳师范

学院学报》（社会科学版）1998 年第 4 期

马克思主义生命力在于理论与实践相结合——纪念《共产党宣言》发表一百五十周年，张秀金、宋乐恒，《党史博采》1998 年第 2 期

恩格斯《在马克思墓前的讲话》导读，董德刚，《理论学习》1998 年第 8 期

"真实的集体"——《德意志意识形态》中一个重要伦理思想探析，赵天谋，《南京政治学院学报》1998 年第 3 期

如何认识社会主义必然替代资本主义？——纪念《共产党宣言》发表 150 周年，孔寒冰，《国际政治研究》1998 年第 4 期

马克思关于"自然是人的无机的身体"之命题，J.克拉克著，黄炎平译，《世界哲学》1998 年第 4 期

马克思与哲学——四个基本模式，[日]田畑稔著，刘奔译，《世界哲学》1998 年第 1 期

对马克思人类解放历史进程学说的再认识，刘德厚，《武汉大学学报》（哲学社会科学版）1998 年第 6 期

灰烬中的火凤凰还是无救的寒号鸟——写在《共产党宣言》发表 150 周年，秦晖，《北京文学》（精彩阅读）1998 年第 10 期

《共产党宣言》无从动摇的原则　生气勃勃的当代中国社会主义实践，王兆铮，《民主》1998 年第 2 期

用科学的态度对待《宣言》——纪念《共产党宣言》发表 150 周年，顾锦屏，《北京观察》1998 年第 8 期

光辉的文献永恒的丰碑——纪念《共产党宣言》发表 150 周年，普布次仁，《西藏发展论坛》1998 年第 1 期

《共产党宣言》和建设有中国特色的社会主义，赵曜，《理论视野》1998 年第 3 期

光辉的旗帜发展的科学——纪念马克思诞辰 180 周年，李墨卿、孙剑华，《北京航空航天大学学报》（社会科学版）1998 年第 1 期

《共产党宣言》在中国的传播，庞培法、丁桂田，《胜利油田职工大学学报》1998 年第 3 期

高放教授说：《共产党宣言》反复学习，大有裨益，高放，《政工研究动态》1998 年第 20 期

1999 年

论马克思对蒲鲁东政治经济学的批判，朱进东，《江苏社会科学》1999 年第 1 期

马克思社会主义劳动就业思想

述论，陈少晖，《当代经济研究》1999 年第 2 期

马克思的所有权理论，李石泉，《财经研究》1999 年第 8 期

一部令人耳目一新的研究马克思、恩格斯经济思想的专著——评王元璋教授的《马克思、恩格斯经济发展思想导论》，秦春花，《经济评论》1999 年第 2 期

从对所有制认识的深化看中国特色社会主义理论对《共产党宣言》的发展，段维，《华中师范大学学报》（人文社会科学版）1999 年第 3 期

马克思恩格斯对"和平发展理论"的探索，丁元，《河南师范大学学报》（哲学社会科学版）1999 年第 3 期

从世界观、方法论高度把握"两个必然"的结论，赵汇，《高校理论战线》1999 年第 6 期

马克思科学的异化批判理论，李庆钧，《高校理论战线》1999 年第 5 期

马克思恩格斯的文学批评方法与文学传统，姚文放，《甘肃社会科学》1999 年第 1 期

农村公社在社会发展中的作用——马克思和恩格斯关于农村公社的论述，陈其人，《复旦学报》（社会科学版）1999 年第 6 期

《资本论》中的消费发展理论与现代中国的经济增长，任天飞、肖彦花，《当代经济研究》1999 年第 6 期

马克思关于生产方式一般的基本理论——马克思的生产方式理论研究之一，于金富，《当代经济研究》1999 年第 3 期

马克思对资本主义生产方式的典型分析——马克思的生产方式理论研究之二，于金富，《当代经济研究》1999 年第 4 期

马克思关于社会主义生产方式的基本观点——马克思的生产方式理论研究之三，于金富，《当代经济研究》1999 年第 5 期

《资本论》第三卷马克思手稿的发表再度引发争论，卢晓萍，《当代经济研究》1999 年第 3 期

关于马克思劳动力价值与价格关系理论的探讨，刘家珉，《人文杂志》1999 年第 3 期

析马克思运用世界历史思想对东方社会发展道路的探索及其现实意义，高莉娟，《求实》1999 年第 10 期

马克思恩格斯"跨越"设想与现实社会主义实践，陈海燕，《齐鲁学刊》1999 年第 1 期

"支点"与"幻梦"——对马克思恩格斯跨越观差异的认识，张志忠，《内蒙古大学学报》（人文社会科学版）1999 年第 2 期

马克思对历史过程的三种解释——兼论马克思历史理论研究中的一个基本问题，关家麟，《马克思主义与现实》1999年第6期

唯物主义的科学观点与人道主义的哲学观念——重读马克思和恩格斯的《德意志意识形态》，丛大川，《理论探讨》1999年第2期

论马克思的实践观，李万古，《理论学刊》1999年第5期

试析《关于费尔巴哈的提纲》的"新世界观"，林孟清，《江西社会科学》1999年第8期

论马、恩对社会主义社会基本特征的构想，坚毅，《江西社会科学》1999年第1期

青年马克思共产主义思想解读，焦坤、邓福庆，《教学与研究》1999年第8期

论《资本论》的市场经济理论，邓水兰，《经济评论》1999年第3期

马克思实证辩证法初探，鲁克俭，《学术研究》1999年第10期

析马克思恩格斯悲剧内在根源论，刘志友，《新疆大学学报》（哲学社会科学版）1999年第4期

"看不见的手"的否定分析——马克思实现的经济学革命之一，张志军，《西南师范大学学报》（哲学社会科学版）1999年第1期

对马克思股份制思想的研究，赵清，《武汉水利电力大学学报》（社会科学版）1999年第3期

马克思和恩格斯无神论宗教观的形成简论，王肖燕，《世界宗教研究》1999年第4期

马克思《资本主义生产以前的各种形式》考辨，何顺果，《史学理论研究》1999年第1期

马克思主义的生命力在于它的发展力——再读《共产党宣言》，李志江，《山西财经大学学报》1999年第6期

马克思晚年的探索：人类社会发展规律与各国历史发展道路问题，高飞乐，《中共福建省委党校学报》1999年第1期

马克思恩格斯关于资本主义利益关系的分析方法，彭劲松，《探索》1999年第1期

马克思的唯物史观，叶汝贤，《马克思主义研究》1999年第6期

《资本论》创作·经济学研究·"人类学笔记"——兼评马克思晚年思想研究中的一个误区，叶险明，《马克思主义研究》1999年第3期

马克思恩格斯的生态观及其当代价值，徐民华，《社会主义研究》1999年第5期

马克思恩格斯确实设想无产阶级革命将在几国同时发生——与赵易亚同志商榷，高放，《社会主义研究》1999年第2期

对马克思恩格斯关于消灭私有制理论的再认识，叶娟丽，《社会主义研究》1999年第2期

马克思的科学预见和现代科技革命的本质特征，马健、韩卫平，《北方论丛》1999年第2期

不能把思维与存在同物质与精神的关系混为一谈——二谈恩格斯提出的哲学基本问题，刘怀惠，《郑州大学学报》（哲学社会科学版）1999年第1期

马克思对人的存在的探解及其现实方法论意义——对马克思哲学思想的一种解读，关家麟，《哲学研究》1999年第10期

论马克思研究方法从思辨到实证的转向，鲁克俭，《中国人民大学学报》1999年第3期

社会发展生态向度的哲学展示——马克思恩格斯生态发展观初探，张云飞，《中国人民大学学报》1999年第2期

在探索"中国特色"中发展马克思的社会主义理论，蔡金培，《中国党政干部论坛》1999年第12期

人的历史发展的双重审视——读马克思《政治经济学批判》（1857～1858年草稿），何中华，《烟台大学学报》（哲学社会科学版）1999年第4期

从"市民社会"到唯物史观——马克思对黑格尔哲学的历史超越，王兆良、宋志华，《学术月刊》1999年第12期

道德观上的启迪与超越——试析马克思对康德伦理学价值观的扬弃，胡建，《学术月刊》1999年第8期

马恩的文艺审美本质理论试探，麦冬雯，《海南师范学院学报》（人文社会科学版）1999年第1期

马克思关于社会形态理论的思考，柴艳萍，《华北电力大学学报》（社会科学版）1999年第4期

从"原始的丰富"到"深刻的片面"——马克思人的全面发展思想研究之一，刘德兴，《河北师范大学学报》（哲学社会科学版）1999年第3期

对马克思恩格斯社会主义经济运行方式理论的再思考，张长君，《淮北煤炭师范学院学报》（哲学社会科学版）1999年第3期

马克思高利贷资本理论初探，罗郁聪、黄向阳，《淮北煤炭师范学院学报》（哲学社会科学版）1999年第1期

试论马克思的历史概念及其理论特质，钟明华，《思想理论教育导刊》1999年第10期

人的全面发展：可持续发展的最终目标——读马克思社会发展理论的思考，马晓燕，《甘肃理论学刊》1999年第5期

《资本论》中数理方法的运用，

任玉平,《广播电视大学学报》(哲学社会科学版）1999 年第 3 期

关于股份制的几个问题——怎样准确理解马克思、恩格斯关于股份制的思想,卫兴华、宫玉松,《党政干部学刊》1999 年第 8 期

马克思恩格斯关于精神生产论述的启示,陈光林,《发展论坛》1999 年第 4 期

马克思关于廉价政府的思想与我国的政治体制改革,劳苑,《东北财经大学学报》1999 年第 6 期

马克思怎样论述异化劳动与私有财产的关系,夏之放,《昌潍师专学报》1999 年第 6 期

论市场道德观的两个极端——"滑坡"与"爬坡"——正确理解马克思的历史观与道德观,朱栋梁,《长沙大学学报》1999 年第 3 期

论恩格斯晚年的革命策略思想——兼驳"和平议会主义者"论调,孔维萍,《昌吉学院学报》1999 年第 2 期

马克思的实践人道主义哲学的心路历程,丛大川,《青海社会科学》1999 年第 3 期

马克思关于人类社会阶段"跨越"发展的辩证法,李琴英,《黔东南民族师范高等专科学校学报》1999 年第 1 期

马克思恩格斯合作社思想再认识,刘国华,《中国农业大学学报》

（社会科学版）1999 年第 Z1 期

马克思真的没有使用过"资本主义"一词吗? 张一兵、汪浩斌,《南京社会科学》1999 年第 4 期

论马克思对蒲鲁东"无息信贷"理论的批判,朱进东,《南京社会科学》1999 年第 3 期

美德、公正与自由——论马克思对市场经济社会道德秩序建设问题的辩证思考及其现实意义,刘怀玉、宋月娥,《郑州经济管理干部学院学报》1999 年第 2 期

浅析马克思、恩格斯关于人的全面发展学说对实施素质教育的指导意义,成彦明,《连云港教育学院学报》1999 年第 3 期

论马克思的自由观,孟宪清、刘长飞,《临沂师范学院学报》1999 年第 2 期

列宁斯大林的概括与马克思恩格斯的本意——对人类社会历史发展规律的再认识,坚毅,《理论月刊》1999 年第 7 期

如何看待马克思恩格斯对未来社会的预测,秦刚,《理论前沿》1999 年第 22 期

批判的武器和武器的批判——纪念卡尔·马克思诞辰 180 周年,李兵、闫缨,《昆明大学学报》1999 年第 1 期

马克思的所有制理论和我国所有制结构调整,梁中堂,《晋阳学

刊》1999 年第 2 期

科学的预见精辟的分析——读恩格斯《德国战争短评》笔记，关勋夏，《军事历史研究》1999 年第 3 期

马克思恩格斯的修辞观，王洪涌，《江汉大学学报》1999 年第 5 期

全面把握和准确理解马克思论中国社会，章启辉，《湖湘论坛》1999 年第 4 期

试论马克思、恩格斯同列宁在组织制度理论上的差异，刘彦昌，《河南社会科学》1999 年第 2 期

异化观上的启迪与超越——试析马克思对卢梭"社会契约论"的扬弃，胡建，《中共浙江省委党校学报》1999 年第 2 期

让科学理论指导美国史研究——解读黄安年著《美国的崛起》中引录的马克思、恩格斯有关历史规律的论述，黄绍湘，《中国社会科学院研究生院学报》1999 年第 2 期

终极关怀观的启迪与超越——试析马克思对黑格尔"整体主义"价值观的扬弃，胡建，《浙江社会科学》1999 年第 6 期

马克思恩格斯"跨越论"思想比较，杨岭华，《淄博学院学报》（社会科学版）1999 年第 1 期

马克思恩格斯的文学理论与黑格尔的美学思想，姚文放，《扬州教育学院学报》1999 年第 2 期

青年马克思与法的历史学派，赵仲英，《学术探索》1999 年第 5 期

试论马克思恩格斯的人权观，蒋方才，《云梦学刊》1999 年第 1 期

关于马克思非资本主义道路设想——答孙宝林同志，徐久刚，《延边大学学报》（社会科学版）1999 年第 4 期

马克思恩格斯现代化思想及对中国现代化发展的指导意义，王传莺、王永贵，《行政论坛》1999 年第 1 期

俄国道路：马克思恩格斯晚年思考探本，向春阶，《湘潭大学社会科学学报》1999 年第 5 期

论马恩现实主义和魔幻现实主义的异同，马生龙，《西北大学学报》（哲学社会科学版）1999 年第 1 期

马克思恩格斯工人阶级经济斗争观初探，琢之，《西安石油学院学报》（社会科学版）1999 年第 3 期

析马克思《伦敦笔记》的理论视域，张一兵、章晓奕，《唯实》1999 年第 4 期

《1844 年经济学哲学手稿》的基本思路，夏之放，《聊城师范学院学报》（哲学社会科学版）1999 年第 6 期

马克思恩格斯关于人本质的探讨及其演变，刘培峰，《天津商学院学报》1999 年第 5 期

在机器生产的基础上能否建立共产主义社会？——经典著作中一个"疑点"的研究，杨筱刚，《天府新论》1999 年第 3 期

应深刻认识马克思关于人的全面发展理论，张爱波、王霞，《山东工业大学学报》（社会科学版）1999 年第 3 期

艺术掌握世界方式的心理内涵——马克思恩格斯的文艺心理思想初探，张怀久，《学术季刊》1999 年第 4 期

为了地球上的生命——马克思恩格斯的生态观及其当代价值，徐民华，《学术季刊》1999 年第 3 期

马克思、恩格斯论知识的价值和知识分子的属性，任钟印，《郑州铁路职业技术学院学报》1999 年第 3 期

《共产党宣言》的历史、现实和理论意义，唐梵，《重庆文理学院学报》（社会科学版）1999 年第 2 期

正确理解马克思、恩格斯、列宁关于教育的论述，萧宗六，《教育研究与实验》1999 年第 1 期

也谈马克思主义经典著作中未来社会名称的历史演变，高放，《理论视野》1999 年第 6 期

马克思、恩格斯著作中未来社会名称的历史演变，赵家祥，《理论视野》1999 年第 3 期

从《共产党宣言》到中国特色社会主义法律体系的建立，刘忠勋，《通化师范学院学报》1999 年第 3 期

论马克思主客体观的实践性原则，陈文江，《华东理工大学学报》（社会科学版）1999 年第 1 期

马克思恩格斯论党报的"党性"原则，郑祖武，《浙江传媒学院学报》1999 年第 1 期

马克思的人学思想和德育适应个体的发展，梅萍、林更茂，《青年探索》1999 年第 6 期

19 世纪 70 年代后马克思关于和平过渡理论的形成，居阅时，《华东理工大学学报》（社会科学版）1999 年第 3 期

马克思、恩格斯对鸦片战争期间中国问题的看法，董希文、董振平，《胜利油田师范专科学校学报》1999 年第 2 期

四　马克思恩格斯文献研究论文题录(2000—2007 年)

2000 年

千年马克思，张战生，《马克思主义研究》2000 年第 1 期

马克思关于人的全面发展思想及其现实意义，常辉，《安徽农业大学学报》（社会科学版）2000 年第 1 期

马克思经济理论剖析下的市场经济，徐玉生，《上海经济研究》2000 年第 12 期

浅谈马克思的世界历史思想，李楠明，《高校理论战线》2000 年第 7 期

论马克思、恩格斯的文学与政治观——兼以检视我国现当代文学，尚延龄、尚缨，《甘肃社会科学》2000 年第 1 期

指导时代潮流的巨人——纪念恩格斯诞辰一百八十周年，马蓥伯，《当代思潮》2000 年第 6 期

马克思恩格斯晚年对东方社会发展道路的探索与落后国家走向社会主义道路的实践，杨煌，《当代思潮》2000 年第 5 期

马克思恩格斯论人类与自然的物质变换规律，杨柄，《当代思潮》2000 年第 3 期

马克思"重建个人所有制"论断与我国公有制多种实现形式探讨，张燕喜，《当代经济研究》2000 年第 10 期

《资本论》与经济利益关系，洪远朋、谢虹，《当代经济研究》2000 年第 5 期

马克思恩格斯的企业兼并模式理论及其现实意义，薛有志，《当代经济研究》2000 年第 1 期

历史之谜：从一种假说到科学的嬗变——兼谈维科对马克思的影响，宇杰，《北京大学学报》（哲学社会科学版）2000 年（增刊）

马克思恩格斯的国家所有制理论与现实，薛汉伟，《北京大学学报》（哲学社会科学版）2000 年第 6 期

学习列宁攻读马克思恩格斯著作的精神和方法，魏泽焕，《理论学刊》2000 年第 5 期

马克思关于人的全面发展思想，龙鸣，《理论学刊》2000 年第 4 期

评卡尔·波普尔对马克思历史决定论的批判，商逾，《理论学刊》2000 年第 3 期

马克思恩格斯无产阶级执政党建设思想初探，李剑，《理论学刊》2000 年第 3 期

马克思的剩余价值率公式在现代经济中的适用条件，蒋南平，《理论与改革》2000 年第 5 期

马克思恩格斯对黑格尔辩证法的批判改造，刘动力，《理论导刊》2000 年第 8 期

马克思人的全面发展学说浅析，森林，《教育研究》2000 年第 3 期

北京大学共产党宣言与全球化学术研讨会召开，张正，《教学与研究》2000 年第 12 期

马克思劳动价值论含义探解，赵准，《教学与研究》2000 年第 7 期

论马克思的社会经济调节理论，成保良，《教学与研究》2000 年第 2 期

略论马克思关于金融作用于经济的理论，曾康霖，《金融研究》2000 年第 7 期

马克思劳动价值理论的研究方法——同钱伯海学人商榷劳动价值问题，王泓远，《经济学家》2000 年第 6 期

论马克思的产权理论，叶祥松，《经济经纬》2000 年第 4 期

略论马克思恩格斯文艺批评的比较方法，徐汝霖、吉琴，《江苏社会科学》2000 年第 5 期

论马克思恩格斯"跨越"设想与邓小平理论的异同，居继清，《社会主义研究》2000 年第 5 期

马克思恩格斯社会主义思想研究中的几个问题，秦刚，《社会科学研究》2000 年第 2 期

马克思恩格斯城市思想探讨，高鉴国，《山东大学学报》（社会科学版）2000 年第 3 期

马克思恩格斯"跨越"理论与当代社会主义发展，任吉刚、滕向红，《山东师范大学学报》（社会科学版）2000 年第 4 期

地理环境·人·与社会发展——《德意志意识形态》读后感，赵延新，《人文杂志》2000 年第 6 期

终极关怀观的启迪与超越——试析马克思对黑格尔"整体主义"价值观的扬弃，胡建，《人文杂志》2000 年第 3 期

计划与市场关系理论的源头——介绍恩格斯的一个观点，马传景，《求是》2000 年第 15 期

马克思的"自由人的联合体"思想新绎，郁建兴，《政治学研究》2000 年第 2 期

马克思恩格斯美育思想探寻，高明霞，《内蒙古社会科学》（汉文版）2000 年第 4 期

论马克思的研究方法和叙述方法之间的关系，俞吾金，《马克思主义与现实》2000 年第 6 期

马克思是市场社会主义者吗？——当前西方学术界关于市场社会主义的辩论中的一个问题，李春放，《马克思主义与现实》2000 年第 4 期

马克思的世界历史理论及其当代价值，葛恒云、袁吉富，《马克思主义与现实》2000 年第 2 期

人的发展：马克思的视角和方法，顾智明，《南京政治学院学报》2000 年第 3 期

利益是马克思最早发现走出唯心史观魔谷的阿莉阿德尼之线，谭培文，《学术研究》2000 年第 12 期

"马克思研究方法"探析——

兼评《马克思实证辩证法初探》，马中柱，《学术研究》2000 年第 10 期

试谈马克思、恩格斯、列宁论反腐败，陈本俊，《学术研究》2000 年第 9 期

马克思社会预见理论面临的挑战，旷三平，《学术研究》2000 年第 4 期

马克思唯物史观的两次表述及其意蕴，冯锋，《现代哲学》2000 年第 4 期

试论马克思恩格斯的社会公正观，叶志华，《现代哲学》2000 年第 2 期

论《共产党宣言》的当代意义，秦文志，《西南师范大学学报》（人文社会科学版）2000 年第 4 期

马克思的消费理论及其当代价值，黄立，《中共福建省委党校学报》2000 年第 5 期

青年马克思哲学视阈中的社会概念，张亮，《中共福建省委党校学报》2000 年第 5 期

马克思对近代中国的关注，张代春，《探索》2000 年第 3 期

马克思的交往学说及其实践意义，栾文莲，《马克思主义研究》2000 年第 5 期

马克思与"资本主义"，吴向东，《马克思主义研究》2000 年第 4 期

马克思生态学思想初探，马丽，《马克思主义研究》2000 年第 4 期

《马克思恩格斯军事理论研究》评介，夏征难，《马克思主义研究》2000 年第 3 期

论马克思晚年走向人类学的动因，吴波，《马克思主义研究》2000 年第 3 期

马克思产权观与现代产权体系的渊源，杨瑞龙、陈放鸣，《中国特色社会主义研究》2000 年第 2 期

论马克思的社会解放理论与现代民主政治的构建——兼论市场经济与民主政治的相互关系，胡承槐，《哲学研究》2000 年第 10 期

马克思和恩格斯的公平观，段忠桥，《哲学研究》2000 年第 8 期

马克思"人类解放"的价值意蕴与中国当代价值精神的定向，胡建，《哲学研究》2000 年第 5 期

马克思论"存在与时间"，邓晓芒，《哲学动态》2000 年第 6 期

从政治解放到人类解放——马克思政治思想初论，郁建兴，《中国社会科学》2000 年第 2 期

马克思哲学视界中的未来社会，旷三平，《中山大学学报》（社会科学版）2000 年第 3 期

马克思恩格斯晚年关于俄国社会发展前景问题思想之比较，朱旭红，《浙江大学学报》（人文社会科学版）2000 年第 2 期

马克思东方社会理论的方法论思想，戴世平,《云南社会科学》2000 年第 3 期

如何理解历史进程? ——兼谈对马克思"自然历史过程"思想的理解，张阳升,《学习与探索》2000 年第 2 期

论《资本论》中的经济管理理论，李军,《佛山科学技术学院学报》(社会科学版) 2000 年第 1 期

论马克思的劳动力产权理论，黄乾,《湖南社会科学》2000 年第 5 期

维柯与马克思，刘明贤,《湖南社会科学》2000 年第 5 期

在马克思的理论逻辑上历史地走入当代——《回到马克思》和马克思哲学解释的深度模式研究，胡大平,《福建论坛》(文史哲版) 2000 年第 2 期

关于马克思的"共产主义社会第一阶段"之谜，王立忠,《东岳论丛》2000 年第 2 期

马克思的自由观辨，王起奎,《东岳论丛》2000 年第 1 期

马克思的"有关论点"源于摩尔根和达尔文? 赵磊,《读书》2000 年第 4 期

马克思的启示:在哲学与经济学的结合中走向历史的深处，余源培、荆忠,《东南学术》2000 年第 5 期

论马克思的审美主体意识理论，刘伟,《大连理工大学学报》(社会科学版) 2000 年第 2 期

素质教育与马克思关于人的全面发展学说，王元娥,《滨州师专学报》2000 年第 3 期

实现马克思走向现时代——哲学走出困境的理论渊源探讨，马志生、修毅,《哈尔滨市委党校学报》2000 年第 1 期

简论马克思、恩格斯关于人物形象塑造的论述及意义，杨兴铠,《保山师专学报》2000 年第 3 期

亚资本主义形态——马克思对非欧国家资本主义形态的研究，许春华,《保定师专学报》2000 年第 1 期

马克思恩格斯文艺创作理论新探 (上)，王佑江、胡立新,《黄冈师范学院学报》2000 年第 5 期

马恩的"跨越"设想与俄国民粹派的"村社会主义" (上)，孙来斌、居继清,《黄冈师范学院学报》2000 年第 2 期

马恩的"跨越"设想与俄国民粹派的"村社会主义" (下)，居继清、孙来斌,《黄冈师范学院学报》2000 年第 4 期

文艺批评理论的卓越建树——马克思恩格斯文艺批评理论探讨，王佑江,《黄冈师范学院学报》2000 年第 1 期

论马克思恩格斯人与自然关系的思想及其当代价值，邓强，《合肥联合大学学报》2000年第4期

从道德自律看马克思主体性思想的当代伦理意义，李成旺，《河北学刊》2000年第5期

全面理解马克思关于生产力的思想，蔡函甫，《华北电力大学学报》（社会科学版）2000年第3期

试论马克思对历史本质的理解，杨宏玲、张丽玲，《河北大学成人教育学院学报》2000年第3期

马克思是在怎样的意义上使用"意识形态"概念的——评国外学者的几种解释，黄继锋，《国外理论动态》2000年第5期

论马克思未能完成《资本论》的原因，周世兴，《甘肃理论学刊》2000年第3期

理想性与现实性的高度统一——浅探马克思的理想观发展，张东林，《南京邮电学院学报》（社会科学版）2000年第3期

从《博士论文》到《德法年鉴》——马克思早期实践思想追溯，胡万钟，《宁夏社会科学》2000年第2期

《共产党宣言》中"两个必然"理论的当代理解，蒋晓凤，《洛阳师范学院学报》2000年第1期

简论马克思恩格斯关于社会主义革命重心转移的思考，陈飞、王

春梅，《临沂师范学院学报》2000年第1期

揭示社会发展规律的辩证特点——马克思东方社会理论的伟大贡献，吴灵芳，《理论前沿》2000年第11期

科学社会主义的奠基之作——纪念恩格斯的著作《社会主义从空想到科学的发展》发表120周年，赵曜，《科学社会主义》2000年第5期

指导时代潮流的巨人——纪念恩格斯诞辰一百八十周年，马蓥伯，《科学社会主义》2000年第5期

千年伟人马克思，靳辉明，《科学社会主义》2000年第1期

对阐述《法兰西内战》几个问题的看法质疑，关勋夏，《军事历史研究》2000年第1期

马克思："问题"和他的"主义"，谢菏生，《中共济南市委党校、济南市行政学院、济南市社会主义学院学报》2000年第4期

研究马克思经济学必须回到马克思，张旭，《中共济南市委党校、济南市行政学院、济南市社会主义学院学报》2000年第3期

马克思的经济学哲学双重视野及其融合，史少博，《中共济南市委党校、济南市行政学院、济南市社会主义学院学报》2000年第2期

马克思经济学体系与线索分析，

张旭、孟素琴,《中共济南市委党校、济南市行政学院、济南市社会主义学院学报》2000年第1期

马克思恩格斯艺术起源"劳动说"辩论,高玉,《华中理工大学学报》(社会科学版)2000年第2期

马克思东方社会法律文化思想的演变,夏民、甘德怀,《淮阴师范学院学报》(哲学社会科学版)2000年第3期

重读马克思——关于人的本质和人的需要的再认识,唐凯麟,《衡阳师范学院学报》2000年第2期

对人类社会的历史起点与逻辑起点的再认识——从新视角再读《德意志意识形态》,赵嵘,《武汉大学学报》(人文社会科学版)2000年第2期

早期马克思视界中的人学逻辑线索——论青年马克思对费尔巴哈人本主义逻辑的递升与超越,郝峰,《唯实》2000年第5期

也谈马克思不发表《给"祖国纪事"杂志编辑部的信》之原因,张有军、李邦来,《聊城师范学院学报》(哲学社会科学版)2000年第4期

正确理解恩格斯《劳动在从猿到人转变过程中的作用》一文的"劳动"概念,张利昌,《太原师范专科学校学报》2000年第3期

马克思:一位现代哲学家,李

文阁,《天津社会科学》2000年第4期

《哥达纲领批判》与社会主义初级阶段理论,张鸿秋,《天津职业技术师范学院学报》2000年第3期

经济危机爆发的具体原因及启示——学习马恩列斯经济危机理论的体会,丛松日,《广西师范学院学报》(哲学社会科学版)2000年第1期

论恩格斯的两种生产理论,史彦虎,《山西高等学校社会科学学报》2000年第5期

"虚假的意识"与马克思、恩格斯的意识形态概念,尹保云,《学术界》2000年第6期

论青年恩格斯科学宗教观的形成,朱传棨,《学术界》2000年第4期

实践主义:马克思哲学论,黄玉顺,《学术界》2000年第4期

马克思对经济文化落后国家经济发展问题的探索,张雷声,《学术界》2000年第2期

思维的特点与马克思的思维特色,吴晓东,《上饶师范学院学报》2000年第4期

马克思和恩格斯在俄国农村公社问题上的共同观点与不同意见,王永强,《山东工业大学学报》(社会科学版)2000年第6期

论马克思的语言风格,张克文,

《上海行政学院学报》2000 年第 2 期

马克思世界历史观的价值取向，车美萍、王彩霞，《山东行政学院、山东省经济管理干部学院学报》2000 年第 4 期

马克思恩格斯关于统一战线的主要观点，童树全，《四川统一战线》2000 年第 12 期

马克思哲学作为广义方法论，刘清纪，《青海民族学院学报》（社会科学版）2000 年第 3 期

浅析马克思的价值观，刘桂华，《青岛化工学院学报》（社会科学版）2000 年第 4 期

马克思恩格斯在《德意志意识形态》中创立唯物史观的方法论研究，李平，《培训与研究》（湖北教育学院学报）2000 年第 4 期

对《反杜林论》中世界的物质统一性证明问题的理解，孙建英，《南京理工大学学报》（社会科学版）2000 年第 5 期

马克思、恩格斯社会主义理论与现实社会主义的反差辨析，周玉红，《兰州学刊》2000 年第 4 期

正确认识"当前的运动"和"运动的未来"——学习《共产党宣言》的一点体会，迟乃坤、史建华，《北京教育》（高教版）2000 年第 4 期

试论马克思恩格斯的国家形象观，吴满意、谢海蓉，《中共成都市委党校学报》2000 年第 3 期

学学马克思恩格斯的批评方法，马进、林月朝，《延边党校学报》2000 年第 1 期

马克思用人理论研究，熊少波，《中共四川省委省级机关党校学报》2000 年第 3 期

马克思、恩格斯悲剧观念综述，黄萍，《新疆职业大学学报》2000 年第 4 期

马克思的自然观与恩格斯的自然观，费多益，《中国社会科学院研究生院学报》2000 年第 6 期

关于股份制的发展历史和马克思恩格斯的论述，卫兴华、宫玉松，《中国青年政治学院学报》2000 年第 1 期

对马克思恩格斯文艺批评思想的再认识，米学军，《周口师范高等专科学校学报》2000 年第 6 期

马克思的自我认同观与现时代，张文喜，《浙江社会科学》2000 年第 5 期

关于马克思《人类学笔记》的几点意见，姜涌，《中国海洋大学学报》（社会科学版）2000 年第 3 期

试论马克思自然理论对当代生态伦理学的启示，方盛举、李韬，《学术探索》2000 年第 3 期

也谈马克思、恩格斯关于东方社会理论及其新发展，张连英，《玉

溪师范高等专科学校学报》2000 年第 1 期

在"跨越"问题上马克思思想与恩格斯思想的比较，赵家祥，《北京行政学院学报》2000 年第 3 期

马恩的东、西方理论与建设有中国特色社会主义，侯远长，《学习论坛》2000 年第 3 期

马克思论英中鸦片贸易，郑祖铤，《湘潭大学社会科学学报》2000 年第 2 期

马克思恩格斯的资本主义观，段瑞华，《中共天津市委党校学报》2000 年第 4 期

是马恩思想转变还是转变马恩思想？——对《马恩思想中的一个重大转变》的质疑，鲁明学，《中共天津市委党校学报》2000 年第 4 期

从国家产权到社会产权——马克思恩格斯社会主义理论的一个重大转变，李惠斌，《中共天津市委党校学报》2000 年第 2 期

马列原著选读课要反映时代特征——兼谈马列原著选读课教学方法的改革，谭学峰，《通化师范学院学报》2000 年第 4 期

《资本论》中的总体观念，张康之、王作印，《马克思主义来源研究论丛》2000 年第 20 辑

2001 年

准确把握马恩著作中未来社会名称的含义，赵家祥，《北京大学学报》(哲学社会科学版) 2001 年第 1 期

论马克思、恩格斯所有制理论在中国的创新和发展，张艳、张青军，《内蒙古大学学报》(人文社会科学版) 2001 年第 1 期

马克思恩格斯的文化与文明概念考察，孙晶，《南昌大学学报》(人文社会科学版) 2001 年第 1 期

论马克思制度整体主义分析方法，刘元春，《当代经济研究》2001 年第 6 期

马克思生产劳动范畴的两重性及其统一——兼论社会主义生产劳动，白暴力，《当代经济研究》2001 年第 5 期

中国对外开放的思想渊源——马克思的世界市场和经济全球化理论（上），颜鹏飞、刘昌明，《当代经济研究》2001 年第 3 期

中国对外开放的思想渊源——马克思的世界市场和经济全球化理论（下），颜鹏飞、刘昌明，《当代经济研究》2001 年第 4 期

《资本论》中关于市场失灵的思想初探，李郁芳，《财贸经济》2001 年第 8 期

恩格斯的"不得不"理论及其

意义，陈湘舸、包松，《财经论丛》2001 年第 5 期

世界历史、全球化和社会主义的前景——"北京大学《共产党宣言》与全球化"学术研讨会纪要，张立波，《北京大学学报》（哲学社会科学版）2001 年第 2 期

关于马克思劳动价值论的两个认识问题——与晏智杰同志商榷，易培强，《经济学动态》2001 年第 10 期

马克思主义世界观的宣言——读马克思《关于费尔巴哈的提纲》，孙晓毛，《江汉论坛》2001 年第 10 期

马克思关于人的全面发展的理论逻辑，蔡文鹏、李丽，《河南师范大学学报》（哲学社会科学版）2001 年第 1 期

马克思技术门类思想探析，李立生、梁向东，《广西民族学院学报》（哲学社会科学版）2001 年第 S2 期

论马克思的劳动力产权理论，黄乾，《甘肃社会科学》2001 年第 4 期

消灭私有制：是目的还是手段？——重析《共产党宣言》"消灭私有制"的论断，张锡恩，《当代世界社会主义问题》2001 年第 4 期

控制制高点——三论马克思恩格斯的国有制理论与现实，薛汉伟，《当代世界社会主义问题》2001 年第 4 期

恩格斯与第二国际，郭庆仕，《当代世界社会主义问题》2001 年第 2 期

马克思的马克思主义道德观的形成，金可溪，《道德与文明》2001 年第 2 期

经济全球化与道德进步——兼论马克思恩格斯的道德进步观，于树贵，《道德与文明》2001 年第 1 期

马克思恩格斯有如此"重大转变"？黄开华，《当代思潮》2001 年第 3 期

马克思恩格斯对社会形态演进的研究，项启源，《当代思潮》2001 年第 2 期

劳动价值论若干问题探讨，郭飞，《当代经济研究》2001 年第 10 期

马克思恩格斯的国际贸易政策观简析，潘悦，《当代经济研究》2001 年第 6 期

德国的国有化：否定之否定——再论马克思恩格斯的国有制理论与现实，薛汉伟，《马克思主义与现实》2001 年第 4 期

历史结构与现实结构的二重论——马克思社会结构论新探，宋一夫，《马克思主义与现实》2001 年第 3 期

略论马克思关于"人的全面发

展"学说，黄金章，《辽宁教育研究》2001年第10期

从《共产党宣言》看全球化现象，姜涌，《理论学刊》2001年第6期

马克思个人与个性理论初探，焦丽萍，《理论学刊》2001年第2期

马恩的环境意识——认识环境问题的基本途径，黄建新，《理论与改革》2001年第4期

马克思的工具理性批判思想——兼与韦伯思想的比较，陈志刚，《科学技术与辩证法》2001年第6期

恩格斯并不主张重新确立自然哲学，武高寿，《科学技术与辩证法》2001年第1期

论马克思"人本"经济思想是劳动者为本思想，林勤青，《江西社会科学》2001年第10期

"马克思主义与全球化——《德意志意识形态》的当代阐释学术研讨会"纪要，黄皖毅，《教学与研究》2001年第12期

知识价值与马克思理论的当代性，许斗斗，《教学与研究》2001年第11期

经济学关于人及其经济行为特征的分析——马克思经济学与新制度经济学的比较，胡钧、刘凤义，《教学与研究》2001年第5期

宏观调控的理论基础——马克思的均衡和非均衡理论，汤在新，《教学与研究》2001年第2期

人的全面发展理论：马克思经济学对西方经济学的超越，许崇正，《经济学动态》2001年第12期

论马克思恩格斯的过渡所有制理论，方建国，《中共福建省委党校学报》2001年第4期

马克思恩格斯关于按要素分配的思想及其启示，赵学清，《中共福建省委党校学报》2001年第2期

马克思主义研究将向更加精确和科学的方向发展——马克思恩格斯全集（DieMarx-Engels-Gesamtausgabe，"MEGA"）的研究、编辑与出版，魏小萍，《马克思主义研究》2001年第4期

马克思恩格斯公正思想初探，吴忠民，《马克思主义研究》2001年第4期

马克思经济视域中的科学伦理观，陈爱华，《马克思主义研究》2001年第2期

《资本论》也是一部经济伦理学著作，李志祥，《马克思主义研究》2001年第2期

马克思关于资本主义现代化及其发展趋势的理论初探，叶险明，《马克思主义研究》2001年第2期

是马恩思想转变还是转变马恩思想？——对李惠斌一个观点的质疑，鲁明学，《马克思主义研究》

2001 年第 1 期

论马克思恩格斯的现代化思想，王永贵，《马克思主义研究》2001 年第 1 期

马克思恩格斯言论自由观初探，侯健，《社会科学》2001 年第 11 期

论马克思建构其哲学真理性的科学视界，张玉，《社会科学辑刊》2001 年第 3 期

马克思哲学与人学的内在关联——兼论马克思人学思想的现时代价值，邹诗鹏，《社会科学辑刊》2001 年第 2 期

马克思对"人的价值"之类命题的批判，李毅嘉、秦尚海，《山东大学学报》（哲学社会科学版）2001 年第 1 期

论马克思恩格斯美育思想特质，赵利民、李孝弟，《齐鲁学刊》2001 年第 2 期

马克思恩格斯人与自然关系思想的当代意义，赵甲明，《清华大学学报》（哲学社会科学版）2001 年第 1 期

关于恩格斯社会发展的合力思想及其启示，侯衍社，《烟台大学学报》（哲学社会科学版）2001 年第 1 期

主体的颠覆：从黑格尔到马克思，张汝伦，《学术月刊》2001 年第 4 期

价值的"概念"、"决定"及

"实现"——读马克思劳动价值论的笔记，苏东斌，《学术研究》2001 年第 11 期

略论马克思关于人与自然的价值关系的思想，韩安贵，《学术研究》2001 年第 3 期

马克思哲学视界中的人，朱艳，《学术交流》2001 年第 2 期

马克思、恩格斯与社会主义法治，杜耀富，《西南民族学院学报》（哲学社会科学版）2001 年第 1 期

论马克思对世界历史意义下主体性的反思，王军，《现代哲学》2001 年第 4 期

简述恩格斯晚年的历史方法论思想，王新娟，《现代哲学》2001 年第 2 期

试论马克思对于"历史之谜"的解答，夏之放，《文史哲》2001 年第 4 期

马克思、恩格斯的科技观，罗昌宏，《武汉大学学报》（社会科学版）2001 年第 5 期

浅谈马克思、恩格斯的"世界文学"理论，涂艳蓉，《外国文学研究》2001 年第 4 期

马克思恩格斯对待未来社会的方法论思想，李忠杰，《特区理论与实践》2001 年第 10 期

关于马、恩若干重要论断的理解问题，徐博涵，《陕西师范大学学报》（哲学社会科学版）2001 年第

4 期

对马克思"资本主义"概念的再认识，张卫良、周东华，《史学理论研究》2001 年第 4 期

马克思、恩格斯的文化与文明概念考察，孙晶，《成都大学学报》（社会科学版）2001 年第 1 期

中介方法在《资本论》中的地位，李士梅，《长春市委党校学报》2001 年第 5 期

正确认识马克思、恩格斯对社会主义的构想，杨金秀、王淑莲，《长春师范学院学报》2001 年第 3 期

马克思恩格斯党内制度监督的思想及启示，吴君，《滨州师专学报》2001 年第 1 期

马克思恩格斯关于农业社会主义改造的理论及其在苏中两国的实践，黄建华，《北京航空航天大学学报》（社会科学版）2001 年第 2 期

论青年恩格斯科学宗教观的形成——纪念恩格斯诞辰 180 周年，朱传启、马云鹏，《北方工业大学学报》2001 年第 4 期

马克思的上层建筑概念：一种文本分析，胡为雄，《哲学研究》2001 年第 11 期

正确理解马克思的劳动价值论，牛变秀、王峰明，《哲学研究》2001 年第 11 期

马克思自我批判精神的深刻启示，孙麾，《哲学研究》2001 年第 11 期

评估马克思哲学当代价值面临的两个问题，田海平，《哲学动态》2001 年第 11 期

塑造和引导新的时代精神——面向新千年的马克思哲学，孙正聿，《中国社会科学》2001 年第 5 期

马克思的国家和社会理论，荣剑，《中国社会科学》2001 年第 3 期

制度整体主义与制度个体主义——马克思与新制度经济学的制度分析方法比较，林岗、刘元春，《中国人民大学学报》2001 年第 2 期

社会时空·科学技术·人的自由——从马克思的视角看，张明仓，《自然辩证法研究》2001 年第 3 期

马恩是如何看待剥削的"历史正当性"的，段忠桥，《中国党政干部论坛》2001 年第 11 期

论马克思恩格斯的悲剧冲突观，骆桂峰，《桂林航天工业高等专科学校学报》2001 年第 4 期

德福配称的价值祈向——从卢梭、康德到马克思，王永年，《福建政法管理干部学院学报》2001 年第 2 期

马克思法哲学观的形成——《黑格尔法哲学批判》与《巴黎手稿》，张学志，《四川师范学院学报》（哲学社会科学版）2001 年第 4 期

正确理解马克思恩格斯的科学社会主义理论，安增军、罗郁聪，《东南学术》2001年第6期

科学地描述和展现马克思关于劳动和劳动价值理论的发展轨迹，姜鹏武，《大连干部学刊》2001年第6期

试论马克思恩格斯的正义观，姚虹，《当代法学》2001年第10期

马克思、恩格斯技术哲学思想的学术地位和意义，牟焕森，《东北大学学报》（社会科学版）2001年第3期

论马克思恩格斯的演讲观，胡平，《大连大学学报》2001年第5期

《资本论》中的劳动价值理论，秦少伟，《重庆商学院学报》2001年第4期

马克思的实践创生自由观，贾丹、肖仲杰，《佳木斯大学社会科学学报》2001年第1期

恩格斯"以劣抗优"军事思想评介——读《波斯与中国》，赵立新，《军事历史研究》2001年第3期

"暴力是每一个孕育着新社会的旧社会的助产婆"——读恩格斯《暴力论》，关勋夏，《军事历史研究》2001年第3期

马克思提出的是"不通过"还是"跨越"资本主义的"卡夫丁峡谷"？耿百峰，《中共济南市委党校、济南市行政学院、济南市社会主义学院学报》2001年第4期

卢梭的社会发展代价思想及其对马克思恩格斯的影响，袁吉富，《中共济南市委党校、济南市行政学院、济南市社会主义学院学报》2001年第3期

从儒家、自由主义自由思想看马克思自由观的超越性，王怡心，《中共济南市委党校、济南市行政学院、济南市社会主义学院学报》2001年第1期

试论马克思的社会形态时空理论，费多益，《中共济南市委党校、济南市行政学院、济南市社会主义学院学报》2001年第1期

从商品看《资本论》中的现象—本质—现象的研究方法，赵爱玲，《晋东南师范专科学校学报》2001年第1期

交往的异化及其扬弃——对马克思社会理论的现代解读，王晓华、张建华，《华中科技大学学报》（社会科学版）2001年第4期

唯物史观的丰碑——纪念《家庭、私有制和国家的起源》（修订本）发表110周年，张齐政，《衡阳师范学院学报》2001年第5期

马克思论英殖民主义对印度的影响，李海星，《南京航空航天大学学报》（社会科学版）2001年第2期

马克思新世界观新探，黄小维，《广西社会科学》2001年第3期

马克思技术哲学思想的形成，牟焕森，《哈尔滨工业大学学报》（社会科学版）2001 年第 1 期

马克思所有制与产权理论研究，张兴茂，《河南大学学报》（社会科学版）2001 年第 4 期

马克思价值决定的基本命题分析，李仁君，《海南大学学报》（人文社会科学版）2001 年第 3 期

马克思的市场观，李庆云，《哈尔滨商业大学学报》（社会科学版）2001 年第 4 期

马克思恩格斯文艺创作理论新探（下），王佑江、胡立新，《黄冈师范学院学报》2001 年第 1 期

全球化背景下《共产党宣言》的现代意蕴，毛百战，《贵州师范大学学报》（社会科学版）2001 年第 4 期

马克思的跨越"卡夫丁峡谷"理论的现实意义，曲庆彪、鲍雪松，《辽宁师范大学学报》（社会科学版）2001 年第 5 期

马克思恩格斯人民主权思想的形成过程，张庆玲，《岭南学刊》2001 年第 1 期

马克思恩格斯对待未来社会的方法论思想，李忠杰，《理论前沿》2001 年第 17 期

马克思恩格斯的东方社会主义经济理论——"跨越论"研究的新视角，付钦太，《理论前沿》2001 年第 7 期

《共产党宣言》的价值指向，许全兴，《理论前沿》2001 年第 1 期

现实世界：马克思哲学的原点，周惠杰，《黑龙江社会科学》2001 年第 2 期

马克思主义是不断发展的学说——马克思和恩格斯对待马克思主义理论的态度，孙凤武，《黑龙江社会科学》2001 年第 1 期

"市民社会"：从黑格尔到马克思的转换，于世刚，《洛阳工学院学报》（社会科学版）2001 年第 2 期

《共产党宣言》原则的忠实实践者，史伟刚，《宁波高等专科学校学报》2001 年第 3 期

试论马克思恩格斯的社会改革观，高明强，《宁波高等专科学校学报》2001 年第 1 期

从《共产党宣言》看全球化的起步，范彩娥，《科学社会主义》2001 年第 4 期

马克思的"通过卡夫丁峡谷"用典引读——所谓的"跨越资本主义卡夫丁峡谷"不由此而来辨正兼评"跨越论"以及所谓马克思的"东方社会理论"，杨木，《开发研究》2001 年第 4 期

论马克思政治经济学的"劳动者人本"思想，林勤青，《嘉应大学学报》2001 年第 4 期

论马克思和恩格斯的经济伦理

思想，王初根，《江西师范大学学报》（哲学社会科学版）2001 年第 4 期

马克思恩格斯武器装备思想探析，冉红斌，《军事历史》2001 年第 5 期

《共产党宣言》——社会主义本质理论之源，王宵前，《江苏教育学院学报》（社会科学版）2001 年第 3 期

马克思的意识形态概念，胡辉华，《暨南学报》（哲学社会科学版）2001 年第 6 期

试论资本主义私有制的存在方式——重读马克思、恩格斯著作的一则笔记，李金亮，《暨南学报》（哲学社会科学版）2001 年第 2 期

马克思恩格斯对未来社会主义社会的设想，赵家祥，《暨南学报》（哲学社会科学版）2001 年第 1 期

马克思经济全球化思想的理论内涵与现代价值，冯继康、马跃、张琰，《山东经济》2001 年第 6 期

马克思的制度理论：技术决定论·利益冲突论·产权制度演进论，李志强，《生产力研究》2001 年第 1 期

马克思人的全面发展理论的科学涵义及其现实意义，张燕辉，《青海师范大学学报》（哲学社会科学版）2001 年第 3 期

马克思的世界历史理论与全球

化，刘明贤，《青海社会科学》2001 年第 6 期

论马克思的等劳交换——和俞宪忠先生商榷，王立忠，《前沿》2001 年第 3 期

略论马克思恩格斯的社会主义道路观及其启示，黎雪源、熊乐兰，《萍乡高等专科学校学报》2001 年第 1 期

恩格斯农业合作理论与我国农村改革，陈立旭，《中国农业大学学报》（社会科学版）2001 年第 1 期

《资本论》研究方法体系的哲学基础——行动中的唯物辩证法，吕卫东，《西北农林科技大学学报》（社会科学版）2001 年第 2 期

理论创新与制度创新——重读《共产党宣言》，岑峨，《宁波大学学报》（人文科学版）2001 年第 4 期

试论马克思恩格斯悲剧冲突论，宋小梅，《柳州职业技术学院学报》2001 年第 1 期

马克思论资本创新，颜晓峰，《龙岩师专学报》2001 年第 4 期

试析马克思"人的科学"的深刻内涵，朱康有、吴文新，《洛阳师范学院学报》2001 年第 3 期

浅析马克思的人道主义，杨丽霞，《沈阳教育学院学报》2001 年第 4 期

马克思代价思想探析，束学康，《石油大学学报》（社会科学版）

2001 年第 2 期

马克思农业集约化经营的论述与现实示范——兼述珠江三角洲率先农业现代化进程，张时、王勇，《陕西青年管理干部学院学报》2001 年第 2 期

评析"超越论"指认马克思哲学，孙荣，《实事求是》2001 年第 4 期

论恩格斯的剥削的历史正当性观点，段忠桥，《学术界》2001 年第 6 期

准确、科学、完整地理解和把握恩格斯编《资本论》第二卷的再生产理论——就几个问题与胡世祯教授商榷，詹启智，《学术界》2001 年第 2 期

试论马克思研究社会历史的整体论方法，罗锦芬，《韶关学院学报》2001 年第 7 期

"市民社会"：从黑格尔到马克思的转换，于世刚，《上饶师范学院学报》2001 年第 4 期

新唯物主义的诞生地——《关于费尔巴哈的提纲》和《德意志意识形态》研究，赵飞，《商丘师范学院学报》2001 年第 3 期

《从哲学—人学到科学共产主义》——论马克思主义创始人关于人的本质的理论及其对于科学共产主义理论的意义，高湘泽，《肇庆学院学报》2001 年第 1 期

马克思科学社会主义理论的方法论初探，马西恒，《上海行政学院学报》2001 年第 3 期

论马克思的唯物主义学说的基本特征，俞吾金，《上海行政学院学报》2001 年第 1 期

马克思的世界历史观，姜涌，《山东社会科学》2001 年第 6 期

马克思恩格斯关于历史唯物主义出发点的论述，李海青，《理论学习》2001 年第 10 期

马克思、恩格斯的科技价值观，王文明，《湘潭师范学院学报》（社会科学版）2001 年第 5 期

"两个必然"与中国之路——纪念《共产党宣言》发表 153 周年，中国共产党成立 80 周年，杨汝华，《文山师范高等专科学校学报》2001 年第 2 期

不可抗拒的社会发展总趋势——《共产党宣言》与当代资本主义内部的社会主义因素，郑艺玲，《乌鲁木齐成人教育学院学报》2001 年第 3 期

马克思"人的全面发展"与素质教育的发展趋势，陈哲，《武汉教育学院学报》2001 年第 2 期

从马恩的社会平等观谈社会主义的社会平等的实现，郭媛，《武警工程学院学报》2001 年第 1 期

论马克思的劳动力产权理论，黄乾，《天中学刊》2001 年第 1 期

马克思城市化理论探微，龚唯平，《经济前沿》2001年第7期

试论马克思的"自然历史过程"，金高品、赵任飞，《塔里木农垦大学学报》2001年第1期

完整、准确地理解马克思的所有制理论，晓亮，《天津社会科学》2001年第6期

马克思的权力诠释学及其当代意义，俞吾金，《天津社会科学》2001年第5期

马克思恩格斯的世界历史思想与邓小平的理论创新，庄福龄，《浙江学刊》2001年第2期

关于马克思资本主义理论的几点思考，张俭、胡承槐，《中共宁波市委党校学报》2001年第1期

把农户联合为合作社——马克思恩格斯论合作社，马善弓，《中国供销合作经济》2001年第4期

论马克思的社会发展观对非西方社会发展理论的超越，张玉，《学术探索》2001年第1期

重读马克思的《哥达纲领批判》，张伶俐，《榆林高等专科学校学报》2001年第1期

追寻良法的统治——马克思恩格斯论法治，朱玉苗，《宜宾师范高等专科学校学报》2001年第1期

"亚细亚生产方式"概念历史演变的考察之一，赵家祥，《北京行政学院学报》2001年第5期

"亚细亚生产方式"概念历史演变的考察之二，赵家祥，《北京行政学院学报》2001年第6期

对马克思劳动价值论的再认识，冯云、王奇英、陈延政，《行政论坛》2001年第6期

对"两个必然"历史发展趋势的再认识——学习《共产党宣言》的几点体会，雷新超，《信阳农业高等专科学校学报》2001年第1期

马克思、恩格斯是怎样看待分配问题的？——兼论现阶段我国个人收入分配原则，胡承槐，《红旗文稿》2001年第22期

重读马、恩所说的"一个幽灵……"，毛志成，《北京观察》2001年第7期

劳动和劳动价值理论研讨会观点综述，孙玉梅，《中国劳动保障》2001年第3期

究竟如何认识马恩的晚年思想？——关于《鲁文》"观点守旧"及相关问题的答复，鲁明学，《中共天津市委党校学报》2001年第2期

怎样理解马克思恩格斯思想的转变与发展——对两篇关于社会主义理论"转变"文稿的看法，高放、李放，《中共天津市委党校学报》2001年第1期

什么是马克思主义？如何学习马克思主义？——兼评高朝明主编《马克思主义经典著作导读》，高

放,《中共银川市委党校学报》2001年第4期

从马克思关于人的自由发展学说来论述大学生素质教育的价值论和方法论,陆锦冲、李文明,《宿州教育学院学报》2001年第3期

对马克思恩格斯劳动价值理论的再认识,熊光政,《中共四川省委省级机关党校学报》2001年第2期

正确理解马恩所说的"消灭私有制",晓亮,《中共贵州省委党校学报》2001年第3期

马克思恩格斯关于社会主义的基本思想,严书翰,《中共云南省委党校学报》2001年第3期

马克思的个人概念及其与个人主义的分野——兼与王晓升先生商榷,朱静,《中共浙江省委党校学报》2001年第3期

2002 年

掌握《资本论》方法,正确理解劳动价值论,李建平,《当代经济研究》2002年第1期

马克思给查苏利奇复信草稿正读——马克思"不通过资本主义制度的卡夫丁峡谷"的真正精义是"占有资本主义制度所创造的一切积极成果",杨木,《甘肃社会科学》2002年第1期

恩格斯曾是资本家吗?黄永梅,《湖南师范大学社会科学学报》2002年第1期

试论马克思的改造小农理论,韩喜平,《当代经济研究》2002年第5期

恩格斯发展马克思主义的当代意义——对两种不同类型社会主义建设道路的探索,罗郁聪、苏振富,《当代经济研究》2002年第3期

不能把马克思、恩格斯局限于

"劳动价值论"一元论——从方法论角度再论马克思、恩格斯价值理论本相及其它,胡义成,《财经问题研究》2002年第9期

《德意志意识形态》的人学理论探析,李大兴,《北京大学学报》(哲学社会科学版)2002年(增刊)

土地国有化、农业集体化、全面国有化——四论马克思恩格斯的国有制理论与现实,薛汉伟,《北京大学学报》(哲学社会科学版)2002年第5期

在批判中诠释公平——马克思、恩格斯公平观探析,龚长宇,《湖南师范大学社会科学学报》2002年第5期

恩格斯晚年对社会主义的再认识,刘思仓,《河南师范大学学报》(哲学社会科学版)2002年第5期

马克思的思想给素质教育提供

的启示，张楚廷，《高等教育研究》2002年第3期

"价值……是从人们对待满足他们需要的外界物的关系中产生的"吗？——读马克思的《评阿·瓦格纳的"政治经济学教科书"》及相关论著，朱平，《高校理论战线》2002年第12期

论马克思恩格斯自然观的生态维度，李昭新，《甘肃社会科学》2002年第5期

马克思、恩格斯对资产阶级人权观的批判和改造，贾伟，《福建论坛》（经济社会版）2002年第2期

劳动与交往——马克思交往理论探析，聂沉香，《湖南经济》2002年第4期

国有制理论：斯大林对马克思的修正——五论马克思恩格斯的国有制理论与现实，薛汉伟，《当代世界社会主义问题》2002年第4期

传统东方法律文化的价值取向——马克思的理论分析，公丕祥，《法律科学》（西北政法学院学报）2002年第1期

马克思恩格斯晚年对未来社会主义的再思考，钟一言，《党建》2002年第4期

马克思恩格斯晚年对资本主义的新认识，杨金海，《党建》2002年第3期

马克思恩格斯关于东方社会发展道路的探索，钟一言，《党建》2002年第2期

《资本论》环境伦理思想探解，宋周尧，《道德与文明》2002年第6期

马克思主义经典作家笔下的股份公司——学习马克思、恩格斯论股份公司的读书笔记，梁亚军、王传洋、王秀国、梁开业，《当代世界与社会主义》2002年第2期

《马克思恩格斯政治学说研究》出版，吴波，《当代思潮》2002年第2期

马克思的生产社会化理论研究，邱海平，《当代经济研究》2002年第7期

论恩格斯晚年对唯物史观理论的新贡献，吴元梁，《南京政治学院学报》2002年第2期

重新认识马克思的资本主义理论——马克思的资本主义理论研究述评，彭俊平，《理论探讨》2002年第3期

解读全球化与社会主义问题的一把理论钥匙——马克思恩格斯的全球化思想及其时代价值，王永贵、范桂萍，《理论探讨》2002年第3期

马克思社会主义本质理论的当代思考，布成良，《理论探讨》2002年第2期

论马克思恩格斯的艺术起源史观，张达，《理论学刊》2002年第

6 期

简论马克思学说的科学贡献——对"世纪疑案"一文的质疑，陈乃圣、陈明，《理论学刊》2002 年第 6 期

是"历史的空缺"还是空缺的历史？——对马克思恩格斯关于向社会主义过渡思想的经济辩说，方建国,《理论学刊》2002 年第 2 期

论马克思恩格斯党内制度监督思想，孟凡强、吴君,《理论学刊》2002 年第 2 期

马克思关于经济波动与金融波动的理论及其启示，张红伟,《理论与改革》2002 年第 5 期

怎样认识马克思关于殖民主义的"双重使命"论，林华国,《历史教学》2002 年第 3 期

马克思恩格斯论司法独立，胡玉鸿,《法学研究》2002 年第 1 期

正确理解马克思"卡夫丁峡谷"的设想及其现实意义，刘建其,《江西社会科学》2002 年第 7 期

马克思关于资本的伦理价值辩证，黄明理,《教学与研究》2002 年第 1 期

马克思与全球化，张宇,《教学与研究》2002 年第 1 期

经济全球化：马克思经济理论视角探析，朱俊立,《经济问题探索》2002 年第 1 期

辨正马克思的社会主义观，智效和,《经济科学》2002 年第 4 期

马克思国际价值理论：深化认识与实践应用，赵楠,《经济经纬》2002 年第 4 期

"重建个人所有制"的现代解读，徐兴恩、袁凌新,《经济经纬》2002 年第 1 期

马克思的国家自主性概念及其当代发展，郁建兴、周俊,《社会科学战线》2002 年第 4 期

《共产党宣言》光辉思想在中国的运用和发展，朴日勋、李基云,《社会科学战线》2002 年第 1 期

马克思恩格斯论社会主义本质，冯良勤,《社会科学研究》2002 年第 1 期

马克思人的发展三形态论析，张军,《社会科学辑刊》2002 年第 1 期

马克思的历史跨越理论及其历史考察——历史跨越与跨越"卡夫丁峡谷"关系研究，冯景源,《人文杂志》2002 年第 5 期

马克思早期著作中的未来理想社会，陈志刚,《人文杂志》2002 年第 2 期

诚信的经济规律性质——学习恩格斯的一个重要论述，宫敬才,《求是》2002 年第 15 期

恩格斯晚年对马克思主义的发展与创新，严书翰,《求是》2002 年第 11 期

试析马克思的全球化思想，王金磊、杨军燕，《求实》2002 年第 12 期

马克思恩格斯关于"利用资本主义"的重要思想，沈雁昕、张星昭，《求实》2002 年第 7 期

论马克思的个人理论与社会基本矛盾理论的统一性，赵甲明，《清华大学学报》（哲学社会科学版）2002 年第 5 期

试论马克思恩格斯的政治文明观，孟迎辉，《内蒙古社会科学》（汉文版）2002 年第 6 期

马克思恩格斯文学批评的价值取向，高明霞，《内蒙古大学学报》（人文社会科学版）2002 年第 4 期

马克思所有制理论的发展逻辑，葛扬，《南京大学学报》（哲学、人文科学、社会科学版）2002 年第 6 期

简论仿生经济学的理论依据——学习马克思关于经济研究总的指导思想的一点体会，陈华山，《南方经济》2002 年第 6 期

试论恩格斯对待马克思主义的科学态度——学习江泽民同志关于与时俱进论述的体会，罗芸，《思想战线》2002 年第 4 期

《从巴黎到伯尔尼》：恩格斯的一份社会调查，郭华榕，《史学月刊》2002 年第 9 期

马克思恩格斯共产主义社会形态观新探，权文荣，《陕西师范大学学报》（哲学社会科学版）2002 年第 6 期

马克思的"世界历史"思想和经济全球化进程，孔令栋，《史学理论研究》2002 年第 4 期

《经济学手稿》的误读与马克思的社会形态理论，尚友萍，《史学理论研究》2002 年第 2 期

论马克思、恩格斯的刑法思想，王海英，《中共福建省委党校学报》2002 年第 7 期

浅议马克思的非欧国家现代化思想，朱峰，《中共福建省委党校学报》2002 年第 1 期

关于"自由人联合体"的几点认识，黄斌，《探索》2002 年第 5 期

对马克思恩格斯一个重要论断的辨析，董仲其，《探索》2002 年第 3 期

马克思的"亚细亚生产方式"理论与东方社会结构，赵一红，《马克思主义研究》2002 年第 5 期

《资本论》经济哲学研究二题，余静，《马克思主义研究》2002 年第 5 期

马克思对黑格尔必然性诸环节思想的扬弃，马小彦，《马克思主义研究》2002 年第 4 期

马克思的环境意识与当代发展观的转换，方世南，《马克思主义研究》2002 年第 3 期

经济全球化与《资本论》研究

的新视野，顾海良，《中国特色社会主义研究》2002 年第 3 期

马克思主义与时俱进与"回到马克思"、"走出马克思"，徐崇温，《中国特色社会主义研究》2002 年第 2 期

马克思主义经典作家对资产阶级民主的批判分析及当代意义，梅荣政，《社会主义研究》2002 年第 6 期

《共产党宣言》的当代价值，艾国，《社会主义研究》2002 年第 6 期

马克思与自由主义民主，郁建兴，《哲学研究》2002 年第 3 期

哲学观与马克思哲学观，程家明、沈忆勇，《哲学动态》2002 年第 5 期

马克思哲学与"存在论"范式的转换，贺来，《中国社会科学》2002 年第 5 期

马克思—恩格斯问题论析，吴家华，《中国人民大学学报》2002 年第 6 期

马克思休闲思想初探，陆彦明、马惠娣，《自然辩证法研究》2002 年第 1 期

人——实践——历史——《德意志意识形态》的内在逻辑，艾福成、白刚，《学习与探索》2002 年第 5 期

解放何以可能——马克思的本体论革命，孙正聿，《学术月刊》2002 年第 9 期

如何看待马克思、恩格斯对现代西方哲学的评价——致刘放桐教授的一封信，陈启伟，《学术月刊》2002 年第 8 期

也谈马克思主义经典作家对现代西方哲学的否定性评价——致陈启伟教授的回信，刘放桐，《学术月刊》2002 年第 8 期

人的全面发展与当代中国人的解放的旨趣、历程和尺度——关于马克思人的全面发展学说的思考，孙正聿，《学术月刊》2002 年第 1 期

批判的革命的本质：马克思哲学的不朽活力，高齐云，《学术研究》2002 年第 6 期

马克思自然观研究的新视阈——评《马克思自然观的生态哲学意蕴》，祝福恩，《学术交流》2002 年第 6 期

浅论马克思恩格斯生态环境法治思想，唐世中，《西南民族学院学报》(哲学社会科学版) 2002 年第 2 期

马克思每个人自由而全面发展思想的四个维度，王贵明，《现代哲学》2002 年第 4 期

"旧人"的否弃和"新人"的形塑——论马克思对人的价值形象的设计，徐长福，《现代哲学》2002 年第 4 期

马克思的本体论思想及其当代意义，张奎良，《现代哲学》2002 年第 2 期

论马克思美育思想的现实意义，喻秋兰、郭声健，《长沙大学学报》2002 年第 3 期

创造丰富的人的感觉——马克思人的全面发展学说的一个维度，文学平、周辉，《重庆大学学报》（社会科学版）2002 年第 6 期

马克思恩格斯关于历史唯物主义的书信的当代价值，刘福森，《长白学刊》2002 年第 3 期

恩格斯视野中的学风，贾英健，《长白学刊》2002 年第 1 期

《德意志意识形态》对虚幻共同体的论述及其当代意义，李士坤、高振强，《北京青年政治学院学报》2002 年第 4 期

论恩格斯的国有化理论，薛汉伟，《北京工业大学学报》（社会科学版）2002 年第 4 期

马克思的价值理论及其当代意义，胡刘、祝莉萍，《北方论丛》2002 年第 5 期

恩格斯晚年的战略转变，张有军，《北方论丛》2002 年第 4 期

积极的批判　科学的阐述——学习《反杜林论》"政治经济学部分"札记，李向荣，《安徽广播电视大学学报》2002 年第 1 期

试论马克思人的全面发展学说，王冰，《郑州大学学报》（哲学社会科学版）2002 年第 3 期

资本全球化与马克思——马克思哲学的出场语境与本真意义，任平，《哲学研究》2002 年第 12 期

马克思的知识理论，刘文旋，《哲学研究》2002 年第 10 期

马克思社会基本矛盾理论和经济全球化，叶良茂，《哲学研究》2002 年第 7 期

也谈马克思哲学的人文关怀——兼与俞吾金先生商榷，杨学功，《哲学研究》2002 年第 6 期

马克思文本研究史的初步清理与方法论省思，聂锦芳，《哲学研究》2002 年第 6 期

马克思恩格斯社会主义本质观初探，罗小青，《福州党校学报》2002 年第 1 期

马克思人的全面发展理论及其当代实践，龚天平，《湖南师范大学教育科学学报》2002 年第 4 期

马克思、恩格斯关于人与自然关系的论述的基本观点，黄建新，《福建农林大学学报》（哲学社会科学版）2002 年第 2 期

勿用劳动价值论顶替马克思、恩格斯"生产力价值论"——试说当前关于劳动价值论的大讨论，胡义成，《东南大学学报》（哲学社会科学版）2002 年第 4 期

科莱蒂论马克思与卢梭，周莹，

《东南学术》2002 年第 3 期

意识形态：一种政治分析——马克思意识形态概念新论稿，郁建兴，《东南学术》2002 年第 3 期

简论马克思关于"世界历史"演进的思想，薛勇民、侯永刚，《东方论坛》2002 年第 2 期

论马克思、恩格斯的经济竞争学说，李明玉，《河南财政税务高等专科学校学报》2002 年第 1 期

略论《德意志意识形态》中的历史唯物主义法学观及其理论意义，胡浩飞，《池州师专学报》2002 年第 1 期

马克思恩格斯列宁对历史创造问题的理论探索，秦位强，《湖南经济管理干部学院学报》2002 年第 4 期

马克思著作中的"个人"及其意蕴，谈育明，《河海大学学报》（哲学社会科学版）2002 年第 1 期

马克思人学理论的思想进程，汤文曙、房玫，《合肥工业大学学报》（社会科学版）2002 年第 6 期

深化对马克思服务劳动理论的认识，欧雪银，《湖南大学学报》（社会科学版）2002 年第 S2 期

马克思交往理论与经济全球化，叶良茂，《华北电力大学学报》（社会科学版）2002 年第 4 期

从《神圣家族》看马克思主义的发展，秦为忠，《湖北大学成人教育学院学报》2002 年第 6 期

恩格斯晚年关于社会主义发展道路多样性思想及其现代启示，左亚文，《湖北省社会主义学院学报》2002 年第 3 期

马克思生产劳动范畴的认识和深化，徐生钰、马应超，《甘肃理论学刊》2002 年第 3 期

略论马克思的实践价值观，李江凌，《广东教育学院学报》2002 年第 3 期

马克思恩格斯悲剧理论新探，徐正非，《高等函授学报》（哲学社会科学版）2002 年第 1 期

"感性现实"：马克思哲学当代性之秘密，王金林，《江西师范大学学报》（哲学社会科学版）2002 年第 1 期

辩证法概念：马克思与黑格尔的异同再考察，朱进东，《江苏教育学院学报》（社会科学版）2002 年第 6 期

马克思人的发展思想及其在中国的创造性发展，王正中，《淮阴工学院学报》2002 年第 6 期

马克思恩格斯论文化进程和世界文化，吴元迈，《吉首大学学报》（社会科学版）2002 年第 2 期

试论马克思的技术异化思想，李晓梅、吕克广，《佳木斯大学社会科学学报》2002 年第 4 期

马克思晚年"跨越"设想探

析，王海英，《佳木斯大学社会科学学报》2002 年第 3 期

马克思经济学体系的把握：未竟的事业，张旭，《中共济南市委党校、济南市行政学院、济南市社会主义学院学报》2002 年第 1 期

试论马、恩对"历史的观点"批评方法的不同理解，张中锋，《济南大学学报》（社会科学版）2002 年第 5 期

历史辩证法与历史解释学——马克思与加达默尔的一个比较，范志同，《江淮论坛》2002 年第 6 期

马克思对黑格尔市民社会理论的批判，逄爱梅、章仁彪，《江淮论坛》2002 年第 5 期

马克思人的全面发展思想及其当代意义，韩庆祥、亢安毅，《中共杭州市委党校学报》2002 年第 4 期

恩格斯晚年社会发展思想及其时代价值，左亚文，《湖北行政学院学报》2002 年第 3 期

再论马克思、恩格斯的文学与政治观——答牟豪戎、梁胜明二同志，尚延龄、尚缨，《河西学院学报》2002 年第 1 期

马克思恩格斯关于社会主义本质的价值揭示，李红波，《广西社会科学》2002 年第 6 期

马克思的市民社会理论，肖富群、李广义，《广西社会科学》2002 年第 5 期

马克思恩格斯历史主客体理论的历史生成及其意义，种海峰，《广西社会科学》2002 年第 4 期

从经济写作过程谈马克思《资本论》的创作，饶异伦，《湖南农业大学学报》（社会科学版）2002 年第 1 期

论教育与人的解放——兼议马克思关于"解放"的一个命题，王秉翰，《柳州职业技术学院学报》2002 年第 1 期

学习化社会与马克思关于人的全面发展学说，王咏梅，《莱阳农学院学报》（社会科学版）2002 年第 3 期

马克思哲学的当代性是如何被遮蔽的——对苏联马克思主义哲学模式的反思，江源、谈丽贞、苗田川，《宁夏社会科学》2002 年第 5 期

解读马恩关于党的先进性问题的论述，端木婕，《领导之友》2002 年第 4 期

正确认识马克思劳动价值论的历史地位和历史意义——兼评当前劳动和劳动价值论研究中理论前提的误区，谢伯端，《理论前沿》2002 年第 14 期

马克思关于世界市场与国际价值的理论，王天义，《理论前沿》2002 年第 7 期

马克思、恩格斯关于语言哲学中几个问题的论述，王大为，《内蒙

古工业大学学报》（社会科学版）
2002 年第 1 期

马克思关于人的全面发展学说对我国现阶段促进人的全面发展的指导意义，郭秋光、刘雪岚，《南昌航空工业学院学报》（社会科学版）2002 年第 4 期

马克思对自然科学唯心主义的批评——马克思当代性之一维，杨振全，《昆明大学学报》2002 年第 2 期

从马克思的全面发展学说看人的创造性发展，李小平，《空军雷达学院学报》2002 年第 4 期

"资本的伟大文明作用"——马克思的资本与革命理论再认识，邵腾，《科学经济社会》2002 年第 2 期

恩格斯评所谓"马克思主义者"的昭示——马克思社会发展理论研究中的来自俄国民粹派的"跨越资本主义"的"跨越论"教条主义之误，杨木，《开发研究》2002 年第 1 期

再论马克思恩格斯的经济伦理思想，王初根、刘荣春，《江西师范大学学报》（哲学社会科学版）2002 年第 4 期

新哲学的诞生地——重读《关于费尔巴哈提纲》和《德意志意识形态》，符永雄，《新东方》2002 年第 Z1 期

论马克思人的全面发展理论，李玲芬，《齐齐哈尔大学学报》（哲学社会科学版）2002 年第 5 期

马克思恩格斯社会主义理论的再解读——重读《哥达纲领批判》，冉清文，《青海师范大学学报》（哲学社会科学版）2002 年第 2 期

马克思人学思想对新时期思想政治教育的启示，马武、王晓莉，《前沿》2002 年第 12 期

马克思去世后，恩格斯对社会主义的再认识，刘思仓，《前沿》2002 年第 9 期

略论马克思恩格斯的罗马法思想，吴斌，《攀枝花大学学报》2002 年第 3 期

怎样科学地认识我国生产力跨越式发展问题——从马克思恩格斯的跨越理论谈起，彭俊平，《宁夏党校学报》2002 年第 3 期

异化的终结　思想的腾飞——论马克思恩格斯《德意志意识形态》中的异化观，余波、李勇军，《内蒙古民族大学学报》（社会科学版）2002 年第 4 期

蒲鲁东对马克思《哲学的贫困》的反应，朱进东，《南京社会科学》2002 年第 12 期

青年马克思对私有制态度的一个重大转变，胡也，《绵阳师范高等专科学校学报》2002 年第 6 期

马克思共产主义学说的三重向

度，张啸尘，《绍兴文理学院学报》
2002 年第 4 期

试论马克思的历史必然性与价值性的内在关联，朱静，《山西高等学校社会科学学报》2002 年第 8 期

论马克思研究工艺学的认识论意义，史彦虎，《山西高等学校社会科学学报》2002 年第 5 期

《共产党宣言》与人的全面发展，张英红，《山西高等学校社会科学学报》2002 年第 5 期

准确把握马克思、恩格斯对未来社会的设想同社会主义现实之间的关系，王俊奇，《石家庄师范专科学校学报》2002 年第 2 期

价值、需求、价格及其"人——哲学"追问——就马克思劳动价值论问题同张华夏教授商榷，王峰明、牛变秀，《学术界》2002 年第 6 期

对"社会生活在本质上是实践的"命题的再认识，袁吉富，《学术界》2002 年第 2 期

马克思技术门类思想探析，黄萍华、李立生，《山东科技大学学报》（社会科学版）2002 年第 4 期

马克思恩格斯是否研究过全球化问题，刘志明，《社会科学论坛》2002 年第 11 期

理性的批判和道义的批判——论马克思对资本主义制度的评判尺度，禹正权，《山西教育学院学报》2002 年第 2 期

对马克思劳动价值论的再思考，刘鲁红、郑红，《沈阳建筑工程学院学报》（社会科学版）2002 年第 2 期

马克思文本研究中的五种类型，聂锦芳，《首都师范大学学报》（社会科学版）2002 年第 3 期

社会主义的根本任务是发展生产力——学习《共产党宣言》之感想，刘向阳，《山东省青年管理干部学院学报》2002 年第 5 期

马克思、恩格斯的全球化思想及其对我们的启示，张爱芹、张秀玲，《山东省青年管理干部学院学报》2002 年第 3 期

第三产业的劳动与马克思的劳动价值论，任辉、王永光，《山东经济》2002 年第 2 期

马克思经济全球化理论的当代意义，孙承叔，《新视野》2002 年第 2 期

从历史维度看马克思的实践"变革"思想，刘志生、郑建平，《学海》2002 年第 2 期

马恩的小农理论和社会主义改造小农的实践，郑祖铤，《湘潭师范学院学报》（社会科学版）2002 年第 4 期

商品交换中的伦理关系——《资本论》经济伦理思想研究，宋希仁，《湘潭师范学院学报》（社会科学版）2002 年第 1 期

马克思的法律视野，申来津、

张清,《武汉理工大学学报》(社会科学版) 2002 年第 4 期

全球化与马克思的"世界历史"理论，左亚文,《武汉大学学报》(人文科学版) 2002 年第 6 期

马克思恩格斯思想异同研究论纲——兼驳"马克思恩格斯对立论"，朱传棨,《武汉大学学报》(人文科学版) 2002 年第 1 期

提升与和解的统一——马克思恩格斯可持续发展思想发微，寇东亮,《唯实》2002 年第 10 期

马克思的人的全面发展学说，王冰,《唯实》2002 年第 4 期

马克思市场化理论初探，龚唯平,《经济前沿》2002 年第 1 期

马克思本体论思想的方法论，丰子义,《天津社会科学》2002 年第 6 期

马克思哲学观的合理总结与当代确认，杨学功,《天津社会科学》2002 年第 4 期

关于"两个马克思"的问题，王金福、汪晓媛,《苏州大学学报》(哲学社会科学版) 2002 年第 2 期

马克思晚年设想与社会主义事业，孙宝林、吕瑛,《石油大学学报》(社会科学版) 2002 年第 1 期

马克思的"世界历史"思想及其当代意义，任洁,《中国海洋大学学报》(社会科学版) 2002 年第 1 期

在新的历史条件下对马克思劳动价值论的再认识，赖昭瑞,《政法论丛》2002 年第 4 期

科学地坚持和发展马克思的劳动价值论，宋圭武,《延安大学学报》(社会科学版) 2002 年第 3 期

《德意志意识形态》的分工思想解析，马文保、王伟、王东维,《延安大学学报》(社会科学版) 2002 年第 1 期

论马克思恩格斯东方社会发展道路理论探索的启示，张骥,《忻州师范学院学报》2002 年第 6 期

论马克思、恩格斯对待科学社会主义理论的态度，罗芸,《云南师范大学学报》(哲学社会科学版) 2002 年第 4 期

马克思、恩格斯关于俄国可以跨越"卡夫丁峡谷"的思想以及对社会主义道路思想的补充，和军,《云南公安高等专科学校学报》2002 年第 1 期

恩格斯勇于否定自我，冯东书,《炎黄春秋》2002 年第 11 期

论《共产党宣言》的当代价值，苏显学、艾国,《行政与法》2002 年第 10 期

马克思制度变迁的多样性假设及其例证，侯风云,《北京行政学院学报》2002 年第 5 期

"亚细亚生产方式"概念历史演变的考察之三，赵家祥,《北京行政学院学报》2002 年第 1 期

马克思恩格斯的全球化思想探析，曹天禄，《学习论坛》2002 年第 10 期

经济哲学：继承马克思的事业，宋宇文，《湘潭大学社会科学学报》2002 年第 2 期

马克思主义价值理论不能无视生产力的决定性——从马克思恩格斯政治经济学"从抽象上升到具体"的方法论角度再探马克思、恩格斯价值理论本相，胡义成，《西安建筑科技大学学报》（社会科学版）2002 年第 3 期

青年恩格斯及其宪政法律观，章戎，《云南大学学报》（法学版）2002 年第 3 期

德国学者考普夫谈《马克思恩格斯全集》历史考证版编辑出版的历史及现状，朱毅，《国外理论动态》2002 年第 1 期

论恩格斯晚年思想，严书翰，《中共云南省委党校学报》2002 年第 4 期

马克思主义党建理论的重要组成部分——马克思、恩格斯关于重视党的代表大会的要点和范例，高放，《新长征》2002 年第 8 期

马克思社会历史分期思想渊源辨析，李德拴，《漳州师范学院学报》（哲学社会科学版）2002 年第 1 期

马克思人权观论要，余华，《中

共浙江省委党校学报》2002 年第 6 期

从个人出发的历史主体观：马克思历史主体观的革命性变革——兼与朱静同志商榷，杨同斌，《中共浙江省委党校学报》2002 年第 1 期

马克思公有制内涵新解，王建均，《中国社会科学院研究生院学报》2002 年（增刊）

对《关于费尔巴哈的提纲》第二条的释读和翻译，李毅嘉，《中华女子学院山东分院学报》2002 年第 4 期

马克思恩格斯论无产阶级政党，卢真堂、闵宪忠、王传友，《中华女子学院山东分院学报》2002 年第 3 期

论马克思的实践人学思想，钟新海、王浩，《中国海洋大学学报》（社会科学版）2002 年第 2 期

每个人的全面发展的理解——马克思关于未来社会的"基本原则"释义之二，刘忠世，《中国海洋大学学报》（社会科学版）2002 年第 2 期

论马克思哲学是实践的人本主义哲学，张学成、张爽，《牡丹江师范学院学报》（哲学社会科学版）2002 年第 2 期

马克思、恩格斯的学习生活及其启示，刘淑兰，《牡丹江师范学院学报》（哲学社会科学版）2002 年第

1 期

浮云难遮巨人眼——革命导师在社会主义运动低潮中，石镇平，《决策与信息》2002 年第 8 期

马克思恩格斯战争成本效益观初探，方正起，《军事经济学院学报》2002 年第 3 期

马克思恩格斯国家职能二重化理论的评析，孙广厦、朱海江，《河北青年管理干部学院学报》2002 年第 1 期

马克思、恩格斯、列宁对重要作家、作品的评价，曲英杰，《语文知识》2002 年第 1 期

读《马克思墓前悼词草稿》——与《在马克思墓前的讲话》的对比阅读，戴建华，《阅读与鉴赏》(高中版) 2002 年第 11 期

马克思的全球化思想与"跨越论"的逻辑关系，杨光，《中共天津市委党校学报》2002 年第 2 期

《共产党宣言》和中国共产党的纲领——纪念《共产党宣言》发表 154 周年，李海鸥，《政策》2002 年第 2 期

马克思社会形态划分理论的演变（上），孙显元，《淮北职业技术学院学报》2002 年第 1 期

从资本主义全球化到共产主义全球化——浅谈《共产党宣言》中的全球化思想，孙征、高长武，《中共石家庄市委党校学报》2002 年第 10 期

马克思恩格斯关于小资产阶级革命性问题的思想转变及其原因剖析，蓝华、张亚，《理论建设》2002 年第 1 期

马克思恩格斯经济全球化理论浅析，闫新丽，《中国环境管理干部学院学报》2002 年第 2 期

现代科技时代马克思劳动价值论的理论创新，解维领，《宿州教育学院学报》2002 年第 4 期

简论马克思恩格斯的经济伦理观，王小锡，《伦理学研究》2002 年第 1 期

2003 年

马克思数学手稿：宝贵的历史文献，孙小礼，《北京大学学报》(哲学社会科学版) 2003 年第 2 期

马克思的自由时间理论，于俊文、张忠任，《当代经济研究》2003 年第 1 期

重释恩格斯《家庭、私有制和国家的起源》——回应麦金侬"对马克思和恩格斯的女权主义批评"，刘莉、王宏维，《妇女研究论丛》2003 年第 1 期

关于所谓"跨越资本主义卡夫丁峡谷设想"的真相，张光明，《当代世界与社会主义》2003 年第 1 期

耶稣、普罗米修斯、马克思及文化异质与互补，蒋承勇，《解放军外国语学院学报》2003 年第 4 期

马克思恩格斯关于俄国社会发展道路的思想脉络新解，王力、胡小蓉，《河南师范大学学报》(哲学社会科学版) 2003 年第 2 期

劳动价值论是一个无须"证明"的理论——论马克思劳动价值论的实质和方法，兼评庞巴维克对马克思劳动价值论的责难，许兴亚，《河南师范大学学报》(哲学社会科学版) 2003 年第 2 期

他们误解了马克思的本意，郭根山，《高校理论战线》2003 年第 4 期

坚定地沿着马克思主义的道路前进——纪念马克思逝世一百二十周年，吴雄丞，《高校理论战线》2003 年第 3 期

马克思的社会关系物化理论及其对当代的启示，鲁保邕，《改革与战略》2003 年第 9 期

论马克思世界市场理论的早期发展进程，黄瑾，《福建师范大学学报》(哲学社会科学版) 2003 年第 5 期

马克思的人的自由而全面发展理论，杨兴林，《当代世界社会主义问题》2003 年第 3 期

重读马克思主义经典作家关于资本主义发展的论述，张世鹏，《当代世界与社会主义》2003 年第 3 期

所有制与人的全面发展——重读《共产党宣言》有感，刘建其，《当代思潮》2003 年第 2 期

关于人的全面发展的几点认识——兼论马克思人的全面发展思想的时代价值，杨兆山，《东北师大学报》(哲学社会科学版) 2003 年第 3 期

恩格斯预见战争的科学方法，夏征难，《南京政治学院学报》2003 年第 4 期

论马克思的"世界历史眼光"，顾智明，《南京政治学院学报》2003 年第 2 期

部落联盟还是民族——对摩尔根和恩格斯有关论述的再思考，易建平，《历史研究》2003 年第 5 期

马克思分工理论的社会关系分析向度，周志山，《理论探讨》2003 年第 6 期

论马克思历史认识的现实维度，张羽佳、贾慧媛，《理论探讨》2003 年第 5 期

《资本论》中人的发展观，李俊文，《理论探讨》2003 年第 4 期

论马克思恩格斯的可持续发展思想，庞跃辉，《理论探讨》2003 年第 3 期

利己主义与自我实现——马克思与恩格斯对施蒂纳利己主义批判的一个视角，崔子修，《理论与改

革》2003 年第 5 期

关于马克思的殖民主义"双重使命"论的再思考——与林华国教授商榷，蒋碧勇,《历史教学》2003 年第 1 期

论马克思和恩格斯的经济伦理思想，王初根、肖接增,《江西社会科学》2003 年第 9 期

论马、恩对黑格尔历史发展动力观的扬弃，刘汉一、杨峰,《江西社会科学》2003 年第 3 期

马克思究竟从何时何处开始批判"抽象的人"的学说——从恩格斯记忆上的一个纰漏说起，俞吾金,《教学与研究》2003 年第 5 期

关于劳动价值论的读书笔记，李铁映,《经济研究》2003 年第 2 期

对马克思剩余价值范畴的再认识，李志远,《经济问题》2003 年第 9 期

马克思的世界市场和国际价值理论及现实意义，程建华,《经济经纬》2003 年第 5 期

马克思关于世界现代化理论的经济学认识，魏东、张成君,《江汉论坛》2003 年第 3 期

论马克思恩格斯的社会资源直接计划配置思想，王元璋、肖飞,《江汉论坛》2003 年第 1 期

法律作用与经济发展——诺思与马克思的法律作用观比较研究，蔡宝刚,《江苏社会科学》2003 年第

3 期

实现人的全面发展是马克思自由观的核心，辛子,《社会科学战线》2003 年第 1 期

计划与市场：马克思的贡献与局限，薛汉伟,《社会科学研究》2003 年第 1 期

论伦理本体——对马克思伦理视角的一种解读，顾智明,《社会科学》2003 年第 3 期

析马克思恩格斯在 19 世纪 40 年代末对资本主义社会的认识，董仲其,《四川大学学报》(哲学社会科学版）2003 年第 5 期

马克思经济学研究中的伦理视角——兼论经济伦理研究的现代进展，李建立,《人文杂志》2003 年第 3 期

形而上学的终结与马克思思想的当代意义，陈军,《人文杂志》2003 年第 2 期

马克思恩格斯的与时俱进与科学社会主义的发展，王家芳,《求实》2003 年第 7 期

《资本论》——一座马克思主义的理论丰碑，王初根,《求实》2003 年第 7 期

马克思对黑格尔市民社会思想的批判及超越，徐文华,《齐鲁学刊》2003 年第 5 期

试论马克思恩格斯的政治文明思想，谢俊春,《政治学研究》2003

年第2期

对马克思关于落后国家社会主义发展道路问题的再思考，张国祺、张越川，《毛泽东思想研究》2003年第6期

经典的"现在性"——马克思恩格斯的现实主义理论和90年代以来的文学，崔志远，《文艺理论与批评》2003年第1期

马克思人的全面发展理论及其在中国的实践，雍涛，《深圳大学学报》（人文社会科学版）2003年第4期

马克思所有制理论若干范畴译名与释义考辨，刘明，《陕西师范大学学报》（哲学社会科学版）2003年第2期

人的本质是社会关系总和的再理解，侯铁桥，《山西师大学报》（社会科学版）2003年第4期

劳动创造与实现人的全面发展——对马克思思想史的一个考察，吴焕新，《探索》2003年第6期

论马克思的辩证个体观，曾凡跃，《探索》2003年第4期

马克思关于人类文明多样性思想初探，方世南，《马克思主义研究》2003年第4期

恩格斯经商生涯的历史考订，蔡金发，《马克思主义研究》2003年第3期

在自然界实现人道主义——试

论马克思恩格斯的生态自然观，陈芬，《马克思主义研究》2003年第3期

剩余价值理论的创立及其伟大意义——为纪念马克思逝世120周年而作，吴易风，《马克思主义研究》2003年第3期

对打碎旧国家机器的新理解，李延明，《马克思主义研究》2003年第2期

马克思剩余价值理论与当代社会，李楠，《马克思主义研究》2003年第2期

马克思的世界历史理论，何颖，《马克思主义研究》2003年第2期

论马克思主义的态度和方法及马克思早期对科学的一个论断，刘炯忠，《马克思主义研究》2003年第2期

唯物史观的创立及其伟大意义——为纪念马克思逝世120周年而作，靳辉明，《马克思主义研究》2003年第2期

正确评价费尔巴哈对马克思思想发展的影响，吴学琴，《马克思主义研究》2003年第1期

论马克思与马克思主义——纪念马克思逝世120周年，陈先达，《中国特色社会主义研究》2003年第2期

哲学：一种批判性的"自由思想"——马克思哲学观的灵魂和核

心，贺来，《哲学动态》2003 年第
1 期

马克思的哲学观和"哲学的终
结"，张汝伦，《中国社会科学》
2003 年第 4 期

从"道德评价优先"到"历史
评价优先"——马克思异化理论发
展中的视角转换，俞吾金，《中国社
会科学》2003 年第 2 期

马克思恩格斯列宁视野中的理
性法和实践法，何国强、景燕春，
《中山大学学报》(社会科学版)
2003 年第 5 期

人的需要即人的本性——从马
克思的需要理论说起，王全宇，《中
国人民大学学报》2003 年第 5 期

马克思与数学及其独特的精神
休养法，孙小礼，《自然辩证法研
究》2003 年第 3 期

马克思之技术哲学基本思想初
探——兼谈作为技术决定论的马克
思之技术哲学，臧灿甲，《自然辩证
法通讯》2003 年第 5 期

马克思主义浪漫主义理论的奠
基性建构——论马克思恩格斯的浪
漫主义理论，寇从俊，《中南民族大
学学报》(人文社会科学版) 2003 年
第 1 期

对《德意志意识形态》第一章
文稿结构的重建，侯才，《中共中央
党校学报》2003 年第 2 期

恩格斯晚年对马克思主义的丰

富和发展，吴雄丞，《中共中央党校
学报》2003 年第 1 期

"两个必然"与"两个决不会"
的论断及其当代意义，叶庆丰，《中
共中央党校学报》2003 年第 1 期

马克思"世界历史"理论的系
统分析，李维意，《云南社会科学》
2003 年第 6 期

马克思关于人的活力思想及其
现代意义，李圣鑫，《云南社会科
学》2003 年第 2 期

马克思恩格斯的民主契约法律
观及其宪政意义，马长山，《学习与
探索》2003 年第 4 期

马克思的经济哲学思想及其当
代意义，宓文湛，《学术月刊》2003
年第 5 期

从修辞学视角看马克思的文本，
张立波，《学术月刊》2003 年第 1 期

马克思哲学当代性的思考，谭
宏玲，《西南民族大学学报》(人文社
会科学版) 2003 年第 7 期

论黑格尔的人学和马克思恩格
斯对它的超越，唐晓勇，《西南民族
大学学报》(人文社会科学版) 2003
年第 7 期

马克思世界历史观与人的全面
发展，陈露，《西南民族学院学报》
(哲学社会科学版) 2003 年第 2 期

我们应该如何纪念马克思，杨
学功，《现代哲学》2003 年第 2 期

马克思的认识观，李文阁，《现

代哲学》2003 年第 2 期

马恩社会主义发展道路多样化思想及其当代意义，崔桂田，《文史哲》2003 年第 2 期

社会存在论：马克思哲学的本真意义与当代形态，陈忠，《长春市委党校学报》2003 年第 6 期

马克思的所有制理论与对公有制的重新认识，李济广，《哈尔滨市委党校学报》2003 年第 4 期

试论马克思"世界历史"理论对中国社会主义建立和发展的指导作用，王梅、王爱芬，《北京工业职业技术学院学报》2003 年第 3 期

马克思、恩格斯的全球化思想与社会主义中国，童萍，《安徽农业大学学报》（社会科学版）2003 年第 2 期

马恩的虚幻共同体理论与"三个代表"，李士坤、高振强，《安徽大学学报》（哲学社会科学版）2003 年第 1 期

马恩列斯是如何看待社会主义胜利问题的，王基舟、李心华，《安徽电力职工大学学报》2003 年第 2 期

解读马克思：从文本到现实生活世界，程广云，《哲学研究》2003 年第 12 期

马克思的"对自然的支配"——兼评西方生态社会主义对这一问题的先行研究，韩立新，《哲学研究》2003 年第 10 期

关于"知识经济"的历史观诠释问题——兼论马克思考察生产力问题的两种视角及其相互关系，叶险明，《哲学研究》2003 年第 9 期

论马克思哲学的理论立场，杨楹，《哲学研究》2003 年第 8 期

作为全面生产理论的马克思哲学，俞吾金，《哲学研究》2003 年第 8 期

走近早期马克思——兼论思想史研究中的一个方法问题，黄克剑，《哲学研究》2003 年第 7 期

马克思共产主义思想的哲学意蕴，张奎良，《哲学研究》2003 年第 4 期

马克思哲学中人文关怀维度的"解蔽"要靠对它的实践论的正确解读，陆剑杰，《哲学研究》2003 年第 3 期

实践、艺术与自由——马克思实践概念的再理解，王南湜，《哲学动态》2003 年第 6 期

对马克思实践观的当代反思——从抽象认识论到生存论本体论，俞吾金，《哲学动态》2003 年第 6 期

回到经典中去——学习马克思主义经典作家关于资本主义发展的论述，张世鹏，《国际政治研究》2003 年第 3 期

西方全球化与第三世界的发展

问题——马克思恩格斯视野中的全球化，刘志明，《桂海论丛》2003年第3期

马克思技术异化思想及其当代反响，郑元景，《福建农林大学学报》（哲学社会科学版）2003年第4期

人性、良知、尊严及爱情——马克思恩格斯人文价值观四题，唐坤，《福建论坛》（人文社会科学版）2003年第6期

马克思恩格斯论共产主义及其对旧世界的批判三题，唐坤，《湖北社会科学》2003年第12期

恩格斯对"共产主义"含义理论的界定，王志林，《湖北社会科学》2003年第1期

从实践观的思维方式看马克思的世界历史理论，赵士发，《东南大学学报》（哲学社会科学版）2003年第3期

论东方社会革命与发展道路——马克思、恩格斯"东方社会理论"探源，蔡金发，《东南学术》2003年第6期

世界市场与全球化——马克思对世界市场的研究给我们的启示，黄瑾，《东南学术》2003年第6期

是一种生产，还是四种生产？——读《1857—1858年经济学手稿》，孙承叔，《东南学术》2003年第5期

马克思恩格斯对社会自然历史过程的揭示，郭向东、张铁，《大连干部学刊》2003年第1期

向人类的普罗米修斯致敬——马克思逝世一百二十周年祭，朱兰芝，《发展论坛》2003年第4期

马克思的政治经济学方法与"东方不存在土地私有制"的含义，孙百亮，《丹东师专学报》2003年第1期

用实践的观点解释自然——马克思恩格斯的人本主义自然观刍议，王书明，《大连大学学报》2003年第1期

人的主体性研究的缘起及历史考察——以西方哲学和马克思哲学为背景，张瑜玲，《池州师专学报》2003年第5期

简论马克思对资本主义经济的批判，应宇芳，《常熟高专学报》2003年第3期

马克思恩格斯的未来社会构想与现实社会主义，刘昀献，《河南大学学报》（社会科学版）2003年第4期

"热潮"以后的"冷思考"——澄清对马克思晚年"跨越"思想的误解，赵家祥，《河北学刊》2003年第4期

马克思恩格斯经济全球化思想及其时代价值，刘建伟、张思锋、禹海霞，《河北科技大学学报》（社会

科学版）2003 年第 3 期

恩格斯东方社会观的法理解读，唐宏强,《河北法学》2003 年第 2 期

人的全面发展的经济保证——以马克思的人的全面发展理论试解"重建个人所有制"之谜，刘学杰,《石家庄经济学院学报》2003 年第 3 期

马克思恩格斯是与时俱进的典范，赵家祥,《思想理论教育导刊》2003 年第 5 期

马克思与现时代——"纪念马克思逝世 120 周年学术研讨会"发言摘编，杨春贵、马绍孟、赵存生、庄福龄、梁树发、阎志民,《思想理论教育导刊》2003 年第 4 期

以马克思个人所有制理论引导我国所有制创新，李力、肖湘雄,《甘肃行政学院学报》2003 年第 1 期

恩格斯军事治学的方法，夏征难,《军事历史》2003 年第 2 期

浅谈"三个代表"思想的历史性——读马克思恩格斯《德意志意识形态》，李静梅,《经济与社会发展》2003 年第 10 期

从马克思的"世界历史"理论看当代全球化，洪波,《经济与社会发展》2003 年第 8 期

关于马克思权利义务命题的辩证思考，王力军,《济南大学学报》（社会科学版）2003 年第 1 期

马克思恩格斯的人民主权思想及其当代意义，常宗耀,《衡阳师范学院学报》2003 年第 2 期

马克思关于人的全面发展的多维视角及其现实意义，陈松林,《湖北行政学院学报》2003 年第 5 期

论马克思恩格斯的学术品格——纪念马克思逝世 120 周年，周世兴,《河西学院学报》2003 年第 4 期

论马克思恩格斯的民族政治思想，詹真荣,《杭州师范学院学报》（社会科学版）2003 年第 6 期

教育服务创造价值与劳动价值论的发展——兼考证马克思有关提法，李江帆,《杭州师范学院学报》（社会科学版）2003 年第 2 期

马克思著作中的"个人"及其意义，张允金,《广西社会科学》2003 年第 9 期

当代全球化：马克思"世界历史"理论面临的新课题，洪波,《广西社会科学》2003 年第 9 期

简论《资本论》在中国的传播及其特征，陈正权,《广西社会科学》2003 年第 8 期

马克思的"劳动"与"实践"概念辨析，柴秀波,《广西社会科学》2003 年第 4 期

马克思的有效供给理论及其现实意义，胡义刚,《河南社会科学》2003 年第 2 期

马克思的管理劳动思想及其对我们的启示，蒋洁霞，《湖南经济管理干部学院学报》2003年第4期

马克思的人学思想及其意义，张允金，《理论月刊》2003年第11期

马克思"每个人的自由发展"辨析，贾孟喜，《岭南学刊》2003年第3期

马克思的社会交往范畴与现代交往，杨勇，《岭南学刊》2003年第2期

马克思恩格斯经济全球化思想述要，刘建伟、张思锋、禹海霞，《南昌航空工业学院学报》（社会科学版）2003年第3期

浅析《1844年经济学哲学手稿》中的人本主义思想，厉孝忠，《宁波高等专科学校学报》2003年第3期

马克思科学社会主义的辩证思维及其现实意义，荣仕星，《科学社会主义》2003年第4期

坚定地沿着马克思主义的道路前进——纪念马克思逝世120周年，吴雄丞，《科学社会主义》2003年第2期

马克思恩格斯的人民主权思想及其当代意义，常宗耀，《江西师范大学学报》（哲学社会科学版）2003年第3期

冲突与均衡：马克思恩格斯的观点，谢立中，《江西师范大学学报》（哲学社会科学版）2003年第3期

恩格斯晚年社会主义革命思想探析，周琲、马磊，《山东省农业管理干部学院学报》2003年第2期

马克思恩格斯的生产力价值论与西方当代经济学评析，胡义成，《四川行政学院学报》2003年第3期

抛弃"劳动价值论一元论"——从方法论角度再探马克思恩格斯价值理论全相，胡义成，《绍兴文理学院学报》2003年第1期

论马克思关于人的解放的具体途径，黄帝荣，《山西高等学校社会科学学报》2003年第8期

《德意志意识形态》对虚幻共同体的论述及其当代意义，李士坤、高振强，《山西高等学校社会科学学报》2003年第3期

论马克思关于跨越资本主义"卡夫丁峡谷"的思想，赵民学，《华北水利水电学院学报》（社会科学版）2003年第2期

马克思的产权理论探索，刘正刚，《四川教育学院学报》2003年第7期

马克思法哲学批判的社会存在论根据及其现实意义，刘日明，《上海行政学院学报》2003年第2期

有关《资本论》的两个话

题——对《在马克思墓前的讲话》所涉及史实的考辨，许锡强，《书屋》2003年第3期

马克思、恩格斯的民主观，徐东礼，《山东社会科学》2003年第5期

人的发展的内涵及其实现路径——读《1844年经济学哲学手稿》、《经济学手稿》(1857—1858年)，王海传、于京珍，《山东社会科学》2003年第5期

马克思哲学的超验性维度之我见，何中华，《山东社会科学》2003年第4期

现代化与马克思恩格斯的东方社会理论，何萍，《山东社会科学》2003年第2期

个人自我实现的必要形式——马克思与恩格斯对施蒂纳利己主义批判的一个视角，张树礼，《山东电大学报》2003年第1期

马克思世界历史理论与当代全球化的差异性，洪波，《求索》2003年第4期

从恩格斯的革命斗争战略转变谈起，蒋春忠，《青海师专学报》2003年第3期

关于马克思、恩格斯、列宁对外开放思想的两个问题，吴科达，《青岛大学师范学院学报》2003年第2期

马克思、恩格斯悲剧理论内容及意义探析，韩霞，《平原大学学报》2003年第3期

深化对马克思公有制理论的认识，季建林，《南通纺织职业技术学院学报》2003年第3期

马克思恩格斯论科技与人的全面发展，孙秀云、王为全，《内蒙古民族大学学报》(社会科学版) 2003年第5期

马克思哲学实践—生活思维方式的创立及其革命性意义，李炳林，《西安建筑科技大学学报》(社会科学版) 2003年第1期

晚年马克思恩格斯文明起源论的基本要点，李宏伟，《新视野》2003年第6期

马克思的合作经济理论再认识，薛汉伟，《新视野》2003年第2期

马克思与斯密经济伦理思想之比较，高晓红，《学海》2003年第6期

对女性情爱问题的经典性论说——马克思、恩格斯女性情爱观新探，庄春梅，《江汉大学学报》(人文科学版) 2003年第5期

价值理论：恢复马恩本义，重审西方经济学，胡义成，《唯实》2003年第6期

马克思恩格斯补充和发展三个重要论断的启示，韩狄明、王得生，《探索与争鸣》2003年第7期

马克思自由观的再解读，林剑，

《天津社会科学》2003年第6期

重新理解马克思人论的四个命题——一种反思性的探讨，徐长福，《天津社会科学》2003年第3期

论马克思哲学中人文关怀维度和科学范导维度的统一——兼论对马克思实践论的正确解读，陆剑杰，《天津社会科学》2003年第3期

关于马克思哲学本体论思想的几点思考，吴元梁，《天津社会科学》2003年第1期

马克思恩格斯论两次鸦片战争的起因及中国人民的反侵略斗争，李益杰，《天府新论》2003年第4期

马克思的"人的全面发展"思想与素质教育，刘明合，《泰山学院学报》2003年第2期

全球化语境中的马克思社会发展理论，周建国，《探求》2003年第1期

恩格斯与马克思对新旧唯物主义区别点理解上的不同视野，孙荣，《苏州大学学报》(哲学社会科学版) 2003年第3期

对马克思艺术生产论的一种读解——兼及艺术生产论的当下意义，张冬梅，《广西师范学院学报》(哲学社会科学版) 2003年第2期

科学理解马克思关于人的自由发展和全面发展思想，王兆熊，《河池师专学报》2003年第4期

恩格斯"同时胜利论"质疑，郑异凡，《国际政治研究》2003年第4期

用马克思人的全面发展理论指导高职院校素质教育，孙淑萍、徐红梅，《常州信息职业技术学院学报》2003年（增刊）

可持续发展理论的先声——马克思恩格斯社会全面协调发展思想探析，易培强，《湖南文理学院学报》(社会科学版) 2003年第5期

对马克思"艺术生产"理论的理解，金鑫、吉瑞红、张明，《成都教育学院学报》2003年第7期

马克思三形态理论及现实意义，赵俊爱、迟斌，《鞍山科技大学学报》2003年第6期

马克思关于公司欺诈的理论及其现实意义，蔡宝刚、吴玉岭，《毛泽东邓小平理论研究》2003年第6期

论马克思对德国古典哲学道德自律说的扬弃，何建华，《毛泽东邓小平理论研究》2003年第4期

马克思——总结经验、创新理论的光辉典范，庄福龄，《毛泽东邓小平理论研究》2003年第4期

马克思恩格斯关于历史向世界历史转变机制的理论及方法论启示，张爱武，《毛泽东邓小平理论研究》2003年第2期

马克思恩格斯的现代化理论及其对中国现代化运动的启示，郭根

山,《河南师范大学学报》(哲学社会科学版) 2003 年第 6 期

马克思与技术中性论的关系, 林艳梅,《中共云南省委党校学报》2003 年第 6 期

论马克思恩格斯的科学社会主义, 葛洪泽,《中共云南省委党校学报》2003 年第 3 期

"资本生产力": 马克思的一个重要思想, 孙向军,《中共云南省委党校学报》2003 年第 1 期

"共产主义"存在私有财产吗——对《共产党宣言》和"个人所有制"的新解读, 关锋,《中山大学学报论丛》2003 年第 6 期

重温《共产党宣言》, 进一步理解经济全球化, 李贵良,《中山大学学报论丛》2003 年第 2 期

马克思恩格斯文艺理论"体系"论, 高玉,《浙江师范大学学报》(社会科学版) 2003 年第 1 期

马克思、恩格斯、列宁的廉政思想, 程爱萍,《正气》2003 年第 Z1 期

从源头上理解马克思的世界历史理论——读《德意志意识形态》, 梁树发,《浙江学刊》2003 年第 1 期

《1857~1858 年经济学手稿》是如何对法律进行经济分析的, 黄立君,《政法论丛》2003 年第 5 期

重读《共产党宣言》——关于马克思、恩格斯在《共产党宣言》

中提示的"两个必然性"的思考, 陶小平,《忻州师范学院学报》2003 年第 5 期

马克思早期生产劳动理论与历史唯物主义的创立, 杨思基,《玉溪师范学院学报》2003 年第 5 期

恩格斯晚年对马克思主义的发展与创新, 潘其胜、淦家辉,《宜春学院学报》2003 年第 5 期

读恩格斯《在马克思墓前的讲话》——纪念马克思逝世 120 周年, 钟哲明,《北京行政学院学报》2003 年第 3 期

从《共产党宣言》看经济全球化, 李光,《信阳师范学院学报》(哲学社会科学版) 2003 年第 1 期

关于马克思的不通过"卡夫丁峡谷"思想的几点思考, 窦爱兰,《新乡师范高等专科学校学报》2003 年第 3 期

逻辑方法:《资本论》逻辑构造理论的科学价值新探——我国世界经济学科学理论的系统化逻辑构造研究之二, 林世昌,《理论建设》2003 年第 3 期

隐性全球化理论的哲学确证——对《德意志意识形态》中全球化思想的"原像"探索, 谢殿波,《江苏教育学院学报》(社会科学版) 2003 年第 4 期

马克思恩格斯关于文艺作品中的人物论述, 李志雄,《贵州民族学

院学报》(哲学社会科学版) 2003 年
第 6 期

马克思恩格斯论"恶"的历史作用,林艳梅,《北方论丛》2003 年第 6 期

论马克思恩格斯"跨越论"及邓小平的理论创新,刘勇,《南京林业大学学报》(人文社会科学版) 2003 年第 4 期

也谈对马克思的两段话的一些想法——与陶德麟教授商榷,毛升,《长春师范学院学报》2003 年第 4 期

偶然性的价值观内涵及其人学意义——《德意志意识形态》中的偶然性思想研究,张永庆,《西南师范大学学报》(人文社会科学版) 2003 年第 4 期

马克思人的发展论及其对农民发展的启示,赖黎明,《山东农业大学学报》(社会科学版) 2003 年第 4 期

儒家与马克思社会哲学的若干比较,姜赞东,《彭城职业大学学报》2003 年第 6 期

与时俱进的典范——马克思、恩格斯对马克思主义的发展,夏新年,《彭城职业大学学报》2003 年第 6 期

论马克思人道主义思想及其现实意义,王玮,《淮阴工学院学报》2003 年第 6 期

不断做好马克思主义的编译、研究和宣传工作,黄楠森,《马克思主义与现实》2003 年第 6 期

与时俱进:马克思的突出品质——纪念马克思逝世 120 周年,乐承耀,《中共青岛市委党校、青岛行政学院学报》2003 年第 2 期

马克思恩格斯的效率与公平思想,王辉、曾亚雄,《学术探索》2003 年(增刊)

马克思东方社会理论与中国法律文化,李丽辉,《云南警官学院学报》2003 年第 4 期

马、恩对主体性内涵的论述及其启示,苑国化、李刚,《平顶山师专学报》2003 年第 6 期

马克思恩格斯的犯罪学历史观的几个问题的检讨,沈腾、高咏梅,《黑龙江省政法管理干部学院学报》2003 年第 6 期

马克思恩格斯晚年研究俄国及其对经济落后国家实现社会主义的理论贡献,李兴中,《中共郑州市委党校学报》2003 年第 2 期

马克思跨越资本主义"卡夫丁峡谷"设想的现实思考,李春兰,《湖南科技大学学报》(社会科学版) 2003 年第 6 期

马克思、恩格斯的社会主义理论在东西方实践之比较,林建华,《中共天津市委党校学报》2003 年第 3 期

马克思社会形态划分理论的演变（下），孙显元，《淮北职业技术学院学报》2003 年第 1 期

从政治解放到人类解放：马克思政治理想的确立，宋婕，《学术研究》2003 年第 8 期

再为马克思辩护——"犯罪功能说"质疑，张庆旭、陈海燕，《西南政法大学学报》2003 年第 6 期

2004 年

马克思恩格斯全球化视域中的资本主义，刘建伟，《安徽农业大学学报》（社会科学版）2004 年第 1 期

马克思个人理论及其当代价值，赵丽、王良滨，《理论与改革》2004 年第 1 期

《德意志意识形态》的所有制理论梳理，吴永辉，《株洲工学院学报》2004 年第 1 期

论马克思法律观的形成，李晖，《政法论丛》2004 年第 1 期

浅论马克思世界历史理论的现代价值，张登文、王清信，《学术探索》2004 年第 1 期

马克思哲学思想方法、研究方法的革命变革，杨思基，《山东社会科学》2004 年第 1 期

马克思恩格斯派生性社会发展观研究，王占阳，《史学月刊》2004 年第 1 期

从"世界交往"概念看马克思的国际政治社会学方法，郭树勇，《世界经济与政治》2004 年第 1 期

马克思恩格斯世界历史理论与西方全球化理论比较研究，张爱武，《毛泽东邓小平理论研究》2004 年第 1 期

马克思时空观新论，张奎良，《江海学刊》2004 年第 1 期

关于马克思交换理论的哲学思考——读《1857—1858 年经济学手稿》，孙承叔，《复旦学报》（社会科学版）2004 年第 1 期

全球化视野中的 1873 年经济危机及其对马克思的挑战，张明、韦定广，《复旦学报》（社会科学版）2004 年第 1 期

哲学方法论视域中马克思的劳动价值论——兼评劳动价值论争论中的一些观点，王峰明、牛变秀，《哲学研究》2004 年第 2 期

"以人为本"：马克思社会发展观的一个根本原则，王锐生，《哲学研究》2004 年第 2 期

马克思的理论观——读马克思书信，李玉姣、苏优良，《云南社会科学》2004 年第 2 期

马克思的哲学共产主义思想的深远意义，张奎良，《学术交流》2004 年第 2 期

马克思哲学与本体论的"纠缠"，旷三平，《中国社会科学》2004年第2期

关于马克思实践本体论的再思考，杨耕，《学术月刊》2004年第1期

马克思的物质变换概念及其当代意义，郭剑仁，《武汉大学学报》（哲学社会科学版）2004年第2期

马克思恩格斯的生态观及其当代价值，王俊涛，《生态经济》2004年（增刊）

马克思"实物观"的实践本质和关系向度——论经济学批判中的社会关系视域，周志山，《社会科学战线》2004年第2期

马克思的生产社会化理论与分工的二元发展，邱海平，《社会科学研究》2004年第2期

恩格斯对政党理论的早期探索，周仲秋，《湖南师范大学社会科学学报》2004年第2期

恩格斯对唯物史观的独特贡献，李瑞琴，《中国社会科学院研究生院学报》2004年第1期

马克思的恋爱观——读马克思给拉法格的信，沈国桢，《嘉兴学院学报》2004年第1期

论马克思的无神论与他的历史唯物主义的逻辑关系，张剑抒，《学术探索》2004年第2期

马克思恩格斯的社会发展动力系统观，李丽、毛建儒，《系统辩证学学报》2004年第2期

马克思人与环境的思想对人才培养的启示，欧阳彪，《西安政治学院学报》2004年第1期

马恩跨越资本主义卡夫丁峡谷设想的文本解读，孙宗伟，《天府新论》2004年第2期

试论马克思对后发展国家的研究及其方法论意义，张登文、邱希敏，《山东教育学院学报》2004年第1期

马克思恩格斯关于可持续发展思想及其现实意义，卜范达，《内蒙古民族大学学报》（社会科学版）2004年第1期

祛除历史能指的幽灵，解开历史代表问题之谜——马克思《路易·波拿巴的雾月十八日》之当代解读，刘怀玉，《洛阳师范学院学报》2004年第1期

观念和方法的互动——论马克思恩格斯的文艺批评，董中锋，《广播电视大学学报》（哲学社会科学版）2004年第1期

对马克思晚年俄国社会发展若干问题研究的再认识，刘卓红、关锋，《马克思主义研究》2004年第2期

马克思世界历史理论建构方法的特点，杨世宏、朱颖洁，《齐鲁学刊》2004年第3期

马克思的产权理论及其现实意义，丁任重、杨惠玲，《宏观经济研究》2004年第4期

马克思关于社会发展动力的理论及其当代意义，潘琍，《中共云南省委党校学报》2004年第2期

物的尺度与人的尺度——马克思主义经典作家关于科学技术实践的价值取向，赵保红、许大平，《山西农业大学学报》（社会科学版）2004年第1期

试论马克思和恩格斯关于人的全面发展的思想，刘长林，《中共山西省委党校学报》2004年第2期

马克思恩格斯关于新生产组织方式的思想及其当代价值，孟杰，《山东社会科学》2004年第4期

论十九世纪中期马克思恩格斯眼中的中国，黄少成、胡雪黎，《宁波广播电视大学学报》2004年第1期

继承和创新是马克思劳动价值论创立和发展的不竭动力，戴世灏，《上海立信会计学院学报》2004年第1期

简论马克思的社会和谐思想，田伟宏，《济南大学学报》（社会科学版）2004年第1期

历史与注释——对马克思"人的本质的对象化活动"之文化价值解读引发的思考，邹兴明，《河南社会科学》2004年第1期

马克思恩格斯民主契约法律观的"理论替换"及其实践反差，马长山，《华东政法学院学报》2004年第2期

探究马克思——马列文论学习札记，李思孝，《涪陵师范学院学报》2004年第2期

全面发展实质即个性发展——重温马克思全面发展学说的启示，张楚廷，《北京大学教育评论》2004年第2期

历史的生成性——论马克思在历史哲学领域实现的革命变革，郭艳君，《天津社会科学》2004年第2期

任重而道远的马克思文本研究——一份学术基础的清理，聂锦芳，《天津社会科学》2004年第2期

论《资本论》中马克思对人的发展的界定，任淑红、蒋美仕、夏德计，《徐州教育学院学报》2004年第1期

关于《德意志意识形态》交往理论的新思考，雷淑媛、丛培英、肖淑芬，《沈阳大学学报》2004年第1期

马克思为什么写作《资本论》，钱立火，《学术界》2004年第2期

马克思辩证法的一般规定和形态表现，陶富源，《学术界》2004年第2期

马克思自由人联合体思想新解，

牛得青,《求索》2004年第3期

马克思恩格斯为何拒绝将平等作为理论范畴使用,周仲秋,《求索》2004年第2期

马克思主义公有制主张的原意及现实——兼论正确理解马克思恩格斯经济危机理论,李济广,《中共济南市委党校学报》2004年第1期

从两封信读解马恩悲剧观,熊敬忠,《哈尔滨学院学报》2004年第3期

马克思主义经典作家调查研究的理论与实践是中国共产党人调查研究的基础,李赪武,《甘肃行政学院学报》2004年第1期

马克思对评价尺度的"社会存在论"解释,旷三平,《中山大学学报》(社会科学版)2004年第3期

马克思的产权理论,徐颖,《中国特色社会主义研究》2004年第3期

马克思人权思想的哲学意蕴,卢春雷,《理论探索》2004年第4期

从马克思对未来社会的设想谈起,梁柱,《高校理论战线》2004年第6期

从马克思的保险基金理论看保险基金的性质,汤洪波,《当代经济研究》2004年第7期

正确理解马克思"消灭私有制"理论的几点思考,李建权、程云英,《山西高等学校社会科学学报》2004年第5期

与国际接轨,我们的差距在哪里——《马克思恩格斯全集》历史考证版国际版第二版与中国合作意向性规划,魏小萍,《中共石家庄市委党校学报》2004年第5期

婚姻关系的法理阐释——重读马克思《论离婚法草案》而感发,庞正,《法制与社会发展》2004年第3期

马克思恩格斯对黑格尔"理性的机巧"命题的扬弃,戴海东,《求索》2004年第4期

从解释到改造——也论马克思恩格斯对形而上学的终结,潘道正、黄利荣,《南京社会科学》2004年第6期

马克思的需要心理学思想,张积家、陈栩茜,《华南师范大学学报》(社会科学版)2004年第2期

马克思学说与资本主义的演进,张光明,《河南大学学报》(社会科学版)2004年第2期

论人的最高本质及其同劳动、社会的关系——关于马克思和恩格斯"人的本质学说"的新探索,袁家群,《安徽电气工程职业技术学院学报》2004年第2期

马克思论自然历史过程中的生产实践,陈芬,《学术交流》2004年第4期

马克思视域中的以人为本,张

奎良,《马克思主义与现实》2004 年第 3 期

论马克思"重建个人所有制"理论及我国所有制的创新,杨雪英,《经济问题》2004 年第 5 期

马克思"自然生产力"思想初探,巨乃岐,《河南师范大学学报》(哲学社会科学版) 2004 年第 3 期

从马克思的"世界历史"思想看中国的现代化,杨建国,《当代世界与社会主义》2004 年第 2 期

马克思实践视角的确立和货币理论的创新,宓文湛,《财经研究》2004 年第 6 期

马克思、恩格斯全面生产理论对树立科学发展观的启示,李明,《长沙铁道学院学报》(社会科学版) 2004 年第 2 期

马克思的理想社会与现实社会主义,曹海玲,《青海师范大学学报》(哲学社会科学版) 2004 年第 4 期

马克思恩格斯关于"两个必然"和"两个决不会"的思想及现实意义,欧亚平,《理论前沿》2004 年第 8 期

"自由人联合体":对乌托邦的反叛与升华,王玉琼,《科学社会主义》2004 年第 3 期

《共产党宣言》中的文艺思想,陆贵山,《江苏行政学院学报》2004 年第 2 期

马克思历史理论的双重内涵及其文化学意义,隽鸿飞,《史学理论研究》2004 年第 3 期

论马克思的"世界历史眼光",顾智明,《马克思主义研究》2004 年第 3 期

马克思社会发展理论的深刻意蕴与当代价值——试论全面、协调、可持续的发展观,方世南,《马克思主义研究》2004 年第 3 期

学习马克思的社会经济形态理论,刘炯忠,《马克思主义研究》2004 年第 3 期

论马克思世界历史理论的发展路向,刘勇,《中共南宁市委党校学报》2004 年第 2 期

从《德意志意识形态》看马克思主义唯物史观的前提和出发点,韩媛,《理论月刊》2004 年第 7 期

马克思恩格斯的社会主义发展道路多样化思想,文常明,《鹭江职业大学学报》2004 年第 2 期

唯物史观视界下的"利己主义"与"自我牺牲"——被误解了的马克思、恩格斯的论断,宋希仁,《中国矿业大学学报》(社会科学版) 2004 年第 2 期

试析马克思社会形态范畴形成的历史进程,董晓蕾,《江西师范大学学报》(哲学社会科学版) 2004 年第 3 期

科学的分析评判,伟大的决胜

战略——读马克思恩格斯《美国内战》，关勖夏，《军事历史研究》2004 年第 2 期

马克思的哲学价值论探略，李江凌，《广州大学学报》（社会科学版）2004 年第 4 期

马克思的发展理论与当今社会主义新的科学发展观，鲁从明，《长江论坛》2004 年第 3 期

货币幻象：马克思的历史哲学解读，张雄，《中国社会科学》2004 年第 4 期

马克思论私有财产的法律保护——兼谈对我国修宪的意义，蔡宝刚，《扬州大学学报》（人文社会科学版）2004 年第 4 期

马克思异化理论是人文关怀维度与科学范导维度的统一，周桂芹，《江南大学学报》（人文社会科学版）2004 年第 3 期

不要曲解"跨越'卡夫丁峡谷'思想"的本来意思，孙新彭，《天中学刊》2004 年第 4 期

论马克思的利益学说，孟素琴，《中共太原市委党校学报》2004 年第 4 期

学习马克思的社会经济形态理论，刘炯忠，《马克思主义研究》2004 年第 4 期

思维抽象、思维具体与马克思的劳动价值论——兼评劳动价值论争论中的一些观点，王峰明、牛变

秀，《学术界》2004 年第 4 期

现实的人：马克思人性论的基石，张洪春，《肇庆学院学报》2004 年第 3 期

马克思恩格斯的生态悖论观及其对可持续发展观的意义，贺建林、李雅兴，《社会主义研究》2004 年第 3 期

论马克思人的全面发展理论的多维视角及其现实意义，陈松林，《社会主义研究》2004 年第 3 期

劳动和休闲的哲学基础——马克思关于人的自由全面发展的再认识，于桂芝，《社会科学战线》2004 年第 4 期

三维境界的合一：马克思言说的共产主义，张奎良，《社会科学战线》2004 年第 4 期

"三个代表"重要思想和马克思的社会发展理论，胡振平、黄凯锋，《社会科学》2004 年第 5 期

马克思论现代社会的基本特征，侯衍社，《齐鲁学刊》2004 年第 4 期

《资本论》的历史分期理论述评，钱立火，《兰州学刊》2004 年第 4 期

论马克思和恩格斯的学风观，徐世杰，《理论探讨》2004 年第 3 期

从马克思的世界历史理论看人的全面发展，刘明合，《理论探讨》2004 年第 3 期

恩格斯的"跨越"论，林艳

梅,《科学社会主义》2004年第4期

马克思企业理论的产权视角:一个不完全合约框架,何宇,《经济学家》2004年第4期

马克思恩格斯资本主义历史命运思想考略,周世兴,《河西学院学报》2004年第4期

马克思恩格斯的合作制理论探析,黄开华,《湖北省社会主义学院学报》2004年第4期

理论上的可能性和现实中的不可能性——马克思恩格斯晚年关于俄国村社问题研究之比较,关锋、刘卓红,《马克思主义与现实》2004年第5期

论马克思恩格斯哲学思想的当代意义,韩庆祥,《理论探讨》2004年第5期

马克思恩格斯关于人自身矛盾的研究,王伟然,《理论学刊》2004年第9期

马克思对生产劳动概念的三次扩展及其启示,武建奇、张润锋,《经济学家》2004年第5期

马克思晚年设想的经济学意蕴,孙来斌,《经济评论》2004年第4期

试析马克思东方社会理论的内核,刘朝华,《湖湘论坛》2004年第5期

性格、人格和悲剧——浅析马克思的内在悲剧观,廖高会,《中北大学学报》(社会科学版)2004年第

3期

马克思哲学时空观刍议,曾庆发,《湖北师范学院学报》(哲学社会科学版)2004年第3期

人所以成为人的存在根据——马克思劳动价值论的现代哲学内涵,刘国章,《广西大学学报》(哲学社会科学版)2004年第4期

马克思对近代西方人权观的扬弃,黄寿松,《高校理论战线》2004年第9期

马克思恩格斯的公平正义思想研究,姜涌,《广东社会科学》2004年第3期

马克思关于人的全面发展的学说及其对当代教育的启示,周志文,《涪陵师范学院学报》2004年第5期

马克思恩格斯可持续发展思想及启示,张燕喜、石霞,《当代经济研究》2004年第10期

马克思论农民与农民个体经济,曾芬钰,《当代经济研究》2004年第8期

论马克思劳动价值理论形成的唯物史观基础,徐志坚,《常熟高专学报》2004年第5期

马克思、恩格斯所有制理论在中国的创新,张艳,《财经问题研究》2004年第8期

论马克思哲学的当代性,屈光峰、陈静,《安徽工业大学学报》(社

会科学版）2004年第4期

马克思恩格斯论第三世界发展问题，刘志明，《中共云南省委党校学报》2004年第3期

马克思对世界历史理论的革命性变革——从历史哲学的视角看，赵士发，《哲学研究》2004年第9期

东方专制主义理论：马克思与魏特夫的比较研究，涂成林，《哲学研究》2004年第4期

"探索幽灵的轨迹：马克思著作中的文献学和哲学研究"国际学术会议综述，魏小萍，《哲学动态》2004年第9期

在全球化进程中全面把握马克思的"两个必然"理论——讲授《政治经济学》第十五章的教学体会，蒋智华，《云南财贸学院学报》2004年（增刊）

马克思和恩格斯的国家利益思想——献给小平同志诞辰100周年，王成娟，《外交学院学报》2004年第3期

试论太平天国运动的历史意义和国际影响——重温马克思、恩格斯对太平天国运动的光辉论述，唐建华，《武汉职业技术学院学报》2004年第3期

"对象的尺度"还是"人的尺度"——马克思美学思想一窥，刘虎，《文艺理论与批评》2004年第5期

《共产党宣言》：全球化时期的现代性文化批判，黄力之，《文艺理论与批评》2004年第5期

马克思主义是发展着的理论——《共产党宣言》的启示，王炎炯，《苏州大学学报》（哲学社会科学版）2004年第5期

马克思、恩格斯与生态审美观，曾繁仁，《陕西师范大学学报》（哲学社会科学版）2004年第5期

析恩格斯晚年的一个重要观点，董仲其，《四川大学学报》（哲学社会科学版）2004年第5期

马克思恩格斯、列宁、斯大林的社会主义观之比较，周映华、张建林，《求实》2004年第S3期

在共存中相碰撞　在互融中共发展——对马克思恩格斯"世界文学"与"民族文学"思想的思考，高明霞，《内蒙古师范大学学报》（哲学社会科学版）2004年第4期

马克思与恩格斯的哲学差异真的存在吗？何丽野，《南京社会科学》2004年第10期

马克思文化学思想探微，叶志坚，《科学社会主义》2004年第5期

从《德意志意识形态》中的"交往"思想看经济全球化，刘明松，《科学社会主义》2004年第5期

生产方式辩证法元理论的审视——恩格斯反思的科学昭告，胡潇，《教学与研究》2004年第11期

没能"舔净"的"孩子"——浅析马克思对《资本论》第二卷、第三卷的态度，谭希培、岳君朋，《集美大学学报》（哲学社会科学版）2004年第3期

深入理解马克思的价值决定论，胡钧、张广兴，《经济学动态》2004年第8期

马克思的消费者理论及其当代价值，屈炳祥，《经济评论》2004年第6期

是异质还是一致：马克思与恩格斯的哲学思想，郑庆林，《江淮论坛》2004年第5期

马克思"同时发生论"和"跨越论"的重新解读，何捷一，《江汉论坛》2004年第11期

"跨越"论不符合马克思的原意——兼与赵家祥教授商榷，孟庆仁，《河北学刊》2004年第2期

国外学者关于马克思恩格斯比较研究诸范式简评，吴家华，《高校理论战线》2004年第10期

市场竞争与产品创新——从马克思角度进行的研究，黄瑾，《当代经济研究》2004年第4期

《共产党宣言》中文版是怎样诞生的，朱国明，《档案与史学》2004年第5期

马克思哲学当代性的本质意蕴，屈光峰、范伶俐，《巢湖学院学报》2004年第6期

马克思社会形态理论双维多级构造的整合研究，邵腾，《学术月刊》2004年第8期

必须正视马克思恩格斯在人与动物界定问题上的区别，汪济生，《学术月刊》2004年第7期

"实践的唯物主义者即共产主义者"——对马克思学说一个命题的考察，张奎良，《学术月刊》2004年第4期

马克思哲学流派纷呈原因的三维分析，黄琳，《孝感学院学报》2004年第5期

论马克思恩格斯无产阶级革命策略思想，周世兴，《天水师范学院学报》2004年第4期

马克思恩格斯论法的相对独立性，魏鹏娟，《社科纵横》2004年第5期

试论马克思恩格斯的早期民族思想，宋仕平、娜拉，《社会主义研究》2004年第5期

马克思世界历史理论的建构方法，杨世宏，《社会主义研究》2004年第5期

理解差异：马克思恩格斯文学批评标准比较，黄赞梅，《南昌大学学报》（人文社会科学版）2004年第5期

马克思跨越资本主义"卡夫丁峡谷"思想的再思考，杨晓丽、宁玲玲，《理论月刊》2004年第8期

马克思视界中的感性原则与女性解放，秦美珠,《理论界》2004 年第 4 期

马克思的两种东方社会观，陈冠玉,《求索》2004 年第 10 期

论辩证法三种历史形态思维方式的特点——兼论马克思实践思维方式的合理性，倪志安,《乐山师范学院学报》2004 年第 7 期

论恩格斯晚年对社会主义道路理论的贡献，王志林,《中国农业银行武汉培训学院学报》2004 年第 4 期

论马克思哲学与时俱进理论品质的内在学理根据及其方法论意义，叶险明,《江苏行政学院学报》2004 年第 4 期

论《费尔巴哈论》中"唯物主义"的双重语义——为恩格斯辩护，张建军,《江海学刊》2004 年第 6 期

从《论犹太人问题》看马克思的犹太观，张倩红,《世界历史》2004 年第 6 期

马克思的两种生产理论及其当代意义，隽鸿飞,《哲学研究》2004 年第 8 期

马克思文明多样性思想的研究方法，方世南,《哲学研究》2004 年第 7 期

论马克思、恩格斯的青年观，田杰,《中国青年政治学院学报》2004 年第 6 期

马克思哲学视界中的人文精神，王金会、王淑梅,《渤海大学学报》（哲学社会科学版）2004 年第 5 期

论马克思世界历史理论的发展路向，刘勇,《云梦学刊》2004 年第 5 期

论马克思恩格斯的人和自然协调发展理论与当代可持续发展思路的一致性，管金标,《玉林师范学院学报》2004 年第 2 期

马克思恩格斯的文艺价值观浅论，洪志明,《党史文苑》2004 年第 12 期

论马恩著作中"共产主义"和"社会主义"概念的使用——兼与赵家祥、成保良同志商榷，奚兆永,《当代经济研究》2004 年第 12 期

马克思恩格斯所有制实现形式问题研究的基本方法，冷兆松,《当代经济研究》2004 年第 12 期

马克思的产权理论与国有企业产权改革，刘桂芝,《当代经济研究》2004 年第 11 期

马克思恩格斯论马克思主义哲学的性质，曹润生,《安庆师范学院学报》(社会科学版) 2004 年第 6 期

关于马克思、恩格斯"两个必然"论断的再思考，吕晓文、凌德政,《中共合肥市委党校学报》2004 年第 4 期

辩证理解"两个必然"，刘清华,《湖南行政学院学报》2004 年第

4 期

论恩格斯晚年议会和平斗争策略思想，周世兴，《湖南科技大学学报》（社会科学版）2004 年第 6 期

马克思异化劳动理论的哲学逻辑辨析，姜喜咏，《新疆大学学报》（社会科学版）2004 年第 3 期

马克思和恩格斯主要哲学著作，贾高建，《石油政工研究》2004 年第 6 期

跨越式发展：马克思世界历史理论的内在要求，陈静，《宿州学院学报》2004 年第 1 期

马克思关于人的本质的探解及其价值意蕴，李华平，《宿州学院学报》2004 年第 1 期

马克思对"人的价值"之类命题的批判，卢炜，《上海交通大学学报》（哲学社会科学版）2004 年第 6 期

浅析《资本论》的经济伦理思想，涂桂华，《江西行政学院学报》2004 年第 S2 期

马克思恩格斯关于人的全面发展的学说及其现实意义，秦剑军，《河南大学学报》（社会科学版）2004 年第 6 期

社会必要劳动时间：马恩论述的新解读——认识分歧的客观原因探讨之二，王虎林、王志芳，《长沙理工大学学报》（社会科学版）2004 年第 4 期

关于正确理解马克思"消灭私有制"理论的几点思考，王世勇，《重庆社会科学》2004 年（增刊）

运用差异分析法研究马克思的学说，俞吾金，《哲学动态》2004 年第 12 期

为什么要认真读点马列原著？——《读点马列原著讲座》之一，傅迪，《中华魂》2004 年第 10 期

怎样理解"自由人联合体"这个命题？——《历史唯物论—社会发展史讲座》之十八，甘林，《中华魂》2004 年第 7 期

"革命是历史的火车头"——《历史唯物论—社会发展史讲座》之十六，沙健孙，《中华魂》2004 年第 5 期

对马克思关于人的三重本性思想的探讨，王全宇，《湖南行政学院学报》2004 年第 3 期

马克思恩格斯哲学革命的当代意义，姜官颖，《武警学院学报》2004 年第 6 期

实践二分与异化——《德意志意识形态》学习札记，盛卫国，《胜利油田党校学报》2004 年第 6 期

马恩关于农民向工人阶级转化思想及启示，杨云善，《社会主义研究》2004 年第 6 期

试论恩格斯对马克思主义政治学说的三大贡献，曾良盛，《求实》

2004 年第 12 期

马克思的自由思想探究，石云霞、蔡晓良,《理论月刊》2004 年第 12 期

马克思恩格斯平等思想研究，周仲秋,《政治学研究》2004 年第 1 期

如何走向社会主义？——马克思、毛泽东相同与相异的理论探索，侯朝蓉、周利生,《江西社会科学》2004 年第 12 期

马克思经济学关于人性假设的现实意义，张艳红,《河南社会科学》2004 年第 6 期

对分配正义的批判：马克思与哈耶克，林进平,《华南师范大学学报》(社会科学版) 2004 年第 6 期

马克思对"人的价值"之类命题的批判，卢炜,《西北工业大学学报》(社会科学版) 2004 年第 4 期

对资本主义和社会主义历史命运的再思考——重读《共产党宣言》的一点体会，赵斌、常青,《山东省农业管理干部学院学报》2004 年第 6 期

《共产党宣言》：指引我们胜利前进的灯塔——《读点马列原著讲座》之二，荀春荣,《中华魂》2004 年第 11 期

建构马克思的实践唯物主义哲学体系，邓晓芒,《学术月刊》2004 年第 12 期

用马克思的扬弃观透视当代资本主义，隋成竹、慕香英,《襄樊学院学报》2004 年第 6 期

浅论阿拉伯伊斯兰文化的历史价值和作用——兼谈马克思、恩格斯对阿拉伯伊斯兰文化的论述，马福元,《西北民族大学学报》(哲学社会科学版) 2004 年第 6 期

谈马克思有关艺术的三命题，阎国忠,《台州学院学报》2004 年第 5 期

论马克思对法国环境决定论的批判及现实意义，郝贵生,《天津师范大学学报》(社会科学版) 2004 年第 6 期

科学精神的永恒丰碑——读马克思、恩格斯著作中的"序"和"跋"，陈荣富、朱晓卫,《马克思主义研究》2004 年第 6 期

马克思"重建个人所有制"解析，夏新年,《彭城职业大学学报》2004 年第 6 期

论马克思早期的自由观，张之沧,《南京师大学报》(社会科学版) 2004 年第 6 期

解决近代哲学三大问题的钥匙——马克思的历史唯物主义，郭玲玲、于滢,《理论界》2004 年第 6 期

马克思的企业理论探析，李自杰,《国际商务》(对外经济贸易大学学报) 2004 年第 2 期

马克思对东方落后国家社会发展道路的探索及其意义，朱丽君，《哲学堂》2004 年第 2 期

从社会哲学视角看马克思哲学思想的现实意义，邢媛，《哲学堂》2004 年第 2 期

马克思交往理论源头再考察——重读《德意志意识形态》，姚纪纲，《哲学堂》2004 年第 2 期

马克思哲学思想的本质特征：技术实践论，乔瑞金，《哲学堂》2004 年第 2 期

马克思恩格斯与时俱进地看待资本主义寿命的历史演变，赵家祥，《理论视野》2004 年第 3 期

从雨果看浪漫主义作家的世界观和人物创造——兼议马克思恩格斯对浪漫主义的论述，龙怀珠，《宝鸡文理学院学报》（社会科学版）2004 年第 6 期

2005 年

马克思恩格斯经济全球化思想述要，刘建伟、张思锋、禹海霞，《上海市经济管理干部学院学报》2005 年第 1 期

论马克思关于人的本质的论断，陈启能，《山东社会科学》2005 年第 1 期

马克思恩格斯是如何重视党的中央委员会的，邢家强，《理论探讨》2005 年第 1 期

恩格斯：新时代的期待，胡大平，《南京大学学报》（哲学、人文科学、社会科学版）2005 年第 1 期

恩格斯：马克思主义哲学史研究的第一推动力，张亮，《南京大学学报》（哲学、人文科学、社会科学版）2005 年第 1 期

恩格斯对"马克思哲学"的解释和贡献——以文献为基础的分析，杨学功，《南京大学学报》（哲学、人文科学、社会科学版）2005 年第 1 期

澄清对马克思理论的误解——关于社会主义社会的几个重大理论问题，汤在新，《南方经济》2005 年第 2 期

生产、历史与批判——在与韦伯的比较中解读马克思的阶级理论，金林南，《马克思主义与现实》2005 年第 1 期

马克思"辩证法的界限应当确定"命题析论，李福麟，《理论学习与探索》2005 年第 1 期

培养年轻的《资本论》专家，苏星，《理论前沿》2005 年第 1 期

马克思、恩格斯的人权观：批判与建构的整合，苗贵山，《理论与改革》2005 年第 1 期

马克思恩格斯的"跨越论"再读，张复俊、吴晓虹，《科学社会主

义》2005 年第 1 期

早期马克思的法学思想——解读《关于林木盗窃法的辩论》，韩红俊，《河南商业高等专科学校学报》2005 年第 1 期

论马克思有机论的实践自然观，陈明，《广州大学学报》（社会科学版）2005 年第 1 期

"五种社会形态"说对马克思"经济的社会形态"的误读，杨木，《甘肃理论学刊》2005 年第 1 期

马克思、恩格斯的人权观——批判与建构的整合，苗贵山、冯敏，《北方论丛》2005 年第 1 期

与时俱进：马克思主义的理论品质——重读《共产党宣言》的七篇序言，郑卫丽、贾朋俭，《保定师范专科学校学报》2005 年第 1 期

辩证法：马克思怎样改造了黑格尔，齐长立，《保定师范专科学校学报》2005 年第 1 期

马克思恩格斯论人的自由发展与实现，陈平，《湘潭大学学报》（哲学社会科学版）2005 年第 1 期

论马克思恩格斯"跨越"设想的当代价值，周太山，《景德镇高专学报》2005 年第 1 期

论马克思、恩格斯的人本思想，林媛红，《合肥学院学报》（社会科学版）2005 年第 2 期

从马克思恩格斯的世界历史理论看全球化的二重性，余红，《贵州

社会科学》2005 年第 2 期

对"回到马克思"的"文本"质疑，何丽野，《浙江社会科学》2005 年第 2 期

马克思恩格斯对哲学的拒斥，李毅嘉，《山东大学学报》（哲学社会科学版）2005 年第 2 期

论马克思恩格斯社会主义发展进程第二种设想的思想流变，赵明义，《山东大学学报》（哲学社会科学版）2005 年第 2 期

马克思、恩格斯对资产阶级虚假意识形态的批判，刘景良，《求索》2005 年第 1 期

论马克思恩格斯对未来社会的科学构想，宋凡金，《齐鲁学刊》2005 年第 2 期

论非道德主义的政治伦理——马克思对政治现代性的批判与超越，杨楹，《哲学动态》2005 年第 2 期

差异分析与理论重构——马克思哲学研究中的方法论问题，俞吾金，《中共浙江省委党校学报》2005 年第 1 期

资本主义社会内部是否能够孕育和形成社会主义因素？（上）——马克思恩格斯思想与列宁思想的比较，赵家祥，《北京行政学院学报》2005 年第 1 期

人的存在的历史性及其现代境遇——对马克思关于人的存在思想的重新解读，张曙光，《学术研究》

2005 年第 2 期

马克思的"物役性"理论和"新人"观，孙兰英，《天津大学学报》(社会科学版) 2005 年第 1 期

全球性贫困：马克思和恩格斯视野中的西方全球化，刘志明，《马克思主义研究》2005 年第 1 期

论马克思人的全面发展理论，吴向东，《马克思主义研究》2005 年第 1 期

关于《共产党宣言》中译本的几个问题，张小川，《四川教育学院学报》2005 年第 5 期

马克思、恩格斯的人权批判理论及其当代价值，王艳，《马克思主义与现实》2005 年第 3 期

走向历史、现实和理论的深处——读《劳动论——〈马克思恩格斯全集〉探义》，张凤羽，《共产党员》2005 年第 6 期

马克思恩格斯论中国的政治，张允熠、张娟，《东南大学学报》(哲学社会科学版) 2005 年第 3 期

试论马克思恩格斯《共产党宣言》中关于民族问题的理论，朱西周，《电子科技大学学报》(社会科学版) 2005 年第 2 期

马克思恩格斯的经济可持续发展思想，周玉梅，《当代经济研究》2005 年第 5 期

马克思著述知多少？——从"书志学"方面进行的清理、考证

与统计，聂锦芳，《哲学动态》2005 年第 5 期

究竟应该怎样认识马克思、恩格斯思想的关系？——兼评俞吾金先生的差异分析法，郝贵生、李俊赴，《哲学动态》2005 年第 5 期

马克思恩格斯关于保持无产阶级政党先进性的组织建设经验，李爱华，《政法论丛》2005 年第 2 期

资本主义社会内部是否能够孕育和形成社会主义因素？(下)——马克思恩格斯思想与列宁思想的比较，赵家祥，《北京行政学院学报》2005 年第 2 期

重读《反杜林论》及其三个版本的序言谈高校哲学研究中"与时俱进"和"跟踪不失"问题，宛金泉，《中国科技信息》2005 年第 10 期

"马克思恩格斯与基督宗教"问题的当代性，侯惠勤、仲伟良，《学海》2005 年第 2 期

试论马克思、恩格斯关于人与自然的和谐共生理论，孔祥利，*Ecological Economy* 2005 年第 2 期

马克思恩格斯对后发展国家的研究及其当代价值，张登文、马用浩，《中共石家庄市委党校学报》2005 年第 5 期

马克思恩格斯关于人的全面发展思想及其当代启示，邱启照，《理论月刊》2005 年第 5 期

马克思恩格斯关于无产阶级政党建设基本观点研究，陈登才，《理论视野》2005年第3期

人的全面发展与思想政治教育——读《德意志意识形态》，张胥，《理论界》2005年第5期

马克思产权理论与我国多种产权形态体系的构建，程言君，《生产力研究》2005年第5期

在构建和谐社会中丰富马克思关于个人全面发展的理念，郝建团、武凤生，《内蒙古水利》2005年第2期

马克思法哲学正义观初探，宣刚、魏宁海，《南华大学学报》（社会科学版）2005年第3期

马克思恩格斯是如何阐述和对待唯物史观的？张成诗，《理论探讨》2005年第4期

主体间性问题与马克思的社会交往理论，张锦智、秦永雄，《理论探索》2005年第4期

试论《〈黑格尔法哲学批判〉导言》的理论内涵，宋朝龙，《中国矿业大学学报》（社会科学版）2005年第2期

论马克思"跨越卡夫丁峡谷"思想的中国化，苏丽君、夏建文，《经济与社会发展》2005年第5期

从马克思与马尔库塞异化理论区别看资本主义的新变化，朱久昌，《和田师范专科学校学报》2005年

第4期

马克思关于人的本质的三个界定，赵家祥，《思想理论教育导刊》2005年第7期

浅析马克思关于"人的全面发展"理论，屠兴勇，《达县师范高等专科学校学报》2005年第4期

《德意志意识形态》中的"交往"概念新论，曹浩瀚，《当代世界社会主义问题》2005年第2期

马克思恩格斯的社会发展理论及其在当代中国的发展，严书翰，《东南学术》2005年第3期

"莎士比亚化"：对马克思恩格斯文论一个新的诠释方法，李跃红，《云南社会科学》2005年第3期

劳动的手段意义与目的价值——马克思劳动价值论的超经济学澄明，朱平，《当代世界与社会主义》2005年第3期

社会发展理论的一对基本范畴：生产和交往——马克思交往理论蕴含的发展辩证法思想探析，项松林，《巢湖学院学报》2005年第5期

马克思恩格斯东方社会理论之比较，吴家华，《安徽大学学报》（哲学社会科学版）2005年第4期

马克思恩格斯论保持共产党的先进性，许青云，《郑州大学学报》（哲学社会科学版）2005年第4期

试论《资本论》逻辑结构之特色，孙苹，《四川理工学院学报》（社

会科学版）2005 年第 2 期

论马克思恩格斯的制度伦理思想，李仁武，《伦理学研究》2005 年第 4 期

历史唯物主义视野中的正义观——兼谈马克思何以拒斥、批判正义，林进平、徐俊忠，《学术研究》2005 年第 7 期

马克思"生活的生产"理论预设的当代意义——关于社会发展理论框架的新建构，王雅林，《学术交流》2005 年第 7 期

论人类学实践哲学——马克思实践哲学的性质，丁立群，《学术交流》2005 年第 7 期

马克思新世界观形成时期的两种结构转换——兼论马克思哲学文本解读的一个方法论问题，刘荣军，《西北师大学报》（社会科学版）2005 年第 4 期

股份制财产是"社会财产"——试论马克思恩格斯有关股份制的论述，张艳、王新安，《西北大学学报》（哲学社会科学版）2005 年第 4 期

马克思、恩格斯的人权批判理论及其当代价值，苗贵山，《太原理工大学学报》（社会科学版）2005 年第 2 期

马克思与科学，J. D. 贝尔纳、张改珍、张纪昌、陈蕾、杨艳，《山东科技大学学报》（社会科学版）

2005 年第 2 期

论《德意志意识形态》的个体思想及其独特视角，曾凡跃，《探索》2005 年第 3 期

马克思恩格斯的社会和谐思想，贾建芳，《马克思主义研究》2005 年第 3 期

马克思晚年探索的理性与非理性的转换和统一机制，张奎良，《社会科学辑刊》2005 年第 4 期

论马克思的物质概念，朱兰芝，《山东师范大学学报》（人文社会科学版）2005 年第 4 期

和谐社会和人的自由全面发展——马克思理想人格思想的当代解读，张萍，《马克思主义与现实》2005 年第 4 期

从马克思感性活动看马克思的哲学革命，冷梅，《兰州学刊》2005 年第 4 期

马克思的基本精神与哲学创新，陈金美，《江汉论坛》2005 年第 8 期

马克思产业组织演进理论及其现实意义，张燕、姚慧琴，《河北经贸大学学报》2005 年第 2 期

论和谐社会的构建——《1844 年经济学哲学手稿》中异化现象引发的思考，刘东南，《文史博览》2005 年第 6 期

马克思哲学形成时期的两种结构转换及其当代意义，刘荣军，《福建论坛》（人文社会科学版）2005 年

第 7 期

马克思对人的本质问题的研究脉络——以《1844 年经济学哲学手稿》为例，苗泉竹，《湖北社会科学》2005 年第 8 期

马克思"重建劳动者个人所有制"思想探析，吴淑娴，《湖北社会科学》2005 年第 8 期

共产主义社会、全面小康社会和人的全面发展——重读《共产党宣言》，姜贵、董前程，《东北电力学院学报》2005 年第 3 期

马克思的方法论与环境伦理学的构建，宋周尧，《重庆社会科学》2005 年第 9 期

马克思实践哲学的生存论转向，褚小山，《中共成都市委党校学报》2005 年第 4 期

正确理解马克思的私有制观，胡本良，《滨州学院学报》2005 年第 4 期

《德意志意识形态》中的科学法哲学观，顾明晔，《安徽工业大学学报》(社会科学版) 2005 年第 3 期

论马克思解放理论的伦理旨趣，杨楹，《哲学研究》2005 年第 8 期

论哲学基本问题分析的意义与意义域——纪念恩格斯逝世 110 周年，李凯林，《哲学研究》2005 年第 7 期

后殖民主义视域中的马克思，张其学，《哲学研究》2005 年第 6 期

重新辨析马克思创立历史唯物主义的理论本意——评后现代理论对马克思"生产"概念的批判，张盾，《哲学研究》2005 年第 6 期

马克思对德国古典哲学自由精神的继承和发展，许全兴，《中共中央党校学报》2005 年第 3 期

论马克思恩格斯科学社会主义思想的主要内容——纪念恩格斯逝世 110 周年，陈仕龙，《中共南京市委党校南京市行政学院学报》2005 年第 4 期

历史唯物主义视野下的货币——马克思的货币哲学思想简析，赵志芳，《盐城工学院学报》(社会科学版) 2005 年第 2 期

"世界历史"与资本主义——《资本论》语境中的"世界历史"思想，丰子义，《学术研究》2005 年第 8 期

关注贫困化——马克思理论批判的着力点和理论发展的张力所在，苗泉竹，《学术论坛》2005 年第 7 期

马克思关于人的本质的实践观论析，戴劲，《唐山师范学院学报》2005 年第 4 期

从后现代主义的挑战看马克思批判理论的当代效应——评后现代理论对马克思"使用价值"概念的批判，张盾，《天津社会科学》2005 年第 4 期

马克思现代性批判的视野，李

淑梅,《天津社会科学》2005 年第 4 期

生态世界观、科学发展观与马克思自由个性观,廖清胜,《探索》2005 年第 3 期

马克思恩格斯全面生产理论及其对构建和谐社会的启示,李明,《理论界》2005 年第 8 期

马克思视野中的东方法律文化,贺然,《理论导刊》2005 年第 9 期

创新马克思经济理论教学的研究,徐佩华,《江西教育学院学报》2005 年第 4 期

《资本论》：马克思新唯物主义哲学发展的第四个阶段,唐正东,《江苏行政学院学报》2005 年第 4 期

马克思恩格斯阶级和阶级斗争理论与当代现实——西方国家阶级关系的演变趋势,池元吉,《吉林大学社会科学学报》2005 年第 4 期

马克思恩格斯"世界历史"视野中的俄国农村公社,车美萍,《中共济南市委党校学报》2005 年第 3 期

马克思恩格斯论人与自然发展的关系,易培强,《湖南师范大学社会科学学报》2005 年第 4 期

马克思社会发展观内涵探析,杨亮,《河南师范大学学报》(哲学社会科学版)2005 年第 4 期

马克思《历史学笔记》中的世界史观解读,黄皖毅,《河北师范大学学报》(哲学社会科学版)2005 年第 5 期

马克思的社会主体论探要,俞吾金,《复旦学报》(社会科学版)2005 年第 5 期

马克思的"和谐社会"思想及意义初探,张海夫、王世斌,《党政干部论坛》2005 年第 9 期

论马克思的自由个性理论与科学发展观的内在逻辑关系,戴安良,《探索》2005 年第 2 期

《德意志意识形态》与当代中国马克思主义哲学研究的三个问题,黄楠森,《马克思主义研究》2005 年第 4 期

人的本质：从费尔巴哈到马克思——纪念《关于费尔巴哈的提纲》写作 160 周年,李庆钧,《学术界》2005 年第 5 期

论恩格斯的现实主义典型观,高峰,《吉林师范大学学报》(人文社会科学版)2005 年第 3 期

重温马克思、恩格斯"创作情绪"论,陈子谦,《社会科学研究》2005 年第 5 期

论马克思修辞学的实践,马天俊,《人文杂志》2005 年第 5 期

马克思最初遭遇生产力问题的语境、理论逻辑和意义（上）——兼论马克思文本解读的若干原则,胡大平,《人文杂志》2005 年第 5 期

马恩的和谐社会思想及其启示,赵兴良,《求实》2005年第8期

马克思关于共产主义阶段划分的学说及其启示,曾国良,《黔南民族师范学院学报》2005年第4期

马克思的社会保障理论及社会保障对市场经济的作用,王冰,《宁波职业技术学院学报》2005年第3期

《德意志意识形态》"费尔巴哈"章的文献问题,小林一穗、韩立新,《南京社会科学》2005年第8期

从《1844年经济学哲学手稿》看马克思自然观的转向,邓喜道,《理论月刊》2005年第9期

在自由和奴役之间——试析马克思晚年对亚细亚生产方式理论的重新定位,牛方玉,《理论学刊》2005年第9期

《资本论》的逻辑与价值决定的两个问题,朱沁夫,《当代经济研究》2005年第9期

马克思在异化问题上思想转变的实质——评张奎良与俞吾金的争论,宋朝龙,《北京理工大学学报》(社会科学版)2005年第5期

马克思恩格斯关于可持续发展的哲学思想,陶秀璈,《北京教育》(高教版)2005年第9期

用《共产党宣言》解读全球化的二重性,陈明凡、陈明磊,《中共云南省委党校学报》2005年第4期

马克思实践观的人文意蕴,任暟,《哲学动态》2005年第8期

外化、异化与私有财产:并非产生于翻译的概念理解问题——《马克思恩格斯全集》历史考证版MEGA2概念背后的理论问题研究,魏小萍,《哲学动态》2005年第8期

解释:读出与读入——马克思中学毕业宗教作文阅读札记,张贤勇,《现代哲学》2005年第3期

马克思的交往理论与科学发展观,项松林、李虹,《唯实》2005年第7期

《1844年经济学哲学手稿》中马克思的早期人学思想,杨照征,《聊城大学学报》(社会科学版)2005年第4期

认识论与本体论的统一:马克思的实践自由观,王雪冬,《天府新论》2005年第5期

人的自由全面发展:读《德意志意识形态》,曾宇辉,《南昌航空工业学院学报》(社会科学版)2005年第3期

马克思关于市民社会与现代性的关联,邢荣,《教学与研究》2005年第10期

马克思开辟的人学道路,韩庆祥,《江海学刊》2005年第5期

马克思"世界历史"理论中的经济全球化思想,姚登权,《湖南商

学院学报》2005 年第 4 期

论马克思对黑格尔法哲学的超越，李宏，《河南师范大学学报》（哲学社会科学版）2005 年第 5 期

马克思哲学何以是原始的生存论，吴宏政，《合肥工业大学学报》（社会科学版）2005 年第 5 期

从劳动异化史观到唯物史观——论马克思历史观的转变及其内在逻辑，王智勇，《哈尔滨学院学报》2005 年第 10 期

把握历史科学观念是正确理解马克思哲学的关键，沈湘平，《河北学刊》2005 年第 5 期

在马克思本人那里，有几种形态的马克思哲学？——对马克思哲学"原生形态"研究的一点思考，陈忠，《河北学刊》2005 年第 5 期

在"跨越"问题上马克思与恩格斯思想发展变化探析，黄朝东，《湖北民族学院学报》（哲学社会科学版）2005 年第 4 期

马克思人类解放思想及其对构建和谐社会的启示，赵建芳、孙伟正，《湖北民族学院学报》（哲学社会科学版）2005 年第 4 期

马克思法哲学正义观初探，陈光义、宣刚，《广州社会主义学院学报》2005 年第 3 期

论马克思晚年理论活动与《资本论》写作之关系，周世兴，《湖南工程学院学报》（社会科学版）2005

年第 3 期

论马克思恩格斯的社会和谐发展观，李保忠、石岩，《西安政治学院学报》2005 年第 4 期

马克思恩格斯审美教育思想综论，赵利民，《文艺理论与批评》2005 年第 5 期

马克思与哲学观念的转变，仰海峰，《天津社会科学》2005 年第 5 期

《资本论》的伦理学解读，刘合行，《唐都学刊》2005 年第 5 期

论马克思恩格斯关于人与自然和谐的思想，王初根、潘程兆，《求实》2005 年第 10 期

从马克思、恩格斯经典论述谈集体利益高于个人利益，耿步健，《求索》2005 年第 9 期

《德意志意识形态》中的分工和异化理论，王南湜，《南京社会科学》2005 年第 10 期

《德意志意识形态》中异化论的扬弃和物象化论的奠基，吉田宪夫，《南京大学学报》（哲学、人文科学、社会科学版）2005 年第 5 期

广松版《德意志意识形态》的编辑学价值，小林昌人，《南京大学学报》（哲学、人文科学、社会科学版）2005 年第 5 期

《德意志意识形态》与当代中国马克思主义哲学研究的三个问题，黄枬森，《南京大学学报》（哲学、人

文科学、社会科学版）2005年第5期

《德意志意识形态》文献学研究的意义，王学东，《南京大学学报》（哲学、人文科学、社会科学版）2005年第5期

马克思研究前资本主义社会形态的思想历程探析，高飞乐，《马克思主义与现实》2005年第5期

和谐社会的制度设计原理和社会构造方法——从理想宪政的视角看马克思的共产主义学说，徐瑄，《马克思主义与现实》2005年第5期

马克思、恩格斯关于农业和农民问题的基本观点述要，何增科，《马克思主义与现实》2005年第5期

马克思恩格斯创立新唯物主义哲学中的创新思想，邓兆明，《岭南学刊》2005年第5期

映现于批判中的伦理——马克思伦理思想的理论样态，王天民，《理论探讨》2005年第5期

马克思和谐社会思想的三个维度，赵福生，《理论探讨》2005年第5期

马克思社会时间理论的三重视域，孙乐强，《福建论坛》（人文社会科学版）2005年第9期

人本主义的逻辑冲突——《1844年经济学哲学手稿》研究，

杨汇智、宋庆，《湖北社会科学》2005年第11期

马克思恩格斯的公平思想及其启示，赵振华，《大连干部学刊》2005年第10期

对马克思《关于费尔巴哈的提纲》中实践观的剖析与思考，韩天宝，《巢湖学院学报》2005年第6期

我们在何种意义上谈论马克思是否为技术决定论者，温茹、张弘政，《成都教育学院学报》2005年第11期

体系化哲学的突破与政治哲学研究方法的转变——马克思的《黑格尔法哲学批判》再解读，李淑梅，《哲学研究》2005年第9期

马克思现代性批判的理论旨趣及其变革实质，贾英健，《哲学研究》2005年第9期

《德意志意识形态》的文献学研究及其当代价值国际学术研讨会综述，赵涛、周嘉昕，《哲学动态》2005年第9期

充分发扬党内民主善于听取不同意见——革命导师怎样对待党内的不同意见，王凡，《中共四川省委党校学报》2005年第3期

马克思的方法论与环境伦理学的构建，宋周尧，《中共四川省委党校学报》2005年第3期

马克思恩格斯"东方理论"的差异及原因，刘文、王志林，《武汉

冶金管理干部学院学报》2005 年第 3 期

论马克思的人类社会化思想，王永强，《学习与探索》2005 年第 4 期

《资本论》第一卷教学与研究中的学术争鸣，何炼成，《湘潭大学学报》（哲学社会科学版）2005 年第 5 期

从生存论转向到人本主义转向——马克思的生存论人本主义解读，张登巧，《湘潭大学学报》（哲学社会科学版）2005 年第 5 期

政治文明：马克思恩格斯国家理论的价值取向，仇小敏，《学术论坛》2005 年第 9 期

论马克思的两种国家观，南丽军，《学术交流》2005 年第 8 期

论马克思的批判性自由理论，赵敦华，《新视野》2005 年第 5 期

应当重申马克思已经实现的方法论超越——以马克思对国家问题的观察为案例的分析，周毅之，《江苏行政学院学报》2005 年第 6 期

马克思恩格斯关于城乡统筹发展的思想及其启示，石玉顶，《经济学家》2005 年第 6 期

马克思经济学整体有机论的方法论归属探究，高嵩，《经济评论》2005 年第 6 期

马克思历史观视野中的生产力、生产关系及其矛盾运动，林剑，《江海学刊》2005 年第 6 期

马克思眼里的中国人，张允熠、张娟，《江淮论坛》2005 年第 5 期

返本归真：重读马克思哲学的重要启示，杨晓东，《江汉论坛》2005 年第 11 期

马克思生活世界的真理观，丁瑞兆，《哈尔滨学院学报》2005 年第 11 期

论马克思“社会革命”概念的深刻内涵——兼评哲学教科书对“社会革命”概念的误读，徐景星，《河北师范大学学报》（哲学社会科学版）2005 年第 6 期

马克思、恩格斯关于收入分配领域的公平观及其现实意义，孙蚌珠，《思想理论教育导刊》2005 年第 11 期

恩格斯创造了新的术语“流通资本”，卫华，《国外理论动态》2005 年第 11 期

恩格斯对马克思学说的贡献，格奥尔基·巴加图里亚著，徐洋译，《国外理论动态》2005 年第 11 期

浅谈马克思实践唯物主义转变的三个重要因素，李树德、曾贵，《文史博览》2005 年第 14 期

系统方法与相对剩余价值生产理论——《资本论》第一卷第四篇中系统方法的探讨，王云、杨文选，《福建师范大学学报》（哲学社会科学版）2005 年第 6 期

马克思"重建个人所有制"的思想及现实意义，张立宏，《齐鲁学刊》2005 年第 6 期

马克思把握历史过程的双向考察方法，刘忠世，《齐鲁学刊》2005 年第 6 期

论"马克思主义东方学"的出发点——兼驳关于马克思、恩格斯没有东方社会理论的观点，俞良早，《南京师大学报》（社会科学版）2005 年第 5 期

马克思恩格斯关于资本主义普选制的论述，曹峰旗，《毛泽东邓小平理论研究》2005 年第 7 期

马克思创立唯物史观的思维轨迹，张义生，《南京政治学院学报》2005 年第 5 期

从马克思的世界历史理论审视当今的全球化，刘严宁，《柳州师专学报》2005 年第 4 期

世界历史视域中的马克思交往理论及其现实意义，周德刚，《辽宁大学学报》（哲学社会科学版）2005 年第 6 期

马克思社会发展阶段理论与社会主义和谐社会的构建，陈锡喜，《江西师范大学学报》（哲学社会科学版）2005 年第 5 期

传统异化逻辑与主体性形而上学的共生性——论《1844 年经济学哲学手稿》对启蒙辩证法的初始突破，夏林，《现代哲学》2005 年第 4 期

列宁对马克思恩格斯未来社会"分配方式"思想的误判，曹天禄、徐春莲，《天津师范大学学报》（社会科学版）2005 年第 5 期

试论马克思对"人的本质"的科学解答，隋秀英，《山西高等学校社会科学学报》2005 年第 11 期

马克思恩格斯论和谐社会，谭芝灵，《探索》2005 年第 5 期

马克思自由个性理论的几个问题，王贵明、邱光政，《探索》2005 年第 5 期

澄清对恩格斯两段话的误解——与俞吾金教授商榷，赵家祥，《马克思主义研究》2005 年第 5 期

马克思的资本的历史极限理论研究，邵腾、张翔，《马克思主义研究》2005 年第 5 期

资产阶级权利与市民权利：同质与否？——《马克思恩格斯全集》历史考证版 MEGA2 词汇问题研究，魏小萍，《马克思主义研究》2005 年第 5 期

再读马克思生产理论，王代月，《社会主义研究》2005 年第 5 期

试论马克思恩格斯对"真正的社会主义"的批判，隋秀英，《绥化学院学报》2005 年第 5 期

论马克思人本质理论的方法论意义，王元珍，《西南农业大学学报》（社会科学版）2005 年第 3 期

马克思恩格斯列宁合作经济思想探究，罗骏，《四川大学学报》（哲学社会科学版）2005 年第 6 期

唯物史观的贯彻与发展——对《共产党宣言》第一章首句话的思考，董仲其，《四川大学学报》（哲学社会科学版）2005 年第 6 期

马克思最初遭遇生产力问题的语境、理论逻辑和意义（下）——兼论马克思文本解读的若干原则，胡大平，《人文杂志》2005 年第 6 期

马克思与海德格尔的形而上学批判，汉斯—马丁·格拉赫、朱刚，《求是学刊》2005 年第 6 期

怎样理解马克思哲学变革规划的总问题——评徐长福教授对马克思哲学观的解读，张盾，《文史哲》2005 年第 6 期

马克思的自由概念新探，曹玉涛，《中州学刊》2005 年第 6 期

论马克思恩格斯的生态观，侯书和，《中州学刊》2005 年第 6 期

在什么意义下说马克思哲学具有形而上学的性质——一个涉及马克思与形而上学"颠覆"的问题，旷三平，《哲学动态》2005 年第 10 期

精神家园：马克思哲学的当代意义，李文阁，《哲学动态》2005 年第 10 期

马克思"改变世界"的存在论寓意，陈立新，《浙江学刊》2005 年第 6 期

马克思劳动力价值价格界限理论初探，刘家珉、由壮举，《中国流通经济》2005 年第 11 期

《资本论》中人的发展实现条件探析，任淑红、夏德计，《徐州师范大学学报》（哲学社会科学版）2005 年第 6 期

深入探寻马克思哲学思想原创的差异化踪迹，刘怀玉，《学术月刊》2005 年第 10 期

马克思论域中的自由时间与人的发展，杨凤，《学术论坛》2005 年第 11 期

社会主义因素在资本主义内部的生成与扩张——马克思恩格斯思想的历史考察及其现实意义，周世兴，《河南社会科学》2005 年第 6 期

马克思的遗产与当代经济学——俄罗斯学者的争论材料之二（马克思主义学者及其他学者的观点），李兴耕，《国外理论动态》2005 年第 12 期

马克思、恩格斯关于科学社会主义理论的创立及对未来社会的展望，王宇飞，《贵阳金筑大学学报》2005 年第 4 期

近年来国外恩格斯研究概况，吕增奎，《当代世界与社会主义》2005 年第 6 期

从《资本论》看归纳与演绎的辩证关系，王瑜晓，《西华大学学

报》(哲学社会科学版) 2005 年（增刊）

论马克思哲学生活观的理论支点，王福民，《哲学研究》2005 年第 12 期

马克思"新唯物主义"哲学视野中的哲学，林剑，《哲学研究》2005 年第 12 期

从思维与存在的同质性到思维与存在的异质性——马克思哲学思想演化中的一个关节点，俞吾金，《哲学研究》2005 年第 12 期

马克思利益理论及其当代诠释，曾祺林，《武汉工业学院学报》2005 年第 4 期

马克思主义民族理论发展史研究——解读马克思民族理论早期的两本著作，乌小花，《天津市社会主义学院学报》2005 年第 4 期

唯物史观的创立与人的本质的发现——从《关于费尔巴哈的提纲》一处误译谈起，孙熙国，《哲学研究》2005 年第 11 期

"经典表述"的再阐释——重读马克思的《政治经济学批判》序言、导言，郭艳君，《哲学研究》2005 年第 11 期

《马克思学说的历史命运》：历史的总结和科学的预言——《读点马列原著讲座》之十二，梁柱，《中华魂》2005 年第 9 期

对马克思、恩格斯利益范畴的

探析，王圣祯，《学术交流》2005 年第 11 期

透视现代性——马克思现代性思想的独特视角，郑元景、徐梦秋，《西南师范大学学报》(人文社会科学版) 2005 年第 6 期

马克思主义经典作家"怎样认识社会主义"思想研究，苏伟，《西南师范大学学报》(人文社会科学版) 2005 年第 6 期

论马克思的现代化思想，林志友，《牡丹江师范学院学报》(哲学社会科学版) 2005 年第 6 期

毛泽东是怎样读马列著作的，佚名，《党的建设》2005 年第 4 期

马克思恩格斯公平思想研究，周新城，《红旗文稿》2005 年第 14 期

《德意志意识形态》中的文化观，邓永芳，《中共云南省委党校学报》2005 年第 6 期

马克思恩格斯的人与自然关系思想及其当代的生态价值，王瑶，《沈阳建筑大学学报》(社会科学版) 2005 年第 4 期

马克思恩格斯生态经济思想探析，金开好、朱园园、张斌，《理论建设》2005 年第 6 期

马克思恩格斯的社会保障思想研究，梅哲，《马克思主义研究》2005 年第 6 期

马克思恩格斯关于国有制问题

的基本观点，冷兆松，《马克思主义研究》2005 年第 6 期

马克思恩格斯的"现实性"思想及其意义，杨思基，《马克思主义研究》2005 年第 6 期

试论马克思关于人的自由全面发展理论，赵丽华，《生产力研究》2005 年第 11 期

文化悲剧理论：马克思恩格斯悲剧思想的新维度，杨庙平，《江西社会科学》2005 年第 12 期

马克思恩格斯的人力资源思想，李华，《当代经济研究》2005 年第 12 期

哈贝马斯"生活世界理论"与马克思"全面生活理论"之比较，陈忠，《江苏社会科学》2005 年第 6 期

马克思的权利思想，张丽君，《政治学研究》2005 年第 4 期

马克思的自由观，曾宇辉，《政治学研究》2005 年第 2 期

论马克思对自然权利理论的质疑和超越，申建林，《政治学研究》2005 年第 2 期

马克思哲学自由观的新解读，黄杰，《河北理工学院学报》（社会科学版）2005 年第 4 期

变换主体视角看悲剧和悲剧人物——对马恩悲剧理论的新认识，宋菲，《河北理工学院学报》（社会科学版）2005 年第 1 期

马克思恩格斯《共产党宣言》中关于民族问题的理论，朱西周，《河北理工学院学报》（社会科学版）2005 年第 1 期

文本与真理：马克思早期著作解读的方法研究，戈士国，《马克思主义研究》2005 年第 4 期

体系化哲学的突破与政治哲学研究方法的转变——马克思的《黑格尔法哲学批判》再解读，李淑梅，《哲学研究》2005 年第 9 期

重建"人民生活"和"国家生活"的同一性——论《黑格尔法哲学批判》的主题，李晓江，《辽宁师范大学学报》2005 年第 1 期

《1844 年经济学哲学手稿》伦理思想研究，肖群忠，《伦理学研究》2005 年第 4 期

传统异化逻辑与主体性形而上学的共生性——论《1844 年经济学哲学手稿》对启蒙辩证法的初始突破，夏林，《现代哲学》2005 年第 4 期

论马克思《1844 年经济学哲学手稿》中的经济哲学思想，彭学农，《上海大学学报》2005 年第 1 期

对"五种社会形态理论"一个主要依据的质疑——重释《政治经济学批判〈序言〉》的一段著名论述，段忠桥，《南京大学学报》2005 年第 2 期

关于资本的哲学思考——读

《1857—1858 年经济学手稿》，孙承叔，《东南学术》2005 年第 2 期

马克思哲学革命出场的现代性路径——《关于费尔巴哈的提纲》诞生 160 周年后的新解读，任平，《江海学刊》2005 年第 3 期

马克思哲学思维方式变革的逻辑进程——从《博士论文》到《德意志意识形态》，张传开，《江淮论坛》2005 年第 5 期

马克思的自我意识哲学：起源、形成与特征——《关于伊壁鸠鲁哲学笔记》和《德谟克利特的自然哲学和伊壁鸠鲁的自然哲学的差别》解读，王浩斌、张亮，《江海学刊》2005 年第 3 期

关于《共产党宣言》的名称的思考，董仲其，《探索》2005 年第 5 期

马克思"两个决不会"思想与现阶段我国的所有制改革，张军扩，《理论前沿》2005 年第 20 期

重温马克思的"两个决不会"思想，张军扩，《北京日报》2005 年 12 月 12 日

2006 年

试论马克思恩格斯对蒲鲁东公平正义观的批判，王广，《中共石家庄市委党校学报》2006 年第 1 期

古典经济学："影缩的市民社会"及其当代意义——从恩格斯对马克思的一个误解说起，张雪魁，《山东社会科学》2006 年第 1 期

坚持以科学的态度对待马克思恩格斯列宁领导思想，岳增瑞，《山东社会科学》2006 年第 1 期

论马克思对人的分析方法，包先建，《经济学家》2006 年第 1 期

马克思恩格斯对资产阶级人权思想的继承与发展，李招忠，《江汉论坛》2006 年第 2 期

马克思恩格斯国际关系理论初探，卿孟军、闻洪涛，《哈尔滨学院学报》2006 年第 1 期

论马克思恩格斯美学思想中的和谐观，邓海英，《文教资料》2006 年第 1 期

马克思、恩格斯悲剧理论探析——以《济金根》评论为例，丁灿，《湖南科技学院学报》2006 年第 1 期

《共产党宣言》的当代视角探析，陈昌兴，《湖南科技学院学报》2006 年第 2 期

《共产党宣言》与经济全球化，徐辉、黎万和，《市场论坛》2006 年第 1 期

"重新建立个人所有制"的当代解读，裴晓军，《贵州财经学院学报》2006 年第 2 期

马克思恩格斯思想政治教育实践研究，刘风华，《广西青年干部学院学报》2006年第2期

恩格斯认同黑格尔"思维与存在的同质性观点"吗，陶富源、王景，《高校理论战线》2006年第3期

《德意志意识形态》的理论贡献及其当代价值，侯惠勤，《高校理论战线》2006年第3期

从《共产党宣言》序言看马克思主义的理论创新精神，吴丹，《高校理论战线》2006年第1期

马克思恩格斯视野中的东方农民问题，谢双明，《当代世界与社会主义》2006年第1期

马克思社会基本矛盾理论视野中的当代国际问题，刘卫民，《哲学研究》2006年第2期

《德意志意识形态》的文献学问题讨论，魏小萍，《哲学动态》2006年第2期

马克思恩格斯对资本主义兴起与宗教改革互动关系的基本论述，万斌、金利安，《浙江社会科学》2006年第1期

马克思社会发展思想与现代化思想的理论分野，王飞南，《中共宁波市委党校学报》2006年第1期

理解马克思与文本类型置序——马克思主义哲学研究的文本学方法之一，何怀远，《学术研究》2006年第1期

试论马克思、恩格斯对社会主义的理论思考，韦建桦，《武汉大学学报》（哲学社会科学版）2006年第1期

浅析马克思的人学思想——从"人的本质"谈起，宋娅菲，《台声、新视角》2006年第1期

科学发展观的"以人为本"与马克思关于人的自由全面发展理论，赵丽华，《山西高等学校社会科学学报》2006年第3期

马克思、恩格斯劳动力资源及其流动论述的新解读——兼对我国农村劳动力转移的思考，黄建新、温福英，《中共福建省委党校学报》2006年第1期

马克思、恩格斯视野中的东方社会发展问题，谢双明，《求实》2006年第3期

文本学马克思主义的研究路向——记清华大学《德意志意识形态》研究会，姜海波，《清华大学学报》（哲学社会科学版）2006年第2期

《马克思恩格斯全集》历史考证版（MEGA）的异文处理方法，鲁路，《马克思主义与现实》2006年第1期

"马克思文本解读"研究不能无视版本研究的新成果——评张一兵"《文献学语境中的〈德意志意识形态〉》代译序"，鲁克俭，《马克

思主义与现实》2006 年第 1 期

《德意志意识形态》的文献学研究，大石高久、田长英，《马克思主义与现实》2006 年第 1 期

青年马克思人格精神及其现代价值，彭美贵，《理论月刊》2006 年第 3 期

马克思恩格斯关于小农生产方式改造的基本思想，文东升，《理论月刊》2006 年第 1 期

论马克思、恩格斯对私营经济的看法，顾龙生，《理论月刊》2006 年第 1 期

马克思阶级概念的多重阐释，康文龙，《学术论坛》2006 年第 3 期

对《神圣家族》中的人本思维方法初探，蔡玉珍，《湘潭师范学院学报》（社会科学版）2006 年第 1 期

马克思恩格斯在"跨越论"上存在矛盾说之质疑，罗保国，《探索与争鸣》2006 年第 4 期

马克思无产者变有产者的思想，时新华、许庆朴，《山东师范大学学报》（人文社会科学版）2006 年第 2 期

论先进性是马克思恩格斯建党的立论基础，颜杰峰，《求实》2006 年第 4 期

全球化与马克思的社会形态、社会演进理论，何捷一，《马克思主义与现实》2006 年第 2 期

对《共产党宣言》当代价值的

几点思考，袁永和，《理论导刊》2006 年第 4 期

马克思、恩格斯共产主义思想的"三个维度"及其当代意义，白新欢，《理论导刊》2006 年第 3 期

马克思恩格斯关于俄国社会发展道路问题的理论，陈方猛，《宁波工程学院学报》2006 年第 1 期

与时俱进是马克思主义的本来特征——读《共产党宣言》的七篇序言有感，文成国，《江汉论坛》2006 年第 3 期

论恩格斯对哲学革命的理解——120 年后对《费尔巴哈论》出场学视域的新解读，任平，《江苏社会科学》2006 年第 2 期

科学社会主义的基本经典——恩格斯著《社会主义从空想到科学的发展》研读笔记，吴雄丞，《高校理论战线》2006 年第 4 期

马克思发展观的形态演变考察，徐震，《甘肃理论学刊》2006 年第 2 期

西方"马克思学"视域中的"马克思—恩格斯问题"，夏娟，《福建论坛》（人文社会科学版）2006 年第 4 期

海德格尔的幽灵——对所谓马克思生存论的一种批判，李海青、赵玉洁，《哲学研究》2006 年第 2 期

马克思理论观形成的历史过程探微，张义桂、张瑞忠，《南京政治

学院学报》2006 年第 2 期

马克思《关于费尔巴哈的提纲》第十条辨析，姜喜咏，《兰州学刊》2006 年第 5 期

马克思的个性自由思想及其当代价值，杨同斌、陈美兰，《连云港师范高等专科学校学报》2006 年第 1 期

对《共产党宣言》序言的新思考，马文萍，《辽宁行政学院学报》2006 年第 4 期

马克思东方社会发展道路理论及其方法论意义，李红卫，《理论探索》2006 年第 3 期

马克思意识形态理论科学性的阐释，孟庆艳，《辽宁大学学报》（哲学社会科学版）2006 年第 2 期

马克思恩格斯的平等观，万军，《科学社会主义》2006 年第 2 期

马克思关于理论创新主体应具有的三种精神，张义桂，《科教文汇》（上半月）2006 年第 1 期

马克思发展理论若干问题探讨，赵兴良，《江西社会科学》2006 年第 4 期

论马克思恩格斯评价社会进步尺度思想的历史与逻辑，周世兴，《河西学院学报》2006 年第 3 期

经济的法律逻辑：马克思法律反作用思想的具体读解，蔡宝刚、吴玉岭，《河北法学》2006 年第 4 期

全人类解放的伟大旗帜——

《共产党宣言》的写作背景、主要观点和意义，赵汇，《高校理论战线》2006 年第 5 期

马克思"人的本质"理论视角转变分析，张荣，《桂海论丛》2006 年第 3 期

论青年马克思对近代西方人权观的批判与超越，刘冲、刘玉雁，《辽宁公安司法管理干部学院学报》2006 年第 2 期

马克思市民社会理论对构建和谐社会的价值启示，张海夫、董大敏，《湖北社会科学》2006 年第 5 期

马克思关于未来共产主义社会发展阶段的理论及其现实意义，孙燕、吴淑娴，《湖北社会科学》2006 年第 5 期

论马克思的生态哲学思想，杨秋凤，《鄂州大学学报》2006 年第 2 期

《资本论》中文全译本的十种版本，郭秉兴，《党史文汇》2006 年第 5 期

从解释世界到改变世界——马克思对黑格尔哲学的"颠倒"，李慧娟，《东北师大学报》（哲学社会科学版）2006 年第 3 期

从"三形态说"看马克思看待人的发展的方法论，李本松，《辽东学院学报》（社会科学版）2006 年第 2 期

马克思主义时代观的"二重

性"学理分析——兼析马克思"两个必然"与"两个决不"思想的现实合理性，张光辉、董业宏，《长春市委党校学报》2006年第2期

马克思、恩格斯对正义的审视，苗贵山，《太原理工大学学报》（社会科学版）2006年第1期

马克思的世界历史理论及其在当代中国的意义，张雪，《沈阳教育学院学报》2006年第2期

论马克思的世界历史理论及其当代价值，陈士兵，《山东省农业管理干部学院学报》2006年第2期

马克思恩格斯的城乡关系理论及其对当代的启示，陈睿，《中共福建省委党校学报》2006年第5期

马克思早年政治哲学三题辨正，罗伯中、刘放桐，《探索》2006年第2期

《资本论》量化分析方法探析，李鸥，《马克思主义研究》2006年第5期

结合MEGA2谈历史考证版的编辑准则，鲁路，《马克思主义研究》2006年第4期

马克思和恩格斯关于社会建设与社会管理的科学探索，杨奎，《马克思主义研究》2006年第4期

论恩格斯对马克思主义公平观的科学阐述，周新城，《马克思主义研究》2006年第4期

马克思《1844年经济学哲学手稿》中若干译文的辨析，许兴亚，《马克思主义研究》2006年第4期

刍议黑格尔和马克思之"市民社会"差异性，许方文，《社会科学家》2006年（增刊）

论马克思产权理论的形成过程，彭五堂，《生产力研究》2006年第3期

可持续发展观的资本关系维度——对马克思自然观的深层透视，周志山，《人文杂志》2006年第3期

马克思的劳动概念——兼论实践、生产和劳动概念的关系，杨建平，《人文杂志》2006年第3期

马克思青年时期法哲学视野中的理性与自由——利益协调过程中理性的自由秩序状态，文学平，《求实》2006年第5期

对马克思劳动价值论与按生产要素分配关系问题的探析，李利芳，《前沿》2006年第5期

简论马克思的生产力系统理论，孙喜杰、曹荫全，《哲学研究》2006年第5期

实践人学：马克思哲学的最终归结——纪念《德意志意识形态》诞生160周年，张奎良，《哲学研究》2006年第5期

试析"马克思劳动价值论与现实背离"的问题，邓献晖，《哲学研究》2006年第4期

劳动、技术与人类解放——恩

格斯技术哲学思想探析，许良，《自然辩证法研究》2006 年第 4 期

马克思对启蒙思想的超越，李慧娟，《学习与探索》2006 年第 2 期

实践的"公共理性"观及其"公共性"的文化—价值追求——马克思新哲学观的精神实质及其人文意蕴，袁祖社，《学习与探索》2006 年第 2 期

马克思休闲价值思想探析，许斗斗，《学术研究》2006 年第 5 期

重估《自然辩证法》手稿的价值，刘秀萍，《学术研究》2006 年第 5 期

马克思经济学与西方经济学的方法论比较，许卓云，《学术研究》2006 年第 5 期

马克思东方社会理论的方法论特征及其后殖民主义意蕴，刘军，《学术论坛》2006 年第 4 期

哲学路径的转变：马克思对"个人"的拯救，罗敏，《西南交通大学学报》（社会科学版）2006 年第 2 期

马克思恩格斯关于和谐社会的科学构想，吴丽萍，《湘潭师范学院学报》（社会科学版）2006 年第 3 期

论市民社会的政治超越——论马克思社会解放的一个思想，陈明，《西安电子科技大学学报》（社会科学版）2006 年第 2 期

从《德意志意识形态》探析马克思主义"现实的人"，何晓梅，《文教资料》2006 年第 15 期

论马克思人的全面发展理论的本质，李菊芳，《台州学院学报》2006 年第 2 期

再现恩格斯编辑《资本论》第二卷的工作，卢晓萍，《当代经济研究》2006 年第 6 期

马克思、恩格斯眼中的人与自然——《劳动在从猿到人转变过程中的作用》中的环保法思想，余麟、陈峥嵘，《长沙大学学报》2006 年第 4 期

替马克思挣稿费，王德胜，《出版参考》2006 年第 17 期

马克思恩格斯的和谐社会观，谭献民、蒋建辉，《信阳师范学院学报》（哲学社会科学版）2006 年第 3 期

马克思恩格斯关于生态问题的思考，胡军，《中国特色社会主义研究》2006 年第 3 期

马克思恩格斯的和谐社会思想探析，王影，《求实》2006 年第 S2 期

重读马克思主义创始人的所有制理论，胡伯项，《马克思主义与现实》2006 年第 3 期

"全世界无产者，联合起来！"还是"全世界劳动者，联合起来！"——从 1888 年英文版《共产党宣言》结束语的修改谈对待马克

思主义经典著作的正确态度，俞可平，《马克思主义与现实》2006 年第 3 期

论马克思恩格斯生态文化思想的基本内涵，宋周尧，《岭南学刊》2006 年第 3 期

思想政治教育的丰碑——马克思、恩格斯对思想政治教育的贡献，汪早容，《辽宁教育行政学院学报》2006 年第 5 期

马克思恩格斯评述维也纳体系，于光胜，《科教文汇》（上半月）2006 年第 2 期

恩格斯的自然科学观与当代科技发展的冲突，李平，《河南师范大学学报》（哲学社会科学版）2006 年第 3 期

《德意志意识形态》中人的全面发展理论探析，任滢，《广州社会主义学院学报》2006 年第 2 期

马克思恩格斯如何看待英法资产阶级革命——从《马克思恩格斯全集》一段译文的争论说起，徐洋，《北京师范大学学报》（社会科学版）2006 年第 3 期

马克思的个人发展理论及其当代价值，张凤莲，《哲学研究》2006 年第 5 期

关于马克思生态经济思想的两个基本理论问题，刘思华，《学术论坛》2006 年第 5 期

马克思恩格斯农奴制理论的再认识，张世满，《史学理论研究》2006 年第 3 期

马克思恩格斯“对立论”的神话和幽灵——与俞吾金、何中华先生商榷，薛俊强，《探索》2006 年第 3 期

论马克思恩格斯关于未来社会构想中的和谐，范希春，《马克思主义研究》2006 年第 6 期

关于马克思恩格斯现实主义理论的历史反思，崔志远，《石家庄学院学报》2006 年第 4 期

一部拓展马克思主义理论研究的力作——评马福元编著的《马克思恩格斯论阿拉伯文化》，贾东海、李华，《社科纵横》2006 年第 6 期

马克思恩格斯列宁关于“党的先进性与社会主义”的思想，郭亚丁，《上海党史与党建》2006 年第 7 期

《1844 年经济学哲学手稿》版本结构新探——能否作出不同于 MEGA2 的新编排，王东、王晓红，《人文杂志》2006 年第 4 期

马克思恩格斯早期对马克思主义伦理思想归宿的探析——1844 年 1 月至 8 月，杜红燕、赵康，《南华大学学报》（社会科学版）2006 年第 3 期

马克思恩格斯对蒲鲁东正义公平思想的批判，王广，《理论视野》2006 年第 4 期

批判与超越：马克思恩格斯对正义的追问，苗贵山，《河南大学学报》（社会科学版）2006 年第 3 期

《关于费尔巴哈的提纲》：写作缘由及时间的探析，单提平，《福建论坛》（人文社会科学版）2006 年第 7 期

马克思恩格斯对资本主义的生态批判及其意义，解保军，《马克思主义研究》2006 年第 8 期

马克思恩格斯的和谐社会思想，金荣，《社会科学战线》2006 年第 4 期

马克思《资本论》的经济伦理思想研究述析，刘琳，《求实》2006 年第 8 期

《德意志意识形态》中的国家观，王贵贤，《马克思主义与现实》2006 年第 4 期

学习马克思的严谨治学精神，陈有进，《理论前沿》2006 年第 15 期

马克思恩格斯"跨越论"差异探析，罗保国，《理论前沿》2006 年第 14 期

对马克思分配理论的几点再思考，张燕喜，《科学社会主义》2006 年第 4 期

论马克思、恩格斯"个人与社会关系"思想的逻辑起点，叶昌友，《科学社会主义》2006 年第 4 期

国外学者论青年马克思与青年

恩格斯的学术关系，鲁克俭，《教学与研究》2006 年第 8 期

马克思、恩格斯的生态观与和谐社会的建构，葛恒云，《江苏大学学报》（社会科学版）2006 年第 4 期

马克思主义经典著作在中国，陈有进，《湖北行政学院学报》2006 年第 4 期

论马克思恩格斯的国家幽暗意识，刘天旭，《湖北行政学院学报》2006 年第 4 期

论马克思实践概念的两种理论视角及其当代意义，杨端茹、沈洪英，《淮北煤炭师范学院学报》（哲学社会科学版）2006 年第 4 期

马克思恩格斯的文明视野，吴克明，《当代世界与社会主义》2006 年第 4 期

从国际战略角度看《共产党宣言》的时代观，向德忠，《长江论坛》2006 年第 4 期

整体观视野下的马克思哲学观，程家明，《哲学研究》2006 年第 6 期

论马克思人的全面发展理论的根本变革，李大兴，《哲学研究》2006 年第 6 期

马克思的"感性世界"理论与现象学运动，阎孟伟，《哲学研究》2006 年第 6 期

《德意志意识形态》的文献学研究和日本学界对广松版的评价，韩立新，《中国社会科学》2006 年第

2 期

论恩格斯理解哲学革命的出场学视域——120 年后对《费尔巴哈论》叙事方式的新解读，任平，《学术研究》2006 年第 7 期

析马恩"跨越卡夫丁峡谷"思想研究中的若干错误倾向，许开轶、李贤聪，《西南大学学报》（人文社会科学版）2006 年第 5 期

试论《资本论》经济哲学的双重逻辑主线和马克思主义资本理论的现代性嬗变，何关银、罗晓梅，《西南大学学报》（人文社会科学版）2006 年第 5 期

从政治实践视角看马克思人学变革，臧峰宇，《天府新论》2006 年第 5 期

马克思恩格斯的科学观及其当代意义，李桂花，《吉林师范大学学报》（人文社会科学版）2006 年第 4 期

《德意志意识形态》中的异化思想评介，盛卫国，《山东教育学院学报》2006 年第 5 期

关于马克思恩格斯共产主义思想的缘起和发展，孙亚杰，《内蒙古农业大学学报》（社会科学版）2006 年第 3 期

马克思、恩格斯的和谐社会思想及其当代价值，肖兴燕，《六盘水师范高等专科学校学报》2006 年第 4 期

人与自然关系的理性思考——重新学习马克思恩格斯人与自然关系的论述，吴海金、胡正燕，《武汉交通职业学院学报》2006 年第 3 期

应否分出相对独立的"哲学手稿"——《1844 年手稿》版本结构新发现，王东，《东岳论丛》2006 年第 4 期

异化与存在——也论马克思的异化理论，张传开、余在海，《哲学研究》2006 年第 7 期

论马克思的宗教批判与哲学变革，王志军，《哲学研究》2006 年第 7 期

论恩格斯的自然观，汪信砚，《哲学研究》2006 年第 7 期

每个人的自由发展是一切人的自由发展的条件——《共产党宣言》关于未来社会的核心命题，叶汝贤，《中国社会科学》2006 年第 3 期

论马克思和恩格斯的社会公正思想，董建萍，《浙江社会科学》2006 年第 4 期

试论马克思、恩格斯的文艺批评，张永新，《现代语文》（文学研究版）2006 年第 5 期

为阿垅辩诬——读马克思恩格斯合写的一篇书评，罗飞，《粤海风》2006 年第 2 期

《德意志意识形态》中的伦理思想，刘星，《新余高专学报》2006

年第 4 期

文本、语境与内涵：马克思"完整的人"概念考察，邹广文、庞世伟，《学术月刊》2006 年第 6 期

论马克思哲学新世界观的两个理论视野，杨端茹，《西南大学学报》（人文社会科学版）2006 年第 4 期

马克思恩格斯《神圣家族》中的群众史观，郝贵生，《中共天津市委党校学报》2006 年第 3 期

马克思、恩格斯在哲学上实现的创新，王金福，《苏州大学学报》（哲学社会科学版）2006 年第 4 期

普遍主义的梦幻与历史主义的反叛——马克思恩格斯对近代人权观的解构，彭晨慧，《理论导刊》2006 年第 9 期

马克思恩格斯论语言和思维，王大为，《内蒙古工业大学学报》（社会科学版）2006 年第 1 期

从条件论角度看马恩关于人的全面发展理论，邱柏生，《江汉论坛》2006 年第 9 期

马克思恩格斯著作中的"东方"概念，俞良早，《江汉论坛》2006 年第 9 期

《关于费尔巴哈的提纲》中的教育思想及时代意义，颜悦南，《淮南职业技术学院学报》2006 年第 3 期

马克思的跨越"卡夫丁峡谷"与社会主义现代化建设，陈柳娜，《哈尔滨学院学报》2006 年第 9 期

马克思世界历史理论及其发展图式中的几个问题，刘勇，《贵州师范大学学报》（社会科学版）2006 年第 5 期

马克思、恩格斯为什么要否定哲学？——对马克思主义哲学性质、功能的再思考，王金福，《福建论坛》（人文社会科学版）2006 年第 10 期

何谓马克思"高级的哲学直观"，邹诗鹏，《复旦学报》（社会科学版）2006 年第 5 期

浅谈马克思关于人的本质的理解——马克思关于人的本质的理解有其内在一致性，王颖、张新霞，《党史博采》（理论）2006 年第 9 期

马克思恩格斯的生态哲学思想，孙淑萍，《常州信息职业技术学院学报》2006 年第 3 期

从《共产党宣言》到和谐社会，杨湘海，《长江论坛》2006 年第 5 期

谈马克思和谐社会思想的特质，邱月明，《白城师范学院学报》2006 年第 1 期

论作为人类类本质的理想——对马克思文本中一个命题的新解读，张应杭，《哲学研究》2006 年第 8 期

解释学视域中的马克思，胡潇，《哲学研究》2006 年第 8 期

论马克思解放理论的内在逻辑，杨楹、李志强，《哲学研究》2006 年第 8 期

论马克思宗教观的生活维度，王福民，《哲学研究》2006 年第 9 期

论马克思实践唯物主义人学理论的深刻革命，林剑，《哲学研究》2006 年第 9 期

马克思的健康人格思想初探，王江松、邵慧萍，《中国社会科学院研究生院学报》2006 年第 5 期

《1844 年经济学哲学手稿》的经济道德解读，王小锡、陈继红，《伦理学研究》2006 年第 5 期

《德意志意识形态》研究中的"赫斯问题"，聂锦芳，《学习与探索》2006 年第 5 期

马克思主义三个组成部分与马、恩的共同富裕思想，赵先明、王维，《西昌学院学报》(社会科学版) 2006 年第 2 期

解读马恩关于小农历史命运思想的变化，崔三常，《山东省农业管理干部学院学报》2006 年第 5 期

马克思恩格斯对维也纳格局的矛盾剖析，于光胜，《社会科学论坛》(学术研究卷) 2006 年第 10 期

论马、恩社会基本矛盾中对人的发展的重视，靖玉新，《社会主义研究》2006 年第 5 期

近代世界民族主义与全球化发展趋向——兼论马克思恩格斯的全球化思想，高继文，《山东师范大学学报》(人文社会科学版) 2006 年第 4 期

马克思关于人的本质思想的基本理路，张丽君，《内蒙古大学学报》(人文社会科学版) 2006 年第 5 期

论马克思"人的全面而自由的发展"理论及其实现途径，景中强，《兰州学刊》2006 年第 10 期

马克思恩格斯论童工劳动，鲁运庚，《历史教学问题》2006 年第 5 期

从《资本论》的发展思想看科学的发展观，刘国春、秦学、张兰，《中共乐山市委党校学报》2006 年第 4 期

马克思恩格斯法学理论内核剖析，王云飞、丰霏、陈连志，《辽宁师范大学学报》(社会科学版) 2006 年第 5 期

与时俱进的理论创新——以马克思恩格斯的革命策略思想演进为例，孙代尧，《理论学刊》2006 年第 10 期

马克思人的全面发展理论及其中国化，梅超、樊国华，《南昌高专学报》2006 年第 5 期

马克思恩格斯视野中的民族精神及其当代价值，刘诚，《马克思主义与现实》2006 年第 5 期

历史主义：马克思恩格斯分析

正义问题的科学路径，刘振江，《马克思主义与现实》2006 年第 5 期

马克思论全球化，戴维·伦顿、刘鹏，《马克思主义与现实》2006 年第 5 期

马克思主义经典作家关于全球化的基本观点述评，杨雪冬，《马克思主义与现实》2006 年第 5 期

谈马克思新唯物主义的"新"之所在，肖杨，《牡丹江师范学院学报》（哲学社会科学版）2006 年第 6 期

因果追问：马克思恩格斯工会维权理论初探，曹峰旗、田芝健，《毛泽东邓小平理论研究》2006 年第 10 期

马克思、恩格斯晚年关于东方农民问题的理论，谢双明，《理论月刊》2006 年第 11 期

马恩早期著作中"人"的思想的演进历程，刘怡、薛萍，《理论前沿》2006 年第 21 期

个体发展与社会基本矛盾——论马、恩社会基本矛盾中个体发展的思想，刘歆立，《江淮论坛》2006 年第 5 期

马克思恩格斯的循环经济思想，周玉梅，《集团经济研究》2006 年第 23 期

马克思恩格斯自然观中的生态思想及其当代意义，张敏，《思想理论教育导刊》2006 年第 11 期

马克思恩格斯继承权理论与中国遗产税，王炼钢，《法制与社会》2006 年第 15 期

从劳动到实践——论马克思科学实践观的逻辑演进，毛自鹏，《科学社会主义》2006 年第 6 期

马克思恩格斯论无产阶级政党建设，张世鹏，《科学社会主义》2006 年第 6 期

马克思恩格斯民族自决理论探析，史晓红，《开封教育学院学报》2006 年第 4 期

读《家庭、私有制和国家的起源》有感，王龙国、王香菊，《江西金融职工大学学报》2006 年第 S2 期

马克思关于人的全面发展思想分析，汪先平，《淮北煤炭师范学院学报》（哲学社会科学版）2006 年第 6 期

《德意志意识形态》中的语言学思想，王大为，《广播电视大学学报》（哲学社会科学版）2006 年第 4 期

马克思精神生产理论被忽视的主要原因探析，景中强，《中州学刊》2006 年第 6 期

马克思、恩格斯"社会存在"范畴的多维度阐释，卢秀廉、李兆凯，《中共云南省委党校学报》2006 年第 5 期

论马克思和恩格斯"全面生

产"理论的复杂性特征——对机械唯物史观的批判，邬焜，《中国人民大学学报》2006 年第 6 期

正本清源：对马克思、恩格斯经济周期理论的再认识，王勇，《学术论坛》2006 年第 10 期

浅论宗教的本质——从费尔巴哈到马克思、恩格斯，肖群，《西北民族大学学报》（哲学社会科学版）2006 年第 5 期

对全球化与社会主义关系的认识——学习马克思恩格斯有关自由贸易和保护关税的论述，奚兆永，《中共天津市委党校学报》2006 年第 4 期

重读马克思：历史考证版为我们提供的新视野——意大利国际马克思研讨会综述，魏小萍，《马克思主义研究》2006 年第 11 期

论马克思恩格斯的自由观，吴巨平，《马克思主义研究》2006 年第 11 期

论马克思恩格斯的国家利益观，李爱华，《马克思主义研究》2006 年第 11 期

从哲学到实证科学：马克思恩格斯研究立场的重大转变，王金福，《山东社会科学》2006 年第 11 期

马克思与西方现代哲学，黄玉顺，《山东社会科学》2006 年第 11 期

马克思恩格斯生态哲学视野下的高校生态德育，孙淑萍，《中国市场》2006 年第 44 期

马克思恩格斯论和谐社会，苏东崛，《生产力研究》2006 年第 10 期

论《德意志意识形态》在马克思唯物主义法律思想史中的地位，闫玉霞，《泰安教育学院学报岱宗学刊》2006 年第 4 期

浅谈《德意志意识形态》中的交往理论，陈建波，《科技信息》（学术版）2006 年第 10 期

马克思的跨越"卡夫丁峡谷"与社会主义现代化建设，陈柳娜，《河北理工大学学报》（社会科学版）2006 年第 4 期

马克思恩格斯生态哲学视野下的高校生态德育，孙淑萍，《黑龙江高教研究》2006 年第 12 期

《共产党宣言》中马克思主义教育思想探析，汪丽君，《湖北大学成人教育学院学报》2006 年第 6 期

浅析《德意志意识形态》中的交往理论，张莉，《财经界》（下半月）2006 年第 2 期

从"哲学共产主义"到科学共产主义——马克思、恩格斯的哲学革命与共产主义学说的转变，王金福、庄友刚，《哲学研究》2006 年第 11 期

未完成的文本如何表述思想？——对《德意志意识形态》写

作过程的考察，聂锦芳，《现代哲学》2006 年第 6 期

马克思人学思想的现实意义，任华东，《文艺争鸣》2006 年第 6 期

论马克思恩格斯的和谐社会思想，周世兴、任秀珍，《天水师范学院学报》2006 年第 6 期

马克思恩格斯对空想社会主义和谐社会思想的超越及价值，雷弯山，《中共福建省委党校学报》2006 年第 11 期

"物象化"视域中的"人"——兼论《德意志意识形态》中"人"的规定，臧峰宇，《马克思主义与现实》2006 年第 6 期

《德意志意识形态》第一章手稿的结构和内容，巴加图力亚著，姚颖译，《马克思主义与现实》2006 年第 6 期

与时俱进是马克思主义的理论品质——《共产党宣言》再学习的启示，岳云强，《临沂师范学院学报》2006 年第 5 期

以马克思为榜样深入研究马克思主义，陈有进，《新长征》2006 年第 6 期

论马克思恩格斯"社会共和国"思想发展的四个阶段，连朝毅，《中共南宁市委党校学报》2006 年第 5 期

卢梭的法律公意说与马克思恩格斯的法律意志说的比较，毛玲，《牡丹江大学学报》2006 年第 8 期

马克思恩格斯婚姻观的当代价值，余良才，《东南大学学报》（哲学社会科学版）2006 年（增刊）

浅论《共产党宣言》中"两个必然"理论，刘玲，《内蒙古师范大学学报》（哲学社会科学版）2006 年第 S2 期

不要随意诠释和错解马克思的"两个决不会"思想，卫兴华、马昀，《经济学动态》2006 年第 9 期

马克思恩格斯"自由人联合体"理论研究，于喜繁，《玉林师范学院学报》2006 年第 6 期

马克思、恩格斯论哲学的三维定位，李娟，《西安交通大学学报》（社会科学版）2006 年第 4 期

一切为了人的自由与解放——马克思恩格斯权力配置思想研究，周永坤，《法制与社会发展》2006 年第 6 期

浅析列宁对马克思、恩格斯未来社会经济理论的创新，杨周相，《科技信息》2006 年第 1 期

马克思的自由观与非马克思的自由观，张立梅、王国顺，《甘肃农业》2006 年第 12 期

对马克思"跨越资本主义卡夫丁峡谷设想"的思考，高升，《俄罗斯研究》2006 年第 4 期

马克思恩格斯的哲学革命：从肯定哲学到"离开哲学基地"，皇

甫志芬,《苏州教育学院学报》2006年第 4 期

马克思全球化思想研究,朱炳元,《苏州大学学报》(哲学社会科学版) 2006 年第 6 期

马克思是西方经济学家吗?——兼谈恩格斯是"资本家"的问题,刘日新,《探索》2006 年第 6 期

构建社会主义和谐社会面临的民生问题:马克思恩格斯有关思想的启示,周道华,《攀登》2006 年第 6 期

马克思、恩格斯股份制理论及对国企改革的指导意义,李美幸,《当代经济》(下半月) 2006 年第 12 期

马克思、恩格斯文明理论与中国"早期文明",江林昌,《中原文物》2006 年第 6 期

基于经济学视角的现代性批判及其哲学意义——以马克思的"伦敦笔记"为例,唐正东,《哲学研究》2006 年第 12 期

马克思对鲍威尔哲学的三次批判,李春生,《燕山大学学报》(哲学社会科学版) 2006 年第 4 期

列斐伏尔视野中马克思恩格斯的国家观,吴宁,《燕山大学学报》(哲学社会科学版) 2006 年第 4 期

重读《共产党宣言》的启示,杨荣,《铜陵学院学报》2006 年第 5 期

马克思的《历史学笔记》与历史唯物论的升华,唐正东,《南京社会科学》2006 年第 4 期

改造和提升小农伦理——再读马克思的《路易波拿巴的雾月十八日》,陈瑛,《论理学研究》2006 年第 2 期

走近《1844 年经济学哲学手稿》,刘兴章,《学习与探索》2006 年第 6 期

人本分析与经济分析有机结合的开端——关于《手稿》的基本性质兼与张一兵等商榷,郭国勋,《辽宁大学学报》2006 年第 1 期

《1844 年经济学哲学手稿》(专题研究),王东、林锋、王晓红等,《东岳论丛》2006 年第 4 期

回到文本的阅读——《1844 年经济学哲学手稿》美学阐释三疑,杨青新,《江西社会科学》2006 年第 9 期

文化理想与文化批判——马克思《1844 年经济学—哲学手稿》中的现代性精神,邹广文,《哲学研究》2006 年第 2 期

实践唯物主义的奠基之作——再读马克思《关于费尔巴哈的提纲》,何中华,《东岳论丛》2006 年第 3 期

马克思哲学革命关键环节的历史原象——从《未来哲学原理》到

《关于费尔巴哈的提纲》，刘怀玉，《河北学刊》2006 年第 6 期

学习马克思主义哲学的最好教材——《费尔巴哈论》解读，李士坤，《高校理论战线》2006 年第 8 期

对《共产党宣言》当代价值的几点思考，袁永和，《理论导刊》2006 年第 4 期

与时俱进是马克思主义的本来特征：读《共产党宣言》的七篇序言有感，文成国，《江汉论坛》2006 年第 3 期

《资本论》的当代意义，余源培，《复旦学报》2006 年第 5 期

实践人学：马克思哲学的最终归结——纪念《德意志意识形态》诞生 160 周年，张奎良，《哲学研究》2006 年第 5 期

《德意志意识形态》中的自然概念，王伟，《马克思主义与现实》2006 年第 4 期

解析意识形态概念的虚假性问题——以《德意志意识形态》的意识形态概念为中心，朱亦一，《马克思主义与现实》2006 年第 4 期

《德意志意识形态》中人与自然关系的哲学解读，陈爱华，《马克思主义研究》2006 年第 9 期

关于《德意志意识形态》"费尔巴哈"章的排序问题，鲁克俭，《哲学动态》2006 年第 2 期

异化劳动与私有财产、分工与私有制：非同质的问题——《德意志意识形态》相关问题分析，魏小萍，《南京社会科学》2006 年第 2 期

浅论《共产党宣言》中"两个必然"理论，刘玲，《内蒙古师范大学学报》(哲学社会科学版) 2006 年第 S2 期

2007 年

资本诠释学——马克思考察、批判现代社会的独特路径，俞吾金，《哲学研究》2007 年第 1 期

马克思哲学视域下的现代性，张传开、方敏，《哲学研究》2007 年第 1 期

论马克思实践哲学的政治意蕴，贺来，《哲学研究》2007 年第 1 期

马克思晚年笔记新解读——兼论马克思恩格斯国家起源思想的异同，刘军，《学术论坛》2007 年第 1 期

简论马克思恩格斯的社会主义经济管理思想，王建平，《时代经贸》(理论版) 2007 年第 1 期

论马克思恩格斯的占有资本主义制度创造的积极成果思想，张菊香，《兰州学刊》2007 年第 1 期

法兰克福学派对马克思哲学基础的重新理解，郭嘤蔚、赵卫东，

《理论探讨》2007年第1期

《〈政治经济学批判〉序言》中社会理论的当代解读——兼对马克思社会生产力发展之决定作用的认识，许斗斗，《福州大学学报》（哲学社会科学版）2007年第1期

《共产党宣言》与和谐社会构建——重读《共产党宣言》的几点认识，叶志坚，《中共福建省委党校学报》2007年第1期

论马克思恩格斯的教育公平观，郭彩琴，《马克思主义研究》2007年第1期

马克思恩格斯有关"和谐"论述的启示，钟哲明，《马克思主义研究》2007年第1期

《马克思恩格斯的未来世界——科学共产主义原理》出版，华林，《马克思主义研究》2007年第1期

马克思、恩格斯关于共建、共享思想的早期特征，郝孚逸，《湖北社会科学》2007年第1期

马克思哲学的根据点，魏用中、刘倬胜，《唐山学院学报》2007年第1期

马克思论和谐社会——从马克思1848至1871年革命实践和理论所看到的，任志安，《中共福建省委党校学报》2007年第2期

马克思历史叙事真实语境的当代解读，陈胜云，《马克思主义研究》2007年第3期

《德意志意识形态》对"真正的社会主义"思潮的批判，聂锦芳，《马克思主义研究》2007年第3期

论马克思恩格斯关于国际政治的几个基本思想，曹泳鑫，《马克思主义研究》2007年第2期

马克思恩格斯"社会共和国"思想研析，连朝毅，《马克思主义研究》2007年第2期

马克思恩格斯人的工具特性思想及其意义，牟成文，《马克思主义研究》2007年第2期

本原与异化——马克思恩格斯论资本主义公民权利与国家权力，曹峰旗，《社会科学战线》2007年第1期

马克思恩格斯"人的全面而自由的发展"理论探讨——澄清并还原其人的发展远景思想，何玲玲，《求实》2007年第3期

马克思恩格斯资本主义理解范式的历史性生成，张一兵、周嘉昕，《南京大学学报》（哲学、人文科学、社会科学版）2007年第1期

析马克思的"每个人自由而全面发展"的内涵，张丽红、廖述平，《洛阳师范学院学报》2007年第1期

论马克思恩格斯"社会共和国"思想的基本理论内涵，连朝毅，《理论学习与探索》2007年第1期

"自然之物"还是"历史之

物"——马克思、恩格斯人权本源观与西方古典自由主义人权本源观的比较研究，吴巨平，《理论探讨》2007年第2期

马克思恩格斯关于文化本质和功能的思想，李建国、齐英艳，《理论视野》2007年第3期

我们要理解和读懂恩格斯——评谢韬先生有关恩格斯晚年思想发展的两种说法，肖楠，《理论前沿》2007年第5期

马克思阶级关系两极分化理论在当代的适用性——兼析赖特的中间阶级理论，吕梁山，《辽宁大学学报》（哲学社会科学版）2007年第2期

马克思恩格斯"社会共和国"思想的现实思考，连朝毅，《经济与社会发展》2007年第2期

马克思恩格斯生态生产力观初探，温莲香，《济南大学学报》（社会科学版）2007年第1期

马克思和谐社会思想理论逻辑及其价值，宋朝光，《江淮论坛》2007年第1期

对马克思恩格斯未来社会商品经济将消亡设想的思考，王荣红，《集团经济研究》2007年第5期

马克思、恩格斯论人与自然的和谐，孙淑萍，《集团经济研究》2007年第3期

马克思恩格斯世界历史理论及

其现代诠释，余金成、薛新国，《当代世界与社会主义》2007年第1期

对《德意志意识形态》中交往思想的探讨，李留义，《重庆科技学院学报》（社会科学版）2007年第1期

马克思恩格斯论责任政府，姚尚建，《石家庄学院学报》2007年第2期

马克思的女婿是荷兰资本家吗，高放，《社会科学研究》2007年第2期

马克思文化研究的唯物主义路径，陈胜云，《上海行政学院学报》2007年第2期

马克思恩格斯的环境友好型思想与现实意义，李雅兴，《求索》2007年第2期

马克思恩格斯中间阶层思想及其现实意义，兰峻，《中共南昌市委党校学报》2007年第1期

马恩著作中"共产主义"和"社会主义"概念使用的历史演变，王继停，《兰州学刊》2007年第3期

读《共产党宣言》有感，陈红，《历史教学》（中学版）2007年第1期

浅论马克思的《人类学笔记》和《历史学笔记》，王志林、余冰，《理论月刊》2007年第3期

论马克思恩格斯的公正观及其对构建社会主义和谐社会的启示，

董欢,《理论建设》2007 年第 1 期

马克思恩格斯的政府社会管理思想研究,苗贵山,《理论与改革》2007 年第 2 期

试论马克思主义经典作家关于国防和军队建设与社会和谐发展的思想,张树德,《军事历史》2007 年第 2 期

论马克思、恩格斯对施蒂纳利己主义思想的批判——《德意志意识形态》读书札记,李培超、张芳,《吉首大学学报》(社会科学版)2007 年第 2 期

马克思恩格斯的社会和谐思想探析,魏伟,《理工高教研究》2007 年第 1 期

马克思的经济学批判与马克思主义哲学的存在与发展方式,陈志生、吕世荣,《河南大学学报》(社会科学版)2007 年第 2 期

马克思、恩格斯的民族理论与 20 世纪的民族问题,陈玉屏、张峻,《广西民族大学学报》(哲学社会科学版)2007 年第 2 期

对马克思过渡时期理论的再认识,张祖晏,《福建论坛》(社科教育版)2007 年第 2 期

马克思、恩格斯的"为民"思想研究,李彤彤,《中共成都市委党校学报》2007 年第 1 期

从《共产党宣言》的一条重要原理看马克思主义中国化,李建勇,《安徽教育学院学报》2007 年第 2 期

重新认识马克思辩证法的真理性,张文喜,《哲学研究》2007 年第 2 期

马克思"感性活动"理论境域中的"生产力与交往方式"理论,卜祥记,《哲学研究》2007 年第 2 期

马克思经济学的科学品格,易培强,《湖南城市学院学报》2007 年第 1 期

从马克思的世界历史理论到和谐世界的发展,孙玲,《邢台学院学报》2007 年第 1 期

《德意志意识形态》第一卷第一篇的文本结构问题——西方马克思学实证方法与思想史科学方法的根本对立,夏凡,《学术月刊》2007 年第 1 期

文献学与马克思主义基本理论研究的科学立场——答鲁克俭和日本学者大村泉等人,张一兵,《学术月刊》2007 年第 1 期

马克思主义经典作家对自我思想道德建设理论的科学贡献,杜凯,《学术论坛》2007 年第 2 期

马克思不平衡理论探析,米学军,《文艺理论与批评》2007 年第 2 期

马克思恩格斯思想政治教育理论研究浅探,刘红霞,《经济师》2007 年第 5 期

"诺斯悖论"与马克思的政府二重性理论比较分析，于喜繁，《韩山师范学院学报》2007年第2期

马克思人权批判理论的三个向度，刘素娟，《河南师范大学学报》（哲学社会科学版）2007年第2期

《德意志意识形态》关于"现实的人"的思想，王梅清、薛金华，《湖北省社会主义学院学报》2007年第2期

对生产关系内容界定的历史考察——斯大林观点与马克思、恩格斯、列宁观点的一致性，赵家祥，《思想理论教育导刊》2007年第5期

对我国《反不正当竞争法》调整对象和调整方法的反思——以马克思竞争理论为研究路径，胡宇清、陈乃新，《甘肃政法学院学报》2007年第3期

从马克思恩格斯的有关思想中认识社会主义和谐社会，周道华，《福建省社会主义学院学报》2007年第1期

马克思恩格斯的世界交往理论及其当代价值，彭萍萍，《当代世界与社会主义》2007年第2期

《共产党宣言》在意大利和日本的传播与影响，范立君，《当代世界与社会主义》2007年第2期

马克思恩格斯论第一次鸦片战争，杨朝霞，《时代教育》2007年第12期

试论马克思"建立在公共占有基础上的个人所有制"思想，张雯雯，《重庆交通大学学报》（社会科学版）2007年第1期

马克思恩格斯论社会文化思潮，陆贵山，《湖南文理学院学报》（社会科学版）2007年第2期

马克思的"从后思索法"及其现代价值，杨军剑，《安阳工学院学报》2007年第2期

浅谈马克思对思维方式的变革，耿俣，《安徽文学》（下半月）2007年第2期

文化哲学视域下的马克思哲学思想，陈树林，《哲学研究》2007年第3期

政治解放、社会解放和劳动解放——马克思人类解放思想再探析，刘同舫，《哲学研究》2007年第3期

死去的马克思与活着的马克思——直击我国马克思主义理论教育中的重大误区，熊登榜，《自然辩证法通讯》2007年第2期

论马克思视域中的现实生活世界，徐武生，《学习月刊》2007年第2期

马克思列宁主义关于社会主义与资本主义关系的基本思想，李明斌、刘秀华，《信阳师范学院学报》（哲学社会科学版）2007年第1期

一段思想因缘的解构——《神

圣家族》的文本学解读，聂锦芳，《学术研究》2007 年第 2 期

对《共产党宣言》中"两个彻底决裂"思想的几点认识，吴广宇，《西安航空技术高等专科学校学报》2007 年第 2 期

《共产党宣言》的当代价值，陈锡斌，《现代企业教育》2007 年第 6 期

浅析马克思、恩格斯关于国家建构形式的思想，石勇，《山东省农业管理干部学院学报》2007 年第 1 期

对《共产党宣言》中人类解放历史进程思想的思考，李平，《探索》2007 年第 1 期

恩格斯晚年放弃暴力革命论了吗？奚兆永，《红旗文稿》2007 年第 10 期

马克思、恩格斯的"技术文化"批判思想，孙孝富，《科学技术与辩证法》2007 年第 3 期

论马克思恩格斯的平等思想——弱势群体权益保护的思想资源，李招忠，《哲学研究》2007 年第 5 期

马克思哲学观的人民意识及其体现，关春玲，《哲学研究》2007 年第 5 期

马克思"新唯物主义"哲学革命的思与辩，林剑，《哲学研究》2007 年第 5 期

宗教对青年马克思恩格斯的影响——兼及宗教与社会主义的关系，王珍，《中央社会主义学院学报》2007 年第 2 期

马克思生活观的三重意蕴，崔唯航，《哲学研究》2007 年第 4 期

"古典古代"等于"奴隶社会"吗？——重新解读马克思的"古代生产方式"，鲁克俭，《哲学动态》2007 年第 4 期

提出和探索马克思主义哲学研究中的重大理论问题——评 2006 年《中国社会科学》若干哲学论文，孙正聿，《中国社会科学》2007 年第 2 期

岂可用伯恩施坦观点修正马克思恩格斯？钟哲明，《中华魂》2007 年第 5 期

论马克思恩格斯的公正观及其对构建社会主义和谐社会的启示，董欢，《陕西社会主义学院学报》2007 年第 2 期

马克思公平思想及其辩证反思，袁小云、程小强，《天水行政学院学报》2007 年第 2 期

从三个角度透视马克思恩格斯的和谐社会思想，黄海东，《社会主义研究》2007 年第 2 期

马克思恩格斯的生态文化思想及其现实价值，宋周尧，《社会主义研究》2007 年第 2 期

当代视野下的马克思恩格斯革

命战略思想，王盛辉，《山东师范大学学报》（人文社会科学版）2007年第2期

对马克思主义中国化的几点认识——以《共产党宣言》为理论视点，李建勇，《攀登》2007年第2期

从文本考证看恩格斯在《德意志意识形态》第一章批判费尔巴哈思想中的贡献，何丽野，《南京社会科学》2007年第4期

马克思恩格斯关于社会公正思想的探讨，谭德礼，《马克思主义与现实》2007年第2期

对《反杜林论》"概论"部分逻辑结构及现代意义的解读，高学文、陈晓龙，《牡丹江大学学报》2007年第3期

马克思的集体思想理论及当代意义，陈品艳，《世纪桥》2007年第4期

"文化全球化"范畴的逻辑规定性——对马克思恩格斯"文化全球化"思想的一种解读，魏海香，《贵州社会科学》2007年第1期

中国马克思学：哲学抑或科学，鲁克俭，《北京行政学院学报》2007年第3期

马克思恩格斯对艺术精神的构建，靳昕、董中锋，《中共天津市委党校学报》2007年第2期

恩格斯晚年放弃了无产阶级革命学说吗？——学习恩格斯《卡尔·马克思"1848年至1850年的法兰西阶级斗争"一书导言》的体会，张全景，《求是》2007年第11期

学习马克思主义创始人的文笔，田居俭，《马克思主义研究》2007年第4期

日本学者岛崎隆对马克思自然观的解读，冯雷，《马克思主义与现实》2007年第3期

马克思恩格斯的自然生态观与构建社会主义和谐社会，黄宏，《马克思主义与现实》2007年第3期

对经典著作研究的意义及其进路的一点思考，韩立新，《马克思主义与现实》2007年第3期

再论"马克思文本解读"研究不能无视版本研究的新成果——从《巴黎手稿》的文献学研究谈起，鲁克俭，《马克思主义与现实》2007年第3期

为什么要创建"中国马克思学"？——迎接21世纪马克思学的第三次来潮，王东，《马克思主义与现实》2007年第3期

从《共产党宣言》的一条重要原理看马克思主义中国化，李建勇，《桂海论丛》2007年第3期

重读马克思关于资本主义孕育新社会因素现实意义，徐春平，《法制与社会》2007年第4期

关注国际马克思研究的新动

向——MEGA2 版即新版《马克思恩格斯全集》出版介评，鞠立新，《中共中央党校学报》2007 年第 3 期

马克思主义国际关系理论的奠基之作——《德意志意识形态》理论贡献的新视角，柳瑟青，《现代国际关系》2007 年第 5 期

辨识马克思恩格斯社会发展动力思想中的"丛林现象"，龚培河，《探索》2007 年第 2 期

《德意志意识形态》未定稿部分的内容及其相互关联，魏小萍，《马克思主义研究》2007 年第 5 期

正确认识马克思的经济学理论与资本主义发展的关系——兼谈马克思的"丧钟论"与"扬弃论"的关系，邱海平，《教学与研究》2007 年第 7 期

经济学视野下的马克思恩格斯"和平变革"思想解析，高凤敏、王盛辉，《延安大学学报》（社会科学版）2007 年第 3 期

《德意志意识形态》中人的全面发展理论，周琳，《中共青岛市委党校》（青岛行政学院学报）2007 年第 3 期

解读马克思、恩格斯的文化概念，黄力之，《上海行政学院学报》2007 年第 4 期

马克思恩格斯的社会协调发展思想探析，魏伟，《福州党校学报》2007 年第 3 期

社会主义新农村的理论渊源——马克思恩格斯农业思想的解析，樊欣，《学术交流》2007 年第 5 期

马克思货币拜物教的基本观点及对和谐社会建设的启示，余达淮，《马克思主义研究》2007 年第 4 期

自由资本主义向垄断资本主义过渡的历史趋势的科学分析——《资本论》第 3 卷第 27 章研究，梅荣政，《马克思主义研究》2007 年第 4 期

马克思、恩格斯的公平思想及其启示，赵振华，《经济经纬》2007 年第 3 期

我国生产力理论研究的重大缺失——马克思"自然生产力"思想探析，巨乃岐，《学术论坛》2007 年第 4 期

马克思的社会经济形态理论疏论，唐正东，《重庆社会科学》2007 年第 5 期

"两次转变论"的文本依据及其方法论意义——兼答王东教授等，姚顺良、汤建龙，《学术月刊》2007 年第 4 期

马克思恩格斯重要著作中的人本思想解读，孟宪平，《温州职业技术学院学报》2007 年第 2 期

马克思主义哲学体系化的初步阐释——恩格斯《反杜林论》哲学编解读，刘奔前，《宿州教育学院学报》2007 年第 1 期

马克思恩格斯论维也纳体系的

实质，于光胜，《辽宁教育行政学院学报》2007 年第 5 期

略论《共产党宣言》的情感魅力和教育意义，徐俊川，《湖北经济学院学报》（人文社会科学版）2007 年第 5 期

《德意志意识形态》研究的四个问题，韩立新，《学术月刊》2007 年第 3 期

泛化"封建"观有悖马克思的封建论，冯天瑜，《学术月刊》2007 年第 2 期

离开思辨的基地才能解决思辨的矛盾——《德意志意识形态》中的"圣布鲁诺"章解读，聂锦芳，《学术月刊》2007 年第 2 期

马克思恩格斯的人本思想及其特征——基于对马克思恩格斯重要著作的理解，孟宪平，《许昌学院学报》2007 年第 3 期

《费尔巴哈》中的"需要"思想解析，沈玉梅，《徐州教育学院学报》2007 年第 1 期

"文化全球化"范畴的逻辑规定性——对马克思恩格斯"文化全球化"思想的一种解读，魏海香，《贵州社会科学》2007 年第 1 期

从当代资本主义的新变化看"两个必然"理论的科学性，李积云、周宏伟，《传承》2007 年第 5 期

从经典著作中理解"社会主义"、"共产主义"两个名称，徐彩莲、陈少牧，《中共郑州市委党校学报》2007 年第 2 期

马克思是怎样了断与鲍威尔的思想关系的——对《德意志意识形态》三个片段的解读和分析，聂锦芳，《北京行政学院学报》2007 年第 3 期

马克思恩格斯论"辩证的统一"，曲升、史家亮，《传承》2007 年第 5 期

试论对马克思恩格斯剥削理论的理解，王铮、李积云，《传承》2007 年第 5 期

一本探索科学共产主义原理的力作——读《马克思恩格斯的未来世界——科学共产主义原理》，杜宇民，《马克思主义研究》2007 年第 5 期

谢韬先生是如何曲解马克思恩格斯著作的，项观奇、李红岩，《马克思主义研究》2007 年第 5 期

马克思"改变世界"的理论功能观的启示，郝贵生，《马克思主义研究》2007 年第 5 期

列宁文献研究论文题录集

说　明

本题录集比较全面地辑录了中外学者关于列宁文献内容介绍、精神阐发、思想评论、比较研究、版本考证等方面的学习研究成果。

本题录集的编排严格以列宁经典文献的撰写时间为序；对列宁同一文献著译书目的编排则严格以发表时间为序，如发表时间相同，则以作者的姓氏笔画为序。

本题录集辑录的研究论文，时间截止到 2007 年 12 月。

一　列宁单篇著作学习、研究论文题录

列宁论商品性农业的发展过程——读《论所谓市场问题》，蒋映光，《南方经济》1984年第4期

《什么是"人民之友"以及他们如何攻击社会民主党人?》、《唯物论与经验批判论》及《卡尔·马克思》中的历史唯物论问题，［苏］弗·然·克列，《教学与研究》1955年第2期

马克思主义理论"在本质上是批判的和革命的"——读《什么是"人民之友"?》一书，王湘波，《教学与研究》1964年第4期

唯物主义历史观是唯一科学的历史观：读列宁《什么是"人民之友"以及他们如何攻击社会民主党人?》，吴怀祺，《史学史研究》1987年第2期

列宁捍卫《资本论》的一场重大理论斗争——读《什么是"人民之友"以及他们如何攻击社会民主义者》札记，王初根，《江西师范大学学报》（哲学社会科学版）1990年第1期

列宁的伟大著作《俄国资本主义的发展》，龚士其，《人民日报》1952年4月22日

列宁所著《俄国资本主义底发展》一书及其对统计科学的意义（为帮助统计学教员学习该书所作的报告），［苏］尼·尼·廖佐夫著，查瑞传译，《教学与研究》1953年第3期

列宁的《俄国资本主义底发展》，孙叔平，《人民日报》1954年4月12日

列宁所著《俄国资本主义底发展》一书及其对统计科学的意义，［苏］尼·尼·廖佐夫著，查瑞传译，《中国统计》1955年第4期

一个范例——读列宁《俄国资本主义底发展》想到的，迟蓼洲，《人民日报》1959年5月16日

谈《俄国资本主义的发展》等书出版新译本，承先，《读书》1959年第20期

《列宁〈俄国资本主义的发展〉一书准备材料》序言，刘功勋译，《马列主义研究资料》1983年第4辑

从《俄国资本主义的发展》一书学习列宁的统计思想，丁振兴，《郑州航空工业管理学院学报》1986年第2期

运用马克思历史唯物主义研究经济发展史：读列宁《俄国资本主义的发展》，萧国亮，《江淮论坛》1987年第4期

资本主义的历史进步作用：读列宁《俄国资本主义的发展》，曾盛林，《深圳大学学报》1995年第1期

列宁对俄国资本主义发展的经济史考察及其方法论特色——读《俄国资本主义的发展》，瞿商，《中南财经政法大学学报》2003年第1期

两条路线，两种教育观（学习列宁《民粹主义空想计划的典型》），北京师范大学教育系，《山西教育》1978年第11期

试析列宁的《我们党的纲领草案》对新型无产阶级政党党纲问题的论述，徐东，《求实》2006年第3期

重读列宁著《做什么？》一书，朱榕，《读书》1957年第3期

"经济派"的奇谈与邓小平的怪论——学习列宁《怎么办？》的一点体会，湖南省汨罗纺织厂工人理论组文史、哲学研究小组，《文史哲》1976年第2期

试论理论斗争对于工人运动的意义（学习列宁《怎么办？》第一、第二章的体会），马晓波，《齐齐哈尔师范学院学报》1982年第3期

革命理论的历史能动作用：读列宁《怎么办？》一文的体会，李珠燮，《延边大学学报》（社会科学版）1984年第1期

列宁为建党奠定思想基础的重要著作——《怎么办？》，韩佳辰、吴凤华，《历史教学》1984年第2期

必须灌输社会主义意识：学习列宁《怎么办？》的体会，林松乐，《杭州大学学报》（哲学社会科学版）1984年第2期

反对资产阶级自由化的锐利思想武器：学习列宁的《怎么办》，刘家玉，《湖北党校学报》1987年第3期

坚持思想教育的"灌输"原则：学习列宁《怎么办》的体会，宋绍光，《淮海论坛》1990年第3期

提高自觉性，克服自发性：读列宁《怎么办》等著作，王金福，《苏州大学学报》1991年第3期

无产阶级政党建设的光辉文献：学习列宁《怎么办？》的体会，刘育民，《聊城党政学刊》1991年第4期

从列宁的《怎么办？》谈加强党的理论建设，吕前昌、鲁一伟，《石油大学学报》（社会科学版）1996年第4期

论列宁思想建党理论的历史经验与中国共产党的创新——纪念列宁《怎么办》一书发表100周年，白莎，《江西教育学院学报》2002年第2期

坚持马克思主义对思想政治工作的指导——读列宁《怎么办》的

启示，蔡志英，《新疆职业大学学报》2002 年第 4 期

马克思主义党建理论的重要遗产——纪念列宁《怎么办?》发表 100 周年，梁超，《当代世界与社会主义》2002 年第 6 期

无产阶级政党对马克思主义的自觉性是"东方道路"胜利开拓的保证——纪念列宁《怎么办?》发表 100 周年，许京元，《中共成都市委党校学报》2003 年第 2 期

党对马克思主义的自觉性是"东方道路"胜利开拓的保证——纪念列宁《怎么办?》发表 100 周年，许京元，《宜宾学院学报》2003 年第 4 期

《〈怎么办?〉、列宁主义、反列宁的马克思主义与当代革命问题》，《国外理论动态》2004 年第 3 期

认真学习列宁主义关于党的学说　纪念列宁的《进一步，退两步》发表五十周年，沙英，《人民日报》1954 年 5 月 19 日

纪念列宁著作"进一步，退两步"发表五十周年"真理报"发表论文"列宁组织原则的胜利"，李何，《人民日报》1954 年 5 月 22 日

坚持在组织上和机会主义者作不调和的斗争——学习列宁《进一步，退两步》的一点体会，史介，《福建师范大学学报》（哲学社会科学版）1975 年第 3 期

坚决捍卫党的先进性和纯洁性——学习《进一步，退两步》的一点体会，宣川元，《郑州大学学报》（哲学社会科学版）1975 年第 4 期

建设无产阶级新型政党的纲领性文献——读列宁《进一步，退两步》，雷正良，《科学社会主义》1984 年第 5 期

《进一步，退两步》书名的含义是什么? 边城，《教学与研究》（中国人民大学）1984 年第 6 期

坚持"三会一课"制度，加强对党员的教育和管理——学习《进一步，退两步》一书的体会，马铭，《云南科技管理》1994 年第 6 期

苏联报纸发表论文　纪念列宁著作"两个策略"出版五十年，《人民日报》1955 年 8 月 10 日

列宁的《两种策略》与毛泽东的新民主主义论，姜长斌，《学习时报》2001 年 5 月 21 日

民主革命中的两种策略：两种唯物主义，邹季荣，《中共福建省委党校学报》2003 年第 8 期

捍卫列宁的文学党性原则——《党的组织和党的文学》的光辉战斗意义，《北京师范大学学报》（社会科学版）1960 年第 2 期

坚持文艺党性原则破除"艺术私有"观念——纪念列宁《党的组织和党的文学》发表七十周年，任

范松,《延边大学学报》(社会科学版) 1975 年第 4 期

坚持无产阶级文学的党性原则——学习列宁《党的组织和党的文学》,杨国援、陈梦炯、兰克,《思想战线》1975 年第 4 期

充分发挥革命文艺的"齿轮和螺丝钉"作用——重学列宁的《党的组织和党的文学》,朱恩彬,《山东师范大学学报》(人文社会科学版) 1975 年第 6 期

要唯物论辩证法,不要唯心论形而上学——再学列宁《党的组织和党的文学》,兼论文艺与政治的关系,丁鸣,《人民音乐》1980 年第 9 期

党性原则与艺术规律——重新学习列宁《党的组织和党的文学》,杜书瀛、李中岳,《文学评论》1981 年第 5 期

《党的组织和党的文学》时代背景答疑,马家骏,《人文杂志》1981 年第 6 期

坚持文艺创作的党性原则——重读列宁《党的组织与党的文学》,陈鼎如,《江西师院学报》1982 年第 1 期

党性真实性创作自由(重新学习列宁《党的组织和党的文学》的体会),中木、中岳,《西北大学学报》1982 年第 2 期

《党的组织和党的出版物》的中译文为什么需要修改? 中共中央编译局列宁斯大林著作编译室,《编辑之友》1982 年第 4 期

如何正确对待列宁著作《党的组织和党的文学》,高放,《江西社会科学》1982 年第 5 期

《党的组织和党的出版物》的中译文为什么需要修改? 中共中央编译局列宁斯大林著作编译室《红旗》1982 年第 22 期

列宁的《党的组织和党的文学》译文有误,已经郑重校订改译为《党的组织和党的出版物》,《文艺理论研究》1983 年第 1 期

写作事业是无产阶级总的事业的一部分:读列宁《党的组织和党的出版物》,陈辽,《贵州社会科学》1984 年第 1 期

试论《党的组织和党的出版物》在马克思主义文艺理论史上的地位,刘光俊,《吉安师专学报》(社会科学版) 1984 年第 1 期

略论《党的组织和党的出版物》的文学思想及现实意义:纪念列宁逝世六十周年,育民,《南宁师院学报》(哲学社会科学版) 1984 年第 2 期

关于《党的组织和党的出版物》的译文修改,周文熙,《中国出版》1987 年第 2 期

写作和出版事业必须坚持党性原则:重读列宁《党的组织和党的

出版物》，梁社新，《贵州师范大学学报》（社会科学版）1989 年第 4 期

关于《党的组织与党的文学》——介绍苏联 50 年代中期的一次争论及其他，高叔眉，《文艺理论与批评》1990 年第 3 期

必须坚持文学的党性原则——学习列宁《党的组织和党的文学》有感，辛稼，《长江大学学报》（社会科学版）1990 年第 3 期

高校学报必须坚持无产阶级党性原则：学习列宁《党的组织和党的出版物》，田军，《青岛师专学报》1991 年第 2 期

发扬党的出版工作的优良传统——重读列宁的《党的组织和党的出版物》，宋木文，《中国出版》1991 年第 7 期

坚持和发展列宁的文学党性原则：纪念《党的组织和党的出版物》发表 90 周年，陈兆荣，《扬州师院学报》1994 年第 4 期

社会主义新闻事业和党性原则：学习列宁名著《党的组织与党的出版物》，卢惠民，《新闻窗》1995 年第 4 期

关于列宁的一篇文章的几处翻译问题，杨汉池，《文艺理论与批评》1996 年第 1 期

有感于《党的组织和党的文学》的篇名改译，雪原，《文艺理论与批评》1996 年第 1 期

博古与《党的组织与党的文学》的翻译，黎辛，《文艺理论与批评》1998 年第 1 期

《党的组织和党的出版物》：坚持文学的无产阶级党性原则——《读点马列原著讲座》之十三，荀春荣，《中华魂》2005 年第 10 期

共产党的伟大的思想武器——为列宁底《唯物论与经验批判论》一书四十年而作，《人民日报》1949 年 9 月 12 日

列宁的《唯物论与经验批判论》捍卫了和发展了马克思主义政党的理论基础，《人民日报》1953 年 6 月 20 日

关于列宁的著作《唯物论与经验批判论》，弗·然·克列，《教学与研究》1954 年第 10 期

关于列宁的著作《唯物论与经验批判论》（续完），弗·然·克列，《教学与研究》1954 年第 11 期

怎样阅读列宁《唯物主义与经验批判主义》，陈力，《人文杂志》1959 年第 1 期

怎样阅读列宁《唯物主义与经验批判主义》，陈力，《人文杂志》1959 年第 2 期

怎样阅读列宁《唯物主义与经验批判主义》，陈力，《人文杂志》1959 年第 4 期

战斗唯物主义的伟大文献——为纪念列宁的《唯物主义和经验批

判主义》一书出版五十周年而作，吴江，《哲学研究》1959 年第 6 期

苏联哲学界纪念《唯物主义和经验批判主义》出版 50 周年，《哲学研究》1959 年第 7 期

关于列宁的《唯物主义和经验批判主义》（讲稿），弗·然·克列，《教学与研究》1959 年第 7 期

关于列宁的《唯物主义和经验批判主义》（讲稿）（续一），弗·然·克列，《教学与研究》1959 年第 8 期

关于列宁的《唯物主义和经验批判主义》（讲稿）（续二），弗·然·克列，《教学与研究》1959 年第 11 期

更高地举起列宁批判主观唯心主义的战斗旗帜——纪念《唯物主义和经验批判主义》发表五十周年，孙定国，《人民日报》1959 年 10 月 22 日

列宁与现代自然科学——为纪念《唯物主义和经验批判主义》出版五十周年而作，切斯诺柯夫，《科学通报》1959 年第 13 期

列宁《唯物主义与经验批判主义》一书和现代科学，凯德洛夫，《自然辩证法通讯》1960 年第 1 期

《唯物主义和经验批判主义》简要注释（初稿）（续二），仲仁，《教学与研究》1962 年第 1 期

《唯物主义和经验批判主义》

简要注释（初稿）（续三），仲仁，《教学与研究》1962 年第 2 期

《唯物主义和经验批判主义》简要注释（初稿）（续四），仲仁，《教学与研究》1962 年第 3 期

列宁论哲学的党性原则——读《唯物主义和经验批判主义》的笔记，陈荷清，《哲学研究》1964 年第 3 期

学习《唯物主义和经验批判主义》，柳树滋，《物理》1974 年第 1 期

林彪"倒过来"的哲学怪论及其反动实质——学习《唯物主义和经验批判主义》的体会，史振东、卢恒显、曾盛林，《首都师范大学学报》（社会科学版）1974 年第 2 期

从"六个战术原则"看林彪是马赫的忠实门徒——学习《唯物主义和经验批判主义》，赵成亮、裴烽，《辽宁大学学报》（哲学社会科学版）1974 年第 6 期

时空是客观实在不是主观产物——学习列宁《唯物主义和经验批判主义》的体会，柳树滋、邢润川，《科学通报》1976 年第 1 期

没有物质的运动是不可想象的——学习《唯物主义和经验批判主义》的一点体会，邢润川，《化学通报》1977 年第 1 期

列宁对现代物理学中唯心主义思潮的批判——学习《唯物主义和

经验批判主义》第五章，林万和，《北京师范大学学报》（自然科学版）1978年第1期

坚持革命性和科学性的统一——学习《唯物主义和经验批判主义》笔记，冯定、赵常林，《北京大学学报》（哲学社会科学版）1978年第3期

论认识论中的实践标准——读列宁的《唯物主义和经验批判主义》，薛文华，《吉林师范大学学报》（哲学社会科学版）1978年第4期

坚持真理标准问题上的唯物论和辩证法——学习《唯物主义和经验批判主义》第二章第六节的体会，吴先遒，《广西师范大学学报》（哲学社会科学版）1979年第1期

马克思主义哲学的重大发展（纪念列宁《唯物主义和经验批判主义》发表七十周年），黄楠森，《北京大学学报》（哲学社会科学版）1979年第2期

剥掉马赫主义的两张画皮（《唯物主义和经验批判主义》第一章第二、三节要点介绍），史方山，《奋斗》1979年第2期

客观真理与党性原则——学习《唯物主义和经验批判主义》札记，李亚宁，《四川大学学报》（哲学社会科学版）1979年第3期

客观世界是可以认识的（《唯物主义和经验批判主义》第二章，第一、二、三节要点介绍），刘国恩，《奋斗》1979年第8期

真理和检验真理的标准问题（《唯物主义和经验批判主义》第二章，第四、五、六节要点介绍），刘国恩，《奋斗》1979年第9期

哲学的党性与阶级斗争——读《唯物主义和经验批判主义》的一点体会，向熙扬，《中州学刊》1980年第2期

试论不可知主义和唯心主义的合流——读《唯物主义和经验批判主义》，李本先，《华中师范大学学报》（人文社会科学版）1980年第3期

关于波格丹诺夫的失足及其教训——读《唯物主义和经验批判主义》札记，李明富，《贵州师范大学学报》（社会科学版）1980年第4期

善于从唯心主义"粪堆"中发现"珍珠"（学习《唯物主义和经验批判主义》），王秉义，《陕西师范大学学报》1981年第2期

自然科学的发展需要科学的世界观和方法论——读《唯物主义和经验批判主义》第五章，郭光前，《福建师大福清分校学报》1981年第12期

试论杜林哲学的性质（读《唯物主义和经验批判主义》），李本先，《华中师院学报》1982年第3期

《实践论》对马克思主义认识

论的丰富和发展——从《唯物主义和经验批判主义》到《实践论》，张传湘，《湖北大学学报》（哲学社会科学版）1982 年第 4 期

《〈唯物主义和经验批判主义〉浅释》书评，《福建论坛》（社科教育版）1982 年第 6 期

唯物辩证法是科学研究的根本方法——学习列宁《唯物主义和经验批判主义》第五章的体会，葛恒云，《财贸研究》1983 年第 1 期

全国第一次《唯物主义和经验批判主义》学术讨论会纪要，李河、孙承叔，《哲学动态》1983 年第 1 期

辩证唯物主义认识论基础的内涵（学习列宁《唯物主义和经验批判主义》的一点体会），刘本炬，《延安大学学报》1983 年第 1 期

唯物辩证法和相对主义（读《唯物主义和经验批判主义》），奚从清，《杭州大学学报》1983 年第 1 期

列宁是怎样论述和实践哲学的党性原则的？（学习《唯物主义和经验批判主义》心得），余源培、蒋文宣，《广西大学学报》1983 年第 1 期

学习列宁的科学比较法《唯物主义和经验批判主义》方法论初探之一，江崇国，《陕西师范大学学报》1983 年第 2 期

试论认识论和本体论的统一

（学习《唯物主义和经验批判主义》体会），余源培，《社会科学》1983 年第 2 期

对《唯物主义和经验批判主义》两处译文的商榷，李醒民，《教学与研究》（中国人民大学）1983 年第 4 期

论《唯物主义和经验批判主义》一书的辩证法思想，王中青，《社会科学辑刊》1983 年第 6 期

唯物辩证法是科学研究的根本方法：学习列宁《唯物主义和经验批判主义》第五章的体会，葛恒云，《安徽财贸学院学报增刊》1983 年第 10 期

列宁对"等同论"的批判：读《唯物主义和经验批判主义》札记，王珠元，《安庆师院学报》（社会科学版）1984 年第 1 期

正确认识科学知识的相对性问题：学习列宁《唯物主义和经验批判主义》札记，吴伯田，《浙江师范学院学报》（社会科学版）1984 年第 2 期

正确评价《唯物主义和经验批判主义》：纪念《唯物主义和经验批判主义》出版七十五周年，黄楠森、陈志尚，《东岳论丛》1984 年第 3 期

学习列宁的历史考察法：《唯物主义和经验批判主义》方法论初探之二，江崇国，《陕西师范大学学

报》(哲学社会科学版) 1984 年第
3 期

论《唯物主义和经验批判主
义》研究中的几个问题：兼评"西
文马克思主义"者对本书的"批
判"，陈如、余源培,《社会科学战
线》1984 年第 4 期

论列宁《唯批》中的辩证法问
题，任平,《苏州大学学报》(哲学社
会科学版) 1984 年第 4 期

列宁的《唯物主义和经验批判
主义》和心理学的方法论问题：纪
念《唯物主义和经验批判主义》出
版 75 周年，〔苏〕《心理学问题》
编辑部著，杨德译,《自然科学问题
丛刊》1984 年第 4 期

关于《唯物主义和经验批判主
义》的几个问题，黄楠森,《江淮论
坛》1984 年第 5 期

鲜明的主题，战斗的风格：谈
《唯物主义和经验批判主义》的特
色，沈冲,《理论月刊》1984 年第
7 期

《唯物主义和经验批判主义》
对马克思主义哲学的重大贡献，陈
志尚,《理论月刊》1984 年第 7 期

哲学与心理学——纪念《唯物
主义和经验批判主义》问世 75 周
年，肖洛霍娃、常文,《国外社会科
学》1984 年第 9 期

《〈唯物主义和经验批判主义〉
解说》出版，王恩荣,《江汉论坛》

1984 年第 12 期

关于马赫学派科学哲学思想评
价的几个问题：重读列宁的《唯物
主义和经验批判主义》，周业昌,
《广西师范大学学报》(哲学社会科
学版) 1985 年第 2 期

试论《唯物主义和经验批判主
义》与《哲学笔记》的关系，余源
培、奚从清,《杭州大学学报》(哲学
社会科学版) 1985 年第 3 期

学习列宁的哲学和自然科学相
结合的研究方法：《唯物主义和经验
批判主义》方法论初探之三，江崇
国,《陕西师范大学学报》(哲学社会
科学版) 1985 年第 3 期

列宁对辩证唯物主义认识论的
论证和发展：学习《唯物主义和经
验批判主义》，石卫,《沈阳师院社
会科学学报》1985 年第 3 期

试论《唯物主义和经验批判主
义》与《哲学笔记》的关系，余源
培，奚从清,《杭州大学学报》(哲学
社会科学版) 1985 年第 3 期

关于《唯批》的两处译文，李
醒民,《光明日报》1985 年 5 月
27 日

反映原理与实践观点的辩证统
一：评某些"西方马克思主义"者
对《唯物主义和经验批判主义》的
诘难，陈伯灵,《理论月刊》1985 年
第 6 期

关于物理学危机问题的沉

思——对《唯物主义和经验批判主义》某些观点的再认识，李醒民，《江汉论坛》1985 年第 7 期

也谈《唯物主义和经验批判主义》的两处译文：与李醒民同志商榷，顾锦屏、李其庆，《光明日报》1985 年 10 月 14 日

关于《唯物主义和经验批判主义》的两个问题，崔自铎，《理论月刊》1986 年第 1 期

论列宁的《唯物主义和经验批判主义》中的认识论思想，王幼殊，《华中师范大学学报》（哲学社会科学版）1986 年第 2 期

一本有特色的学习经典的著作——《〈唯物主义和经验批判主义〉解说》评介，池超波，《福建论坛》（人文社会科学版）1986 年第 3 期

列宁的《唯物主义和经验批判主义》对辩证唯物主义认识论的发展，张同生，《贵州大学学报》（社会科学版）1986 年第 3 期

学习列宁的哲学党性原则：《唯物主义和经验批判主义》方法论初探之四，江崇国，《陕西师范大学学报》（哲学社会科学版）1986 年第 4 期

列宁在《唯批》中的真理观，辛晓晖，《天津商学院学报》1987 年第 4 期

论《唯物主义和经验批判主义》的真理观，雷弯山，《丽水师范专科学校学报》1988 年第 1 期

关于绝对真理和相对真理问题：纪念列宁《唯物主义和经验批判主义》发表 80 周年，马志政，《杭州师范学院学报》（社会科学版）1988 年第 1 期

试论列宁《唯物主义和经验批判主义》中的科学方法，宋有，《理论探讨》1988 年第 2 期

关于《唯物主义和经验批判主义》第五章的一些思考，李醒民，《光明日报》1988 年 6 月 27 日

《唯物主义和经验批判主义》是一本怎样的书？［美］N. 莱文著，张翼星译，《马克思主义在当代》1988 年第 6 期

《唯物主义和经验批判主义》与认识的主体性问题，蔡成效，《贵州大学学报》（社会科学版）1989 年第 1 期

西方"列宁学"与《唯物主义和经验批判主义》，叶卫平，《重庆社会科学》1989 年第 1 期

《唯物主义和经验批判主义》在马克思主义认识论发展史上的意义——纪念《唯物主义和经验批判主义》出版 80 周年，冯平，《中山大学学报》（社会科学版）1989 年第 2 期

列宁的感觉理论与感觉心理学：纪念《唯物主义和经验批判主义》

发表 80 周年，石向实，《空军政治学院学报》（社会科学版） 1989 年第 3 期

实事求是地评价列宁的认识论：纪念《唯物主义和经验批判主义》发表 80 周年，王仲士，《四川大学学报》（哲学社会科学版） 1989 年第 4 期

列宁的反映论是不可动摇的：纪念《唯物主义与经验批判主义》出版八十周年，康达，《理论与改革》1989 年第 4 期

是机械的反映论还是能动的反映论？正确理解列宁的《唯物主义和经验批判主义》，朱保全，《理论教育》1989 年第 5 期

关于正确评价《唯物主义与经验批判主义》的若干问题，陈柏灵，《中国社会科学》1989 年第 6 期

试论列宁主体客体理论的进展与突破：从《唯物主义和经验批判主义》到《哲学笔记》，杨庭芳、程传阁，《武汉大学学报》（社会科学版） 1989 年第 6 期

光辉的战斗檄文：学习《唯物主义和经验批判主义》，郭值京，《读书》1989 年第 9 期

路线本质党性：读《唯物主义和经验批判主义》，许志功，《国防大学学报》1990 年第 1 期

《唯物主义和经验批判主义》的辩证法思想——驳资产阶级自由化的一种责难，徐凛然、曹大林，《杭州师范学院学报》（社会科学版）1990 年第 2 期

重读列宁的《唯物主义和经验批判主义》：纪念《唯批》出版 80 周年，王蝉，《文史哲》1990 年第 2 期

《唯物主义和经验批判主义》主题新探，卞敏，《现代哲学》1990 年第 3 期

《唯物主义和经验批判主义》绝非粗陋的形而上学机械论，刘晖明，《理论学习月刊》1990 年第 3 期

列宁与现代认识论：《唯物主义和经验批判主义》学习札记之一，何萍，《武汉大学学报》（社会科学版）1990 年第 4 期

马克思主义经典著作介绍《唯物主义和经验批判主义》第一章内容简介，刘德明，《理论导刊》1990 年第 4 期

科学理解《唯物主义和经验批判主义》的基本思想，乔均、葛旭初，《理论建设》1990 年第 4 期

论《唯物主义和经验批判主义》的理论贡献，郑忆石，《中国人民大学学报》1990 年第 5 期

马克思主义实践观的发展：论《唯物主义和经验批判主义》关于实践的论述，陈志尚，《晋阳学刊》1991 年第 1 期

客观性：科学认识的基本原则：

关于列宁《唯物主义和经验批判主义》中的反映论思想，杨贵华，《阴山学刊》（哲学社会科学版）1991年第2期

《唯物主义和经验批判主义》的批判方法与当代非马克思主义哲学，И.С.纳尔斯基著，李存立译，《世界哲学》1991年第6期

试析列宁实践观发展的三个基本阶段——从《唯物主义和经验批判主义》到《哲学笔记》，周尤贵，《天中学刊》1992年第3期

《唯物主义和经验批判主义》新探，刘天喜，《延安大学学报》（社会科学版）1992年第4期

认识论的党性原则不能违背——重读《唯物主义和经验批判主义》，叶启绩，《江西农业大学学报》1992年第5期

正确评价《唯物主义和经验批判主义》的反映论思想，周久义，《教学与研究》1993年第3期

从实践唯物主义看《反杜林论》和《唯物主义与经验批判主义》，朱宝信，《广西社会科学》1993年第5期

从实践唯物主义看《反杜林论》和《唯物主义与经验批判主义》，朱宝信，《河北师范大学学报》（哲学社会科学版）1994年第2期

《唯物主义和经验批判主义》对物质客观实在性的证明及其意义，安启念，《教学与研究》1995年第5期

一本有助于学好马列原著的好教材——《唯物主义和经验批判主义》简明教程再版，高齐云，《广东社会科学》1996年第1期

从历史联系中把握列宁《唯物主义和经验批判主义》的反映论思想，李少雄，《广西教育学院学报》1996年第2期

论《唯物主义和经验批判主义》的几个真理观问题，雷弯山，《马克思主义与现实》1996年第3期

列宁《唯物主义和经验批判主义》中若干名词的解释，戴立勇，《高等函授学报》（哲学社会科学版）1997年第2期

论《唯物主义和经验批判主义》对唯物史观的贡献，纪念列宁同名著作写作90周年，龚天平、李砚田，《吉首大学学报》（社会科学版）1999年第1期

哲学基本问题永远不会陈腐——重读列宁的《唯物主义和经验批判主义》，任玉岭，《河北大学学报》（哲学社会科学版）1999年第4期

党性原则是马克思主义哲学的一条基本原则——为纪念列宁的《唯物主义和经验批判主义》90年而作，杨焕章，《中国人民大学学

报》1999 年第 5 期

试论列宁论辩语言的内在魅力——学习《唯物主义和经验批判主义》的一点体会，李立川，《湖南第一师范学报》2000 年第 1 期

坚持辩证唯物主义的认识论，必须批判唯心主义的感觉经验论——《唯物主义和经验批判主义》读后感，李全元，《重庆社会科学》2000 年第 3 期

列宁《唯批》反映论思想再评价，卞敏，《学海》2003 年第 2 期

列宁主体客体观的重大转变——《唯批》与《哲学笔记》之比较研究，吕国忱，《理论探讨》2004 年第 1 期

从实践的思维视角解读列宁的《唯物主义和经验批判主义》，吕广利，《湖北社会科学》2005 年第 6 期

学习列宁《纪念赫尔岑》札记，柴青岳，《锦州师范学院学报》1980 年第 2 期

列宁《中国的民主主义和民粹主义》一文学习札记，林基洲，《马列主义研究资料》1983 年第 5 期

循名责实：对列宁《中国的民主主义和民粹主义》的一点看法，刘贵福，《马克思主义研究》2005 年第 2 期

马克思主义必将获得更大的胜利（学习列宁《马克思学说的历史命运》），李泽山，《新湘评论》1981

年第 3 期

社会主义的实践和马克思主义的历史命运：重读列宁《马克思学说的历史命运》，边正石，《青海社会科学》1986 年第 2 期

真理之树常青：读列宁《马克思学说的历史命运》，顾学宏，《杭州师范学院学报》（社会科学版）1986 年第 3 期

从马克思主义的历史发展看共产主义学说的强大生命力——学习列宁关于马克思主义历史命运的论著札记，刘宁，《理论探讨》1986 年第 3 期

关于《马克思学说的历史命运》的一些历史背景，陈士洪，《党政论坛》1986 年第 4 期

社会主义的实践和马克思主义的历史命运——重读列宁《马克思学说的历史命运》，边正石，《科学社会主义》1986 年第 5 期

理论工作者应象列宁那样坚持和发展马克思主义：重读列宁的《马克思学说的历史命运》等著作，本刊评论员，《学术交流》1990 年第 4 期

试论马克思主义的历史命运——读《马克思学说的历史命运》，陈建洲，《淮阴师范学院学报》（哲学社会科学版）1990 年第 4 期

学习《马克思学说的历史命运》的启示，周光春，《真理的追

求》1995 年第 4 期

风物长宜放眼量——读列宁《马克思学说的历史命运》，梁柱，《新视野》2005 年第 6 期

《马克思学说的历史命运》：历史的总结和科学的预言——《读点马列原著讲座》之十二，梁柱，《中华魂》2005 年第 9 期

古典政治经济学的科学功绩和它的局限性——读《马克思主义的三个来源和三个组成部分》的一些体会，李宗正，《教学与研究》1959 年第 8 期

学习《马克思主义的三个来源和三个组成部分》，陈隐若，《武汉体育学院学报》1978 年第 2 期

学习列宁的《马克思主义的三个来源和三个组成部分》，雪溪，《齐鲁学刊》1978 年第 2 期

对列宁关于马克思主义思想来源论断探讨的再探讨，金重，《教学与研究》1987 年第 1 期

原著介绍：《马克思主义的三个来源和三个组成部分》简介，高海深，《理论导刊》1990 年第 2 期

《马克思主义的三个来源和三个组成部分》思考题解答，张峰，《前线》1995 年第 2 期

伟大的科学预见——学习列宁关于《说明各种社会经济形态的社会总产品结构变化的表式》的一些体会，张守一、张曙光，《学术月刊》1980 年第 2 期

学习列宁著的《卡尔·马克思》，《人民日报》1953 年 5 月 5 日

从《卡尔·马克思》一书看苏联对马克思早期哲学著作的研究，沈真，《世界哲学》1981 年第 1 期

《卡尔·马克思》的早期中译本，丁景唐，《读书》1983 年第 3 期

一篇人物传的典范——读列宁的《卡尔·马克思》，张景孔，《中国地方志》2004 年第 8 期

科学的反战理论，辉煌的革命实践——读列宁《社会主义与战争》笔记，关勋夏，《军事历史研究》1999 年第 1 期

西欧国家联合反霸是当代历史发展的必然趋势——兼驳苏修对列宁《论欧洲联邦口号》一文的歪曲，巫宁耕，《世界经济》1978 年第 2 期

社会主义思想史上一个疑案的解析——研究列宁的《论欧洲联邦口号》，俞良早，《社会主义研究》1998 年第 3 期

《帝国主义是资本主义的最高阶段》简介，曹若闲，《教学与研究》1963 年第 4 期

列宁著《帝国主义是资本主义的最高阶段》简介，庄德钧、赵善武、陈忠，《文史哲》1964 年第 1 期

列宁对考茨基关于现代战争根源谬论的批判——读《帝国主义是

资本主义的最高阶段》一书的笔记，刘恩钊，《经济研究》1964 年第 4 期

美苏争霸是世界不得安宁的根源——学习《帝国主义是资本主义的最高阶段》的一点体会，黄笃华、蔡福兴、胥勋贵，《北京大学学报》（哲学社会科学版）1973 年第 4 期

苏美争霸是世界不得安宁的根源——学习《帝国主义是资本主义的最高阶段》的一点体会，俸强、蔡扬大，《中山大学学报》（社会科学版）1974 年第 1 期

关于当代帝国主义腐朽性的几个问题——《帝国主义是资本主义的最高阶段》学习札记，黄文，《安徽大学学报》（哲学社会科学版）1974 年第 1 期

从帝国主义瓜分世界的规律看苏修社会帝国主义的侵略本性——学习《帝国主义是资本主义的最高阶段》的一点体会，鲁雷，《湖北大学学报》（哲学社会科学版）1974 年第 1 期

反帝反修的强大理论武器——学习《帝国主义是资本主义的最高阶段》，张元元，《中山大学学报》（社会科学版）1974 年第 1 期

从列宁对考茨基“超帝国主义论”的批判，看苏修鼓吹“持久和平”的骗局——学习《帝国主义是资本主义的最高阶段》的一点体会，仲济生，《苏州大学学报》（哲学社会

科学版）1974 年第 2 期

正确认识时代基本特征，自觉执行党的基本路线——学习《帝国主义是资本主义的最高阶段》的一点体会，董文良，《中央民族大学学报》（哲学社会科学版）1974 年第 2 期

认清苏修社会帝国主义的反动本质——学习《帝国主义是资本主义的最高阶段》的一点体会，李道南，《四川大学学报》（哲学社会科学版）1974 年第 2 期

认清时代本质坚持继续革命——学习《帝国主义是资本主义的最高阶段》的一点体会，林雨如，《广西师范大学学报》（哲学社会科学版）1974 年第 2 期

从经济实质上认识帝国主义的侵略本性——学习列宁《帝国主义是资本主义的最高阶段》的体会，张全新、潘立玉，《齐鲁学刊》1974 年第 2 期

当前世界的主要倾向是革命——学习《帝国主义是资本主义的最高阶段》的一点体会，郑劲，《安徽师范大学学报》（人文社会科学版）1974 年第 2 期

从我们所处时代的性质看林彪“克己复礼”的反动性，学习《帝国主义是资本主义的最高阶段》的体会，郑文，《陕西师范大学学报》（哲学社会科学版）1974 年第 2 期

历史潮流不可抗拒——学习《帝国主义是资本主义的最高阶段》第十章的一点体会，沈阳冶炼厂铜冶炼车间工人理论学习小组，《辽宁大学学报》（哲学社会科学版）1974年第3期

坚持反帝反修反殖反霸的斗争——学习《帝国主义是资本主义的最高阶段》，杨守业，《西北师大学报》（社会科学版）1974年第3期

帝国主义的基本特征仍然没有变——学习《帝国主义是资本主义的最高阶段》笔记，张伦、贺安民，《西北大学学报》（哲学社会科学版）1974年第3期

从经济实质上认识帝国主义的侵略本性——学习列宁《帝国主义是资本主义的最高阶段》的体会，张全新，《齐鲁学刊》1974年第2期

斗则进，不斗则退——学习《帝国主义是资本主义的最高阶段》的一点体会，郑劲，《齐鲁学刊》1974年第3期

掌握理论武器，狠批"克己复礼"——学习《帝国主义是资本主义的最高阶段》的体会，博军，《文史哲》1974年第3期

第三世界反霸斗争必胜——学习《帝国主义是资本主义的最高阶段》的体会，刘应友、梁崇海、周志林、杜燕俞、美霞，《武汉大学学报》（人文科学版）1974年第3期

从帝国主义瓜分世界看第三世界人民的反霸斗争——学习《帝国主义是资本主义的最高阶段》的一点体会，虞锦林，《湖北大学学报》（哲学社会科学版）1974年第3期

《帝国主义是资本主义的最高阶段》学习辅导材料，《湖北大学学报》（哲学社会科学版）1974年第3期

掌握理论武器　狠批"克己复礼"——学习《帝国主义是资本主义的最高阶段》的体会，博军，《文史哲》1974年第3期

"援助"是假掠夺与争霸是真——学习《帝国主义是资本主义的最高阶段》的一点体会，开封师院政教系大批判组，《河南大学学报》（社会科学版）1974年第4期

考茨基的"超帝国主义论"与林彪的"克己复礼"——学习《帝国主义是资本主义的最高阶段》，刘建兴、程仁智，《首都师范大学学报》（社会科学版）1974年第4期

学习《帝国主义是资本主义的最高阶段》揭露苏修对外"经济援助"的实质，徐士元，《首都师范大学学报》（社会科学版）1974年第4期

学习《帝国主义是资本主义的最高阶段》（辅导材料），郑劲，《齐鲁学刊》1974年第4期

《帝国主义是资本主义的最高阶

段》简说，马正书,《辽宁大学学报》（哲学社会科学版）1974 年第 5 期

随时做好反侵略战争的准备——学习《帝国主义是资本主义的最高阶段》的一点体会，潘明禄,《广西师范大学学报》（哲学社会科学版）1974 年第 5 期

帝国主义与通货膨胀——学习列宁《帝国主义是资本主义的最高阶段》札记，任时今,《人民教育》1974 年第 12 期

正确认识帝国主义必然灭亡的规律——学习《帝国主义是资本主义的最高阶段》，陈年榜、毛树华,《思想战线》1975 年第 1 期

认清时代特征大干社会主义——学习《帝国主义是资本主义的最高阶段》，可耕,《山东师范大学学报》（人文社会科学版）1975 年第 1 期

垄断、危机与革命——学习《帝国主义是资本主义的最高阶段》中关于资本主义经济危机的论述，景志,《齐鲁学刊》1975 年第 1 期

国家垄断资本主义与经济危机——学习《帝国主义是资本主义的最高阶段》，李秉濬,《厦门大学学报》（哲学社会科学版）1975 年第 1 期

帝国主义就是侵略就是战争——学习《帝国主义是资本主义

的最高阶段》体会之一，南京市第一轻工业局工人理论骨干读书班南京师院政教系,《南京师大学报》（社会科学版）1975 年第 1 期

国家垄断资本主义是苏修社会帝国主义的经济基础——学习《帝国主义是资本主义的最高阶段》体会之二，南京市第一轻工业局工人理论骨干读书班南京师院政教系,《南京师大学报》（社会科学版）1975 年第 1 期

经济危机是资本主义的不治之症——学习《帝国主义是资本主义的最高阶段》的一点体会，青山、发祥、波菁、马闻,《文史哲》1975 年第 1 期

苏修的"援助"就是侵略的魔爪——学习《帝国主义是资本主义的最高阶段》第四章，汪清林业局金沟岭实验林场理论学习小组延边大学政治系七四级理论小组,《延边大学学报》（社会科学版）1975 年第 1 期

只要帝国主义存在，世界就会动荡不安——学习《帝国主义是资本主义的最高阶段》的一点体会，文坚、黄庆兰,《广西师范大学学报》（哲学社会科学版）1975 年第 1 期

学习《帝国主义是资本主义的最高阶段》辅导讲稿（节选）第四章,《延边大学学报》（社会科学版）1975 年第 1 期

帝国主义是现代战争的根源——学习列宁论帝国主义的一点体会，罗学知,《文史哲》1976 年第 1 期

对列宁关于"前夜"论断的一些看法——学习列宁《帝国主义论》的体会，王红宇,《湘潭师专学报》1980 年第 1 期

汉冶萍公司的衰败与国际资本的掠夺——学习列宁《帝国主义论》之体会，战勇,《江西社会科学》1980 年第 4 期

略论帝国主义经济基础与生产力发展的相互关系（重读《帝国主义是资本主义的最高阶段》的笔记），王元璋,《荆州师专学报》1981 年第 1 期

《帝国主义是资本主义的最高阶段》的分析方法，高俊逸,《学习与探索》1981 年第 4 期

列宁《帝国主义论》的方法论初探，李达昌,《四川大学学报》1982 年第 1 期

《帝国主义是资本主义的最高阶段》教学设计，同文,《信阳师范学院学报》(哲学社会科学版) 1982 年第 1 期

《帝国主义是资本主义的最高阶段》教学设计（续），同文,《信阳师范学院学报》(哲学社会科学版) 1982 年第 3 期

列宁的《帝国主义论》和当代资本主义，金汶,《安徽大学学报》(哲学社会科学版) 1984 年第 1 期

《帝国主义论》——划时代的光辉文献，李守身,《安徽大学学报》(哲学社会科学版) 1984 年第 1 期

《帝国主义论》从写作准备到问世，王元璋,《荆州师专学报》(社会科学版) 1984 年第 1 期

《帝国主义论》是《资本论》逻辑方法的直接继续和发展，董书城,《安徽大学学报》(哲学社会科学版) 1984 年第 1 期

试析列宁研究帝国主义理论的方法，王毅武、魏兴,《青海师范大学学报》(哲学社会科学版) 1985 年第 1 期

学习列宁的《帝国主义论》，[日] 金田重喜著，张碧清译,《经济学译丛》1985 年第 4 期

关于帝国主义停滞趋势的几点认识——纪念《帝国主义是资本主义的最高阶段》写作七十周年，黄焕山,《长江大学学报》(社会科学版) 1986 年第 3 期

纪念列宁《帝国主义是资本主义的最高阶段》发表 70 周年讨论会纪要，张衔整理,《世界经济研究》1987 年第 6 期

借鉴资本主义把握发达商品经济的共性：重读《帝国主义论》的反思，杨承训、王凤杰、刘石青,

《平原大学学报》1988 年第 3 期

列宁的《帝国主义论》与当代资本主义，韩俊清，《辽宁大学学报》（哲学社会科学版）1989 年第 5 期

列宁的《帝国主义论》没有过时：为纪念列宁诞辰 120 周年而作，仇启华，《当代思想》1990 年第 2 期

列宁的垄断理论与《资本论》——学习《帝国主义是资本主义的最高阶段》札记，顾士明，《南京师大学报》（社会科学版）1990 年第 4 期

如何正确理解列宁关于"帝国主义是垂死的资本主义"的论断，李明、林其璋，《福建金融管理干部学院学报》1991 年第 1 期

列宁《帝国主义论》的逻辑，王仲士、李震，《四川教育学院学报》1991 年第 1 期

正确认识当代资本主义的表面繁荣现象：学习列宁《帝国主义是资本主义的最高阶段》，王言品，《淮阴师专学报》1992 年第 3 期

俄罗斯学者对列宁帝国主义理论的新评说，刘淑春，《马克思主义与现实》1996 年第 1 期

《帝国主义论》否定股份制是一大失误——列宁与"修正主义"论战新说，胡义成，《钦州师范高等专科学校学报》1998 年第 2 期

重新审视《帝国主义论》对股份制的否定——列宁与"修正主义"论战新说，胡义成，《贵州大学学报》（社会科学版）1998 年第 5 期

列宁的全球视野探析——读《帝国主义是资本主义的最高阶段》，肖炳兰、王传利，《中国海洋大学学报》（社会科学版）1999 年第 3 期

重新审视帝国主义——重读列宁《帝国主义是资本主义的最高阶段》，姚天皎，《马克思主义研究》1999 年第 4 期

试论列宁对社会主义经济理论的探索重读列宁的《帝国主义论》，张涛，《中流》2000 年第 4 期

正确认识"垂死的"资本主义——二十一世纪重读《帝国主义论》，舒绍福，《北京青年政治学院学报》2001 年第 4 期

是科学理论还是"薄弱环节"——列宁的《帝国主义论》"过时论"辨析，凌宏彬，《江淮论坛》2002 年第 1 期

社会发展的趋势不会改变——再读《帝国主义是资本主义的最高阶段》，刘亚丽，《集宁师专学报》2002 年第 1 期

"帝国主义"概念的变种——重温列宁《帝国主义是资本主义的最高阶段》，梁波、冯炜，《东北大学学报》（社会科学版）2003 年第 3 期

当代资本主义的两重性及其历史命运——读列宁的《帝国主义论》，蔡云辉，《安徽农业大学学报》（社会科学版）2003年第6期

全球化与帝国主义：批判及辩护——重读列宁的《帝国主义论》，布成良，《当代世界与社会主义》2003年第6期

重新审视帝国主义——重读列宁《帝国主义是资本主义的最高阶段》，柯彬彬，《中华素质教育》2004年第1期

重新审视《帝国主义论》对股份制的否定——列宁与"修正主义"论战新说，胡义成，《理论参考》2004年第2期

《帝国主义是资本主义的最高阶段》：列宁发展了马克思关于资本主义的基本理论——《读点马列原著讲座》之十五，吴健，《中华魂》2005年第12期

国外学者关于列宁帝国主义理论的研究综述，熊乐兰、詹真荣，《杭州师范学院学报》（社会科学版）2006年第6期

对帝国主义本质和规律的深刻揭示——列宁《帝国主义是资本主义的最高阶段》的主要内容及其意义，陈征，《高校理论战线》2007年第2期

解读列宁《帝国主义论》中的全球化思想，张晓忠、高秀伟，《商业经济》（哈尔滨）2007年第5期

曲折是社会前进中不可避免的现象——读列宁《论尤尼乌斯的小册子》的启迪，赵文生，《经济问题》1992年第6期

对社会主义思想史上一个疑案的再解析，研究列宁的《无产阶级革命的军事纲领》，俞良早，《当代世界与社会主义》2000年第2期

对社会主义思想史上一个疑案的再解析——研究列宁的《无产阶级革命的军事纲领》，俞良早，《当代中国史研究》2000年第2期

关于《四月提纲》的过渡性质，张培义，《山东师范大学学报》（人文社会科学版）1984年第3期

《四月提纲》拨正了俄国革命的航向：纪念列宁《四月提纲》发表七十周年，杨万镒，《兰州师专学报》（综合版）1987年第1期

"从革命的第一阶段向革命的第二阶段过渡"——论列宁的《四月提纲》及其有关著作的思想，俞良早，《社会科学研究》1997年第6期

关于列宁的著作《国家与革命》，弗然克列，《教学与研究》1955年第1期

读列宁的《国家与革命》，平林，《读书》1957年第10期

《国家与革命》学习提纲，《读书》1957年第10期

关于社会主义社会的过渡性质

问题——学习列宁的《国家与革命》一书的笔记之一，武经群，《武汉大学学报》（人文科学版）1960年第4期

《国家与革命》——无产阶级革命的锐利思想武器，黄安淼，《前线》1963年第7期

第五讲：国家与革命，孙国华、吕世仑，《前线》1963年第15期

列宁著《国家与革命》简介，郑治学，《文史哲》1964年第2期

列宁《国家与革命》一书的写作提纲，裴家勤，《教学与研究》1964年第3期

从资本主义到共产主义的整个过渡时期始终需要无产阶级专政——学习《国家与革命》的笔记，贾英凡，《前线》1964年第15期

攻击无产阶级专政就是要复辟资本主义——学习《国家与革命》的体会，包玉琴，《中央民族大学学报》（哲学社会科学版）1974年第1期

谈无产阶级专政的必要性——学习《国家与革命》的一点体会，丁恒、李传才，《苏州大学学报》（哲学社会科学版）1975年第1期

《国家与革命》学习参考资料，湖北化学纤维厂工人理论小组武汉大学哲学系72级学员政治理论教研室，《武汉大学学报》（人文科学版）1975年第1期

必须加强无产阶级对资产阶级的专政——学习《国家与革命》的一点体会，六五四三部队炮二连理论小组，《苏州大学学报》（哲学社会科学版）1975年第1期

阶级斗争必然导致无产阶级专政——学习《国家与革命》的一点体会，青海民族学院政教系76（1）班理论小组，《青海民族学院学报》1975年第1期

批判投降主义路线的锐利武器——学习《国家与革命》的一点体会，张金明，《徐州师范大学学报》（哲学社会科学版）1975年第1期

要在无产阶级专政下限制资产阶级法权——学习《国家与革命》第五章的一点体会，工青，《中央民族大学学报》（哲学社会科学版）1975年第2期

加强对资产阶级的全面专政——读《国家与革命》，郑克，《东北师大学报》（哲学社会科学版）1975年第2期

《国家与革命》第五章简介，郑志，《文史哲》1975年第2期

党的干部要永远做"社会公仆"——学习《国家与革命》的一点体会，萧畔，《辽宁大学学报》（哲学社会科学版）1975年第2期

列宁《国家与革命》、《无产阶

级革命和叛徒考茨基》、《共产主义运动中的"左派"幼稚病》成书的历史背景和内容简介，兰州综合电机厂、甘肃师大政史系、《国际共产主义运动史》编写组，《西北师大学报》（社会科学版）1975 年第 4 期

学习《国家与革命》彻底批判投降派，孙秉敏，《齐鲁学刊》1975 年第 5 期

进军号——读《国家与革命》有感，叶冬生，《广西师范大学学报》（哲学社会科学版）1975 年第 6 期

评"只反贪官，不反皇帝"——学习《国家与革命》，李炜，《武汉大学学报》（人文科学版）1976 年第 1 期

评"只反贪官，不反皇帝"——学习《国家与革命》，李炜，《武汉大学学报》（人文科学版）1977 年第 1 期

《国家与革命》两段译文的重要修改，《中国出版》1978 年第 7 期

社会主义阶段阶级消灭国家衰亡问题——读《国家与革命》，张慕良，《教学与研究》1979 年第 2 期

民主永远不会单独存在的——读《国家与革命》札记，饶正国，《青海日报》1979 年 5 月 11 日

《国家与革命》若干问题试解，邹积贵，《湘潭大学社会科学学报》1980 年第 3 期

巴黎公社政权形式是社会主义

民主建设的榜样：读列宁《国家与革命》的体会，梁国杰，《广东教育学院学报》1984 年第 1 期

无产阶级专政的光辉文献——学习《国家与革命》第三章的体会，赵生杰，《商洛师范专科学校学报》1988 年第 1 期

《国家与革命》译文商榷，胡敦伟，《东北师大学报》（哲学社会科学版）1991 年第 6 期

评西方"列宁学"的国家与革命研究，叶卫平，《社会主义研究》1991 年第 2 期

列宁的《国家与革命》——研究议会的经典著作，苏学范，《人大研究》1992 年第 2 期

坚持人民民主专政不动摇——重温列宁《国家与革命》，陈哲，《咸宁学院学报》1992 年第 4 期

试论《国家与革命》的逻辑结构，周良佐，《郧阳师范高等专科学校学报》1992 年第 4 期

现阶段国家的必要职能之一：保卫"资产阶级权利"——重读《国家与革命》有感，黄亮宜，《马克思主义与现实》1993 年第 2 期

毛泽东与《国家与革命》，陈方怡，《上海党史与党建》1997 年第 6 期

关于《国家与革命》一书译本中"国家"一词的译法——和朱光潜同志商榷，张慕良，《香港社会科

学学报》1997 年第 10 期

社会主义民主高于资本主义民主——学习列宁《国家与革命》一书的体会，文勇、黄思开，《广西师范大学学报》（哲学社会科学版）1998 年第 3 期

英国学者唐森评坡兰对列宁《国家与革命》的批评，李晓光，《国外理论动态》2000 年第 4 期

列宁《国家与革命》对毛泽东国家政权理论的影响，许玲英，《毛泽东思想研究》2002 年第 1 期

"革命"研究：革命的原因、性质和目的——从《国家与社会革命》谈起，钱乘旦，《南京大学学报》（哲学、人文科学、社会科学版）2002 年第 3 期

"这些书绝不是闲书"，李江涛、徐仁杰，《新华每日电讯》2002 年 10 月 25 日

缔造社会主义国家的巨著——《国家与革命》，王天锋，《现代语文》（高中读写版）2005 年第 2 期

《国家与革命》的译法，胡为雄，《学习时报》2005 年 12 月 19 日

《国家与革命》：对马克思主义国家学说的系统阐发——《读点马列原著讲座》之十八，吴雄丞，《中华魂》2006 年第 3 期

中国腐败根源初探——读列宁《国家与革命》的启示，张丽明，《党的建设》2006 年第 3 期

《国家与革命》一书的书名应当怎样译——答胡为雄同志，张慕良，《学习时报》2006 年 5 月 8 日

《国家与革命》的现代解读，胡为雄，《新视野》2006 年第 6 期

马克思主义国家学说的经典之作——列宁著《国家与革命》研读笔记，吴雄丞，《高校理论战线》2006 年第 7 期

列宁的《和平法令》与威尔逊的"十四点"，王彦敏，《山东社会科学》2004 年第 7 期

"我们的任务就是要组织比赛"——纪念列宁《怎样组织比赛？》一文发表二十五周年，《人民日报》1954 年 1 月 20 日

社会主义劳动竞赛好　学习列宁《怎样组织竞赛？》一文的体会，巩学，《人民日报》1977 年 3 月 10 日

"和平共处"：从策略到策略与战略的统一——列宁《关于战争与和平的报告》的当代解读，王昌英，《南京政治学院学报》2007 年第 3 期

综合技术教育是现代教育的一个组成部分（学习列宁《论综合技术教育》），北师大教育系，《山西教育》1979 年第 2 期

正确理解"学校应当成为无产阶级专政的工具"（学习列宁《俄共（布）党纲草案》"关于国民教

育的条文"），北京师大教育系，《山西教育》1978 年第 12 期

《苏维埃政权的当前任务》简介，张红旗，《齐鲁学刊》1975 年第 3 期

《苏维埃政权的当前任务》，黄宏，《思想战线》1975 年第 3 期

在产品的生产和分配方面加强对资产阶级专政——学习《苏维埃政权的当前任务》札记，修培生，《求是学刊》1976 年第 1 期

既要红旗飘扬又要卫星上天——读列宁的《苏维埃政权的当前任务》，朱嘉明，《齐鲁学刊》1976 年第 6 期

《苏维埃政权的当前任务》浅析，南京市教师进修学院语文专业，《南京师大学报》（社会科学版）1977 年第 1 期

破坏社会主义经济就是破坏无产阶级专政——学习列宁《苏维埃政权的当前任务》，临汾市工农兵理论组，《山西师大学报》（社会科学版）1977 年第 1 期

列宁论工作重心的转移——学习《苏维埃政权的当前任务》的体会，陈隐若，《武汉体育学院学报》1979 年第 1 期

建设社会主义的伟大纲领——读《苏维埃政权的当前任务》，顾学宏，《杭州师范学院学报》（社会科学版）1980 年第 2 期

重读《苏维埃政权的当前任务》（纪念列宁诞辰一百一十周年），骆耕漠，《红旗》1980 年第 8 期

列宁《苏维埃政权的当前任务》一文的现实意义，蒋如洲，《重庆社会科学》1999 年第 4 期

论列宁关于社会主义根本任务的基本思想——读列宁《苏维埃政权的当前任务》，詹学德，《襄樊学院学报》2005 年第 4 期

正确理解列宁的"少谈政治"与"多谈经济"，姬藏舟，《思想政治工作研究》1986 年第 5 期

正确理解列宁"少谈政治"和"多谈经济"的本意，姬藏舟，《河北学刊》1990 年第 1 期

少谈些政治多谈些经济——学习列宁《论我们报纸的性质》一文的体会，尹连根，《新闻界》1995 年第 2 期

正确理解列宁"少谈政治"的思想，郭榛树，《理论导刊》1996 年第 9 期

列宁发表文章《论我们报纸的性质》，刘畅，《中华新闻报》2004 年 9 月 24 日

关于列宁的著作《无产阶级革命与叛徒考茨基》，[苏] 叶·米·谢米里亨，《教学与研究》1956 年第 2 期

怎样阅读列宁的《无产阶级革命与叛徒考茨基》，孙国华，《读书》

1957 年第 11 期

读《无产阶级革命和叛徒考茨基》（上），葛锡有，《教学与研究》1963 年第 5 期

读《无产阶级革命和叛徒考茨基》（下），葛锡有，《教学与研究》1963 年第 6 期

列宁在国家与革命问题上对考茨基的批判——读《无产阶级革命和叛徒考茨基》，边鹏飞，《浙江学刊》1964 年第 3 期

革命暴力是无产阶级专政的基本标志——读列宁《无产阶级革命和叛徒考茨基》，邹积贵，《齐鲁学刊》1974 年第 3 期

批判投降主义的锐利武器——学习《无产阶级革命和叛徒考茨基》的一点体会，丁地树，中国人民解放军三三九九〇部队，《郑州大学学报》（哲学社会科学版）1975 年第 4 期

"纯粹民主"的实质是反对无产阶级专政（重读列宁《无产阶级革命和叛徒考茨基》），程思进，《四川师院学报》1981 年第 1 期

读《无产阶级革命和叛徒考茨基》，赵诚，《马克思主义与现实》1990 年

《无产阶级革命和叛徒考茨基》：无产阶级专政的真谛——《读点马列原著讲座》之十九，田改伟，《中华魂》2006 年第 4 期

自由如果同劳动摆脱资本压迫相抵触，那就是骗人的东西：读列宁《关于用自由平等口号欺骗人民》，冯定山，《湘潭大学学报》（社会科学版）1987 年第 1 期

读列宁的《伟大的创举》——为纪念列宁诞生九十周年而作，傅荣晖，《江西师范大学学报》（自然科学版）1960 年第 1 期

发扬共产主义的劳动精神——再读列宁的《伟大的创举》，吴佩钧，《武汉大学学报》（人文科学版）1960 年第 4 期

做社会主义新生事物的促进派——学习《伟大的创举》的一点体会，龚平举、童迅祖，《陕西师范大学学报》（哲学社会科学版）1975 年第 2 期

敌人越反对，我们越要热情扶植新生事物——学习《伟大的创举》，李福金、焦忠、义里戈，《吉林大学社会科学学报》1975 年第 3 期

要大力扶植共产主义的幼芽——学习《伟大的创举》的一点体会，广西师院外语系写作组，《广西师范学院学报》（哲学社会科学版）1975 年第 12 期

支持新事物的幼芽是我们共同的和首要的义务——学习《伟大的创举》，徐复岭、修龙恩，《齐鲁学刊》1976 年第 1 期

无产阶级政党的历史责任——读列宁《伟大的创举》，穆霖，《石油政工研究》2001年第3期

社会主义就是消灭阶级——学习《无产阶级专政时代的经济和政治》，四川师院大批判组，《四川师范大学学报》（社会科学版）1975年第1期

坚持党的基本路线巩固和加强无产阶级专政——学习《无产阶级专政时代的经济和政治》的一点体会，中国人民解放军一六七〇部队理论组，《山西师大学报》（社会科学版）1975年第2期

《无产阶级专政时代的经济和政治》简介，陈志安，《齐鲁学刊》1975年第3期

利用国家政权进行阶级斗争——学习《无产阶级专政时代的经济和政治》的体会，何世宇、石光荣，《武汉大学学报》（人文科学版）1975年第3期

坚持无产阶级专政清除旧社会的痕迹——学习《无产阶级专政时代的经济和政治》，易培强，《湖南师范大学社会科学学报》1975年第3期

巩固无产阶级专政发展社会主义经济——学习《无产阶级专政时代的经济和政治》，祝力钧，《中山大学学报》（社会科学版）1975年第3期

《无产阶级专政时代的经济和政治》（节选）试析，山东师院中文系中学语文教学参考资料编写组，《山东师范大学学报》（人文社会科学版）1975年第5期

无产阶级的平等就是要消灭阶级——学习《无产阶级专政时代的经济和政治》笔记，厉嫩竹，《山东师范大学学报》（人文社会科学版）1975年第6期

对列宁两句名言译文的一点看法，郑禄，《教学与研究》1980年第4期

布尔塞维克成功的基本条件之一——列宁著《"左派"幼稚病》第二章，《人民日报》1948年6月16日

怎样阅读列宁的《共产主义运动中的"左派"幼稚病》，赵宝煦，《读书》1957年第12期

介绍列宁著《共产主义运动中的"左派"幼稚病》一书，刁田丁，《中南财经政法大学学报》1959年第7期

为巩固无产阶级专政加强革命纪律——学习《共产主义运动中的"左派"幼稚病》第二章的一点体会，临汾市人民武装部理论组，《山西师大学报》（社会科学版）1975年第1期

加强党的领导巩固无产阶级专政——学习《共产主义运动中的

"左派"幼稚病》第二、五章，宫云思、梁旭原，《南京师大学报》（社会科学版）1975 年第 3 期

高度热爱党的领袖誓死保卫党的领袖——学习列宁《共产主义运动中的"左派"幼稚病》，中共旬邑县委员会，《陕西师范大学学报》（哲学社会科学版）1977 年第 1 期

学习列宁关于领袖、政党、阶级、群众相互关系的学说——《共产主义运动中的"左派"幼稚病》第五章读书笔记，邹积贵，《齐鲁学刊》1977 年第 1 期

把小资产阶级思想引导到无产阶级革命的轨道——读《共产主义运动中的"左派"幼稚病》一书的笔记片断，苏永贻，《广西师范大学学报》（哲学社会科学版）1979 年第 1 期

共产党人与政治科学——纪念《共产主义运动中的"左派"幼稚病》写作 65 周年，马仲扬，《马克思主义研究》1985 年第 3 期

对《"左派"幼稚病》的再研究，宁正宁，《天津师范大学学报》（社会科学版）1989 年第 4 期

无产阶级政党建设的两个重要问题：读列宁的《共产主义运动中的"左派"派幼稚病》一书，汪庆文，《理论探讨》1989 年第 5 期

一个具有国际意义的伟大构想——"一国两制"：学习列宁《共产主义运动中的"左派"幼稚病》的一点体会，陈延琪，《新疆社会科学》1990 年第 4 期

一部正确指导马克思主义政党反对"左"倾的重要著作——学习列宁《共产主义运动中的"左派"幼稚病》的体会，杨红，《惠州学院学报》1993 年第 1 期

论列宁对共产主义运动中"左派"幼稚病的批判，余源培，《学术界》1994 年第 5 期

以列宁为榜样，正确进行反倾向斗争：学习《共产主义运动中的"左派"幼稚病》的启示，钱梅根，《中共浙江石党校学报》1995 年第 1 期

论坚持党的领导、纪律和正确的思想路线——纪念列宁《共产主义运动中的"左派"幼稚病》发表 80 周年，俞良早，《中共成都市委党校学报》2000 年第 2 期

《"左派"幼稚病》：革命战略和策略的指南——《读点马列原著讲座》之十六，齐仲，《中华魂》2006 年第 1 期

马克思主义战略和策略的通俗讲话——读《共产主义运动中的"左派"幼稚病》，赵曜，《高校理论战线》2006 年第 9 期

全世界无产者和被压迫民族联合起来！——读列宁《民族和殖民地问题提纲初稿》的体会，郭青云，

《人民日报》1963 年 7 月 25 日

特定条件下落后民族可以避免资本主义的发展阶段：学习列宁的《民族和殖民地问题委员会的报告》，林雁鸣，《理论教育》1988 年第 5 期

让无产阶级革命文化磅礴于全世界——学习列宁的《青年团的任务》、《论无产阶级文化》，批判刘少奇、周扬一伙的"全盘继承"论，《人民日报》1971 年 8 月 5 日

把学校办成无产阶级专政的工具——学习《青年团的任务》的体会，余信，《山东师范大学学报》（人文社会科学版）1975 年第 2 期

重视共产主义道德的培养——学习《青年团的任务》，王文华，《中山大学学报》（社会科学版）1975 年第 4 期

青年的任务是要学习——学习列宁《青年团的任务》，雪岩，《天津师范大学学报》（社会科学版）1975 年第 5 期

学习列宁《青年团的任务》札记，白诗毓，《人民教育》1975 年第 8 期

《青年团的任务》介绍，天津师范学院教育学教研室，《天津教育》1976 年第 1 期

把青年一代培养成为共产主义者——学习列宁《青年团的任务》，学思，《北京师范大学学报》（社会科

学版）1976 年第 1 期

努力掌握人类创造的全部知识——批判"四人帮"对列宁《共青团的任务》的歪曲，沈阳部队后勤部理论组，《吉林大学社会科学学报》1977 年第 3 期

只有受了现代教育才能建立共产主义——学习《青年团的任务》及列宁青年时代勤奋自学的事迹札记，李汉育，《高等教育研究》1980 年第 2 期

一分钟也不要忘记需要知识的力量（重读列宁《青年团的任务》），林远，《华东师范大学学报》1980 年第 4 期

关于《青年团的任务》译文中的几处重大修改，倪家泰，《华东师范大学学报》1980 年第 4 期

要重视共产主义道德教育：学习列宁《青年团的任务》的体会，王运长，《财贸研究》1983 年第 1 期

学习知识与止于结论：学习列宁《青年团的任务》，黄世瑜，《文学知识》1985 年第 8 期

纪念列宁《青年团的任务》发表 65 周年：中国科学社会主义学会在京部分理事举行讨论会，周锡荣、陈晨，《科学社会主义》1986 年第 1 期

社会主义精神文明建设的一篇好教材——学习列宁的《青年团的

任务》，坨玉玺,《学术交流》1986年第3期

青年应当学习共产主义：——纪念列宁《青年团的任务》发表70周年，李振唐、张明,《广西师范学院学报》(哲学社会科学版) 1990年第4期

批判道德虚无主义提倡共产主义道德教育——纪念列宁《青年团的任务》讲话发表77周年，金可溪,《中国青年政治学院学报》1997年第4期

在批判中继承，在实践中学习——学习列宁《青年团的任务》，阮映东,《中山大学学报论丛》2000年第4期

学习仍是重要任务——再学列宁《青年团的任务》，宋学标,《石油政工研究》2002年第6期

进一步发挥工会教育工人阶级的作用——纪念列宁《论工会、目前局势及托洛茨基同志的错误》发表85周年，赵康生,《烟台师范学院学报》(哲学社会科学版) 2005年第4期

怎样理解"要真正的认识对象，就必须把握和研究它的一切方面、一切联系和'媒介'。我们决不会完全地做到这一点，可是要求全面性，将使我们防止错误，防止僵化"，陈瑛、孙溥泉,《前线》1965年第18期

要揭露和批判折中主义的反动实质——读《再论工会、目前局势及托洛茨基和布哈林的错误》，思宏,《思想战线》1976年第1期

玻璃杯的启示——读列宁的《再论工会、目前局势及托洛茨基和布哈林的错误》一文札记，唐凯麟,《湖南师范大学社会科学学报》1979年第3期

如何理解列宁的一句话，李德水,《人民日报》1982年10月25日

农民占居民大多数的特点对俄国革命的影响——学习列宁《论粮食税》一文的两点体会，李德硕,《江西师范大学学报》(哲学社会科学版) 1980年第3期

发展农业生产首先是靠政策(读列宁《论粮食税》的体会)，陈学基,《江苏师院学报》1981年第3期

革命的"退却"与前进（读《论粮食税》札记)，梁国杰,《学术研究》1981年第4期

正确看待战时共产主义：读列宁的《论粮食税》，柳振铎,《上海师范学院学报》(社会科学版) 1984年第1期

从国情出发建设社会主义是列宁的基本原则：读《论粮食税（新政策的意义及其条件)》的一点体会，宋锐峤、车和卿,《湖南教育学院学报》(哲学社会科学版) 1984年

第 1 期

建立社会主义是从抽象到具体的多次尝试的历史过程：重学列宁《论粮食税》，李海镜，《河北大学学报》（哲学社会科学版）1987 年第 2 期

成功的探索有益的启示——重温《论粮食税》，郑耀东，《经济问题》1992 年第 5 期

落后国家建设社会主义途径、方法的理论探索：读列宁的《论粮食税》等论著，毕志国，《马克思主义研究》1996 年第 2 期

《论粮食税》的历史和现实作用——兼论民族地区经济发展的问题，曾国良，《黔南民族师范学院学报》1996 年第 4 期

关于改革农业税费制度试行公粮制的思考：学习列宁《论粮食税》的体会，李炳良，《改革与理论》1996 年第 8 期

列宁《关于以实物税代替余粮收集制的报告》对社会主义理论有哪些贡献？郭铎逢，《前线》1996 年第 12 期

关于改革农业税费制度试行公粮制的思考——学习《列宁论粮食税》的体会，李炳良，《探索与求是》1997 年第 2 期

对国家资本主义的再认识——学习列宁《论粮食税》的体会，郑庆荣，《福建党史月刊》1997 年第

6 期

试论列宁对发展社会主义商品经济的探索——读列宁的《论粮食税》，王晓云、高斌，《江汉大学学报》1998 年第 1 期

略论新经济政策的理论意义和历史现实意义——读列宁《论粮食税》的体会，徐汉明，《华中理工大学学报》（社会科学版）1998 年第 4 期

略论新经济政策的理论意义和历史现实意义——读列宁《论粮食税》的体会，徐汉明，《企业导报》1999 年第 1 期

试论列宁对社会主义经济理论的探索——读列宁的《论粮食税》和《论合作制》，段彪瑞，《雁北师范学院学报》1999 年第 2 期

从《论粮食税》看列宁的发展观和发展思想，彭进，《三明高等专科学校学报》2000 年第 4 期

从《论粮食税》等著作看列宁对科学社会主义理论的发展，钱杭园，《绍兴文理学院学报》2001 年第 1 期

历史地、辩证地对待国家资本主义——读列宁的《论粮食税》，郭文荣，《安阳师范学院学报》2001 年第 4 期

"我们应该利用资本主义"——读列宁《论粮食税》，穆霖，《石油政工研究》2001 年第 6 期

列宁关于引导农民走社会主义道路的探索——从《论粮食税》到《论合作社》，蒋锐，《当代世界社会主义问题》2002年第1期

列宁《论粮食税》与中国改革发展理论，周雅难，《昆明理工大学学报》（社会科学版）2003年第3期

深刻的理论批判与切实的行动指南——重读列宁《新时代，新形式的旧错误》一文有感，王灿，《江苏社会科学》1990年第3期

从失败的经验中学习（读列宁《十月革命四周年》等文），薛汉伟、潘国华，《读书》1980年第12期

读列宁《十月革命四周年》后记，萧克，《炎黄春秋》1996年第7期

十月革命开辟了世界历史的新纪元——重读列宁《十月革命四周年》纪念十月革命80周年，张汉清，《国际政治研究》1997年第4期

对列宁的《莫斯科省第七次党代表会议》一文中一段译文的商榷，吴恩远，《世界史研究动态》1984年第2期

读列宁的《一本有才气的书》，苏岩，《俄罗斯文艺》1980年第3期

列宁对《插到革命背上的十二把刀子》一书的批判，乌兰汗，《俄罗斯中亚东欧研究》1981年第3期

读列宁《一本有才气的书》：兼谈作家的才、识和立场，黄世瑜，《华东师范大学学报》1984年第2期

科学的态度，广阔的胸襟：重读列宁《一本有才气的书》，耿恭让，《文学知识》1985年第1期

列宁论哲学工作者的战斗纲领——读列宁的《论战斗唯物主义底意义》，徐琳，《人民日报》1955年12月27日

浅谈列宁写作《论战斗唯物主义的意义》一文的历史背景，郭值京，《马列主义研究资料》1983年第6期

《论战斗唯物主义的意义》简介，翟志宏，《理论导刊》1990年第4期

学习列宁的《论战斗唯物主义的意义》，张同生，《贵州大学学报》1991年第1期

共产党人要做战斗的唯物主义者：学习列宁《论战斗唯物主义的意义》一文的体会，汪军，《思考与运用》2000年第3期

《论战斗唯物主义的意义》：加强意识形态领域工作的庄严号召——《读点马列原著讲座》之二十，艾辛，《中华魂》2006年第5期

社会主义道路和纯社会主义的经济形式——读列宁《俄国革命五周年和世界革命的前途》，张显扬、薛汉伟，《读书》1981年第4期

正确认识和处理民族、宗教矛盾——学习列宁《关于民族或"自治化"问题》的体会，冯发贵，《中共四川省委省级机关党校学报》2000 年第 3 期

列宁的《给代表大会的信》：真相和捏造，[苏] C.德米特连科著，欧桑摘译，《国外社会科学情报》1988 年第 11 期

列宁《给代表大会的信》与二十年代中期党的领导中的个人争执，[苏] C.德米特连科著，帅永章译，《岭南学刊》1989 年第 1 期

文化革命与教师（学习列宁《日记摘录》），北师大教育系，《山西教育》1979 年第 3 期

要把教育摆在应有的重要地位（学习列宁《日记摘录》的体会），马鸣凤，《北京教育》1983 年第 5 期

我国合作社工作者的任务——纪念列宁论合作制发表三十周年，《人民日报》1953 年 1 月 16 日

发挥"合作制"作用、搞活农村经济——学习列宁《论合作制》的体会，周明星，《北京商学院学报》1983 年第 1 期

列宁对社会主义认识的重大发展：学习列宁的《论合作制》，周纪良，《上海师范学院学报》（社会科学版）1984 年第 1 期

论商业合作社在合作化中的重要作用：读列宁《论合作制》的体会，陈家义，《广东教育学院学报》1984 年第 1 期

列宁《论合作制》的真谛，徐博涵，《马克思主义研究》1984 年第 1 期

关于列宁的《论合作制》——与蒋学模同志商榷，刘家树，《社会科学》1984 年第 5 期

列宁对社会主义认识的重大发展——学习列宁的《论合作制》，周纪良，《科学社会主义》1984 年第 5 期

读列宁的《论合作制》，张超群，《中南财经政法大学学报》1984 年第 6 期

浅谈列宁对社会主义的再认识：学习《论合作制》的体会，田文敏，《沈阳师范学院学报》（社会科学版）1987 年第 2 期

列宁"合作制"思想的启示——重读列宁《论合作制》，施端宁，《温州师范学院学报》1991 年第 1 期

浅谈列宁对社会主义的再认识——学习《论合作制》的体会，田文敏，《科学社会主义》1987 年第 6 期

要勇于探索社会主义建设的道路——重温《论合作制》，郑孙，《经济问题》1992 年第 9 期

必须重视农民问题：兼论列宁的《论合作制》，范毅，《许昌师专

学报》1995 年第 3 期

从落后国家的实际出发建设社会主义——读列宁的《论合作社》，吴邛，《重庆社会科学》2000 年第 5 期

重读列宁的《论合作制》，闫军，《理论学习》2000 年第 12 期

我国合作社工作者的任务——纪念列宁《论合作制》发表 30 周年，《中国供销合作经济》2001 年第 2 期

社会主义是一个统一的合作社——列宁《论合作社》（摘录），马善弓，《中国供销合作经济》2001 年第 8 期

通过合作社引导农民——读列宁的《论合作社》，左凤荣，《中国供销合作经济》2001 年第 12 期

列宁关于引导农民走社会主义道路的探索——从《论粮食税》到《论合作社》，蒋锐，《当代世界社会主义问题》2002 年第 1 期

读懂列宁的《论合作社》——纪念列宁逝世八十周年，张绍俊，《中国农业大学学报》（社会科学版）2004 年第 1 期

读懂列宁的《论合作社》——纪念列宁逝世八十周年，张绍俊，《广东合作经济》2004 年第 3 期

从"合作制"到"合作社"，张宁，《理论界》2006 年第 10 期

关于列宁的"西方合作社是集体资本主义"的论述，黄文忠，《上海行政学院学报》2007 年第 1 期

列宁《论合作社》对我国发展农村合作经济组织的启示，张兰君、张瑞业，《山东理工大学学报》（社会科学版）2007 年第 1 期

从"合作制"到"合作社"，张宁，《中山大学研究生学刊》（社会科学版）2007 年第 1 期

夺取政权和发展生产力的辩证关系——读列宁的《论我国革命》，宋洪训，《人民日报》1980 年 11 月 3 日

关于历史发展顺序的一场辩论——再学列宁《论我国革命》评尼苏汉诺夫的札记，邹积贵，《湘潭大学社会科学学报》1981 年第 4 期

读列宁《论我国革命》，刘爱泉，《思想战线》（中国人民解放军政治学院）1984 年第 3 期

思想路线与科学社会主义：学习列宁的《论我国革命》，愈炳贤，《绍兴师专学报》（社会科学版）1985 年第 4 期

生产力与生产关系的辩证法和落后国家的社会主义革命：读列宁的《论我国革命》，何理平，《马克思主义研究》1987 年第 4 期

《论俄国革命》与中国改革，马丽颖，《青海师专学报》2002 年第 2 期

列宁的《论我国革命》与中国

改革的思考，肖永建，《广西梧州师范高等专科学校学报》2003 年第 4 期

《论我国革命》：对庸俗生产力论的总清算——《读点马列原著讲座》之十七，钟哲明，《中华魂》2006 年第 2 期

划清马克思主义与庸俗生产力论的界限——列宁的《论我国革命》学习札记，沙健孙，《高校理论战线》2006 年第 11 期

改革国家机关的宝贵经验（读列宁《怎样改组工农检查院》等文），张安生，《群众》1983 年第 1 期

关于列宁改革党的监察委员会的有关思想——学习《我们怎样改组工农检查院》有感，罗重一、吴艳芳，《武汉大学学报》（哲学社会科学版）2007 年第 1 期

学习列宁的最后一篇论文——纪念《宁肯少些，但要好些》发表三十周年，《人民日报》1953 年 3 月 4 日

列宁最后的论文，巴赫什也夫，《文史哲》1955 年第 4 期

要高度重视知识、高度重视人才的质量——读列宁的《宁肯少些，但要好些》，孔阶平，《东岳论丛》1981 年第 1 期

《宁肯少些，但要好些》——学习列宁关于改善国家机关的思想，宋洪训，《人民日报》1982 年 4 月 30 日

二　列宁多篇著作学习、研究论文题录

苏联各地举行纪念会，纪念列宁逝世二十五周年，真理报刊载三篇至今未发表的列宁文件，《人民日报》1949 年 1 月 26 日

列宁不朽的著作在苏联出版一亿九千万册全世界用各种文字流传着，《人民日报》1950 年 4 月 25 日

真理报最近刊出列宁未经发表的文件，《人民日报》1950 年 5 月 5 日

列宁的未公布的文件　列宁对美国和英国资产阶级报纸记者的答复，《人民日报》1950 年 5 月 21 日

列宁著作在苏联和国外出版的情形，《人民日报》1952 年 1 月 22 日

列宁的著作在我国广泛出版，《人民日报》1954 年 1 月 21 日

列宁的著作在苏联和世界各国大量出版，《人民日报》1954 年 1 月 21 日

列宁著作中的统计，T. 科兹洛夫著，高拱宸、蒋朝渊译，《中国统计》1954 年第 2 期

列宁最后的论文，Д. 巴赫什也

夫著，张祺译，《文史哲》1955 年第 4 期

关于新发表的列宁的著作，《世界哲学》1956 年第 2 期

苏联出版列宁的两本文集，《读书》1956 年第 5 期

列宁反对修正主义主要著作简目——附简略介绍，于野，《读书》1957 年第 3 期

列宁著作在我国，《人民日报》1958 年 4 月 22 日

学习列宁反对修正主义的著作，王子野，《读书》1958 年第 6 期

列宁关于伟大十月社会主义革命的著作中的辩证法问题，П. В. 瓦洛布也夫著，杨先译，《世界哲学》1958 年第 6 期

"马克思、恩格斯、列宁、斯大林著作介绍"，《人民日报》1958 年 6 月 4 日

关于列宁著作最早介绍到中国来的年代问题，张静庐，《人民日报》1961 年 3 月 12 日

列宁的哲学著作在中国的传播，张允侯，《哲学研究》1959 年第 2 期

认真学习列宁关于帝国主义的理论——学习列宁著作笔记之一，曾启贤，《武汉大学学报》（人文科学版）1960 年第 4 期

列宁著作在社会主义国家翻译出版概况，《读书》1960 年第 7 期

马克思列宁主义者必须区分压迫民族和被压迫民族——读列宁有关民族殖民地问题著作的体会，陈悠久，《教学与研究》1964 年第 1 期

列宁著作中有关统治阶级"让步"的言论应该怎样理解？唐陶华，《学术研究》1966 年第 3 期

在小生产占优势的国家怎样建立社会主义的经济基础？——学习列宁著作的笔记，柳植，《陕西师范大学学报》（哲学社会科学版）1979 年第 1 期

五四时期马克思列宁主义著作的翻译，马祖毅，《安徽大学学报》（哲学社会科学版）1979 年第 2 期

新出现的列宁早期著作初版本，《人民日报》1980 年 1 月 7 日

办教育要倾听实践的呼声——读列宁著作札记，李国拱，《华南师范学院学报》（社会科学版）1980 年第 2 期

外行变内行才是称职的领导——学习列宁著作读书札记，王兆铮、何孝瑛、苏品端，《东岳论丛》1980 年第 3 期

艺术是属于人民的——学习列宁的文艺论著札记，曾奕禅，《江西大学学报》1980 年第 3 期

新发现的列宁的文章，施向，《世界历史》1980 年第 5 期

列宁的著作在苏联，张坚，《社会科学》1980 年第 6 期

辩证法是革命的代数学——从

列宁著作中学习辩证的方法论，冯定、张文儒、陈葆华，《文史哲》1981 年第 1 期

社会主义国家的基本职能——读列宁著作札记，李明新，《新疆大学学报》（哲学、人文科学、社会科学版）1981 年第 1 期

列宁的著作及其在苏联的出版情况，张坚，《国际观察》1981 年第 1 期

关于加强思想政治工作的几个理论问题——学习列宁著作的笔记，冯世新，《人文杂志》1981 年第 3 期

牢牢把握从实际出发的原则——学习列宁关于苏联从战时共产主义到新经济政策的转变的若干著作，马句、赵良玉，《天津社会科学》1982 年第 2 期

列宁著作翻译中的选词问题，贝迦，《外语教学》1982 年第 3 期

七十年代苏联列宁学新著综述，[苏]萨维茨卡娅著，张坚译，《国外社会科学文摘》1982 年第 9 期

管理国家必须有文化——列宁著作学习札记，张文焕，《人民日报》1982 年 12 月 7 日

列宁著作中的社会主义和共产主义概念，四川省社会科学院科学社会主义研究所资料组，《社会主义研究》1983 年第 3 期

马列著作在延安的翻译出版及其传播，雍桂良，《人文杂志》1983 年第 3 期

社会主义建设要有中国的特色——读列宁 1923 年的五篇文章，杨学为，《东北师大学报》1983 年第 5 期

社会主义实践经验的宝贵总结：读列宁最后口授的五篇文章，郑克强，《江西社会科学》1984 年第 2 期

全国马列文艺论著研究会第六次学术讨论会综述，会文，《福建论坛》（文史哲版）1984 年第 3 期

列宁最后几篇著作中关于改善无产阶级国家机关的理论要点和意义，惠连江，《社会主义研究》1984 年第 6 期

列宁论基础与上层建筑的相互作用（十月革命以前的著作），苏金、李淼，《国外社会科学文摘》1984 年第 7 期

新中国 35 年来翻译出版的马列著作，陈有进，《世界图书》1984 年第 10 期

不发达国家建设社会主义的宝贵精神财富：学习列宁最后几篇文章的体会，赵曜，《理论月刊》1984 年第 10 期

列宁著作在中国的传播和出版，张惠卿，《人民日报》1984 年 11 月 4 日

不发达国家建设社会主义的宝贵精神财富——学习列宁最后几篇文章的体会，赵曜，《科学社会主

义》1985 年第 2 期

列宁对马克思再生产理论的贡献——读列宁著作笔记，王晓东，《理论探讨》1985 年第 4 期

历史地把握列宁哲学思想的逻辑进程——论列宁两部主要哲学著作的关系，王东、张翼星，《学术月刊》1985 年第 8 期

列宁民主集中制思想的一个重要原则：学习列宁著作札记，钱小芊，《青海社会科学》1986 年第 1 期

学习列宁核算与监督的基本原理——列宁著作中的"统计与监督"或"计算与监督"问题，杨宏义，《税务与经济》1986 年第 2 期

学习列宁核算与监督的基本原理（续）——列宁著作中的"统计与监督"或"计算与监督"的问题，杨宏义，《税务与经济》1986 年第 3 期

关于列宁著作中使用公开性一词的资料，何宏江，《经济社会体制比较》1987 年第 1 期

马克思关于中国人民解放斗争的思想及其在列宁著作中的发展，安·盖·谢宁、黄佳，《兰州教育学院学报》1989 年第 1 期

我国关于列宁著作编辑出版概述，吴道弘，《编辑之友》1989 年第 2 期

重读列宁最后的几篇文章，赵良玉，《新视野》1989 年第 5 期

天鹅之歌：关于列宁最后著作的对话，郑异凡，《读书》1990 年第 12 期

列宁最后之作的当代沉思——读《改革之路的真正源头》，孙承叔，《马克思主义与现实》1991 年第 2 期

无产阶级先进政党建设的光辉文献——学习列宁 1899—1904 年的几篇著作，黄宪起，《科学社会主义》1991 年第 3 期

不发达国家建设社会主义的宝贵精神财富：学习列宁最后几篇文章的体会，吕艳，《理论思维》1991 年第 5 期

列宁关于戒备敌人和平瓦解苏维埃政权的思想——苏维埃政权初期列宁著作学习札记，杜康传，《江西社会科学》1992 年第 1 期

列宁和列宁著作在中国的早期宣传，梁妙珍，《上海教育学院学报》1992 年第 1 期

经济文化落后国家革命容易建设难：学习列宁十月革命后的著作，纪明山，《南开经济研究》1992 年第 2 期

大文化建设与社会主义：列宁晚年著作学习札记，李晨、蔡拓，《新长征》1992 年第 7 期

列宁"最后著作"中的党政监察合并思想初探，邢家强，《探索》1993 年第 1 期

一个建设俄国特色的社会主义的公式——列宁著作读书札记，杜康传，《江西社会科学》1993年第5期

社会主义下"资本"范畴的使用——从列宁著作中"资金"译名的订正谈起，丁世俊，《马克思主义与现实》1994年第3期

《列宁短篇哲学著作》问世，柳乐水，《高校理论战线》1994年第5期

列宁著作何以出版次数最多——兼谈理论文章的文采，杜贤荣，《科技文萃》1994年第6期

文明：社会主义建设的前提和任务——读列宁1923年的五篇文章，侯文富，《长白学刊》1994年第6期

根深叶茂的民族理论之树——学习新编列宁著作中有关民族的理论的体系和内容要点，李琪，《理论学习与探索》1996年第1期

论列宁"五篇遗著"中关于发展纯粹文化的思想，赵湘江，《中国青年政治学院学报》1996年第3期

列宁邓小平对社会主义的最后思考——读列宁晚年8篇著作和邓小平南方谈话，李国强，《江西社会科学》1998年第4期

列宁：1891—1922年鲜为人知的文件，洪新，《国外社会科学文摘》2000年第3期

俄罗斯出版未发表的列宁著作，成士，《国外理论动态》2000年第4期

谈列宁对社会主义的创新——读列宁的最后书信和文章，朱大锋，《遵义师范学院学报》2003年第3期

列宁政治遗嘱中的政治体制改革思想及其启示——读列宁1922—1923年八篇著作有感，刘晓，《民主与科学》2005年第2期

列宁教育论著中的几处误译，任钟印，《教育研究与实验》2005年第2期

论列宁著作中"共产主义"和"社会主义"概念的使用及其历史演变，谷亚红，《社会主义研究》2006年第6期

中国理论界对列宁新经济政策相关著作研究综述，刘霏，《江汉论坛》2007年第2期

三 《列宁全集》、《列宁文稿》、《列宁选集》学习研究论文题录

关于《列宁全集》，应人，《读书》1956年第1期

《列宁全集》第二十九卷介绍，《人民日报》1956年10月13日

《列宁全集》的新版本，《人民日报》1957年3月6日

《列宁全集》中译本的字体、符号各代表什么意思？《读书》1957年第10期

祝《列宁全集》中译本出齐三十八卷，孙岷，《读书》1959年第18期

列宁关于社会生产两大部类比例关系学说的发展以及这个学说对社会主义经济建设的意义——迎《列宁全集》中文版全部出版，刘国光，《经济研究》1959年第11期

认真学习列宁的著作——祝《列宁全集》中译本出版，边平，《前线》1959年第21期

关于列宁全集最后几卷，柏园，《世界知识》1959年第21期

《列宁全集》名词简释（初稿）（一），马群，《教学与研究》1960年第3期

《列宁全集》名词简释（初稿）（二），马群，《教学与研究》1960年第4期

两星期出版一卷《列宁全集》——大跃进中出版史上的一件奇迹，姜文洁，《中国出版》1978年第2期

新版《列宁全集》的特色，吴道弘，《教学与研究》1984年第6期

《列宁全集》第二版今年起将陆续出版，《中国出版》1984年第6期

我国自己编译的新版《列宁全集》问世，竹云，《哲学研究》1984年第10期

《列宁全集》第二版编辑说明，中共中央马克思恩格斯列宁斯大林著作编译局，《中国出版》1984年第11期

谈谈新版《列宁全集》，张惠卿，《读书》1984年第11期

丰富的思想宝库：谈谈新版《列宁全集》，李洙泗，《半月谈》1984年第19期

担任《列宁全集》新版责任编辑的一点体会，周文熙，《编辑之友》1985年第1期

新版《列宁全集》出版是党的理论建设的一件大事，林基洲，《科学社会主义》1985年第2期

《列宁全集》第二版编译随记，林基洲，《读书》1985年第4期

列宁民主集中制思想的一个重要原则——学习列宁著作札记，钱小芊，《青海社会科学》1986年第1期

学习列宁一九一八年关于社会主义建设理论的重要文献——介绍《列宁全集》中文第二版第34卷，杨祝华，《教学与研究》1986年第2期

从二月革命到十月革命——介绍《列宁全集》中文第二版第29至

32 卷，李洙泗,《教学与研究》1986 年第 3 期

学习列宁一九一八年关于社会主义建设理论的重要文献——介绍《列宁全集》中文第二版第 34 卷，杨祝华,《科学社会主义》1986 年第 4 期

向社会主义过渡的最初步骤——介绍《列宁全集》中文第二版第 33 卷，丁世俊,《教学与研究》1986 年第 5 期

从战时共产主义政策向新经济政策过渡——介绍《列宁全集》中文第二版第 40 卷，杨祝华,《教学与研究》1986 年第 6 期

改行新经济政策是苏俄社会主义经济建设的重大决策——介绍《列宁全集》中文第 2 版第 41 卷，丁世俊,《教学与研究》1987 年第 2 期

"战时共产主义"政策的提出和形成——介绍《列宁全集》中文第二版第 35—37 卷，丁世俊,《教学与研究》1987 年第 4 期

苏俄国内战争最后一年的列宁著作——介绍《列宁全集》中文第 2 版第 38、39 卷，李洙泗,《教学与研究》1987 年第 6 期

新经济政策理论的创立及其基本内容——介绍《列宁全集》中文第 2 版第 42 卷，杨祝华,《教学与研究》1988 年第 1 期

新经济政策的俄国将变成社会主义的俄国——介绍《列宁全集》中文第 2 版第 43 卷，李洙泗,《教学与研究》1988 年第 2 期

《列宁全集》俄文第 6 版即将问世，郭建平,《理论前沿》1990 年第 9 期

苏联准备编发《列宁全集》第六版，泽贤,《世界知识》1990 年第 12 期

《列宁全集》中文第二版简介，郇中建,《浙江师范大学学报》(社会科学版) 1991 年第 1 期

《列宁全集》第二版简介,《中州大学学报》1991 年第 1 期

《列宁全集》第二版的特点和意义，林基洲,《马克思主义与现实》1991 年第 2 期

丰富的理论宝库　锐利的思想武器——《列宁全集》中文第二版六十卷出版座谈会纪要,《人民日报》1991 年 4 月 17 日

在《列宁全集》中文第二版六十卷出版座谈会上的讲话，江泽民,《人民日报》1991 年 4 月 27 日

首都举行座谈会，庆祝新版《列宁全集》出版发行，《人民日报》1991 年 4 月 27 日

祝贺列宁全集第二版出版发行，努力学习列宁著作，胡乔木,《人民日报》1991 年 4 月 28 日

丰富的思想宝库　珍贵的理论遗产——《列宁全集》第 2 版介绍,

《人民日报》1991 年 4 月 29 日

高举列宁主义的旗帜——"学习《列宁全集》中文第二版,纪念十月革命 74 周年"座谈会综述,赵树海,《高校理论战线》1991 年第 6 期

一项宏伟的系统工程——新版《列宁全集》编辑出版简介,钟颖科,《中国出版》1991 年第 6 期

新版《列宁全集》插图设计介绍,朱启环,《中国出版》1991 年第 8 期

学习列宁晚年的经济思想——为《列宁全集》中文第二版出版而作,荣敬本,《经济研究》1991 年第 11 期

关于《列宁全集》第二版中一个人物的订正,戴成钧,《当代世界与社会主义》1992 年第 1 期

新版《列宁全集》恢复一篇重要文献的原貌——谈列宁关于租让的报告的增补情况,杨祝华,《马克思主义与现实》1992 年第 1 期

关于《列宁全集》第二版中某些概念的翻译问题,吴增和、孟绍贵,《山西大学学报》(哲学社会科学版)1992 年第 2 期

用辩证的二重性观点看待"资""社"问题——学习新版《列宁全集》的一点体会,荆南翔,《社会科学辑刊》1992 年第 4 期

论辩证唯物主义认识论的"列宁模式":学习《列宁全集》中文第二版之一得,许志功,《国防大学学报》1992 年第 11 期

《列宁全集补遗》(一),郗卫东,《国外理论动态》2001 年第 4 期

严整的科学体系,强大的思想武器——纪念《列宁全集》中文版第一版出版,巩献田,《中国图书评论》2001 年第 7 期

新版《列宁全集》译校的重要一环,李京洲,《社会科学报》2003 年 2 月 13 日

内容、形式和两者的统一——翻译《列宁文稿》第一卷的体会,《列宁文稿》翻译组,《内蒙古大学学报》(人文社会科学版)1978 年第 2 期

从几个问题看列宁是怎样抓社会主义建设的——《列宁文稿》第四卷译后感,章任贤,《安徽大学学报》(哲学社会科学版)1978 年第 4 期

关于《列宁文稿》的编辑和翻译组织工作,人民出版社一编室,《中国出版》1978 年第 8 期

学习《列宁文稿》札记,刘慧册,《中国出版》1980 年第 7 期

翻译的理解与表达——译校《列宁年谱》第 3 卷的点滴体会,周至求,《上海外国语大学学报》1980 年第 6 期

《列宁年谱》介绍,余伟民,

《世界历史》1983 年第 6 期

12 卷集《列宁年谱》——苏联列宁学巨著（上），张坚，《国际观察》1991 年第 3 期

12 卷集《列宁年谱》——苏联列宁学巨著（下），张坚，《国际观察》1991 年第 4 期

12 卷集《列宁年谱》——苏联列宁学巨著，张坚，《苏联研究》1991 年第 4 期

《列宁选集》简介，顾锦屏，《哲学研究》1960 年第 1 期

学习《列宁选集》，林扬，《读书》1960 年第 8 期

《列宁选集》部分人物简介，天津师院政史系国际共产主义运动史教研室，《天津师范大学学报》（社会科学版）1978 年第 2 期

《列宁选集》部分人物简介（续前），天津师院政史系国际共产主义运动史教研室，《天津师范大学学报》（社会科学版）1978 年第 3 期

《列宁选集》中的成语典故（连载），陈孝英、李福安、胥真理，《宝鸡文理学院学报》（社会科学版）1979 年第 1 期

《列宁选集》中的成语典故，陈孝英、李福安、胥真理，《宝鸡文

理学院学报》（社会科学版）1979 年第 1 期

《列宁选集》中的成语典故（连载），陈孝英、李福安、胥真理，《宝鸡文理学院学报》（社会科学版）1980 年第 1 期

谈谈第 3 版《列宁选集》——中央编译局原列斯室主任岑鼎山和马列部副主任何宏江答本刊记者问，《马克思主义与现实》1995 年第 2 期

读一些马列著作和毛泽东著作——写在新版《马克思恩格斯选集》、《列宁选集》出版之际，顾海良，《中国特色社会主义研究》1995 年第 6 期

《列宁选集》第三版的若干问题——中央编译局原列斯室主任岑鼎山和马列部副主任何宏江答《马克思主义与现实》杂志记者问，《社科信息文荟》1995 年第 22 期

马列著作编译事业新成果（二）——《列宁选集》中文第三版简介，《人民日报》1995 年 12 月 22 日

"生活之树是长青的"——读新版《列宁选集》随想，丁世俊，《马克思主义与现实》1996 年第 1 期

四　列宁读书笔记、书信选编和杂文等学习、研究论文题录

研究马克思主义的重要参考书，

苏联发表列宁的《〈马克思恩格斯

通信集〉摘要》,《人民日报》1960年3月25日

苏联出版列宁的《〈马克思恩格斯通信集〉摘要》,《读书》1960年第7期

法国出版《马克思恩格斯通信集》第9卷，程晓燕,《国外社会科学》1983年第7期

要重视对《〈马克思和恩格斯通信集〉提要》的研究，孟宪忠,《哲学动态》1985年第6期

列宁的另一本《哲学笔记》,马积华,《内蒙古社会科学》(汉文版) 1986年第1期

列宁系统研究辩证法的真正起点论,《〈马克思恩格斯通信集〉提要》,王东,《求是学刊》(黑龙江大学学报) 1986年第3期

列宁关于辩证法体系构想的诞生——读《〈马克思恩格斯通信集〉提要》,黄强、曾文生,《厦门大学学报》(哲学社会科学版) 1988年第1期

唯物辩证法的不朽文献——读列宁的《黑格尔〈逻辑学〉一书摘要》,金羽,《人民日报》1964年3月19日

智慧是有生命的——读《〈黑格尔逻辑学一书摘要〉初探》,钱明,《浙江社会科学》1985年第2期

《黑格尔〈逻辑学〉一书摘要》的历史背景和意义，沈原,《自修大学》(文史哲经专业) 1985年第2期

黑格尔的《逻辑学》和列宁的《黑格尔〈逻辑学〉一书摘要》,杨焕章,《自修大学》(文史哲经专业) 1985年第2期

列宁对辩证法总体结构的重要探索：论《黑格尔辩证法〈逻辑学〉的纲要》,王东、张翼星,《江西社会科学》1985年第4期

目的与实践的关系：学习列宁的《黑格尔〈逻辑学〉一书摘要》,黄乃洋,《萍乡教育学院学报》(社会科学版) 1987年第1期

辩证法的发挥——列宁《黑格尔〈逻辑学〉》一书摘要研究评介,周学曾,《晋阳学刊》1993年第3期

试论正确理解发展与稳定的辩证关系在当前的实践意义——读《黑格尔〈逻辑学〉一书摘要》,夏海鹰,《理论与改革》2000年第2期

列宁对黑格尔哲学的科学态度——读《黑格尔〈逻辑学〉一书摘要》,唐峻,《求实》2002年第11期

论黑格尔的《逻辑学》与列宁的《黑格尔〈逻辑学〉一书摘要》——兼论加强马克思主义经典著作的学习,杨焕章,《中国青年政治学院学报》2006年第3期

论列宁对黑格尔辩证法的唯物主义颠倒——重读列宁《黑格尔〈逻辑学〉一书摘要》,王艳秀,《辽

东学院学报》（社会科学版）2007 年第 4 期

怎样读《辩证法的要素》，乐燕平、金羽，《前线》1963 年第 24 期

关于辩证法十六要素的考证——与黄楠森同志商榷，卞敏，《学习与探索》1982 年第 1 期

列宁的辩证法十六要素写作过程初探，张奎良，《哲学动态》1982 年第 3 期

关于辩证法十六要素的考证和评价问题，张奎良，《江淮论坛》1982 年第 4 期

《辩证法的要素》是列宁对唯物辩证法科学体系的设想，周久义，《安徽大学学报》1982 年第 4 期

列宁辩证法十六要素的内容和结构，丁常春，《教学与研究》1982 年第 5 期

列宁的辩证法十六要素和斯大林的辩证法四个特征，张奎良，《江汉论坛》1982 年第 9 期

关于辩证法十六要素写作过程的再探讨，卞敏，《徐州师范大学学报》（哲学社会科学版）1983 年第 1 期

辩证法要素中的三个"圆圈"——关于十六要素的探讨，卞敏，《学习与探索》1984 年第 3 期

《辩证法的要素》与《帝国主义论》，陈铁民，《厦门大学学报》（哲学社会科学版）1985 年第 3 期

辩证法十六要素的再思考——答黄楠森同志的"商榷"，卞敏，《齐齐哈尔大学学报》（哲学社会科学版）1987 年第 3 期

列宁关于唯物辩证法科学体系的设想：读《辩证法的要素》十六条，杨昌才，《四川大学学报》（哲学社会科学版）1987 年第 4 期

列宁哲学思想研究中的原则分歧：评《辩证法内部对话》有关列宁哲学思想的论述，张翼星，《社会科学评论》1987 年第 9 期

《辩证法的要素》第 11、12 条新译新解，顾锦屏，《马克思主义与现实》1991 年第 1 期

列宁《辩证法十六要素》新探，张一兵，《探索》1992 年第 3 期

马克思《关于费尔巴哈的提纲》与列宁《辩证法的要素 16 条》之比较：纪念马克思《提纲》写作 150 周年，丛大川，《哈尔滨师专学报》1995 年第 1 期

怎样读《谈谈辩证法问题》，张恩慈，《前线》1963 年第 1 期

学习列宁《谈谈辩证法问题》，路崎，《齐鲁学刊》1978 年第 1 期

唯物辩证法的光辉篇章——学习《谈谈辩证法问题》，邢新力，《山东师范大学学报》（人文社会科学版）1978 年第 3 期

汉语语音发展中的"分"与

"合"（学习列宁《谈谈辩证法问题》的一点体会），张文轩，《兰州学刊》1981年第2期

关于"同一性"范畴的几个问题（读列宁《谈谈辩证法问题》一文的笔记），时永松，《学习与思考》1982年第1期

辩证法的精华——学习《谈谈辩证法问题》，梁学强、黄鸣，《广西民族学院学报》（哲学社会科学版）1982年第3期

读列宁的《谈谈辩证法问题》，丁常春，《自修大学》1983年第4期

马克思主义哲学体系的纲要性文献：略论《谈谈辩证法的问题》和《辩证法的要素》的重要意义，张伟民、彭泽、农林圃，《广东教育学院学报》1984年第1期

试论列宁关于个别和一般同一的科学方法论：学习《谈谈辩证法问题》，于丁春、刘秀华，《青海社会科学》1984年第5期

《谈谈辩证法问题》的一处译文证误，冉曙光，《社会科学》1985年第11期

毛泽东的《矛盾论》与列宁的《谈谈辩证法问题》——纪念《矛盾论》发表52周年，萧金权，《黄冈师范学院学报》1989年第3期

浅析诡辩论与辩证法的区别——读列宁的《谈谈辩证法问题》的体会，谢振安，《河北大学学报》（哲学社会科学版）1990年第1期

对《谈谈辩证法问题》中提出的古代哲学"圆圈"的理解，杨桂安，《湖湘论坛》1993年第3期

《谈谈辩证法问题》思考题解答，毛卫平，《前线》1995年第2期

对立统一规律结构新探——重读列宁《谈谈辩证法问题》，王义林，《理论与现代化》1996年第11期

辩证法也就是马克思主义的认识论——学习列宁《谈谈辩证法问题》的体会，李锡林，《彭城职业大学学报》1997年第4期

论列宁《谈谈辩证法问题》在马克思主义发展史上的地位，粟霞，《青岛大学师范学院学报》2000年第2期

以辩证法为指导推进中等职业教育改革与发展——学习列宁《谈谈辩证法问题》的几点体会，王振武、朱文会，《卫生职业教育》2001年第10期

辩证法也就是马克思主义的认识论——学习列宁《谈谈辩证法问题》，丁辉荣，《学术探索》2002年第5期

一篇寓意深刻的哲学短文——读《谈谈辩证法问题》，张绪文，《学习时报》2004年5月10日

《谈谈辩证法问题》：列宁探索

发展唯物辩证法的理论结晶——《读点马列原著讲座》之十四，吴雄丞，《中华魂》2005 年第 11 期

列宁的《哲学笔记》，R. 加罗第，《世界哲学》1956 年第 4 期

学习《哲学笔记》的一本参考书　介绍"关于列宁的'哲学笔记'"，顾锦屏，《人民日报》1956 年 11 月 25 日

认真研究列宁的伟大哲学遗产——《哲学笔记》，顾锦屏，《哲学研究》1959 年第 2 期

列宁《哲学笔记》新增部分简介，《哲学研究》1959 年第 4 期

怎样读列宁的《哲学笔记》，斯卡任斯卡娅，《教学与研究》1959 年第 7 期

关于列宁《哲学笔纪》的新版本，子明，《读书》1960 年第 7 期

列宁《哲学笔记》中的自然科学方法论问题，吴启文，《新疆大学学报》（哲学、人文科学、社会科学版）1978 年第 2 期

犁比造犁的目的更尊贵些——读列宁《哲学笔记》札记，吴宗英，《社会科学》1979 年第 4 期

列宁是怎样写《哲学笔记》的，朱亮，《哲学研究》1979 年第 7 期

论逻辑在数学发展中的作用（学习列宁《哲学笔记》的札记），黄耀枢，《哲学研究》1979 年第 7 期

论假象——学习列宁《哲学笔记》的一点体会，成一丰，《人文杂志》1980 年第 1 期

对立统一规律的内容和地位——学习列宁《哲学笔记》的札记，吕鸿儒，《郑州大学学报》1980 年第 1 期

略论分析与综合的结合——读列宁《哲学笔记》，曹广斌，《辽宁大学学报》1980 年第 2 期

对唯物辩证法前进运动的初探（学习列宁《哲学笔记》），张继泽、胡光达，《贵州社会科学》1980 年第 2 期

从《哲学笔记》看列宁的哲学研究，崔绪治，《群众论丛》1980 年第 3 期

列宁的《哲学笔记》对马克思主义哲学的重大发展，黄楠森，《中国社会科学》1980 年第 6 期

谈谈列宁《哲学笔记》中"假象"一词的理解，李建平，《福建师大学报》1981 年第 2 期

论辩证法、认识论和逻辑学的同一（读列宁《哲学笔记》的一点体会），王毓，《四平师院学报》1981 年第 4 期

辩证法体系的雏形（对列宁《哲学笔记》中的辩证法十六要素初探），卞敏，《中国社会科学》1981 年第 4 期

关于辩证法的实质、核心之我

见（《哲学笔记》学习札记），汪似椿,《南平师专学报》1982 年第 1 期

辩证法也就是马克思主义的认识论（从《哲学笔记》到《实践论》、《矛盾论》的发展），文秉模,《江淮论坛》1982 年第 1 期

对列宁《哲学笔记》的新探索（全国《哲学笔记》讨论会情况综述），梁映东,《哲学研究》1982 年第 2 期

论辩证法和诡辩论的对立（学习列宁《哲学笔记》的笔记），高建军、史殿武,《河北大学学报》1982 年第 3 期

读《哲学笔记》三段重要论述的体会，郑国平,《杭州大学学报》1982 年第 3 期

辩证法、认识论和逻辑学三者统一原理新探（读列宁《哲学笔记》），刘帆、高玉春,《河北师院学报》1982 年第 4 期

关于列宁《哲学笔记》最早的中译文，李鸿安,《南开学报》1982 年第 5 期

从列宁的《哲学笔记》看哲学的对象，梁国春,《哲学研究》1982 年第 6 期

论列宁在《哲学笔记》中对黑格尔矛盾学说的批判和继承，余少波,《北京师范大学学报》1983 年第 1 期

对立面的同一是辩证思想的本质（《哲学笔记》中的一个重要思想），卞敏,《江西社会科学》1983 年第 1 期

一个以列宁的《哲学笔记》为根据的唯物辩证法体系草图（待续），黄楠森,《人文杂志》1983 年第 1 期

一个以列宁的《哲学笔记》为根据的唯物辩证法体系草图（续完），黄楠森,《人文杂志》1983 年第 2 期

辩证法学说的本质特征（学习《哲学笔记》札记），张懋译,《教学与研究》(中国人民大学) 1983 年第 2 期

关于《哲学笔记》中辩证法原理的讨论综述，木子,《教学与研究》(中国人民大学) 1983 年第 2 期

毛泽东的辩证法思想与列宁的《哲学笔记》，邢叶金,《文史哲》1983 年第 2 期

辩证法和思维论的有机结合（试论列宁《哲学笔记》对抽象和具体的辩证法的贡献），刘悦伦,《中山大学研究生学刊》1983 年第 2 期

列宁在《哲学笔记》中对黑格尔实践观的改造，雷厚礼,《云南社会科学》1983 年第 6 期

从《唯物主义与经验批判主义》到《哲学笔记》，蒋申华,《哲学文集》 （上海市哲学学会编印）

1983 年

论唯物辩证法诸基本范畴间的关系：读列宁《哲学笔记》札记，吴惠之，《哲学文集》（上海市哲学学会编印）1983 年

辩证法体系的雏形对列宁《哲学笔记》中的辩证法十六要素初探，卞敏，《中国社会科学》哲学论文集（1981），四川人民出版社 1983 年

列宁在《哲学笔记》中的实践观：为纪念列宁逝世六十周年而作，崔绪治，《江海学刊》（文史哲版）1984 年第 1 期

关于《哲学笔记》中的若干译文和注释，周久义，《安徽大学学报》（哲学社会科学版）1984 年第 1 期

列宁《哲学笔记》对辩证法史的研究，卞敏，《人文杂志》1984 年第 2 期

简论《哲学笔记》的成因及特点：学习笔记，李佛生，《南充师院学报》（哲学社会科学版）1984 年第 2 期

列宁的《哲学笔记》及对黑格尔逻辑学的批判，崔绪治，《西南师范学院学报》（哲学社会科学版）1984 年第 2 期

试论《哲学笔记》对思维和存在同一性的态度，林伟健，《华南师范大学研究生学坛》1984 年第 2 期

如何理解"发展是对立面的斗争"？学习列宁《哲学笔记》的体会，陈铁民，《厦门大学学报》（哲学社会科学版）1984 年第 2 期

列宁对诡辩论的批判：学习《哲学笔记》的体会，商孝才，《社会科学》1984 年第 2 期

关于客观世界的普遍联系：学习列宁《哲学笔记》札记，王永明，《汉中师院学报》（哲学社会科学版）1984 年第 2 期

列宁曾明确指出对立统一是辩证法的实质吗：对《哲学笔记》中辩证法实质含义的探讨，崔龙水，《马列主义研究资料》1984 年第 2 期

关于辩证法的实质和辩证法的核心问题：学习列宁的《哲学笔记》札记，刘歌德，《西藏民族学院学报》1984 年第 3 期

列宁《哲学笔记》的科学价值，王东，《教学与研究》（中国人民大学）1984 年第 4 期

列宁《哲学笔记》研究中的新探索：《〈哲学笔记〉与辩证法》一书简评，王东、张翼星，《哲学研究》1984 年第 8 期

列宁《哲学笔记》的本来面目是怎样的，王东，《马克思主义研究》1984 年第 2 期

列宁《哲学笔记》对唯物辩证法的主要贡献，金羽，《河北学刊》1985 年第 1 期

严格区分诡辩论与辩证法的界限：读列宁的《哲学笔记》的一点体会，袁占钊，《延安大学学报》（社会科学版）1985年第1期

黑格尔"圆圈运动"考察：读列宁《哲学笔记》，丁常春，《社会科学战线》1985年第1期

列宁论辩证法的运动发展观：《哲学笔记》学习札记，刘歌德，《黔南民族师专学报》（社会科学版）1985年第1期

列宁认识论思想在《哲学笔记》中的发展，王念宁，《北京大学学报》（哲学社会科学版）1985年第2期

论《哲学笔记》关于辩证法核心的思想，虞伟人，《复旦学报》（社会科学版）1985年第2期

列宁《哲学笔记》中的实践观问题，虞伟人，《学术月刊》1985年第2期

列宁论诡辩论和辩证法的对立与联系：读《哲学笔记》的一点体会，王毓、徐素华，《松辽学刊》（社会科学版）1985年第4期

论列宁的具体真理：学习《哲学笔记》的体会，樊树庭，《东北师大学报》（哲学社会科学版）1985年第6期

列宁《哲学笔记》对黑格尔真理观的改造，卞敏，《求是学刊》（黑龙江大学）1985年第6期

列宁《哲学笔记》中的物理学和数学的若干哲学问题，董驹翔译，郭学甫校，《齐齐哈尔师范学院学报》（哲学社会科学版）1986年第2期

列宁《哲学笔记》中的物理学和数学的若干哲学问题，董驹翔译，郭学甫校，《齐齐哈尔师范学院学报》（哲学社会科学版）1986年第3期

列宁《哲学笔记》中的"转化"范畴述要，王东生，《扬州师范学院学报》（社会科学版）1986年第4期

构成认识论和辩证法的知识领域：《哲学笔记》中的一颗闪光宝珠，黄为民，《学术论坛》1986年第6期

对《哲学笔记》的时代性反思：评黄楠森《〈哲学笔记〉与辩证法》，金羽，《社会科学评论》1986年第10期

学习列宁《哲学笔记》的好教材：读《〈哲学笔记〉简明教程》，刘景泉，《哲学研究》1986年第12期

略论再认识的客观根据：读列宁《哲学笔记》，陈铁民，《厦门大学学报》（哲学社会科学版）1987年第2期

论列宁《哲学笔记》关于"认识道路"的思想，崔绪治，《河北师

范大学学报》（哲学社会科学版）
1987年第3期

列宁《哲学笔记》实践思想简析，苏底，《开拓》（哲学社会科学版）1987年第5期

联系、转化、发展：唯物辩证法的基本特征——学习列宁《哲学笔记》的笔记，曹宇，《文科教学》（内蒙古乌盟师专）1988年第1期

列宁在《哲学笔记》中论辩证法与诡辩论的界限，易杰雄，《河北师范大学学报》（社会科学版）1988年第2期

列宁《哲学笔记》中的辩证逻辑思想，蔡灿津，《新疆大学学报》（哲学社会科学版）1988年第2期

关于概念的辩证本性：读列宁《哲学笔记》札记之一，陈荣华，《淮阴师专学报》（哲学社会科学版）1988年第4期

从《哲学笔记》看列宁对辩证法核心原理的贡献，周文义，《江淮论坛》1989年第1期

黑格尔质量互变规律所体现的"三者统一"：从《哲学笔记》看列宁注意的一个重要问题，徐向红，《山东社会科学》1989年第5期

论列宁《哲学笔记》中关于直觉思维的思想，张晓光，《长白学刊》1990年第1期

黑格尔的真理观及列宁的批判继承：读列宁的《哲学笔记》，雷

应敏，《桂林市教育学院学报》1990年第1期

列宁《哲学笔记》新版译后记，林利，《内蒙古社会科学》（文史哲版）1990年第2期

列宁《哲学笔记》对概念辩证法的研究，卞敏，《齐齐哈尔师范学院学报》（哲学社会科学版）1990年第2期

真理——永恒的追求：列宁《哲学笔记》"真理是过程"思想述评，周宝印，《朝阳师专学报》1990年第4期

辩证法的自在性与自为性：关于列宁《哲学笔记》的一个重要思想，孙正聿，《哲学动态》1990年第6期

列宁《哲学笔记》卷新版的情况，郭值京，《马克思主义与现实》1990年

哲学批判理性自由理论的发展：学习列宁《哲学笔记》的笔记（之三），曹宇，《文科教学》1991年第1期

列宁《哲学笔记》中的认识论思想，颜世元，《山东师范大学学报》（社会科学版）1991年第1期

评黑格尔的"圆圈"式发展思想：读列宁的《哲学笔记》，樊树庭，《东北师大学报》（哲学版）1991年第2期

列宁《哲学笔记》中的辩证法

实质问题，董翔薇、董驹翔，《齐齐哈尔师范学院学报》1991年第6期

论列宁《哲学笔记》中的无神论思想，蔡灿津、卞谦，《实事求是》1992年第1期

对列宁认识论中辩证法思想的几点体会：读列宁《哲学笔记》札记，罗刚健，《湘潭大学学报》1992年第3期

浅探新版《哲学笔记》中的反映论，石宝华，《内蒙古社会科学》1993年第1期

论列宁深化唯物辩证法过程中的认识飞跃：新版《哲学笔记》研究要得，张一兵，《哲学研究》1992年第5期

论列宁实践辩证法思想的最终确立：关于《哲学笔记》几篇总结性文献的研究，张一兵，《南京社会科学》1993年第2期

挖掘列宁哲学遗产的重要价值（《列宁〈哲学笔记〉与马克思主义哲学的生长点》评介），赵凤岐，《中国社会科学》1993年第4期

马克思主义哲学是"大逻辑"：读卞敏新著《列宁〈哲学笔记〉与马克思主义哲学的生长点》，王东生，《南京社会科学》1993年第4期

列宁对真理发展规律的研究——新版《哲学笔记》学习要得，石宝华，《内蒙古社会科学》1994年第5期

评《列宁〈哲学笔记〉与马克思主义哲学的生长点》，梁庆寅，《现代哲学》1995年第2期

实践辩证法：马克思主义哲学生长点：评《列宁〈哲学笔记〉与马克思主义哲学的生长点》，杨俊，《辽宁教育学院学报》1996年第2期

我看黑格尔唯心主义——学习列宁《哲学笔记》的一点体会，赵桂英，《大庆高等专科学校学报》1997年第2期

列宁论唯物辩证法的整体性——《哲学笔记》中一个不容忽视的观点与它的启示，张国成，《承德民族职业技术学院学报》1997年第3期

论列宁《哲学笔记》的辩证法思想，闫宏斌，《安阳师范学院学报》1999年第3期

关于列宁的《哲学笔记》的理论思考，丛大川，《延边大学学报》（哲学社会科学版）1997年第4期

谈黑格尔的真理观——读列宁《哲学笔记》，樊东光，《长白学刊》2003年第3期

列宁主体客体观的重大转变——《唯批》与《哲学笔记》之比较研究，吕国忱，《理论探讨》2004年第1期

列宁《哲学笔记》中的法哲学思想述论，龚廷泰，《法学家》2004

年第 3 期

列宁《哲学笔记》中的认识辩证法思想研究，丁增锋、许恒兵，《淮南师范学院学报》2005 年第 6 期

从《哲学笔记》看列宁的"辩证法构想"，阎军，《理论界》2005 年第 6 期

列宁的《哲学笔记》及其历史意义和当代价值，黄楠森，《高校理论战线》2006 年第 10 期

列宁《哲学笔记》对黑格尔实践观的扬弃，邓元珍，《重庆工学院学报》（社会科学版）2007 年第 1 期

论列宁《哲学笔记》中的具体真理思想，王正，《内蒙古民族大学学报》（社会科学版）2007 年第 3 期

列宁的《哲学笔记》是一部独立的哲学著作吗？——一项学术史的谱系考察，周嘉昕，《河北学刊》2007 年第 3 期

从《哲学笔记》看列宁的唯心主义观，雷彦沛，《西安航空技术高等专科学校学报》2007 年第 4 期

论逻辑、辩证法、认识论的三者一致——列宁《哲学笔记》学习札记之一，李成滨，《沈阳建筑大学学报》（社会科学版）2007 年第 4 期

文献学视域中的列宁《哲学笔记》，张一兵，《南京社会科学》2007 年第 4 期

列宁《哲学笔记》对黑格尔真理观的发展，李泽泉，《浙江社会科学》2007 年第 5 期

《哲学笔记》：列宁哲学思想的非同质性，张一兵，《哲学动态》2007 年第 10 期

关于列宁《克劳塞维茨〈战争论〉一书摘录和批注》的解析，夏征难，《中国军事科学》1998 年第 3 期

列宁《克劳塞维茨〈战争论〉一书摘录和批注》释要，夏征难，《军事历史研究》1999 年第 3 期

"泥足巨物"及其它——读列宁《关于帝国主义的笔记》所想到的，柏园，《世界知识》1964 年第 2 期

列宁《关于帝国主义的笔记》中值得重视的经济理论遗产——列宁《关于帝国主义的笔记》研究笔记，冯世新，《榆林学院学报》1992 年第 2 期

读列宁《革命青年的任务》（第一封信），郭值京，《高校理论战线》1991 年第 5 期

完整地准确地领会和掌握马克思主义的体系——学习列宁《给印涅萨·阿尔曼德》的信，邹积贵，《齐鲁学刊》1977 年第 5 期

论具体的历史的统一是掌握和运用马克思主义理论的基本原则——兼读列宁《给印涅萨·阿尔曼德》关于"保卫祖国"问题的六

封信，黄湛，《延边大学学报》（社会科学版）1978 年第 4 期

学习列宁帮助高尔基摆脱"造神说"影响的几封信，张宏梁，《扬州大学学报》（人文社会科学版）1981 年第 4 期

一份珍贵的精神遗产：重读列宁给高尔基的信，宋应离，《信阳师范学院学报》（哲学社会科学版）1985 年第 4 期

走出"彼得堡"！——读列宁一九一九年七月致高尔基的信有感，《人民日报》1975 年 4 月 6 日

列宁对图书情报保障的重要决策：读《给格叶季诺维也夫的信和给秘书的委托》等文献，孟昭晋，《图书情报工作》1984 年第 6 期

要学会惩办：重读列宁《关于司法人民委员部在新经济政策条件下的任务》，寿思华，《马克思主义研究》1996 年第 4 期

从列宁《给斯大林的信》想到作品署名问题，郝云，《中国出版》1978 年第 7 期

列宁关于《1910—1914 年法俄关系史料》一书，给斯大林的信，《中国出版》1978 年第 7 期

"不该给我寄送礼物"（读列宁的一封信），蒋兴文，《人民日报》1981 年 1 月 19 日

新闻自由的几点思考——读列宁《给格·米雅斯尼柯夫的一封信》，卢惠民，《新闻知识》1990 年第 5 期

苏联公布列宁从未发表过的一封信，马龙闪译，《世界史研究动态》1987 年第 9 期

列宁从未发表过的一封信，《人民日报》1987 年 11 月 1 日

列宁关于编纂现代俄语辞典的五封信，列宁，《中国出版》1978 年第 1 期

作家的责任、思想基础及生活圈子：读列宁致高尔基的几封信，张安生，《学习与研究》1987 年第 5 期

十月革命后列宁的信件研究，常丰，《毛泽东思想研究》1998 年第 1 期

谈列宁对社会主义的创新——读列宁的最后书信和文章，朱大锋，《遵义师范学院学报》2003 年第 3 期

列宁对目录学客观性原则的论述和实践——读列宁《书评》札记，毛昨非，《图书馆学研究》1982 年第 4 期

用匕首和短剑无情揭露机会主义——介绍《列宁对布哈林〈过渡时期的经济〉一书的评论》，刘舒，《读书》1958 年第 14 期

列宁写的书评，仲民，《读书》1979 年第 5 期

出版者要为"出版的技术规格"负责——读列宁写的几篇书评，仲民，《中国出版》1979 年第 12 期

科学地对待经典著作的典范：列宁关于《神圣家族》的评介，叶向平，《争鸣》1984 年第 3 期

研究列宁生平的文献，文华摘编，《马列著作研究会通信》1982 年第 5 期

列宁的一句话，罗森，《读书》1959 年第 22 期

"新的产业革命"和未来的社会：从列宁的一句名言说起，薪然，《广东教育学院学报》1984 年第 1 期

列宁的一个便条，《人民日报》1961 年 9 月 5 日

对共产党员应实行更严格的法纪——学习列宁《关于党的机关同司法侦查机关的相互关系》的体会，杜翰波，《人民日报》1982 年 3 月 27 日

列宁的便条，黄子云，《华南师范大学学报》（社会科学版）1985 年第 3 期

列宁的"条子"，金治仁，《秘书之友》1989 年第 9 期

从列宁的一张"条子"说起，欧植竹，《人事与人才》1997 年第 2 期

列宁的便条，《领导文萃》2000 年第 5 期

从列宁的便条说起，杨树森，《党风与廉政》2000 年第 5 期

从列宁的两张便条谈起，刘源玉西，《新长征》2004 年第 20 期

陈独秀当选为"一大"中央局书记与列宁的指示有关，王述观，《福建党史月刊》1991 年第 8 期

五 列宁专题论述学习研究论文题录

列宁论依靠贫农联合中农，《人民日报》1948 年 1 月 30 日

列宁论苏维埃机关人员应如何工作？伏蒂也娃，《人民日报》1948 年 6 月 13 日

列宁论劳动纪律，《人民日报》1948 年 10 月 7 日

重要的问题在善于学习 介绍列宁论学习经济工作（之一），陈伯达，《人民日报》1948 年 11 月 10 日

重要的问题在善于学习 介绍列宁论学习经济工作（之二），陈伯达，《人民日报》1948 年 11 月 10 日

学了《列宁论苏维埃机关工作人员应如何工作》以后，《人民日报》1949 年 1 月 29 日

列宁与斯大林论东方人民的解放斗争,《人民日报》1949 年 2 月 25 日

列宁论职工会与专门家,《人民日报》1949 年 7 月 14 日

列宁论军队教育, H. 菲洛诺夫著, 允一译,《人民日报》1949 年 8 月 1 日

介绍《苏联共青团文献》及列宁、斯大林论青年的著作,《人民日报》1950 年 3 月 24 日

列宁论我们的报纸,《人民日报》1950 年 4 月 22 日

列宁、斯大林论必须反对用强迫命令手段对待农民,《人民日报》1950 年 9 月 15 日

学习列宁关于中国革命的学说
纪念列宁逝世二十七周年的学习资料, 胡华,《人民日报》1951 年 1 月 21 日

学习列宁关于中国革命的学说
纪念列宁逝世二十七周年的学习资料（续昨）, 胡华,《人民日报》1951 年 1 月 22 日

学习列宁关于中国革命的学说
纪念列宁逝世二十七周年的学习资料（二续）, 胡华,《人民日报》1951 年 1 月 23 日

学习列宁关于中国革命的学说
纪念列宁逝世二十七周年的学习资料（续完）, 胡华,《人民日报》1951 年 1 月 24 日

列宁论青年一代的共产主义道德精神教育, 鲍尔得列夫著, 周吴译,《天津教育》1951 年第 3 期

列宁、斯大林论镇压反革命,《人民日报》1951 年 3 月 12 日

列宁论国民教育,《人民教育》1951 年第 4 期

列宁论青年一代的共产主义道德精神教育, 鲍尔得列夫著, 周吴译,《天津教育》1951 年第 10 期

编译经典性著作要切实认真——评中外出版社编辑出版的《列宁论新经济政策》,《人民日报》1951 年 5 月 13 日

列宁的辩证法和数学, 亚历山大洛夫著, 项志遴译,《数学通报》1952 年第 3 期

在反贪污、反浪费、反官僚主义的斗争中学习伟大列宁的遗训——纪念列宁逝世二十八周年,《人民日报》1952 年 1 月 21 日

列宁著作在苏联和国外出版的情形,［苏］沙维茨卡娅,《人民日报》1952 年 1 月 22 日

学习列宁关于党的学说, 许邦仪,《人民日报》1952 年 4 月 22 日

列宁的辩证法和数学, 亚历山大洛夫,《科学通报》1952 年第 7 期

列宁、斯大林论废除反人民的旧法制和建设革命的新法制,《人民日报》1952 年 8 月 18 日

列宁论反对官僚主义, 王若水,

《人民日报》1953 年 1 月 21 日

列宁的合作社计划，罗经先，《教学与研究》1953 年第 2 期

学习列宁斯大林关于新经济政策的理论，沙英，《人民日报》1953 年 8 月 25 日

列宁的合作社计划，王同善、肖明、宋德敏，《人民日报》1953 年 9 月 14 日

列宁论社会主义工业化，《人民日报》1954 年 1 月 22 日

纪念列宁，学习列宁关于社会主义建设的理论——纪念列宁逝世三十周年，《人民日报》1954 年 1 月 21 日

列宁论社会主义工业化，陈大可，《人民日报》1954 年 1 月 22 日

列宁著作中的统计，科兹洛夫，高拱宸、蒋朝渊译，《中国统计》1954 年第 2 期

列宁论人民是历史的创造者，[苏] 瓦谢茨基，《人民日报》1954 年 4 月 22 日

列宁论国家资本主义，《人民日报》1954 年 6 月 22 日

马克思列宁主义论民族问题，费·谢·巴甫洛夫，《教学与研究》1954 年第 11 期

列宁思想在自然科学中的胜利，特洛申，《生物学通报》1955 年第 4 期

列宁论社会主义建设和妇女解放——为纪念列宁八十五周年诞辰而作，蔡畅，《人民日报》1955 年 4 月 15 日

列宁论工会在社会主义建设中的作用和意义——为纪念列宁八十五周年诞辰而作，赖若愚，《人民日报》1955 年 4 月 16 日

列宁论青年共产主义教育——为纪念列宁八十五周年诞辰而作，胡耀邦，《人民日报》1955 年 4 月 19 日

学习列宁的社会主义建设理论，《人民日报》1955 年 4 月 22 日

列宁反对主观唯心主义的斗争及其对科学的心理学舆教育学的意义——为纪念列宁诞辰八十五周年而作，彼得鲁舍夫斯基，《人民教育》1955 年第 5 期

马克思列宁主义的奠基者论巴黎公社失败的原因，关勋夏，《史学月刊》1955 年第 7 期

介绍“列宁论农业社会主义改造的道路”，丁守和，《人民日报》1955 年 11 月 21 日

马克思列宁主义关于小农经济社会主义改造的学说，彼·约·卡契金，《四川大学学报》（哲学社会科学版）1956 年第 1 期

列宁合作化计划的胜利，亚历山大洛夫，《生物学通报》1956 年第 1 期

列宁论真理的具体性，克里斯

托斯土里扬，韦农译，《世界哲学》1956 年第 1 期

更充分地发挥知识分子在社会主义革命事业中的重大作用——读《列宁斯大林论科学技术工作》，刘观恩，《读书》1956 年第 2 期

关于新发表的列宁的著作，《世界哲学》1956 年第 2 期

列宁的在苏联建成社会主义和共产主义的计划，[苏]德·伊·纳多切也夫、云光节，《教学与研究》1956 年第 4 期

学习列宁关于形式逻辑的思想，求实，《教学与研究》1956 年第 4 期

学习列宁的学习方法，李致远，《读书》1956 年第 4 期

列宁论国家资本主义，林岐瑞，《教学与研究》1956 年第 5 期

列宁关于在苏联建成社会主义的可能性的理论，[苏]费·巴·贝斯特雷赫，《教学与研究》1956 年第 5 期

在历史教学中怎样运用马克思列宁主义经典著作，刘绍孟，《史学月刊》1956 年第 5 期

列宁论和平过渡到社会主义的问题，高放，《教学与研究》1956 年第 6 期

马克思列宁主义的无产阶级贫困化理论问题，阿·阿尔楚面宁、蒋家俊，《世界经济文汇》1957 年第 1 期

列宁怎样和修正主义作斗争，A. B. 沃斯特里科夫，《世界哲学》1957 年第 2 期

列宁反对修正主义主要著作简目——附简略介绍，于野，《读书》1957 年第 3 期

介绍列宁反对修正主义斗争的几点主要经验，许征帆，《教学与研究》1957 年第 4 期

列宁回答了左叶的问题，林放，《新闻战线》1957 年第 6 期

列宁的报纸理论仍具有伟大力量，周诚，《新闻战线》1957 年第 7 期

列宁的管理国民经济的原则，江春泽，《世界经济文汇》1957 年第 8 期

纪念伟大的十月社会主义革命 40 周年：苏联出版有关列宁和其它革命领袖的著作，《读书》1957 年第 8 期

介绍《列宁教育文选》，人民教育出版社编译出版，熊承涤，《人民教育》1957 年第 9 期

"列宁在国际舞台上反对机会主义的斗争"，光璐，《读书》1957 年第 12 期

批判修正主义，保卫马克思列宁主义，杨奎章，《学术研究》1958 年第 1 期

论马克思列宁主义哲学中辩证法、认识论和逻辑的统一，В. И. 马

尔采夫,《世界哲学》1958 年第 2 期

在实践中正确应用马克思列宁主义原理就是创造性地发展马克思列宁主义，骆耕漠,《哲学研究》1958 年第 3 期

列宁、斯大林、毛泽东论反浪费，赵一之,《学术研究》1958 年第 3 期

阶级分析的方法——马克思列宁主义党的锋利武器，陶德麟,《江汉论坛》1958 年第 3 期

马克思、恩格斯、列宁论教育和生产劳动相结合,《四川教育》1958 年第 3 期

关于南共纲领草案修改马克思列宁主义国家学说的批判，陆季蕃,《江汉论坛》1958 年第 4 期

学习马克思列宁的写作态度和方法,《新闻战线》1958 年第 4 期

党的建设中列宁的民主集中制原则和现代修正主义，Г.谢塔列夫,《世界哲学》1958 年第 4 期

掌握思想武器，投入反修正主义的斗争！——介绍列宁"反对修正主义"文集，岑鼎山,《人民日报》1958 年 5 月 12 日

学习列宁反对修正主义的著作，王子野,《读书》1958 年第 6 期

列宁论"挂钩",《教学与研究》1958 年第 6 期

列宁关于伟大十月社会主义革命的著作中的辩证法问题，П.В.瓦

洛布也夫,《世界哲学》1958 年第 6 期

列宁论军事任务与文化任务间的区别,《教学与研究》1958 年第 7 期

书刊评介——介绍列宁"反对修正主义"文集，屈辛,《学术研究》1958 年第 7 期

反对现代修正主义，捍卫马克思列宁主义关于无产阶级专政的学说，黄先,《江汉论坛》1958 年第 7 期

列宁论"全民武装",《教学与研究》1958 年第 9 期

不同社会制度国家和平共处的列宁原则，M.E.日丹诺夫,《史学月刊》1958 年第 6 期

列宁论教育,《安徽教育》1958 年第 10 期

《马克思、恩格斯、列宁、斯大林论共产主义社会》名词简释,《教学与研究》1958 年第 12 期

马克思、恩格斯、列宁论教育和生产劳动相结合,《中国劳动》1958 年第 14 期

列宁论解放妇女劳动力,《中国劳动》1958 年第 15 期

科学是历史的革命力量——介绍马克思、恩格斯、列宁《论技术革命》，郭英,《读书》1958 年第 17 期

介绍《列宁论国民教育》，陈侠,《读书》1958 年第 17 期

马克思、恩格斯、列宁、斯大林论"资产阶级式的法权",《学术研究》1959 年第 1 期

《马克思、恩格斯、列宁、斯大林论共产主义社会》一书名词简释,《教学与研究》1959 年第 1 期

列宁的哲学著作在中国的传播,张允侯,《哲学研究》1959 年第 2 期

《马克思、恩格斯、列宁、斯大林论商品生产和价值规律》出版,《经济研究》1959 年第 2 期

列宁论科学态度与革命首创精神,《教学与研究》1959 年第 4 期

学习列宁关于教育工作的指示——介绍《列宁论共产主义教育》,朱智贤,《读书》1959 年第 10 期

略谈计划经济必须遵守马克思列宁主义的再生产原理,吴树青,《教学与研究》1959 年第 10 期

苏联出版"列宁论报刊",野草,《新闻战线》1959 年第 10 期

认真学习列宁的新闻学理论,何梓华,《教学与研究》1959 年第 11 期

列宁论阶级、政党和领袖的关系,郑建邦,《教学与研究》1959 年第 11 期

列宁论人民群众的革命主动性,徐琳,《教学与研究》1959 年第 11 期

列宁论东方民族革命,王淇,

《教学与研究》1959 年第 11 期

关于列宁布尔什维克党领导十月革命的革命理论和策略,任重,《史学月刊》1959 年第 11 期

列宁关于社会生产两大部类比例关系学说的发展以及这个学说对社会主义经济建设的意义——迎"列宁全集"中文版全部出版,刘国光,《经济研究》1959 年第 11 期

马克思列宁主义再生产原理的创造性运用,王志平,《学术月刊》1959 年第 12 期

列宁《论文学与艺术》,程代熙,《读书》1959 年第 20 期

列宁论十月革命的国际意义,《世界知识》1959 年第 21 期

介绍"列宁论国际政治与国际法",叶·茹科夫,《世界知识》1959 年第 22 期

法律出版社即将出版《列宁论社会主义所有制》,贡发,《读书》1960 年第 1 期

评介《马克思列宁主义的阶级和阶级斗争理论》,肖德周,《读书》1960 年第 1 期

《列宁在国际舞台上反对机会主义的斗争》,王路,《读书》1960 年第 1 期

学习列宁同修正主义和机会主义的斗争,岑鼎山,《读书》1960 年第 1 期

列宁对民族殖民地问题的伟大

贡献，杨兴华，《江西师范大学学报》（自然科学版）1960 年第 1 期

捍卫马克思列宁主义关于暴力问题的理论粉碎现代修正主义的谬论，叶尚志，《中南民族大学学报》（人文社会科学版）1960 年第 1 期

高举马克思列宁主义红旗，彻底批判生物学研究中的修正主义，《辽宁大学学报》（哲学社会科学版）1960 年第 1 期

充分发扬人民群众的革命首创精神——学习列宁高度相信人民群众首创精神的光辉思想，郭国勋，《辽宁大学学报》（哲学社会科学版）1960 年第 1 期

马克思列宁主义者如何对待革命的群众运动，《电子科技大学学报》1960 年第 1 期

学习列宁关于战争与和平的理论，卜凤至，《辽宁大学学报》（哲学社会科学版）1960 年第 1 期

学习列宁关于过渡时期阶级与阶级斗争的学说，王力嘉，《辽宁大学学报》（哲学社会科学版）1960 年第 1 期

坚决捍卫马克思列宁主义关于无产阶级革命和无产阶级专政的学说，肖彦芳，《辽宁大学学报》（哲学社会科学版）1960 年第 1 期

马克思、恩格斯、列宁、斯大林、论《共产党宣言》，《教学与研究》1960 年第 2 期

读列宁《论和平与战争》——纪念列宁诞辰九十周年，刁田丁，《中南财经政法大学学报》1960 年第 3 期

学习列宁关于阶级斗争的学说，潘宇鹏，《人文杂志》1960 年第 3 期

为保卫无产阶级文学艺术的党性原则而斗争——纪念列宁诞辰九十周年，《美术》1960 年第 4 期

学习列宁有关文书档案工作的指示，《中国档案》1960 年第 4 期

学习列宁反对修正主义的理论——纪念列宁诞生九十周年，韩承文，《史学月刊》1960 年第 4 期

列宁关于落后民族直接向社会主义过渡的学说在中国的胜利，黄安淼，《教学与研究》1960 年第 4 期

列宁论马克思主义的普遍真理与民族特点相结合，黄安淼，《中国民族》1960 年第 4 期

《马克思恩格斯列宁斯大林论妇女解放》增订再版，《读书》1960 年第 4 期

学习列宁关于帝国主义的理论，警惕帝国主义战争阴谋——纪念列宁诞生九十周年，南师正，《学术研究》1960 年第 4 期

列宁关于和平与战争的理论，胡锡奎，《教学与研究》1960 年第 4 期

列宁主义万岁——纪念列宁诞生九十周年，《教学与研究》1960 年

第 4 期

坚持马克思列宁主义哲学的党性原则——纪念列宁诞生九十周年，谢哲，《学术月刊》1960 年第 4 期

马克思主义的战斗的批评——读列宁论托尔斯泰的论文，姚文元，《上海文学》1960 年第 4 期

记住列宁对妇女的教导，杨枝，《读书》1960 年第 4 期

坚持列宁主义的战斗性，彻底粉碎修正主义思潮——纪念列宁诞生九十周年，张海，《学术研究》1960 年第 4 期

学习列宁关于社会主义经济高速度发展的理论——纪念列宁诞辰九十周年，张元元，《财经研究》1960 年第 4 期

列宁论社会主义建设中的群众运动，郑经青，《经济研究》1960 年第 4 期

怀念列宁，学习列宁——兄弟国家出版一批关于列宁的书籍，新华社，《人民日报》1960 年 4 月19 日

列宁主义万岁——纪念列宁诞生九十周年，红旗杂志编辑部，《人民日报》1960 年 4 月 20 日

学习列宁主义，宣传列宁主义，保卫列宁主义——介绍六本列宁言论摘录，王子野，《人民日报》1960 年 4 月 22 日

学习列宁的战斗精神，许邦仪，《人民日报》1960 年 4 月 22 日

列宁关于和平与战争的理论，胡锡奎，《人民日报》1960 年 4 月25 日

朝鲜"劳动新闻"发表列宁论述帝国主义的语录，世界正按着列宁的预言发展，《人民日报》1960 年4 月 27 日

学习列宁关于改造旧形式逻辑的指示，方华，《教学与研究》1960 年第 5 期

论以农业为基础高速度发展国民经济，学习马克斯列宁主义毛泽东著作的体会，宋福僧，《西北师大学报》(社会科学版) 1960 年第 5 期

苏联莫斯科三个出版社总编辑谈今年出版关于伟大领袖列宁的新书，《读书》1960 年第 6 期

列宁关于帝国主义的理论是反帝斗争的锐利武器，鲁义，《历史教学》1960 年第 6 期

学习列宁重视群众革命创造精神的光辉思想，程剑生，《前线》1960 年第 7 期

列宁著作在社会主义国家翻译出版概况，《读书》1960 年第 7 期

列宁论批判地继承文化遗产和发展无产阶级文化，《中国戏剧》1960 年第 7 期

列宁无产阶级国际主义思想，M. B. 帕尔涅夫，《史学月刊》1960 年第 7 期

列宁无产阶级国际主义思想，M. B. 帕尔涅夫，《史学月刊》1960 年第 8 期

论帝国主义是现代战争的根源并论各国人民争取和平的道路——为纪念列宁诞生九十周年而作，于兆力，《红旗》1960 年第 7 期

列宁对帝国主义的分析和当今的时代，符·契普拉柯夫，《世界知识》1960 年第 8 期

列宁论劳动人民掌握文化的意义——纪念列宁诞辰九十周年，郑异凡，《语文建设》1960 年第 8 期

伟大的列宁思想与现代物理学，彭桓武，《科学通报》1960 年第 9 期

在自然科学中捍卫唯物主义来纪念伟大的革命导师列宁，关肇直，《科学通报》1960 年第 9 期

列宁论新型的革命的无产阶级政党，周逸，《读书》1960 年第 9 期

列宁论反对修正主义，郑宏璋，《读书》1960 年第 9 期

列宁论战争与和平，刘奋之，《读书》1960 年第 9 期

列宁论民族解放运动，陈慧生，《读书》1960 年第 9 期

列宁论无产阶级革命和无产阶级专政，郝晨东，《读书》1960 年第 9 期

列宁论帝国主义是无产阶级社会主义革命的前夜，树钧，《读书》1960 年第 9 期

沿着列宁指出的道路，向电气化进军——为纪念列宁诞辰九十周年而作，王英，《中国水利》1960 年第 9 期

列宁关于辛亥革命的科学预见，夏书章，《中山大学学报》（社会科学版）1961 年第 3 期

列宁论辛亥革命，丁守和，《人民日报》1961 年 10 月 8 日

怎样理解列宁所说的"实践不仅有普遍性的优点，并且有直接的现实性的优点"？达先，《前线》1961 年第 15 期

学习列宁关于统计的理论，桂世祚，《学术月刊》1962 年第 2 期

希德罗夫主编：《列宁为战斗唯物主义和革命辩证法而斗争》，B. B. 叶米尔扬诺夫，《世界哲学》1962 年第 2 期

马克思、恩格斯、列宁关于无产阶级贫困化的语录，红民，《教学与研究》1962 年第 5 期

学习列宁重视调查研究的科学精神，明东，《前线》1962 年第 6 期

列宁论过渡时期的阶级斗争，朱波、郑惠，《人民日报》1962 年 12 月 6 日

努力学习马克思列宁主义的立场、观点和方法，门宏，《文史哲》1963 年第 1 期

列宁：《考茨基〈取得政权的道路〉》，宋希仁，《教学与研究》1963

年第 1 期

列宁主义和现代修正主义,《中国民族》1963 年第 1 期

列宁:《考茨基的〈社会革命〉》, 宋希仁,《教学与研究》1963 年第 3 期

列宁:考茨基与潘涅库克的论战, 杨瑞森,《教学与研究》1963 年第 2 期

如何理解列宁所说的帝国主义是资本主义的上层建筑? 林兆木,《教学与研究》1963 年第 4 期

关于国家垄断资本主义本质的几个问题——学习列宁关于国家垄断资本主义的理论的笔记, 陈俊欧,《教学与研究》1963 年第 6 期

列宁主义思想在苏联国家建设的理论和实践中的胜利, 泽林,《世界哲学》1963 年第 8 期

列宁论建设新社会中政治与经济之间的相互关系, Γ. 格列则尔曼,《世界哲学》1963 年第 8 期

列宁关于发展是对立面的统一和斗争的学说与现代反共主义, И. Я. 波波娃,《世界哲学》1963 年第 9 期

列宁对考茨基"超帝国主义"论的批判, 何伟,《人民日报》1963 年 9 月 24 日

马克思列宁主义认识论与符号和意义问题, М. Б. 米丁,《世界哲学》1963 年第 10 期

被压迫民族的革命是世界风暴的新源泉——重读列宁论亚洲觉醒的著作, 高放,《人民日报》1963 年 10 月 15 日

列宁反对经济主义的斗争, 黄安淼,《人民日报》1963 年 11 月 28 日

具体分析——列宁主义的一个最重要的要求, Ф. М. 布拉茨基,《世界哲学》1963 年第 11 期

世界共产主义运动的列宁主义方针及其反对者, Т. 季莫菲也夫,《世界哲学》1963 年第 11 期

马克思列宁主义的社会主义和共产主义建设学说的创造性发展, К. М. 弗罗洛夫,《世界哲学》1963 年第 12 期

马克思列宁主义辩证法与和平共处问题, Ю. А. 克拉辛,《世界哲学》1963 年第 12 期

教条主义是同马克思列宁主义的精神格格不入的, 侯鸿勋,《世界哲学》1963 年第 12 期

列宁著《论马克思、恩格斯及马克思主义》简介, 戴述雨、王寅美、冯绍君,《文史哲》1964 年第 1 期

用马克思主义观点批判地总结文学遗产的典范——读列宁关于列夫·托尔斯泰的论文的点滴体会, 刘翘,《东北师大学报》(哲学社会科学版)1964 年第 1 期

马克思列宁主义者必须区分压迫民族和被压迫民族——读列宁有关民族殖民地问题著作的体会，陈悠久，《教学与研究》1964 年第 1 期

列宁论社会主义就是消灭阶级，李又华，《学术研究》1964 年第 1 期

什么是以革命的精神利用资产阶级议会？——学习列宁有关利用资产阶级议会的言论的笔记，赵明义，《文史哲》1964 年第 1 期

列宁与辩证法，M. M. 罗森塔尔、郭杭生，《世界哲学》1964 年第 2 期

列宁论国家垄断资本主义（学习笔记），思慕，《国际问题研究》1964 年第 3 期

用马克思列宁主义的阶级观点观察教育现象，林乔，《人民教育》1964 年第 3 期

列宁论革命形势和革命精神——读书札记，滕笑，《学术月刊》1964 年第 5 期

《安娜卡列尼娜》与《俄国革命的镜子》学习列宁论学习列宁文学评论的战斗精神——重读列宁论托尔斯泰的论文，郭豫适，《学术月刊》1964 年第 7 期

一个迫切的建议——重新学习马克思列宁主义和毛泽东同志的历史理论，郭晓棠，《史学月刊》1964 年第 7 期

商品经济的消灭及其规律的探索之三——列宁论新经济政策初期的三种交换关系，骆耕漠，《学术月刊》1964 年第 11 期

马克思列宁主义的社会主义革命理论和现时代，Д. 契斯诺科夫，《世界哲学》1964 年第 11 期

评 M. M. 罗森塔尔的《列宁和辩证法》，B. B. 凯席拉娃，《世界哲学》1965 年第 2 期

列宁主义的伟大胜利——纪念列宁诞辰九十五周年，《红旗》杂志，《人民日报》1965 年 5 月 4 日

列宁主义——革命与反对帝国主义和修正主义的斗争的战无不胜的旗帜，阿尔巴尼亚《人民之声报》纪念列宁诞生九十五周年的社论（摘要），新华社，《人民日报》1965 年 6 月 20 日

"商品经济消亡论"不是列宁的观点——与骆耕漠同志商榷，姜川桂，《学术月刊》1965 年第 6 期

列宁论无产阶级专政形式的多样性，H. 法尔别罗夫，《世界哲学》1966 年第 1 期

列宁对哲学史的马克思主义方法论的确立，M. И. 西多洛夫，《世界哲学》1966 年第 5 期

马克思列宁主义伦理学关于道德发展的规律性，C. 乌特金，《世界哲学》1966 年第 5 期

列宁主义，还是社会帝国主义？——纪念伟大列宁诞辰一百周

年,《人民日报》、《红旗》杂志、《解放军报》编辑部,《人民日报》1970年4月22日

利用国际资本和先进技术加速发展苏维埃经济（学习列宁关于租让制的若干论述）,闵宝利,《吉林师范大学学报》（社会科学版）1972年第1期

马克思、恩格斯、列宁、斯大林、毛主席关于辩证唯物论和历史唯物论的语录,《温州农业科技》1972年第2期

马克思、恩格斯、列宁、斯大林、毛主席语录,坚持唯物论的反映论,批判唯心主义"天才论",《苏州大学学报》（哲学社会科学版）1974年第1期

马克思、恩格斯、列宁、斯大林、毛主席——关于研究历史的若干论述,《东北师大学报》（哲学社会科学版）1974年第1期

马克思、恩格斯、列宁、斯大林、毛主席关于经济危机的部分论述,《南京师大学报》（社会科学版）1975年第1期

马克思、恩格斯、列宁论无产阶级专政,《安徽师范大学学报》（人文社会科学版）1975年第1期

列宁是怎样限制资产阶级法权的,《安徽大学学报》（哲学社会科学版）1975年第1期

马克思、恩格斯、列宁论无产阶级专政,《延边大学学报》（社会科学版）1975年第1期

马克思、恩格斯、列宁论无产阶级专政,《武汉大学学报》（哲学社会科学版）1975年第1期

马克思、恩格斯、列宁论无产阶级专政,《天津教育》1975年第1期

马克思、恩格斯、列宁论无产阶级专政,《华南师范大学学报》（社会科学版）1975年第1期

马克思、恩格斯、列宁论无产阶级专政,《河北大学学报》（哲学社会科学版）1975年第1期

马克思、恩格斯、列宁论无产阶级专政,《贵州大学学报》（社会科学版）1975年第1期

马克思、恩格斯、列宁论无产阶级专政,《机车车辆工艺》1975年第2期

马克思、恩格斯、列宁论无产阶级专政,《思想战线》1975年第2期

马克思、恩格斯、列宁论无产阶级专政,《山西医药杂志》1975年第2期

马克思、恩格斯、列宁论无产阶级专政,《四川大学学报》（哲学社会科学版）1975年第2期

加强外贸领域内的无产阶级专政——学习列宁关于对外贸易垄断制的两封信,郑学,《国际贸易问

题》1975 年第 2 期

列宁关于按劳分配的论述与实践,《陕西师范大学学报》(哲学社会科学版) 1975 年第 2 期

海参崴核协议是掩盖苏美争夺核霸权的烟幕弹——学习列宁关于帝国主义理论的一点体会,郑彦文,《陕西师范大学学报》(哲学社会科学版) 1975 年第 2 期

马克思、恩格斯、列宁论无产阶级专政,《人民日报》1975 年 2 月 22 日

马克思、恩格斯、列宁论无产阶级专政,《中国临床医生》1975 年第 3 期

马克思、恩格斯、列宁论无产阶级专政,《煤炭科学技术》1975 年第 3 期

马克思、恩格斯、列宁、毛主席关于农民革命的部分论述,四川师范学院宣传处,《四川师范大学学报》(社会科学版) 1975 年第 4 期

马克思、恩格斯、列宁、斯大林、毛主席关于农业的部分论述,《西北大学学报》(哲学社会科学版) 1975 年第 4 期

马克思、恩格斯、列宁关于学校应当成为无产阶级专政工具的部分论述,《比较教育研究》1975 年第 7 期

帝国主义是现代战争的根源——学习列宁论帝国主义的一点

体会,罗学知,《文史哲》1976 年第 1 期

马克思、恩格斯、列宁、斯大林、毛主席关于反对投降派的部分论述,《浙江师范大学学报》(社会科学版) 1976 年第 1 期

马克思、恩格斯、列宁论环境保护,《表面技术》1976 年第 2 期

马克思、恩格斯、列宁、斯大林,毛主席论农业发展的辩证法,《曲阜师范大学学报》(自然科学版) 1976 年第 3 期

紧跟领袖华主席,继续革命永向前——学习列宁关于领袖、政党、阶级、群众关系学说的体会,《河北大学学报》(哲学社会科学版) 1977 年第 1 期

评"四人帮"的反革命教育纲领——驳"四人帮"对列宁"学校应当成为无产阶级专政的工具"的篡改,高宇,《人民教育》1977 年第 1 期

列宁:《怎样组织竞赛?》(节录),《人民日报》1977 年 3 月 10 日

列宁论苏维埃国家进行对外贸易的必要性,《国际贸易问题》1977 年第 4 期

回顾列宁与马尔托夫在建党问题上的斗争,张红旗,《齐鲁学刊》1977 年第 4 期

列宁是高举马克思主义伟大旗帜的光辉典范,中央编译局理论组,

《人民日报》1977 年 6 月 12 日

列宁对"无产阶级文化派"的批判，谷山，《人民日报》1977 年 9 月 1 日

马克思、恩格斯、列宁、斯大林关于知识分子在革命中的地位和作用的部分论述，《天津教育》1977 年第 8 期

列宁对"无产阶级文化派"的批判，《人民日报》1977 年 9 月 1 日

马克思列宁主义哲学的技术观和技术进步观，G. 鲍恩，《世界哲学》1978 年第 1 期

坚持马克思主义批判地继承文化遗产的原则——学习列宁论托尔斯泰，郭育新，《东北师大学报》(哲学社会科学版) 1978 年第 1 期

列宁、斯大林领导时期苏联贯彻"各尽所能、按劳分配"原则的一些情况，王守海，《社会科学战线》1978 年第 1 期

马克思、恩格斯、列宁、斯大林关于不断革命的论述，《中共山西省委党校学报》1978 年第 1 期

从列宁关于"保卫祖国"的论述看第二世界国家捍卫民族独立的正义性，萨那、丘立本、沈永兴，《人民日报》1978 年 9 月 18 日

列宁关于加强社会主义法制的理论和实践，陈英吴，《苏州大学学报》(哲学社会科学版) 1978 年第 2 期

巴枯宁主义是"左"的反革命修正主义——学习马克思恩格斯列宁论巴枯宁主义的札记，关勋夏，《学术研究》1978 年第 2 期

列宁对待马克思主义的科学态度，刘承学，《辽宁师范大学学报》(社会科学版) 1978 年第 2 期

划分世界政治力量的一个光辉范例——学习列宁一九二〇年划分世界政治力量的体会，童肇华，《西南师范大学学报》(人文社会科学版) 1978 年第 2 期

马克思、恩格斯、列宁、斯大林、毛泽东关于理论和实践统一的部分论述，《中共山西省委党校学报》1978 年第 2 期

列宁坚持贯彻民主集中制的斗争，周存诚，《华中师范大学学报》(人文社会科学版) 1978 年第 3 期

列宁关于政治和经济的相互关系的思想，K. 伊万诺夫，《世界哲学》1978 年第 3 期

列宁是怎样看待引进先进技术和吸收外资的?《中共山西省委党校学报》1978 年第 3 期

学习列宁论托尔斯泰，唐海，《文史哲》1978 年第 4 期

列宁关于政治斗争和经济斗争的关系的论述不容篡改，许柏年，《经济研究》1978 年第 5 期

马克思、恩格斯、列宁、斯大林、毛泽东关于物质利益的部分论

述,《中共山西省委党校学报》1978年第 5 期

马克思列宁主义的意识形态学说和"批判理论"——法兰克福学派批判, T. I. 奥伊则尔曼,《世界哲学》1978 年第 6 期

为什么要出版外国古典文学——从列宁与无产阶级文化派的斗争谈起, 程代熙,《中国出版》1978 年第 10 期

提高全民族的文化科学水平是社会主义时期的重要任务(学习列宁关于文化革命的论述), 丁源,《南京师院学报》(社会科学版)1979 年第 1 期

列宁关于法制建设的理论永放光辉, 关怀,《法学研究》1979 年第 1 期

列宁、斯大林论法制在经济管理中的作用, 仝志敏,《教学与研究》1979 年第 1 期

理论在实践中修正在实践中发展, 学习列宁关于商品经济论述的礼记, 黄庆,《武汉理工大学学报》(交通科学与工程版)1979 年第 1 期

在小生产占优势的国家怎样建立社会主义的经济基础?——学习列宁著作的笔记, 柳植,《陕西师范大学学报》(哲学社会科学版)1979 年第 1 期

利用国际资本和先进技术加速发展苏维埃经济——学习列宁关于租让制的若干论述, 闵宝利,《东北师大学报》(哲学社会科学版)1979 年第 1 期

"四人帮"推行阴谋理论的黑标本(评《人民日报》、《红旗》杂志一九七五年选编的《马克思、恩格斯、列宁论无产阶级专政》), 树群,《江西大学学报》1979 年第 1 期

列宁、斯大林论法制在经济管理中的作用, 仝志敏,《教学与研究》1979 年第 1 期

必须充分发挥统计的检查监督作用——学习列宁论计算和监督, 汪行远,《中国统计》1979 年第 1 期

社会主义和民族问题(学习列宁关于民族自决权的论述), 吴江,《历史学季刊》1979 年第 1 期

列宁论引进外资、技术和实行租让制的必要性, 夏道源,《学术论坛》1979 年第 1 期

如何理解列宁说的"实践高于认识"和"没有革命的理论,就不会有革命的运动"? 阳正太,《西华师范大学学报》(哲学社会科学版)1979 年第 1 期

转向经济方面的政治(学习列宁关于工作重点转移的论述), 杨增和,《红旗》1979 年第 1 期

学习列宁关于引进技术、设备和利用外资的思想——读书札记, 张胜宏、王茂根,《北京大学学报》

（哲学社会科学版）1979 年第 1 期

学习列宁关于工作重点转移的光辉思想，种明钊、任祖耀，《现代法学》1979 年第 1 期

学习列宁关于工作重点转移的论述，周惠珍、滕世宗，《郑州大学学报》（哲学社会科学版）1979 年第 1 期

马克思、恩格斯、列宁、斯大林的全集、选集、文选、文集、文稿出版概况，《中国出版》1979 年第 1 期

同无产阶级文化派的又一次较量——学习列宁的一个批注，李光中、张少廉，《外国文学研究》1979 年第 2 期

遗产时代艺术家（列宁论托尔斯泰学习札记），陆人豪，《江苏师院学报》1979 年第 2 期

列宁论泰罗制，邢俊芳，《社会科学战线》1979 年第 2 期

马克思列宁主义关于刑法理论的基本问题初探（上），李光灿，《社会科学战线》1979 年第 2 期

伟大的转折有力的措施——学习列宁关于党的工作重心转移的部分论述，魏火贤、周鸿临，《广西师范大学学报》（哲学社会科学版）1979 年第 2 期

二十年代初列宁制定的对外经济政策，杨承训，《河南师范大学学报》（哲学社会科学版）1979 年第

2 期

重温马克思、列宁的过渡时期学说，钟克钊，《南京师大学报》（社会科学版）1979 年第 2 期

论黑格尔的历史哲学和马克思恩格斯列宁对它的扬弃，〔德〕M. 布尔，《世界哲学》1979 年第 2 期

马克思列宁主义关于刑法理论的基本问题初探（下），李光灿，《社会科学战线》1979 年第 3 期

列宁与马克思主义科学体系，段若非，《山西大学学报》（哲学社会科学版）1979 年第 3 期

怎样理解马克思、列宁关于"过渡时期"的科学观点，吴树青，《教学与研究》1979 年第 3 期

怎样理解列宁关于垄断和自由竞争的一些论述？肖德周，《北京大学学报》（哲学社会科学版）1979 年第 3 期

无产阶级要的是社会主义民主——学习列宁关于社会主义民主的论述，肖励锋、曹普澄，《辽宁大学学报》（哲学社会科学版）1979 年第 3 期

马克思和列宁讲的"过渡时期"指的是什么，余学本，《教学与研究》1979 年第 3 期

苏联出版的《马克思主义辩证法史》（马恩阶段与列宁阶段）（续完），沈真，《世界哲学》1979 年第 4 期

列宁对辩证法的核心的说明和发挥，王仲士，《四川大学学报》（哲学社会科学版）1979 年第 4 期

建设社会主义强国的理论与实践（学习列宁十月革命后的七年基本经验），永学，《吉林大学学报》1979 年第 4 期

马克思、恩格斯、列宁、斯大林、毛泽东、论簿记、会计、经济核算，《上海会计》1979 年第 4 期

列宁研究马克思早期思想发展的方法论原则，靳晖明，《文史哲》1979 年第 5 期

只是过渡到社会主义，还是过渡到共产主义？——学习列宁关于过渡时期的提法，程宇，《学术研究》1979 年第 5 期

列宁如何正确对待马克思主义，陈忠雄，《河南师范大学学报》（哲学社会科学版）1979 年第 5 期

列宁究竟是怎样估价旧教师队伍的，孙高升，《河南师范大学学报》（哲学社会科学版）1979 年第 6 期

试谈列宁关于社会主义法制的理论，胡瑾，《文史哲》1979 年第 6 期

学习列宁有关一长制论述的体会，孙振远，《经济管理》1979 年第 7 期

列宁论反对官僚主义，韩佳辰、高帆，《人民日报》1979 年 7 月 20 日

列宁与集体领导，刘立凯，《人民日报》1979 年 8 月 21 日

《列宁论苏维埃俄国社会主义经济建设》简介，《人民日报》1979 年 10 月 10 日

列宁说书籍是巨大的力量，马努查、里扬茨，《中国出版》1979 年第 11 期

什么是马克思和列宁所说的"过渡时期"？段家陵，《经济问题探索》1980 年第 1 期

引进外国资本、技术和经验，发展社会主义经济（学习列宁关于租让制的论述），黄中一，《学术研究》1980 年第 1 期

提高科学文化水平是社会主义建设中一项重大战略任务——学习列宁关于提高科学文化水平的论述，林国栋，《华南师范大学学报》（社会科学版）1980 年第 1 期

大力开展辩证逻辑的研究——学习列宁关于辩证法、认识论、逻辑三者统一的思想，凌雨轩，《人文杂志》1980 年第 1 期

加强图书馆的藏书补充和保证图书供应——学习列宁关于图书馆工作指示的体会和意见，柳成栋，《图书馆建设》1980 年第 1 期

怎样理解列宁讲的"社会主义就是消灭阶级"，刘恒飞，《齐齐哈尔大学学报》（哲学社会科学版）

1980 年第 1 期

列宁对考茨基"纯粹民主"的批判，王仲义，《山西师大学报》（社会科学版）1980 年第 1 期

列宁和苏维埃俄国的租让政策，闻一，《世界历史》1980 年第 1 期

用民主的方法进行党内斗争——学习列宁在这方面的理论与实践，刘立凯，《人民日报》1980 年 1 月 18 日

列宁实行"新经济政策"给我们的启示（上），金雨，《湘潭大学社会科学学报》1980 年第 1 期

列宁实行"新经济政策"给我们的启示（下），金雨，《湘潭大学社会科学学报》1980 年第 2 期

列宁是怎样看待奖金的，方留碧，《中州学刊》1980 年第 2 期

学习列宁关于加强执政党建设的理论——纪念列宁诞辰一百一十周年，高秀波、包宗羲，《求是学刊》1980 年第 2 期

列宁重视对干部的法制教育，胡茂材，《湖南师院学报》1980 年第 2 期

正确理解政治改善党的领导——学习列宁有关论述的札记，胡世国，《四川大学学报》（哲学社会科学版）1980 年第 2 期

办教育要倾听实践的呼声——读列宁著作札记，李国拱，《华南师范大学学报》（社会科学版）1980 年

第 2 期

论列宁的哲学党性原则，李茂，《中州学刊》1980 年第 2 期

以列宁为首的俄共（布）中央是怎样建设执政党的，夏学志，《甘肃师大学报》1980 年第 2 期

"从一匹马上跨到另一匹马上"——学习列宁关于社会主义建设思想的一点体会，张鸿文，《政法论坛》1980 年第 2 期

列宁论社会主义与文化，赵长峰，《东岳论丛》1980 年第 2 期

学习列宁关于社会主义建设的有关理论与实践，钟国辉，《税务与经济》1980 年第 2 期

论爱因斯坦与恩格斯和列宁的观点，［苏］Б. M. 凯德洛夫，《自然科学哲学问题丛刊》1980 年第 2 期

"艺术是属于人民的"——学习列宁的文艺论着札记，曾奕禅，《南昌大学学报》（人文社会科学版）1980 年第 3 期

社会主义人道主义与人权：列宁的思想与现时代，［苏］ B. M. 齐赫克瓦译，《国外社会科学著作提要》1980 年第 3 期

《论科学共产主义理论的历史（马克思、恩格斯和列宁论共产主义社会的实质和阶段）》，［德］ V. 施耐德尔，《国外社会科学著作提要》1980 年第 3 期

列宁新经济政策理论的初探，

闵宝利,《东北师大学报》(哲学社会科学版) 1980 年第 3 期

外行变内行才是称职的领导——学习列宁著作读书札记, 王兆铮,《东岳论丛》1980 年第 3 期

学习列宁的探索精神, 宋振国,《政法论坛》1980 年第 3 期

列宁论无产阶级专政的实质, 齐世荣,《世界历史》1980 年第 4 期

列宁论反对官僚主义, 王梦奎,《东岳论丛》1980 年第 4 期

哲学革命文学（列宁论托尔斯泰）, 余绍裔,《南京大学学报》1980 年第 4 期

林彪、康生、"四人帮"是如何篡改马克思列宁主义的阶级斗争学说的, 郑广智,《内蒙古社会科学》(汉文版) 1980 年第 4 期

学习列宁关于党内斗争的辩证法, 柯士炎,《北京师范大学学报》(社会科学版) 1980 年第 4 期

坚持战斗的唯物主义——纪念列宁诞辰一百一十周年,《哲学研究》1980 年第 4 期

学习列宁论人民群众的民主权利, 李鼎文,《社会科学》1980 年第 4 期

学习列宁关于社会主义建设的理论和实践, 中央编译局,《人民日报》1980 年 4 月 22 日

关于列宁对社会主义社会的几段论述的译文, 徐博涵,《人文杂志》1980 年第 5 期

列宁目录学思想初探, 彭斐章,《武汉大学学报》(人文科学版) 1980 年第 5 期

要根据新的形势和任务来理解政治——列宁论从事国家经济建设就是主要的政治, 刘绍川,《思想战线》1980 年第 5 期

列宁和组织工作的政策, 约翰·埃伦伯格,《国外社会科学》1980 年第 5 期

试论列宁关于过渡时期的理论, 张震廷,《复旦学报》(社会科学版) 1980 年第 5 期

列宁是怎样评价普列汉诺夫 1903—1913 年的活动的？——兼谈普列汉诺夫的理论成就, 陈忠雄,《河南大学学报》(社会科学版) 1980 年第 6 期

列宁论改造文化和教育的途径, П.阿列克谢耶夫,《国外社会科学》1980 年第 6 期

列宁区分时代的依据究竟是什么？ 王邦佐,《复旦学报》(社会科学版) 1980 年第 6 期

列宁的著作在苏联, 张坚,《社会科学》1980 年第 6 期

论列宁关于社会主义制度下的民族自决权原则, 梁守德,《民族研究》1980 年第 6 期

从列宁的一个定义谈起——浅谈"一致性"与"两个自由", 陈

善清,《社会科学》1980 年第 6 期

列宁关于发动人民群众管理监督国家反对官僚主义的思想,黄宗良,《北京大学学报》(哲学社会科学版) 1980 年第 6 期

要准确地使用修正主义概念(学习列宁斯大林论修正主义读书笔记),李思温、张海燕,《理论与实践》1980 年第 6 期

列宁论中国近代民主革命运动(重读列宁有关中国近代民主革命的著述),张磊,《历史教学》1980 年第 9 期

谈谈马克思恩格斯列宁关于无产阶级贫困问题的理论,陆立军,《世界经济》1980 年第 11 期

十月革命胜利后列宁反对官僚主义的斗争,陈显泗、黄家泉,《郑州大学学报》(哲学社会科学版) 1981 年第 1 期

辩证法是革命的代数学——从列宁著作中学习辩证的方法论,冯定、张文儒、陈葆华,《文史哲》1981 年第 1 期

照亮中国革命航道的灯塔(列宁关于民族殖民地问题的理论在中国革命中的运用和发展),冯永之,《宁波师专学报》1981 年第 1 期

列宁主义与“战时共产主义”,姜义华,《复旦学报》(社会科学版) 1981 年第 1 期

社会主义国家的基本职能——

读列宁著作札记,李明新,《新疆大学学报》(哲学、人文科学、社会科学版) 1981 年第 1 期

1918—1922 年国际共运中的“左”倾思潮和列宁对它的批判,李宗禹,《当代世界与社会主义》1981 年第 1 期

十月革命后列宁论经济落后的国家向社会主义过渡问题,刘佩弦、曾曼西,《求索》1981 年第 1 期

一个被“遗漏”了的列宁思想——列宁如何坚持“少宣传个人”的原则,秦中河,《新闻大学》1981 年第 1 期

学习列宁关于国家资本主义的理论,肖功达,《福建论坛》(社科教育版) 1981 年第 1 期

列宁的著作及其在苏联的出版情况,张坚,《国际观察》1981 年第 1 期

学习列宁关于社会主义现代化建设的理论,周振华,《西南师范大学学报》(人文社会科学版) 1981 年第 1 期

列宁论科学政策——历史的经验,S.莫克欣邸文,《国外社会科学》1981 年第 1 期

论列宁同诡辩论的斗争,郭文卿,《思想战线》1981 年第 2 期

列宁论哲学上的中间派——不可知论,莫立波,《北京大学学报》(哲学社会科学版) 1981 年第 2 期

列宁对科学社会主义理论的重大贡献，吴仁彰，《俄罗斯中亚东欧研究》1981年第2期

1918年列宁与"左派共产主义者"在国家资本主义问题上的争论，夏道源，《当代世界与社会主义》1981年第2期

"左派共产主义者"的国内政策和列宁对它的批判，杨彦君，《当代世界与社会主义》1981年第2期

"仍然应当爱惜金子"——学习列宁关于货币和黄金问题的论述，《人民日报》1981年2月10日

关于加强思想政治工作的几个理论问题——学习列宁著作的笔记，冯世新，《人文杂志》1981年第3期

《安娜卡列尼娜》与《俄国革命的镜子》（学习列宁论托尔斯泰札记），傅腾霄，《外国文学研究》1981年第3期

试论卢森堡和列宁在建党问题上的分歧，李宗禹，《世界历史》1981年第3期

要历史地具体地讲授列宁关于建党的理论，任大奎、叶宗奎、曾汉祥，《教学与研究》1981年第3期

列宁反对俄国无政府主义思潮的斗争，宋洪训，《当代世界与社会主义》1981年第3期

列宁论辛亥革命，魏泽焕，《社会主义研究》1981年第3期

托尔斯泰与革命（学习列宁论托尔斯泰的几篇文章的笔记），胡代炜，《求索》1981年第4期

列宁同"无产阶级文化派"的斗争，马龙闪，《世界历史》1981年第4期

也谈列宁的物质定义——与赵怀玉同志商榷，王明汉，《西北师大学报》（社会科学版）1981年第4期

列宁是提出"一国胜利"问题的第一个人吗？——兼论"一国胜利"思想的由来和发展，闫德民，《社会主义研究》1981年第4期

论列宁对黑格尔哲学的研究，余源培、吕会霖，《复旦学报》（社会科学版）1981年第4期

学习列宁论口号中的唯物辩证思想和方法，元石，《哲学动态》1981年第4期

学习列宁的过渡学说总结经验教训，肃清左倾流毒促进农业现代化，贺致平，《中国农村观察》1981年第5期

《矛盾论》继承了列宁的辩证法思想，马积华、孙纪成，《社会科学》1981年第5期

社会主义革命首先在一国获胜的理论是列宁创立的，夏正伟，《社会科学研究》1981年第5期

列宁论无产阶级道德的社会作用，郑祖泉，《东岳论丛》1981年第5期

马克思、恩格斯和列宁关于党

的概念，罗·施太格·瓦尔特著，孙常敏译，《国外社会科学文摘》1981年第 5 期

列宁论所有制在生产关系中的地位——读书笔记，陈光林，《东岳论丛》1981 年第 6 期

列宁论文化革命和文化建设，李征平、夏学志，《社会主义研究》1981 年第 6 期

关于列宁和布哈林在国家问题上的争论，王炳煜、陈凤荣，《世界历史》1981 年第 6 期

列宁斯大林时期关于住宅问题的理论和实践，杨玉生，《辽宁大学学报》（哲学社会科学版）1981 年第 6 期

作家的责任与社会的要求（从列宁对文尼阡柯的批评谈起），殷定生，《南苑》1981 年第 6 期

英美资产阶级史学著作对列宁早期活动的歪曲，东志，《世界史研究动态》1981 年第 7 期

列宁的社会主义概念，赖因霍尔德著，沈永林译，《国外社会科学文摘》1981 年第 7 期

怎样理解列宁关于"商品交换"和"商品买卖"的观点，杨元华，《学术月刊》1981 年第 8 期

列宁论无产阶级道德，郑祖泉，《哲学研究》1981 年第 8 期

列宁是怎样对待群众来访来信的，德春，《新湘评论》1981 年第

10 期

学习列宁关于建立模范机关的论述，李高仁，《人民日报》1981 年 11 月 27 日

政论性与文艺性的完美结合（学习列宁杂文），黎洪溢，《学术论坛》1982 年第 1 期

坚持马克思主义文艺评论的基本原则（学习列宁论托尔斯泰札记），刘翘、启华，《社会科学战线》1982 年第 1 期

严格纪律是搞好社会主义建设的重要条件（学习列宁关于严格纪律的理论与实践），苏品端，《东岳论丛》1982 年第 1 期

列宁论赫尔岑，陈重，《俄苏文学》1982 年第 2 期

苏维埃民主与官僚主义（列宁思想研究之一），柳植，《陕西师范大学学报》1982 年第 2 期

学习列宁关于精简机构的思想，《人民日报》1982 年 2 月 16 日

学习列宁论托尔斯泰的几点体会，符玲美，《山西大学学报》1982 年第 3 期

列宁论社会主义精神文明建设，滕世宗，《中州学刊》1982 年第 3 期

建设高度精神文明是科学社会主义题中应有之义（介绍马克思、恩格斯、列宁、斯大林关于精神文明的论述），马德太等，《东岳论丛》1982 年第 3 期

学习列宁关于执政党建设的理论，赵松江，《沈阳师范学院学报》1982 年第 3 期

列宁"遗嘱"和接班人问题，郑异凡，《世界史研究动态》1982 年第 3 期

学习列宁反对"杯水主义"的思想，许柳旺，《学习与研究》1982 年第 4 期

列宁论加强社会主义法制，刘立凯，《人民日报》1982 年 4 月 6 日

牢牢把握从实际出发的原则（学习列宁关于苏联从战时共产主义到新经济政策的转变的若干著作），马句、赵良玉，《天津社会科学》1982 年第 2 期

"集中管理图书馆事业"（学习列宁关于图书馆立法的思想），张厚生，《图书馆学通讯》1982 年第 4 期

科学的分析、评价与预见（学习列宁关于辛亥革命的论述），李会滨、魏泽焕，《华中师院学报》1982 年第 5 期

在反腐蚀的斗争中前进（学习列宁关于实行租让政策的理论和策略），苏长春，《理论与实践》1982 年第 5 期

论马克思主义哲学发展史上的列宁阶段（兼评"西方马克思主义"对列宁哲学思想的诘难），余源培，《复旦学报》1982 年第 5 期

列宁和毛泽东同志关于反对共产党员腐化变质的部分论述，《人民日报》1982 年 5 月 7 日

社会主义精神文明与马克思列宁主义意识形态，［苏］E. 瓦维、B. 福林法诺夫，《国外社会科学》1982 年第 6 期

搞好机构改革必须克服因循守旧习气（学习列宁关于精简机构的思想），朱钧侃，《群众》1982 年第 24 期

必须慎重对待民族感情（学习列宁的民族问题理论札记），姚复，《新疆社会科学》1983 年第 1 期

列宁关于建设社会主义精神文明的理论与实践，赵曜，《社会科学战线》1983 年第 1 期

列宁论在物质利益基础上建立严格的责任制（学习列宁经济思想札记），冯世新，《经济理论与经济管理》1983 年第 2 期

列宁社会主义法制建设的理论和实践，吕世伦，《马克思主义研究丛刊》1983 年第 1 期

运用马克思主义历史研究方法的一个光辉典范（学习列宁对民粹主义及民粹派的论述），卢仲维，《广西师范学院学报》（哲学社会科学版）1983 年第 2 期

苏维埃政权和俄国中农：兼论十月革命后列宁认识中农的三个阶段，叶书宗，《苏联历史》1983 年第 2 期

列宁怎样认识、对待知识分子，张敬禄，《齐鲁学刊》1983年第2期

社会主义建设的一个基本问题（论列宁对待专家和知识分子的方针），薛汉伟、潘国华，《北京大学学报》1983年第3期

学习列宁关于知识、知识分子在社会主义建设中作用的论述，包宗义，《天津社会科学》1983年第5期

评"西方马克思主义"者对列宁的反映论的攻击，御民，《复旦学报》1983年第6期

马克思列宁主义与非洲社会主义，[美]戴维·奥塔韦、玛丽·娜奥塔韦，《现代外国哲学社会科学文摘》1983年第6期

N.M.姆拉契科夫斯卡娅：《列宁对修正主义的批判和现时代》，格拉耶夫斯卡娅著，井勒苏译，《国外社会科学著作提要》1983年第19期

Д.米捷夫主编：《列宁：革命和意识形态斗争》，加叶沃伊著，潘晓洪译，《国外社会科学著作提要》1983年第19期

评西方马克思主义对列宁哲学思想的几个所谓新观点，金顺尧，《哲学文集》（上海市哲学学会编印）1983年

扭亏增盈是企业经济效益的核心问题——学习列宁经济核算思想

的一点体会，蔡龙，《南方经济》1984年第1期

列宁关于民族殖民地问题的理论为中国各族人民的斗争指明了方向，陈良如，《苏州大学学报》（哲学社会科学版）1984年第1期

关于二战后民族解放运动中的领导权问题——学习列宁关于无产阶级领导权理论的体会，陈汉生、李永芳，《郑州大学学报》（哲学社会科学版）1984年第1期

马克思的再生产理论与列宁的生产资料生产优先增长理论，畅文萍，《新疆师范大学学报》（哲学社会科学版）1984年第1期

列宁论正确对待专家——纪念列宁逝世六十周年，戴清亮，《江淮论坛》1984年第1期

实行多种经济形式并存建设社会主义——学习列宁有关经济问题的论述，戴震雷，《安庆师范学院学报》（社会科学版）1984年第1期

简论文艺的客观性和主观性：列宁反映论学习札记，段楚英，《孝感师专学报》1984年第1期

旧与新：学习列宁关于现代派的论述，龚依群，《中州文坛》1984年第1期

把反映论运用于文学批评的光辉范例：读列宁论托尔斯泰，耿恭让，《中州文坛》1984年第1期

列宁与现代主义艺术——学习

列宁文艺思想札记，贺庆升，《西北民族大学学报》（哲学社会科学版）1984年第1期

为人民创造真正伟大的艺术——学习列宁文艺思想札记，贺庆升，《渤海大学学报》（哲学社会科学版）1984年第1期

也评苏俄时期的战时共产主义：学习列宁有关论述的体会，黄济福，《苏联历史》1984年第1期

列宁文艺批评思想略论，江建文，《广西大学学报》（哲学社会科学版）1984年第1期

列宁关于知识和知识分子的理论——纪念列宁逝世六十周年，李国拱、何锦发，《华南师范大学学报》（社会科学版）1984年第1期

列宁与苏维埃俄国的文化建设，李征平、夏学志，《苏联历史》1984年第1期

列宁晚年的民族殖民地问题理论——纪念列宁逝世六十周年，彭树智，《西北大学学报》（哲学社会科学版）1984年第1期

列宁的"三者同一"思想和马克思主义哲学体系，彭泽农、林园，《马克思主义研究》1984年第1期

学习列宁关于经济方面的政治思想保证经济建设的社会主义方向，乔耀章，《苏州大学学报》（哲学社会科学版）1984年第1期

列宁关于提高党的战斗力改善机关工作的理论和实践，骆鉴华，《华南师范大学学报》（社会科学版）1984年第1期

文艺批评的光辉典范列宁关于托尔斯泰创作的评论，尚礼，《渤海大学学报》（哲学社会科学版）1984年第1期

列宁关于民族殖民地问题的理论和我党民主革命纲领：为纪念列宁逝世六十周年而作，司虎春、刘诚，《扬州师院学报》（社会科学版）1984年第1期

学会管理工作是历史赋予的责任——学习列宁关于改进和完善国家机关的论述，王义林，《延边大学学报》（社会科学版）1984年第1期

列宁论现代派文学，王之望，《天津师范大学学报》（社会科学版）1984年第1期

列宁关于知识分子问题的理论与实践——纪念列宁逝世六十周年，韦秉超，《广西民族学院学报》（哲学社会科学版）1984年第1期

"关键在于人，在于挑选人才"——列宁关于党报编辑部建设的理论与实践，文彦仁，《新闻大学》1984年第1期

列宁论共产主义思想的建设——纪念列宁逝世60周年，吴秉元，《青海社会科学》1984年第1期

列宁论知识分子在建设共产主义中的地位和作用，吴万善，《西北

民族大学学报》（哲学社会科学版）1984 年第 1 期

"艺术是属于人民的"——纪念列宁逝世六十周年，吴质富，《安庆师范学院学报》（社会科学版）1984 年第 1 期

农民问题和列宁对于俄国社会主义建设道路的探索，杨纯仁，《苏州大学学报》（哲学社会科学版）1984 年第 1 期

列宁对农业进行社会主义改造的思想是怎样发展的？ 徐博涵，《科学社会主义》1984 年第 1 期

学习列宁关于执政党必须正确处理党政关系的理论和实践，徐善广，《湖北大学学报》（哲学社会科学版）1984 年第 1 期

列宁是怎样看待知识分子在建设中的作用的，薛木铎，《人文杂志》1984 年第 1 期

列宁的国家资本主义理论与中国的对资改造，袁征，《赣南师范学院学报》1984 年第 1 期

学习列宁关于民族平等的思想——纪念列宁逝世六十周年，张秀琴，《内蒙古民族大学学报》（社会科学版）1984 年第 1 期

具体地分析具体的情况——学习列宁关于无产阶级执政党党风建设的理论，张振东，《中州学刊》1984 年第 1 期

列宁对马克思再生产理论的捍

卫和发展，詹仲，《渤海大学学报》（哲学社会科学版）1984 年第 1 期

艺术创作必须坚持反映论的原则：学习列宁对托尔斯泰的论述，赵凯，《安徽大学学报》（哲学社会科学版）1984 年第 1 期

重温列宁关于在经济落后国家能建成社会主义的思想，赵文博，《苏州大学学报》（哲学社会科学版）1984 年第 1 期

学习列宁在社会主义建设中关于提高干部素质的宝贵论述，赵佐良，《沈阳师范学院社会科学学报》1984 年第 1 期

列宁的社会主义实践的辩证法探索，邹永图，《哲学研究》1984 年第 1 期

列宁论现代派，《文艺理论研究》1984 年第 1 期

列宁对辩证法的研究与帝国主义理论的创立，蔡中兴，《世界经济文汇》1984 年第 2 期

论列宁的帝国主义理论与前人的研究，蔡中兴，《复旦学报》（社会科学版）1984 年第 2 期

列宁关于从"一国胜利"到"一国建成"思想的发展，车有道，《华中师院学报》1984 年第 2 期

列宁的主体客体思想初探，陈长畅，《中山大学学报》（社会科学版）1984 年第 2 期

列宁的辩证唯物主义美学思想，

陈辽,《齐鲁学刊》1984 年第 2 期

高效率来自科学的管理——学习列宁关于行政管理工作的论述,陈树仁、杜建国,《东华理工学院学报》(社会科学版) 1984 年第 2 期

以列宁为榜样为加强社会主义法制而斗争,范平、段荣奎,《法学杂志》1984 年第 2 期

学习列宁关于建立新型无产阶级政党的理论,提高参加整党的自觉性,黄安淼,《信阳师范学院学报》(哲学社会科学版) 1984 年第 2 期

列宁宗教理论及其现实意义,蒋文宣,《广西大学学报》(哲学社会科学版) 1984 年第 2 期

列宁论托尔斯泰的美学意义,雷成德,《外国文学研究》1984 年第 2 期

列宁、毛泽东论直接民主,李生林、冯同庆,《湘潭大学社会科学学报》1984 年第 2 期

列宁在民族和殖民地问题上同帝国主义经济主义的论战,梁守德,《北京大学学报》(哲学社会科学版) 1984 年第 2 期

民主的历史考察——学习列宁关于民主的思想,刘登伦,《湖南师范大学社会科学学报》1984 年第 2 期

试论列宁关于社会主义文学创作规律的理论,刘伟林,《开放时代》1984 年第 2 期

列宁论社会主义建设中的求实精神,刘义泉,《厦门大学学报》(哲学社会科学版) 1984 年第 2 期

应当正确理解列宁关于辩证法的实质和核心的思想——与彭泽农、林圃两同志商榷,罗萍,《湘潭大学社会科学学报》1984 年第 2 期

列宁论资产阶级人道主义和人道主义伦理原则,马积华,《社会科学研究》1984 年第 2 期

试论列宁新经济政策学说的形成和理论贡献,商德文,《马克思主义研究》1984 年第 2 期

列宁的具体真理观,施为民,《中山大学学报》(社会科学版) 1984 年第 2 期

列宁反对资产阶级出版自由思想的斗争,苏成雪,《江汉论坛》1984 年第 2 期

列宁关于资本主义经济政治发展不平衡规律的理论在中国的运用和发展,田工,《广西师范大学学报》(哲学社会科学版) 1984 年第 2 期

列宁对马克思主义伦理学的主要贡献,王伟,《道德与文明》1984 年第 2 期

列宁论车尔尼雪夫斯基,魏玲,《北京大学学报》1984 年第 2 期

这也是一种特别的战争——读列宁有关抵制各种腐朽思想侵蚀的

论述,魏泽焕,《社会主义研究》1984 年第 2 期

列宁论苏联社会主义国家所有制,吴仁彰,《世界历史》1984 年第 2 期

列宁关于维护无产阶级执政党队伍纯洁性的理论和实践,谢永生,《新疆大学学报》(哲学、人文科学、社会科学版) 1984 年第 2 期

列宁重视社会主义精神文明的建设,徐胜希,《天津师范大学学报》1984 年第 2 期

论列宁从共耕制到合作制的战略思想转变,杨承训、余大章,《中国社会科学》1984 年第 2 期

列宁的两种民主制理论及其在我国的实践,杨国康,《西华师范大学学报》(哲学社会科学版) 1984 年第 2 期

如何理解列宁关于小生产大批产生资本主义的论断,杨会春,《中国社会科学院研究生院学报》1984 年第 2 期

列宁关于无产阶级专政条件下国家资本主义的论述和由此引起的一些思考,于光远,《马克思主义研究》1984 年第 2 期

列宁与"社会主义首先在一国胜利"的理论,余金成,《天津师范大学学报》(社会科学版) 1984 年第 2 期

对列宁关于生产资料生产优先

增长论述的一点理解,张爱国,《社会科学辑刊》1984 年第 2 期

社会主义实践经验的宝贵总结——读列宁最后口授的五篇文章,郑克强,《江西社会科学》1984 年第 2 期

正确理解列宁的思想,郑异凡,《读书》1984 年第 2 期

无产阶级对待妇女、家庭和婚姻的态度——学习列宁关于妇女、家庭和婚姻问题的论述,郑祖泉,《道德与文明》1984 年第 2 期

学习列宁关于党内民主的观点,周必文,《社会主义研究》1984 年第 2 期

列宁在新经济政策时期反对资产阶级思想侵袭的斗争,周振华、李邦燊,《社会科学研究》1984 年第 2 期

列宁论现代派文学,《文艺理论研究》1984 年第 2 期

列宁是怎样看待人道主义的,《文艺理论研究》1984 年第 2 期

正确理解列宁关于两种文化的思想,《文艺理论研究》1984 年第 2 期

论列宁在遗产问题上的思想:兼评"只要横向移植,不要纵向继承"论,陈辽,《艺谭》1984 年第 3 期

列宁论正确对待专家——纪念列宁逝世六十周年,戴清亮,《科学

社会主义》1984 年第 3 期

列宁经济建设时期的哲学思想，杜国辉，《贵州师范大学学报》（社会科学版）1984 年第 3 期

列宁的反映论与文艺创作——纪念列宁逝世六十周年，郭育新，《东北师大学报》（哲学社会科学版）1984 年第 3 期

列宁论孙中山及其革命事业，何毅亭，《陕西理工学院学报》（社会科学版）1984 年第 3 期

列宁斯大林与修正主义者围绕知识分子问题的一次激烈论战，胡义成，《汉中师院学报》（哲学社会科学版）1984 年第 3 期

艺术应反映变革时代——列宁美学思想札记，李寿福，《杭州大学学报》（哲学社会科学版）1984 年第 3 期

列宁关于俄国向社会主义过渡途径的探索，梁桂燊，《南昌大学学报》（人文社会科学版）1984 年第 3 期

列宁关于托尔斯泰的论述给我们哪些启示，梁素清，《贵州社会科学》1984 年第 3 期

列宁关于国家资本主义思想的形成和发展，刘佩弦，《马克思主义研究》1984 年第 3 期

略论卢森堡和列宁在民族问题上的争论，刘祖熙，《教学与研究》1984 年第 3 期

列宁的"两种文化"理论再探讨，钱念孙，《文艺理论研究》1984 年第 3 期

执政党更需要提高党员的素质——学习列宁建党思想的札记，秦向阳，《青海社会科学》1984 年第 3 期

试论列宁的社会主义经济建设思想，阮大荣，《俄罗斯中亚东欧研究》1984 年第 3 期

列宁论泰罗制，邵纯，《新疆社会科学》1984 年第 3 期

列宁的"一国胜利论"和十月革命，沈学善，《历史教学问题》1984 年第 3 期

列宁论克服官僚主义，石啸冲，《政治与法律》1984 年第 3 期

列宁论共产主义思想的建设——纪念列宁逝世 60 周年，吴秉元，《科学社会主义》1984 年第 3 期

列宁的"两种文化"的理论与民族文学，吴德辉，《云南师范大学学报》（哲学社会科学版）1984 年第 3 期

论列宁从共耕制到合作制的战略思想转变，杨承训、余大章，《科学社会主义》1984 年第 3 期

列宁关于建立国家机关工作责任制的理论与实践，袁曙宏，《科学社会主义》1984 年第 3 期

学习列宁关于哲学党性的论述，维护马克思主义理论的纯洁性，谢

淀波,《哲学研究》1984 年第 3 期

学习列宁关于执政党必须正确处理党政关系的理论和实践,徐善广,《科学社会主义》1984 年第 3 期

文学创作必须坚持唯物主义的反映论——学习列宁有关文学艺术的论述,张维麟,《江汉大学学报》(社会科学版)1984 年第 3 期

对列宁在十月革命中关于革命和平发展思想的探析,詹成付,《信阳师范学院学报》(哲学社会科学版)1984 年第 3 期

列宁教育思想初探,朱永新,《苏州大学学报》(哲学社会科学版)1984 年第 3 期

列宁的历史模拟和对照方法,〔苏〕斯塔尔琴科著,范达人译,《世界史研究动态》1984 年第 3 期

列宁关于社会主义纪律的学说,克洛奇科夫著,毛信仁译,《国际观察》1984 年第 3 期

列宁反对颓废主义文学的斗争,弗·罗·谢尔宾纳著,梅希泉译,《文艺理论研究》1984 年第 3 期

列宁关于文艺问题谈话一段译文的重要更正,《编辑之友》1984 年第 3 期

怎样理解列宁对 1919 年匈牙利革命独特性的论述,阚思静,《江淮论坛》1984 年第 4 期

对列宁一长制思想的认识和理解,姜利军,《财贸研究》1984 年第

4 期

列宁在民族和殖民地问题上同帝国主义经济主义的论战,梁守德,《科学社会主义》1984 年第 4 期

试论列宁关于文学反映社会生活本质的理论,凌南申,《文史哲》1984 年第 4 期

民主的历史考察——学习列宁关于民主的思想,刘登伦,《科学社会主义》1984 年第 4 期

列宁的科学政策和苏维埃国家经济建设的发展,刘立凯,《科学学与科学技术管理》1984 年第 4 期

列宁文艺论著在中国翻译出版情况,刘庆福,《北京师范大学学报》(社会科学版)1984 年第 4 期

学习列宁关于提高执政党党员素质的论述,陆善炯,《湖北大学学报》(哲学社会科学版)1984 年第 4 期

列宁论文艺的真实性,孙英杰、梁树人,《西北师大学报》(社会科学版)1984 年第 4 期

列宁关于政权建设的思想和实践——为纪念列宁逝世六十周年而作,万中一,《科学社会主义》1984 年第 4 期

列宁反对官僚主义的理论和实践,韦秉超、韦钦荣,《广西民族学院学报》(哲学社会科学版)1984 年第 4 期

苏俄初期列宁关于农民政策的

思想，吴家宝，《杭州师范学院学报》（社会科学版）1984 年第 4 期

列宁论消灭民族间事实上不平等的问题，杨再军，《贵州民族研究》1984 年第 4 期

论 1918 年春列宁的社会主义建设计划，余伟民，《华东师范大学学报》（哲学社会科学版）1984 年第 4 期

列宁是怎样看待不可知论的，张纯厚，《延安大学学报》（社会科学版）1984 年第 4 期

列宁关于半殖民地半封建社会的学说，赵德馨，《青海社会科学》1984 年第 4 期

应该全面正确地理解列宁关于法制问题的一段论述，周伟，《抚顺师专学报》（社会科学版）1984 年第 4 期

马克思的假像概念——兼谈如何理解列宁有关假像的笔记，周振选，《天津社会科学》1984 年第 4 期

列宁在刘泽荣证书上加的批示，《中国档案》1984 年第 4 期

列宁关于社会主义国家干部队伍建设的理论和实践，黄新跃，《社会主义研究》1984 年第 5 期

简述列宁关于发展对外经济关系及"租让制"的理论与我国经济特区的实践，金志国，《经济问题探索》1984 年第 5 期

关于文学遗产的几个问题——

学习列宁关于文化遗产的论述，匡音，《河南大学学报》（社会科学版）1984 年第 5 期

列宁关于对小农经济实行国家调节的思想，刘世定，《中国农村观察》1984 年第 5 期

马克思、恩格斯、列宁、斯大林、毛泽东关于学习新的科学知识，向落后愚昧作斗争的部分论述，陶厚明，《科学学与科学技术管理》1984 年第 5 期

列宁的无产阶级民主思想，王立行，《社会主义研究》1984 年第 5 期

列宁对俄国走向社会主义道路的探索，肖月，《北京大学学报》（哲学社会科学版）1984 年第 5 期

列宁论辛亥革命，许九星，《学习与探索》1984 年第 5 期

列宁关于经济跳跃发展规律的论述对我国经济发展战略的几点启示，何建民，《复旦学报》（社会科学版）1984 年第 6 期

列宁和普列汉诺夫关于知识分子问题的论争，胡义成，《社会科学研究》1984 年第 6 期

列宁最后几篇著作中关于改善无产阶级国家机关的理论要点和意义，惠连江，《社会主义研究》1984 年第 6 期

列宁关于改造农民小生产的重要思想，李树直，《中国社会科学院

研究生院学报》1984 年第 6 期

苏联在列宁、斯大林时期吸收外资引进技术的情况，刘重，《俄罗斯中亚东欧研究》1984 年第 6 期

布哈林的无产阶级文化论与列宁的文化革命思想，马龙闪，《俄罗斯中亚东欧研究》1984 年第 6 期

列宁对罗莎卢森堡《资本积累》一书的批判及其意义：答任微同志，许兴亚，《河南大学学报》（哲学社会科学版）1984 年第 6 期

列宁分析知识分子的若干问题，Л. 斯莫利亚科夫著，亢康译，《国外社会科学》1984 年第 6 期

列宁合作制理论与斯大林集体化思想的异同，冯良勤，《经济研究》1984 年第 7 期

列宁论基础与上层建筑的相互作用（十月革命以前的著作），苏金、李淼，《国外社会科学文摘》1984 年第 7 期

列宁论"一长管理制"，沈宝祥，《前线》1984 年第 9 期

列宁关于殖民主义两种方式的理论与新殖民主义的现实，吴健、张伯里，《世界经济》1984 年第 9 期

列宁关于通过"中间环节"向社会主义过渡的思想，顾明裕，《科学社会主义》1984 年第 11 期

列宁的物质学说，B. 戈特、И. 纳尔斯基著，范习新译，《国外社会科学》1984 年第 11 期

列宁关于认识论和辩证法的知识来源的纲要，王东，《哲学研究》1984 年第 11 期

列宁是怎样论述个人负责制的，唐军、李金城，《中国劳动》1984 年第 13 期

列宁逝世前后的托洛茨基与俄共（布）党内斗争，安大峰，《苏联历史》1985 年第 1 期

党要领导，不要包办：学习列宁在俄共（布）第十一次代表大会上有关党和苏维埃政权相互关系论述的心得札记，胡瑾，《聊城师范学院学报》（哲学社会科学版）1985 年第 1 期

列宁论一长制（选自《列宁全集》），陈寒枫、孙喜云辑录，《经济问题》1985 年第 2 期

略论列宁关于苏维埃政权建设的理论，冯同庆，《晋阳学刊》1985 年第 2 期

学习列宁关于社会主义建设的理论，林乙烽，《徐州师范学院学报》（哲学社会科学版）1985 年第 2 期

斯大林对托洛茨基"不断革命论"的批判：兼论斯大林对列宁一国建成社会主义理论的继承与发展，王双金，《齐齐哈尔师范学院学报》（哲学社会科学版）1985 年第 2 期

马克思、恩格斯、列宁是怎样分析让步这种历史现象的，谢天佑，

《华中师院学报》（哲学社会科学版）1985 年第 2 期

改革，要批判"左"的偏见：学习列宁对新经济政策的论证，李匡夫，《东岳论丛》1985 年第 3 期

论列宁的社会主义货币、银行理论和实践，巫克飞，《厦门大学学报》（哲学社会科学版）1985 年第 3 期

评某些西方学者对列宁早期思想的歪曲，李鹏程，《内蒙古社会科学》1985 年第 3 期

列宁十月革命后对"左"的倾向的斗争，余源培，《复旦学报》（社会科学版）1985 年第 4 期

列宁书信中的经济建设问题，张坚，《上海师范大学学报》（哲学社会科学版）1985 年第 4 期

浅谈列宁对未来主义的论述，岳凤麟，《北京大学学报》（哲学社会科学版）1985 年第 4 期

创作自由与艺术规律：读列宁与蔡特金谈话有感，董学文，《文学知识》1985 年第 10 期

马克思、恩格斯、列宁、斯大林、毛泽东论理论学习，《理论月刊》1985 年第 12 期

列宁论党政关系，卢先福，《理论月刊》1985 年第 12 期

马克思列宁主义辩证法的迫切问题，[苏] E. 阿斯塔霍娃、P. 别利亚耶，《国外社会科学动态》1985 年

第 12 期

我认为列宁的物质定义不需要修正：与《关于物质的定义问题》一文商榷，张保卫，《上饶师专学报》（社会科学版）1986 年第 1 期

一个被误解了的重要概念：试析列宁有关"停止退却"的论述，闻一，《外国问题研究》1986 年第 3 期

是否存在德波林贬低列宁和列宁主义的问题，未央摘，《世界史研究动态》1986 年第 3 期

社会主义需要法律武器：学习列宁的社会主义法制理论，徐国喜，《青海社会科学》1986 年第 3 期

列宁建设社会主义理论的再认识，徐博涵，《社会科学评论》1986 年第 5 期

列宁关于执政党干部队伍建设的一个重要思想，何孝瑛，《理论月刊》1986 年第 6 期

试论普列汉诺夫对列宁建党学说产生所起的作用，刘列励，《理论月刊》1986 年第 6 期

马克思、恩格斯、列宁、斯大林、毛泽东论社会主义精神文明，《党的生活》1986 年第 12 期

列宁论辩证法、认识论、逻辑的三者同一，卞敏，《求是学刊》1987 年第 1 期

正确认识列宁一九二〇年前后关于世界革命理论的论述及影响，

程玉海,《科学社会主义》1987 年第 1 期

马克思、恩格斯、列宁是怎样论述社会发展阶段能否超越问题的, 丁民、孟宪慧,《内蒙古师范大学学报》(哲学社会科学版) 1987 年第 1 期

关于列宁著作中使用公开性一词的资料, 何宏江,《经济社会体制比较》1987 年第 1 期

要更加缓和更加谨慎更加让步——列宁晚年有关发展民族地区的策略思想, 华辛芝,《广西民族研究》1987 年第 1 期

列宁晚年思想和政治体制改革, 姜长斌,《求是学刊》1987 年第 1 期

列宁关于社会主义文化建设的论述, 江萍、武满贵,《渤海大学学报》(哲学社会科学版) 1987 年第 1 期

论列宁对一战及其后果的科学预见, 金学锋,《科学社会主义》1987 年第 1 期

对列宁关于马克思主义思想来源论断探讨的再探讨, 金重,《教学与研究》1987 年第 1 期

列宁对按劳分配理论的发展, 李子猷、王毅武,《青海师专学报》1987 年第 1 期

论列宁的实践观, 柳石,《内蒙古师范大学学报》(哲学社会科学版) 1987 年第 1 期

列宁的社会主义经济建设思想, 宋才发,《咸宁学院学报》1987 年第 1 期

论列宁提倡求实反对空谈思想的现实意义, 宋才发,《许昌学院学报》1987 年第 1 期

列宁论改革和完善社会主义国家政治制度, 王金华,《理论学刊》1987 年第 1 期

用质与量统一的观点理解列宁关于帝国主义垂死性的涵义, 王渊,《甘肃理论学刊》1987 年第 1 期

列宁关于全民的、国家的"辛迪加"的设想, 薛汉伟,《上饶师范学院学报》1987 年第 1 期

列宁的社会主义建设理论和联共(布)党内关于这个问题的斗争, 严士琦,《贵州大学学报》(社会科学版) 1987 年第 1 期

列宁关于技术的哲学理论与当代技术革命, 杨庭芳,《武汉大学学报》(人文科学版) 1987 年第 1 期

"一国建成社会主义"理论列宁创立说再探, 张敬禄,《科学社会主义》1987 年第 1 期

列宁晚期关于社会主义经济建设的若干基本理论, 张伟垣,《俄罗斯中亚东欧研究》1987 年第 1 期

对列宁关于帝国主义论断的几点理解, 蔡久忠、兰虹,《西华大学学报》(哲学社会科学版) 1987 年第 2 期

列宁关于苏维埃国家机关改革和完善的理论和实践，陈宏达，《苏州教育学院学报》1987 年第 2 期

一份丰厚的思想财富：学习列宁论反对官僚主义札记，田运康，《青海师范大学学报》（哲学社会科学版）1987 年第 2 期

黑格尔范畴论的系统思想及列宁对它的改造，高峰，《江西师范大学学报》（哲学社会科学版）1987 年第 2 期

我们是怎样理解列宁的"客观真理"的，高悦堂、要兴磊，《石油大学学报》（社会科学版）1987 年第 2 期

列宁论哲学的研究对象，郭必选，《延安大学学报》（社会科学版）1987 年第 2 期

简论新经济政策——重新学习列宁关于新经济政策的思想，贾文华，《学术交流》1987 年第 2 期

列宁、斯大林关于苏联发展对外经济关系的战略思想，屈里生，《俄罗斯中亚东欧研究》1987 年第 2 期

列宁制订和实行租让制政策的一些思想理论原则给我们的启示，任大奎，《教学与研究》1987 年第 2 期

试论列宁的艺术典型观，孙英杰，《陕西师范大学学报》（哲学社会科学版）1987 年第 2 期

列宁的新经济政策，孙荣奎，《探索与争鸣》1987 年第 2 期

列宁的清党思想与俄共（布）的清党实践，田永祥，《齐齐哈尔大学学报》（哲学社会科学版）1987 年第 2 期

列宁国家资本主义理论在我国新的运用和发展，黎青平，《江西社会科学》1987 年第 2 期

列宁反对官僚主义的理论和实践，万智，《甘肃理论学刊》1987 年第 2 期

列宁关于执政党领导社会主义国家管理的理论，王立行，《俄罗斯中亚东欧研究》1987 年第 2 期

学习列宁关于改革国家机关的理论，王晓平，《科学社会主义》1987 年第 2 期

列宁论社会主义民主和法制，韦秉超，《江苏经贸职业技术学院学报》1987 年第 2 期

学习列宁论社会主义精神文明建设笔记，刘树义，《承德民族师专学报》1987 年第 2 期

论列宁的政治民主思想，栾锋，《学术交流》1987 年第 2 期

论列宁在革命低潮时期的理论贡献，宋才发，《社会主义研究》1987 年第 2 期

列宁关于经济落后国家向社会主义过渡思想初探，杨闯，《外交评论》1987 年第 2 期

评西方"列宁学"对葛兰西思想同列宁主义关系的研究，叶卫平，《社会主义研究》1987年第2期

学习列宁"政治遗嘱"札记：关于列宁的社会主义文化建设思想，赵永清，《江海学刊》（经济社会版）1987年第2期

列宁的教育经济学思想及其在方法论上给我们的启示，郑英隆，《现代教育论丛》1987年第2期

列宁关于社会主义监督理论刍议，钟实，《怀化学院学报》1987年第2期

列宁关于两条战线斗争理论的由来和发展，朱其高，《徐州师范大学学报》（哲学社会科学版）1987年第2期

列宁晚年对外开放思想初探，俎鸿璧、徐万珉，《天津师范大学学报》（社会科学版）1987年第2期

列宁晚年对外开放思想初探，俎鸿璧、徐万珉，《天津师范大学学报》（自然科学版）1987年第2期

列宁论改革，哈利波夫著，刘光慧译，《国外社会科学》1987年第2期

试谈列宁关于向工人灌输马克思主义的著名原理，崔书元，《徐州师范大学学报》（哲学社会科学版）1987年第3期

民主与民主制是两个不同的概念——谈对列宁一段译文的质疑，贺培育，《湖南师范大学社会科学学报》1987年第3期

民主与民主制是两个不同的概念——谈对列宁一段译文的质疑，贺培育，《湖南师范大学教育科学学报》1987年第3期

列宁关于社会主义文化建设的论述，江萍、武满贵，《科学社会主义》1987年第3期

列宁的文教建设思想与我国的精神文明建设，李国拱，《现代教育论丛》1987年第3期

论列宁的政治道德观，李建华，《学术论坛》1987年第3期

列宁"利润也是满足'社会'需要的"原意辨析，梁超、杨韧，《马克思主义研究》1987年第3期

列宁论"客观真理"的二义性，刘朴，《河北学刊》1987年第3期

论列宁国家资本主义思想的形成和发展，罗新厚，《信阳师范学院学报》（哲学社会科学版）1987年第3期

略论列宁对唯物辩证法体系的贡献，苗尤风，《郑州大学学报》（哲学社会科学版）1987年第3期

列宁的经济管理思想初探，沙献玉，《河南大学学报》（社会科学版）1987年第3期

论列宁的民主观，史龙身，《洛阳师专学报》（社会科学版）1987年

第 3 期

略论马克思和列宁对费尔巴哈实践观评价的"差异"，宋建平，《探索与争鸣》1987 年第 3 期

列宁关于两条战线斗争的理论及其意义，苏建华，《理论学刊》1987 年第 3 期

列宁关于绝对真理与相对真理关系的辩证法思想，王以富，《上饶师范学院学报》1987 年第 3 期

对列宁五大特征理论的几点认识，谢瑞淡，《浙江学刊》1987 年第 3 期

列宁论苏维埃政治体制改革徐，万珉，《科学社会主义》1987 年第 3 期

列宁关于工农民主监督的理论和实践，许泽新，《社会主义研究》1987 年第 3 期

列宁的市场理论与我国经济建设，杨运忠，《兰州学刊》1987 年第 3 期

评西方"列宁学"所谓的列宁主义同马克思主义的哲学"对立"，叶卫平，《中国人民大学学报》1987 年第 3 期

列宁关于资本主义薄弱环节思想形成史新探，叶卫平，《北京社会科学》1987 年第 3 期

驳某些西方学者对列宁无产阶级政党学说的歪曲，叶卫平，《教学与研究》1987 年第 3 期

列宁"一国首先胜利"论形成的时间和基本内容辨析，俞良早，《湖北大学学报》（哲学社会科学版）1987 年第 3 期

重学列宁图书馆学思想的体会，于鸣镝，《图书馆建设》1987 年第 3 期

列宁晚年关心的几个问题，周尚文，《聊城大学学报》（社会科学版）1987 年第 3 期

领导者的基本素养——重读列宁的政治遗嘱，朱晓平，《理论探讨》1987 年第 3 期

列宁的管理思想及其对管理哲学的启迪，崔绪治，《人文杂志》1987 年第 4 期

列宁论从间接民主到直接民主的过渡，陈国江、唐金连，《广西民族学院学报》（哲学社会科学版）1987 年第 4 期

当代帝国主义与列宁的帝国主义论——介绍一些苏联学者的观点，何剑，《世界经济与政治》1987 年第 4 期

关于列宁社会主义监督理论的探讨，黄百炼，《社会主义研究》1987 年第 4 期

列宁关于社会预见的历史类比法，金学锋，《天府新论》1987 年第 4 期

对列宁关于"落后国家首先爆发社会主义革命"理论的再认识，

金昭昀,《甘肃理论学刊》1987 年第 4 期

列宁关于建设社会主义"要循序渐进"思想浅论,李海镜,《河北学刊》1987 年第 4 期

列宁论社会主义民主及其建设,刘义泉,《厦门大学学报》(哲学社会科学版)1987 年第 4 期

列宁"民族同化"理论初探,马平,《固原师专学报》1987 年第 4 期

列宁对落后国家走向社会主义道路的探索及主要贡献,马云,《内蒙古民族大学学报》(社会科学版)1987 年第 4 期

列宁反对官僚主义的斗争及其历史经验,闵宝力,《日本学论坛》1987 年第 4 期

"全民统计与监督":列宁关于国家资本主义的思想初探,倪培华,《史林》1987 年第 4 期

试论列宁反对官僚主义的措施,石荣慧,《河池学院学报》1987 年第 4 期

试论列宁在十月革命准备时期统一战线的策略问题,孙庆亚、李剑杰,《日本学论坛》1987 年第 4 期

列宁对对立统一学说的独特发挥,王东,《唯实》1987 年第 4 期

列宁关于社会主义执政党管理国家的思想,王立行,《文史哲》1987 年第 4 期

列宁抵制各种腐朽思想的理论与实践,魏泽焕,《唯实》1987 年第 4 期

民族立法是民族平等的根本保证——学习列宁关于民族立法的理论和实践,杨健吾,《青海民族学院学报》1987 年第 4 期

西方"列宁学"关于卢森堡思想同列宁主义的"对立"论评析,叶卫平,《兰州学刊》1987 年第 4 期

评西方"列宁学"对列宁的国家学说的歪曲,叶卫平,《学习月刊》1987 年第 4 期

列宁论辩证法与诡辩论的界限,易杰雄,《山东社会科学》1987 年第 4 期

列宁的社会主义建设理论和联共(布)党内关于这个问题的斗争,严士琦,《科学社会主义》1987 年第 4 期

重温列宁关于一长制的论述,何孝瑛,《理论学刊》1987 年第 5 期

列宁社会主义监督理论的核心及其体系,黄百炼,《湖南师范大学社会科学学报》1987 年第 5 期

正确理解列宁关于国家经济职能的理论,李霆,《哲学研究》1987 年第 5 期

论列宁的最后思想,柳植,《世界历史》1987 年第 5 期

统计认识与政治经济研究的关系——学习列宁统计思想的一点体

会，谢中枢，《统计研究》1987 年第 5 期

列宁关于全民的、国家的"辛迪加"的设想，薛汉伟，《科学社会主义》1987 年第 5 期

列宁所说"对社会主义的整个看法根本改变了"究竟指的什么？杨会春，《经济科学》1987 年第 5 期

列宁是十月起义的决策者——读十月革命前夕列宁的几封信，张坚，《国际观察》1987 年第 5 期

列宁关于合作制社会主义制度的构想，赵士刚，《中国社会科学院研究生院学报》1987 年第 5 期

列宁的反映论与皮亚杰的发生认识论，赵璧如，《哲学动态》1987 年第 5 期

从今日之现实看列宁的帝国主义论，阿巴尔金著，高作宾译，《国外社会科学》1987 年第 5 期

马克思列宁主义的人民自治思想及其历史发展，[苏] 布金科著，严容译，《法学译丛》1987 年第 5 期

列宁的经济核算制思想与当代现实，[苏] 卡尔梅科夫著，陈汉章译，《法学译丛》1987 年第 5 期

列宁关于劳动刺激的思想与当代现实，[苏] 谢列兹尼奥夫著，应世昌译，《国外社会科学文摘》1987 年第 6 期

试论列宁监督思想的内核，黄百炼，《求索》1987 年第 6 期

略论列宁反对官僚主义的斗争，李剑，《理论学刊》1987 年第 6 期

列宁关于社会主义国家对外贸易理论初探，宋才发，《华中师范大学学报》（人文社会科学版）1987 年第 6 期

列宁晚年探研"初级阶段"之鉴，杨承训、王梦飞，《河南大学学报》（社会科学版）1987 年第 6 期

列宁新经济政策思想与社会主义国家的改革，詹一之，《天府新论》1987 年第 6 期

列宁关于多党合作的思想与社会主义国家的实践，王金华，《俄罗斯中亚东欧研究》1987 年第 6 期

学习列宁的社会主义改革理论推动和促进改革的深入发展，张恩渠，《甘肃理论学刊》1987 年第 6 期

二十年代的启示——列宁的新经济政策与戈尔巴乔夫的"根本改革"，郑彪，《俄罗斯中亚东欧研究》1987 年第 6 期

列宁"遗嘱"考，郑异凡，《世界历史》1987 年第 6 期

如何理解列宁的外贸垄断制理论，周国仿，《社会科学》1987 年第 6 期

坚持和发展列宁关于共产主义劳动态度的思想，罗若山，《社会科学》1987 年第 7 期

增强学习和遵守党章的自觉性——学习列宁关于党章在党的生

活中的地位和作用的论述，孙铭，《党政论坛》1987年第7期

驳某些西方学者对列宁无产阶级政党学说的歪曲，叶卫平，《科学社会主义》1987年第7期

《列宁的历史概念：研究的方法论和方法》，郑羽译，《世界史研究动态》1987年第8期

列宁关于两条战线斗争理论的由来和发展，朱其高，《科学社会主义》1987年第8期

如何理解列宁关于社会主义"最初级形式""初级形式"等提法，高放，《科学社会主义》1987年第9期

列宁的新经济政策理论对科学社会主义的发展，严书翰，《科学社会主义》1987年第12期

列宁所说"对社会主义的整个看法根本改变了"究竟指的什么？杨会春，《科学社会主义》1987年第12期

列宁论反对官僚主义和拖拉作风，я.柴卢里科夫著，刘光慧译，《国外社会科学》1987年第12期

列宁关于反对官僚主义的理论与实践，韩福文，《沈阳师范学院学报》(社会科学版)1988年第1期

列宁论反对官僚主义的法律对策，刘学信、沈霞、任高潮，《现代法学》1988年第1期

列宁关于党政关系的基本构想与我国政治体制改革，韩强，《甘肃理论学刊》1988年第2期

苏联领导人谈列宁的社会主义概念的实质：摘自苏中央政治局委员、中央书记A.雅科夫列夫《新阶段的社会科学》，李兴汉译，《苏联东欧问题译丛》1988年第2期

略论列宁对"左派共产主义者"的评价，孙景峰，《天津教育学院学报》1988年第2期

经济落后国家建设社会主义的重要经验：学习列宁建设社会主义的理论和实践，陈锡华、包德惠，《安徽省委党校学报》1988年第3期

"一国两制"理论是列宁"和平共处"思想的新发展，孙光明，《宜春师专学报》1988年第3期

谈谈列宁的遗嘱问题，[苏]弗瑙莫夫著，欣冬译，《当代世界社会主义问题》1988年第3期

论列宁对无产阶级专政学说的新贡献，宋才发，《齐齐哈尔大学学报》(哲学社会科学版)1988年第3期

列宁关于社会主义法制建设的思想初探，宋才发，《中南政法学院学报》1988年第4期

列宁的政治遗嘱：在列宁逝世五周年悼念大会上的报告，[苏]H.布哈林著，戴凤文译，《哲学译丛》1988年第6期

论列宁、斯大林反对两种民族主义的不同取向，白坚，《陕西师范大学学报》(哲学社会科学版) 1989年第1期

运用列宁的清党理论搞好党的建设，杜翰波、张学义，《长白学刊》1989年第1期

学习列宁关于社会主义文学事业发展方向和道路的论述，段文耀，《新疆大学学报》(哲学、人文科学、社会科学版) 1989年第1期

最近对社会民主主义重新评价的特点与列宁在今天的意义，江风编译，《国外社会科学快报》1989年第1期

试论列宁的社会主义，乔耀章，《苏州大学学报》(哲学社会科学版) 1989年第1期

论列宁新经济政策中关于"中间环节"的思想，王万民，《四川大学学报》(哲学社会科学版) 1989年第1期

列宁文化观与社会主义初级阶段的文化建构，袁阳，《社会科学研究》1989年第1期

试析列宁的国家机构改革思想，张赤卫，《大庆社会科学》1989年第1期

重温列宁关于无产阶级专政体系的思想，张仲华、杨丽娟，《中国人民大学学报》1989年第1期

列宁关于统计理论的若干思想，H.里亚佐夫，《统计研究》1989年第1期

关于资本主义历史地位和历史命运的几个认识问题——兼论怎样看待列宁的帝国主义定义，黄元拔，《乐山师范学院学报》1989年第2期

浅谈列宁对社会主义的认识，刘元胜、林昭棠，《上海海事大学学报》1989年第2期

从十月革命到二次大战前夕苏联的民族政策及列宁同斯大林的分歧，饶以诚，《西北民族学院学报》(哲学社会科学版) 1989年第2期

论列宁的宏观经济管理思想，商德文，《马克思主义研究》1989年第2期

论列宁合作制思想的形成，魏倩，《河南师范大学学报》(哲学社会科学版) 1989年第2期

列宁关于执政党的基本理论与实践，魏泽焕，《长江论坛》1989年第2期

我国关于列宁著作编辑出版概述，吴道弘，《编辑之友》1989年第2期

"宁可数量少些但要质量高些"——列宁关于提高执政党党员质量的思想和实践，杨卓华，《理论建设》1989年第2期

也谈对列宁有关"政治"论述的理解，于超、李爱华，《石油大学

学报》（社会科学版）1989 年第 2 期

简述列宁国家资本主义思想的形成和发展，张赤卫，《理论建设》1989 年第 2 期

正确理解和对待民族自决权原则——学习列宁关于民族自决权的思想，周天中，《内蒙古大学学报》（人文社会科学版）1989 年第 2 期

列宁论辩证法、认识论和逻辑学三者同一，郭松，《贵州大学学报》（社会科学版）1989 年第 3 期

列宁论辛亥革命，胡迅雷，《宁夏大学学报》（人文社会科学版）1989 年第 3 期

列宁文化观的系统性和主体性窥视，黄志秋，《社会主义研究》1989 年第 3 期

论列宁的文化发展观，黄志秋，《中共福建省委党校学报》1989 年第 3 期

论列宁的和平共处思想和政策——学习列宁外交思想的几点体会，石磊，《外交评论》1989 年第 3 期

列宁的民族民主革命思想初探，宋才发，《湖北民族学院学报》（哲学社会科学版）1989 年第 3 期

政治改革的枢纽：执政党自身的民主化——论列宁晚年政治学说的重大转变，王东，《政治学研究》1989 年第 3 期

列宁的反官僚主义思想，杨国藩，《聊城大学学报》（社会科学版）1989 年第 3 期

论列宁晚期的民主思想，杨玲，《齐齐哈尔大学学报》（哲学社会科学版）1989 年第 3 期

论列宁科学地对待马克思主义，周亚东，《吉林师范大学学报》（人文社会科学版）1989 年第 3 期

列宁的民族自决权思想新议，陈联璧，《俄罗斯中亚东欧研究》1989 年第 4 期

马克思、列宁社会形态理论的比较考察——以俄国资本主义和社会主义历史道路问题为例，楚成亚、张建梅，《天津师范大学学报》（社会科学版）1989 年第 4 期

列宁主义反对官僚主义，库拉什维利、段丽萍译，《国外社会科学文摘》1989 年第 4 期

论列宁的社会主义概念问题，鲁季奇、潘培新，《世界社会主义问题》1989 年第 4 期

怎样看待新闻出版自由？——学习列宁十月革命胜利前后的有关论述，夏鼎铭，《新闻大学》1989 年第 4 期

列宁对社会主义建设理论的探索，杨惠卿，《菏泽学院学报》1989 年第 4 期

重新认识列宁对马克思主义世界革命论的重大发展，俞良早，《湖北大学学报》（哲学社会科学版）

1989 年第 4 期

列宁的反映论原则与发生认识论的贡献，周和岭，《理论建设》1989 年第 4 期

列宁关于社会主义经济中商品货币关系的理论，高阳生，《俄罗斯中亚东欧研究》1989 年第 5 期

论列宁对社会主义道路的选择，张培义，《山东师范大学学报》（人文社会科学版）1989 年第 5 期

重读列宁最后的几篇文章，赵良玉，《新视野》1989 年第 5 期

列宁在经济文化落后的俄国建设社会主义的历史探索，陈国新，《思想战线》1989 年第 6 期

列宁对社会主义自治思想的继承和发展，董晓阳，《俄罗斯中亚东欧研究》1989 年第 6 期

究竟谁在误解列宁的"一国首先胜利"论？——与俞良早同志商榷，李心华，《俄罗斯中亚东欧研究》1989 年第 6 期

应当重视研究列宁关于"清党"的思想，王兰垣、阎秀钰，《天津师范大学学报》（社会科学版）1989 年第 6 期

"政治就是各阶级之间的斗争"是列宁所要纠正的一种错误观念——同何宏江同志讨论如何正确理解"政治就是各阶级之间的斗争"问题，张克明，《政治学研究》1989 年第 6 期

当代资本主义垄断的新作用——对列宁"垄断产生停滞腐朽趋势"理论的再认识，江瑞平，《世界经济》1989 年第 8 期

是反对官僚主义，还是反对经济计划？——从一段列宁话语的译文修订谈起，丁世俊，《读书》1989 年第 10 期

指导我们思想的理论基础是马克思列宁主义：驳资产阶级自由化否定马克思列宁主义的谬论，张震，《求是》1989 年第 18 期

也谈列宁的反映论——与王若水同志商榷，方永祥、鲁世山、李素霞，《安徽师范大学学报》（人文社会科学版）1990 年第 1 期

坚持用历史唯物主义观点来认识资本主义的历史地位和历史命运——评对马克思和列宁的两个重要结论的曲解，黄元拔，《高校理论战线》1990 年第 1 期

正确理解列宁"少谈政治"和"多谈经济"的本意，姬藏舟，《河北学刊》1990 年第 1 期

列宁矛盾辩证法思想初探，李修凡，《湖南理工学院学报》（自然科学版）1990 年第 1 期

民主集中制的由来和列宁的论述，李宗禹，《当代世界与社会主义》1990 年第 1 期

建构科学的认识论体系的基本原则——列宁认识论体系探讨之一，

鲁延红、康渝生,《学术交流》1990年第 1 期

列宁论统计的基本性质,莫日达,《统计与决策》1990 年第 1 期

不要疯狂的热潮坚持求实的精神——论列宁在内政问题上同"左派共产主义者"的分歧和斗争,邱大为,《丽水师范专科学校学报》1990 年第 1 期

略论列宁的编辑理论与实践,宋才发,《华中师范大学学报》(人文社会科学版) 1990 年第 1 期

论列宁关于社会主义民主的理论与实践,宋才发,《商丘师范学院学报》1990 年第 1 期

试析列宁晚年对"帝国主义是垂死的资本主义"的否定,史振荣,《求是学刊》1990 年第 1 期

关于列宁的"直接过渡"思想,王佳友,《阜阳师范学院学报》(社会科学版) 1990 年第 1 期

列宁的时代观与现时代,王文学、郭保珠,《甘肃社会科学》1990年第 1 期

列宁主义时代理论浅探——兼论对当今时代的认识及表述,武军,《外交评论》1990 年第 1 期

列宁论社会主义国家行政管理的基本原则,徐善广,《湖北大学学报》(哲学社会科学版) 1990 年第 1 期

列宁对第二国际机会主义的斗争,张中云、蔡金培,《党建研究》1990 年第 1 期

列宁的半国家理论与社会主义初级阶段国家形态,朱昌宁,《苏州大学学报》(哲学社会科学版) 1990 年第 1 期

论列宁的社会主义文化建设思想,巴德,《当代世界与社会主义》1990 年第 2 期

列宁论"职业革命家",丁世俊,《党建研究》1990 年第 2 期

学习列宁执政党建设的思想,杜胜年,《河西学院学报》1990 年第 2 期

学习列宁有关社会主义图书馆事业的基本思想——纪念列宁诞辰120 周年,冯锦生,《河北科技图苑》1990 年第 2 期

是战略性的措施还是策略性的手段——评列宁的和平共处政策,姜毅,《俄罗斯中亚东欧研究》1990年第 2 期

列宁论党与人民群众的血肉联系,李忠杰,《当代世界与社会主义》1990 年第 2 期

列宁如何向马克思请教,李洙泗,《读书》1990 年第 2 期

略论列宁关于同国际资本交往与斗争的理论和实践,陆善炯,《浙江大学学报》(人文社会科学版) 1990 年第 2 期

列宁关于农业社会主义改造的

思想及现实意义，邱良海，《社会科学研究》1990 年第 2 期

列宁论党的民主集中制，宋才发，《攀登》1990 年第 2 期

论列宁关于社会主义国民教育的思想，宋才发，《外国教育研究》1990 年第 2 期

列宁的新经济政策的实质与贡献，王国杰，《当代世界与社会主义》1990 年第 2 期

马克思实践观与列宁实践观之比较，王起奎，《东岳论丛》1990 年第 2 期

列宁的劳动生产率理论及其时代意义，邢俊芳，《教学与研究》1990 年第 2 期

列宁新经济政策思想概述，续建宜，《西北师大学报》（社会科学版）1990 年第 2 期

列宁民主形式思想浅论，杨龙，《山西师大学报》（社会科学版）1990 年第 2 期

论十月起义后列宁关于俄国革命的三个思想转变，俞良早，《当代世界与社会主义》1990 年第 2 期

列宁晚年关于民族问题的几点光辉思想，张佩航，《当代世界与社会主义》1990 年第 2 期

列宁晚年论社会主义的国家管理，张志斌，《江西社会科学》1990 年第 2 期

无产阶级历史主义的范例——

列宁评价赫尔岑的方法论意义，周乐群，《贵阳师范高等专科学校学报》（社会科学版）1990 年第 2 期

关于列宁斯大林对苏维埃看法差异的研究，朱桂谦，《浙江师范大学学报》（社会科学版）1990 年第 2 期

马克思、恩格斯、列宁论性爱，《文艺理论研究》1990 年第 2 期

把经济文化落后的俄国引上社会主义大道——列宁的一个伟大的创造，范玉传，《高校理论战线》1990 年第 3 期

列宁关于图书馆事业的基本思想，冯锦生，《山西大学学报》（哲学社会科学版）1990 年第 3 期

建设社会主义需要文明：列宁的文明观，郭建民，《精神文明建设》1990 年第 3 期

列宁关于社会主义与资本主义经济关系的科学分析，纪明山，《南开经济研究》1990 年第 3 期

列宁教育思想浅论，刘映国，《河南师范大学学报》（哲学社会科学版）1990 年第 3 期

列宁一贯坚持共产党对国家政权的领导作用——纪念列宁诞辰 120 周年，梅荣政，《学校党建与思想教育》1990 年第 3 期

列宁的一段著名论述与他的一次遇险，南宁，《乡镇论坛》1990 年第 3 期

试论列宁关于提高党员质量的思想，齐同春，《河南师范大学学报》（哲学社会科学版）1990 年第3 期

论列宁对社会主义民主的探索，辛庚，《陕西师范大学学报》（哲学社会科学版）1990 年第3 期

马克思主义宗教学的光辉文献——学习列宁关于宗教问题的论述，辛世俊，《青海社会科学》1990 年第3 期

试论列宁晚年对社会主义的认识，杨运忠，《国际观察》1990 年第3 期

试论列宁的出版自由思想，袁成本，《新闻与传播研究》1990 年第3 期

列宁论第二国际的破产——纪念列宁诞辰 120 周年，章展，《北京大学学报》（哲学社会科学版）1990 年第3 期

关于列宁真理观中的几个问题，张剑伟，《信阳师范学院学报》（哲学社会科学版）1990 年第3 期

略论列宁与第二国际社会民主主义的若干分歧，张中云，《教学与研究》1990 年第3 期

列宁关于执政党建设的几个重要思想，赵锦良，《山东社会科学》1990 年第3 期

对列宁"一国首先胜利"论的再探讨，周存诚、俞良早，《中南民族大学学报》（人文社会科学版）1990 年第3 期

列宁论"批评自由"，朱其高，《探索》1990 年第3 期

试论列宁的国家资本主义理论与实践，陈宪，《江西社会科学》1990 年第4 期

列宁晚年对世界革命理论和实践的伟大贡献——纪念列宁诞辰120 周年，程玉海，《聊城大学学报》（社会科学版）1990 年第4 期

浅论列宁对马克思主义民族理论的重大发展，程昭星，《贵州民族研究》1990 年第4 期

列宁关于苏维埃政权建设的理论和实践，段炳麟，《史学月刊》1990 年第4 期

列宁对中国革命的指导和帮助——纪念列宁诞辰 120 周年，韩承业、刘莉，《中国民航大学学报》1990 年第4 期

列宁"灌输说"理论探讨，李军西北工业大学社科系，《理论导刊》1990 年第4 期

列宁论社会主义民主的途径，李俊明，《齐齐哈尔社会主义科学》1990 年第4 期

转向经济方面的政治——论列宁晚期的政治思想，聂应德，《西华师范大学学报》（哲学社会科学版）1990 年第4 期

论列宁的主客体及其关系理论，

鲁延红,《求是学刊》1990 年第 4 期

列宁文艺思想的伟大现实意义,马鋆伯,《江苏社会科学》1990 年第 4 期

学习列宁对社会主义再认识的思想,马中柱,《理论探索》1990 年第 4 期

发展文明的另一条路:列宁晚年对社会主义道路的探索,蒲国良,《山西大学学报》(哲学社会科学版) 1990 年第 4 期

论列宁反对官僚主义的理论与实践,史天经,《理论学刊》1990 年第 4 期

列宁的社会主义思想政治建设理论初探,宋才发,《南京政治学院学报》1990 年第 4 期

列宁论党在社会主义建设中的地位和作用,宋才发,《喀什师范学院学报》1990 年第 4 期

试论列宁的文化革命和文化建设思想,宋仕平,《湖北师范学院学报》(哲学社会科学版) 1990 年第 4 期

试论列宁的"两个保护"思想,王清,《苏州大学学报》(哲学社会科学版) 1990 年第 4 期

列宁主义的时代论没有过时——兼论用阶级矛盾分析的方法认识时代,王志昌,《理论探索》1990 年第 4 期

列宁的社会主义社会概念,许俊达,《安徽大学学报》(哲学社会科学版) 1990 年第 4 期

列宁论民族平等,颜勇,《贵州民族研究》1990 年第 4 期

列宁论苏维埃经济的调节者,杨会春,《俄罗斯中亚东欧》1990 年第 4 期

列宁"遗嘱"与俄共(布)十二大,于建胜、刘春蕊,《青岛师专学报》1990 年第 4 期

列宁论哲学上的中间路线,余源培,《学术月刊》1990 年第 4 期

马克思、恩格斯、列宁关于科学技术与生产的关系的一些论述,本刊编辑部,《中国科技论坛》1990 年第 5 期

浅析列宁全世界苏维埃共和国的思想,房广顺,《辽宁大学学报》(哲学社会科学版) 1990 年第 5 期

学习列宁关于党与法关系理论的启迪,付子堂,《现代法学》1990 年第 5 期

布哈林与列宁新经济政策思想的比较,胡健,《湖湘论坛》1990 年第 5 期

从民主革命向社会主义革命的转变——列宁关于在落后国家进行社会主义革命的理论,李植枬,《武汉大学学报》(哲学社会科学版) 1990 年第 5 期

列宁的金融资本理论与当代美国经济现实,刘传炎,《世界经济》

1990 年第 5 期

重温列宁的文学党性原则，吕德申，《北京大学学报》（哲学社会科学版）1990 年第 5 期

列宁对"思维经济原则"的批判无可非议，吕凤英，《辽宁师范大学学报》（社会科学版）1990 年第 5 期

列宁在同"民主社会主义"的斗争中坚持马克思主义的建党学说，梅荣政，《高校理论战线》1990 年第 5 期

列宁关于帝国主义和无产阶级革命的理论并未过时，宋涛，《高校理论战线》1990 年第 5 期

试论列宁民主集中制思想的阶段特征，吴向东，《理论探讨》1990 年第 5 期

列宁的从严治党思想和措施，徐锦洪，《俄罗斯中亚东欧研究》1990 年第 5 期

关于对列宁新经济政策两个重大问题的再探讨，杨运忠，《俄罗斯中亚东欧研究》1990 年第 5 期

列宁的和平共处思想与苏俄外交，赵振英，《辽宁师范大学学报》（社会科学版）1990 年第 5 期

关于列宁的辩证法的核心和实质的思想，陈敬泰，《东南学术》1990 年第 6 期

列宁论社会主义时期的国家资本主义，高阳君，《俄罗斯中亚东欧研究》1990 年第 6 期

列宁的帝国主义论没有过时，贺荣伟，《天府新论》1990 年第 6 期

列宁关于无产阶级执政党的建设理论初探，蒋剑锋，《湖湘论坛》1990 年第 6 期

列宁论实现党的政治领导的途径和方式，金学锋，《俄罗斯中亚东欧研究》1990 年第 6 期

列宁的"灌输论"及其现实意义，李枝龙，《党建研究》1990 年第 6 期

无产阶级的利益高于形式上的民主制——论列宁关于民主的一条原则，聂运林，《教学与研究》1990 年第 6 期

列宁提高劳动生产率思想和我国经济体制改革的深化，刘金垣、周柏村、于京东，《辽宁大学学报》（哲学社会科学版）1990 年第 6 期

列宁关于帝国主义理论的主要内容是什么？仇启华，《前线》1990 年第 6 期

对列宁"领袖、政党、阶级、群众"学说的再认识，孙罡风，《山东社会科学》1990 年第 6 期

坚持列宁主义国家学说的几个基本点，王惠岩，《高校理论战线》1990 年第 6 期

试谈列宁对社会主义理论的新贡献，吴仕良，《理论导刊》1990 年第 6 期

列宁关于俄国二月革命后革命和平发展可能性的论述，杨和平，《历史教学问题》1990年第6期

列宁的文化继承思想研究，叶卫平，《高校理论战线》1990年第6期

马克思、恩格斯、列宁反映论，尹旭，《宁夏社会科学》1990年第6期

论列宁关于党的民主集中制原则，余隽，《江苏社会科学》1990年第6期

列宁是怎样研究帝国主义的，《湖北社会科学》1990年第6期

略论列宁的民主观及其现实意义，白琳，《中国党政干部论坛》1990年第7期

重视对列宁执政党建设理论的研究，何孝瑛，《中国党政干部论坛》1990年第7期

试论列宁的时代学说，武军，《世界经济与政治》1990年第7期

社会主义实践史上经济模式的最初探寻——重新学习列宁"新经济政策"思想的体会，王其龙，《党政论坛》1990年第7期

列宁关于把社会民主工党更名为共产党的重要思想，徐干松，《党建研究》1990年第8期

列宁晚年对民主社会主义思潮的批判，俞良早，《湖北社科通讯》1990年第8期

列宁关于执政党建设的几个重要思想，赵锦良，《科学社会主义》1990年第8期

列宁的辩证文明观，黄行发，《学术月刊》1990年第9期

列宁论社会主义社会的科学管理，周久义，《科学社会主义》1990年第9期

从列宁到戈尔巴乔夫（一）：苏联党和国家中央机关的变革和政府体制的演变，［德］迈斯奈尔著，赵永清译，《现代外国哲学社会科学文摘》1990年第9期

列宁的利益原则与毛泽东的统筹兼顾思想比较研究，何小平，《社会科学》1990年第10期

从列宁到戈尔巴乔夫（二）：苏联党和国家中央机关的变革和政府体制的演变，［德］迈斯奈尔著，赵永清译，《现代外国哲学社会科学文摘》1990年第10期

列宁向社会主义过渡理论的内容和现实意义，［苏］弗切尔科韦茨著，余林摘译，《世界经济译丛》1990年第10期

列宁反对资产阶级出版自由思想的启示，苏成雪，《新闻与写作》1990年第11期

列宁和布尔什维克党对农业社会主义改造道路的初步探索，夏军，《湖北社会科学》1990年第11期

从列宁到戈尔巴乔夫（三）：

苏联党和国家中央机关的变革和政府体制的演变，［德］迈斯奈尔著，赵永清译，《现代外国哲学社会科学文摘》1990年第11期

今日的列宁主义，Γ.斯米尔诺夫著，赵国琦译，《国外社会科学》1990年第11期

列宁的社会主义构想，格·斯米尔诺夫著，望石译，《马克思主义与现实》1990年

天鹅之歌——关于列宁最后著作的对话，郑异凡，《读书》1990年第12期

略论列宁关于社会主义制度下的国家资本主义理论及其实践，段启增，《史学集刊》1991年第1期

恩格斯列宁民族理论思想的共同特点，高朝明，《当代世界与社会主义》1991年第1期

论列宁的社会主义理论与实践，谷景华，《内蒙古师范大学学报》（哲学社会科学版）1991年第1期

列宁晚年关于党的领袖体制思想初探，胡吕银，《扬州大学学报》（人文社会科学版）1991年第1期

关于列宁文化观研究中的重点和热点问题，贾春建，《中共山西省委党校学报》1991年第1期

列宁关于"红色恐怖"的论述，李爱华，《俄罗斯中亚东欧研究》1991年第1期

列宁"文化革命"理论与社会主义建设，李雅春、王永强，《理论探讨》1991年第1期

列宁的多党合作思想与实践，李振海，《天津师范大学学报》1991年第1期

关于列宁时期的多党合作问题，刘士田，《俄罗斯中亚东欧研究》1991年第1期

列宁帝国主义理论的正确性及时代局限性，刘绪贻，《上海社会科学院学术季刊》1991年第1期

列宁对马克思主义实践观的重要贡献，李正元，《河西学院学报》1991年第1期

关于列宁文艺心理学思想的几个问题，彭犀帧、萧世民，《杭州大学学报》（哲学社会科学版）1991年第1期

对列宁关于图书馆法规的基本思想的思考——必须加速我国图书馆的立法工作，盛玉旺，《图书馆界》1991年第1期

布哈林的社会主义建设思想初探——兼论列宁的社会主义建设思想，石本惠，《社会科学研究》1991年第1期

关于"艺术并不要求把它的作品当作现实"——列宁对直观美学的批判与超越，施旭升，《烟台师范学院学报》（哲学社会科学版）1991年第1期

伟大的转折——列宁晚期经济

思想研究，苏东斌，《学习与探索》1991 年第 1 期

试论马克思、列宁的"行政"思想——兼论"行政"的科学内涵，王太高，《江苏社会科学》1991 年第 1 期

论列宁的社会主义法制建设思想（上），王启富，《政法论坛》1991 年第 1 期

论列宁的主体和客体的思想，王仲士，《四川大学学报》（哲学社会科学版）1991 年第 1 期

深刻领会列宁"三个重要的认识论结论"：兼与王若冰同志商榷，王珠元,《安庆师院学报》1991 年第 1 期

列宁关于通过国家调节商业过渡到社会主义的理论，熊懿求,《经济评论》1991 年第 1 期

列宁关于小资产阶级爱国主义的理论初探，徐隆彬，《俄罗斯中亚东欧研究》1991 年第 1 期

关于落后国家社会主义革命必然性的历史沉思——论马克思、列宁、毛泽东对落后国家社会主义革命必然性的理解，杨耕，《天津社会科学》1991 年第 1 期

论列宁合作化思想的演变、实质和意义，姚纪纲，《山西大学学报》（哲学社会科学版）1991 年第 1 期

列宁怎样坚持和发展马克思主

义，叶润青，《当代世界与社会主义》1991 年第 1 期

论完整准确地研究列宁的新经济政策思想，叶卫平，《中国人民大学学报》1991 年第 1 期

学习列宁过渡时期存在商品、货币的理论，张金根，《当代世界与社会主义》1991 年第 1 期

浅谈列宁农业社会主义改造的理论和实践，张龙治、李平民，《信阳师范学院学报》（哲学社会科学版）1991 年第 1 期

社会发展的利益与无产阶级的利益——列宁的理论与实践，张民耕,《科学社会主义》1991 年第 1 期

列宁关于无神论宣传的理论及其现实意义，张禹东，《华侨大学学报》（哲学社会科学版）1991 年第 1 期

列宁晚期思想——社会主义国家进行建设和改革的基本理论依据，张伟垣,《当代世界与社会主义》1991 年第 1 期

浅谈列宁关于社会主义社会发展阶段的思想，晁增寿,《山西师大学报》（社会科学版）1991 年第 1 期

对列宁时代观的讨论，芬四，《中共山西省委党校学报》1991 年第 2 期

恩格斯和列宁民族理论思想的比较研究，高朝明，《新疆大学学报》（哲学、人文科学、社会科学

版）1991 年第 2 期

执政党建设的一项最重要的任务——学习列宁关于提高党员质量的思想，郭泽洲，《江汉大学学报》（人文科学版）1991 年第 2 期

列宁"政治遗嘱"对落后国家建设社会主义道路的理论探索，侯凤岐，《华中科技大学学报》（社会科学版）1991 年第 2 期

列宁反腐败斗争的理论与实践，姬金铎，《中国青年政治学院学报》1991 年第 2 期

列宁论无产阶级国家在实施新经济政策中的作用，李爱华，《山东师范大学学报》（人文社会科学版）1991 年第 2 期

列宁的思想与社会主义的未来（一）——列宁诞辰 120 周年前夕在苏联新闻社召开的苏联和西方历史学家圆桌讨论会，李国海，《国外社会科学文摘》1991 年第 2 期

论列宁对马克思主义认识论的发展，李仁德，《杭州大学学报》（哲学社会科学版）1991 年第 2 期

列宁关于加强执政党党内民主的论述和实践，李清池，《历史教学问题》1991 年第 2 期

列宁重视图书馆事业深层原因探讨——纪念列宁同志诞辰一百二十周年，陆飙，《图书馆界》1991 年第 2 期

列宁的人民管理制理论——马

克思主义社会公仆理论的丰富和发展，马尔，《广西大学学报》（哲学社会科学版）1991 年第 2 期

列宁论领导艺术，潘志华，《理论学刊》1991 年第 2 期

列宁探索社会主义经济建设道路的深刻启示——纪念列宁诞辰 121 周年，骆焉，《福建师范大学学报》（哲学社会科学版）1991 年第 2 期

对列宁无产阶级专政实质理解的辩证，宋才发，《商丘师范学院学报》1991 年第 2 期

论列宁对马克思主义唯物史观的新贡献，宋才发，《东疆学刊》1991 年第 2 期

马克思列宁主义关于无产阶级政党的学说和中国共产党的创建，舒舜元，《中国民航大学学报》1991 年第 2 期

重温列宁从严治党的思想自觉搞好执政党建设，孙德庆，《社会科学家》1991 年第 2 期

列宁同第二国际机会主义的斗争及其经验，王晓平、赵荣，《甘肃理论学刊》1991 年第 2 期

论列宁关于比较落后的国家能够建成社会主义的理论，汪庆文，《理论探讨》1991 年第 2 期

论列宁的社会主义法制建设思想（下），王启富，《政法论坛》1991 年第 2 期

如何正确对待革命低潮——列宁在 1905 年俄国革命失败后的斗争，魏承均、汪青松，《安徽师范大学学报》（人文社会科学版）1991 年第 2 期

论列宁的社会主义条件下商品经济思想的形成和发展，谢玉红，《广东技术师范学院学报》1991 年第 2 期

列宁的文艺批评及其现实意义，徐潜、孟繁聪，《社会科学战线》1991 年第 2 期

论列宁的合作制思想及其实践，许经勇，《理论探讨》1991 年第 2 期

先锋队要紧密联系广大群众——列宁论执政党建设的一个重要课题，叶长春，《马克思主义与现实》1991 年第 2 期

评西方"列宁学"的国家与革命研究，叶卫平，《社会主义研究》1991 年第 2 期

列宁晚年关于苏俄同资本主义国家关系的思想述评，俞良早，《社会科学研究》1991 年第 2 期

论列宁关于俄国社会主义战略转变的思想，俞良早，《湖北大学学报》（哲学社会科学版）1991 年第 2 期

列宁关于党政关系的思想，张卫新,《新视野》1991 年第 2 期

无产阶级文学是真正自由的文学——列宁文艺思想学习札记，伯林,《安庆师范学院学报》（社会科学版）1991 年第 3 期

列宁关于政党制度的理论和实践，戴清亮,《安徽教育学院学报》1991 年第 3 期

重新学习并坚持列宁的文艺党性原则，结绪、汉滨,《甘肃理论学刊》1991 年第 3 期

列宁、共产国际与中国共产党的建立，金英豪,《党史纵横》1991 年第 3 期

"资产阶级权利"还是"市民权利"——论列宁对"市民权利"的误解及其原因和影响，何小平,《社会科学战线》1991 年第 3 期

列宁的社会主义经济管理思想，黎民,《俄罗斯中亚东欧研究》1991 年第 3 期

列宁在十月起义后有过"三个思想转变"吗？——与俞良早同志商榷，李心华,《当代世界与社会主义》1991 年第 3 期

列宁的思想与社会主义的未来（二）——列宁诞辰 120 周年前夕在苏联新闻社召开的苏联和西方历史学家和哲学家圆桌讨论会，李国海,《国外社会科学文摘》1991 年第 3 期

列宁的无产阶级政党民主化思想初论，李俊明,《绥化学院学报》1991 年第 3 期

列宁学习理论初探，刘传德,

《黑龙江高教研究》1991 年第 3 期

列宁实行民主集中制的经验，马郑刚，《俄罗斯中亚东欧研究》1991 年第 3 期

列宁民主集中制思想的精神实质——兼与吴向东同志商榷，马郑刚，《理论探讨》1991 年第 3 期

列宁论执政党建设思想初探，王国庆，《新疆社会科学》1991 年第 3 期

列宁综合技术教育思想及其指导意义，肖川，《黑龙江高教研究》1991 年第 3 期

列宁关于执政党密切联系群众的理论与实践，杨福禄，《山东师范大学学报》（人文社会科学版）1991 年第 3 期

列宁关于执政党密切联系群众的理论与实践，杨秀彬，《探索》1991 年第 3 期

谈谈列宁新经济政策著作译文的重要改动，杨祝华，《马克思主义与现实》1991 年第 3 期

列宁晚年建党思想的启示，袁新，《云南师范大学学报》（哲学社会科学版）1991 年第 3 期

列宁社会主义经济管理思想体系初探，张建民，《湖北大学学报》（哲学社会科学版）1991 年第 3 期

列宁对社会主义商品经济的探索实践，张建平，《贵州民族学院学报》（哲学社会科学版）1991 年第 3 期

马克思、恩格斯、列宁、斯大林有关职业教育的部分论述，《教育与职业》1991 年第 3 期

列宁的真理在他的著作中——科学地、正确地分析列宁关于社会主义的思想，克鲁赫、马廖夫、李必莹，《俄罗斯研究》1991 年第 3 期

列宁的帝国主义论没有过时，包德惠，《当代世界与社会主义》1991 年第 4 期

恩格斯列宁论世界观和创作，柴自生、迟红梅，《渤海大学学报》（哲学社会科学版）1991 年第 4 期

以实践第一的观点研究列宁的社会主义理论，蔡金培，《当代世界与社会主义》1991 年第 4 期

列宁的双语理论及其对苏联社会的影响，陈学迅，《新疆大学学报》（哲学、人文科学、社会科学版）1991 年第 4 期

列宁论辛亥革命和亚洲觉醒的启示，陈正容，《外交评论》1991 年第 4 期

"社会主义就是消灭阶级"：学习列宁关于社会主义时期的阶级和阶级斗争学说的体会，郭泽洲，《学习与实践》1991 年第 4 期

关于列宁新经济政策基本原则的初探，李爱华，《东岳论丛》1991 年第 4 期

列宁的思想与社会主义的未来

（三）——列宁诞辰 120 周年前夕在苏联新闻社召开的苏联和西方历史学家、哲学家圆桌讨论会，李国海，《国外社会科学文摘》1991 年第 4 期

十月革命后列宁对第二国际机会主义思潮的批判及其基本经验，李开蕊、梁超，《湖北社会科学》1991 年第 4 期

学习列宁有关严于治党的思想，李维香、陈联群，《社会主义研究》1991 年第 4 期

列宁社会主义构想的核心是公有制，刘彦章，《马克思主义与现实》1991 年第 4 期

试谈列宁关于落后国家进行文化建设的理论，刘永高，《延安大学学报》（社会科学版）1991 年第 4 期

列宁联盟国家思想的形成及其对"自治化"方案的批判，宁正宁，《天津师范大学学报》（社会科学版）1991 年第 4 期

列宁联盟国家思想的形成及其对"自治化"方案的批判，宁正宁，《天津师范大学学报》（自然科学版）1991 年第 4 期

列宁晚期关于发展社会生产力的论述，任玉秋，《当代世界与社会主义》1991 年第 4 期

深刻的批判，有益的启示：重读列宁批判现代派文艺的论述，宋应离，《江西大学学报》（社会科学版）1991 年第 4 期

试论列宁关于工人阶级执政党建设的思想，宋仕平，《湖北师范学院学报》（哲学社会科学版）1991 年第 4 期

重温列宁关于租让制的思想，孙建社，《南京师大学报》（社会科学版）1991 年第 4 期

列宁论发展科学技术，陶承福，《上海师范大学学报》（哲学社会科学版）1991 年第 4 期

坚持和捍卫列宁的建党原则，汪恩键，《当代世界与社会主义》1991 年第 4 期

以无产阶级民主替代资产阶级民主——学习列宁关于解散立宪会议的理论与实践，汪青松，《当代世界与社会主义》1991 年第 4 期

战时共产主义与列宁的经济建设思想，叶伯华，《苏州大学学报》（哲学社会科学版）1991 年第 4 期

论列宁晚年关于两种不同社会制度国家关系的理论和策略，张骥，《当代世界与社会主义》1991 年第 4 期

列宁论官僚主义产生的深层原因及反对官僚主义的原则，张晓敏，《河南师范大学学报》（哲学社会科学版）1991 年第 4 期

列宁是不是哲学家——与西方某些学者的一个争论，张翼星，《社会科学家》1991 年第 4 期

列宁主义与当代社会主义，蔡拓，《天津社会科学》1991年第5期

列宁合作制思想的伟大意义和现实启迪，戴新祥、张启明，《财贸研究》1991年第5期

列宁合作制思想的伟大意义——兼与许经勇教授商榷，戴新祥、张启明，《理论探讨》1991年第5期

列宁的反腐败思想与改革，贾志文，《中共山西省委党校学报》1991年第5期

对列宁判定无产阶级政党的著名论断的再认识，李心华，《俄罗斯中亚东欧研究》1991年第5期

谈谈列宁关于无产阶级专政的思想，刘佩弦，《社会主义研究》1991年第5期

列宁系统思想介评，毛建儒，《中共山西省委党校学报》1991年第5期

试论列宁晚期思想的核心及其策略，任玉秋、杨大建，《浙江社会科学》1991年第5期

学习列宁宗教问题理论的几点体会，萨克达·东晟，《新疆社会科学》1991年第5期

列宁晚年对社会主义理论的发展，孙承叔，《探索与争鸣》1991年第5期

建立一个"真正模范和受人尊敬的机关"——列宁关于国家机关建设的思想与实践，杨卓华，《新视野》1991年第5期

列宁民主集中制思想的历史发展，徐德林，《理论学刊》1991年第5期

学习列宁关于执政党建设的理论和实践，徐善广，《理论月刊》1991年第5期

列宁的文艺思想及其对俄国文学中人道主义的评析，张凌，《郑州大学学报》（哲学社会科学版）1991年第5期

关于列宁主义实质的若干问题，张翼星，《北京大学学报》（哲学社会科学版）1991年第5期

突破和发展，列宁新经济政策谈，郑异凡，《读书》1991年第5期

列宁反和平演变的理论与实践，高自龙，《中国人民大学学报》1991年第6期

列宁晚年关于改造国家机关反对官僚主义的思想，雷儒金，《长江大学学报》（社会科学版）1991年第6期

列宁的"一国胜利"理论及其伟大实践不容否定，李植楠，《高校理论战线》1991年第6期

试论列宁对社会主义道路的探讨，刘彦生，《天津师范大学学报》（社会科学版）1991年第6期

学习列宁关于文化教育战略思想，马占芳，《领导科学》1991年第

6 期

论列宁的社会主义民主发展观，马郑刚、邹和平，《探索》1991 年第 6 期

列宁关于两种社会制度共处与斗争的思想，秦刚，《社会主义研究》1991 年第 6 期

简论列宁的农业合作化思想，屈昭，《俄罗斯中亚东欧研究》1991 年第 6 期

列宁有关社会主义国家对外开放思想初探，王克修，《新疆社会科学》1991 年第 6 期

列宁关于社会主义民主建设的理论和实践，汪恩键、薛新国，《中州学刊》1991 年第 6 期

从列宁的和平共处思想到和平共处五项原则，徐蓝，《首都师范大学学报》（社会科学版）1991 年第 6 期

论欧洲革命形势落潮时列宁关于党的几个重要理论观点，俞良早，《湖北大学学报》（哲学社会科学版）1991 年第 6 期

列宁对考茨基民主观的批判及其现实意义，俞良早，《理论月刊》1991 年第 6 期

列宁反对"和平演变"的理论与实践，俞良早，《求索》1991 年第 6 期

列宁在"马克思主义危机"声中开创历史新纪元给予我们的启迪，钟哲明，《教学与研究》1991 年第 6 期

列宁与卢森堡关于组织问题的分歧研讨综述，何景成、张志彪、史志钦，《理论前沿》1991 年第 7 期

恩格斯和列宁民族理论思想的比较研究，高朝明，《科学社会主义》1991 年第 8 期

列宁主义与中国特色的社会主义道路，葛洪泽，《前线》1991 年第 8 期

对列宁无产阶级专政实质理解的辩证，宋才发，《科学社会主义》1991 年第 8 期

也论列宁的感觉理论与反映论思想——与石向实同志商榷，王岗峰，《学术月刊》1991 年第 8 期

列宁联盟国家思想的形成及其对"自治化"方案的批判，宁正宁，《科学社会主义》1991 年第 10 期

正确理解列宁"政治遗嘱"中的社会主义建设思想，寒静，《湖北社会科学》1991 年第 11 期

正确理解列宁"政治遗嘱"中的社会主义建设思想，寒静，《科学社会主义》1991 年第 12 期

列宁关于两种民主职能的思想，王元元，《理论前沿》1991 年第 16 期

列宁阶级意识论初探，应国良，《中山大学学报论丛》1991 年第

26 期

学习列宁关于重视党的领导的思想，应国良、解民，《中山大学学报论丛》1991 年第 26 期

列宁关于执政党党员素质建设的思想初探，董永裁、夏春青，《内蒙古民族大学学报》（社会科学版）1992 年第 1 期

列宁关于戒备敌人和平瓦解苏维埃政权的思想——苏维埃政权初期列宁著作学习札记，杜康传，《江西社会科学》1992 年第 1 期

论列宁反对个人崇拜的思想和实践，凤云、冬春，《山东医科大学学报》（社会科学版）1992 年第 1 期

列宁在建立新型无产阶级政党时期对普列汉诺夫的评论，高敬增，《理论探讨》1992 年第 1 期

他山之石可以攻玉——试论列宁关于吸取资本主义先进文化成果的策略思想，李建军，《青海民族学院学报》1992 年第 1 期

列宁的外交思想和苏俄的对外政策，李宗楼，《徐州师范大学学报》（哲学社会科学版）1992 年第 1 期

列宁的社会主义国家行政管理思想浅探，李宗楼，《安徽大学学报》（哲学社会科学版）1992 年第 1 期

列宁关于消费的两个思想，刘平量，《消费经济》1992 年第 1 期

列宁关于重教尊师的理论和实践，刘一民，《成都大学学报》（社会科学版）1992 年第 1 期

列宁关于图书馆事业的思想，卜朝路，《江苏经贸职业技术学院学报》1992 年第 1 期

论列宁对辩证法的规定，冉昌光，《现代哲学》1992 年第 1 期

列宁关于清党工作的理论与实践，石振保，《淮北煤炭师范学院学报》（哲学社会科学版）1992 年第 1 期

学习列宁关于图书馆工作需要组织竞赛的学说，宋安玲，《江西图书馆学刊》1992 年第 1 期

试析列宁和平共处思想发展的轨迹，孙建社，《江苏社会科学》1992 年第 1 期

列宁的一物两面的辩证思维方法及其现实意义，涂赞琥，《武汉大学学报》（人文科学版）1992 年第 1 期

列宁关于强化监督工作的理论和实践，韦秉超，《江苏经贸职业技术学院学报》1992 年第 1 期

列宁的新经济政策与辩证法，杨庭芳、程传阁，《现代哲学》1992 年第 1 期

试析列宁的"第二个党纲"，张成统，《扬州大学学报》（人文社会科学版）1992 年第 1 期

列宁离世前对社会主义前途的

分析——兼谈帝国主义论揭示的资本主义发展趋势，包德惠，《理论建设》1992年第2期

列宁建党思想探源，丁笃本，《湖南师范大学社会科学学报》1992年第2期

列宁论国家垄断资本主义的经济调节，郭吴新，《武汉大学学报》（哲学社会科学版）1992年第2期

列宁对俄国向社会主义过渡形式的探索，何小平，《俄罗斯中亚东欧研究》1992年第2期

论列宁"一国胜利"理论的发展过程及其形成基础，胡茂才、熊家学，《零陵学院学报》1992年第2期

略论列宁关于科学技术与社会主义事业的思想，焦文峰，《扬州大学学报》（人文社会科学版）1992年第2期

试论列宁关于国家机关改革的理论与实践，李宝怀，《延安大学学报》（社会科学版）1992年第2期

列宁关于改革监督体制思想初探，刘永高，《延安大学学报》（社会科学版）1992年第2期

试论列宁的灌输理论与实践，邵亚良，《探索》1992年第2期

列宁论社会主义出版自由原则，童兵，《新闻与写作》1992年第2期

马克思恩格斯与列宁形势观之比较，王佳友，《阜阳师范学院学报》（社会科学版）1992年第2期

列宁论发展生产力问题，韦秉超，《华东经济管理》1992年第2期

列宁人权思想探析，黎国智、付子堂，《现代法学》1992年第2期

列宁在社会主义建设中对否定之否定思想的运用和发挥，熊高仲，《西华师范大学学报》（哲学社会科学版）1992年第2期

列宁探索在落后俄国建设社会主义的指导思想，余源培，《同济大学学报》（社会科学版）1992年第2期

列宁在欧洲革命低潮时期的理论与实践，俞良早，《当代世界与社会主义》1992年第2期

论列宁的"一国建设社会主义"的学说，俞良早，《社会科学研究》1992年第2期

重新认识列宁关于落后国家建设社会主义的理论，张桂珍，《苏州科技学院学报》（社会科学版）1992年第2期

列宁晚期的监督思想与反对官僚主义，张希，《西北大学学报》（哲学社会科学版）1992年第2期

列宁的国际垄断理论和当代现实，赵仁康，《南京师大学报》（社会科学版）1992年第2期

列宁的合作制思想没有突破马恩关于社会主义所有制的设想，钟坚，《马克思主义与现实》1992年第

2 期

列宁的改革开放思想述要，周久义，《安徽大学学报》（哲学社会科学版）1992 年第 2 期

论列宁晚期对落后国家社会主义道路的探索，朱晓鹏，《俄罗斯中亚东欧研究》1992 年第 2 期

浅谈民主与集中关系的不均衡性——列宁与卢森堡围绕民主与集中关系问题争论的历史启示，董诚义，《长白学刊》1992 年第 3 期

列宁"政治遗嘱"中的文化革命问题，韩真，《俄罗斯中亚东欧研究》1992 年第 3 期

略论列宁关于人民监督的思想，何祥林，《武汉大学学报》（人文科学版）1992 年第 3 期

试论列宁的民族自决权思想，黄学贤，《江苏社会科学》1992 年第 3 期

十月革命后列宁对教条主义和本本主义的批判及其现实意义，金羽、万秀斌，《江淮论坛》1992 年第 3 期

列宁对国际共运低潮的态度及其启示，雷振扬，《中南民族大学学报》（人文社会科学版）1992 年第 3 期

不利用资本主义就建不成社会主义：论列宁关于必须利用资本主义的策略思想，李建军，《桂海论丛》1992 年第 3 期

利用外资加速发展社会主义经济——学习列宁关于"租让制"的理论与实践，李建民，《中国青年政治学院学报》1992 年第 3 期

列宁论官僚主义现象与社会主义民主的形式，李俊明，《理论探讨》1992 年第 3 期

列宁晚年对社会主义理论的新探索，陆云彬，《江淮论坛》1992 年第 3 期

列宁的帝国主义理论的现实意义，仇启华，《马克思主义与现实》1992 年第 3 期

列宁"社会主义意识灌输理论"与社会主义实践，任绍伟、吴卫东，《理论探讨》1992 年第 3 期

简述列宁在二十年代苏俄联盟过程中的民族理论，太江，《西南民族大学学报》（人文社会科学版）1992 年第 3 期

列宁晚年对社会主义建设道路的探索及其对我们的启示，吴灿，《开封教育学院学报》1992 年第 3 期

列宁对待资本主义的态度及当代启示，谢景星，《社会主义研究》1992 年第 3 期

学习列宁民主集中制理论和实践，徐善广，《中南民族大学学报》（人文社会科学版）1992 年第 3 期

列宁十月革命后伦理思想初探，杨真贵，《贵州师范大学学报》（社会

科学版）1992 年第 3 期

列宁论思想政治工作与社会主义经济建设，杨洪林，《郧阳师范高等专科学校学报》1992 年第 3 期

列宁：党领导红军的思想述评，俞良早，《理论月刊》1992 年第 3 期

列宁关于执政党修改党纲的实践与原则，俞良早，《湖北社会科学》1992 年第 3 期

俄国革命低潮时期列宁关于党的理论与实践，俞良早，《江汉论坛》1992 年第 3 期

列宁关于利用资本主义文化因素建设社会主义的思想，张海燕，《科学社会主义》1992 年第 3 期

列宁对社会主义建设道路的探索，张藐，《南开经济研究》1992 年第 3 期

列宁"一国建成社会主义"的理论与启示，朱国成、王万民，《社会科学研究》1992 年第 3 期

学习列宁论党内"不争论"的思想，曹晨辉，《阵地与熔炉》1992 年第 4 期

列宁论社会主义社会福利，房广顺，《辽宁大学学报》（哲学社会科学版）1992 年第 4 期

人民的利益是最高的法律：学习列宁的法制思想，郭道晖，《法学评论》1992 年第 4 期

列宁非资本主义前途的论断与中国革命转变的理论，海华，《毛泽东思想研究》1992 年第 4 期

列宁对俄国社会主义道路的探索，雷永生，《河北学刊》1992 年第 4 期

列宁新经济政策理论给我们的启示，黎明中，《江西社会科学》1992 年第 4 期

简论列宁"乐于吸取外国好东西"的思想，李国安，《西南师范大学学报》1992 年第 4 期

托尔斯泰这一面镜子：重温列宁对托尔斯泰的论述，毛慧玉，《荆州师专学报》1992 年第 4 期

列宁的对外开放思想，任革，《求索》1992 年第 4 期

列宁关于"监督权力相对独立"的思想探讨，冉宗荣，《西南师范大学学报》（人文社会科学版）1992 年第 4 期

论列宁关于从思想上建党的学说，邵志勤，《山东社会科学》1992 年第 4 期

论热那亚会议上苏俄的外交政策和策略——学习列宁外交思想的体会，石磊，《外交评论》1992 年第 4 期

列宁的共产主义社会发展阶段思想述论，文晓明，《江苏社会科学》1992 年第 4 期

列宁论租让制的意义，徐隆彬，《俄罗斯中亚东欧研究》1992 年第 4 期

试论列宁晚期的社会主义商品经济思想，徐淮东、郭诚，《当代经济科学》1992年第4期

略论列宁关于利用西方资本主义的思想，杨成竹，《苏州科技学院学报》（社会科学版）1992年第4期

关于列宁一党存在理论的若干问题研究，叶卫平，《社会主义研究》1992年第4期

论二月革命后列宁关于俄国社会主义战略思想的历史演进，俞良早，《湖北大学学报》（哲学社会科学版）1992年第4期

重新学习列宁的管理思想，岳增德，《马克思主义与现实》1992年第4期

学习列宁利用资本主义建设社会主义的重要思想，张春山，《高校理论战线》1992年第4期

列宁关于社会主义核算和监督的光辉思想，张惠中，《嘉兴学院学报》1992年第4期

论列宁晚期关于两种不同社会制度国家关系的思想，张骥，《河北师范大学学报》（哲学社会科学版）1992年第4期

列宁共耕制思想的由来和转变，章前明，《杭州师范学院学报》（社会科学版）1992年第4期

列宁关于执政党建设的理论和实践，钟瑞添、曾道宏，《广西师范学院学报》（哲学社会科学版）1992年第4期

列宁的社会主义道路新探，程传阁、李惠群，《武汉大学学报》（人文科学版）1992年第5期

列宁对俄国革命民粹派政党组织原则的批判继承，丁笃本，《求索》1992年第5期

列宁的新经济政策与社会主义商品经济理论，胡家勇，《中南财经政法大学学报》1992年第5期

浅谈列宁关于社会主义经济建设思想及其启示，季荣民，《山西财经大学学报》1992年第5期

列宁在苏俄初期对"左派共产主义者"错误观点的批评，姜大为，《科学社会主义》1992年第5期

论列宁晚期关于社会主义经济运行机制思想的重大转变，鞠立新，《经济研究》1992年第5期

列宁关于利用资本主义的若干重要论述述要，李海涛，《湖湘论坛》1992年第5期

列宁清党思想探析，牛先锋、蔡冬梅，《长白学刊》1992年第5期

试析列宁对外经济开放的思想及其政策，沈思，《长白学刊》1992年第5期

列宁联邦制思想考察，孙锡安，《探索与争鸣》1992年第5期

黑格尔的"主观逻辑"与列宁的实践论，孙咏，《南京社会科学》1992年第5期

列宁的政权建设思想，王佩敬，《文史哲》1992年第5期

社会主义和资本主义是对立同一关系：学习列宁的新经济政策思想，曾盛林，《阵地》1992年第5期

十月革命与列宁对"社会民主主义"的批判，周存诚、俞良早，《中南民族学院学报》（哲学社会科学版）1992年第5期

利用资本主义，建设社会主义：重温列宁的一个重要遗训，曹炳栋，《攀登》1992年第6期

列宁关于泰罗制的分析及其它，初丕成，《理论导刊》1992年第6期

浅谈列宁关于学习和利用资本主义的思想，刘广登，《江苏社会科学》1992年第6期

列宁关于党"总的领导"的思想，魏泽焕，《党建研究》1992年第6期

列宁论学习和利用资本主义，徐荣庆，《北京师范大学学报》（社会科学版）1992年第6期

学习列宁关于利用资本主义的思想，杨百成，《新视野》1992年第6期

政治、政治占首位与少谈政治——重温列宁关于"政治"和"少谈政治"的论述，吕造新，《中国党政干部论坛》1992年第8期

新经济政策初期列宁对各种错误言论的批评，俞良早，《湖北社会科学》1992年第8期

恩格斯、列宁论资本主义也有计划，《中国党政干部论坛》1992年第8期

论列宁新经济政策学说的形成与发展，郭连成，《财经问题研究》1992年第11期

论列宁在社会主义标准问题上观念的灵活性，俞良早，《理论月刊》1992年第12期

列宁论学习和利用资本主义，《内蒙古宣传》1992年第15期

列宁社会主义实践的方法论意义，李俊明，《大庆师专学报》1993年第1期

社会主义市场经济的理论基础——列宁经济思想再认识，李霆，《晋阳学刊》1993年第1期

论列宁的"文学遗产观"，逯弘秀，《理论探讨》1993年第1期

列宁关于国家资本主义理论与我国的"三资"企业，企康，《上海交通大学学报》（哲学社会科学版）1993年第1期

学习列宁关于信任和重用科学家的论述，王自发，《理论建设》1993年第1期

列宁合作社思想的发展和精髓，王仲士、王万民，《四川大学学报》（哲学社会科学版）1993年第1期

论列宁关于国家资本主义的学说，王仲士、王万民，《晋阳学刊》

1993 年第 1 期

列宁关于无产阶级政党同劳动群众密切联系的理论与实践，魏倩、孙景峰，《苏州大学学报》（哲学社会科学版）1993 年第 1 期

对列宁在社会主义条件下必须利用商品货币思想的历史考察，徐善广，《华中师范大学学报》（人文社会科学版）1993 年第 1 期

试论列宁的社会经济形态思想，薛良贵，《福建师大福清分校学报》1993 年第 1 期

列宁论社会主义与资本主义的关系，薛新国，《理论学刊》1993 年第 1 期

列宁关于利用资本主义建设社会主义的思想，杨成竹，《扬州大学学报》（人文社会科学版）1993 年第 1 期

列宁对"社会主义殖民政策"论的揭露和批判，杨健吾，《广西大学学报》（哲学社会科学版）1993 年第 1 期

列宁关于利用资本主义建设社会主义的思想和实践，杨卓华，《长白学刊》1993 年第 1 期

列宁逝世前夕关于社会主义观念的务实性转变，俞良早，《俄罗斯中亚东欧研究》1993 年第 1 期

列宁论旧教师的改造与教师工作，赵洪海，《外国教育研究》1993 年第 1 期

列宁晚期利用资本主义思想论略，赵迅，《怀化学院学报》1993 年第 1 期

列宁借鉴和利用资本主义文明成果的思想初探，周发源，《湖南社会科学》1993 年第 1 期

正确理解列宁关于辩证法实质的思想，周久义，《安徽教育学院学报》1993 年第 1 期

重温列宁在落后国家进行社会主义建设的学说，周天中，《内蒙古大学学报》（哲学社会科学版）1993 年第 1 期

论列宁的国际关系理论体系，朱仲羽，《苏州大学学报》（哲学社会科学版）1993 年第 1 期

列宁后期对社会主义道路的探索，曹廷清，《西北第二民族学院学报》（哲学社会科学版）1993 年第 2 期

列宁利用资本主义建设社会主义思想述论，陈贻新，《中国劳动关系学院学报》1993 年第 2 期

列宁的人口迁移理论及其实践意义，辜胜阻，《经济评论》1993 年第 2 期

列宁晚年对经济落后国家建设社会主义的新思考，韩琳，《延安大学学报》（社会科学版）1993 年第 2 期

列宁关于学习利用资本主建设社会主义的重要思想，侯经体，《华

南师范大学学报》(社会科学版)
1993 年第 2 期

列宁关于执政党建设理论和苏
东各党执政受挫教训，李靖宇、马
书芳，《俄罗斯中亚东欧研究》1993
年第 2 期

略论列宁关于利用资本主义建
设社会主义的思想，李哲夫，《南京
政治学院学报》1993 年第 2 期

论列宁文化建设思想的特色，
林建华、周文升，《山东社会科学》
1993 年第 2 期

列宁斯大林有关利用资本主义
的思想，林祥庚，《社会主义研究》
1993 年第 2 期

列宁关于社会机体思想论，梁
靖，《创造》1993 年第 2 期

简论列宁关于哲学上的"圆
圈"的思想，马超文，《西华师范大
学学报》(哲学社会科学版) 1993 年
第 2 期

列宁晚期商品经济思想探析，
庞泊，《长白学刊》1993 年第 2 期

列宁的迂回过渡思想及现实意
义，申永华，《南都学坛》1993 年第
2 期

列宁新经济政策的几个创新思
想，唐士润，《四川师范大学学报》
(社会科学版) 1993 年第 2 期

列宁论主体和客体——对一种
观点的辨正，王端林，《山东师范大
学学报》(人文社会科学版) 1993 年

第 2 期

列宁法律监督理论研究，王桂
五,《中国刑事法杂志》1993 年第
2 期

列宁关于苏俄民族自决权的基
本理论，王立行，《当代世界与社会
主义》1993 年第 2 期

论列宁的批评与自我批评思想，
王明高，《湘潭大学学报》(哲学社会
科学版) 1993 年第 2 期

论列宁关于无产阶级政党必须
同劳动群众保持密切联系的理论与
实践，魏倩、孙景峰，《许昌学院学
报》1993 年第 2 期

列宁论社会主义阶段的根本任
务，徐卫国，《中南财经政法大学学
报》1993 年第 2 期

浅谈列宁的社会主义经济建设
理论及其现实指导意义，许英鹏，
《惠州学院学报》1993 年第 2 期

列宁关于加强党内监督的建议
及其实施情况，叶梧西，《党建研
究》1993 年第 2 期

列宁的"社会主义步骤"论述
评，俞良早，《求索》1993 年第 2 期

论列宁关于通过"监督和计
算"过渡到社会主义的思想，俞良
早,《社会科学研究》1993 年第 2 期

列宁国家资本主义思想的变化
与俄国式社会主义道路的探索，张
铭,《江苏社会科学》1993 年第 2 期

必须从国情出发来建设社会主

义：学习列宁新经济政策思想，张翔，《徽州社会科学》1993 年第 2 期

列宁的帝国主义资本输出理论与当代国际资本运行，张莹玉，《财经研究》1993 年第 2 期

试论列宁在经济建设问题上的新探索，陈君静，《宁波大学学报》（教育科学版）1993 年第 3 期

论列宁晚年政治体制改革思想，陈新田，《咸宁学院学报》1993 年第 3 期

列宁的国家资本主义理论及其在我国的发展，黄少安，《东南学术》1993 年第 3 期

加拿大学者谈列宁和马克思的社会主义概念的差异，李宗禹，《国外理论动态》1993 年第 3 期

唯物辩证法核心新探——论列宁规定的"对立面的统一"，是唯物辩证法的核心，倪志安，《西南师范大学学报》（人文社会科学版）1993 年第 3 期

从列宁到戈尔巴乔夫：苏共执政时期党的建设的经验教训，魏泽焕，《黄石社会科学》1993 年第 3 期

论列宁关于执政党对经济建设领导的思想，魏泽焕，《理论视野》1993 年第 3 期

列宁法律监督理论研究，王桂五，《中国刑事法杂志》1993 年第 3 期

列宁关于国家资本主义的思想

及启示，张翔，《安徽教育学院学报》1993 年第 3 期

试论列宁关于和平共处政策的提出，陈新明、李建，《兰州大学学报》（社会科学版）1993 年第 4 期

列宁社会主义宪政思想述略，龚天平，《湖北师范学院学报》（自然科学版）1993 年第 4 期

列宁关于捍卫国家生存的理论与实践浅析，陈贵华，《南都学坛》1993 年第 4 期

列宁关于劳动群众参与国家管理，陈哲，《盐城师范学院学报》（人文社会科学版）1993 年第 4 期

列宁社会主义宪政思想述略，龚天平，《湖北师范学院学报》（哲学社会科学版）1993 年第 4 期

重读列宁关于不发达国家率先进入社会主义理论的一点思考，李笃谦，《理论导刊》1993 年第 4 期

列宁"链条——环节"论初探，李福麟，《求是学刊》1993 年第 4 期

列宁的农业所有制和经营形式思想评述，刘长林，《理论建设》1993 年第 4 期

借鉴、利用、发展——列宁关于利用国家资本主义过渡到社会主义的思想，宋超，《南通师范学院学报》（哲学社会科学版）1993 年第 4 期

列宁法律监督理论研究，王桂

五,《中国刑事法杂志》1993 年第
4 期

借鉴利用发展：列宁关于利用
国家资本主义过渡到社会主义的思
想, 宋超,《南通师专学报》1993 年
第 4 期

浅析毛泽东与列宁的群众观,
项国兰,《当代世界与社会主义》
1993 年第 4 期

列宁缔建苏联的理论与实践初
探, 徐隆彬,《俄罗斯中亚东欧研
究》1993 年第 4 期

论十月革命时期列宁关于苏俄
利用现成市场的思想, 俞良早,《江
汉论坛》1993 年第 4 期

关于列宁新经济政策理论若干
问题的辨析, 俞良早,《当代世界与
社会主义》1993 年第 4 期

列宁对社会主义经济建设道路
的开创性探索, 张春山,《当代经济
科学》1993 年第 4 期

列宁利用资本主义人才的思想
及其实践, 张廷安,《领导科学》
1993 年第 4 期

列宁晚期关于利用资本主义思
想论略, 赵迅,《湖南城市学院学
报》1993 年第 4 期

列宁借鉴和利用资本主义的思
想初探, 周发源,《党建研究》1993
年第 4 期

略论列宁关于学习、利用外国
资本主义的策略思想, 曹骏,《中国

青年政治学院学报》1993 年第 5 期

一个建设俄国特色的社会主义
的公式——列宁著作读书札记, 杜
康传,《江西社会科学》1993 年第
5 期

列宁晚年在社会主义革命和建
设问题上认识的若干发展, 姜大为,
《教学与研究》1993 年第 5 期

列宁合作制社会主义探析, 刘
天俊,《社会科学研究》1993 年第
5 期

试论列宁关于学习和利用资本
主义文明成果的思想和主张, 毛联
合,《理论导刊》1993 年第 5 期

列宁探索社会主义建设道路的
启示, 荣开明,《湖北师范学院学
报》(哲学社会科学版) 1993 年第
5 期

列宁关于共产党员要学习经商
的思想, 王荣阁,《河南师范大学学
报》(哲学社会科学版) 1993 年第
5 期

列宁的真理观是直觉主义的真
理观吗? ——兼与王珏先生商榷,
谢志岿,《湖南师范大学教育科学学
报》1993 年第 5 期

十月革命后列宁对合作社态度
的转变初探, 章前明,《杭州师范学
院学报》(社会科学版) 1993 年第
5 期

列宁新经济政策对执政党建设
的启示, 郑善学、黄安菊,《探索》

1993 年第 5 期

列宁社会主义建设思想的理论支点，刘彤、柏维春，《东北师大学报》（哲学社会科学版）1993 年第 6 期

论列宁关于新经济政策动力体系的两种设想，俞良早，《湖北大学学报》（哲学社会科学版）1993 年第 6 期

列宁关于通过商业过渡到社会主义的思想给我们的启示，杨胜刚，《商业研究》1993 年第 7 期

列宁秘书工作理论述评，陈荣，《秘书之友》1993 年第 8 期

苏联东欧的崩溃和马克思列宁主义，〔日〕津合崇著，庞仁芝摘译，《国外社会科学信息》1993 年第 11 期

试析列宁关于主客体统一的思想，高大慧，《远程教育杂志》1994 年第 1 期

浅议列宁向资本主义学习的思想，蒋华志，《乐山师范学院学报》1994 年第 1 期

列宁关于维护党的团结统一的思想，李五星，《沧州师范专科学校学报》1994 年第 1 期

列宁管理思想浅探，刘井山，《浙江社会科学》1994 年第 1 期

前苏联学术界对列宁的帝国主义理论的几个问题的看法，刘淑春，《马克思主义与现实》1994 年第

1 期

一次可贵的探索——列宁晚年关于俄国特色社会主义道路的认识，王祖奇，《盐城师范学院学报》（哲学社会科学版）1994 年第 1 期

试论列宁关于范畴的认识功能的思想——对康德的批判与超越，吴开明，《厦门大学学报》（哲学社会科学版）1994 年第 1 期

列宁“遗嘱”中的政治体制改革思想，辛燕，《昭乌达蒙族师专学报》1994 年第 1 期

列宁晚年精神文化建设的战略构想及其现实意义，许均秀，《张家口师专学报》1994 年第 1 期

学习列宁关于社会主义经济建设实践和理论的探索，于振武，《科学社会主义》1994 年第 1 期

列宁在苏俄新经济政策时期利用市场发展经济的思想，俞良早，《社会科学战线》1994 年第 1 期

也谈列宁的物质定义——与贺祥林、吴晓东同志商榷，周久义，《安徽大学学报》（哲学社会科学版）1994 年第 1 期

列宁晚年对社会主义理论的新认识，朱峰，《陶瓷学报》1994 年第 1 期

关于列宁物质定义的探讨，李茂贤，《六盘水师范高等专科学校学报》1994 年第 2 期

列宁关于无产阶级执政党反腐

防变的原则和重要举措，刘爱华，
《内蒙古大学学报》（社会科学版）
1994 年第 2 期

列宁晚期思想与当代中国，徐
博函、刘爱莲，《科学社会主义》
1994 年第 2 期

列宁论清政廉洁反对腐败，刘
莉，《杭州大学学报》（哲学社会科学
版）1994 年第 2 期

试论列宁关于文化革命的思想，
刘笑燕，《内蒙古大学学报》（社会科
学版）1994 年第 2 期

国家资本主义是对资本主义利
用和限制的统一——试论列宁关于
国家资本主义的理论和实践，孙凯
民，《内蒙古师范大学学报》（哲学社
会科学版）1994 年第 2 期

论列宁晚年思想及其实质，杨
晋川，《北京社会科学》1994 年第
2 期

列宁对辩证唯物主义真理定义
的探索，易杰雄，《学术月刊》1994
年第 2 期

关于列宁战时非常措施指导思
想的几个问题——对某些流行观点
的商榷，俞良早，《学术季刊》1994
年第 2 期

论列宁的农业合作制思想及其
意义，张志忠，《内蒙古大学学报》
（社会科学版）1994 年第 2 期

列宁的经济宣传思想与我国当
前的经济报道，郑保卫，《郑州大学

学报》（哲学社会科学版）1994 年第
2 期

论列宁关于国家资本主义经济
功能与发展商业和市场，陈君静，
《宁波师院学报》1994 年第 3 期

列宁关于反对官僚主义思想的
探讨，范炳良，《常熟高专学报》
1994 年第 3 期

论列宁的财政思想及其现实意
义，郭连成，《东欧中亚研究》1994
年第 3 期

十月革命前列宁的民族问题理
论纲领述略——纪念列宁逝世 70 周
年，胡卓群、詹真荣，《江西教育学
院学报》1994 年第 3 期

列宁关于国家机构设置编制的
理论与实践，华正学，《东欧中亚研
究》1994 年第 3 期

列宁人才思想刍议，姜兆儒、
于志亭，《石油大学学报》（社会科学
版）1994 年第 3 期

列宁关于民族平等的理论及在
中国的实践，李建勤、詹真荣，《西
藏大学学报》（汉文版）1994 年第
3 期

列宁关于工人阶级政党对待宗
教的态度及其策略，石衍丰，《五台
山研究》1994 年第 3 期

列宁反官僚主义的理论与实践
及其现实意义，王力军，《济南大学
学报》（社会科学版）1994 年第 3 期

论列宁的党性原则与目前俄罗

斯图书馆界否定党性原则的倾向，尤小明，《图书馆界》1994 年第 3 期

论列宁关于民族问题两种趋势的理论，薛焕章，《当代世界与社会主义》1994 年第 3 期

列宁对执政党建设理论的主要贡献，赵云献，《科学社会主义》1994 年第 3 期

小商品经济　资本主义　帝国主义——布哈林和列宁关于党纲问题的争论，郑异凡，《当代世界与社会主义》1994 年第 3 期

重新认识列宁对俄国过渡时期社会基本矛盾的分析，陈国新，《学术探索》1994 年第 4 期

恩格斯列宁论马克思主义真理观的实质——兼析恩格斯对杜林绝对主义的批判和列宁对波格丹诺夫相对主义的批判，杜金亮、郭明祥，《石油大学学报》（社会科学版）1994 年第 4 期

统一和斗争的相对绝对问题新探——兼论毛泽东和列宁观点的异同，方辉锦，《毛泽东邓小平理论研究》1994 年第 4 期

论列宁的新经济政策与唯物史观，李斌雄、国屏，《武汉大学学报》（哲学社会科学版）1994 年第 4 期

论列宁的群众监督思想，李宗楼，《社会主义研究》1994 年第 4 期

列宁对小农结构国家向社会主义过渡道路的探索，廖胜刚，《吉首大学学报》（社会科学版）1994 年第 4 期

列宁在新经济政策中对社会主义商品经济理论的探索，刘莉、何才全、奕德泉，《杭州师范学院学报》（社会科学版）1994 年第 4 期

论列宁和平共处思想的提出，毛锐，《山东师范大学学报》（社会科学版）1994 年第 4 期

恩格斯与列宁对真理论述异同之启示，钱福新，《安徽大学学报》（哲学社会科学版）1994 年第 4 期

"租让"是列宁主张对外开放的集中体现，杨成竹，《常熟高专学报》1994 年第 4 期

论列宁关于苏维埃俄国工会建设的理论，俞良早，《荆州师范学院学报》1994 年第 4 期

论列宁关于增强国家经济管理能力的理论与实践，俞良早，《湖北大学学报》（哲学社会科学版）1994 年第 4 期

试论列宁有关国营企业经营管理思想及其在实践中的成效，张志军、白赵峰，《渭南师专学报》1994 年第 4 期

列宁的工会学说与市场经济条件下的工会理论体系——重温列宁关于过渡时期工会工作的纲领性文献，《工会理论与实践》1994 年第 4 期

马克思与列宁的社会经济形态思想，李杰，《思想战线》1994年第5期

列宁对社会主义市场经济的探索及其意义，刘彦生，《东欧中亚研究》1994年第5期

论列宁关于落后国家建设社会主义的思想，沈祥旺，《社会主义研究》1994年第5期

论列宁对共产主义运动中"左派"幼稚病的批判，余源培，《学术界》1994年第5期

论列宁关于租让制思想的产生与演进，俞良早，《湖北师范学院学报》（哲学社会科学版）1994年第5期

列宁著作何以出版次数最多——兼谈理论文章的文采，杜贤荣，《科技文萃》1994年第6期

列宁论艺术典型，刘文斌，《内蒙古社会科学》（汉文版）1994年第6期

列宁强化人民监督权的思想及其现实意义，王均甫，《科学社会主义》1994年第6期

对十月革命胜利初期列宁国有化思想的探察——关于"用赤卫队进攻资本"的传统认识质疑，俞良早，《社会科学研究》1994年第6期

论欧洲革命退潮时列宁关于马克思主义理论的信念，俞良早，《湖北大学学报》（哲学社会科学版）1994年第6期

论苏俄国内战争时期列宁关于社会主义的几个重要论断，俞良早，《中共福建省委党校学报》1994年第6期

论列宁关于"生产宣传"的思想与实践，俞良早，《理论月刊》1994年第7期

列宁关于执政党坚持和健全民主集中制的思想，李宗楼、马云，《党建研究》1994年第10期

浅析列宁的和平共处原则，党晓龙、刘晓强，《理论导刊》1994年第12期

列宁"东方决战论"献疑，刘文汇，《南京社会科学》1994年第12期

恩格斯、列宁讲资本主义生产"无计划性没有了"辨析，卫兴华，《理论前沿》1994年第17期

列宁关于民主集中制的论述，王干江，《理论前沿》1994年第22期

列宁关于防治传染病的论述，蔡孝恒，《医学与社会》1995年第1期

列宁是认为"对立面的统一就是否定之否定"吗？窦爱兰，《佳木斯大学社会科学学报》1995年第1期

列宁关于社会主义民主制的理论与实践，高放，《南京社会科学》

1995 年第 1 期

重温列宁关于文化建设的辩证思想，郝永平，《社会科学论坛》1995 年第 1 期

列宁关于社会主义监察制度改革思想的探讨，姬金铎，《中国青年政治学院学报》1995 年第 1 期

列宁对马克思主义文艺理论的独特贡献，况绮纹，《内江师范学院学报》1995 年第 1 期

列宁论社会主义民主与法制建设，任维德，《内蒙古大学学报》（社会科学版）1995 年第 1 期

试论列宁对认识结构与认识活动关系的揭示，吴开明、张培春，《集美航海学院学报》1995 年第 1 期

学习列宁民主集中制理论和实践，徐善广，《理论月刊》1995 年第 1 期

列宁后期经济建设思想的历史线索与演进倾向，俞良早，《湖北大学学报》（哲学社会科学版）1995 年第 1 期

论列宁关于苏俄粮食政策的思想，俞良早，《东欧中亚研究》1995 年第 1 期

列宁在新经济政策时期处理民族问题的理论和实践，詹真荣，《上饶师专学报》1995 年第 1 期

列宁三论工作重心转移及其现实意义，邹积贵，《中国海洋大学学报》（社会科学版）1995 年第 1 期

列宁谈性关系和性道德，《道德与文明》1995 年第 1 期

列宁与毛泽东哲学思想比较管窥，成一丰，《陕西师范大学学报》（哲学社会科学版）1995 年第 2 期

列宁认为"对立面的统一就是否定之否定"吗？窦爱兰，《大庆高等专科学校学报》1995 年第 2 期

"从个人利益上关心"的原则与社会主义市场经济条件下的按劳分配——学习列宁按劳分配理论和实践的思考，范毅，《财经理论与实践》1995 年第 2 期

论列宁的法制教育和法律监督思想，李爱华，《山东师范大学学报》（社会科学版）1995 年第 2 期

列宁的新经济政策与邓小平的改革开放，李声禄，《毛泽东思想研究》1995 年第 2 期

列宁的物质定义和现代自然科学几个新问题，李永明，《安徽农业技术师范学院学报》1995 年第 2 期

列宁反对官僚主义的理论与实践，李宗楼，《安徽师范大学学报》（人文哲学社会科学版）1995 年第 2 期

试论列宁关于向社会主义过渡的改良主义道路的理论，廖胜刚，《吉首大学学报》（社会科学版）1995 年第 2 期

列宁改革苏维埃国家政治体制

的现实启迪，全正浩、戴绪魁，《延边大学学报》(社会科学版) 1995 年第 2 期

恩格斯和列宁对不可知论的批判及其现实意义，徐志辉，《许昌师专学报》1995 年第 2 期

论列宁关于生产性质"社会化"的思想——正确认识列宁社会主义理论的出发点，俞良早，《湖北大学学报》(哲学社会科学版) 1995 年第 2 期

论列宁关于民主集中制的理论与实践，黄晓峰，《湖北大学学报》(哲学社会科学版) 1995 年第 3 期

浅议列宁强化党内监督的实践活动，李介安、王伟，《松辽学刊》(人文社会科学版) 1995 年第 3 期

试论列宁对人的全面发展学说的主要贡献，孙振东、刘书勇，《山东教育学院学报》1995 年第 3 期

浅析列宁的两个命题　兼谈"一手硬，一手软"问题，邢洪平、翟丽艳，《当代思潮》1995 年第 3 期

深入研究建设有中国特色社会主义理论的重要环节——从列宁关于社会主义建设的理论与实践谈起，阎长贵、葛洪泽，《理论学刊》1995 年第 3 期

关于党加强思想政治教育工作思想的升华——邓小平思想与列宁思想的比较研究，俞良早，《中共福建省委党校学报》1995 年第 3 期

关于监察与检查的历史经验——苏俄新经济政策时期列宁的理论与实践，俞良早，《湖北大学学报》(哲学社会科学版) 1995 年第 3 期

略论列宁关于工会保护的理论，张策，《工会理论研究》1995 年第 3 期

论列宁反对"左倾"的斗争，艾景学，《学术交流》1995 年第 4 期

对列宁合作社思想的再思考，岑燕坤，《黔南民族师范学院学报》1995 年第 4 期

批判·改造·继承·创新——论列宁对待黑格尔逻辑学的基本态度，陈依元，《宁波大学学报》(教育科学版) 1995 年第 4 期

简论列宁的民主集中制原则及意义，戴思厚，《攀登》1995 年第 4 期

农民问题是社会主义建设的首要问题——兼论列宁"做文明商人"的思想，范毅，《常德师范学院学报》(社会科学版) 1995 年第 4 期

人道主义研究中的一大"误区"——对列宁在实行"新经济政策"前由否定商品经济而笼统批评人道主义情况的反思，胡义成，《海南师范学院学报》(人文社会科学版) 1995 年第 4 期

邓小平对列宁晚期辩证法思想的继承，王晶雄，《军队政工理论研

究》1995 年第 4 期

邓小平与列宁经济建设思想比较研究，王伟光，《韩山师范学院学报》1995 年第 4 期

党对列宁过渡时期学说的理解与我国的过渡时期总路线，王玉贵，《党史研究与教学》1995 年第 4 期

列宁社会保障思想研究，杨志文，《青海民族研究》1995 年第 4 期

论列宁转变工作重心思想的演进，俞良早，《社会主义研究》1995 年第 4 期

列宁的"国家资本主义"理论，张正乾、王太银，《泰安师专学报》1995 年第 4 期

再谈列宁的两个物质定义——答周久义同志，贺祥林、吴晓东，《江汉论坛》1995 年第 5 期

论列宁的反腐倡廉思想，胡连生，《理论探讨》1995 年第 5 期

列宁"链条——环节"论再探，李福麟，《理论学习与探索》1995 年第 5 期

列宁廉政建设和惩治腐败的理论与实践，徐隆彬，《东欧中亚研究》1995 年第 5 期

强化权力制约　实施立体监督——列宁晚期政治监督思想探讨，杨卓华，《理论学习与探索》1995 年第 5 期

论列宁对马克思关于跨越"卡夫丁峡谷"思想的发展，陈波，《马克思主义研究》1995 年第 6 期

新经济政策与列宁的经济法思想，陈波，《法学评论》1995 年第 6 期

论列宁的妇女人才思想，朱秋莲、李德阳，《湖南师范大学教育科学学报》1995 年第 6 期

对列宁关于引进和租让思想的历史思考，刘彦生，《现代财经》1995 年第 6 期

列宁晚年思想探源，王荣阁、吕未林，《河南师范大学学报》（哲学社会科学版）1995 年第 6 期

列宁关于干部工作的思想，徐昕，《理论前沿》1995 年第 6 期

列宁的国家资本主义论是推行公司化的理论基础，杨家志，《经济评论》1995 年第 6 期

关于吸收人类文明成果建设社会主义思想的升华——邓小平思想与列宁思想的比较研究，俞良早，《理论月刊》1995 年第 6 期

论列宁关于苏俄"社会教育"的思想，俞良早，《河南师范大学学报》（哲学社会科学版）1995 年第 6 期

列宁论抽象，周正刚，《湖湘论坛》1995 年第 6 期

社会主义经济仍然是商品经济——对列宁经济思想变化的认识，T.奥伊则尔曼、何爱农，《北方经贸》1995 年第 6 期

关于认识社会主义的一种科学方法论的形成——由列宁的探索到邓小平的探索，俞良早，《社会科学》1995 年第 7 期

略论列宁的廉政建设思想，杨魁，《党风通讯》1995 年第 12 期

浅议列宁社会主义意识形志灌输理论的现实意义，韩德良，《安徽教育学院学报》(社会科学版) 1996 年第 1 期

列宁的改革思想和邓小平的第二次革命，贺瑞，《内蒙古师范大学学报》(哲学社会科学版) 1996 年第 1 期

苏俄新经济政策时期列宁关于加强政治教育工作的思想与实践，黄晓峰，《湖北大学学报》(哲学社会科学版) 1996 年第 1 期

列宁的社会主义民主理想与社会主义民主建设，姬金铎，《中国青年政治学院学报》1996 年第 1 期

根深叶茂的民族理论之树——学习新编列宁著作中有关民族的理论的体系和内容要点，李琪、黄万啭，《理论学习与探索》1996 年第 1 期

列宁关于过渡时期"中间环节"的理论与我国改革开放的实践，梁勤，《武警工程学院学报》1996 年第 1 期

列宁关于民主集中制的理论和实践，刘广登，《徐州师范大学学报》(哲学社会科学版) 1996 年第 1 期

俄罗斯学者对列宁帝国主义理论的新评说，刘淑春，《马克思主义与现实》1996 年第 1 期

从列宁的党建思想谈苏东党建之经验教训，穆爱光、任秀煜，《锦州师范学院学报》(哲学社会科学版) 1996 年第 1 期

论列宁斯大林的知识分子思想，曲峡、王希英，《石油大学学报》(社会科学版) 1996 年第 1 期

略论列宁关于经济建设的思想和实践，苏红，《甘肃政法学院学报》1996 年第 1 期

试论列宁关于"国家垄断资本主义是社会主义入口"的思想，王瑞，《山西高等学校社会科学学报》1996 年第 1 期

理论由实践赋予活力——论列宁在实践社会主义过程中的四大理论观点变化，余源培，《复旦学报》(社会科学版) 1996 年第 1 期

经济落后国家社会主义实践中的农民问题——邓小平理论对列宁思想的发展，俞良早，《湖北社会科学》1996 年第 1 期

论列宁关于十月革命性质的思想，俞良早，《湖北大学学报》(哲学社会科学版) 1996 年第 1 期

社会主义史上的两次农村改革——邓小平理论与列宁思想的比

较研究，俞良早，《社会科学研究》1996 年第 1 期

列宁关于金钱的论述及对我们的启示，张慎霞，《山东工业大学学报》（社会科学版）1996 年第 2 期

列宁主客体理论的历史进程，张卫红，《三峡大学学报》（人文社会科学版）1996 年第 1 期

列宁主义与当代几种思潮的关系，张翼星，《攀登》1996 年第 1 期

列宁"工会是共产主义学校"理论之我见，张云霄，《天津市工会管理干部学院学报》1996 年第 1 期

列宁处理民族语言问题的理论与实践及其启示，詹真荣，《萍乡高等专科学校学报》1996 年第 1 期

列宁反对官僚主义的理论和实践，周建辉，《宁德师专学报》（哲学社会科学版）1996 年第 1 期

列宁的具体真理观及其当代启示，程家明，《河北师范大学学报》（哲学社会科学版）1996 年第 2 期

列宁过渡时期民主建设思想初探，邓平，《南京社会科学》1996 年第 2 期

列宁民族观概述，郭维利，《广西民族学院学报》（哲学社会科学版）1996 年第 2 期

列宁的民族理论与实践——纪念列宁逝世 72 周年，华辛芝，《世界民族》1996 年第 2 期

中国特色的社会主义理论与列宁的新经济政策，刘博威、孟薇，《长春大学学报》1996 年第 2 期

列宁对卢卡契《论议会活动问题》的批评，刘秀兰，《延安大学学报》（哲学社会科学版）1996 年第 2 期

列宁对马克思主义辩证法的重大贡献，沈明霞，《六盘水师范高等专科学校学报》1996 年第 2 期

论列宁从"战时共产主义"到新经济政策思想的嬗变，宋才发，《贵州社会科学》1996 年第 2 期

学习列宁关于国家机关必须建立检查监督工作制度的思想，杨俊珍、杜晓霞，《松辽学刊》（人文社会科学版）1996 年第 2 期

工人阶级执政党从严治党思想的升华——邓小平理论对列宁建党思想的发展，俞良早，《攀登》1996 年第 2 期

浅析列宁对 19 世纪末 20 世纪初俄国土地问题的研究，赵振英，《辽宁师范大学学报》（社会科学版）1996 年第 2 期

列宁晚年文化观新论，白培军，《洛阳师范学院学报》1996 年第 3 期

列宁爱国主义思想新探，姜兆儒、于志亭，《石油大学学报》（社会科学版）1996 年第 3 期

反对官僚主义是执政党建设的战略任务——读列宁关于反对官僚

主义的论述，潘礼保，《理论建设》1996 年第 3 期

列宁对马克思、恩格斯民族学理论的继承与发展，石羊，《西北民族学院学报》（哲学社会科学版）1996 年第 3 期

列宁对马克思、恩格斯民族学理论的继承与发展，石羊，《西北民族学院学报》（自然科学版）1996 年第 3 期

论列宁关于社会主义建设的构想，汤润千，《河北师范大学学报》（哲学社会科学版）1996 年第 3 期

学习列宁晚期关于计划与市场的思想札记，徐博涵，《经济改革》1996 年第 3 期

二十世纪共产主义运动的是是非非与列宁主义，许京元，《宜宾学院学报》1996 年第 3 期

强化权力制约　实施立体监督——列宁晚期政治监督思想探讨，杨卓华，《甘肃理论学刊》1996 年第 3 期

关于列宁“直接过渡”思想的探讨，俞良早，《马克思主义研究》1996 年第 3 期

社会主义建设发展战略思想的重大发展——邓小平理论与列宁思想比较研究，俞良早，《孝感学院学报》1996 年第 3 期

论列宁的“政治遗嘱”——列宁对落后国家社会主义道路的最后

沉思，朱晓鹏，《商丘师范学院学报》1996 年第 3 期

列宁的“一国两制”设想，《当代世界与社会主义》1996 年第 3 期

列宁论利用资本主义，《当代世界与社会主义》1996 年第 3 期

列宁论政治，《高校理论战线》1996 年第 3 期

列宁社会主义辩证法新探，曹军，《安徽教育学院学报》（社会科学版）1996 年第 4 期

列宁对社会主义理论的新发展，代葵，《攀登》1996 年第 4 期

列宁过渡时期民主建设思想初探，邓平，《学术季刊》1996 年第 4 期

论列宁政治遗嘱中的教育思想，范炳良，《常熟高专学报》1996 年第 4 期

列宁晚年的权力制约思想及其启示，蒋逸民，《社会主义研究》1996 年第 4 期

试论邓小平对列宁权力监督思想的发展，蒋逸民，《学海》1996 年第 4 期

论列宁的经济法制思想及苏俄初期的经济法制建设，李爱华，《山东师范大学学报》（社会科学版）1996 年第 4 期

列宁对社会主义法制建设的探索，李宗楼，《安徽师范大学学报》（人文哲学社会科学版）1996 年第

4 期

列宁对自由观的新贡献，罗建清，《井冈山医专学报》1996 年第 4 期

列宁为什么说"政治同经济相比不能不占首位"，秦戈，《真理的追求》1996 年第 4 期

论列宁从"战时共产主义"到新经济政策思想的嬗变，宋才发，《固原师专学报》1996 年第 4 期

列宁——社会主义商品经济理论的开拓者，王晶雄，《军队政工理论研究》1996 年第 4 期

列宁社会主义管理思想探微，王子昌，《山东大学学报》（社会科学版）1996 年第 4 期

论列宁晚年的反腐败思想及其历史启示，肖乾利，《宜宾学院学报》1996 年第 4 期

列宁政治鼓动的思想及其意义，阎世笙、雷富平，《延安大学学报》（哲学社会科学版）1996 年第 4 期

列宁的党建廉政观，杨文礼，《陕西青年管理干部学院学报》1996 年第 4 期

列宁的监察思想及现实意义，尹向阳，《思想战线》1996 年第 4 期

邓小平农村改革理论是对列宁农村改革思想的发展，俞良早，《湖南党史》1996 年第 4 期

列宁与邓小平社会主义民主思想之比析，徐善广、居继清，《湖北社会科学》1996 年第 4 期

列宁对马克思主义哲学的新贡献，张浩、刘锐，《理论研究》1996 年第 4 期

列宁国际战略的时代特征及其形成过程中的重大战略调整，张运城，《天府新论》1996 年第 4 期

列宁关于国家机关建设的理论与实践，曹江秋、王岐海，《湘潭师范学院学报》（社会科学版）1996 年第 5 期

实践第一：列宁探索俄国社会主义道路的本质特征，陈波，《湖北师范学院学报》（哲学社会科学版）1996 年第 5 期

略论列宁的时代观及其指导意义，彭本奇，《理论探讨》1996 年第 5 期

从列宁的商品经济思想到邓小平的社会主义市场经济理论，彭大成，《湖南社会科学》1996 年第 5 期

列宁社会主义市场经济理论的萌发，汪青松、余淑珍，《马克思主义研究》1996 年第 5 期

论列宁关于苏维埃俄国肃反工作的政策思想，俞良早，《湖北大学学报》（哲学社会科学版）1996 年第 5 期

邓小平理论是列宁新经济政策思想的继承和发展，蔡金发，《福建论坛》（人文社会科学版）1996 年第 6 期

论列宁晚年对社会主义经济体制的探索，胡连生，《理论探讨》1996年第6期

学习列宁关于执政党监督思想的体会，李清梅，《前沿》1996年第6期

论列宁对"非资本主义发展"理论的重大贡献，卢纪雨，《内蒙古大学学报》（社会科学版）1996年第6期

邓小平改革开放思想与列宁"新经济政策"之比较，王健、徐秀霞，《长白学刊》1996年第6期

论"解放思想"和"实事求是"的理论化——邓小平理论与列宁思想的比较研究，俞良早，《社会主义研究》1996年第6期

由列宁租让制思想到邓小平经济特区理论的发展，俞良早，《社会科学研究》1996年第6期

列宁的"遗嘱"之谜，《党政论坛》1996年第7期

社会主义社会发展生产力思想的重大发展——邓小平理论与列宁思想比较研究，俞良早，《理论月刊》1996年第7期

正确理解列宁"少谈政治"的思想，郭榛树，《理论导刊》1996年第9期

从列宁到斯大林探索社会主义建设的经验与教训，蔡金发，《中共福建省委党校学报》1996年第10期

列宁斯大林探索社会主义建设的经验与教训，蔡金发，《理论学习月刊》1996年第10期

论列宁关于执政党密切联系群众的思想，魏泽焕，《江汉论坛》1996年第10期

列宁遗嘱的政治思考，尹彦，《中共福建省委党校学报》1996年第10期

邓小平"政治保证"理论对列宁思想的发展，俞良早，《中共福建省委党校学报》1996年第11期

列宁新经济政策的实质，陈立旭，《理论学习》1996年第12期

由国家利用市场思想到社会主义市场经济理论的发展——邓小平理论与列宁思想比较研究，俞良早，《江汉论坛》1996年第12期

列宁关于新经济政策的基本思想及其理论意义和实践意义是什么？赵长茂，《前线》1996年第12期

马克思、恩格斯、列宁、斯大林、毛泽东论社会主义精神文明，《党的生活》1996年第12期

奥伊泽尔曼谈列宁对马克思主义的阐释，任建华，《国外理论动态》1996年第28期

新经济政策时期列宁解决农民问题的理论与实践，程印学，《商丘师范学院学报》1997年第1期

列宁人民监督权思想初探，成

云雷,《南通师范学院学报》(哲学社会科学版) 1997 年第 1 期

列宁的文化建设思想与我国的精神文明建设, 陈哲,《咸宁师专学报》1997 年第 1 期

论指导社会主义建设的思想路线——邓小平思想与列宁思想之比较, 贺祥林,《湖北大学学报》(哲学社会科学版) 1997 年第 1 期

回到马克思: 马列文论学习札记, 李思孝,《文艺研究》1997 年第 1 期

列宁关于社会主义文化建设思想简论, 李逢彦,《武警工程学院学报》1997 年第 1 期

重温列宁关于社会主义时期监督机制的思想, 宋素琴,《河北大学学报》(哲学社会科学版) 1997 年第 1 期

论斯大林对列宁执政党建设思想的继承, 王长江,《中共中央党校学报》1997 年第 1 期

正确理解列宁的 "两个政权并存" 说, 王祖奇,《盐城师范学院学报》(哲学社会科学版) 1997 年第 1 期

列宁的图书情报网络化思想发凡, 吴海、李仁林,《情报杂志》1997 年第 1 期

试论列宁与党内反对派, 吴善群,《龙岩师专学报》1997 年第 1 期

关于什么是社会主义的科学回答——邓小平理论对列宁思想的发展, 叶剑锋,《湖北大学学报》(哲学社会科学版) 1997 年第 1 期

关于 20 世纪东方社会主义理论的特点——论邓小平理论和列宁理论, 俞良早,《湖北大学学报》(哲学社会科学版) 1997 年第 1 期

关于列宁民族自决权原则的理解, 张文红、陈媚林,《广西师范大学学报》(哲学社会科学版) 1997 年第 1 期

列宁的新经济政策说明了什么? 郑玉光,《财金贸易》1997 年第 1 期

列宁人权思想浅探, 郑祖泉,《中共浙江省委党校学报》1997 年第 1 期

落后国家建设社会主义的必由之路——对列宁新经济政策理论的再思考, 朱必祥,《南京理工大学学报》(社会科学版) 1997 年第 1 期

社会主义法制理论的两座丰碑——列宁与邓小平法制观比较研究, 陈波,《华中师范大学学报》(人文社会科学版) 1997 年第 2 期

试论新经济政策时期列宁解决农民问题的理论与实践, 程印学,《河南大学学报》(社会科学版) 1997 年第 2 期

论邓小平对列宁利用资本主义的思想的继承与发展, 崔铁强,《理论与现代化》1997 年第 2 期

列宁关于苏维埃俄国农村合作

化道路的探索，郭建平，《中共中央党校学报》1997年第2期

从列宁的和平共处思想到邓小平的"一国两制"理论，郭媛，《武警工程学院学报》1997年第2期

列宁晚年对社会主义行政管理的探索，韩琳、高哲，《延安大学学报》（哲学社会科学版）1997年第2期

论掌握爱国主义的若干方法与基本内容——邓小平思想与列宁思想比较研究，贺祥林，《学术季刊》1997年第2期

夺目的旗帜鲜明的真理——十月革命胜利后列宁建党思想的基本观点探讨，简明才，《求实》1997年第2期

列宁论伦理学的方法论原则，金可溪，《北京大学学报》（哲学社会科学版）1997年第2期

列宁与邓小平社会主义精神文明建设思想之比较，居继清、周青鹏，《江汉论坛》1997年第2期

列宁"一国胜利"论的再探讨，李心华、辛桂清，《烟台师范学院学报》（哲学社会科学版）1997年第2期

论列宁关于社会主义商品货币思想的嬗变，宋才发，《重庆商学院学报》1997年第2期

论列宁经济发展思想的特点，王元璋，《经济评论》1997年第2期

论列宁关于执政党对经济建设领导的思想，徐昕，《江苏社会科学》1997年第2期

论列宁关于苏俄农村经济社会发展思想的演进，俞良早，《苏州大学学报》（哲学社会科学版）1997年第2期

论列宁晚期"合作制的社会主义"的思想，朱晓鹏，《河北大学学报》（哲学社会科学版）1997年第2期

列宁晚年改善监察机关工作的思想及其意义，甘剑斌，《苏州丝绸工学院学报》1997年第3期

邓小平列宁教育思想比较研究，郭大俊，《湖北大学学报》（哲学社会科学版）1997年第3期

和谐地结合：列宁怎样处理非对抗性矛盾，何小平，《当代世界与社会主义》1997年第3期

论领袖政党阶级群众的辩证关系——邓小平思想对列宁思想的发展及其意义，贺祥林，《湖北大学学报》（哲学社会科学版）1997年第3期

无产阶级审美实践经验的科学总结——列宁美学思想学习札记，梁一儒、宫承波，《山东大学学报》（哲学社会科学版）1997年第3期

列宁改革政治体制的理论及其启示，刘永高，《延安大学学报》（哲学社会科学版）1997年第3期

列宁"灌输"原理与社会主义精神文明建设，冉世民，《理论学习与探索》1997年第3期

十月革命后列宁对农民问题的认识与社会实践，申成玉，《新乡师范高等专科学校学报》1997年第3期

对列宁后期思想的再认识，施肇域，《中国社会科学》1997年第3期

列宁社会主义文化建设思想的形成与发展，王丰，《江苏教育学院学报》（社会科学版）1997年第3期

列宁的商品经济、市场与政府理论的再评析，卫兴华，《中共中央党校学报》1997年第3期

列宁的"帝国主义论"与当代资本主义，肖枫，《当代世界与社会主义》1997年第3期

简论列宁关于社会主义经济建设的理论，谢永萍，《喀什师范学院学报》1997年第3期

从列宁到邓小平——东方国家社会主义建设理论的成长，俞良早，《当代世界社会主义问题》1997年第3期

关于经济增长动力体系理论的发展——邓小平理论与列宁思想比较研究，俞良早，《孝感学院学报》1997年第3期

关于列宁苏维埃建设思想的几个问题——为纪念十月革命80周年而作，俞良早，《政治学研究》1997年第3期

列宁社会主义理设思想管窥，张赤卫，《学术界》1997年第3期

由列宁的"政治遗言"到邓小平的"政治交代"，郭鸿，《社会科学》1997年第4期

重温列宁关于租让制和国家资本主义的理论，蒋学模，《群言》1997年第4期

马克思——列宁反腐败思想的历史发展，李士菊、许婉璞，《河北师院学报》（社会科学版）1997年第4期

列宁人民监督思想及其启示，刘常喜，《延安大学学报》（哲学社会科学版）1997年第4期

列宁的青年人才思想及其时代意义，王莉萍，《党建与人才》1997年第4期

学习列宁晚期关于计划与市场的思想札记，徐博涵，《马克思主义研究》1997年第4期

关于20世纪东方社会主义理论的历史地位——论邓小平理论和列宁理论，俞良早，《马克思主义研究》1997年第4期

试论列宁关于哲学党性原则与恩格斯关于哲学基本问题论述的差别，郑守林，《邯郸职业技术学院学报》1997年第4期

关于列宁"直接过渡"思想的

再探讨——与俞良早同志商榷，陈波，《马克思主义研究》1997 年第 5 期

列宁的权力监督思想初探，郭红霞，《高等函授学报》（哲学社会科学版）1997 年第 5 期

试比较列宁与邓小平监督执政党思想，贺瑞，《内蒙古师范大学学报》（哲学社会科学版）1997 年第 5 期

列宁"链条—环节"论三探——列宁对辩证法实质的规定和运用与邓小平对辩证法实质的把握和实践，李福麟，《理论学习与探索》1997 年第 5 期

列宁的思路：对外开放，刘向军，《辽宁大学学报》（哲学社会科学版）1997 年第 5 期

论列宁关于落后国家建设社会主义的思想，刘笑燕，《前沿》1997 年第 5 期

关于社会主义社会发展阶段思想的重大发展——邓小平理论与列宁思想的比较，俞良早，《中共浙江省委党校学报》1997 年第 5 期

十月革命与列宁战略思想的两次转变——纪念十月革命八十周年，俞良早，《东欧中亚研究》1997 年第 5 期

列宁关于执政党如何搞好经济建设的思想，张建国，《理论学刊》1997 年第 5 期

对列宁民族自决权思想的再认识，张祥云，《理论学刊》1997 年第 5 期

论列宁向社会主义过渡的所有制思想，崔文华，《重庆社会科学》1997 年第 6 期

列宁晚年对斯大林工作的六大批评，胡林辉，《中学历史教学参考》1997 年第 6 期

邓小平"不搞争论"思想是对列宁"不争论"思想的继承和发展，孟浩明，《东南学术》1997 年第 6 期

农业两个转变的理论借鉴——学习列宁关于农村商品经济的论述，杨承训，《马克思主义与现实》1997 年第 6 期

列宁关于民族问题的最后遗言，张琴芬、刘建宁，《江苏社会科学》1997 年第 6 期

论列宁新经济政策与邓小平《经济改革》思想的内在联系，张振岩、杨洪江，《科学社会主义》1997 年第 6 期

对列宁"一国胜利论"的新认识，左凤荣，《理论视野》1997 年第 6 期

列宁晚年思想发展的三个阶段和两次飞跃，左亚文，《武汉大学学报》（哲学社会科学版）1997 年第 6 期

浅论列宁关于市场作用的思想，

朱修国、郎新华,《理论学习》1997年第 6 期

对列宁共产主义道德理论的再认识, 金可溪,《真理的追求》1997年第 8 期

列宁的"帝国主义论"与当代资本主义, 肖枫,《中国党政干部论坛》1997 年第 10 期

象列宁那样学习马克思, 姜晓军,《发展论坛》1997 年第 11 期

十月革命期间列宁指导革命斗争的策略, 盛奇秀,《发展论坛》1997 年第 11 期

列宁对社会主义文化建设的战略构想, 王丰,《唯实》1997 年第 11 期

列宁晚年对经济落后国家建设社会主义的新探索, 陈哲,《咸宁师专学报》1998 年第 1 期

邓小平和列宁关于知识分子理论的比较研究, 郭大俊,《湖北大学学报》(哲学社会科学版) 1998 年第 1 期

从列宁的新经济政策看邓小平的改革开放战略, 姜秀英,《北方经贸》1998 年第 1 期

邓小平对列宁反腐败思想的继承与发展, 居继清,《成都大学学报》(社会科学版) 1998 年第 1 期

苏俄初期列宁外交思想浅析, 刘春蕊,《青岛大学师范学院学报》1998 年第 1 期

列宁对建设社会主义之路的探索与邓小平理论, 刘彦章,《理论视野》1998 年第 1 期

新经济政策时期列宁社会主义思想的发展, 王万民,《毛泽东思想研究》1998 年第 1 期

列宁与邓小平管理思想比较, 吴海晶,《成都大学学报》(社会科学版) 1998 年第 1 期

邓小平管理思想与列宁管理思想的共同点, 吴海晶,《湖北大学成人教育学院学报》1998 年第 1 期

列宁与斯大林的两种截然不同的社会主义建设模式, 左凤荣,《中共中央党校学报》1998 年第 1 期

浅论我党对列宁民族平等理论的升华, 詹真荣,《江西师范大学学报》(哲学社会科学版) 1998 年第 1 期

列宁科技思想初探, 周天泽,《首都师范大学学报》(社会科学版) 1998 年第 1 期

再论列宁晚期"合作制的社会主义"的思想, 朱晓鹏,《河北大学学报》(哲学社会科学版) 1998 年第 1 期

道德权利、法律权利、现实权利——列宁与邓小平人权观比较研究, 陈波,《法学评论》1998 年第 2 期

论列宁的党政关系理论, 岑燕坤,《贵州民族学院学报》(哲学社会

科学版）1998 年第 2 期

改良与革命——列宁的新经济政策与邓小平的经济改革理论比较，廖胜刚，《吉首大学学报》（社会科学版）1998 年第 2 期

试论列宁关于廉政建设的战略构想，刘书越，《理论学习与研究》1998 年第 2 期

列宁新经济政策与现实社会主义思想的第一次变革，刘玉丽、岳海鹰，《中国煤炭经济学院学报》1998 年第 2 期

试论列宁关于干部队伍建设的思想，宋仕平，《湖北师范学院学报》（哲学社会科学版）1998 年第 2 期

列宁的对外开放思想及其启示，孙德杰、贾暾，《社会主义研究》1998 年第 2 期

列宁的图书情报网络化思想形成探微，吴海，《大学图书情报学刊》1998 年第 2 期

列宁后期思想的政治性质及发展中的一贯性，俞良早，《学术季刊》1998 年第 2 期

马克思列宁关于银行职能的学说与现实的思考，丛松日，《孝感学院学报》1998 年第 3 期

试述布哈林所理解的"列宁政治遗嘱"，高新民，《西北第二民族学院学报》（哲学社会科学版）1998 年第 3 期

试论"列宁模式"，刘春蕊、于建胜，《青岛大学师范学院学报》1998 年第 3 期

列宁和斯大林社会主义生产力理论之比较，宋全成，《山东大学学报》（社会科学版）1998 年第 3 期

列宁与"左派共产主义者"，孙景峰，《贵州师范大学学报》（社会科学版）1998 年第 3 期

列宁重视发展基础教育的思想和实践，王丰，《江苏教育学院学报》（社会科学版）1998 年第 3 期

邓小平理论是对列宁主义的直接继承和发展，伍大荣，《中南民族学院学报》（人文社会科学版）1998 年第 3 期

列宁新经济政策的思想精华——发扬"首创、创新精神"，许建平，《浙江大学学报》（人文社会科学版）1998 年第 3 期

论列宁的国家资本主义及其意义，杨文翔、李瑞芳，《集宁师专学报》1998 年第 3 期

论沿着两条线索掌握列宁的后期思想，俞良早，《湖北大学学报》（哲学社会科学版）1998 年第 3 期

苏联早期民族理论的演变：从列宁到斯大林，詹真荣，《山东大学学报》（社会科学版）1998 年第 3 期

"一国两制"对列宁国际战略理论的发展，管文虎、介健美、申小蓉，《毛泽东思想研究》1998 年第

4 期

列宁与邓小平教育思想比较研究，贺瑞、王渤，《内蒙古师范大学学报》（哲学社会科学版）1998 年第 4 期

列宁与邓小平党群关系思想之比析，居继清，《社会科学动态》1998 年第 4 期

美国学者布劳特撰文捍卫列宁的帝国主义理论，刘淑春，《国外理论动态》1998 年第 4 期

列宁晚期关于民族问题的思想理论与斗争，徐博涵，《东欧中亚研究》1998 年第 4 期

邓小平对列宁利用资本主义建设社会主义思想的继承与发展，余精华，《安徽农业大学学报》（社会科学版）1998 年第 4 期

列宁形成发展商业思想的意义及其他，俞良早，《马克思主义研究》1998 年第 4 期

从苏俄初期的内外政策看列宁灵活务实的策略思想，张建平，《贵州民族学院学报》（哲学社会科学版）1998 年第 4 期

浅析列宁的和平共处思想，丁新华，《社会主义研究》1998 年第 5 期

官僚主义的体制原因及其消解手段——重温列宁反对官僚主义的理论与实践，龚廷泰，《江苏社会科学》1998 年第 5 期

巨大的理论贡献深刻的历史启示——学习列宁关于新经济政策的理论，顾杰，《科学社会主义》1998 年第 5 期

列宁文化建设的思想与实践及其现实意义，黄艳，《学术探索》1998 年第 5 期

列宁的哲学发展"圆圈"说试析，胡世才，《理论观察》1998 年第 5 期

股份制并非"帝国主义的经济基础"——列宁与"修正主义"论战新说，胡义成，《河南社会科学》1998 年第 5 期

论邓小平理论对列宁后期思想的继承和发展，李长江，《社会主义研究》1998 年第 5 期

恩格斯、列宁、毛泽东的自由观之比较，李恩广，《北方论丛》1998 年第 5 期

论列宁"最后构想"中的文化建设思想，钱崇涛，《浙江学刊》1998 年第 5 期

试论列宁建设社会主义的基本思路，王爱琦，《浙江社会科学》1998 年第 5 期

邓小平理论对列宁新经济政策思想的继承和发展，杨承训、李洙泗，《马克思主义与现实》1998 年第 5 期

历史性飞跃：从列宁思路到邓小平理论——为纪念改革开放 20 周

年而作，杨承训，《经济经纬》1998年第5期

邓小平对列宁实践观的继承和发展，张文彦，《理论学刊》1998年第5期

邓小平与列宁关于经济文化落后国家建设社会主义思想的比较研究，钟读仁、赵斌、冯新广，《理论学刊》1998年第5期

列宁关于党风廉政建设的理论与实践，窦效民，《郑州大学学报》（哲学社会科学版）1998年第6期

马克思恩格斯到列宁：无产阶级世界革命战略的演变，李春放，《探索》1998年第6期

列宁关于新经济政策的理论探索，廉进国，《前沿》1998年第6期

浅探列宁对社会主义认识的思想转变，梅琼、林江涛，《湖北社会科学》1998年第6期

列宁与邓小平经济改革思想的比较研究，唐万年，《南京政治学院学报》1998年第6期

谈谈列宁关于无产阶级专政的一个定义，子冰，《中国党政干部论坛》1998年第6期

从列宁的新思路到邓小平的新道路——关于十月革命意义和经验的思考，蔡金培，《理论前沿》1998年第7期

论邓小平对列宁和平共处思想的多重发展，毛惠彬，《上海铁道大学学报》1998年第7期

列宁新闻思想及其评析，贾乐蓉，《中央社会主义学院学报》1998年第8期

列宁对国家机关改革的探索，潘立玉、杨士田，《发展论坛》1998年第10期

经济文化落后国家建设社会主义思想的发展——邓小平理论与列宁晚年思想的比较研究，王彦勇、赵斌，《理论前沿》1998年第20期

从列宁的和平共处策略到当代中国的和平共处五项原则，曹希岭，《山东师范大学学报》（人文社会科学版）1999年第1期

对列宁一国建成社会主义思想及其意义的探讨，陈立旭，《社会主义研究》1999年第1期

列宁关于向资产阶级专家学习的思想，丛松日，《贵阳师专学报》（社会科学版）1999年第1期

"列宁的思路"与邓小平理论，丁太魁，《陕西教育学院学报》1999年第1期

列宁加强执政党建设的理论与实践，董文芳，《济南大学学报》1999年第1期

列宁邓小平市场经济思想比较研究，侯衍社，《石油大学学报》（社会科学版）1999年第1期

在股份制问题上也要纠正列宁的失误——列宁与"修正主义"论

战新说，胡义成，《青海师专学报》1999 年第 1 期

文化主义——列宁对落后国家社会主义建设的思考，姬金铎，《中国青年政治学院学报》1999 年第 1 期

对内搞活　对外开放——邓小平对列宁思想的继承和发展，李明，《内江师范高等专科学校学报》1999 年第 1 期

列宁的合作制思想与我国农村改革和发展的"两个飞跃"，刘建华，《理论探索》1999 年第 1 期

浅谈列宁教育思想对我们的启示，彭波，《辽宁商务职业学院学报》1999 年第 1 期

列宁的探索与马克思东方社会理论一脉相承，夏银平，《华中理工大学学报》（社会科学版）1999 年第 1 期

正确理解马克思、恩格斯、列宁关于教育的论述，萧宗六，《教育研究与实验》1999 年第 1 期

邓小平理论对列宁社会主义观的继承和发展，徐光辉、蔺磊，《广西教育学院学报》1999 年第 1 期

列宁关于利用外资的理论与实践，余茂辉、俞国，《湖北师范学院学报》（哲学社会科学版）1999 年第 1 期

列宁论社会主义文化建设，张国安，《信阳师范学院学报》（哲学社会科学版）1999 年第 1 期

列宁预计新经济政策要实行多久？高放，《马克思主义与现实》1999 年第 2 期

巴黎公社的"社会公仆"原则与列宁的苏维埃政权建设，董文芳，《东岳论丛》1999 年第 2 期

列宁关于落后社会主义国家发展教育的思想，高继平，《临沂师范学院学报》1999 年第 2 期

列宁依法治国思想研究，何峻，《社会主义研究》1999 年第 2 期

股份制："批修"的沉痛教训——列宁与"修正主义"论战新说，胡义成，《陕西青年管理干部学院学报》1999 年第 2 期

对列宁晚年社会主义思想演变的探讨，江涛、吴辉，《湖湘论坛》1999 年第 2 期

十月革命后列宁关于解决多民族国家民族问题的理论与实践，李长根，《浙江师大学报》（社会科学版）1999 年第 2 期

列宁关于社会主义文明理论和实践的几点思考，李红波，《上海海运学院学报》1999 年第 2 期

试论马克思、恩格斯同列宁在组织制度理论上的差异，刘彦昌，《河南社会科学》1999 年第 2 期

论列宁关于苏维埃俄国社会发展阶段的探索，马耀红、王仁高，《莱阳农学院学报》（社会科学版）

1999 年第 2 期

从新经济政策看列宁对社会主义模式的探索，牟昱苍，《青海师范大学民族师范学院学报》1999 年第 2 期

列宁"灌输"思想的现实指导意义，苏华，《陕西教育学院学报》1999 年第 2 期

社会主义与农民关系的曲折探索——从列宁的合作制到邓小平的家庭联产承包制，王丁元，《江苏社会科学》1999 年第 2 期

列宁的理论探索与俄国的革命实践，王维克，《喀什师范学院学报》1999 年第 2 期

物质是内化着反映的客观实在——列宁物质概念新解，杨昌玲、曲松滨，《理论探讨》1999 年第 2 期

列宁"新经济政策"和邓小平经济改革的比照与启示，杨发荣，《理论导刊》1999 年第 2 期

关于列宁国有化思想的历史考察，俞良早，《东欧中亚研究》1999 年第 2 期

列宁逝世前夕的沉思及对现实的启迪，俞良早，《湖北大学成人教育学院学报》1999 年第 2 期

评西方"重评派"对 1917 年及其以后列宁思想的认识，俞良早，《武汉交通管理干部学院学报》1999 年第 2 期

关于列宁余粮收集制两个问题的辨析，赵理富，《湖北大学学报》（哲学社会科学版）1999 年第 2 期

从列宁"初级形式的社会主义"到邓小平"初级阶段的社会主义"，曾瑞芝、左亚文，《理论视野》1999 年第 2 期

列宁卫生思想述要，蔡孝恒，《湖南医科大学学报》（社会科学版）1999 年第 3 期

试论邓小平对外开放理论对列宁思想的丰富和发展，曹骏，《中国青年政治学院学报》1999 年第 3 期

列宁的权力监督思想及其启示，郭红霞，《华中师范大学学报》（人文社会科学版）1999 年第 3 期

对列宁社会公仆本质理论的探析，傅如良，《长沙电力学院学报》（社会科学版）1999 年第 3 期

列宁建党学说对马恩建党思想的坚持和发展，高升，《哈尔滨市委党校学报》1999 年第 3 期

列宁新经济政策思想的政治学解析，胡象明，《武汉大学学报》（人文科学版）1999 年第 3 期

论列宁执政党建设思想的科学体系，居继清，《人文杂志》1999 年第 3 期

列宁对无产阶级执政党理论的贡献，李剑，《理论学刊》1999 年第 3 期

列宁与苏维埃政权初期的精神文明建设，李靖宇，《东欧中亚研

究》1999 年第 3 期

列宁关于比较落后国家首先走向社会主义的思想，李心华、王基舟,《烟台师范学院学报》(哲学社会科学版) 1999 年第 3 期

论列宁对托尔斯泰的评论，木易,《云南师范大学学报》(哲学社会科学版) 1999 年第 3 期

列宁晚年思想与邓小平晚年思想比较，牛序茜、张如梅,《山东教育学院学报》1999 年第 3 期

1917 年 2 月至 10 月列宁指导革命斗争的策略，奇秀,《山东大学学报》(社会科学版) 1999 年第 3 期

从列宁的合作制到邓小平的家庭联产承包责任制，王丁元,《毛泽东邓小平理论研究》1999 年第 3 期

列宁对社会主义市场经济的初步探索，王祖奇,《盐城师范学院学报》(哲学社会科学版) 1999 年第 3 期

谈列宁关于民主集中制的基本理论，吴兆俊,《宿州师专学报》1999 年第 3 期

苏俄新经济政策时期列宁对党的干部的政治要求，俞良早,《理论月刊》1999 年第 3 期

东方社会矛盾的特殊性与列宁关于革命特殊性的学说，俞良早,《河南师范大学学报》(哲学社会科学版) 1999 年第 3 期

列宁对反官僚主义的探索，钟

晓雄,《岭南学刊》1999 年第 3 期

列宁、邓小平晚年社会主义观比较，卞慕东,《广西大学学报》(哲学社会科学版) 1999 年第 4 期

邓小平党建理论与列宁党建思想比较研究，杜菊辉、颜小冬,《娄底师专学报》1999 年第 4 期

重新认识党在过渡时期的总路线与列宁过渡时期学说的关系，方敏,《教学与研究》1999 年第 4 期

政治体制改革的一种大胆设想——学习列宁有关论述，黄继翔,《理论导刊》1999 年第 4 期

试论列宁后期社会主义建设思想，贾小明、薛玉琴,《新疆社会经济》1999 年第 4 期

试论列宁的思想政治教育的"灌输"的思想及现实意义，江立成、王培军,《合肥工业大学学报》(社会科学版) 1999 年第 4 期

毛泽东对列宁文艺思想的继承和发展，赖干坚,《龙岩师专学报》1999 年第 4 期

列宁政务公开与政务监督思想简议，刘彦生、李志军,《天津行政学院学报》1999 年第 4 期

历史原则和价值原则的统一——对列宁社会主义经济建设理论的再认识，石燕捷,《郑州大学学报》(哲学社会科学版) 1999 年第 4 期

论邓小平对列宁经济与政治关

系思想的继承和发展，孙德海，《社会主义研究》1999年第4期

两个"迂回"策略思想——列宁晚期对科学社会主义的重要贡献，许京元，《宜宾师范高等专科学校学报》1999年第4期

经济学家要注重研究科技进步——列宁经济理论的一个重要启示，杨承训，《马克思主义与现实》1999年第4期

列宁晚期著作中的行政管理思想探寻，杨庆东，《云南行政学院学报》1999年第4期

论列宁晚年的社会主义思想，叶庆丰，《中共中央党校学报》1999年第4期

从东方实际看列宁的经济建设学说，俞良早，《湖北社会科学》1999年第4期

东方社会政治条件与列宁政党学说的特点，俞良早，《湖北大学学报》（哲学社会科学版）1999年第4期

对列宁关于无产阶级专政若干论断的再探讨，俞良早，《荆州师范学院学报》1999年第4期

列宁晚年社会主义思想的飞跃与升华，赵曜，《长春市委党校学报》1999年第4期

论落后国家社会主义建设问题的凸现——邓小平理论和列宁社会主义建设思想之比较，朱旭红，《浙江学刊》1999年第4期

列宁对马克思东方社会理论的丰富和发展，陈国新，《学术探索》1999年第5期

不应忘却的警钟——列宁反对官僚主义，董文芳、赛晓序，《齐鲁学刊》1999年第5期

列宁关于社会主义民主建设的思想与实践，董文芳，《山东社会科学》1999年第5期

从列宁晚年的构想到有中国特色的社会主义社会，贺瑞，《内蒙古师范大学学报》（哲学社会科学版）1999年第5期

列宁的民族自决权理论与前苏联的民族分离主义运动，贺龙栋，《唯实》1999年第5期

十月革命后列宁对党和国家关系模式的探索，李述森，《山东社会科学》1999年第5期

亚细亚生产方式与列宁的社会主义构想，卢秉利，《常德师范学院学报》（社会科学版）1999年第5期

列宁的"退却"与马克思的预言，成华，《中国改革》1999年第5期

"三个列宁"与"另一种社会主义"，孙凌齐，《国外理论动态》1999年第5期

苏俄新经济政策时期列宁关于共产党人学习的任务和要求，俞良早，《中共福建省委党校学报》1999

年第 5 期

列宁政治战略人才思想初探，詹全友，《天府新论》1999 年第 5 期

浅析列宁的"文化革命"观，张力均，《内蒙古社会科学》（汉文版）1999 年第 5 期

试论列宁关于监督防腐的战略构想及其时代意义，傅如良，《求索》1999 年第 6 期

略论列宁的商品经济思想，郭连成、张振坤，《中央财经大学学报》1999 年第 6 期

邓小平理论是对列宁新经济政策的继承与发展，刘亚军，《西北师大学报》（社会科学版）1999 年第 6 期

邓小平继承和发展了列宁利用资本主义的思想，卢福营，《毛泽东思想研究》1999 年第 6 期

论列宁的和平共处思想及热那亚会议的实践，王储，《甘肃高师学报》1999 年第 6 期

关于列宁"遗嘱"含义的几点理解，王祖奇，《历史教学问题》1999 年第 6 期

列宁与邓小平对社会主义的认识与探索，元德保，《理论学刊》1999 年第 6 期

论列宁关于多民族国家结构形式的理论，张祥云，《理论学刊》1999 年第 6 期

列宁关于报刊的重要论述，赵安，《图书馆论坛》1999 年第 6 期

列宁关于干部学习的思想及其当代意义，赵理富，《党政干部论坛》1999 年第 6 期

论列宁的社会主义价值观，朱旭红，《马克思主义研究》1999 年第 6 期

列宁斯大林的概括与马克思恩格斯的本意——对人类社会历史发展规律的再认识，坚毅，《理论月刊》1999 年第 7 期

列宁为巩固政权而进行的反对官僚主义斗争，董文芳，《发展论坛》1999 年第 8 期

列宁的改革思想和邓小平的改革理论，胡圣礼、胡林辉，《社会科学》1999 年第 8 期

列宁对待马克思主义理论的坚定态度和科学方法及其启示，舒新，《中共福建省委党校学报》1999 年第 8 期

关于十月革命的国际性与俄国性——对列宁思想的评论，俞良早，《江汉论坛》1999 年第 8 期

列宁的新经济政策及其现实意义，周甜、张玉菡，《求实》1999 年第 8 期

科学社会主义从列宁到邓小平的发展，余金成，《理论与现代化》1999 年第 9 期

列宁哲学思想发展的三个历史阶段，仰海峰，《南京社会科学》

1999 年第 10 期

列宁关于坚持唯物论和宣传无神论的思想，俞良早，《社会科学》1999 年第 10 期

列宁新经济政策的基本思路，赵曜，《理论前沿》1999 年第 11 期

略论列宁关于工人阶级执政党建设的思想，常黎峰，《理论导刊》1999 年第 12 期

加强监督关键在发扬民主——列宁监督思想及实践给我们的启示，杨颖嘉，《中国党政干部论坛》1999 年第 12 期

列宁与毛泽东反腐败思想之比较，邓晓华，《玉溪师范高等专科学校学报》2000 年第 1 期

列宁论如何对待和处理宗教问题，邓兆瑞、王训礼，《中共济南市委党校、济南市行政学院、济南市社会主义学院学报》2000 年第 1 期

论列宁的农业合作制理论，高继文，《山东师范大学学报》（社会科学版）2000 年第 1 期

列宁对无产阶级爱国主义理论的两大贡献，贺祥林，《中南民族学院学报》（人文社会科学版）2000 年第 1 期

阐析列宁的人权理论，胡瑾，《淄博学院学报》（社会科学版）2000 年第 1 期

列宁关于社会主义经济管理的思想与实践，李五星，《沧州师范专科学校学报》2000 年第 1 期

列宁的社会主义建设思想及其意义，李兴，《哈尔滨市委党校学报》2000 年第 1 期

列宁建设社会主义的思想及其现实意义，李兴中，《桂海论丛》2000 年第 1 期

列宁"一国建成"思想与斯大林"一国建成"论之比较，李心华，《理论学刊》2000 年第 1 期

列宁"新经济政策"中的"退却"思想与国企改革的"有所为，有所不为"，谭明言、周洁，《胜利油田党校学报》2000 年第 1 期

十月革命前的列宁市场思想，王祖奇，《盐城师范学院学报》（哲学社会科学版）2000 年第 1 期

论列宁民主法制理论及其在中国的实践，熊乐兰、黎雪源，《萍乡高等专科学校学报》2000 年第 1 期

列宁研究小资产阶级特性的原因及成果初探，徐隆彬，《昌潍师专学报》2000 年第 1 期

十月革命后列宁对马克思主义的捍卫与发展，俞良早，《社会科学研究》2000 年第 1 期

列宁、毛泽东关于社会主义建设理论的论述，赵英辉，《长春工程学院学报》（社会科学版）2000 年第 1 期

列宁对建设社会主义道路的新探索，周天中，《内蒙古大学学报》

（人文社会科学版）2000 年第 1 期

十月革命后列宁对帝国主义的外交政策，邓德福，《贵州民族学院学报》（社会科学版）2000 年第 2 期

试论列宁的新经济政策，杜华，《济宁师专学报》2000 年第 2 期

列宁晚年社会主义建设思想的精神实质及其启示，黄丹，《军队政工理论研究》2000 年第 2 期

学习列宁关于改革国家机构的学习列宁关于改革国家机构的思想和实践，乐承耀，《甘肃行政学院学报》2000 年第 2 期

利用资本主义 建设社会主义——邓小平与列宁的有关思想比较，李长根，《浙江师范大学学报》（社会科学版）2000 年第 2 期

列宁"一国建成"思想新论，李心华，《烟台师范学院学报》（哲学社会科学版）2000 年第 2 期

新经济政策：无产阶级坚定的阶级政策——纪念列宁诞辰 130 周年，马鎏伯，《当代思潮》2000 年第 2 期

论列宁对待马克思主义理论的坚定态度和科学方法，舒新，《理论导刊》2000 年第 2 期

略论列宁晚期的文化革命思想，王晶雄，《军队政工理论研究》2000 年第 2 期

"发展是对立面的斗争""发展是对立面的统一"——论毛泽东、

邓小平同志对列宁的矛盾动力学说的坚持与发展，王晓琳，《重庆社会科学》2000 年第 2 期

马克思恩格斯列宁斯大林著作出版 50 年，吴道弘，《出版科学》2000 年第 2 期

邓小平对列宁管理思想的发展，吴海晶，《广播电视大学学报》（哲学社会科学版）2000 年第 2 期

论列宁灌输理论在现代思想政治工作中的运用，赵艳琼，《学术论坛》2000 年第 2 期

列宁晚年社会主义思想的三重涵义，赵曜，《马克思主义研究》2000 年第 2 期

关于列宁逝世前夕几个重要论断的理解——对某些流行观点的商榷，俞良早，《东南学术》2000 年第 2 期

列宁：1891—1922 年鲜为人知的文件，洪新，《国外社会科学文摘》2000 年第 3 期

列宁：群众文化水平状况和政权建设，胡泉有，《江西广播电视大学学报》2000 年第 3 期

列宁晚期政治体制改革思想探析，胡瑞华，《西安电子科技大学学报》（社会科学版）2000 年第 3 期

从战时共产主义到新经济政策——列宁对社会主义模式的历史性探索，胡笑冰、张沛，《殷都学刊》2000 年第 3 期

邓小平理论是对列宁新经济政策的继承和超越，乐承耀，《宁夏党校学报》2000年第3期

论列宁和斯大林"一国建成社会主义"的异同，马小林，《理论建设》2000年第3期

列宁的农民思想与策略，隋东明、李立菊，《大庆高等专科学校学报》2000年第3期

对列宁关于经济体制改革思想的认识，孙杰，《黑龙江教育学院学报》2000年第3期

列宁的国家资本主义思想及其启示，汤德森，《湖北大学学报》（哲学社会科学版）2000年第3期

学习运用列宁主义宝藏，推进世界社会主义事业——纪念列宁诞辰130周年，吴雄丞，《中共天津市委党校学报》2000年第3期

论列宁关于民主集中制的基本理论，吴兆俊，《阜阳师范学院学报》（社会科学版）2000年第3期

列宁晚年的依法治国思想及其启示，肖乾利，《宜宾师范高等专科学校学报》2000年第3期

学习列宁关于社会主义民主建设的理论与实践，徐鸿武，《科学社会主义》2000年第3期

我们应怎样继承列宁社会主义观的理论遗产，叶剑锋，《武汉交通科技大学学报》（社会科学版）2000年第3期

试论列宁党政关系理论及现实意义，杨志强，《理论学刊》2000年第3期

对美国学者罗·塔克关于列宁学说的几个观点之论析，俞良早，《武汉交通科技大学学报》（社会科学版）2000年第3期

列宁民族干部理论在苏联和中国运用的不同命运及其思考，詹真荣、熊乐兰，《江西师范大学学报》（哲学社会科学版）2000年第3期

列宁关于多民族国家规模建制理论，张祥云，《世界民族》2000年第3期

辩证法是革命的代数学——列宁"革命辩证法"思想在俄国实践中的运用，张自慧，《郑州大学学报》（哲学社会科学版）2000年第3期

从列宁到江泽民：《科学社会主义》在探索实践中前进，邹品元，《湖南省社会主义学院学报》2000年第3期

论邓小平对列宁教育思想的继承和发展，陈芳，《齐齐哈尔大学学报》（哲学社会科学版）2000年第4期

论列宁对马克思主义民族和殖民地理论的贡献，陈国新，《玉溪师范高等专科学校学报》2000年第4期

新经济政策初期列宁的法制建

设思想，高继文，《山东社会科学》2000 年第 4 期

列宁早期法哲学思想探析，龚廷泰，《江海学刊》2000 年第 4 期

关于列宁和邓小平社会主义民族理论研究，贺瑞、李孝，《内蒙古社会科学》（汉文版）2000 年第 4 期

试论列宁晚期关于社会主义建设的思想，胡瑞华，《西北大学学报》（哲学社会科学版）2000 年第 4 期

马恩和列宁关于经济文化落后俄国走向社会主义的探索比较，柯清美，《三明高等专科学校学报》2000 年第 4 期

列宁晚年的"文化革命"观及其对我们的启示，孔维军，《当代世界社会主义问题》2000 年第 4 期

列宁晚年关于执政党民主建设的思考，李杰，《许昌师专学报》2000 年第 4 期

列宁晚年文化建设的思想及其当代启示，李福麟，《理论学习与探索》2000 年第 4 期

列宁晚年关于如何认识社会主义的三个主要观点，李锦峰、黄红、王辉，《黑龙江工程学院学报》2000 年第 4 期

有效利用资本主义最终战胜资本主义——纪念列宁诞辰 130 周年，李振城，《真理的追求》2000 年第 4 期

晚年列宁关于苏俄政治体制改革思想与邓小平关于我国政治体制改革思想的比较，李智平，《湖南广播电视大学学报》2000 年第 4 期

从列宁的"政治遗嘱"到邓小平的"政治交代"，刘军，《广东教育学院学报》2000 年第 4 期

评列宁新经济政策思想，刘兴先、颜永琦，《理论视野》2000 年第 4 期

论列宁对私人资本主义看法的转变及其启示，刘正才，《云南社会主义学院学报》2000 年第 4 期

浅析列宁的一个等式："'商业'？＝资本主义"，马焕明，《昌潍师专学报》2000 年第 4 期

列宁关于纯洁党员队伍的理论与实践，王保庆，《中州大学学报》2000 年第 4 期

列宁过渡时期理论与中国共产党过渡时期总路线的提出——对过渡时期总路线理论依据的再认识，王德中，《北京建筑工程学院学报》2000 年第 4 期

列宁对外开放思想的丰富与发展——学习邓小平对外开放理论，魏中海，《理论学刊》2000 年第 4 期

列宁晚年社会主义思想研究，严书翰，《哈尔滨市委党校学报》2000 年第 4 期

列宁"政治遗嘱"之谜，张建华，《俄罗斯文艺》2000 年第 4 期

列宁的文化建设与邓小平的精神文明，贺瑞，《内蒙古师范大学学报》（哲学社会科学版）2000年第5期

列宁关于发展国民教育措施的思想，宋小敏，《湖北大学成人教育学院学报》2000年第5期

邓小平的社会主义本质论与列宁的社会主义目的论，王基舟，《理论界》2000年第5期

列宁关于工人阶级政治意识和革命积极性的理论及其意义，王平、董骏，《长白学刊》2000年第5期

列宁晚年对俄国国情的再认识，王荣阁，《河南大学学报》（社会科学版）2000年第5期

学习列宁关于机构改革的思想，王义林，《延边党校学报》2000年第5期

战争与和平的哲学思考——重温列宁的论断：帝国主义就是战争，王秀娟，《石家庄经济学院学报》2000年第5期

列宁对西方传统真理论的超越，徐承英，《重庆三峡学院学报》2000年第5期

列宁晚年社会主义思想研究（续），严书翰，《哈尔滨市委党校学报》2000年第5期

列宁主义是邓小平理论的重要思想渊源，阎志民，《高校理论战线》2000年第5期

列宁社会主义观研究，叶剑锋、游翔，《黄冈师范学院学报》2000年第5期

论列宁"物质概念"的现代意义，黄书进，《高校理论战线》2000年第6期

重视研究列宁关于社会主义军队建设的思想，姜汉斌，《高校理论战线》2000年第6期

学习列宁的建党思想，刘彦章，《高校理论战线》2000年第6期

党在过渡时期的总路线对列宁过渡时期学说的继承和发展，聂军，《襄樊学院学报》2000年第6期

试析中俄两国的"新经济政策"——列宁"新经济政策"与毛泽东的"新民主主义社会论"之比较，王丽荣，《中南财经大学学报》2000年第6期

列宁关于密切与群众联系的理论与实践，王庆海，《东欧中亚研究》2000年第6期

论列宁关于人才动力开发的思想和实践，吴东莞，《南京政治学院学报》2000年第6期

列宁认识论与现时代，夏文斌，《高校理论战线》2000年第6期

世纪之交看列宁关于垄断资本主义的论断，叶卫平，《高校理论战线》2000年第6期

关于列宁把"供应和分配"统一起来的思想——对一种流行观点

的商榷，俞良早，《东欧中亚研究》2000年第6期

论列宁主义的精髓——从俄国实际出发确定革命与建设的方针和政策，俞良早，《湖北大学学报》（哲学社会科学版）2000年第6期

列宁精简国家机构和改善国家机关的理论与实践，徐隆彬，《中国行政管理》2000年第7期

简论列宁文艺思想产生的客观条件，杨名中，《成都教育学院学报》2000年第8期

试谈马克思、恩格斯、列宁论反腐败，陈本俊，《学术研究》2000年第9期

马克思、列宁的产业组织理论及其在我国经济建设中的若干运用，王继权、刘柯柯、陈松伟，《商业研究》2000年第9期

认真发掘列宁经济理论的宝藏，杨承训，《高校理论战线》2000年第9期

正确认识列宁对"战时共产主义"的评论——对一种流行观点的商榷，俞良早，《江汉论坛》2000年第9期

列宁晚年的社会主义思想，赵曜，《中国党政干部论坛》2000年第9期

马克思列宁的资本国际化理论及其现实意义，何太平，《当代经济研究》2000年第11期

列宁的新经济政策为什么很快被中止？杨玲玲，《中国党政干部论坛》2000年第11期

列宁和邓小平民族利益思想研究，乌兰巴干、贺瑞，《前沿》2000年第12期

1917年后列宁法律发展思想初探，张清，《理论月刊》2000年第12期

吸收和借鉴资本主义——略论列宁和邓小平的对外开放思想，安姝，《雁北师范学院学报》2001年第1期

从列宁的租让制思想到邓小平的特区理论，冯留建，《理论学习》2001年第1期

新经济政策与列宁社会主义观的发展，高继文，《山东师范大学学报》（人文社会科学版）2001年第1期

列宁"新经济政策"与邓小平"建设有中国特色社会主义理论"之比较思考，金祥波，《延边大学学报》（社会科学版）2001年第1期

建设高效、廉洁、公仆型的国家机关——重温列宁关于改革国家机关的思想，李五星，《沧州师范专科学校学报》2001年第1期

邓小平对马克思列宁部分先富思想的超越，李振国，《毛泽东思想研究》2001年第1期

列宁领导建设社会主义的历史

经验，梁超，《社会科学研究》2001年第 1 期

清醒的退却，坚定的原则——重新解读列宁的新经济政策，刘书林，《马克思主义研究》2001 年第 1 期

论毛泽东对列宁刑事法律思想的继承和超越，刘潇潇，《牡丹江师范学院学报》（哲学社会科学版）2001 年第 1 期

列宁时期外交政策的演变对租让制的影响——兼论租让制为什么在俄国收益不大，柳彦、王月红，《忻州师范学院学报》2001 年第 1 期

不要将社会主义和资本主义抽象地对立起来——列宁学习和利用资本主义思想新探，龙红飞，《湖南师范大学社会科学学报》2001 年第 1 期

列宁与邓小平对马克思主义发展的比较研究——试析新经济政策与邓小平理论的实质，吕宏强，《长安大学学报》（社会科学版）2001 年第 1 期

落后国家社会主义经济建设道路的列宁思路，毛勒堂、彭啟荣，《云南财贸学院学报》2001 年第 1 期

从哲学上看列宁新经济政策的启示，孟庆仁，《山东科技大学学报》（社会科学版）2001 年第 1 期

论列宁新经济政策对中国经济改革的现实指导意义，齐克省，《宿州教育学院学报》2001 年第 1 期

列宁的"新经济政策"仍是权宜之计，王丽荣，《华中科技大学学报》（社会科学版）2001 年第 1 期

列宁关于强化社会主义监督的理论探索，王寿林、张美萍，《黑龙江社会科学》2001 年第 1 期

列宁新经济政策对我们的启迪，王文圣，《延边大学学报》（社会科学版）2001 年第 1 期

邓小平对外开放理论与列宁租让制思想，万仁德，《许昌师专学报》2001 年第 1 期

列宁国家主权思想的理论及伟大实践，吴惠敏，《云南师范大学学报》（哲学社会科学版）2001 年第 1 期

对列宁晚期社会转型思想的再认识，杨文勇，《福建师大福清分校学报》2001 年第 1 期

从列宁的法律监督理论看我国检察机关的监督权，曾贝、田华丽，《求实》2001 年第 1 期

列宁关于学习的论述及其现实意义，曾剑，《安徽广播电视大学学报》2001 年第 1 期

根据经验来谈论社会主义列宁晚年探索社会主义的方法论，贾建芳，《学习时报》2001 年 1 月 1 日

列宁、邓小平利用资本主义思

想探析，曹英伟、唐樱洁，《齐齐哈尔大学学报》（哲学社会科学版）2001 年第 2 期

谈列宁的国营企业扭亏为盈思想，董雪、姜元奎,《山东省农业管理干部学院学报》2001 年第 2 期

浅论列宁的民族自决法律思想及其影响，杜敏,《宜宾师范高等专科学校学报》2001 年第 2 期

列宁哲学维度中的社会主义问题，韩庆祥,《马克思主义研究》2001 年第 2 期

邓小平对列宁关于变革农村生产关系思想的继承和发展，贾耀忠、周颖,《张家口师专学报》2001 年第 2 期

列宁新经济政策思想与邓小平的对外开放思想，姜汉民,《中共浙江省委党校学报》2001 年第 2 期

列宁的法律思想与我国当前的司法改革，李冰,《宜宾师范高等专科学校学报》2001 年第 2 期

列宁与社会主义发展阶段问题探析，林风,《茂名学院学报》2001 年第 2 期

建立实事求是的经济关系——列宁的经济思想与邓小平的经济思想，马焕明、张玉龙,《理论学习》2001 年第 2 期

邓小平对列宁社会主义观的飞跃和深化，马萍、卞慕东,《五邑大学学报》（社会科学版）2001 年第

2 期

列宁、罗斯福的“新政”与黄金，马英俊,《中国黄金珠宝》2001 年第 2 期

列宁关于社会主义文化建设的基本思想，宋仕平,《社会主义研究》2001 年第 2 期

列宁关于廉政建设的思想探述，田杰,《铜仁师范高等专科学校学报》2001 年第 2 期

浅析列宁新经济政策的基本思路，王玥,《焦作大学学报》2001 年第 2 期

新经济政策时期列宁改革苏维埃国家政治体制的设想与实践，万智,《天水行政学院学报》2001 年第 2 期

论列宁十月革命胜利初期的思想与 1921 年后的思想具有相同的性质，俞良早,《河南师范大学学报》（哲学社会科学版）2001 年第 2 期

列宁邓小平关于克服官僚主义法律思想的比较研究，喻中,《攀登》2001 年第 2 期

列宁斯大林对经济文化落后国家经济发展问题的探索，张雷声,《学术界》2001 年第 2 期

俄国村社传统与法律文化——1917 年前列宁法律思想探要，张清,《扬州大学学报》（人文社会科学版）2001 年第 2 期

论马克思恩格斯、列宁、毛泽

东和邓小平建党理论的主要特征，张鹏程，《贵州民族学院学报》（哲学社会科学版）2001年第2期

列宁与邓小平关于社会主义建设道路特殊性思想之比较，赵玉红、冯波，《长白学刊》2001年第2期

学习列宁关于改善监察机关的思想，周琳，《社会科学研究》2001年第2期

列宁反对和克服官僚主义的措施，杨建国，《组织人事报》2001年2月1日

列宁对商品货币关系的再认识，范俊峰，《学习时报》2001年2月19日

邓小平对列宁利用资本主义思想的继承和发展，卞玉岭，《周口师范高等专科学校学报》2001年第3期

民族自决权——列宁处理民族问题的一个基本原则，桂全民、吴淑琴，《兵团教育学院学报》2001年第3期

列宁对俄国社会主义建设道路的探索及其当代意义，韩庆祥，《南京政治学院学报》2001年第3期

邓小平对列宁晚年文化革命思想的继承和发展，贺金玉，《德州学院学报》2001年第3期

从列宁的建党思想到江泽民的"三个代表"，贺瑞，《内蒙古师范大学学报》（哲学社会科学版）2001年第3期

列宁和邓小平行政管理思想初探，贺瑞、齐岩，《内蒙古石油化工》2001年第3期

市场经济与人道主义——试析列宁当年由否定市场经济而否定人道主义的理论失误，胡义成，《江苏行政学院学报》2001年第3期

学习列宁"进和退"的策略思想——兼论邓小平理论与列宁主义的一脉相承性，李文辉，《延边党校学报》2001年第3期

从列宁到邓小平：社会主义在探索中辩证发展，李晓寰，《桂海论丛》2001年第3期

列宁晚年对国家机关改革的理论探索，李志勇、万芬，《南京政治学院学报》2001年第3期

有效利用资本主义最终战胜资本主义——学习列宁新经济政策，刘晓华、张惠芳，《大庆高等专科学校学报》2001年第3期

列宁关于发展国民教育重要作用的思想，宋小敏，《三峡大学学报》（人文社会科学版）2001年第3期

列宁晚年权力监督思想及其现实启示，孙辉、袁新华，《安庆师范学院学报》（社会科学版）2001年第3期

以"权利"制约权力——列宁晚年时对社会主义国家权力制衡的

探索，王志连、石磊，《社会科学研究》2001 年第 3 期

邓小平对列宁执政党领导理论的继承和发展，阎颖，《理论学刊》2001 年第 3 期

列宁社会主义理论探析，叶剑峰，《湖北大学学报》（哲学社会科学版）2001 年第 3 期

列宁晚年思想的光辉——为纪念马克思逝世 118 年列宁逝世 77 年而作（节录），叶尚志，《人才开发》2001 年第 3 期

重新认识列宁主义的科学体系，俞良早，《洛阳大学学报》2001 年第 3 期

评列宁世界革命的理论与实践，左凤荣，《当代世界社会主义问题》2001 年第 3 期

列宁怎样看待文化建设？杨玲玲，《学习时报》2001 年 3 月 5 日

革命的艺术——列宁论时机、机会和历史机遇，房良钧，《理论与现代化》2001 年第 4 期

论列宁对中国共产党创建的重要历史贡献，何成学，《学术论坛》2001 年第 4 期

论列宁的社会主义文化建设思想——兼论当代中国先进文化建设，何峻，《郑州工业大学学报》（社会科学版）2001 年第 4 期

列宁与邓小平经济改革思想的共性，李永明，《江西社会科学》2001 年第 4 期

列宁、邓小平的计划与市场思想的比较研究，刘兵勇，《党史研究与教学》2001 年第 4 期

列宁晚年的商品经济理论是当代社会主义市场经济理论的萌芽，吕未林，《河南师范大学学报》（哲学社会科学版）2001 年第 4 期

列宁晚年的社会主义基本观念论，吕未林，《社会主义研究》2001 年第 4 期

邓小平理论对列宁晚年构想的发展与创新，陆恒，《宿州教育学院学报》2001 年第 4 期

斯大林与列宁晚年的改革思想，马龙闪，《东欧中亚研究》2001 年第 4 期

试论列宁的文学与政治观，尚延龄、尚缨，《甘肃广播电视大学学报》2001 年第 4 期

对立统一：唯物辩证法的实质、核心与列宁的贡献，王宝莲，《求索》2001 年第 4 期

列宁关于政治和经济相互关系两个论断的现实意义，王进芬，《许昌师专学报》2001 年第 4 期

列宁晚年社会主义思想再论，席文启，《新视野》2001 年第 4 期

辛亥革命的成功与失败——列宁论孙中山及辛亥革命，杨华山，《郧阳师范高等专科学校学报》2001 年第 4 期

筑起反腐的三道防线：列宁反腐倡廉的理论与实践，张有军、林建华，《河南师范大学学报》（哲学社会科学版）2001年第4期

经济与教育的一体化发展——重温列宁关于教育经济思想的启示，郑英隆，《湘潭大学社会科学学报》2001年第4期

列宁的和平共处思想，常欣欣，《学习时报》2001年4月2日

关于落后国家建设社会主义理论的历史性飞跃——从列宁的社会主义思想到邓小平理论，池晓玲，《湖北大学成人教育学院学报》2001年第5期

论列宁"新经济政策"的实质，陈榕，《中共云南省委党校学报》2001年第5期

试述列宁的法制统一思想及其对今天的指导意义，成艳梅，《西南民族学院学报》（哲学社会科学版）2001年第5期

列宁的"战时共产主义"政策确实源于"直接过渡"的思想——与俞良早教授商榷，杭莉，《江汉论坛》2001年第5期

列宁关于无产阶级执政党建设的思想及其启示，舒新，《武汉教育学院学报》2001年第5期

列宁主义理论的特点新探，孙凤武，《探索》2001年第5期

列宁的"新经济政策"和邓小平理论之比较，王丽荣，《中南财经大学学报》2001年第5期

列宁党群关系理论初探，杨明佳，《武汉理工大学学报》（社会科学版）2001年第5期

论列宁"新经济政策"及其当代意义，殷秋明，《深圳大学学报》（人文社会科学版）2001年第5期

科学总结列宁领导社会主义建设的历史经验，曾瑞芝，《社会主义研究》2001年第5期

列宁在认识科学技术与社会主义关系上的贡献，程印学，《科学社会主义》2001年第6期

邓小平动力体系理论对列宁思想的发展，樊文娥，《中州学刊》2001年第6期

列宁的社会主义文化建设思想与当代中国先进文化建设，何峻，《延边党校学报》2001年第6期

列宁新经济政策与邓小平经济改革理论比较，李浩，《改革与战略》2001年第6期

列宁监督思想述论，聂元军，《中共乐山市委党校学报》2001年第6期

列宁、邓小平"政治交待"之比较研究，单淮，《理论观察》2001年第6期

列宁社会主义文化建设思想新探，吴奇俊，《苏州丝绸工学院学报》2001年第6期

列宁利用资本主义建设社会主义思想的新发展，武俊梅，《中共太原市委党校学报》2001年第6期

列宁晚年思想探本，向春阶，《湖南行政学院学报》2001年第6期

论列宁对待马克思主义的科学态度，辛志英，《中共青岛市委党校、青岛行政学院学报》2001年第6期

马克思列宁主义党内监督思想及其启示，尹彦、尹辰，《厦门特区党校学报》2001年第6期

列宁人才思想探析，詹全友，《天府新论》2001年第6期

巴黎公社的"公仆"原则与列宁的实践，张有军，《聊城师范学院学报》（哲学社会科学版）2001年第6期

反腐，防腐，惩腐——列宁加强党政机关廉政建设的理论与实践，张有军、林建华，《石油大学学报》（社会科学版）2001年第6期

用发展的观点理解列宁关于垄断的理论，杨晓玲、梁华，《教学》2001年第7期

马克思、恩格斯、列宁怎样在实践中发展马克思主义，钟言实，《人民日报》2001年8月17日

列宁与出版自由，徐人仲，《中华新闻报》2001年8月21日

邓小平对外开放理论的列宁思路及其发展，张明池，《理论学习》2001年第9期

对列宁新经济政策的几点认识，石惠莲，《理论学习》2001年第10期

列宁的新经济政策与邓小平经济改革理论的差异性比较，李浩，《江西社会科学》2001年第11期

列宁的人民监督思想，李静芳，《学习时报》2001年11月26日

列宁邓小平反官僚主义思想之比较研究，蔡娟，《内蒙古社会科学》（汉文版）2002年第1期

列宁、毛泽东的真理观及其现实指导意义，迟有明，《探求》2002年第1期

列宁晚年与邓小平晚年经济思想比较，丁宁，《新疆师范大学学报》（哲学社会科学版）2002年第1期

列宁社会主义法制建设思想初探，高正文，《湖北大学学报》（哲学社会科学版）2002年第1期

新经济政策与列宁社会发展理论，顾玉兰，《中共天津市委党校学报》2002年第1期

列宁关于工人阶级执政党建设思想对我党的现实启迪，郭增加，《延边大学学报》（社会科学版）2002年第1期

列宁的拒腐防变思想及现实的启示，马义新，《延边党校学报》2002年第1期

列宁关于积累与扩大再生产的公式——与其笔误勘正，闫景贤，《陕西青年管理干部学院学报》2002年第1期

马克思、恩格斯、列宁对重要作家、作品的评价，曲英杰，《语文知识》2002年第1期

论列宁关于社会主义文化建设的思想，王广斌、马健宏，《山西农业大学学报》（社会科学版）2002年第1期

列宁对苏俄早期市场经济关系的认识和处理，王祖奇，《盐城师范学院学报》（人文社会科学版）2002年第1期

论列宁"遗嘱"的文化内涵，韦定广，《学术季刊》2002年第1期

恩格斯列宁的真理观评析，夏民生，《湖北教育学院学报》2002年第1期

恩格斯和列宁论绝对真理，谢维营，《上饶师范学院学报》2002年第1期

列宁论无产阶级执政党的根本任务，徐卫国，《中南财经政法大学学报》2002年第1期

列宁建设社会主义的战略构想及其历史命运——也谈正确认识社会主义的历史进程，俞良早，《湖北大学学报》（哲学社会科学版）2002年第1期

列宁关于文化革命的实践对我国精神文明建设的现实启迪，虞满华，《延边大学学报》（社会科学版）2002年第1期

信念转型：列宁面对的历史考察及其启示，张学森，《甘肃理论学刊》2002年第1期

邓小平对列宁晚期经济思想的发展，张玉龙，《潍坊学院学报》2002年第1期

列宁斯大林工会理论比较研究——兼析执政党工会理论方针的经验教训，郑桥，《俄罗斯研究》2002年第1期

列宁关于保持党与群众血肉联系的理论与实践，周克武、徐一飞，《广西社会科学》2002年第1期

列宁关于党风建设的理论与实践，周克武、徐一飞，《渝州大学学报》（社会科学版）2002年第1期

"三个代表"与列宁主义的党建思想比较研究论纲，鲍宏礼，《内蒙古大学学报》（人文社会科学版）2002年第2期

"新经济政策"为什么没有坚持下去——斯大林抛弃列宁晚年社会主义理论的原因探讨，陈榕，《中共云南省委党校学报》2002年第2期

评列宁与官僚主义斗争的得与失，陈婉莹、刘振华，《廊坊师范学院学报》2002年第2期

列宁的社会主义经济建设思想

与实践研究，陈晓娟，《学术论坛》2002 年第 2 期

论列宁的具体真理思想及其重要意义，傅国强，《内蒙古师范大学学报》（哲学社会科学版）2002 年第 2 期

列宁新经济政策理论的思想渊源，高继文，《江西师范大学学报》（哲学社会科学版）2002 年第 2 期

论列宁关于在农村开展社会教育的思想，高天琼，《湖北大学成人教育学院学报》2002 年第 2 期

邓小平对列宁利用资本主义的思想的继承与发展，黄筱纯，《西昌师范高等专科学校学报》2002 年第 2 期

与时俱进的列宁主义学说和实践，姜长斌，《东欧中亚研究》2002 年第 2 期

有效地推进高校"三个代表"思想"三进"——从列宁论马克思主义"灌输教育"谈起，江立成，《高校理论战线》2002 年第 2 期

列宁、斯大林与"一国建成社会主义"理论，林建华、孙国华，《山东社会科学》2002 年第 2 期

论列宁文化思考的意义，林孟清，《江汉论坛》2002 年第 2 期

略论列宁和邓小平人权思想的共同特征，刘军，《韶关学院学报》2002 年第 2 期

试论列宁晚年思想的局限，刘

文汇，《南京师大学报》（社会科学版）2002 年第 2 期

论列宁反腐思想，刘勇，《彭城职业大学学报》2002 年第 2 期

辩证的思维科学的态度——学习列宁关于"利用资本主义"重要思想的几点思考，孟宪东，《北京联合大学学报》2002 年第 2 期

列宁、邓小平社会主义市场经济思想比较研究，闵桂、林刘英，《江西省团校学报》2002 年第 2 期

邓小平对列宁经济制度渐变思想的继承和发展，宋小敏，《中南民族大学学报》（人文社会科学版）2002 年第 2 期

列宁关于发展教育事业的若干原则思想，宋小敏，《中国地质大学学报》（社会科学版）2002 年第 2 期

浅析列宁新经济政策理论的思想渊源，滕向红，《临沂师范学院学报》2002 年第 2 期

列宁多党合作思想与实践给我们的启示，王小鸿，《中央社会主义学院学报》2002 年第 2 期

借鉴列宁的经验做好新时期发展党员的工作，王伟强，《陕西社会主义学院学报》2002 年第 2 期

列宁利用资本主义建设社会主义思想的新发展，武俊梅，《西藏民族学院学报》（哲学社会科学版）2002 年第 2 期

列宁对社会主义法制建设的贡

献，肖俊，《西南民族学院学报》（哲学社会科学版）2002年第2期

列宁逝世前夕关于加强党建的重要思想，俞良早，《当代世界与社会主义》2002年第2期

略论马克思与列宁的理论差别，张光明，《当代世界社会主义问题》2002年第2期

论列宁的和平外交思想及外交实践，曾益武，《湖南师范大学社会科学学报》2002年第2期

列宁是否改变了马克思的社会主义观，智效和，《政治学研究》2002年第2期

论文化在社会主义建设中的作用——浅析列宁晚年的文化困惑，朱巧香，《浙江师范大学学报》（社会科学版）2002年第2期

谈列宁新经济思想与社会主义建设理论，陈荣武，《常州工学院学报》2002年第3期

什么是辩证法的实质与基本规律？——关于列宁的对立统一规律（一），郭汉英，《河池师专学报》2002年第3期

列宁的执政党党内监督思想及其当代启示，贺瑞，《内蒙古师范大学学报》（哲学社会科学版）2002年第3期

邓小平理论与列宁晚年建设社会主义实践的共性——浅论经济文化落后国家如何跨越资本主义建设

社会主义，黄健，《改革与战略》2002年第3期

欧洲革命风暴时期列宁对考茨基之流民主观的批判，焦方红、吴友发，《黑龙江农垦师专学报》2002年第3期

列宁的"迂回过渡"思想及其现时代意义，寇志霞，《邢台师范高专学报》2002年第3期

列宁晚年反官僚主义斗争的历史反思，李全元，《中共四川省委省级机关党校学报》2002年第3期

浅谈列宁的和平共处思想彭新杰，《中共济南市委党校·济南市行政学院·济南市社会主义学院学报》2002年第3期

列宁与邓小平利用资本主义思想的异同，彭正德，《长沙大学学报》2002年第3期

列宁帝国主义论的理论缺环，权文荣，《人文杂志》2002年第3期

列宁新经济政策及其对中国的影响，任云丽，《生产力研究》2002年第3期

完整、准确地理解列宁的公开性民主原则，谭和平、周作翰，《娄底师专学报》2002年第3期

试论列宁新经济政策时期的法律价值思想，王瑞军，《南京政治学院学报》2002年第3期

论列宁建设社会主义的基本思路，王寿林、裴志林，《华北电力大

学学报》（社会科学版）2002 年第 3 期

论邓小平与列宁的改革思想的同一性，王万民，《毛泽东思想研究》2002 年第 3 期

论列宁的立法思想，汪卫琴，《西南民族学院学报》（哲学社会科学版）2002 年第 3 期

列宁社会主义观动态发展评析，叶剑锋，《湖北行政学院学报》2002 年第 3 期

列宁时期的党内"民主的"集中制，尹彦，《科学社会主义》2002 年第 3 期

列宁、邓小平关于私营经济形式的思想之比较，张玉龙，《潍坊学院学报》2002 年第 3 期

列宁新闻思想简论，赵中颉，《西南政法大学学报》2002 年第 3 期

"少说些漂亮话，多做些日常平凡的事情"——列宁与信访，王自发，《学习时报》2002 年 3 月 25 日

列宁的社会主义建设论及其对中国的指导意义，曹玉华，《成都大学学报》（社会科学版）2002 年第 4 期

列宁论党报的党性，陈力丹，《湖南大众传媒职业技术学院学报》2002 年第 4 期

论列宁在社会主义理论探索中的贡献，代葵，《西藏民族学院学报》（哲学社会科学版）2002 年第 4 期

"我们内部最可恶的敌人就是官僚主义"——学习列宁的一个思想命题，方木生、齐周显、杨生虎，《石油政工研究》2002 年第 4 期

列宁对马克思主义真理观的丰富和发展，李胜章，《阜阳师范学院学报》（社会科学版）2002 年第 4 期

列宁"一国能够建成社会主义"思想探论——兼与赵家祥同志商榷，李业杰、节仁，《中共济南市委党校·济南市行政学院·济南市社会主义学院学报》2002 年第 4 期

马克思恩格斯列宁对历史创造问题的理论探索，秦位强，《湖南经济管理干部学院学报》2002 年第 4 期

迂回过渡与战略性的退却——解读列宁新经济政策，石镇平、王敏旋，《中共天津市委党校学报》2002 年第 4 期

从列宁的民族理论看苏联解体的原因，王储，《甘肃高师学报》2002 年第 4 期

列宁社会主义建设方法论及其在中国的发展，王万民，《四川大学学报》（哲学社会科学版）2002 年第 4 期

列宁执政党建设的思想及其意义，王悦琴，《人文杂志》2002 年第 4 期

列宁关于党政关系的理论和实践，邢理，《成都行政学院学报》2002年第4期

列宁晚年的社会主义思想，叶庆丰，《石油政工研究》2002年第4期

列宁关于建党的两个理论问题及其现实意义，张红兰、曾勇，《沙洋师范高等专科学校学报》2002年第4期

列宁"经济方面的政治"思想形成的理论逻辑分析，陈世香，《武汉大学学报》（社会科学版）2002年第5期

列宁关于党的监察制度的理论和实践及其沿革，董新华，《东南大学学报》（哲学社会科学版）2002年第5期

论列宁的新经济政策思想及其现实意义，冯书泉，《中共云南省委党校学报》2002年第5期

邓小平对列宁关于社会主义建设以农村改革为突破口思想的继承和发展，贾耀忠、马利元，《张家口师专学报》2002年第5期

试论列宁社会主义观的历史性转变，匡萃坚，《江西财经大学学报》2002年第5期

十月革命后列宁对俄国社会主义建设的探索，刘思仓，《前沿》2002年第5期

捍卫和发展马克思主义——论

列宁在实行新经济政策条件下的党建思想之一，马徒，《广西大学学报》（哲学社会科学版）2002年第5期

列宁的民族关系理论是解决当代民族关系问题的指南，潘广辉，《世界民族》2002年第5期

论列宁和邓小平关于社会主义制度"渐变"的理论，宋小敏，《湖北大学学报》（哲学社会科学版）2002年第5期

列宁关于农村社会经济改造的思想，汤德森，《社会主义研究》2002年第5期

论邓小平对列宁文化建设思想的发展，王万民，《四川师范大学学报》（社会科学版）2002年第5期

邓小平、江泽民论列宁和俄共（布）的历史经验，王跃，《当代世界与社会主义》2002年第5期

列宁反对官僚主义的实践及其启示，肖和平、高扬、熊泽成，《社会科学》2002年第5期

学习列宁关于反对官僚主义论述的思考，闫国铭，《理论学习与探索》2002年第5期

列宁、邓小平的"国家资本主义"观之比较，徐玲、司艾华，《聊城大学学报》（哲学社会科学版）2002年第5期

列宁时期党内"民主的集中制"研究，尹彦，《东欧中亚研究》

2002 年第 5 期

列宁逝世前夕关于文化建设的重要思想，俞良早，《东欧中亚研究》2002 年第 5 期

论列宁的东方理论，俞良早，《江汉论坛》2002 年第 5 期

深入发掘列宁关于机关改革的思想，俞良早，《社会科学研究》2002 年第 5 期

列宁与邓小平现代化思想之比较分析，郑爱文，《宁夏大学学报》（人文社会科学版）2002 年第 5 期

列宁把"科社"划在"观点"之列，朱同广，《学习时报》2002 年 5 月 20 日

列宁新经济政策的中止与世界社会主义运动的发展，耿百峰，《山东社会科学》2002 年第 6 期

从列宁思想建党原理到"三个代表"重要思想，彭有祥，《云南民族学院学报》（哲学社会科学版）2002 年第 6 期

论列宁与邓小平关于利用资本主义的两个概括，王万民，《社会科学研究》2002 年第 6 期

列宁的新经济政策再思考，王永志，《学习与探索》2002 年第 6 期

论列宁真理观在新经济政策中的运用和发展，杨竞业，《岭南学刊》2002 年第 6 期

论列宁"灌输"理论的现实意义，张绍通，《河南师范大学学报》（哲学社会科学版）2002 年第 6 期

列宁的文化建设思想及其启示，朱巧香，《理论月刊》2002 年第 6 期

列宁关于无产阶级执政党建设的理论及其重要启示，顾玉兰，《理论月刊》2002 年第 7 期

列宁晚年对社会主义建设的新构想，季正矩，《党建》2002 年第 7 期

列宁关于利用资本主义建设社会主义的思想，姜若宁、王兆祥，《高校理论战线》2002 年第 7 期

从民族自决到民族区域自治——论列宁民族平等的法制观及对我国之影响，张文淼，《西南民族学院学报》（哲学社会科学版）2002 年第 7 期

试析列宁、邓小平从严治党思想，杜翰波，《中国党政干部论坛》2002 年第 8 期

党是无产阶级有组织的部队——列宁关于建立新型无产阶级政党的学说，卢先福，《人民日报》2002 年 7 月 2 日

学习列宁的社会主义文化建设理论，徐向红，《发展论坛》2002 年第 8 期

列宁与邓小平对社会主义经济改革"争论"与"不搞争论"策略辨，李浩，《改革与战略》2002 年第 9 期

论列宁、邓小平对社会主义经

济改革"退"、"进"提法之差异和后果，李浩，《江西社会科学》2002年第9期

列宁的社会主义人权思想及其实践，曹明，《理论导刊》2002年第11期

"三个代表"思想是对列宁党建理论的发展 访俄中友协主席、俄科学院远东所所长季塔连科，杨政，《光明日报》2002年11月25日

列宁邓小平关于资本主义论述之比较研究，谢春玲，《理论月刊》2002年第12期

马克思、恩格斯、列宁的廉政思想，程爱萍，《正气》2003年第1期

列宁党报思想成因探析，陈力丹，《郑州大学学报》（哲学社会科学版）2003年第1期

列宁、周恩来、邓小平和平共处思想之比较，宫世霞，《江苏教育学院学报》（社会科学版）2003年第1期

邓小平对列宁农村改革出发点和目的是发展生产力思想的继承和发展，贾耀忠，《张家口师专学报》2003年第1期

列宁关于执政考验的思考及其启示，刘明华、王克群，《中共济南市委党校、济南市行政学院、济南市社会主义学院学报》2003年第1期

列宁从严治党的几项重大举措，徐隆彬，《潍坊学院学报》2003年第1期

列宁关于中国人民革命的思想，俞良早，《荆州师范学院学报》2003年第1期

列宁的法制思想初探，张国安，《信阳师范学院学报》（哲学社会科学版）2003年第1期

列宁与毛泽东反腐观之比较，张振，《山东行政学院、山东省经济管理干部学院学报》2003年第1期

论列宁的出版自由思想，陈力丹，《湖南大众传媒职业技术学院学报》2003年第2期

从发展哲学角度看列宁新经济政策的价值，顾玉兰，《湖北大学学报》（哲学社会科学版）2003年第2期

列宁权力监督思想探析，吉文爱，《理论建设》2003年第1期

邓小平对列宁农村社会主义市场经济思想的继承和发展，贾耀忠、陈洁民，《张家口师专学报》2003年第2期

邓小平对列宁农村社会主义市场经济思想的继承和发展，贾耀忠、陈洁民，《河北北方学院学报》（自然科学版）2003年第2期

列宁反映论与古希腊"摹仿说"，李珺平，《湛江师范学院学报》2003年第2期

巴黎公社的公仆原则与列宁、邓小平的公仆思想，刘保国，《新疆财经学院学报》2003 年第 2 期

列宁对"卡夫丁峡谷"理论的两大贡献，刘荣军，《深圳大学学报》（人文社会科学版）2003 年第 2 期

列宁对辩证法的创造性应用，吕世荣，《河南大学学报》（社会科学版）2003 年第 2 期

浅论巴黎公社的公仆原则与列宁的公仆思想，倪晓春，《江汉论坛》2003 年第 2 期

列宁的国民教育思想述论，舒新、林建华，《当代世界与社会主义》2003 年第 2 期

列宁关于责任的思想和实践，沈国桢，《社会科学家》2003 年第 2 期

列宁世界历史理论的建构及当代意义，孙景峰、刘会强，《吉林大学社会科学学报》2003 年第 2 期

列宁辩证法构想的继承和创新——从毛泽东到邓小平的辩证法思想，王德存，《兰州大学学报》（社会科学版）2003 年第 2 期

关于马克思、恩格斯、列宁对外开放思想的两个问题，吴科达，《青岛大学师范学院学报》2003 年第 2 期

论列宁的平等观，严向远、黄丹，《绥化师专学报》2003 年第 2 期

列宁时期的党内民主，尹彦，《当代世界与社会主义》2003 年第 2 期

关于列宁主义的定义、体系和方法等问题——评斯大林对列宁主义的阐释，俞良早，《湖北行政学院学报》2003 年第 2 期

关于列宁无产阶级政党的理论——评斯大林对列宁主义的阐释，俞良早，《孝感学院学报》2003 年第 2 期

关于列宁的社会主义革命论——评斯大林对列宁主义的阐释，俞良早，《河南师范大学学报》（哲学社会科学版）2003 年第 2 期

论列宁和俄共（布）发展先进文化的尝试，俞良早，《南京师大学报》（社会科学版）2003 年第 2 期

列宁的经典社会主义经济原则实践及经验教训，岳海鹰，《山东工商学院学报》2003 年第 2 期

列宁革命观与葛兰西革命观之比较，庄严，《理论探讨》2003 年第 2 期

列宁的"灌输"理论与党的思想政治教育，曹培东，《徐州教育学院学报》2003 年第 3 期

论列宁社会主义理论创新的基本特点，陈榕，《中共云南省委党校学报》2003 年第 3 期

论列宁关于德育环境理论及其现实价值，戴钢书，《社会主义研

究》2003 年第 3 期

论列宁主义的与时俱进品质，冯干文，《广西大学学报》（哲学社会科学版）2003 年第 3 期

列宁经济落后国家社会主义建设思想探讨，冯晶丽，《中共郑州市委党校学报》2003 年第 3 期

列宁社会主义观的演变，冯良勤，《社会科学研究》2003 年第 3 期

像列宁那样治官僚主义，何铁城，《共产党员》2003 年第 3 期

对列宁党内民主思想发展的历史考察，侯卫伟，《中共南京市委党校南京市行政学院学报》2003 年第 3 期

实践标准的确定性和不确定性说明了什么？——读列宁有关论述随笔，李继武，《中共济南市委党校·济南市行政学院·济南市社会主义学院学报》2003 年第 3 期

列宁的专政理论、农民理论和民族理论——评斯大林对列宁主义的阐释，梁超，《三峡大学学报》（人文社会科学版）2003 年第 3 期

评布哈林对列宁主义几个基本问题的阐释，梁超，《忻州师范学院学报》2003 年第 3 期

论列宁新经济政策的实质，吕振合，《内蒙古农业大学学报》（社会科学版）2003 年第 3 期

列宁文化战线领导思想浅论，刘起军，《求索》2003 年第 3 期

列宁对辩证思维方式的创造性运用，王瑞花，《山西医科大学学报》（基础医学教育版）2003 年第 3 期

马克思主义与时俱进的光辉典范——列宁创立新经济政策理论的启示，王向明、陈梅，《思想战线》2003 年第 3 期

"问题'只'在于无产阶级及其先锋队的文化力量"——学习列宁关于社会主义执政党文化建设思想，韦定广、卢靖，《中共天津市委党校学报》2003 年第 3 期

陈独秀"二次革命论"与列宁新经济政策，邢和明，《党史研究与教学》2003 年第 3 期

试论列宁的民族殖民地理论对中国新民主主义革命的启示，杨文翔，《集宁师专学报》2003 年第 3 期

关于列宁的新经济政策理论——评季诺维也夫对列宁主义的阐释，俞良早，《中共天津市委党校学报》2003 年第 3 期

评布哈林对列宁"政治遗嘱"的阐释，俞良早，《湖北大学成人教育学院学报》2003 年第 3 期

列宁的战略退却思想及其现实意义，周含华、李卫平，《中南大学学报》（社会科学版）2003 年第 3 期

谈列宁对社会主义的创新——读列宁的最后书信和文章，朱大锋，《遵义师范学院学报》2003 年第

3 期

列宁与邓小平的法制思想之比较，崔德华，《烟台教育学院学报》2003 年第 4 期

列宁关于落后国家农民组织形式现代化的思想，顾玉兰，《当代世界社会主义问题》2003 年第 4 期

对列宁和平共处思想及其现实意义的探讨，赖光宝、王晓刚，《西北农林科技大学学报》（社会科学版）2003 年第 4 期

对列宁关于辩证法实质的规定的再认识——兼谈辩证法研究中的几个流行论点，李福麟，《理论学习与探索》2003 年第 4 期

列宁"利用资本主义"思想论略，刘和忠，《海南师范学院学报》（社会科学版）2003 年第 4 期

列宁社会主义民主理论的当代启示，刘裕，《池州师专学报》2003 年第 4 期

提高党员质量，保持和加强党的团结统一——论列宁在实行新经济政策条件下的党建思想之二，马徒，《广西大学学报》（哲学社会科学版）2003 年第 4 期

论列宁民族平等法律思想及其现实启示，潘高峰，《宜宾学院学报》2003 年第 4 期

论列宁的知识人才发展观，王俊文，《贵州社会科学》2003 年第 4 期

列宁关于社会主义文化建设的思想，徐卫国，《湖北省社会主义学院学报》2003 年第 4 期

论列宁的社会开放观——以新经济政策为视角，杨竞业，《武汉冶金管理干部学院学报》2003 年第 4 期

季诺维也夫论列宁主义与社会主义在一国胜利的问题，俞良早，《俄罗斯研究》2003 年第 4 期

列宁关于无产阶级执政党建设的思想对新时期中共党建的启示，张北根，《北京科技大学学报》（社会科学版）2003 年第 4 期

从马克思到列宁：实践中的唯物主义，邹季荣，《福建省社会主义学院学报》2003 年第 4 期

略论邓小平对列宁对外开放理论的丰富与发展，朱聪明、田树喜，《辽宁商务职业学院学报》2003 年第 4 期

落后国家社会主义建设道路的可贵探索——论列宁新经济政策思想及其对中国特色社会主义的意义，朱宗友，《淮北职业技术学院学报》2003 年第 4 期

马克思恩格斯列宁视野中的理性法和实践法，何国强、景燕春，《中山大学学报》（社会科学版）2003 年第 5 期

列宁政治文明思想述论，康天意，《理论学习与探索》2003 年第

5 期

从战时共产主义向新经济政策的转变看列宁的与时俱进，李浩，《江西教育学院学报》2003 年第 5 期

列宁晚年社会主义观的演变历程，林锋，《厦门特区党校学报》2003 年第 5 期

列宁对社会主义所有制模式的探索，王世勇，《重庆大学学报》（社会科学版）2003 年第 5 期

论列宁对社会主义认识的根本改变，王万民，《四川大学学报》（哲学社会科学版）2003 年第 5 期

列宁东方理论的精髓及 20 世纪历史的验证，俞良早，《俄罗斯中亚东欧研究》2003 年第 5 期

列宁关于党员队伍建设的理论，张志伟，《党建与人才》2003 年第 5 期

全球化与帝国主义：批判及辩护——重读列宁的帝国主义论，布成良，《当代世界与社会主义》2003 年第 6 期

再论列宁十月革命后的新闻思想，陈力丹，《中国青年政治学院学报》2003 年第 6 期

列宁的权力监督思想与当代政治文明，郝华芳，《中共太原市委党校学报》2003 年第 6 期

试论列宁和毛泽东关于利用和发展资本主义的思想，贺瑞，《内蒙古师范大学学报》（哲学社会科学版）2003 年第 6 期

列宁的法律监督思想与中国检察制度，石少侠、郭立新，《法制与社会发展》2003 年第 6 期

试论列宁对相对主义的分析，隋玉梅，《宁夏党校学报》2003 年第 6 期

列宁晚年的依法治国思想及其当代意义——为纪念列宁逝世 80 周年而作，肖乾利，《求索》2003 年第 6 期

列宁和俄共（布）加强执政党建设的尝试，谢双明，《社会主义研究》2003 年第 6 期

孟德斯鸠与列宁权力制衡理论之比较，熊光清，《理论导刊》2003 年第 6 期

列宁对马克思主义民主观的丰富和发展，徐东礼，《理论学习》2003 年第 8 期

论列宁对农民自发势力认识的转变，薛汉伟，《马克思主义与现实》2003 年第 6 期

意识创造世界是列宁的思想吗？——评前苏联哲学界对此命题的研究兼及我国马克思主义哲学一流行观点，易杰雄，《北京大学学报》（哲学社会科学版）2003 年第 6 期

从列宁到江泽民：关于执政党的文化建设思想，韦定广、肖从云，

《唯实》2003 年第 7 期

列宁晚年对社会主义的探索，陶玉泉，《哲学研究》2003 年第 8 期

略论邓小平对列宁社会发展阶段思想的继承与超越，赵光侠，《山西高等学校社会科学学报》2003 年第 8 期

列宁的新经济政策与中国社会主义建设，周雅难，《山西高等学校社会科学学报》2003 年第 8 期

十月革命后列宁对俄共（布）党建的探索，刘思仓，《前沿》2003 年第 9 期

论列宁建党理论的现实意义，刘思仓，《前沿》2003 年第 10 期

认识列宁社会主义观"根本改变"的重要视角，冯良勤，《西南民族大学学报》（人文社会科学版）2003 年第 11 期

学习列宁关于反腐败思想的思考，江传彬，《西南民族大学学报》（人文社会科学版）2003 年第 11 期

列宁的反恐思想对当前中东局势的启示，李玮、肖宪、张金平，《学术探索》2003 年第 11 期

列宁、斯大林监督思想实践之比较，李永忠，《学习时报》2003 年 11 月 3 日

列宁对自体监督机制的设计，尹彦，《中共福建省委党校学报》2003 年第 12 期

邓小平对列宁农村改革出发点

和目的是发展生产力思想的继承和发展，贾耀忠，《张家口师专学报》2003 年第 13 期

列宁的对外开放思想及启示，卞玉岭，《平原大学学报》2004 年第 1 期

列宁与邓小平社会主义观比较研究，陈湘舸、包松、宋红颜，《毛泽东思想研究》2004 年第 1 期

列宁新经济政策与中国经济体制改革，冯爱霞，《安徽广播电视大学学报》2004 年第 1 期

从联共（布）两次激烈争论看列宁的社会主义思想，贺瑞，《内蒙古师范大学学报》（哲学社会科学版）2004 年第 1 期

列宁社会主义文化建设思想论纲——为纪念列宁逝世 80 周年而作，李爱华，《济南大学学报》（社会科学版）2004 年第 1 期

"镜子说"与列宁"反映论"文论，李珊平，《湛江师范学院学报》2004 年第 1 期

检察权独立行使的相对性——兼论列宁关于检察机关垂直领导的思想，李建明，《政法论坛》2004 年第 1 期

列宁确有一国建成社会主义基础的思想——答刘文汇同志，李心华，《烟台师范学院学报》（哲学社会科学版）2004 年第 1 期

列宁是如何认识资本主义的，

李贽,《石家庄师范专科学校学报》2004 年第 1 期

晚年列宁关于党的领导体制改革的思想及其现代启示,李智平,《汉中师范学院学报》2004 年第 1 期

论列宁的建党理论,刘思仓,《前沿》2004 年第 1 期

列宁正确对待党内不同意见的启示,刘书林,《中国党政干部论坛》2004 年第 1 期

列宁对社会主义所有制模式的探索及其局限,罗锋,《华北水利水电学院学报》(社会科学版)2004 年第 1 期

反对官僚主义,整治拖拉作风——列宁在实行新经济政策条件下的党建思想之三,马徒,《广西大学学报》(哲学社会科学版)2004 年第 1 期

列宁、毛泽东利用资本主义思想探析,宋海琼,《吉林师范大学学报》(人文社会科学版)2004 年第 1 期

从列宁到戈尔巴乔夫:苏联社会主义发展阶段理论的历史嬗变,唐莉,《社会主义研究》2004 年第 1 期

列宁邓小平对马克思"跨越"论的发展,王柏松,《山东理工大学学报》(社会科学版)2004 年第 1 期

如何理解列宁关于合作社与社会主义关系的思想,王力军、宋慧,《中共济南市委党校学报》2004 年第 1 期

毛泽东的新民主主义与列宁的新经济政策的历史比较,王晓荣,《毛泽东思想研究》2004 年第 1 期

列宁执政党建设的思想及其对中共党建的现实意义,文莉,《天府新论》2004 年第 1 期

陈独秀发展资本主义思想与列宁新经济政策,邢和明,《安徽教育学院学报》2004 年第 1 期

列宁的民族自治思想与苏联的联邦制实践,易清,《学术论坛》2004 年第 1 期

论列宁晚年的经济建设思想,张新鸿,《济宁师范专科学校学报》2004 年第 1 期

浅谈列宁对权力制衡的思考,张永缜,《陕西教育学院学报》2004 年第 1 期

论列宁利用资本主义建设社会主义思想的方法论意义,陈冬梅、刘浩林,《井冈山师范学院学报》2004 年第 2 期

论列宁晚年政治体制改革思想,陈新田,《高等函授学报》(哲学社会科学版)2004 年第 2 期

列宁对俄国跨越资本主义卡夫丁峡谷思考的转变及原因,冯定雄,《西南交通大学学报》(社会科学版)2004 年第 2 期

列宁对社会主义经济效益的实践与探索研究，胡增文，《广西师范学院学报》（哲学社会科学版）2004年第2期

列宁限权思想及其实践的知识考察，焦旭鹏，《西南民族大学学报》（人文社会科学版）2004年第2期

列宁斯大林的"三分法"思想，雷正良，《学术论坛》2004年第2期

关于列宁"物质定义"的当代阐释，马文保，《榆林学院学报》2004年第2期

列宁探索新经济政策的基本思路及其对我国建设的启示，彭红胜，《前沿》2004年第2期

试论列宁关于国家资本主义理论的新贡献，尚丽琴，《中共济南市委党校学报》2004年第2期

列宁论文化建设的必要性，史方倩，《西北民族大学学报》（哲学社会科学版）2004年第2期

列宁晚年的发展代价观及其当代意义，陶玉泉，《西安政治学院学报》2004年第2期

列宁"租让制"对外开放思想研究，王俊文，《云南社会科学》2004年第2期

列宁论"管理"俄国，王汝秀，《山东行政学院·山东省经济管理干部学院学报》2004年第2期

新经济政策时期列宁对社会主义经济的市场化探索，王祖奇，《河南师范大学学报》（哲学社会科学版）2004年第2期

列宁的国家结构制度思想及其特点，魏红英，《中南民族大学学报》（人文社会科学版）2004年第2期

"客观实在""实体唯物论""唯能论"与唯物论的非实体化——论列宁的"客观实在"物质观的科学价值，邬焜，《西安交通大学学报》（社会科学版）2004年第2期

列宁青年人才思想初探，詹全友，《理论月刊》2004年第2期

列宁的党内监督思想及其启示，赵洪霞，《理论界》2004年第2期

恩格斯、列宁、孙中山、毛泽东、邓小平、江泽民论民主，《当代世界与社会主义》2004年第2期

列宁的法律监督思想，郭立新，《检察日报》2004年2月11日

毛泽东的国家资本主义理论与列宁的新经济政策比较，陈爱玉，《福州大学学报》（哲学社会科学版）2004年第3期

毛泽东同列宁的国家资本主义理论与实践的异同分析，陈爱玉，《当代世界与社会主义》2004年第3期

正确评价列宁和苏联哲学家的哲学贡献，黄楠森，《西南师范大学

学报》（人文社会科学版）2004 年第
3 期

利用资本主义文化遗产建设社会主义——列宁文化思想的一个基本问题，刘仓，《山西高等学校社会科学学报》2004 年第 3 期

列宁的世界历史理论及当代价值，刘勇，《社会主义研究》2004 年第 3 期

"文化革命"观的现实意义，牛锋雷、恒平，《太原城市职业技术学院学报》2004 年第 3 期

重新解读列宁的新经济政策，石镇平，《烟台大学学报》（哲学社会科学版）2004 年第 3 期

列宁的"直接过渡"思想与三个过高的估计，王力军，《济南大学学报》（社会科学版）2004 年第 3 期

列宁晚年的忧思与俄共领导体制的演变，王树春，《理论探讨》2004 年第 3 期

列宁的"法律监督"思想探微，吴艳东，《湖北大学成人教育学院学报》2004 年第 3 期

列宁与邓小平转变工作重心思想的比较研究，叶剑锋，《湖北成人教育学院学报》2004 年第 3 期

评布哈林对列宁建设社会主义理论的阐释，俞良早，《湖北大学学报》（哲学社会科学版）2004 年第 3 期

从列宁到邓小平：利用资本主

义思想的历史考察，张颢，《南京工业大学学报》（社会科学版）2004 年第 3 期

马克思、恩格斯、列宁、斯大林的社会主义观之比较，周映华、张建林，《求实》2004 年第 3 期

理论与现实的巨大反差：列宁监督思想的命运，左凤荣，《华北电力大学学报》（社会科学版）2004 年第 3 期

"列宁的思路"与邓小平理论，丁太魁、薛燕，《陕西教育学院学报》2004 年第 4 期

毛泽东的国家资本主义理论同列宁的新经济政策比较研究，李戎，《世纪桥》2004 年第 4 期

列宁关于加强执政党内民主制度建设的探索，李宗楼，《安徽理工大学学报》（社会科学版）2004 年第 4 期

列宁论新闻舆论监督，刘国明，《福建论坛》（人文社会科学版）2004 年第 4 期

列宁晚年社会主义思想对当代社会主义实践的启示，刘亚军，《西北师大学报》（社会科学版）2004 年第 4 期

列宁时期新经济政策的内在矛盾和苏联计划经济的确立，任晓伟，《陕西师范大学学报》（哲学社会科学版）2004 年第 4 期

列宁晚年社会主义政治体制改

革思想探析，汤志华，《天水行政学院学报》2004 年第 4 期

刘少奇的过渡思想与列宁的新经济政策之比较，王丽荣，《中南财经政法大学学报》2004 年第 4 期

列宁的宗教观（上），王肖燕，《科学与无神论》2004 年第 4 期

列宁关于执政党密切联系群众思想论析，王亚萍，《湖北行政学院学报》2004 年第 4 期

列宁帝国主义论的当代沉思——兼评 20 世纪以来资本主义的历史定位，吴波，《当代世界与社会主义》2004 年第 4 期

我们对社会主义的整个看法根本改变了——读列宁"遗嘱"，吴传煌，《兰州商学院学报》2004 年第 4 期

试析列宁党风建设思想，谢邦华，《和田师范专科学校学报》2004 年第 4 期

论邓小平对列宁利用资本主义思想的发展与超越，徐世强，《理论探讨》2004 年第 4 期

列宁关于党内监督的思想及其在当代中国的发展，叶战备，《兰州学刊》2004 年第 4 期

关于列宁晚年的两个重要理论——评"西方列宁学"的观点，俞良早，《湖北行政学院学报》2004 年第 4 期

列宁和俄共（布）执政党建设

的思想遗产——工人阶级执政党代表人民利益思想的回溯，俞良早，《淮阴师范学院学报》（哲学社会科学版）2004 年第 4 期

论列宁法制思想的核心，张国安，《南阳师范学院学报》2004 年第 4 期

社会改革与体制重建的法制保障——列宁后期法律思想述要，戴锐，《政法论丛》2004 年第 5 期

列宁社会发展理论的基本特质，顾玉兰，《湖北大学学报》（哲学社会科学版）2004 年第 5 期

列宁的党内民主建设思想，李宗楼，《黄山学院学报》2004 年第 5 期

列宁晚年社会主义思想与邓小平南方谈话之比较，刘小燕，《湖北民族学院学报》（哲学社会科学版）2004 年第 5 期

列宁的宗教观（下），王肖燕，《科学与无神论》2004 年第 5 期

论列宁的新经济政策，王晓丽、刘鹏，《聊城大学学报》（社会科学版）2004 年第 5 期

列宁与"寻神派"和"造神派"的斗争，魏宛斌，《科学与无神论》2004 年第 5 期

列宁对资产阶级意识形态的批判，周宏，《常熟高专学报》2004 年第 5 期

列宁与邓小平经济思想之比较，

曹骏，《中国青年政治学院学报》2004年第6期

列宁社会主义建设农民问题思想的探索实践与现实借鉴，陈晓娟，《广西青年干部学院学报》2004年第6期

"民主集中制"并非列宁首创考，管怀伦，《江苏社会科学》2004年第6期

论列宁的集中制思想，韩庆军，《社科纵横》2004年第6期

论列宁和俄共（布）发展社会生产力的思想，杭俐，《社会主义研究》2004年第6期

十月革命后列宁对俄国实行无产阶级专政的探索，刘思仓，《前沿》2004年第6期

列宁、邓小平晚年社会主义思想之比较，刘小燕，《胜利油田党校学报》2004年第6期

列宁对中国新民主主义革命理论的伟大贡献，彭清，《理论月刊》2004年第6期

列宁的执政党建设学说及现实意义，石善、革林松，《黑龙江社会科学》2004年第6期

论社会主义市场经济下的民主集中制——重读列宁关于执政党建设和民主集中制论述，寿思华，《当代广西》2004年第6期

邓小平精神文明建设理论对列宁社会教育思想的丰富和发展，王

鹏，《理论学刊》2004年第6期

论列宁的马克思主义学风观，徐世杰，《理论探讨》2004年第6期

十月革命后列宁对俄国实行社会主义民主的探索，刘思仓、卢争妍，《前沿》2004年第8期

论列宁对马克思主义哲学的新发展，刘田人、郭鹏群，《前沿》2004年第8期

列宁对执政党建设问题的探索，刘卫学，《史学月刊》2004年第8期

学习列宁调查研究的思想，魏泽焕，《中国党政干部论坛》2004年第8期

试析马克思恩格斯列宁运用党报批评同级党委（党的领导机构）的理论与实践，靖鸣，《新闻知识》2004年第9期

论列宁晚年的文化建设思想——从"和平的'文化'组织工作"谈起，韦定广，《学习论坛》2004年第9期

邓小平对列宁社会主义观的深化和发展，刘勇，《江汉论坛》2004年第11期

列宁执政能力建设思想论析，李铁明、周志平，《求索》2004年第12期

提高执政能力重要文献，建设小康社会伟大指南——学习列宁晚年关于社会主义建设文献的体会，李增仁，《河北金融》2004年第

12 期

利用资本主义发展社会主义——马克思、列宁、邓小平在实践中的探索与经验，徐世强，《前沿》2004 年第 12 期

对列宁的物质定义的阐释，蔡茂剑，《中南民族大学学报》（人文社会科学版）2005 年第 1 期

论列宁"政治遗嘱"中执政党的组织建设思想，冯来兴，《河南师范大学学报》（哲学社会科学版）2005 年第 1 期

列宁执政党建设思想探析，何桂端，《广西社会主义学院学报》2005 年第 1 期

列宁晚年新社会主义观探析，贺瑞，《内蒙古师范大学学报》（哲学社会科学版）2005 年第 1 期

论列宁的人才观，李民，《重庆大学学报》（社会科学版）2005 年第 1 期

论列宁与俄共（布）的人才思想，李贤聪，《辽宁教育行政学院学报》2005 年第 1 期

列宁关于选拔人才的思想——论列宁在实行新经济政策条件下的党建思想之四，马徒，《广西大学学报》（哲学社会科学版）2005 年第 1 期

论列宁的时代观与现时代，彭本奇，《东北农业大学学报》（社会科学版）2005 年第 1 期

论列宁执政党执政能力建设的思想及启示，尚红印，《理论与改革》2005 年第 1 期

学习列宁办党校的思想，魏泽焕，《中共中央党校学报》2005 年第 1 期

列宁在维护党的先进性问题上同马尔托夫的一场斗争，魏泽焕，《中国党政干部论坛》2005 年第 1 期

从列宁政治遗嘱看苏共失败的一段历史教训，吴絮颖，《钦州师范高等专科学校学报》2005 年第 1 期

论列宁对国家资本主义的认识，徐凤琴，《绥化学院学报》2005 年第 1 期

如何在实践中利用资本主义——马克思、列宁、邓小平的理论探索与成功经验，徐世强，《甘肃社会科学》2005 年第 1 期

毛泽东 50 年代的经济建设思想与列宁的"新经济政策"，薛惠元，《绥化学院学报》2005 年第 1 期

试论列宁主义的时代意义，杨光伟，《黔西南民族师范高等专科学校学报》2005 年第 1 期

列宁与邓小平经济改革思想之比较，姚雪萍，《中共成都市委党校学报》2005 年第 1 期

资本主义社会内部是否能够孕育和形成社会主义因素？（上）——马克思恩格斯思想与列宁思想的比较，

赵家祥,《北京行政学院学报》2005 年第 1 期

论列宁人权思想的三大理论来源,曹明,《武汉理工大学学报》(社会科学版) 2005 年第 2 期

从集中制到民主集中制：论列宁组织思想的转变,管怀伦,《学海》2005 年第 2 期

试论列宁建设社会主义的基本思路,郭明飞,《武汉冶金管理干部学院学报》2005 年第 2 期

论列宁从基层选拔新人的思想,郭华甫、蒋圣斐,《江苏工业学院学报》(社会科学版) 2005 年第 2 期

论列宁的权力监督思想与政治文明建设,呼旭光,《中共山西省委党校省直分校学报》2005 年第 2 期

列宁论马克思主义的形成机制,刘文杰,《山东省农业管理干部学院学报》2005 年第 2 期

论列宁的合作制思想,彭大成,《湖南师范大学社会科学学报》2005 年第 2 期

试析列宁关于落后国家向社会主义过渡的理论,石镇平,《高校理论战线》2005 年第 2 期

列宁法制思想的当代意义,王强,《西南科技大学学报》(哲学社会科学版) 2005 年第 2 期

社会主义理论和实践的新探索——列宁邓小平晚年社会主义思想之比较,夏柏年,《淮北职业技术

学院学报》2005 年第 2 期

列宁的知识分子理论述论,杨凤城,《首都师范大学学报》(社会科学版) 2005 年第 2 期

列宁探索社会主义道路的历史轨迹与理论价值新探,张传平,《南京大学学报》(哲学、人文科学、社会科学版) 2005 年第 2 期

资本主义社会内部是否能够孕育和形成社会主义因素？（下）——马克思恩格斯思想与列宁思想的比较,赵家祥,《北京行政学院学报》2005 年第 2 期

列宁的新经济政策与邓小平的改革开放之比较,曾长秋,《青海社会科学》2005 年第 2 期

简评《列宁时期的党内民主》,曾国雄,《党史研究与教学》2005 年第 2 期

十月革命前后列宁民主思想的变化及其原因,周吉鹏,《山东省农业管理干部学院学报》2005 年第 2 期

列宁关于落后国家社会主义历史合理性思想述论,周作芳,《华北电力大学学报》(社会科学版) 2005 年第 2 期

略论邓小平对列宁关于学习利用资本主义思想的丰富与发展,朱聪明,《理论界》2005 年第 2 期

正确解读列宁有关党务公开的经典论述,王贵秀,《北京日报》

2005 年 2 月 7 日

"俄国革命的镜子"的反映论的沉思——并非仅仅关于列宁和托尔斯泰，安德烈、麦迪逊，《西北师大学报》（社会科学版）2005 年第 3 期

列宁人权思想的当代启示，曹明，《湖南科技学院学报》2005 年第 3 期

论工农联盟思想在列宁新经济政策中的作用，傅锁根,《内蒙古大学学报》（人文社会科学版）2005 年第 3 期

试述列宁对普遍联系学说的贡献，傅于川,《贵州教育学院学报》2005 年第 3 期

列宁关于社会主义建设理论的发展和创新——列宁创立新经济政策的启示，伏秀萍,《沧州师范专科学校学报》2005 年第 3 期

论列宁关于权力监督的理论与实践，龚廷泰,《江海学刊》2005 年第 3 期

列宁的国家结构理论研究，龚廷泰,《中共南京市委党校南京市行政学院学报》2005 年第 3 期

关于列宁新经济政策的两点思考，靳晓光,《沈阳工程学院学报》（社会科学版）2005 年第 3 期

列宁的政策制定思想及其启示，毛彩菊,《经济与社会发展》2005 年第 3 期

列宁晚年谈领导文化建设能力问题，李星良，《理论视野》2005 年第 3 期

列宁党的执政能力建设思想，刘明华,《中共天津市委党校学报》2005 年第 3 期

列宁的共产党员先进性思想探析，刘英红,《台声·新视角》2005 年第 3 期

列宁对巩固共产党执政地位的思考，吴日明,《中共天津市委党校学报》2005 年第 3 期

列宁提高党员质量的理论实践及启示，闫希伦,《西藏发展论坛》2005 年第 3 期

对列宁"民族自决权原则"的历史考察和现实思考，姚爱琴,《青海民族研究》2005 年第 3 期

列宁对党的先进性理论的发展及贡献，张书林,《长江论坛》2005 年第 3 期

列宁"政治遗嘱"中对执政党建设的思考，高鹏怀,《湖北民族学院学报》（哲学社会科学版）2005 年第 4 期

试论列宁集中制的理论体系和制度结构——对布尔什维克版本民主集中制原生形态的理论考察，管怀伦,《马克思主义研究》2005 年第 4 期

列宁的国家资本主义新论，马徒,《广西大学学报》（哲学社会科学

版）2005 年第 4 期

列宁关于加强执政党建设的思想及实践评析，吕志刚，《湖北大学学报》（哲学社会科学版）2005 年第 4 期

学习列宁开展批评与自我批评的勇气和方法，魏泽焕，《中国党政干部论坛》2005 年第 4 期

斯大林对社会主义的认识与列宁之差异，杨玲，《理论探讨》2005 年第 4 期

试论列宁晚年社会主义思想与时俱进的理论品质，岳平，《邯郸职业技术学院学报》2005 年第 4 期

列宁对党的先进性理论的发展及贡献，张炳文，《中共山西省委党校学报》2005 年第 4 期

列宁人的全面发展思想及其时代意义，郑洁，《探索》2005 年第 4 期

列宁对马克思恩格斯未来社会"分配方式"思想的误判，曹天禄，《天津师范大学学报》（社会科学版）2005 年第 5 期

列宁从共耕制到合作制的战略思想转变及其启示，陈荣佳，《厦门特区党校学报》2005 年第 5 期

列宁关于社会主义工业化的思想及其现实价值，顾玉兰，《学术论坛》2005 年第 5 期

马克思、列宁的上层建筑观比较，胡为雄，《中共浙江省委党校学

报》2005 年第 5 期

试论列宁的执政能力建设思想，刘明华，《宁夏党校学报》2005 年第 5 期

再论列宁民主集中制思想的基本内涵，吴晶晶，《内蒙古师范大学学报》（哲学社会科学版）2005 年第 5 期

列宁、斯大林关于农业和农民问题的基本观点述要，邢艳琦，《马克思主义与现实》2005 年第 5 期

论列宁对马克思实践观点的发展，尹世康，《江苏广播电视大学学报》2005 年第 5 期

新经济政策与列宁的科学价值观，俞敏，《江汉论坛》2005 年第 5 期

论列宁巩固俄共（布）执政地位的重要思想，俞良早，《马克思主义研究》2005 年第 5 期

列宁对马克思主义国际战略理论的创新，张义，《云南财贸学院学报》（社会科学版）2005 年第 5 期

列宁晚年的党建思想对强化党的执政意识的启示，陈锡喜，《华东师范大学学报》（哲学社会科学版）2005 年第 6 期

列宁"美国式道路"思想述论，陈新田，《社会科学论坛》（学术研究卷）2005 年第 6 期

列宁论保持党的先进性，窦效民，《平顶山学院学报》2005 年第

6 期

论列宁的"政治遗嘱"对加强机关能力建设的重要启示，方跃林，《中国工商管理研究》2005 年第 6 期

列宁全球化理论遗产及其当代启示，费利群，《山东师范大学学报》（人文社会科学版）2005 年第 6 期

论列宁对社会主义"官"制的探索，李春隆，《东北亚论坛》2005 年第 6 期

略论列宁的社会主义政治制度改革思想，罗锋，《党史文苑》2005 年第 6 期

马克思恩格斯列宁合作经济思想探究，罗骏，《四川大学学报》（哲学社会科学版）2005 年第 6 期

列宁"灌输理论"的现代价值，谭兰，《广西社会科学》2005 年第 6 期

社会关系整合：构建和谐社会的重大课题——列宁晚年的探索及其当代意义，陶玉泉，《军队政工理论研究》2005 年第 6 期

列宁工业经济体制改革思想研究，王俊文，《学术论坛》2005 年第 6 期

国外列宁研究中的不同观点，王丽华，《当代世界与社会主义》2005 年第 6 期

论列宁灌输理论对加强大学生思想政治教育的现实意义，王汝秀，《山东省青年管理干部学院学报》2005 年第 6 期

推进文化建设是共产党成功执政的重要保证——论列宁晚年的文化建设思想，韦定广，《南京政治学院学报》2005 年第 6 期

解读列宁关于社会主义东方道路"文化变革"的理论和策略，许京元，《社会科学研究》2005 年第 6 期

新经济政策时期列宁论党的政治价值观，俞敏，《中南民族大学学报》（人文社会科学版）2005 年第 6 期

论"马克思主义东方学"臻于成熟——列宁东方社会理论的地位，俞良早，《社会科学研究》2005 年第 6 期

列宁论社会主义社会建设和管理，袁方，《东岳论丛》2005 年第 6 期

略论列宁关于人的全面发展思想，郑洁，《学术论坛》2005 年第 6 期

正确解读列宁有关党务公开的论述，《党的建设》2005 年第 6 期

马克思、列宁的对外直接投资思想及其方法论意义，魏益华，《当代经济研究》2005 年第 7 期

列宁遗嘱落空前后，尹彦，《文史博览》2005 年第 7 期

论列宁先进文化思想的特点，史方倩，《人民论坛》2005 年第 8 期

略论列宁斯大林在民族和殖民地理论上的认知差异，王侃，《前沿》2005 年第 8 期

列宁关于提高党的执政能力的探索和尝试，张昌林，《学术论坛》2005 年第 8 期

论列宁晚年的社会主义建设思想，刘思仓，《前沿》2005 年第 9 期

列宁关于俄共（布）在执政条件下如何保持自身先进性的理论与实践，王进芬，《求实》2005 年第 9 期

解读列宁关于社会主义东方道路"文化变革"的理论和策略，许京元，《宜宾学院学报》2005 年第 9 期

论列宁的"渐进发展"理论，俞良早，《社会科学》2005 年第 9 期

弘扬理性的爱国主义精神——由列宁论述布列斯特和约所想到的，郑汉华，《思想教育研究》2005 年第 9 期

全球化历史进程与资本主义阶段同步发展及其当代启示——列宁主义全球化理论的思考，费利群，《山东社会科学》2005 年第 11 期

明确党政职责，规范党的权利——列宁对执政党先进性建设的探索，王炎炯，《中国改革》2005 年第 12 期

论列宁关于共产党执政方式科学化的理论贡献，叶剑锋，《党政干部论坛》2005 年第 12 期

列宁的民族自决权思想及其人权意义，陈波，《理论月刊》2006 年第 1 期

马克思、恩格斯、列宁论人的全面发展，陈金芳，《教育史研究》2006 年第 1 期

列宁晚年经济发展动力思想的利益转向，戴锐，《西华师范大学学报》（哲学社会科学版）2006 年第 1 期

列宁关于社会主义和资本主义和平共处思想探析，邓如辛，《理论探讨》2006 年第 1 期

论列宁党建思想的党群观，丁耀，《江苏省社会主义学院学报》2006 年第 1 期

论毛泽东对列宁无产阶级文艺观的创造性运用，杜春海，《毛泽东思想研究》2006 年第 1 期

论列宁的制度伦理思想，李仁武，《岭南学刊》2006 年第 1 期

列宁"职业革命家"思想的真谛与联共（布）的误读，刘彦昌，《浙江社会科学》2006 年第 1 期

试析列宁阐发"民族自决权"原则的缘由及过程，欧阳杰、曾晓梅，《井冈山学院学报》2006 年第 1 期

列宁的国家观与社会管理思想

的有机统一，孙玉健，《湖北社会科学》2006 年第 1 期

列宁在维护党的先进性问题上的典型范例，魏泽焕，《中国党政干部论坛》2006 年第 1 期

列宁在实施新经济政策期间对社会主义建设道路的探索及其当代价值，魏中海，《三门峡职业技术学院学报》2006 年第 1 期

浅论列宁利用合作社建设社会主义的思想，武勇，《集宁师专学报》2006 年第 1 期

列宁时期执政方式的历史演进，肖文清，《长春工业大学学报》（社会科学版）2006 年第 1 期

对列宁在经济领域反"左"斗争的历史考察，徐隆彬，《潍坊学院学报》2006 年第 1 期

理想与现实：解读列宁的社会主义观，苑秀丽，《当代世界与社会主义》2006 年第 1 期

坚持以科学的态度对待马克思恩格斯列宁领导思想，岳增瑞，《山东社会科学》2006 年第 1 期

列宁论反对官僚主义的法律对策，张国安，《信阳师范学院学报》（哲学社会科学版）2006 年第 1 期

从列宁到毛泽东——无产阶级文化革命概念述评，张京华，《湖南科技大学学报》（社会科学版）2006 年第 1 期

列宁对农村干群关系问题的探索，张富良，《中共南昌市委党校学报》2006 年第 1 期

试论列宁主义产生和发展的理论依据，赵民，《黑龙江社会科学》2006 年第 1 期

列宁的边角批注学习法，赵元，《少儿科技》2006 年第 1 期

论列宁的绝对真理观，朱耀华，《南通航运职业技术学院学报》2006 年第 1 期

列宁利用资本主义思想与 20 世纪社会主义实践，蔡亚志，《科学社会主义》2006 年第 2 期

列宁社会主义改革思想的"民本"特质，戴锐，《广西师范学院学报》（哲学社会科学版）2006 年第 2 期

列宁对"一把手"监督制约问题的思考和探索，宫玉涛，《中共福建省委党校学报》2006 年第 2 期

列宁探索社会主义道路思想轨迹的回顾和再思考，娄先革，《学术论坛》2006 年第 2 期

改革与发展不能忽视农民利益——列宁新经济政策运用的启示，彭腾，《湖南经济管理干部学院学报》2006 年第 2 期

马克思、列宁与 20 世纪东方马克思主义，王仲士，《四川大学学报》（哲学社会科学版）2006 年第 2 期

政治自由及其意义的限度——

列宁的理解与启示，徐俊忠，《哲学研究》2006 年第 2 期

关于列宁基本理论认识的分歧与匡正——针对商榷的回应，俞良早，《学术月刊》2006 年第 2 期

列宁的"和平共处"思想及其现实意义，苑秀丽，《马克思主义研究》2006 年第 2 期

列宁科学发展思想探析，张宏舒，《求实》2006 年第 2 期

列宁新经济政策思想及其对中国特色社会主义的意义，朱宗友，《阜阳师范学院学报》(社会科学版) 2006 年第 2 期

重评苏联"一国建成社会主义"问题的争论，高放，《中共天津市委党校学报》2006 年第 3 期

论列宁对执政党先进性建设的探索，宫艳玮，《理论学习》2006 年第 3 期

列宁对马克思人的全面发展思想的继承和发展，顾玉兰，《盐城师范学院学报》(人文社会科学版) 2006 年第 3 期

列宁新经济政策改革与邓小平经济改革之比较，李建勇，《山东行政学院、山东省经济管理干部学院学报》2006 年第 3 期

意识对客观世界的反映和创造关系——学习列宁反映论思想的思考，罗中昌，《毕节学院学报》2006 年第 3 期

列宁的政治自由思想与苏联宪法，赖静，《重庆科技学院学报》(社会科学版) 2006 年第 3 期

论列宁"无产阶级专政不受任何法律约束"的论断，覃福晓，《学术论坛》2006 年第 3 期

列宁的从严治党思想及其启示，王亚明，《中共天津市委党校学报》2006 年第 3 期

列宁对保持执政党党员先进性的探索，王炎炯，《厦门特区党校学报》2006 年第 3 期

保持执政党组织制度的先进性——列宁关于党的组织制度建设的探索及其启示，王炎炯，《攀登》2006 年第 3 期

加强党自身的文化建设是提高执政能力的一项基础性工程——从列宁晚年的思想和毛泽东的"进京赶考"说谈起，韦定广，《学习论坛》2006 年第 3 期

论列宁的外交思想与新中国外交实践，薛绍斌，《党史博采》2006 年第 3 期

列宁新经济政策改革与邓小平经济改革之比较，杨建军，《辽宁师范大学学报》(社会科学版) 2006 年第 3 期

论列宁民主集中制的三重涵义，张涛，《探索》2006 年第 3 期

如何看待马克思主义体系内部的论争？——从列宁与卢森堡的论

争谈开来，赵凯荣，《河北学刊》2006 年第 3 期

执政党建设的宝贵财富——列宁关于执政党建设的重要思想，朱宗友，《中南民族大学学报》（人文社会科学版）2006 年第 3 期

罗莎卢森堡对列宁"社会主义运动中实行党的极端中央集权"观念的批评，奥图卡鲁本，《河北学刊》2006 年第 3 期

"两个决不会"与列宁的迂回过渡思想，蔡亚志，《理论前沿》2006 年第 4 期

列宁建设无产阶级先进文化思想探析，郭国祥，《桂海论丛》2006 年第 4 期

列宁新经济政策理论的创新路径探析，马立党，《前沿》2006 年第 4 期

列宁和平共处思想探析，黎雪源，《萍乡高等专科学校学报》2006 年第 4 期

邓小平与列宁的新经济政策，李如鹏，《社科纵横》2006 年第 4 期

列宁社会主义建设思想的发展历程及其时代意蕴，娄先革，《洛阳师范学院学报》2006 年第 4 期

论列宁对待唯心主义态度的转变，秦龙，《大连海事大学学报》（社会科学版）2006 年第 4 期

列宁维护俄共执政安全的探索和尝试，王进芬，《当代世界与社会主义》2006 年第 4 期

列宁有个完整的建党学说，魏泽焕，《中共中央党校学报》2006 年第 4 期

坚持以科学的态度对待马克思恩格斯列宁的领导思想，岳增瑞，《理论学刊》2006 年第 4 期

尼尔哈丁的列宁主义观及其批判，张传平，《南京社会科学》2006 年第 4 期

列宁阶级分析理论的当代不适用探索——兼析"新中间阶级"、"政治权力寻租"和"暴富阶层"现象，张鑫，《理论探讨》2006 年第 4 期

列宁执政理念评析，周尚文，《社会科学研究》2006 年第 4 期

不破哲三：列宁对马克思恩格斯国家观的误读，曹天禄、殷向阳，《社会主义研究》2006 年第 5 期

列宁晚年关于加强党的执政能力建设的探索，费迅，《马克思主义与现实》2006 年第 5 期

新经济政策：列宁对"经商农民"的政策调整，胡增文，《湖北社会科学》2006 年第 5 期

从马克思列宁主义到科学发展观：中国共产党指导思想的与时俱进，蒋淑晴，《经济师》2006 年第 5 期

一个哲学悬案的解决——关于列宁"同一性是相对的，斗争性是

绝对的"命题的证明，刘林元，《南京政治学院学报》2006年第5期

列宁经济伦理思想发展的历史逻辑，刘琳，《江苏省社会主义学院学报》2006年第5期

比较史学视野下的列宁与威尔逊的"民族自决权"思想，欧阳杰，《俄罗斯中亚东欧研究》2006年第5期

论列宁的马克思主义观及其时代价值，曲延春，《中共云南省委党校学报》2006年第5期

列宁帝国主义理论的当代思考，苏晓明，《浙江社会科学》2006年第5期

学习列宁论工人阶级政党党章的思想，魏泽焕，《中国党政干部论坛》2006年第5期

对列宁党内民主思想的再认识，杨萍，《山东理工大学学报》（社会科学版）2006年第5期

列宁宪政思想初探，张国安，《理论与改革》2006年第5期

对列宁和卢森堡关于集中制与民主集中制争论的再认识，张荣臣，《科学社会主义》2006年第5期

列宁对马克思跨越设想的实践阐释，张爽，《学习与探索》2006年第5期

列宁合作制思想与中国农业的"两个飞跃"，曾长秋，《湖南文理学院学报》（社会科学版）2006年第5期

列宁对马克思东方社会理论的继承和发展，顾玉兰，《湖北大学学报》（哲学社会科学版）2006年第6期

列宁晚年关于工人阶级政党组织建设的思想及其现实意义，李伟东，《中山大学学报论丛》2006年第6期

浅析苏联的"超越阶段"思想——从列宁到勃列日涅夫，孙启军、张英姣，《德州学院学报》2006年第6期

列宁关于民主执政的探索与尝试，王进芬，《求实》2006年第6期

列宁推进党内民主的历史经验，叶剑锋，《当代世界与社会主义》2006年第6期

制度反腐：列宁党风廉政建设思想核心的解读，张国安，《江汉论坛》2006年第6期

马克思恩格斯列宁关于"党的先进性与社会主义"的思想，郭亚丁，《上海党史与党建》2006年第7期

列宁的"民族自决权"思想及贡献——以政治社会学为研读新视角，欧阳杰，《江西社会科学》2006年第7期

列宁关于社会主义逻辑起点探索的当代价值，许素菊，《学术论坛》2006年第7期

列宁法制反腐败思想初探，张国安，《学术论坛》2006 年第 7 期

列宁阶级分析理论的当代不适用性探索——兼析"新中间阶级"、"政治权力寻租"和"暴富阶层"现象，张鑫，《求实》2006 年第 7 期

列宁保持共产党员先进性思想探析，吴日明，《学术论坛》2006 年第 8 期

论列宁发展苏俄农村和农业的重要思想，俞良早，《马克思主义研究》2006 年第 8 期

列宁主义建党思想在中国共产党创建时期的体现略述，柴世钦，《企业家天地》2006 年第 9 期

实践观中的列宁物质概念，黄会琴，《广西社会科学》2006 年第 9 期

列宁对无产阶级执政党建设思想的开拓，郑权，《中国党政干部论坛》2006 年第 9 期

列宁对社会主义市场关系认识的修正，江春泽，《炎黄春秋》2006 年第 10 期

列宁论落后国家建设社会主义，梁玉梅，《甘肃农业》2006 年第 10 期

列宁关于俄共（布）如何增强执政意识的理论与实践，李祖平，《理论学刊》2006 年第 10 期

论列宁少数民族干部教育理论的基本内容，孟立军，《前沿》2006 年第 10 期

列宁与葛兰西无产阶级领导权思想之比较，赵晓刚，《湖北社会科学》2006 年第 10 期

学习列宁的"灌输论"思想，蒋舟，《学习月刊》2006 年第 12 期

列宁的民主政治建设理论与中国特色社会主义的民主政治建设，钟华其，《党史文苑》2006 年第 20 期

列宁晚年社会主义思想的经济学内涵，魏振香，《集团经济研究》2006 年第 22 期

列宁的社会主义公式与邓小平社会主义本质论之比较，程建华、武靖州，《河南师范大学学报》（哲学社会科学版）2007 年第 1 期

关于列宁的"西方合作社是集体资本主义"的论述，黄文忠，《上海行政学院学报》2007 年第 1 期

列宁民族理论对构建我国和谐民族关系的启示，李永宁，《经济与社会发展》2007 年第 1 期

列宁晚年关于苏维埃制度建设的理论探索，蒲国良，《商丘师范学院学报》2007 年第 1 期

俄国革命中列宁对苏维埃的发现与理论论证，蒲国良，《社会科学研究》2007 年第 1 期

浅析列宁的"爱国主义"观——从对列宁一句话的误译谈起，钱可威，《理论月刊》2007 年第 1 期

浅析列宁的农民问题理论及现实意义，王伟荣、冯小阳，《法制与社会》2007年第1期

列宁关于工人阶级执政党处理好同其他阶级、阶层之间关系的思想，王亚萍，《社会主义研究》2007年第1期

由"钻石体系"解构列宁的"新经济政策"，魏良，《湖北行政学院学报》2007年第1期

列宁与俄国民粹主义关系再认识，夏银平，《社会科学家》2007年第1期

列宁"无产阶级民主"思想辨析，徐亦让，《马克思主义研究》2007年第1期

第二国际关于资本主义现代形态理论的当代审视——兼论列宁经典帝国主义理论的贡献和缺陷，姚顺良，《南京大学学报》（哲学、人文科学、社会科学版）2007年第1期

列宁探索共产党执政方式科学化的历史经验，叶剑锋，《湖北大学学报》（哲学社会科学版）2007年第1期

论列宁的法律权威观，张国安，《河南师范大学学报》（哲学社会科学版）2007年第1期

重温列宁晚年行政文化思想，张亮，《福建师大福清分校学报》2007年第1期

列宁"文化革命"思想试探，张文，《中共中央党校学报》2007年第1期

对列宁物质定义的思考，周珊珊，《徐州教育学院学报》2007年第1期

"我们对社会主义的整个看法根本改变了"——谈列宁晚年的一个重要思想，肖枫，《北京日报》2007年1月29日

"可能列宁的思路比较好"——试解邓小平对列宁的新经济政策的一次评价，高长武，《党的文献》2007年第2期

列宁与邓小平社会主义本质思想的共性比较研究，韩富贵，《探索》2007年第2期

列宁关于党员队伍先进性建设的思想探析，孔清华，《山东行政学院、山东省经济管理干部学院学报》2007年第2期

中国理论界对列宁新经济政策相关著作研究综述，刘霏，《江汉论坛》2007年第2期

自有主张还是被动接受——对列宁关于中央机关报与中央委员会之间关系思想的探讨，欧阳明，《当代传播》2007年第2期

论列宁的农业合作社思想对我国"三农"问题的启示，时群，《聊城大学学报》（社会科学版）2007年第2期

试析十月革命前后列宁关于国

家建构形式的思想，石勇，《聊城大学学报》（社会科学版）2007年第2期

列宁晚年的社会主义建设思想对我们的启示，田燕，《黔西南民族师范高等专科学校学报》2007年第2期

列宁关于执政党党内民主决策的探索与尝试，王进芬，《当代世界与社会主义》2007年第2期

列宁的"退却"思想与新经济政策，王力军，《济南大学学报》（社会科学版）2007年第2期

重温列宁晚年对社会主义认识的"根本改变"，肖枫，《上海党史与党建》2007年第2期

浅论列宁的人才观，许蓉，《理论探索》2007年第2期

列宁晚年思想与苏中革命道路，杨福和、单鸿雁，《内蒙古师范大学学报》（哲学社会科学版）2007年第2期

马克思、列宁的分工理论与斯密定理，杨永华，《当代经济研究》2007年第2期

论列宁的"东方"视阈，俞良早，《理论探讨》2007年第2期

论列宁晚年的社会主义思想，张芳，《今日湖北》（理论版）2007年第2期

试论列宁的党法关系理论，张国安，《理论学刊》2007年第2期

学习列宁关于国家机关改革基本思想的启示，张金榜，《工会理论研究》（上海工会管理干部学院学报）2007年第2期

列宁关于党的组织原则的五个提法论析，张万杰、王向华，《聊城大学学报》（社会科学版）2007年第2期

分析列宁的出版自由思想，张志国，《广西广播电视大学学报》2007年第2期

浅论列宁反对官僚主义的理论与实践，赵建新，《聊城大学学报》（社会科学版）2007年第2期

十月革命后列宁妥协思想与构建和谐社会，周太山，《社会主义研究》2007年第2期

列宁、邓小平晚年思想研究，周智健、杨娟，《中共山西省委党校省直分校学报》2007年第2期

超越性：构建中国特色社会主义核心价值体系的思维范式——兼论列宁思想的独特精神价值及当代启示，李海平，《社会主义研究》2007年第3期

列宁对马克思跨越"卡夫丁峡谷"思想的扬弃，宋朝龙，《马克思主义研究》2007年第3期

列宁晚年对执政规律的探索及启示，宋键、陈媚媚，《四川省社会主义学院学报》2007年第3期

论列宁巩固俄共（布）执政地

位的思想和实践，王亚萍，《江汉论坛》2007年第3期

列宁与威尔逊民族自决思想差异之研究——从国际关系理论出发，魏圆圆，《江南社会学院学报》2007年第3期

列宁的灌输理论及其现实价值，吴日明，《长春市委党校学报》2007年第3期

列宁论科学发展观，易杰雄，《浙江学刊》2007年第3期

列宁宪政思想的精神意蕴与时代价值，张国安，《平顶山学院学报》2007年第3期

思想构境中的似文本：列宁哲学思想的一种新的认识，张一兵，《河北学刊》2007年第3期

列宁的社会活力观及其当代意蕴，董欢，《理论探索》2007年第4期

谈列宁晚年对社会主义改革建设的整体认识，范晓丽，《聊城大学学报》（社会科学版）2007年第4期

论列宁对马克思恩格斯有关俄国问题的解答，何萍，《马克思主义与现实》2007年第4期

列宁的“文化革命”观，雷恒平，《党史文汇》2007年第4期

列宁晚年关于社会文化发展的基本观点，刘敏茹，《当代世界与社会主义》2007年第4期

论列宁的执政党建设理论及其

局限性，牛月翰，《文教资料》2007年第4期

从列宁的党建思想到邓小平的党建理论，石慧，《科教文汇》（中旬刊）2007年第4期

列宁利用国家资本主义建设社会主义的探索与尝试，徐玲，《聊城大学学报》（社会科学版）2007年第4期

列宁关于苏维埃政权建设的最初构想及其在实践中的演变，赵宏，《科学社会主义》2007年第4期

马克思恩格斯和列宁关于俄国社会发展道路的思想，赵家祥，《马克思主义与现实》2007年第4期

列宁的辩证真理观及其现实意义，朱保华，《东岳论丛》2007年第4期

哲学“物质”的内涵源于具体科学知识的抽象——从用列宁的“物质定义”说明什么是物质时的局限性谈起，征汉文，《南京政治学院学报》2007年第4期

列宁党政关系理论对我国建立新型党政关系的启示，周吉鹏，《山东省农业管理干部学院学报》2007年第4期

列宁工农民主专政思想的回顾与思考——谨以此纪念十月革命90周年，曹浩瀚，《探索》2007年第5期

列宁的马克思主义理论教育思

想及其现实意义，陈哲，《高校理论战线》2007 年第 5 期

全面把握与科学评价列宁的宗教观，龚学增，《中共中央党校学报》2007 年第 5 期

列宁谈专政，金雁，《历史教学》2007 年第 5 期

马克思、恩格斯、列宁关于两制关系的思想及其当代启示，李明斌，《中州学刊》2007 年第 5 期

从"自由王国"到"必然王国"——恩格斯和列宁对"自由和必然"的论述，李娜，《延安大学学报》（社会科学版）2007 年第 5 期

警惕民主社会主义否定列宁主义，刘志明，《中共云南省委党校学报》2007 年第 5 期

论列宁的人本思想及其实践，孟宪平，《内蒙古电大学刊》2007 年第 5 期

十月革命后列宁对工农联盟问题的探索与实践，许蓉，《中共山西省委党校学报》2007 年第 5 期

列宁的党内民主思想，颜杰峰，《理论与改革》2007 年第 5 期

列宁论作为科学发展观的唯物辩证法，易杰雄，《教学与研究》2007 年第 5 期

列宁对社会主义国家党法关系问题的探索，张国安，《学术论坛》2007 年第 5 期

论列宁的从严治党思想及其时代价值，张国安，《理论与改革》2007 年第 5 期

列宁的刑法思想初探，张国安，《信阳师范学院学报》（哲学社会科学版）2007 年第 5 期

解读列宁"帝国主义论"中的全球化思想，张晓忠、高秀伟，《商业经济》2007 年第 5 期

对生产关系内容界定的历史考察——斯大林观点与马克思、恩格斯、列宁观点的一致性，赵家祥，《思想理论教育导刊》2007 年第 5 期

论列宁的现实主义文学观，朱平珍，《云梦学刊》2007 年第 5 期

列宁学习和利用资本主义思想及对我国的影响，左新桥、张小涛，《榆林学院学报》2007 年第 5 期

列宁的权力监督思想探析，周位彬，《学习论坛》2007 年第 5 期

列宁四论泰勒制的启示——科学理论的实践检验问题（五），孙小礼，《学习时报》2007 年 5 月 21 日

马克思、列宁的资本输出理论与当代国际投资，郭飞，《马克思主义研究》2007 年第 6 期

列宁关于执政党争取群众认同和支持的重要思想，王进芬，《马克思主义研究》2007 年第 6 期

论列宁对巴黎公社公仆原则的坚持和发展，张国安，《理论探讨》

2007 年第 6 期

列宁的监督思想研究，陈世荣，《经济与社会发展》2007 年第 7 期

恩格斯和列宁的时空观，段文文，《辽宁教育行政学院学报》2007 年第 7 期

列宁关于以"人民的权利"制约国家公共权力的思想，王进芬，《学术论坛》2007 年第 7 期

论列宁民族自决权理论的基本特点，谢忠、许彬，《求索》2007 年第 7 期

列宁关于社会主义文化建设的重要思想，许蓉，《江汉论坛》2007 年第 7 期

列宁的社会保障思想研究，梅哲，《马克思主义研究》2007 年第 8 期

列宁关于执政党必须提高自身能力的重要思想，王进芬，《求实》2007 年第 8 期

陈毅与徐志摩关于列宁主义的争论，杨建民，《百年潮》2007 年第 8 期

以实践思维方式重释列宁的物质定义及其意义，贺祥林，《哲学研究》2007 年第 9 期

列宁晚年对资本主义的辩证把握及其方法论意义，姜迎春，《毛泽东邓小平理论研究》2007 年第 9 期

列宁"文化革命"思想浅析，李国宏，《世纪桥》2007 年第 9 期

邓小平与列宁社会主义民主思想之比较，吴邦正，《世纪桥》2007 年第 9 期

列宁对社会主义的不朽贡献，赵曜，《江汉论坛》2007 年第 9 期

列宁关于执政党协调与农民关系的思想，王进芬、李生峰，《江汉论坛》2007 年第 10 期

从他性镜像阅读到自主性理论空间的转换——列宁"伯尔尼笔记"研究，张一兵，《哲学研究》2007 年第 10 期

论列宁对马克思主义利益观的丰富发展及其当代价值，赵惜群，《怀化学院学报》2007 年第 10 期

斯大林违背列宁关于苏维埃政权高于一切政党原理的历史教训，陈嘉陵，《江汉论坛》2007 年第 11 期

浅谈列宁"政治遗嘱"，丁宁，《经济与社会发展》2007 年第 11 期

论列宁新经济政策的当代价值，陈世润、余杨，《科技信息》（学术研究）2007 年第 28 期

斯大林文献研究论文题录集

说　　明

　　中国关于斯大林文献的研究范围广泛，成果丰富。为了便于广大读者学习研究斯大林的著作，了解斯大林的思想与实践，我们收集整理了学习研究斯大林文献的相关论文，编成简目，汇编成"斯大林文献研究论文题录集"，以便于研究者使用。

　　研究斯大林的思想，首先要研究斯大林本人的著作，中国关于斯大林的研究就起源于此。自 20 世纪 20 年代开始，中国就开始发表学习研究斯大林文献的论文。最初发表的论文大多是翻译苏联理论界的研究成果，在此基础上逐渐扩展和深入。研究涵盖了斯大林的重要著作，包括《无政府主义还是社会主义?》、《论列宁主义基础》、《马克思主义与民族问题》、《关于苏联宪法草案》等。随着斯大林的几部重要著作的问世，理论界的研究在 20 世纪 50、60 年代达到了高峰，发表了大量研究《联共（布）党史简明教程》、《马克思主义与语言学问题》、《苏联社会主义经济问题研究》的论文，相关翻译论著也逐渐丰富。80 余年来，关于斯大林文献的研究不断丰富、拓展和深入。

　　在收集整理本书目的过程中，我们发现，国内关于研究斯大林文献的整理资料很少，现有的资料大多是关于斯大林著作的中译本简目的，比如《斯大林著作中译本简目》(学习杂志编辑部资料室编辑，1955 年)、《斯大林著作篇名版本目录（篇名字顺索引)》(中国人民大学图书馆，1955 年)、《斯大林〈全集〉外著作目录》(中共中央马恩列斯著作编译局列斯室编印，1981 年) 等。本书目的编制，将弥补现有研究的不足，为广大读者提供参考。

　　由于研究时间、水平、视野所限，疏漏之处，在所难免，敬请专家、读者批评指正！

一　学习研究斯大林单篇著作论文题录

研究《党的组织和党的出版物》

《党的组织和党的出版物》的中译文为什么需要修改？中共中央编译局列宁斯大林著作编译室，《红旗》1982年第22期

研究《无政府主义还是社会主义？》

报》1979年第12月1日

国内的研究

马克思主义是一个完整的世界观——读斯大林"无政府主义还是社会主义"，孙定国，《哲学研究》1954年第2期

批判无政府主义的锐利武器（学习斯大林《无政府主义还是社会主义？》的笔记），梁华，《光明日

国外的研究

关于斯大林的著作"无政府主义还是社会主义？"与"辩证唯物主义与历史唯物主义"中的历史唯物论问题，[苏] 弗·然·克列，《教学与研究》1955年第5期

研究《马克思主义与民族问题》

真理报论述首次发表的"民族问题与列宁主义"，新华社，《人民日报》1949年9月8日

纪念《马克思主义与民族问题》发表四十周年，唐振宗，《人民

日报》1953年6月12日

斯大林关于民族问题的理论——"马克思主义与民族问题"四十年，萧刚，《世界知识》1953年第8期

研究《马克思主义与民族、殖民地问题》

斯大林关于民族解放运动领导权的基本观点（读斯大林《马克思

主义与民族、殖民地问题》），罗建国，《江西大学学报》1981年第2期

研究《不要忘记东方》

革命胜利的时代，革命胜利的

东方——纪念斯大林《不要忘记东

方》一文发表三十五周年, 王南, 《人民日报》1953 年 11 月 24 日

研究《列宁同志在休养中》

列宁形象的一幅真实写照——读斯大林写的《列宁同志在休养中》, 秦中河,《新闻记者》1983 年第 8 期

研究《论列宁主义基础》

国内的研究

学习《论列宁主义基础》, 齐一,《人民日报》1953 年 4 月 10 日

学习斯大林对待列宁和列宁主义的科学态度, 张中云,《北京日报》1979 年 12 月 21 日

斯大林的列宁主义定义——认识斯大林理论的一把钥匙, 左凤荣,《当代世界与社会主义》1999 年第 4 期

共产党人的先进性标准不能降低——重温斯大林《论列宁主义基础》, 孔青,《当代矿工》2001 年第 10 期

关于列宁主义的定义、体系和方法等问题——评斯大林对列宁主义的阐释, 俞良早,《湖北行政学院学报》2003 年第 2 期

关于列宁的社会主义革命论——评斯大林对列宁主义的阐释, 俞良早,《河南师范大学学报》(哲学社会科学版) 2003 年第 2 期

关于列宁无产阶级政党的理论——评斯大林对列宁主义的阐释, 俞良早,《孝感学院学报》2003 年第 2 期

列宁的专政理论、农民理论和民族理论——评斯大林对列宁主义的阐释, 梁超,《三峡大学学报》(人文社会科学版) 2003 年第 3 期

国外的研究

一部创造性的马克思主义的优秀作品——评斯大林著"列宁主义问题",[苏] 亚历克·桑德洛,《群众》1940 年第 4 卷第 6 期

创造性的马克思主义的杰出著作 (纪念《列宁主义底几个问题》二十五周年),[美] 沃达·柏克,《长江日报》1951 年 3 月 21 日

研究《再论我们党内的社会民主主义倾向》

斯大林的"再论我们党内的社会民主主义倾向", 高放,《教学与

研究》1954 年第 6 期

研究《在联共（布）第十五次代表大会上关于中央委员会政治工作的总结报告》

纪念斯大林《在联共（布）第十五次代表大会上关于中央委员会政治工作的总结报告》发表二十六周年，张江明，《人民日报》1953 年 12 月 3 日

研究《在苏联列宁共产主义青年团第八次代表大会上的演说》

学习斯大林"在苏联列宁共产主义青年团第八次代表大会上的演说"，叶林，《人民日报》1953 年 7 月 21 日

青年必须掌握科学（学习斯大林《在苏联列宁共产主义青年团第八次代表大会上的演说》），《山西教育》1979 年第 4 期

研究《论苏联土地政策的几个问题》

斯大林《论苏联土地政策的几个问题》，[苏] И. 库夫兴诺夫，《人民日报》1950 年 3 月 20 日

研究《论经济工作人员的任务》

"尔布什维克应当掌握技术！"（学习斯大林《论经济工作人员的任务》的体会），李梦岩，《武汉大学学报》（哲学社会科学版）1978 年第 6 期

研究《给〈无产阶级革命〉杂志编辑部的信》

斯大林给《无产阶级革命》杂志编辑部的信及其影响，陈启能，《世界历史》1986 年第 8 期

研究《第一个五年计划底总结》

伟大的总结——纪念斯大林"第一个五年计划底总结"发表二十周年，[苏] 阿·奥夫卡洛娃，《人民日报》1953 年 1 月 7 日

研究《关于苏联宪法草案》

国内的研究

斯大林宪法和斯大林底诸发现，何思敬，《世界知识》1952 年第 47 期

马克思主义宪法学的光辉篇章：学习斯大林《关于苏联宪法草案》，贵立义，《电大法学》1986 年第 1 期

坚持唯物主义的阶级估量（重读斯大林一九三六年《关于苏联宪法草案》的报告），邹德安，《社会科学辑刊》1979 年第 5 期

必须坚持实事求是的阶级估量（重读斯大林一九三六年作的《关于苏联宪法草案》），林章，《解放日报》1979 年 7 月

《斯大林宪法》与前苏联法学界冤案，陈鲁直，《太平洋学报》2004 年第 9 期

国外的研究

胜利的社会主义宪法——为斯大林宪法纪念日而作，［苏］苏达里可夫著，陈汉章译，《人民日报》1949 年 12 月 5 日

胜利的社会主义宪法（续昨）——为斯大林宪法纪念日而作，［苏］苏达里可夫著，陈汉章译，《人民日报》1949 年 12 月 6 日

当前的民族过程——关于苏联新宪法的讨论，［苏］布朗利、切什科著，白萍译，《世界民族》1991 年第 6 期

研究《在联共（布）第十八次代表大会上的总结报告》

必须加强对党员和党的干部的马克思主义教育（学习斯大林在联共十八次代表大会上的总结报告），耿桃科，《青海日报》1979 年 9 月

研究《论辩证唯物主义和历史唯物主义》

国内的研究

学习斯大林"辩证唯物主义与历史唯物主义"，荣孟源，《历史教学》1953 年第 9 期

全面评价斯大林的《论辩证唯物主义和历史唯物主义》，薛文华，《东北师大学报》（哲学社会科学版）1980 年第 1 期

全面评价斯大林的《论辩证唯物主义和历史唯物主义》，薛文华、李树申，《吉林师范大学学报》1980 年第 1 期

斯大林的哲学模式：关于"辩

证唯物主义与历史唯物主义",辛敬良,《书林》1988 年第 4 期

国外的研究

研究《联共（布）党史简明教程》

国内的研究

革命理论和革命经验的伟大宝藏——"联共（布）党史简明教程"出版十四周年,《持久和平》1952 年第 10 卷第 18 期

我开始了"联共（布）党史"学习的辅导工作,宋万盛,《人民日报》1953 年 9 月 8 日

重评《联共（布）党史简明教程》,高放,《世界史研究动态》1982 年第 1 期

对《联共（布）党史简明教程》的几点看法,姜琦、周尚文,《书林》1983 年第 1 期

苏联理论界对《联共（布）党史简明教程》提出新评价,《光明日报》1986 年 5 月

关于《联共（布）党史简明教程》与个人崇拜,叶书宗,《书林》1988 年第 1 期

《联共（布）党史简明教程》研讨会论点辑要,姜大为,《国际共产主义运动》1988 年第 1 期

《联共（布）党史简明教程》的几点思考,金永华,《文汇报》1988 年第 4 期

苏联社会主义模式的历史考察:从《联共（布）党史简明教程》到《改革与新思维》,徐葵、刘克明、徐天新,《世界历史》1988 年第 4 期

《联共（布）党史简明教程》对中共党史教学和研究的影响（座谈会发言摘登）,《中共党史研究》1989 年第 1 期

苏学者评斯大林与《联共（布）党史简明教程》,帅永章,《中国党政干部论坛》1989 年第 4 期

《联共（布）党史简明教程》的功过是非,李庆英,《北京日报》2002 年 8 月 10 日

国外的研究

《联共（布）党史简明教程》——斯大林个人崇拜的百科全书,[苏] 马斯洛夫著,马贵凡译,《中共党史研究》1989 年第 2 期

《联共（布）党史简明教程》——斯大林个人崇拜的百科全书,[苏] 马斯洛夫著,马积华、李国海译,《现代外国哲学社会科学文摘》1989 年第 5 期

研究《马克思主义和语言学问题》

国内的研究

斯大林语言论给我们语文教学工作者的启发，朱星，《天津教育》1950 年第 9 期

斯大林论语言学问题的著作和苏维埃学校的任务，余元盦，《科学通报》1951 年第 1 期

斯大林对史学的新指导——学习《论马克思主义在语言学中的问题》答记，赵俪生，《历史教学》1951 年第 4 期

斯大林为中国语言学界开辟了无限宽阔的道路，王锌，《科学通报》1952 年第 3 卷第 7 期

学习斯大林论语言学著作的意义（一九五二年十月十一日在山东大学全体师生学习报告会上的报告），华岗，《文学》1952 年第 6 期

学习斯大林关于语言学的论文对于中国学术工作的意义，胡绳，《人民日报》1952 年 6 月 20 日

苏联纪念斯大林语言学论文发表两周年，《科学通报》1952 年第 7 期

苏联东方学家以斯大林关于语言学的见地谈中国语言问题，《科学通报》1952 年第 7 期

斯大林论语言学的著作给研究少数民族语言的指示，罗季光，《科学通报》1952 年第 7 期

从斯大林的语言学说谈中国语言学上的几个问题，罗常培，《科学通报》1952 年第 7 期

学习斯大林论语言学著作的意义，华岗，《文史哲》1953 年第 1 期

学习斯大林论语言学著作的意义（一九五二年十月十一日在山东大学全体师生学习报告会上的报告）（续），华岗，《文学》1953 年第 1 期

学习"论马克思主义在语言学中的问题"批判"经济史观"，童书业，《理论研究》1952 年第 5 期

斯大林"马克思主义与语言学问题"启示下学校历史教学底当前任务，祝璜，《历史教学》1952 年第 12 期

斯大林的新著作——对马克思列宁主义的辉煌贡献，李竞能，《世界知识》1952 年第 43 期

马克思主义是不能停滞不前的（学习斯大林《马克思主义和语言学问题》的体会），吴振海，《天津日报》1979 年 12 月

读斯大林《马克思主义与语言学问题》，罗开农，《下关师专学报》（社会科学版）1984 年第 3 期

斯大林为何要写"语言学"，严秀，《文汇读书周报》1990 年 10 月 2 日

重读《马克思主义与语言学问题》，熊寅谷，《贵州大学学报》（社会科学版）1991 年第 1 期

论语言融合——兼评斯大林的语言融合观，周耀文，《民族研究》1995 年第 6 期

斯大林为何要写"语言学"，《文艺理论研究》1999 年第 6 期

国外的研究

马列主义科学中的新贡献——论斯大林关于语言学问题的著作，[苏] 奥比奇金著，吴钟清译，《学习译丛》1951 年第 1 期

斯大林关于语言学问题的著作对于社会科学发展的意义，[苏] 尤金著，秋江、列兵译，《学习译丛》1951 年第 5 期

斯大林同志关于语言学问题的著作对于马克思主义科学的发展，[苏] 亚历山大罗夫著，张秀珊、李玲译，《学习译丛》1951 年第 6 期

斯大林著作"马克思主义与语言学问题"及经济科学，[苏] 奥斯特洛维基诺夫，《科学通报》1951 年第 12 期

斯大林关于语言学的著作及其对于自然科学的意义，[苏] 特洛申，《科学通报》1952 年第 7 期

从斯大林的语言学著作看马克思主义认识论问题，[苏] 列昂诺夫著，吴达琼、夏道源译，《学习译丛》1953 年第 2 期

从约·维·斯大林所著"马克思主义与语言学问题"的观点来看历史教学上的若干问题，[苏] 柏·弗·盖拉，《历史教学》1954 年第 2 期

斯大林所著"马克思主义与语言学问题"和"苏联社会主义经济问题"中的哲学问题，[苏] 克列，《教学与研究》1954 年第 3 期

斯大林与语言学——苏联学术史的一个片段，[俄] 罗伊·麦德维杰夫著，刘显忠译，《当代世界社会主义问题》2005 年第 1 期

研究《苏联社会主义经济问题》

国内的研究

中国科学家热烈学习斯大林的著作"苏联社会主义经济问题"，《科学通报》1953 年第 1 期

学习"苏联社会主义经济问题"，体认唯物辩证法的威力，赵俪生，《理论研究》1953 年第 1 期

中共中央西北局公布学习"苏联社会主义经济问题"计划，新华社，《人民日报》1953 年 4 月 6 日

罗马尼亚科学院讨论"苏联社会主义经济问题"，《科学通报》1953 年第 5 期

从"苏联社会主义经济问题"中学习唯物论的认识论，孙定国，《新华月报》1953 年第 7 期

加强对政治经济学法则的研究，作好农村金融工作——"苏联社会主义经济问题"学习心得，王沛霖，《中国金融》1953 年第 20 期

从《苏联社会主义经济问题》中学习斯大林同志的科学态度，高原，《华中师范大学学报》（人文社会科学版）1955 年第 1 期

必须认识和自觉运用客观经济规律（读斯大林《苏联社会主义经济问题》札记），许涤新，《光明日报》1978 年 7 月

试论经济规律的客观性和人的能动性（学习斯大林《苏联社会主义经济问题》），李体健，《吉林日报》1978 年 9 月

客观规律性和主观能动性（学习《苏联社会主义经济问题》札记），姚惠福，《西藏日报》1978 年 11 月

读《苏联社会主义经济问题》札记，王绍顺，《学习与探索》1979 年第 1 期

要尊重客观经济规律（读斯大林《苏联社会主义经济问题》的一点体会），吴维嵩、邵甫，《福建日报》1979 年 1 月

提高认识和运用经济规律的自觉性——学习斯大林《苏联社会主义经济问题》，张一农，《税务与经济》1979 年第 1 期

正确认识社会主义商品生产（读《苏联社会主义经济问题》札记），王清海，《奋斗》1979 年第 2 期

斯大林的《苏联社会主义经济问题》，忠谊，《内蒙古日报》1979 年 3 月

社会主义经济理论的曙光（读《苏联社会主义经济问题》札记），吴世泰、邓星盈，《中国经济问题》1979 年第 6 期

消灭三大差别的根本途径（读《苏联社会主义经济问题》札记），贾玉琢，《奋斗》1979 年第 8 期

社会主义生产的目的是满足人民的需要（重读《苏联社会主义经济问题》），苏绍智，《文汇报》1979 年第 11 期

总结历史经验，掌握客观规律（重读斯大林的《苏联社会主义经济问题》），方恭温、马骠，《光明日报》1979 年 12 月

《苏联社会主义经济问题》和社会主义政治经济学（纪念斯大林诞辰一百周年），余大章、方留碧，《经济研究》1979 年第 12 期

按照社会主义基本经济规律办事（重读斯大林的《苏联社会主义经济问题》），蒋家俊，《文汇报》1979 年 12 月

斯大林对社会主义基本经济规律的表述是正确的——学习斯大林《苏联社会主义经济问题》的体会，田荣嘉，《兰州学刊》1980 年第 1 期

纪念斯大林诞辰一百周年经济理论界座谈《苏联社会主义经济问题》，李江，《经济学动态》1980 年第 2 期

重读《苏联社会主义经济问题》的一点体会（兼与许昌明同志商榷），冯聿，《淮北煤炭师范学院学报》1981 年第 4 期

经济规律新探——读《苏联社会主义经济问题》笔记，熊映梧，《求是学刊》1982 年第 1 期

按经济规律办事，加快社会现代化建设步伐（《苏联社会主义经济问题》学习体会之一），陈忠，《通化师院学报》1982 年第 2 期

斯大林对马克思主义商品生产理论的贡献（学习《苏联社会主义经济问题》的笔记），侯林，《人文杂志》1982 年第 2 期

《资本论》与《苏联社会主义经济问题》比较初探，王绍顺，《学习与探索》1983 年第 6 期

《苏联社会主义经济问题》一书对科学社会主义理论的贡献，何彪，《贵州民族学院学报》（哲学社会科学版）1986 年第 1 期

论《苏联社会主义经济问题》一书的理论贡献，丁建农，《理论导

刊》1986 年（增刊）

打破斯大林经济理论的禁锢莫斯科一学者分析批判《苏联社会主义经济问题》，《探索》1987 年第 5 期

苏一学者撰文评斯大林的《苏联社会主义经济问题》，《经济参考》1987 年第 9 期

斯大林的经济模式：关于《苏联社会主义经济问题》，胡汝银，《书林》1988 年第 7 期

试论《苏联社会主义经济问题》在马克思主义经济学说史上的地位，王圣学，《唐都学刊》1992 年第 1 期

关于社会主义制度下的商品生产问题——学习《苏联社会主义经济问题》札记，谢金森，《福建师大福清分校学报》1992 年第 2 期

毛泽东读《苏联社会主义经济问题》述评，曾成贵，《理论月刊》1992 年第 8 期

谈经济体制改革中的几个理论问题：兼评《苏联社会主义经济问题》的若干论点，李岚清，《中国教育报》1992 年第 9 期

奥本金谈斯大林写作《苏联社会主义经济问题》指导思想的失误，顾家庆编译，《国外社会科学信息》1992 年第 12 期

对斯大林《苏联社会主义经济问题》一书中几个问题之剖析，涂

西畴、张佑林,《财经理论与实践》1993 年第 3 期

论斯大林社会主义制度下的商品生产理论:读《苏联社会主义经济问题》,朱柱伟,《桂海论丛》1996 年第 1 期

社会主义社会经济运动规律的探索——学习斯大林《苏联社会主义经济问题》,胡钧,《高校理论战线》2007 年第 7 期

国外的研究

斯大林著作"苏联社会主义经济问题"中的马克思主义哲学问题,[苏]契斯诺科夫著,顾锦屏、吴钟清译,《学习译丛》1952 年第 11 期,1953 年第 1 期;《新华月刊》1953 年第 2 期

斯大林所著"苏联社会主义经济问题"对于研究现代历史诸问题的意义,[苏]伊·斯·噶尔金,《历史问题译丛》1953 年第 5 期

关于斯大林的著作"苏联社会主义经济问题",[苏]高尔尼洛夫,《教学与研究》1954 年第 3 期

生活与教条:论《苏联社会主义经济问题》,[苏]F.博洛京著,向祖文译,《国外社会科学情报》1988 年第 7 期

研究《争取持久和平与人民民主》

斯大林的经典著作——"争取持久和平与人民民主"专论,[苏]克鲁若科夫著,学毅译,《人民日报》1949 年 7 月 11 日

研究《政治经济学教科书》

斯大林《政治经济学教科书》的政治经济学研究,李文溥,《社会科学》2006 年第 3 期

二　学习研究《斯大林全集》论文题录

斯大林的学说是我们的照路明灯——为"斯大林全集"出中文版而作,华罗庚,《科学通报》1953 年第 12 期

读"斯大林全集"第一卷,周太玄,《科学通报》1953 年第 12 期

庆祝"斯大林全集"中文版第一卷出版,顾林,《历史教学》1953 年第 12 期

学习《斯大林全集》第一卷,王肇新,《理论研究》1954 年第 1 期

学习斯大林的伟大论著——介

绍"斯大林全集"第二卷，郁文，《科学通报》1954 年第 2 期

介绍"斯大林全集"第九卷论中国革命部分，胡华，《教学与研究》1954 年第 6 期

马克思、恩格斯、列宁、斯大林的全集、选集、文选、文集、文稿出版概况，《中国出版》1979 年第 1 期

三　斯大林专题研究论文题录

（一）国内斯大林文献研究论文题录

哲学

唯物辩证家的斯大林，沈志远，《理论与现实》1930 年第 1 卷第 4 期

斯大林的早期哲学思想，实甫，《解放》1941 年 2 月 16 日第 125 卷

史大林发展了关于否定之否定的问题，陈唯实，《中国文化》1941 年 6 月第 3 卷第 1 期

细密地学习上层建筑和基础的关系问题——读"斯大林对史学的新指导"后，赵宗复，《历史研究》1951 年第 8 期

学习斯大林关于基础和上层建筑理论的笔记，葛懋春，《理论研究》1953 年第 3 期

苏共二十大苏联理论界对斯大林哲学观点的批评情况，《外国学术资料》1963 年第 5 期

马克思、恩格斯、列宁、斯大林、毛泽东关于理论和实践统一的部分论述，《中共山西省委党校学报》1978 年第 2 期

斯大林哲学中的问题，许万元，《世界哲学》1979 年第 1 期

介绍日本对斯大林哲学思想的探讨，金大白，《哲学动态》1979 年第 3 期

对斯大林关于生产关系定义的置疑，蔡俊生，《哲学动态》1979 年第 6 期

斯大林的定义是前进还是后退——和孙冶方同志商榷，苏杏元，《学术月刊》1979 年第 12 期

一切以条件、地点和时间为转移（学习斯大林哲学思想笔记），陈荷清，《哲学研究》1979 年第 12 期

学习斯大林的哲学思想（纪念伟大的马克思主义者斯大林诞辰一百周年），顾锦屏，《文汇报》1979 年第 12 期

斯大林及其哲学思想述略，刘延勃，《学术研究丛刊》1980 年第 1 期

论斯大林的唯物论思想——纪

念斯大林诞辰一百周年，范阳，《南宁师范学院学报》（社会科学版）1980 年第 1 期

重新认识斯大林的辩证法理论，张奎良，《求是学刊》1980 年第 1 期

就斯大林的生产关系的定义和孙冶方同志商榷，张效英，《经济研究》1980 年第 1 期

试论斯大林马克思主义世界观形成的几个问题，王育民，《社会科学战线》1980 年第 2 期

对斯大林关于生产关系论述的一点置疑，刘安，《当代经济科学》1980 年第 2 期

关于斯大林的生产关系定义（读《资本论》札记），陈乃圣，《山东大学文科论文集刊》1980 年第 2 期

对斯大林关于生产关系定义的意见，杨文，《云南师范大学学报》（哲学社会科学版）1980 年第 2 期

斯大林辩证唯物主义理论的问题——斯大林哲学讨论会纪要，《国内哲学动态》1980 年第 3 期

斯大林的定义是马克思主义的——与洪远朋同志商榷，李建松，《学术月刊》1980 年第 5 期

斯大林在"完全适合"问题上是吞吞吐吐的吗，方永祥，《江淮论坛》1980 年第 6 期

谈谈斯大林关于联系的观点，臧乐源，《国内哲学动态》1980 年第 7 期

关于斯大林唯物辩证法思想的几个问题，《光明日报》1980 年 8 月 11 日

关于斯大林的辩证法四个特征问题，《中共山西省委党校学报》1980 年增刊 1 期

就斯大林的生产关系的定义和孙冶方同志商榷关于生产关系内部辩证法的探讨——兼评斯大林生产关系的定义，刘全复，《求索》1981 年第 1 期

怎样看待斯大林的生产力两要素论？——和孙冶方同志商榷，陈志中，《苏州大学学报》（哲学社会科学版）1981 年第 1 期

斯大林的生产关系理论探源——评对斯大林生产关系"三分法"的批评，邹永图，《暨南学报》（哲学社会科学版）1981 年第 1 期

正确评价斯大林的"完全适合"论，何玉林，《社会科学战线》1981 年第 2 期

对斯大林生产关系"三分法"的批评要实事求是——与孙冶方、林子力同志商榷，林白鹏，《文史哲》1981 年第 2 期

辩证法的命运——从列宁到斯大林再到毛泽东，并谈对重评"思维和存在的同一性"与"合二而一"之我见，王若水，《社会科学战线》1981 年第 3 期

浅谈斯大林的生产关系三方面，李木，《经济理论与经济管理》1981年第5期

论斯大林的几个历史唯物主义观点，黎克明，《学术研究》1982年第3期

列宁的辩证法十六要素和斯大林的辩证法四个特征，张奎良，《江汉论坛》1982年第9期

斯大林对于质变形式理论的贡献，陈谦，《社会科学战线》1984年第4期

从列宁到斯大林辩证法在后退吗？张念丰，《江汉论坛》1984年第12期

评斯大林的辩证法的基本特征，王珠元，《安庆师范学院学报》（社会科学版）1985年第1期

如何看待毛泽东对斯大林关于"联系"观点的批评，张云勋，《毛泽东思想研究》1985年第1期

斯大林的"二分法"同列宁的"一整块钢铁"，唐远镜，《四川大学学报》（哲学社会科学版）1985年第2期

关于马克思主义哲学基础问题的历史沉思——论普列汉诺夫、斯大林、卢卡契对马克思主义哲学基础的理解，安延明，《复旦学报》（社会科学版）1985年第3期

谈谈斯大林哲学思想体系的性质及特点，王育民，《北华大学学报》（社会科学版）1985年增刊1期

斯大林和毛泽东哲学认识论比较研究，胡义成，《毛泽东思想研究》1986年第1期

再谈毛泽东对斯大林关于"联系"观点的批评，张云勋，《毛泽东思想研究》1986年第2期

毛泽东对斯大林关于"联系"观点的批评再探，阎树群，《毛泽东思想研究》1986年第4期

斯大林哲学理论的缺陷，张念丰，《社会科学战线》1987年第2期

对斯大林时期苏联社会主义社会矛盾理论的浅析——兼谈对"无冲突论"的反思，冯育民，《俄罗斯中亚东欧研究》1987年第4期

试谈地理环境的作用——兼评斯大林的一则观点，田仿余，《教学与管理》1988年第2期

斯大林地理环境观的再认识，王学典，《山东大学学报》（哲学社会科学版）1988年第4期

评斯大林的地理环境理论，李澄，《云南社会科学》1988年第6期

斯大林"生产关系落后论"的再评价，庞元正，《理论前沿》1988年第48期

要学习和研究斯大林的重要哲学著述，荣哲津，《农民日报》1989年11月

怎样理解毛泽东同志对斯大林辩证法基本特征的批评，王珠元，

《安庆师范学院学报》（社会科学版）
1993 年第 4 期

评斯大林的自然主义的辩证唯物主义世界观（1），丛大川，《延边大学学报》（社会科学版）1993 年第 4 期

评斯大林自然主义的辩证唯物主义世界观，丛大川，《青海社会科学》1993 年第 6 期

评斯大林的自然主义的辩证唯物主义世界观（2），丛大川，《延边大学学报》（社会科学版）1994 年第 1 期

关于斯大林地理环境理论的哲学思考，曹诗图，《三峡大学学报》（人文社会科学版）1994 年第 2 期

试论斯大林的唯物辩证法思想，吴征年，《理论探讨》1994 年第 5 期

论斯大林哲学建构的合理性——与丛大川同志商榷，穆志强，《青海社会科学》1995 年第 2 期

马克思的新世界观是斯大林式的辩证唯物主义吗？——兼答穆志强先生，丛大川，《青海社会科学》1996 年第 1 期

古罗马奴隶劳动、生活境况的同异及其成因——兼论斯大林生产关系基础理论怎样脱离历史实际，马书山、李永采，《齐鲁学刊》1997 年第 1 期

斯大林生产关系基础理论的谬误、危害及其和我国曾发"左"的

错误的关系，李永采，《东方论坛》1997 年第 2 期

贡献与缺憾：斯大林哲学框架，穆志强，《青海社会科学》1997 年第 2 期

斯大林哲学思想体系的特色——为纪念斯大林诞辰 118 周年而写，李尚德，《现代哲学》1997 年第 4 期

斯大林社会主义生产目的范畴的理论定位问题，刘士本，《福建商业高等专科学校学报》1998 年第 1 期

斯大林关于社会主义社会存在两种矛盾的观点，沈宝祥，《马克思主义与现实》1998 年第 2 期

重评斯大林对"人口决定论"的批判，汪树敏、高潮，《湘潭师范学院学报》（社会科学版）1998 年第 2 期

列宁和斯大林社会主义生产力理论之比较，宋全成，《山东大学学报》（社会科学版）1998 年第 3 期

斯大林论发展社会主义的生产力，徐恕，《真理的追求》1998 年第 12 期

俄罗斯学者谈斯大林的方法论及其成因，刘燕明，《国外理论动态》1999 年第 1 期

简论斯大林对马克思主义哲学的理论贡献，张琨，《山西高等学校社会科学学报》1999 年第 2 期

贵在求实评《评价与争议——斯大林哲学体系研究》，黄熙，《中山大学学报》(社会科学版) 1999 年第 5 期

列宁斯大林的概括与马克思恩格斯的本意——对人类社会历史发展规律的再认识，坚毅，《理论月刊》1999 年第 7 期

试评斯大林哲学实践观，穆志强，《呼兰师专学报》2000 年第 1 期

成功与失误：斯大林社会主义国家思想及其实践——读史札记，奚广庆，《社会科学研究》2001 年第 2 期

关于"地理环境决定论"批判的哲学反思——兼评斯大林的地理环境理论，曹诗图，《世界地理研究》2001 年第 4 期

斯大林社会主义发展动力观析论，李永成，《中共成都市委党校学报》2002 年第 1 期

析斯大林关于地理环境作用问题的"结论"，李学智，《天津师范大学学报》(社会科学版) 2002 年第 1 期

毛泽东对斯大林社会主义社会矛盾理论的超越与发展，黄保红，《西藏民族学院学报》(哲学社会科学版) 2002 年第 3 期

超越与回归：斯大林与卢卡奇本体论思想的比较研究，杨耕，《哲学研究》2003 年第 12 期

列宁斯大林的"三分法"思想，雷正良,《学术论坛》2004 年第 2 期

略论斯大林生产力与生产关系理论中的缺陷，王力军,《中共济南市委党校学报》2005 年第 3 期

列斐伏尔视野中列宁斯大林的国家理论，吴宁、宋晶,《燕山大学学报》(哲学社会科学版) 2007 年第 2 期

对生产关系内容界定的历史考察——斯大林观点与马克思、恩格斯、列宁观点的一致性，赵家祥,《思想理论教育导刊》2007 年第 5 期

政治经济学

论社会主义商品生产的必要性和它的"消亡"过程——关于斯大林论社会主义商品生产问题的研究，骆耕漠,《经济研究》1956 年第 5 期

马克思恩格斯列宁斯大林毛主席关于经济危机的部分论述,《南京师大学报》(社会科学版) 1975 年第 1 期

从几个理论问题看斯大林社会主义政治经济学的贡献，章良猷,《经济研究资料》1980 年第 16 期

正确理解斯大林关于价值规律在生产领域的作用的观点，王殿俊,《甘肃社会科学》1984 年第 1 期

斯大林关于生产关系的定义与马克思在《资本论》中的表述一

致，李匡夫,《齐鲁学刊》1984 年第 3 期

试析斯大林关于资本帝国主义的理论，蔡中兴,《学术月刊》1988 年第 9 期

斯大林时期苏联商品经济问题的历史考察，丁笃本,《湖南师范大学教育科学学报》1990 年第 1 期

斯大林与布哈林关于资本主义发展问题的争论，穆成山,《昭乌达蒙族师专学报》1990 年第 2 期

毛泽东与斯大林之商品观比较，赵子忱,《南京社会科学》1994 年第 5 期

斯大林的个人迷信对苏联三十年代政治经济学发展的影响，王福杭,《当代世界社会主义问题》1996 年第 3 期

毛泽东与斯大林的商品经济观之比较，伍玉林,《毛泽东思想论坛》1996 年第 3 期

斯大林对社会主义商品经济理论的贡献与局限性，何俊生,《长安大学学报》(社会科学版) 2001 年第 2 期

商品生产与社会主义：解读马克思和斯大林的"对立"，智效和,《当代世界社会主义问题》2003 年第 3 期

论斯大林的资本主义总危机理论，赵绪生,《贵州师范大学学报》(社会科学版) 2007 年第 4 期

科学社会主义

学习斯大林论由社会主义向共产主义逐渐过渡的条件和途径，陈云章,《理论研究》1953 年第 3 期

学习斯大林对从资本主义到社会主义过渡期中的"飞跃"理论，吴大琨,《文史哲》1953 年第 5 期

列宁、斯大林论第一次俄国革命的性质和动力，李天祜,《兰州大学学报》(社会科学版) 1958 年第 1 期

马克思、恩格斯、列宁、斯大林、毛主席关于反对投降派的部分论述,《浙江师范大学学报》(社会科学版) 1976 年第 1 期

斯大林是怎样高举列宁的伟大旗帜的，中央编译局理论组,《人民日报》1977 年 6 月 13 日

列宁、斯大林论要全面准确地掌握马克思主义思想体系的三例,《长江日报》1977 年 9 月 28 日

马克思恩格斯列宁斯大林关于不断革命的论述,《中共山西省委党校学报》1978 年第 1 期

善于继承，勇于创新——认真学习斯大林同志对待马克思主义遗产的正确态度，王启生,《厦门大学学报》1978 年第 4 期

学习斯大林关于建成社会主义的理论的一些体会，何梓焜,《中山大学学报》(社会科学版) 1980 年第 1 期

四川省马克思恩格斯列宁斯大林毛泽东著作研究会年会讨论关于社会主义的理论问题,《社会科学研究》1980 年第 3 期

斯大林的社会主义观念,黄汉江,《哲学动态》1980 年第 5 期

试析斯大林和季诺维也夫关于列宁主义的定义,张红旗,《齐鲁学刊》1981 年第 5 期

略论斯大林对科学社会主义理论的杰出贡献,徐一鸣,《社会主义研究》1984 年第 5 期

斯大林对托洛茨基"不断革命论"的批判——兼论斯大林对列宁一国建成社会主义理论的继承与发展,王双金,《科学社会主义》1985 年第 5 期

对斯大林领导苏联进行社会主义建设的几点认识,杨逢春,《江西社会科学》1985 年第 6 期

对斯大林领导苏联进行社会主义建设的几点认识,杨逢春,《科学社会主义》1985 年第 12 期

斯大林"一国社会主义"理论评析,周尚文,《党政论坛》1986 年第 8 期

斯大林一国建成社会主义思想发展的三个阶段,龚文密,《科学社会主义》1986 年第 11 期

斯大林晚年对社会主义发展阶段的认识,陈荻,《理论月刊》1987 年第 11 期

关于斯大林对科学社会主义理论发展的再认识,张念丰,《科学社会主义》1987 年第 12 期

斯大林的一国社会主义对共产国际的影响,白坚,《陕西师范大学学报》(哲学社会科学版)1988 年第 1 期

试论斯大林关于社会主义社会的标准,非文,《俄罗斯中亚东欧研究》1988 年第 4 期

《马克思恩格斯列宁斯大林论科学社会主义》出版,徐瑞芝,《中国人民大学学报》1988 年第 5 期

斯大林的社会主义概念与改革,李宗禹,《当代世界与社会主义》1989 年第 1 期

对斯大林宣布"基本实现"社会主义的反思,金重,《北京大学学报》(哲学社会科学版)1989 年第 3 期

重评斯大林的列宁主义定义,余源培,《学术月刊》1989 年第 6 期

关于斯大林"一国能够建成社会主义"理论的探讨,俞良早,《湖北大学学报》(哲学社会科学版)1990 年第 3 期

"我们能够建成社会主义"——重温斯大林关于"一国建成社会主义"的理论,李凯中,《零陵学院学报》1992 年第 1 期

斯大林的"一国社会主义"和托洛茨基的"不断革命论",许京

元,《宜宾学院学报》1994 年第 1 期

斯大林"一国建成"论评析,刘文汇,《徐州师范大学学报》(哲学社会科学版) 1995 年第 2 期

也评斯大林"一国建成社会主义"理论——与陈开仁同志商榷,左凤荣,《当代世界社会主义问题》1996 年第 2 期

历史地、辩证地认识斯大林"一国建成社会主义"理论,林建华,《当代世界社会主义问题》1996 年第 4 期

试析斯大林对社会主义认识的偏差,葛霖生,《俄罗斯研究》1996 年第 6 期

斯大林的"一国社会主义"理论与实践,左凤荣,《东欧中亚研究》1997 年第 5 期

重评斯大林的"一国建成"论,李心华,《东欧中亚研究》1997 年第 5 期

斯大林的列宁主义定义——认识斯大林理论的一把钥匙,左凤荣,《当代世界与社会主义》1999 年第 4 期

列宁"一国建成"思想与斯大林"一国建成"论之比较,李心华,《理论学刊》2000 年第 1 期

斯大林社会主义建设的思路和苏联模式,陈国新,《楚雄师专学报》2000 年第 2 期

论斯大林的社会主义观,张雷声,《中国人民大学学报》2000 年第 2 期

斯大林在社会主义理论与实践中的失误,王志林,《当代经济》2000 年第 8 期

邓小平斯大林:对社会主义的两种理解和两种模式,叶平,《求实》2001 年(增刊)

列宁、斯大林与"一国建成社会主义"理论,林建华,《山东社会科学》2002 年第 2 期

列宁、斯大林与"一国建成社会主义"理论,林建华、孙国华,《山东社会科学》2002 年第 2 期

马克思主义社会发展理论与斯大林的失误及其启示,王志林,《理论月刊》2003 年第 1 期

列宁的专政理论、农民理论和民族理论——评斯大林对列宁主义的阐释,梁超,《三峡大学学报》(人文社会科学版) 2003 年第 3 期

新经济政策的终结与斯大林的社会主义观,王力军,《东方论坛》2003 年第 4 期

"一国建成"论与斯大林社会主义观的变迁,周作芳,《华北电力大学学报》(社会科学版) 2004 年第 2 期

对斯大林社会主义观的若干反思,梅传声,《社会主义研究》2004 年第 4 期

马克思恩格斯、列宁、斯大林

的社会主义观之比较，周映华，《求实》2004年（增刊）

斯大林对社会主义的认识与列宁之差异，杨玲，《理论探讨》2005年第4期

浅析列宁与斯大林的关系问题，冯岩，《科教文汇》（下半月）2006年第11期

经济建设

斯大林改造自然的伟大计划——苏联的森林防护带，李霆，《科学大众》（中学版）1950年第5期

苏联两年来执行斯大林改造自然计划的成绩，《科学通报》1951年第6期

斯大林改造自然的计划在进行中，《科学通报》1953年第4期

学习列宁斯大林关于新经济政策的理论，沙英，《人民日报》1953年8月25日

农业集体化的幸福道路——参观斯大林集体农庄，陈作，《世界知识》1953年第23期

列宁、斯大林论农业集体化，《教学与研究》1954年第1期

列宁斯大林论国民经济计划化，李聿恒，《教学与研究》1954年第1期

斯大林关于基础与上层建筑学说对财政学研究的启示，陈明鉴，《厦门大学学报》（哲学社会科学版）

1954年第2期

列宁斯大林论劳动，谢怀栻，《中国劳动》1955年第5期

更充分地发挥知识分子在社会主义革命事业中的重大作用——读"列宁斯大林论科学技术工作"，刘观恩，《读书》1956年第2期

列宁、斯大林、毛泽东论反浪费，赵一之，《学术研究》1958年第3期

马克思恩格斯列宁斯大林毛主席论农业发展的辩证法，《曲阜师范大学学报》（自然科学版）1976年第3期

列宁、斯大林领导时期苏联贯彻"各尽所能、按劳分配"原则的一些情况，王守海，《社会科学战线》1978年第1期

马克思、恩格斯、列宁、斯大林、毛泽东关于物质利益的部分论述，《中共山西省委党校学报》1978年第5期

列宁、斯大林论法制在经济管理中的作用，仝志敏，《教学与研究》1979年第1期

苏联在列宁斯大林时期是怎样利用外国资金和技术的，吉木，《世界经济》1979年第2期

推荐斯大林的两篇文章，马长庚，《河北日报》1979年3月

如何理解斯大林提出的两个口号，曾汉祥，《教学与研究》1979年

第 3 期

马克思恩格斯列宁斯大林毛泽东论簿记会计经济核算,《上海会计》1979 年第 4 期

在发展生产的基础上改善人民生活（学习斯大林关于社会主义基本经济规律论述的一点体会）, 吕时达,《大众日报》1979 年 6 月

学习和研究斯大林的经济理论, 易水寒,《解放日报》1979 年 12 月

社会主义国家应充分利用国际经济联系加速本国的经济建设——重温斯大林二十年代同托洛茨基的一场论战, 罗元铮,《世界经济》1979 年第 12 期

继承斯大林关于经济建设的唯物论思想, 范阳,《广西日报》1979 年 12 月 25 日

重视技术, 重视人才（学习斯大林的"技术决定一切"和"干部决定一切"两个口号）, 夏禹龙等,《文汇报》1979 年第 12 期

加深对社会主义经济规律的认识——斯大林经济思想研究之一, 王绍顺,《求是学刊》1980 年第 1 期

斯大林关于社会主义基本经济规律的表述会导致为生产而生产吗? 江永新,《贵州社会科学》1980 年第 1 期

苏联理论界讨论社会主义基本经济规律问题的情况, 幸华,《国外社会科学》1980 年第 1 期

广西召开斯大林经济思想学术讨论会, 乘舟,《学术论坛》1980 年第 1 期

"靠本国节约来发展工业"——学习斯大林论积累的方法、积累的正确使用问题的札记, 何金开,《财会通讯》（综合版）1980 年第 2 期

列宁斯大林时期苏联工业管理体制的演变, 林水源,《世界经济》1980 年第 2 期

不能把穷人理想化（读斯大林同志报告想到的）, 戴青,《辽宁日报》1980 年 2 月

马克思主义是平均主义的敌人——学习斯大林关于反对平均主义的论述, 钱耕森,《贵州师范大学学报》（社会科学版）1980 年第 3 期

重新认识工业化道路问题——斯大林经济思想研究之二, 王绍顺,《求是学刊》1980 年第 4 期

斯大林关于反对平均主义坚持按劳分配原则的论述和实践, 叶润青,《广西民族学院学报》（哲学社会科学版）1980 年第 4 期

关于斯大林经济理论中若干问题的讨论综述, 张湘,《社会科学》1980 年第 4 期

对斯大林关于社会主义基本经济规律理论的意见, 石世印,《学术月刊》1980 年第 9 期

社会主义经济的普遍盈利规律和怎样正确理解斯大林同志关于"高级盈利"的论点，陈星，《求实》1980年（增刊2）

列宁、斯大林时期农产品的采购制度和价格政策，陈辉，《俄罗斯中亚东欧研究》1981年第2期

列宁斯大林时期关于住宅问题的理论和实践，杨玉生，《辽宁大学学》（哲学社会科学版）1981年第6期

列宁斯大林时期苏联社会主义公有制的建立及其经验教训，林水源，《世界经济》1981年第8期

关于对斯大林提出的"技术决定一切"、"干部决定一切"口号的评价问题，《中共山西省委党校学报》1981年（增刊1）

论列宁斯大林时期的苏联经济发展战略，葛霖生，《俄罗斯中亚东欧研究》1982年第2期

列宁、斯大林关于城市的几个重要观点，鄢淦五，《天津社会科学》1983年第2期

对斯大林的"工业化方法论"的一些看法，李永禄，《财经科学》1983年第4期

斯大林时期苏联大量引进西方技术的内情——美国胡佛研究所一部有关著作的摘录，《宏观经济研究》1983年第9期

马克思恩格斯列宁斯大林关于雇佣劳动（雇工）问题的部分论述，《中共山西省委党校学报》1983年（增刊）

也谈斯大林的工业化方法及有关论述，范为常，《学习与探索》1984年第2期

斯大林农业集体化的理论与实践五题，李德硕，《江西师范大学学报》（哲学社会科学版）1984年第4期

斯大林对平均主义的批判，陈镇宏，《学术研究》1984年第4期

列宁合作制理论与斯大林集体化思想的异同，冯良勤，《经济研究》1984年第7期

关于斯大林的高级盈利说及其现实意义，李柱锡，《学术月刊》1984年第7期

怎样认识斯大林的两个口号，刘蒲忠，《杭州大学学报》（哲学社会科学版）1985年第2期

评斯大林关于两个平行的世界市场的理论——统一的无所不包的世界市场并未瓦解，两个平行的也是对立的世界市场并未形成，汪一鹤，《河北学刊》1985年第4期

斯大林的经济体制浅析，王洪德，《东北师大学报》（哲学社会科学版）1985年第6期

试论斯大林时期苏联农业发展缓慢的原因，杨成竹，《苏州科技学院学报》（社会科学版）1986年第

1 期

简评斯大林关于两个平行世界市场理论的是非得失，陈祥泰，《俄罗斯研究》1986 年第 4 期

论列宁、斯大林时期苏联引进技术、外资的几个问题，谢纯子，《当代财经》1986 年第 5 期

社会主义基本经济规律应当如何表述：对斯大林一个表述的质疑，林其屏，《财经研究》1986 年第 8 期

苏联列宁斯大林时期与西方的经济联系，钱茂堂，《杭州大学学报》（哲学社会科学版）1987 年第 1 期

实现社会主义经济现代化的重大决策——再谈斯大林的"技术决定一切"、"干部决定一切"，陈必达，《武汉大学学报》（哲学社会科学版）1987 年第 2 期

列宁、斯大林关于苏联发展对外经济关系的战略思想，屈里生，《俄罗斯中亚东欧研究》1987 年第 2 期

对斯大林关于社会主义基本经济规律理论的重新认识，管慧娟，《经济与管理研究》1987 年第 2 期

斯大林时期苏联所有制体制，吴仁彰，《日本学论坛》1987 年第 3 期

布哈林过渡时期经济思想研究——兼评斯大林对布哈林的批判，胡逢吉，《哈尔滨商业大学学报》（社会科学版）1988 年第 1 期

在苏联经济建设问题上布哈林和斯大林的分歧——重评《一个经济学家的札记》，马裕兴，《云南师范大学学报》（对外汉语教学与研究版）1988 年第 4 期

历史的选择——布哈林的平衡论与斯大林的优先发展重工业的赶超战略，郭苏建，《俄罗斯中亚东欧研究》1988 年第 5 期

布哈林与新经济政策（研究之二）：布哈林与斯大林的分歧，黄浩年，《盐城师范学院学报》（人文社会科学版）1989 年第 2 期

对斯大林社会主义基本经济规律的质疑，张立纲，《胜利油田党校学报》1989 年第 3 期

斯大林经济理论的若干错误，胲元，《世界经济与政治》1989 年第 3 期

斯大林超高速经济发展战略的成败得失，沈志恩，《社会科学战线》1989 年第 4 期

论布哈林与托洛茨基、斯大林在社会主义工业化理论和实践上的分歧，李雅春，《理论探讨》1989 年第 6 期

列宁的合作制思想与斯大林的农业全盘集体化，李道豫，《唐都学刊》1990 年第 1 期

试论斯大林时期障碍集体农庄经济发展的某些因素，邱大为，《南

昌大学学报》（人文社会科学版）1990 年第 3 期

斯大林的"短缺经济"思想，白暴力，《人文杂志》1993 年第 1 期

列宁斯大林有关利用资本主义的思想，林祥庚，《社会主义研究》1993 年第 2 期

重评斯大林"两个平行市场"理论，张祥云，《理论学刊》1993 年第 3 期

论斯大林经济模式和准斯大林经济模式——兼论国家垄断社会主义经济模式，陈华山，《俄罗斯研究》1993 年第 6 期

毛泽东与斯大林关于农业合作化理论的比较研究——兼论毛泽东对农业社会主义改造的理论贡献，赵金鹏，《石油大学学报》（社会科学版）1993 年（增刊）

马克思斯大林几个基本经济理论观点的现实比较——当代马克思主义哲学的使命（之十一），孙可庸，《改革与战略》1994 年第 6 期

斯大林"两个平行的世界市场"理论的再思考，赵宏图，《俄罗斯研究》1995 年第 1 期

1928 年苏联粮食收购危机的直接原因——兼论斯大林的农业集体化理论，章前明，《浙江大学学报》（人文社会科学版）1995 年第 1 期

斯大林急于推行农业集体化运动的原因新探，章前明，《浙江大学

学报》（人文社会科学版）1996 年第 2 期

斯大林运用科学技术推动社会主义建设的理论与实践，雷新超，《河南师范大学学报》（哲学社会科学版）1996 年第 4 期

略论斯大林对外经济思想的阶段性特征，唐朱昌，《俄罗斯研究》1996 年第 6 期

论斯大林和布哈林在富农问题上的争论，王子昌，《当代世界社会主义问题》1997 年第 1 期

斯大林和布哈林关于农民问题的认识比较，赵占伟，《洛阳师范学院学报》1997 年第 1 期

邓小平的社会主义本质论与斯大林的社会主义基本经济规律之比较，姜玉春，《胜利油田党校学报》1999 年第 5 期

斯大林邓小平"共同富裕"思想比较研究，胡增文，《广西青年干部学院学报》2000 年第 3 期

列宁斯大林对经济文化落后国家经济发展问题的探索，张雷声，《学术界》2001 年第 2 期

斯大林与列宁晚年的改革思想，马龙闪，《东欧中亚研究》2001 年第 4 期

斯大林和布哈林关于农轻重比例及其关系之争，何崇宪，《中学历史教学参考》2001 年第 4 期

试评斯大林的农业全盘集体化

运动，汤德森，《湖北大学学报》（哲学社会科学版）2001 年第 5 期

斯大林与"新经济政策"，刘德生，《德州学院学报》2002 年第 1 期

"新经济政策"为什么没有坚持下去——斯大林抛弃列宁晚年社会主义理论的原因探讨，陈榕，《中共云南省委党校学报》2002 年第 2 期

用邓小平经济理论彻底取代斯大林经济理论，曹能国，《黄冈职业技术学院学报》2002 年第 4 期

国有制理论：斯大林对马克思的修正——五论马克思恩格斯的国有制理论与现实，薛汉伟，《当代世界社会主义问题》2002 年第 4 期

斯大林农业集体化理论的是非新论，沈宗武、李静，《中共云南省委党校学报》2002 年第 5 期

从前苏联经济模式看斯大林的经济建设思想，闫建勋，《山西财经大学学报》（高等教育版）2002 年（增刊）

斯大林是主张建立"贫穷的社会主义"吗？王力军，《山东社会科学》2003 年第 2 期

试析斯大林对马克思所有制理论的错误理解，陈海平，《江苏教育学院学报》（社会科学版）2003 年第 2 期

斯大林经济关系理论的反思，

朱学恩，《湘潭师范学院学报》（社会科学版）2003 年第 3 期

斯大林对马克思所有制理论的错误理解及其严重后果，陈海平，《成都大学学报》（社会科学版）2003 年第 3 期

斯大林的集体农庄：农民缴纳"贡税"的劳动营，叶书宗，《探索与争鸣》2004 年第 1 期

略论斯大林和联共（布）的科技与人才思想，司永海，《社会主义研究》2004 年第 1 期

斯大林在苏联工业化时期提出的"两个口号"论析，林建华、谭桂梅，《河南师范大学学报》（哲学社会科学版）2004 年第 3 期

试析斯大林的社会主义工业化思想，曹顺霞，《肇庆学院学报》2004 年第 3 期

斯大林在苏联工业化时期提出的两个口号论析，林建华，《俄罗斯中亚东欧研究》2004 年第 5 期

斯大林工业化道路再认识，陆南泉，《科学社会主义》2005 年第 3 期

斯大林、毛泽东农业社会主义改造之比较，张北根，《云南行政学院学报》2005 年第 5 期

列宁、斯大林关于农业和农民问题的基本观点述要，邢艳琦，《马克思主义与现实》2005 年第 5 期

斯大林与新经济政策，高继文，

《当代世界与社会主义》2006 年第 1 期

斯大林农业集体化运动是苏联历史的必要选择，曹英伟，《大连海事大学学报》(社会科学版) 2006 年第 4 期

斯大林战后不思改革的原因，陆南泉，《历史教学问题》2006 年第 3 期

斯大林的城乡差别思想研究，吴学凡，《华北水利水电学院学报》(社会科学版) 2007 年第 2 期

斯大林农业集体化思想合理性分析，曹英伟，《马克思主义研究》2007 年第 6 期

政治建设

一面镜子——节录"斯大林论领导与检查"的一节，《人民日报》1948 年 4 月 16 日

"团结、批评、团结"——为学习斯大林、毛主席"论共产党员要善于与非党群众团结合作"，莫茵，《天津教育》1950 年第 1 期

学习"斯大林论批评与自我批评"，周静，《人民日报》1953 年 5 月 18 日

这是"反映批判斯大林以后的某些看法"吗，文庆归，《人民教育》1957 年第 3 期

马克思、恩格斯、列宁、斯大林论"资产阶级式的法权"，《学术研究》1959 年第 1 期

苏共第二十次代表大会以来苏联语言学家"批判"所谓"斯大林个人迷信"的言论汇编，马福聚，《当代语言学》1963 年第 5 期

斯大林反对托洛茨基主义和布哈林主义的斗争，郑言实，《红旗》(增刊) 1964 年第 2 期

列宁、斯大林同托洛茨基主义的斗争，焦岩，《河北日报》1974 年 1 月 21 日

列宁、斯大林同布哈林主义的斗争，焦岩，《河北日报》1974 年 1 月 30 日

列宁、斯大林反对托洛茨基反党派别活动的斗争（上、下），师政文，《黑龙江日报》1974 年 2 月 20 日、28 日

列宁、斯大林反对布哈林右倾反党集团的斗争，师政文，《黑龙江日报》1974 年 3 月 6 日

斯大林领导的苏联共产党同托洛茨基反革命政变集团的斗争，帆劲，《中山大学学报》(哲学社会科学版) 1974 年第 4 期

列宁、斯大林同托洛茨基、布哈林的斗争，冯海，《青海日报》1975 年 6 月 16 日

十月革命后列宁、斯大林反对托洛茨基的斗争，蒋学成，《江苏师范学院学报》1976 年第 3 期

列宁、斯大林反对托洛茨基的斗争（资料），《理论学习》1977 年

第 3 期

斯大林同托洛茨基、季诺维也夫、布哈林的斗争，李集文，《解放日报》1977 年 8 月 29 日

斯大林同托洛茨基、季诺维也夫、布哈林的斗争，陈钟、万中一，《文汇报》1977 年 8 月 30 日

谈修正（读斯大林一次讲话的札记），江安，《解放日报》1978 年 10 月

斯大林与"托季联盟"一次斗争的启示，胡学海，《新华日报》1978 年 10 月 23 日

揭发和批评正是为了前进——读斯大林给阿·马·高尔基的信，朱恩彬，《山东文学》1979 年第 11 期

学习斯大林反对联共（布）党内左倾机会主义的历史经验，秦德芬，《首都师范大学学报》（社会科学版）1980 年第 1 期

不要把民主偶象化（读斯大林谈民主的几段论述有感），振新，《解放日报》1980 年 2 月

从列宁和斯大林的一次争论想到的，晓言，《读书》1980 年第 4 期

要准确地使用修正主义概念（学习列宁斯大林论修正主义读书笔记），李思温、张海燕，《理论与实践》1980 年第 6 期

重视干部队伍的年轻化（学习斯大林关于大胆及时提拔年轻干部的重要论述），敬恩，《北京日报》1980 年 7 月

要重视干部队伍的年轻化（学习斯大林关于提拔年轻干部的论述的体会），晓诗，《西藏日报》1980 年 9 月

无产阶级专政就是"党专政"吗？（学习斯大林的一段论述），杜翰波，《黑龙江日报》1980 年 11 月

关于斯大林同反对派斗争的问题，《马克思主义研究参考资料》1980 年（增刊 2）

斯大林改革国家机构的理论与实践，李元书，《俄罗斯中亚东欧研究》1983 年第 2 期

斯大林同志并没有错！——评陈昕同志对斯大林同志的批评，伍铁平，《经济问题》1983 年第 12 期

斯大林时期苏联政治制度建设的经验与教训，李元书，《俄罗斯中亚东欧研究》1984 年第 4 期

斯大林干部政策的成就与问题，倪家泰，《俄罗斯中亚东欧研究》1984 年第 5 期

斯大林领导苏维埃民主制建设的经验与教训，李元书，《俄罗斯中亚东欧研究》1985 年第 1 期

斯大林关于干部队伍建设的理论与实践，刘积高，《俄罗斯中亚东欧研究》1985 年第 4 期

斯大林时期苏联推行一长制的做法及其存在的问题，马泉山，《中

国工业经济》1985 年（增刊）

试论斯大林时期苏维埃建设的经验和教训，赵龙庚，《俄罗斯中亚东欧研究》1986 年第 2 期

斯大林与督促检查工作，王立成，《秘书之友》1986 年第 3 期

斯大林的主观失误对苏联肃反扩大化的影响，孙文亮，《齐鲁学刊》1986 年第 5 期

简论斯大林高度集权及其根源，安维春，《渤海大学学报》（哲学社会科学版）1987 年第 2 期

略论斯大林关于党团关系的思想，潘捷军，《中国青年政治学院学报》1987 年第 3 期

也论列宁和斯大林时期政治体制，张伟垣，《北京社会科学》1988 年第 1 期

斯大林时期苏联干部制度的历史考察，杜康传，《俄罗斯中亚东欧研究》1988 年第 1 期

斯大林时期党内个人崇拜的形成和发展，王正泉，《国际观察》1988 年第 2 期

斯大林时期苏联干部制度建设的历史考察，李秀林，《辽宁教育行政学院学报》1988 年第 2 期

共产国际和斯大林对民族资产阶级所犯错误的原因，施巨流，《福建党史月刊》1988 年第 2 期

十月革命后列宁和斯大林工农联盟思想之比较，高华，《俄罗斯中亚东欧研究》1988 年第 2 期

斯大林个人崇拜溯源，叶书宗，《党史研究与教学》1988 年第 5 期

斯大林与教条主义，武文军，《马克思主义研究》1989 年第 2 期

赫鲁晓夫反对斯大林个人崇拜中的几个问题，唐士润，《四川师范大学学报》（社会科学版）1989 年第 4 期

列宁与斯大林的权力，刘振祥，《晋阳学刊》1989 年第 5 期

斯大林论革命政党运用文艺进行自我批评，刘文斌，《阴山学刊》1990 年第 1 期

关于列宁斯大林对苏维埃看法差异的研究，朱桂谦，《浙江师范大学学报》（社会科学版）1990 年第 2 期

斯大林时期苏联工农联盟的若干问题，高华，《俄罗斯中亚东欧研究》1990 年第 2 期

斯大林对无产阶级执政党建设的贡献，胡茂才，《零陵学院学报》1990 年第 4 期

论斯大林—布哈林联盟的基础，王双金，《齐齐哈尔大学学报》（哲学社会科学版）1993 年第 3 期

历史新读：斯大林何以能够战胜反对派？黄明泽，《当代世界与社会主义》1994 年第 3 期

斯大林反官僚主义探析，薛晓莉，《当代世界与社会主义》1996 年

第 2 期

权力的肖像学——列宁与斯大林时代的苏联政治肖像画，任彩晖，《国外理论动态》1999 年第 12 期

论斯大林个人集权、个人崇拜对民主与法治的影响，缪憬生，《法学》2000 年第 5 期

论斯大林极权政治产生的原因和条件，柴碧云，《大同职业技术学院学报》2001 年第 4 期

列宁斯大林工会理论比较研究——兼析执政党工会理论方针的经验教训，郑桥，《俄罗斯研究》2002 年第 1 期

试析斯大林的民主集中制理论，吴学琴，《石油大学学报》（社会科学版）2002 年第 6 期

试析斯大林在党政关系上的畸变及其教训，吴学琴，《北京行政学院学报》2003 年第 5 期

体味斯大林"大清洗"的"细节"，雷颐，《文史博览》2004 年第 4 期

斯大林时期苏共执政合法性资源评析，马春海，《俄罗斯研究》2005 年第 1 期

论斯大林对党的纲领理论的探索及其经验教训，吴东华，《社会主义研究》2005 年第 2 期

斯大林时期的政治信仰与苏联剧变，孟迎辉，《社会主义研究》2005 年第 3 期

斯大林时期苏联共产党对人民利益的损害，闵绪国，《泰安教育学院学报岱宗学刊》2005 年第 4 期

论斯大林镇压问题研究中的某些概念和方法，郑异凡，《历史研究》2005 年第 5 期

斯大林发动"大清洗"始末，李同成，《党史纵横》2005 年第 7 期

斯大林苏维埃理论的局限及其后果，蒲国良，《当代世界与社会主义》2006 年第 2 期

斯大林时期党的干部队伍建设的经验与教训，张有军，《泰山学院学报》2007 年第 2 期

斯大林时期坚持党的领导的理论与实践，张有军，《聊城大学学报》（社会科学版）2007 年第 3 期

文化建设

斯大林指导下的苏联科学，《科学大众》（中学版）1950 年第 5 期

悼念劳动人民的领袖和导师学习斯大林关于历史科学的理论，《历史教学》1953 年第 4 期

学习斯大林关于教育工作的伟大指示，《人民教育》1954 年第 3 期

马克思恩格斯列宁斯大林毛主席——关于研究历史的若干论述，《东北师大学报》（哲学社会科学版）1974 年（增刊）

马克思、恩格斯、列宁、斯大林关于知识分子在革命中的地位和作用的部分论述，《天津教育》1977

年第 8 期

斯大林与历史科学，陈荣一，《世界历史》1979 年第 6 期

斯大林与中学历史教学，王铎全，《上海师范大学学报》（哲学社会科学版）1980 年第 1 期

斯大林对理论建设的指导，范若愚，《科学社会主义研究》1980 年第 2 期

建设社会主义需要一支宏大的知识分子队伍——学习斯大林有关知识分子的论述，肖励锋，《渤海大学学报》（哲学社会科学版）1980 年第 3 期

建设社会主义需要一支宏大的知识分子队伍（学习斯大林有关知识分子的论述），肖励铎、曹普澄，《锦州师范学院学报》1980 年第 3 期

斯大林时期的知识分子问题，王器，《俄罗斯中亚东欧研究》1981 年第 3 期

马克思恩格斯列宁斯大林毛泽东——关于精神文明的部分论述，《中共山西省委党校学报》1982 年第 2 期

建设高度精神文明是科学社会主义题中应有之义——介绍马克思、恩格斯、列宁、斯大林关于精神文明的论述，马德太，《东岳论丛》1982 年第 3 期

马克思、恩格斯、列宁、斯大林论社会主义文明，中共中央党校科学社会主义教研室选编，《光明日报》1982 年 8 月

马克思、恩格斯、列宁、斯大林、毛泽东关于知识、知识分子的部分论述，《工人日报》1983 年 1 月 15 日

马克思恩格斯列宁斯大林论社会主义文明，中共中央党校科学社会主义教研室选编，《图书馆学通讯》1983 年第 3 期

马克思、恩格斯、列宁、斯大林、毛泽东论思想政治工作，《经济日报》1983 年 8 月

斯大林关于社会主义精神文明建设的思想，吴秉元，《社会主义研究》1984 年第 3 期

列宁斯大林与修正主义者围绕知识分子问题的一次激烈论战，胡义成，《陕西理工学院学报》（社会科学版）1984 年第 3 期

就文艺民族化问题为斯大林一辩，翟胜健，《内蒙古社会科学》（汉文版）1984 年第 4 期

马克思、恩格斯、列宁、斯大林、毛泽东关于学习新的科学知识，向落后愚昧作斗争的部分论述，陶厚明，《科学学与科学技术管理》1984 年第 5 期

论斯大林在文艺批评上对马克思主义文艺思想的新贡献，陈辽，《枣庄学院学报》1985 年第 1 期

斯大林关于文化建设的理论与实践，韩维，《俄罗斯中亚东欧研究》1985 年第 1 期

斯大林与文艺批评，宋应离，《中州学刊》1985 年第 2 期

马克思、恩格斯、列宁、斯大林、毛泽东论理论学习，《理论月刊》1985 年第 12 期

联共党史上的一次大论战——列宁斯大林同机会主义者关于知识分子问题的斗争及其启示，胡义成，《大理学院学报》1985 年（增刊 1）

马克思、恩格斯、列宁、斯大林、毛泽东论社会主义精神文明，《党的生活》1986 年第 12 期

斯大林与文艺批评，刘文斌，《内蒙古师范大学学报》（哲学社会科学版）1987 年第 2 期

斯大林文艺思想二题，刘文斌，《语文学刊》1989 年第 3 期

评斯大林的文化思想，张念丰，《社会科学战线》1989 年第 4 期

苏联意识形态的"大转变"与斯大林思想文化领导体制的形成，马龙闪，《俄罗斯中亚东欧研究》1990 年第 4 期

马克思、恩格斯、列宁、斯大林有关职业教育的部分论述，《教育与职业》1991 年第 3 期

评所谓的"斯大林新闻模式"，康荫，《新闻实践》1991 年第 7 期

斯大林文艺思想的几个问题，刘文斌，《内蒙古电大学刊》1992 年第 6 期

一脉相承，不断发展——综论马克思、恩格斯、列宁、斯大林、毛泽东对现实主义创作方法的认识，张越，《抚州师专学报》1993 年第 3 期

论斯大林的思想文化模式，蔡伟，《当代世界社会主义问题》1994 年第 4 期

战后斯大林时期苏联宗教政策剖析，傅树政，《吉林大学社会科学学报》1995 年第 6 期

论列宁斯大林的知识分子思想，曲峡，《石油大学学报》（社会科学版）1996 年第 1 期

斯大林与哲学和自然科学红色教授学院党支部委员会的谈话 1930 年 12 月 9 日，李静杰，《哲学译丛》1999 年第 2 期

斯大林 1930 年 12 月 9 日"谈话"与苏联哲学和苏联意识形态的"政治化"，贾泽林，《哲学译丛》1999 年第 2 期

斯大林一九三〇年十二月九日"谈话"与"苏联哲学"和"苏联意识形态"的"政治化"，林杉，《读书》1999 年第 3 期

斯大林与文学，张捷，《文艺理论与批评》2000 年第 1 期

斯大林与文学（续），张捷，《文艺理论与批评》2000 年第 2 期

苏联社会科学的命运——从斯大林的秘密"谈话"说起，李静杰，《东欧中亚研究》2001年第2期

斯大林在知识分子问题上的错误及其影响，朱文显，《四川师范大学学报》（社会科学版）2002年第6期

步入歧途后：斯大林时代苏联思想理论教育的蜕变，孙来斌，《上海交通大学学报》（哲学社会科学版）2003年第6期

斯大林在思想理论教育问题上的贡献与失误，孙来斌，《学校党建与思想教育》2004年第4期

斯大林的文学情结，姜广平，《书屋》2005年第3期

弥赛亚在俄罗斯（苏联）的嬗变——从俄罗斯的情结到斯大林，王蕾，《科技信息》（学术版）2007年第5期

国际与外交

史大林报告苏联外交政策，东序，《东方杂志》1939年4月第36卷第7期

斯大林对目前国际形势的谈话（订正译文），《世界知识》1951年第8期

学习斯大林关于国际形势的谈话，张弼，《世界知识》1951年第8期

深切的同情和伟大的鼓舞——斯大林同志祝日本人民获得自由、幸福，《世界知识》1952年第2期

斯大林致日本人民新年贺电，《世界知识》1952年第2期

把和平事业保卫到底——斯大林同志对国际形势谈话一周年，《世界知识》1952年第7期

悼念斯大林同志为彻底粉碎美帝国主义细菌战而奋斗，《生物学通报》1953年第5期

斯大林与无产阶级国际主义，冯宾符，《世界知识》1953年第8期

斯大林关于殖民地革命问题的理论，萧刚，《世界知识》1953年第9期

纪念斯大林，为进一步缓和国际紧张局势而不懈奋斗！《世界知识》1954年第5期

斯大林对希特勒发动侵苏战争的判断为何失误，夏韵芳，《军事历史》1983年第7期

论斯大林对二战前世界主要矛盾划分的失误，刘耀国，《齐齐哈尔大学学报》（哲学社会科学版）1985年第5期

战后斯大林时期苏联对亚非拉地区外交政策初探，黄天莹，《俄罗斯中亚东欧研究》1987年第1期

斯大林对希特勒并没有和平的幻想——评苏德战争前苏军对德战略进攻的部署，金敫，《东北师大学报》（哲学社会科学版）1987年第4期

斯大林对德国法西斯主义认识的过程及其教训，徐晓村，《军事历史》1988 年第 4 期

战后斯大林时期苏联对外战略理论和实践上的失误，郑羽，《俄罗斯中亚东欧研究》1989 年第 1 期

论斯大林和 1939 年苏德条约的签订，徐晓望，《中共福建省委党校学报》1989 年第 9 期

第二次世界大战后斯大林的战略思想与苏联的对外政策，张盛发，《上海师范大学学报》（哲学社会科学版）1990 年第 1 期

阵营对抗：冷战开始后斯大林的对外战略，郑羽，《俄罗斯中亚东欧研究》1992 年第 2 期

斯大林对苏德战争爆发时间判断失误的原因初探，杜正艾，《军事历史》1994 年第 1 期

战后斯大林时期苏联对外政策初探，张祥云，《聊城师范学院学报》（哲学社会科学版）1994 年第 1 期

战后斯大林的对美政策指导理论及影响，唐朱昌，《东欧中亚研究》1994 年第 6 期

如何评价斯大林在苏联卫国战争中的地位和作用，夏景才，《东北师大学报》（哲学社会科学版）1995 年第 4 期

嘲弄历史者，必定为历史所嘲弄！——斯大林反法西斯战功是不可否定的，许征帆，《真理的追求》1995 年第 7 期

第二次世界大战风云录（之五）——变被动为主动——斯大林的精神防线，杜正艾，《国防》1995 年第 9 期

“斯大林防线”的建设与拆毁，王少平，《吉林大学社会科学学报》1996 年第 1 期

国家利益与斯大林时代苏联的对外政策，侯文富，《日本学论坛》1996 年第 1 期

从大国合作到集团对抗——论战后斯大林对外政策的转变（根据俄国档案的新材料），沈志华，《东欧中亚研究》1996 年第 6 期

新的世界大战？——评斯大林对战后战争形势的认识，张祥云，《当代世界与社会主义》1997 年第 3 期

苏联对外政策的转变——从斯大林去世到苏共二十大，时殷弘，《南京大学学报》（哲学、人文科学、社会科学版）1999 年第 1 期

从苏联出兵中国东北看斯大林对华政策，李静云，《衡水师专学报》1999 年第 2 期

1939 年斯大林“联盗防贼”的外交，霜木，《外交学院学报》1999 年第 2 期

试论战后斯大林时期苏联对东

欧的政策，王瑜，《当代世界社会主义问题》1999 年第 3 期

斯大林对外政策理论评析，张祥云，《聊城师范学院学报》（哲学社会科学版）1999 年第 3 期

斯大林的战后世界体系观与冷战起源的关系，叶江，《历史研究》1999 年第 4 期

铁托、霍查、斯大林与科索沃——科索沃溯注（四），闻一，《世界知识》1999 年第 17 期

斯大林与共产国际解体，王昌沛，《当代世界社会主义问题》2000 年第 3 期

战后初期斯大林大国合作政策的结束，张盛发，《东欧中亚研究》2000 年第 5 期

斯大林、毛泽东论反法西斯战争胜利的意义，徐隆彬，《昌潍师专学报》2000 年第 6 期

斯大林世界经济与政治关系理论研究，张雷声，《中国人民大学学报》2001 年第 1 期

斯大林关于"二战"后国际安全的思想，马凤书，《山东大学学报》（哲学社会科学版）2001 年第 5 期

斯大林与朝鲜战争，邹荣础，《陕西师范大学学报》（哲学社会科学版）2002 年第 1 期

二次大战三巨头纵横捭阖——斯大林身残志坚——罗斯福临危受命——丘吉尔，闻超，《肉品卫生》2002 年第 1 期

评斯大林世界革命的理论与实践，左凤荣，《当代世界与社会主义》2002 年第 4 期

斯大林与共产国际的解散，李东朗，《百年潮》2003 年第 7 期

试论 1946 年 2 月 9 日斯大林演说与冷战起源，薛冬霞，《延安大学学报》（社会科学版）2004 年第 2 期

斯大林与希特勒生死较量之谜，文松辉，《出版参考》2005 年第 8 期

斯大林怎样推动英美开辟"第二战场"，王学杰，《决策》2005 年第 12 期

斯大林的餐桌外交，《文史博览》2006 年第 5 期

卫国战争初期斯大林打算对德媾和说辨析，郑异凡，《探索与争鸣》2006 年第 6 期

关于"评'斯大林向德乞和说'"一文的信，郑异凡，《探索与争鸣》2007 年第 3 期

军事

全国科联、科普发表宣言拥护斯大林关于原子武器的谈话，《科学通报》1951 年第 11 期

斯大林答真理报记者问关于原子武器问题，《世界知识》1951 年第 39 期

斯大林关于原子武器谈话的伟大意义，《世界知识》1951 年第

39 期

拥护斯大林关于原子武器的谈话宣言,《物理》1951 年（增刊 1）

学习斯大林关于马克思主义战争理论的论述（纪念斯大林同志诞辰一百周年），徐学成、迟福林,《解放军报》1979 年第 12 期

战后斯大林时期苏联军事战略评介，陈伟,《俄罗斯中亚东欧研究》1989 年第 3 期

斯大林与原子弹，刘显忠,《俄罗斯中亚东欧研究》2004 年第 5 期

阶级问题

斯大林关于社会主义时期阶级斗争的理论及其历史经验——纪念斯大林诞生一百周年，王玉、胡茂材,《湖南师院学报》（哲学社会科学版）1979 年第 4 期

怎样看斯大林一九三六年关于阶级斗争问题的提法，张德成,《社会主义研究》1979 年第 4 期

怎样看斯大林一九三六年关于阶级斗争问题的提法，张德成,《教学与研究》1979 年第 6 期

斯大林关于苏联社会阶级结构的论述，艾达,《吉林日报》1979 年8 月

斯大林一九三六年宣布苏联消灭剥削阶级是马列主义唯物史观，高朝明,《新疆大学学报》（哲学、人文科学、社会科学版）1980 年第 1 期

应当全面地研究斯大林的阶级斗争理论——兼谈苏联肃反扩大化的一个重要原因，胡兆寅,《甘肃社会科学》1980 年第 3 期

评斯大林关于社会主义时期阶级斗争的论述，陈汉楚,《学习与探索》1980 年第 4 期

对斯大林阶级斗争理论的两点认识，陆善炯,《湖北大学学报》（哲学社会科学版）1981 年第 3 期

也谈斯大林关于阶级斗争理论的两个问题，聂运林,《湖北大学学报》（哲学社会科学版）1981 年第3 期

斯大林在阶级斗争问题上是走两个极端的吗？李心华,《俄罗斯中亚东欧研究》1990 年第 5 期

斯大林关于苏联社会主义社会阶级斗争的理论，孙韶林,《俄罗斯中亚东欧研究》1991 年第 6 期

民族问题

社会主义时期民族问题的实质（学习斯大林关于民族问题的理论），冯深,《广西日报》1980 年1 月

评非洲"部族"说——兼谈斯大林的民族定义，顾章义,《中央民族大学学报》（哲学社会科学版）1983 年第 4 期

试论列宁斯大林关于民族事实上平等的理论，刘绍川,《贵州民族研究》1985 年第 1 期

对斯大林民族定义的再认识，祝马鑫,《科学社会主义》1985 年第 4 期

斯大林并没有把现代民族划分为资产阶级民族和社会主义民族，唐鸣,《科学社会主义》1985 年第 7 期

关于我国民族概念历史的初步考察——兼谈对斯大林民族定义的辩证理解，彭英明,《科学社会主义》1985 年第 7 期

论社会主义民族——谈谈斯大林的"社会主义民族"理论，施正,《科学社会主义》1985 年第 10 期

关于运用斯大林的民族定义的几个问题，丁明国,《科学社会主义》1985 年第 11 期

谈谈斯大林的"社会主义民族"理论，施正一,《民族学研究》第六辑，1985 年

对斯大林民族定义的再认识，孙青,《民族研究》1986 年第 2 期

斯大林著作中的 Нация 一词不应简单地译为"民族"，蔡富有,《教学与研究》1986 年第 2 期

对斯大林民族定义的一点看法，熊锡元,《民族研究》1986 年第 4 期

对斯大林民族定义的一点认识和看法，江山,《民族研究》1986 年第 5 期

关于斯大林民族定义的科学性问题，孙青,《民族研究》1986 年第 5 期

论斯大林民族定义的重新认识和修改，李振锡,《民族研究》1986 年第 5 期

关于斯大林的民族定义和译文问题，金天明,《民族研究》1986 年第 6 期

关于斯大林的"少数民族"概念，王鹏林,《黑龙江民族丛刊》1987 年第 1 期

关于斯大林的民族定义和译文问题，金天明,《科学社会主义》1987 年第 1 期

试论斯大林民族定义的特点，金炳镐,《广西民族研究》1987 年第 1 期

斯大林民族定义评析及对现代民族特征的探讨，何叔涛,《云南民族大学学报》（哲学社会科学版）1987 年第 3 期

苏学者谈斯大林的民族定义并不科学，修世华,《科学社会主义》1987 年第 9 期

从斯大林民族概念的使用情况看我国民族学理论的发展，孟宪范,《民族研究》1988 年第 2 期

斯大林论消灭民族间事实上不平等的理论及其实践，周毅,《民族论坛》1988 年第 2 期

民族形成的一种历史类型——也谈对斯大林民族形成理论的理解，

来仪,《民族研究》1988 年第 3 期

论列宁、斯大林反对两种民族主义的不同取向，白坚,《陕西师范大学学报》（哲学社会科学版）1989 年第 1 期

对斯大林的"民族定义"之我见，曾强,《内蒙古社会科学》（汉文版）1989 年第 1 期

从十月革命到二次大战前夕苏联的民族政策及列宁同斯大林的分歧，饶以诚,《西北民族大学学报》（哲学社会科学版）1989 年第 2 期

斯大林民族理论模式驳议——民族谈话录之一，贺国安,《民族研究》1989 年第 4 期

斯大林民族理论和实践的若干问题，田文光,《理论前沿》1989 年第 74 期

论民族的属性——从系统论看斯大林民族定义的不科学性，亓鑫铭,《辽宁大学学报》（哲学社会科学版）1990 年第 3 期

试析斯大林有关反对民族主义问题的论述，曹红,《新疆师范大学学报》（哲学社会科学版）1990 年第 4 期

对斯大林民族定义的再思考，金昭昫,《甘肃理论学刊》1992 年第 2 期

斯大林民族政策评析，雷振扬,《俄罗斯中亚东欧研究》1992 年第 4 期

对斯大林民族形成时期理论的再思考，张达明,《日本学论坛》1995 年第 2 期

论斯大林的民族教育思想，孟立军,《广西民族研究》1995 年第 3 期

斯大林民族理论评析，华辛芝,《世界民族》1996 年第 4 期

论斯大林民族定义的历史地位、局限性及其修改问题，张达明,《东北师大学报》（哲学社会科学版）1996 年第 5 期

斯大林培养少数民族干部理论探讨，孟立军,《社会主义研究》1996 年第 5 期

斯大林民族定义之我见，熊坤新,《世界民族》1998 年第 2 期

苏联早期民族理论的演变：从列宁到斯大林，詹真荣,《山东大学学报》（社会科学版）1998 年第 3 期

论斯大林的民族定义，何润,《民族研究》1998 年第 6 期

是马克思主义，还是大俄罗斯沙文主义——从斯大林民族理论看斯大林早期大俄罗斯沙文主义，李洪祥,《理论观察》1999 年第 3 期

杰出的贡献严重的失误——论斯大林在民族理论上的得失，詹真荣,《民族研究》2000 年第 2 期

论斯大林在民族问题上错误的根源，王晓敏,《河南师范大学学报》（哲学社会科学版）2001 年第

5 期

简评华辛芝新作《斯大林与民族问题》，王希恩，《民族研究》2003年第 3 期

斯大林时期苏联对犹太人的政策，高麦爱，《淮阴师范学院学报》（哲学社会科学版）2003 年第 3 期

重读斯大林民族（Нация）定义：读书笔记之一：斯大林民族定义及其理论来源，郝时远，《世界民族》2003 年第 4 期

重读斯大林民族（Нация）定义：读书笔记之二：斯大林对苏联民族国家体系的构建与斯大林对民族定义的再阐发，郝时远，《世界民族》2003 年第 5 期

斯大林民族（Нация）定义：读书笔记之三：苏联多民族国家模式中的国家与民族（Нация），郝时远，《世界民族》2003 年第 6 期

试论斯大林在民族问题上的失误及对苏联解体的影响，李贤聪，《南京医科大学学报》（社会科学版）2004 年第 1 期

斯大林和铁托的民族思想比较研究，祝孔江，《绥化学院学报》2004 年第 4 期

阶级利益和国家利益——斯大林民族理论的核心，祝孔江，《伊犁师范学院学报》2005 年第 1 期

斯大林的民族理论与民族政策的错位，杨玲，《当代世界与社会主义》2005 年第 2 期

略论列宁斯大林在民族和殖民地理论上的认知差异，王侃，《前沿》2005 年第 8 期

试论民族文化认同的特殊功效——从斯大林民族定义的争论说开去，徐则平，《广西民族研究》2006 年第 1 期

中国革命

列宁与斯大林论东方人民的解放斗争，愉若，《人民日报》1949 年 2 月 25 日

我们永远跟着你们走，斯大林、毛泽东！——纪念两个人民领袖的历史会见，马可词，《人民音乐》1950 年第 1 期

毛主席及斯大林大元帅为抗日战争胜利七周年互电致贺，《世界知识》1952 年第 36 期

十月社会主义革命三十五周年毛主席贺电及斯大林覆电，《世界知识》1952 年第 47 期

第一次国内革命战争时期斯大林对中国革命"第二阶段"的分析和指示，刘永之，《史学月刊》1954 年第 5 期

斯大林中国革命"三阶段"论与党的第一次"左"倾错误，韩纲，《河南师范大学学报》（哲学社会科学版）1986 年第 4 期

关于王造时等人的"致斯大林的公开信"，何碧辉，《复旦学报》

（社会科学版）1987 年第 6 期

日本帝国主义投降前夕至中华人民共和国成立期间，斯大林对中国革命态度的变化，郭明，《吉林师范大学学报》（人文社会科学版）1988 年第 3 期

斯大林——在中国舞台上从未出场的主角，张广照，《经济学周报》1988 年 8 月 7 日

斯大林伤害过毛泽东，于科，《领导科学》1989 年第 1 期

斯大林关于打击"第三种势力"的理论及其对中国革命的危害，杨进保，《求索》1989 年第 2 期

斯大林领导时期的共产国际对中国革命的影响，卢光鉴，《中共山西省委党校学报》1989 年第 3 期

论斯大林指导中国革命的错误，李梅兰，《求实》1989 年第 3 期

斯大林三阶段论与中共对民族资产阶级的认识，郭承志，《浙江学刊》1989 年第 5 期

对斯大林清除异己的曲意配合——王明向第三国际呈报鲁迅《答托洛斯基派的信》，唐天然，《鲁迅研究月刊》1989 年第 8 期

关于斯大林曾否劝阻我军打过长江问题的研讨，周文琪，《理论前沿》1989 年第 67 期

毛泽东谈斯大林问题，牛桂云，《湘潮》1990 年第 2 期

试论抗日战争胜利后斯大林对华政策的实质，乔毅民，《四川师范大学学报》（社会科学版）1990 年第 2 期

斯大林曾否劝阻我过长江？广东，《军事历史》1990 年第 3 期

斯大林是否劝阻我过长江的再探讨——与余湛、张光祜同志商榷，张为波，《西南民族大学学报》（人文社科版）1990 年第 3 期

冯玉祥没有会晤过孙中山、斯大林吗？经盛鸿，《史学月刊》1990 年第 4 期

托洛茨基与第一次国共合作——兼论斯大林与托洛茨基关于中国大革命的争论，唐宝林，《走向近代世界的中国——中国社会科学院近代史研究所建所 40 周年学术讨论会论文集》1990 年 10 月

斯大林与周恩来的莫斯科会谈，帅永章编译，《理论前沿》1990 年（增刊 1）

关于宋子文斯大林莫斯科会谈——美国外交档案选译（上），吴景平，《民国档案》1991 年第 2 期

关于宋子文斯大林莫斯科会谈——美国外交档案选译（中），吴景平，《民国档案》1991 年第 3 期

关于宋子文斯大林莫斯科会谈——美国外交档案选译（下），吴景平，《民国档案》1991 年第 4 期

"左"倾关门主义之国际由来——试析斯大林"三阶段"论对

中共的影响，张喜德，《党史纵横》1992 年第 3 期

论斯大林与毛泽东关于中国革命的理论分歧，苏开华，《南京社会科学》1992 年第 4 期

毛泽东与斯大林，闻言，《中国图书评论》1992 年第 6 期

毛泽东与斯大林的交往，李海文，《瞭望》1992 年第 52 期

科瓦廖夫谈斯大林阻止解放军渡江之谜，《国际新闻界》1993 年第 1 期

斯大林没有劝阻过人民解放军过江，刘志青，《近代史研究》1993 年第 1 期

斯大林"三阶段"论与中国革命"左"倾错误，李乃义，《文史哲》1993 年第 4 期

对斯大林劝阻解放军过江问题的再研究，陈广相，《近代史研究》1994 年第 3 期

斯大林与毛泽东，马贵凡，《福建党史月刊》1994 年第 4 期

毛泽东与斯大林的微妙关系，李海文，《党史文汇》1994 年第 6 期

毛泽东与斯大林的首次会晤，王晓兰，《毛泽东思想研究》1995 年第 2 期

大革命前后毛泽东路线与斯大林路线比较研究，苏开华，《毛泽东邓小平理论研究》1995 年第 2 期

斯大林与中共的恩怨，曹明，《党史博览》1995 年第 4 期

毛泽东和斯大林的历史性会晤，宫力，《党史纵览》1995 年第 6 期

毛泽东谈斯大林和共产国际的中国政策——摘自原苏联驻华大使尤金的笔记，何宏江，《国外理论动态》1995 年第 9 期

建国前夕毛泽东与斯大林的电报往来，奎松，《科技文萃》1995 年第 12 期

试论共产国际、斯大林指导中国大革命失误的理论根源，苏杭，《长白学刊》1996 年第 2 期

毛泽东与斯大林的会晤，邱静，《党的文献》1996 年第 2 期

斯大林曾否劝阻我军过长江？陈方怡，《党史文汇》1996 年第 6 期

俄刊公布斯大林就中国出兵朝鲜问题与毛泽东、金日成的往来函电，刘淑春，《国外理论动态》1996 年第 23 期

斯大林与中国大革命，杨永明，《宜宾学院学报》1997 年第 4 期

斯大林、周恩来会谈纪要，尚英，《当代中国史研究》1997 年第 5 期

1952 年 8 至 9 月斯大林与周恩来会谈经过，陈春华，《中共党史研究》1997 年第 5 期

斯大林关于中国在中朝边境集结部队问题致罗申电，《当代中国史研究》1997 年第 6 期

斯大林关于苏联向中国提供空军掩护等问题致罗申电,《当代中国史研究》1997 年第 6 期

斯大林关于同意向中国派遣防空专家问题致科托夫电,《当代中国史研究》1997 年第 6 期

斯大林关于建议中国派部队援助朝鲜致罗申电,《当代中国史研究》1997 年第 6 期

苏联、斯大林与中国共产党的人民民主专政理论及其体制的确立,刘建平,《中共党史研究》1997 年第 6 期

1937 年—1939 年蒋介石与 И.В.斯大林 К.Е.伏罗希洛夫之间的信函往来,胡德君、田玄,《军事历史研究》1998 年第 1 期

斯大林与毛泽东 1949 年 1 月往来电文评析,王真,《近代史研究》1998 年第 2 期

解放战争后期斯大林为何主张国共和谈,胡键,《党史文苑》1999 年第 3 期

巨人之间:毛泽东和斯大林的恩恩怨怨,卓爱平,《世纪桥》1999 年第 4 期

蒋介石为何向斯大林低头——1945 年国民政府与苏联谈判内幕,王永祥,《四川党史》1999 年第 5 期

与民主党派长期合作是中国共产党坚定不移的基本政策——从媒体所传毛泽东和斯大林的两封电报

谈起,田松年,《党的文献》1999 年第 5 期

毛泽东致斯大林电之我见,马贵凡,《中共党史研究》1999 年第 6 期

斯大林为什么逼毛泽东亲赴重庆谈判,王永祥,《领导文萃》1999 年第 6 期

从消极冷漠到积极支持——论 1945—1949 年斯大林对中国革命的立场和态度,张盛发,《世界历史》1999 年第 6 期

毛泽东眼中的斯大林,夏明星,《文史精华》1999 年第 6 期

斯大林建议"划江而治"吗? 斯夫,《领导文萃》1999 年第 11 期

伊罗生:在托洛茨基与斯大林之间——卷进中国革命漩涡的美国记者,李辉,《百年潮》1999 年第 12 期

志愿军赴朝作战是中共中央的自主决策——是斯大林给毛泽东施加压力还是毛泽东要斯大林表态? 齐德学,《军事历史》2000 年第 4 期

斯大林未曾许诺过要废除,《中苏友好同盟条约》,宋晓芹,《中共党史研究》2000 年第 5 期

斯大林、毛泽东决策中国出兵朝鲜的台前幕后,袁南生,《党史文苑》2000 年第 6 期

毛泽东和斯大林的历史性会晤,李军,《党风通讯》2000 年第 10 期

毛泽东一九四七年十一月三十日给斯大林的电报全文，马贵凡，《中共党史研究》2002 年第 1 期

蒋介石为何向斯大林低头——1945 年国民政府与苏联谈判内幕，王永祥，《党风通讯》2002 年第 3 期

斯大林对中国大革命指导的失误及其原因，刘亚丽，《云梦学刊》2002 年第 3 期

解放战争后期毛泽东与斯大林关系探秘，张克敏，《党史纵览》2002 年第 10 期

解读历史的真实——1947 至 1948 年毛泽东与斯大林两封往来电报之研究，秦立海，《中共党史研究》2003 年第 2 期

政策还是策略？——也谈毛泽东与斯大林关于中国民主党派的往来电报，宋晓芹，《当代世界与社会主义》2003 年第 5 期

中国留苏学生反斯大林游行事件，吴晓，《炎黄春秋》2003 年第 10 期

斯大林对中国大革命的功过是非，张寿春，《江苏行政学院学报》2004 年第 1 期

毛泽东眼中的斯大林，张家康，《党史文苑》2004 年第 1 期

中国学者研究朝鲜战争的最新成果——评《毛泽东、斯大林与朝鲜战争》，戴超武，《博览群书》2004 年第 1 期

陈独秀眼中的斯大林，张家康，《党史天地》2004 年第 3 期

解放战争时期的毛泽东与斯大林，邢和明，《党史博采》2004 年第 11 期

毛泽东、斯大林与国共北平和谈，秦立海，《百年潮》2005 年第 5 期

1949 斯大林建议国共和谈，秦立海，《协商新报》2005 年 6 月 24 日

毛泽东 1947 年致斯大林电报的背景分析，贺金林，《求索》2005 年第 7 期

"中国党的领袖是毛泽东"——斯大林和共产国际对毛泽东的信任和支持，子墨，《老年人》2006 年第 1 期

陈独秀与斯大林矛盾的根源，朱洪，《安庆师范学院学报》（社会科学版）2006 年第 2 期

斯大林与新中国的联合国席位，李同成，《晚霞》2006 年第 2 期

斯大林的东方社会理论，俞良早，《马克思主义与现实》2006 年第 2 期

关于斯大林是否劝阻中共渡江问题再分析，金东吉，《党的文献》2006 年第 4 期

斯大林在中苏谈判中的首次让步，叶书宗，《世纪》2006 年第 5 期

斯大林五拒毛泽东访苏的背后，

吴跃,《党史博采》(纪实) 2006 年第 5 期

刘少奇与斯大林的两次会谈,黄禹康,《党史纵览》2006 年第 5 期

周恩来灵活外交:让斯大林深深叹服,文辉抗,《领导文萃》2006 年第 6 期

读《关于斯大林是否劝阻中共渡江问题再分析》一文所想到的,张金才,《党的文献》2006 年第 6 期

论斯大林的东方社会理论及其特点,俞良早,《社会科学研究》2006 年第 6 期

刘少奇与斯大林,黄禹康,《党史博采》(纪实) 2006 年第 6 期

罗斯福、丘吉尔、斯大林密约牺牲中国领土主权的经过,程远行,《书摘》2006 年第 7 期

新中国成立日期的确定不是斯大林建议的——《刘少奇与斯大林的两次会谈》补正,钱听涛,《纵横》2006 年第 10 期

蒋经国与斯大林会谈始末,吴跃农,《文史春秋》2006 年第 11 期

互不信任的三角——斯大林、蒋介石和毛泽东,闻一,《领导文萃》2006 年第 12 期

斯大林:故意把中国抛入朝鲜战争? 叶成坝,《世界知识》2006 年第 23 期

斯大林在中国革命问题上的认识误区,王建科,《淮阴师范学院学报》(哲学社会科学版) 2007 年第 1 期

斯大林对中国革命问题的反思,叶书宗,《世纪》2007 年第 1 期

关于斯大林会见周恩来、瞿秋白的一则新史料——兼述中共六届三中全会前周恩来和瞿秋白在莫斯科的活动,梁化奎,《党的文献》2007 年第 2 期

斯大林五拒毛泽东访苏的背后,吴跃农,《领导文萃》2007 年第 4 期

战后初期斯大林对中国革命态度的再认识,周连顺,《历史教学》(高校版) 2007 年第 4 期

斯大林关于中国革命和社会发展的若干重要思想,俞良早,《理论学刊》2007 年第 4 期

斯大林、共产国际与西安事变,吴跃农,《文史精华》2007 年第 5 期

斯大林与"北平和谈",吴跃农,《党史纵横》2007 年第 6 期

斯大林反思中国革命问题,叶书宗,《党史文苑》2007 年第 9 期

斯大林模式

略谈斯大林时期的苏联体制,毕克,《社会主义研究》1985 年第 1 期

斯大林时期苏联政治经济体制初探,吴仁彰,《俄罗斯中亚东欧研究》1985 年第 2 期

略谈斯大林时期苏联政治经济体制问题,高放,《俄罗斯中亚东欧

研究》1985 年第 2 期

斯大林社会主义模式的形成及历史地位，闻海，《清华大学学报》（哲学社会科学版）1986 年第 2 期

"斯大林模式"述评，胡逢吉，《社会主义研究》1987 年第 5 期

浅谈斯大林时期苏联政治体制形成过程的经验教训，刘绍明，《湖南科技大学学报》（社会科学版）1988 年第 3 期

必须重新评价斯大林模式——略谈苏联改革的基本经验教训，姚海，《探索与争鸣》1988 年第 3 期

论超经济垄断——对斯大林模式实质的透视，吴鸿璋，《理论探索》1989 年第 1 期

斯大林模式认识与批判，胡一华，《丽水师范专科学校学报》1989 年第 1 期

《旗》发表梅德韦杰夫新作，《关于斯大林和斯大林主义》，弓文，《俄罗斯文艺》1989 年第 2 期

人的主体性的禁锢——对"斯大林体制"的批判，黄树东，《开放时代》1989 年第 2 期

旧新闻体制可否称为斯大林模式？——《新闻学刊》编辑部召开讨论会，李赤，《新闻记者》1989 年第 6 期

斯大林主义的根源，李必莹，《俄罗斯研究》1990 年第 2 期

斯大林模式探源，朱晓煜，《华东经济管理》1990 年第 3 期

斯大林模式和布哈林模式及在历史中的表现，鲍成钢，《俄罗斯研究》1991 年第 2 期

苏联理论界关于斯大林模式的争论，郑晓星，《俄罗斯研究》1991 年第 5 期

斯大林主义的本质和根源，陈巨山，《俄罗斯研究》1992 年第 3 期

斯大林体制与苏联解体，张忠，《俄罗斯研究》1993 年第 1 期

戈尔巴乔夫岂能败给斯大林体制？李正乐，《俄罗斯中亚东欧研究》1993 年第 3 期

冲击"斯大林模式"的首次尝试，吴恩远，《世界历史》1994 年第 1 期

俄罗斯历史传统与斯大林体制，侯尚智，《东方论坛》1994 年第 3 期

斯大林模式与我国近几年来农村和农业状况不够理想的原因，林文益，《经济经纬》1994 年第 5 期

关于"斯大林社会主义模式"失误的唯物史观反思，江丹林，《马克思主义与现实》1995 年第 2 期

怎样看待"斯大林模式"？程思，《真理的追求》1995 年第 2 期

对斯大林模式的四次冲击，赵宏图，《当代世界与社会主义》1996 年第 2 期

斯大林模式的终结与世界社会主义的复兴，曹廷清，《当代世界社

会主义问题》1996 年第 3 期

到底应如何对待和评价斯大林模式？林建华，《科学社会主义》1996 年第 4 期

形成"斯大林体制"的历史条件及斯大林对社会主义的理论贡献，陈立旭，《真理的追求》1996 年第 12 期

世界第一个社会主义模式剖析——斯大林与社会主义，卢之超，《科学社会主义》1999 年第 4 期

斯大林模式对中国现代化道路选择的影响，沈宗武，《当代世界与社会主义》1999 年第 4 期

斯大林模式是"历史的错位"吗？——与毛立言商榷，申中悟，《马克思主义研究》1999 年第 5 期

论斯大林模式对苏联解体的影响，牟正纯，《理论学刊》1999 年第 5 期

必须全面正确地分析"斯大林模式"，周新城，《科学社会主义》1999 年第 6 期

斯大林社会主义模式的失败是 20 世纪社会主义遭受挫折的根本原因，魏荣耀，《哈尔滨市委党校学报》2000 年第 4 期

21 世纪的社会主义建设仍然需要借鉴"斯大林模式"的历史经验，程又中，《社会主义研究》2000 年第 5 期

八十年代以来我国学者对斯大林模式的研究，赵文亮，《当代世界与社会主义》2001 年第 2 期

走自己的路——斯大林模式留给今日中国的启示，段丽华，《湖北成人教育学院学报》2001 年第 3 期

抛弃"斯大林模式"之后的道路——俄罗斯的历史追求和现有基础，程又中，《华中师范大学学报》（人文社会科学版）2002 年第 1 期

斯大林模式的苏联共产党的特征及其垮台的原因，徐葵，《国际政治研究》2002 年第 3 期

毛泽东对斯大林模式的否定之否定，虞文清，《绥化师专学报》2002 年第 3 期

斯大林社会主义模式评析，王清泉，《楚雄师范学院学报》2002 年第 4 期

对斯大林体制的继承和发展——试析 50 年代中后期中国社会主义道路探索问题，张欣，《台州学院学报》2002 年第 5 期

诀别"斯大林模式"——严秀著，《一盏明灯与五十万座地堡》阅读札记，李冰封，《炎黄春秋》2002 年第 8 期

一致与冲突：斯大林模式与中苏关系的演进，王鹏，《当代世界社会主义问题》2003 年第 1 期

斯大林模式的根本特征，张光明，《俄罗斯研究》2003 年第 1 期

关于斯大林模式的再思考，郑

易平,《学海》2003 年第 2 期

21 世纪初重评斯大林模式论纲,沈宗武,《天中学刊》2003 年第 3 期

制度变迁与斯大林模式的形成和变革,沈宗武,《湖北行政学院学报》2003 年第 3 期

《斯大林模式的现代省思》出版,陈之骅,《马克思主义研究》2004 年第 2 期

对跨世纪争锋的崭新思考——《斯大林模式的现代省思》评介,吴茜,《出版参考》2004 年第 19 期

对斯大林模式社会主义的评析,汤德森,《社会主义研究》2005 年第 4 期

也谈客观、全面重评斯大林模式——与沈宗武先生商榷,郑易平,《中国矿业大学学报》(社会科学版)2005 年第 4 期

评新世纪以来国内学术界关于斯大林模式研究的新进展,刘霏,《社会主义研究》2005 年第 5 期

斯大林模式形成的联共(布)党内认识背景,陈素萍,《青岛大学师范学院学报》2006 年第 2 期

再论斯大林模式——从历史和现实的角度,王冕,《湖北民族学院学报》(哲学社会科学版)2006 年第 5 期

"非斯大林化"与苏联的解体,刘书林,《马克思主义研究》2006 年第 5 期

试析俄罗斯对斯大林主义的重新评价,武卉昕,《西伯利亚研究》2006 年第 5 期

斯大林经济体制模式形成原因再思考,陆南泉,《黑龙江社会科学》2006 年第 5 期

斯大林模式与苏共垮台、苏联解体关系辨析,沈宗武,《湖北行政学院学报》2006 年第 6 期

中国的改革开放是对斯大林—苏联模式的否定,左凤荣,《中国特色社会主义研究》2007 年第 1 期

对斯大林模式的几点思考——与郑易平先生商榷,刘继峰,《广州社会主义学院学报》2007 年第 1 期

新世纪以来关于斯大林模式问题的研究综述,毕春丽,《中国石油大学学报》(社会科学版)2007 年第 1 期

社会制度与国家权力——论斯大林高度集中政治经济体制,杜满庆,《唐山师范学院学报》2007 年第 1 期

对"斯大林模式"岂能"否定得越彻底越好",周新城,《中华魂》2007 年第 1 期

"斯大林主义"与东欧"人道主义化"的"新马克思主义"——读衣俊卿教授《人道主义批判理论——东欧新马克思主义述评》,丛大川,《大连大学学报》2007 年第

2 期

论社会主义现代化视角下的斯大林模式，刘继峰，《喀什师范学院学报》2007 年第 2 期

关于社会主义模式问题的若干思考——试论中国特色社会主义与斯大林模式、民主社会主义的关系，周新城，《中共石家庄市委党校学报》2007 年第 5 期

生平评价

痛悼我们的导师——最伟大的科学家——斯大林同志，《物理》1953 年第 3 期

悼念伟大的斯大林同志，《物理》1953 年第 3 期

毛主席吊唁斯大林同志逝世的电文，《物理》1953 年第 3 期

我们永远遵循斯大林指示的方向前进，《科学大众》（中学版）1953 年第 3 期

沿着斯大林所指示的道路前进，华岗，《文史哲》1953 年第 3 期

毛主席致电吊唁斯大林逝世，《人民教育》1953 年第 4 期

悼我们的导师——伟大的斯大林同志，《史学月刊》1953 年第 4 期

遵循着斯大林同志指示的道路前进，《人民教育》1953 年第 4 期

学习斯大林同志伟大的革命精神，王祖陶，《历史教学》1953 年第 4 期

悼念伟大的导师斯大林，赵忠尧，《科学通报》1953 年第 4 期

斯大林同志的丰功伟绩永垂不朽，侯德榜，《科学通报》1953 年第 4 期

对斯大林同志逝世的哀悼和感想，钱崇澍，《科学通报》1953 年第 4 期

加紧学习伟大的斯大林学说，吴修仁，《生物学通报》1953 年第 5 期

痛悼我们的导师——伟大的斯大林同志，《世界知识》1953 年第 6 期

痛悼伟大的导师斯大林同志，《世界知识》1953 年第 6 期

悼念伟大的斯大林同志和哥特瓦尔德同志，《世界知识》1953 年第 9 期

把悲痛化为力量——永远遵循斯大林同志的遗训而奋斗，《生物学通报》1953 年（增刊 2）

斯大林学说的光辉照耀着我们，李四光，《中国地质》1954 年第 2 期

斯大林的旗帜引导中国人民向社会主义前进，《教学与研究》1954 年第 3 期

纪念斯大林逝世一周年，邓初民，《历史教学》1954 年第 3 期

斯大林永远地活在我们每个人的心中，华罗庚，《科学通报》1954 年第 3 期

中国科学工作者循着斯大林指

示的道路前进！郭沫若,《科学通报》1954 年第 3 期

斯大林同志昭示我们前进的道路,蔡仪,《美术》1954 年第 3 期

纪念斯大林诞生八十周年,艾思奇,《人民日报》1959 年 12 月 21 日

日本哲学家谈重新研究斯大林的理论,《外国学术资料》1963 年第 2 期

约·维·斯大林诞辰一百周年,刘平,《社会主义研究》1979 年第 4 期

回忆我所见到的斯大林,戈宝权,《世界知识》1979 年第 24 期

《斯大林时代》读后,裘克安,《世界知识》1980 年第 4 期

斯大林——伟大的无产阶级领袖,1979 年 12 月 11 日匈牙利《人民之声》报,《马克思主义研究参考资料》1980 年第 27 期

《斯大林现象史》,方光明,《马克思主义研究》1985 年第 3 期

赫鲁晓夫并未全盘否定斯大林,陈晋,《理论探索》1988 年第 3 期

基洛夫心目中的斯大林,邹烈贞,《世界博览》1988 年第 3 期

斯大林问题的重新提起,舟山,《世界知识》1988 年第 4 期

目前苏联对斯大林、赫鲁晓夫、勃列日涅夫功过的评说,朱福源,《国际观察》1988 年第 5 期

葛罗米柯眼中的斯大林,伊吾,《世界知识》1988 年第 13 期

苏联理论界对斯大林的重新评价概述,周文琪,《理论前沿》1988 年第 38 期

1988 年苏联学者论斯大林问题,何小平,《当代世界与社会主义》1989 年第 2 期

十载功过重评说——苏联学术界论赫鲁晓夫反对斯大林个人崇拜的是与非,易杰雄,《社会科学家》1989 年第 2 期

苏联对斯大林的评价,马积华,《党政论坛》1989 年第 3 期

"关于斯大林问题"学术讨论会综述,王坚红,《社会主义研究》1989 年第 3 期

关于对斯大林的再评价,张广照,《党史研究与教学》1989 年第 3 期

胜利和悲剧——斯大林的政治画像,陆文荣,《国际展望》1989 年第 5 期

斯大林现象,牧惠,《开放时代》1989 年第 5 期

我所知道的斯大林——朱可夫回忆录（上）,彭建春,《国际展望》1989 年第 5 期

我所知道的斯大林——朱可夫回忆录（下）,彭建春,《国际展望》1989 年第 6 期

近年来国外斯大林研究概况,

王怀超,《理论前沿》1989 年第 57 期

"关于斯大林问题"学术讨论会概述,王坚红,《理论前沿》1989 年第 59 期

苏联当前重评斯大林浪潮综述,康绍邦,《理论前沿》1989 年第 69 期

斯大林思想研究的一部佳作——读,《斯大林思想评述》,张凤桐,《社会科学战线》1990 年第 3 期

应该正确评价斯大林,张广凤,《临沂师范学院学报》1991 年第 3 期

近期国内学术界关于斯大林问题研究概述,郭建平,《理论前沿》1992 年第 20 期

斯大林与马克思恩格斯列宁——国外斯大林问题研究述评,李宗禹,《当代世界与社会主义》1993 年第 3 期

关于斯大林问题的再认识,卢之超,《科学社会主义》1993 年第 3 期

对斯大林问题的一些看法,卢之超,《世界历史》1993 年第 4 期

斯大林研究中的两个问题,姜长斌,《科学社会主义》1993 年第 6 期

斯大林执政的最后岁月（一）,孙凌云,《国际展望》1994 年第 20 期

斯大林执政的最后岁月（二）,孙凌云,《国际展望》1994 年第 21 期

斯大林执政的最后岁月（三）,孙凌云,《国际展望》1994 年第 22 期

斯大林执政的最后岁月（四）,孙凌云,《国际展望》1994 年第 23 期

俄罗斯学者论苏共二十大、斯大林和赫鲁晓夫,任建华,《国外理论动态》1996 年第 18 期

并不神秘的斯大林——《苏维埃俄罗斯报》记者维·科热米亚科与哲学博士理·伊·科索拉波夫教授的谈话之一,刘淑春,《马克思主义研究》1999 年第 4 期

论非斯大林化的复杂起因和多重后果,时殷弘,《史学月刊》1999 年第 4 期

毛泽东评价斯大林与邓小平评价毛泽东之比较,董悦华,《当代中国史研究》1999 年第 4 期

并不神秘的斯大林——《苏维埃俄罗斯报》记者维·科热米亚科与哲学博士理·伊·科索拉波夫教授的谈话之二,刘淑春,《马克思主义研究》1999 年第 5 期

俄罗斯学者评西方重评派历史学家关于 30 年代斯大林的俄国的观点,《国外理论动态》1999 年第 5 期

俄罗斯国内对斯大林看法的变化，张捷，《当代思潮》1999年第6期

关于斯大林的对话，刘淑春，《国外理论动态》1999年第7期

关于斯大林的若干问题，刘淑春，《国外理论动态》1999年第9期

"历史的风"刮走斯大林坟上的垃圾，张捷，《真理的追求》1999年第11期

苏联流亡者评说斯大林，任建华，《国外理论动态》1999年第12期

近年来俄罗斯人对斯大林评价的变化，刘燕明，《国外理论动态》1999年第12期

对斯大林也要"全面"了解和理解，许征帆，《中国特色社会主义研究》2000年第1期

浅谈斯大林错误的阶级根源，于琳琦，《黑龙江省社会主义学院学报》2000年第3期

与时俱进视野下的斯大林，左凤荣，《西伯利亚研究》2003年第1期

从斯大林功过看苏联兴亡——评《苏联兴亡史论》，高放，《俄罗斯中亚东欧研究》2003年第1期

苏共对斯大林的评价和中共对毛泽东的评价比较研究，袁景华，《聊城大学学报》（社会科学版）2003年第1期

论战中的斯大林问题，黄丹，《南京航空航天大学学报》（社会科学版）2003年第2期

俄罗斯纪念斯大林50年忌辰述评，柳达，《国外理论动态》2003年第4期

赫鲁晓夫：第一个搞非斯大林化的人——阿伦评《赫鲁晓夫：其人及其时代》，文英，《国外理论动态》2003年第6期

国外学者斯大林研究若干观点，黄继锋，《思想理论教育导刊》2003年第6期

斯大林的"微小缺点"，刘兴雨，《唯实》2003年第12期

毛泽东：第一个站起来公正评价斯大林的伟人，刘建萍，《党史纵横》2003年第12期

俄国学者对斯大林的最新评价，王丽华，《当代世界与社会主义》2004年第1期

俄罗斯重评斯大林（续），吴恩远，《马克思主义研究》2004年第1期

"澄清"还是"搅乱"——有关斯大林的几个历史事实，郑异凡，《探索与争鸣》2004年第2期

俄罗斯重评斯大林，王丽华，《石油政工研究》2004年第4期

苏共二十大与党对斯大林个人迷信的认识、批判，谢双明，《社会主义研究》2004年第6期

50 年后再看斯大林，王丽华，《中国党政干部论坛》2004 年第 8 期

赫鲁晓夫为什么仇恨斯大林？李同成，《党史纵横》2004 年第 9 期

对斯大林现象的文化思考，杨其涛，《中学历史教学参考》2004 年第 10 期

俄罗斯重评斯大林，吴恩远，《中华魂》2004 年第 12 期

对赫鲁晓夫"全盘否定斯大林"说的质疑，林蕴晖，《中共党史研究》2005 年第 1 期

近年来俄罗斯学者有关斯大林问题的一些新研究，刘显忠，《当代世界社会主义问题》2005 年第 2 期

如何破解当前俄罗斯现实政治中的"悖论"？——评"斯大林热"和取消十月革命纪念日等悖论性事件，马龙闪，《当代世界与社会主义》2005 年第 4 期

斯大林问题之我见，肖枫，《俄罗斯研究》2005 年第 4 期

久加诺夫论斯大林的历史地位，柳达，《国外理论动态》2005 年第 5 期

当今俄罗斯的"斯大林热"，马龙闪，《百年潮》2005 年第 6 期

对斯大林问题的基本看法，肖枫，《中国特色社会主义研究》2005 年第 6 期

科学地认识斯大林与斯大林模式，左凤荣，《国际政治研究》2006 年第 1 期

关于斯大林问题学术讨论会综述，左凤荣，《西伯利亚研究》2006 年第 1 期

俄罗斯和格鲁吉亚再现"斯大林热"，《环球人物》2006 年第 1 期

勃列日涅夫时期苏联对斯大林的再评价问题，李全，《西伯利亚研究》2006 年第 1 期

俄罗斯反思苏联历史与重评斯大林思潮分析，吴恩远，《马克思主义研究》2006 年第 1 期

人物与回忆中苏围绕评价斯大林问题展开大论争（连载），张树德，《河北企业》2006 年第 2 期

再谈俄罗斯反思苏联历史、重评斯大林思潮，吴恩远，《世界历史》2006 年第 2 期

关于俄共重评斯大林问题的几点思考，赵明义，《世界社会主义问题》2006 年第 2 期

重评斯大林：方法与思考——"斯大林问题再思考"学术研讨会综述，黄登学，《当代世界社会主义问题》2006 年第 2 期

人物与回忆中苏围绕评价斯大林问题展开大论争（连载），张树德，《河北企业》2006 年第 3 期

斯大林评价中具有争议性问题的新分析，刘书林，《政治学研究》2006 年第 4 期

人物与回忆中苏围绕评价斯大林问题展开大论争（连载），张树德,《河北企业》2006 年第 4 期

论科学评价斯大林的功过和历史地位的三个基本点，刘书林,《学校党建与思想教育》2007 年第 2 期

斯大林功过论述评，任圣清,《云南师范大学学报》(哲学社会科学版) 2007 年第 3 期

毛泽东点评斯大林的功过是非，张家康,《党史博采》2007 年第 3 期

其他

苏联作曲家向斯大林致敬的信，马璟舒,《人民音乐》1950 年第 3 期

苏联对斯大林新著作的研究，杨重光,《科学通报》1951 年第 6 期

斯大林生平重要著作年表，程鹰,《史学月刊》1953 年第 4 期

马克思恩格斯列宁斯大林论"共产党宣言",《教学与研究》1960 年第 2 期

马克思恩格斯列宁斯大林的中译名，雍桂良,《社会科学》1979 年第 3 期

斯大林与音乐，范元绩,《音乐爱好者》1982 年第 2 期

斯大林女儿的自述：没有一个变节者是自由的，石波,《世界博览》1984 年第 8 期

暗杀斯大林案，高珠峰,《吉林公安高等专科学校学报》1987 年第 4 期

苏《星火》杂志披露一封列宁的战友给斯大林的公开信,《世界经济与政治》1987 年第 10 期

战争前夕的斯大林（上），严广,《国际展望》1988 年第 16 期

战争前夕的斯大林（下），严广,《国际展望》1988 年第 17 期

斯大林在苏联小说电影中的新形象，朱福源,《国际展望》1988 年第 19 期

关于"拉普"领导人就马雅可夫斯基之死给斯大林的信，芝恩,《俄罗斯文艺》1989 年第 1 期

斯大林曾是沙俄密探吗？文义,《当代世界与社会主义》1989 年第 3 期

联共（布）十七大上有多少代表投票反对斯大林？郑异凡,《当代世界与社会主义》1989 年第 4 期

总书记的"私人生活"（上）——《胜利与悲剧：斯大林政治肖像》一书摘译，冯绍雷,《俄罗斯研究》1989 年第 5 期

总书记的"私人生活"（下）——《胜利与悲剧：斯大林政治肖像》一书摘译，冯绍雷,《俄罗斯研究》1989 年第 6 期

斯大林战略策略定义的局限性之我见，滕君政,《社会主义研究》1989 年第 6 期

苏两档案专家撰文证实关于斯大林的信纯系伪造,《云南档案》

1990 年第 1 期

《斯大林：男子汉和统治者》，王萍，《理论前沿》1990 年第 6 期

斯大林不动声色，徐行舟，《世界知识》1990 年第 6 期

怎样重新安葬斯大林——克里姆林宫警卫团前团长科涅夫的回忆，朱志伟，《历史教学》1990 年第 10 期

关于斯大林出生日期新说，禾火，《国际展望》1990 年第 17 期

作为列宁学生的斯大林，汤玉奇，《科学社会主义》1991 年第 5 期

苏联公开斯大林、布哈林等 6 人的私人档案，《国外社会科学》1991 年第 6 期

斯大林与列宁，徐悦舫，《俄罗斯研究》1992 年第 1 期

高尔基致斯大林的信，谭得伶，《俄罗斯文艺》1992 年第 1 期

斯大林的笔误，《唯实》1992 年第 6 期

斯大林声望增高，《新农业》1992 年第 12 期

斯大林的两个孙子谈斯大林，惜戈，《社会》1993 年第 6 期

人民的胜利——斯大林的演讲，《文史天地》1995 年第 4 期

斯大林与托洛茨基，王国杰，《中学历史教学》1995 年第 9 期

肖洛霍夫与斯大林——在饥荒年代里，邓蜀平，《外国文学》1999

年第 1 期

革命逻辑与人民的命运——读拉津斯基《斯大林秘闻》，摩罗，《黄河》1999 年第 1 期

斯大林七十寿辰盛况回览，王晓岚，《北京党史》1999 年第 3 期

高尔基与斯大林的通信，雨涵，《当代外国文学》1999 年第 3 期

布尔加科夫和斯大林，唐逸红，《俄罗斯文艺》1999 年第 3 期

斯大林临阵换将，吴宝志，《领导文萃》1999 年第 8 期

贝利亚之死与斯大林去世后的权力斗争，徐向梅，《当代中国史研究》2000 年第 2 期

斯大林和他的将军们，田慧敏，《领导文萃》2000 年第 4 期

斯大林成为列宁接班人的三部曲，袁南生，《党史文苑》2000 年第 5 期

斯大林在谈判桌旁，《党史博采》2001 年第 1 期

神话与事实——列宁晚年与斯大林的关系，施用勤，《俄罗斯文艺》2001 年第 2 期

斯大林和他的"人民"，马焕明，《领导文萃》2001 年第 4 期

罗科索夫斯基与斯大林，王迈，《领导文萃》2001 年第 5 期

暗杀斯大林的"熊计划"破产记，亮子，《国家安全通讯》2001 年第 5 期

布哈林为斯大林上台护航，严秀，《领导文萃》2001 年第 9 期

斯大林的战时秘密官邸，王应华，《党史天地》2002 年第 1 期

斯大林逝世前后贝利亚命运的三部曲，徐隆彬，《潍坊学院学报》2002 年第 1 期

朱可夫与斯大林，李抒音，《环球军事》2002 年第 2 期

科巴凭什么成了斯大林，张心阳，《粤海风》2002 年第 3 期

性格与政治——读姜长斌和左凤荣著《读懂斯大林》，郑异凡，《俄罗斯研究》2002 年第 4 期

斯大林的幽默，王寒，《思维与智慧》2002 年第 5 期

斯大林与高尔基，张捷，《文艺理论与批评》2002 年第 6 期

斯大林：耳朵被盗，王昕，《新闻周刊》2002 年第 23 期

斯大林是怎样"伟大"起来的？——媒介形象与媒介策略札记，赵维，《书屋》2003 年第 7 期

斯大林为何不知儿子是怎样死的，徐迅雷，《观察与思考》2003 年第 10 期

彼得大帝、斯大林和普金，吴召兵，《观察与思考》2004 年第 5 期

再说斯大林死亡之谜，王桂香，《世界知识》2004 年第 6 期

1942 斯大林曾打算流亡印度，别列什科夫，《领导文萃》2004 年第 8 期

我国祝贺斯大林 70 寿辰礼品单，吴明，《湖北档案》2004 年第 10 期

铁腕人物铁托与斯大林决策，《探索》2005 年第 7 期

斯大林后人今何在，关健斌，《环球人物》2006 年第 1 期

斯大林的身世之谜，吉润菊，《书摘》2006 年第 2 期

神秘的《斯大林病史》，残雪，《报刊荟萃》2006 年第 2 期

斯大林的统帅艺术，邱辰禧，《领导文萃》2006 年第 3 期

吉拉斯与斯大林的三次谈话，沈展云，《书摘》2006 年第 8 期

斯大林"形象"揭秘，文汇，《文史博览》2006 年第 21 期

苏联重新安葬斯大林之谜，李雪，《党建》2007 年第 4 期

（二）国外斯大林文献研究论文题录

哲学

斯大林对马列主义哲学底发展，［苏］席特考夫斯基著，幕钢译，《新华时报》1940 年 2 月 5 日

斯大林对于马列主义哲学的伟大贡献，［苏］米丁，《解放》1941 年 3 月第 126 卷

列宁和斯大林怎样发展了马克思主义哲学，［苏］A.肖格格夫著，北羽译，《群众》1942 年 8 月第 7 卷

第 15、16 期

斯大林和战后日本的哲学，[日] 寺泽恒信，《世界哲学》1962 年第 3 期

共产党人哲学家的任务和对斯大林的哲学错误的批判，[苏] 伽罗第，《世界哲学》1963 年第 1 期

斯大林哲学中的问题，[日] 许万元著，金大白摘译，《哲学译丛》1979 年第 1 期

科学社会主义

斯大林同志的经典著作，[苏] 克鲁兹可夫，《学习》1949 年 12 月第 1 卷第 4 期

对于马克思列宁主义理论的杰出贡献，[苏] 尤金著，富澜译，《学习译丛》1951 年第 4 卷

斯大林论准备向共产主义过渡的条件，[苏] 斯杰潘宁，《人民日报》1953 年 1 月 6 日

斯大林论准备过渡到共产主义的基本先决条件，[苏] A.梁宾，《教学与研究》1953 年第 3 期

斯大林对马克思主义加以法典化，高铦选译，《马克思主义研究参考资料》1980 年第 27 期

经济建设

斯大林时代的劳动与科学的结合，[苏] 瓦维洛夫著，周立译，《科学时代》1949 年第 4 卷第 5 期

斯大林时代的劳动和科学的联盟（注一），[苏] 瓦维洛夫，《科学通报》1950 年第 1 期

斯大林和米邱林的农业生物学——本文发表于一九五〇年一月号"苏维埃农业学"杂志和"选种及育种"杂志上，[苏] 李森科，《科学通报》1950 年第 4 期

斯大林时代底最伟大建设，[苏] 罗金诺夫，《世界知识》1950 年第 15 期

斯大林与苏联农业科学的发展，[苏] 德米特里也夫，《科学通报》1954 年第 3 期

斯大林是先进生物科学的鼓舞者，[苏] 奥巴林，《生物学通报》1954 年第 3 期

政治建设

约·维·斯大林论苏维埃国家，[苏] 德·车斯诺柯夫，《人民日报》1953 年 4 月 8 日

斯大林对列宁社会主义国家理论的发展，[苏] 弗·康斯坦丁诺夫吕佐著，程渭清译，《学习译丛》1953 年第 11 期

马克思、恩格斯、列宁、斯大林论无产阶级专政，[苏] 高尔尼洛夫，《教学与研究》1954 年第 1 期

关于斯大林时代受害者的人数，[苏] 罗伊·梅德韦杰夫，《国际观察》1989 年第 2 期

无畏对抗无法——共产国际档案中有关营救遭受斯大林的镇压的共产党人和国际主义者的文件，

［苏］弗·菲尔索夫,《当代世界与社会主义》1989 年第 3 期

斯大林挑的接班人并非马林科夫,［俄］梅德韦杰夫,《国外社会科学文摘》2001 年第 4 期

文化建设

斯大林的社会主义现实主义原则是艺术科学的最高成就,［苏］Д.彼萨列夫斯基,《世界电影》1953 年第 4 期

斯大林论以共产主义道德精神培养,［苏］Н.И.包德列夫,《人民教育》1954 年第 3 期

斯大林个人崇拜与党史科学,［苏］曼科夫斯卡娅,《党史研究与教学》1989 年第 3 期

人类灵魂的工程师——斯大林与文学,［俄］简·达利著,顾目译,《国外社会科学文摘》2003 年第 5 期

斯大林与语言学——苏联学术史的一个片段,［俄］罗伊·麦德维杰夫,《当代世界社会主义问题》2005 年第 1 期

国际与外交

斯大林决定对日作战的瞬间访佛·别列日克夫,［日］古森义久,《日本学论坛》1983 年第 3 期

斯大林与第二次世界大战,［美］梅森,《国外社会科学文摘》1985 年第 10 期

新时期与共产国际政策的转变

（在斯大林同志领导下）,［苏］奥·威·库西宁,《当代世界与社会主义》1986 年第 2 期

斯大林在苏德战争初期的过失,［苏］瓦西里·库利什,《世界文化》1989 年第 6 期

斯大林与共产国际,［苏］菲尔索夫,《当代世界与社会主义》1990 年第 4 期

斯大林不杀希特勒——俄罗斯披露五十年前的秘密,［美］奥莉娅,《世界博览》1994 年第 12 期

斯大林是怎样毁灭了美国共产党的?［美］厄尔·白劳德,《当代世界社会主义问题》2000 年第 2 期

盟军何不抢先占领柏林——斯大林的密电揭谜,［俄］克宁著,文新译,《国外社会科学文摘》2001 年第 5 期

战争是这样爆发的——为什么斯大林在 1941 年失算了?［俄］亚历山大·奥格涅夫,《国外社会科学文摘》2001 年第 12 期

斯大林为什么饶了希特勒一命,［俄］弗拉基米尔·卡尔波夫,《出版参考》2006 年第 8 期

军事

蘑菇云的背后——斯大林与苏联原子弹,［俄］麦德维杰夫,《当代世界》2001 年第 4 期

中国革命

斯大林著作中的中国革命问题,

[苏] 科瓦廖夫，《历史教学》1953年第 5 期

斯大林著作中的中国革命问题（续），[苏] 科瓦廖夫，《历史教学》1953 年第 6 期

毛泽东、斯大林和抗日民族统一战线的形式：1935—1937，[美] 迈克尔·M. 申，《毛泽东思想研究》1992 年第 4 期

斯大林和毛泽东：两巨头会见，[德] 尼·费德林，《科技文萃》1995年第 12 期

斯大林同毛泽东的谈话，[俄] 依·伏·柯瓦列夫，《世纪桥》1995 年（增刊 1）

1937—1939 年蒋介石同斯大林、伏罗希洛夫的通信，[俄] 谢·列·齐赫文斯基，《民国档案》1996年第 3 期

斯大林和毛泽东——一位前苏共中央机关中文翻译的回忆，[俄] 谢德明著，徐向梅摘译，《当代世界与社会主义》1996 年第 3 期

毛泽东与斯大林，[俄] 米哈伊尔·伊林斯基，《领导文萃》2000 年第 4 期

毛泽东同斯大林往来书信中的两份电报，[俄] 列多夫斯基著，马贵凡译，《中共党史研究》2001 年第 2 期

斯大林与中国（上）——评《苏联和斯大林与中国之命运》，

[俄] 古利克著，钟华译，《国外社会科学文摘》2002 年第 1 期

斯大林与中国（下）——评《苏联和斯大林与中国之命运》，[俄] 古利克著，钟华译，《国外社会科学文摘》2002 年第 2 期

胡汉民与斯大林的书信往来，[俄] 卡尔图诺娃著，李玉贞译，《百年潮》2003 年第 1 期

斯大林私人特使谈——斯大林与毛泽东的对话，[俄] 科瓦廖夫，《文史博览》2004 年第 2 期

斯大林给中共领导提出的十二点建议，[俄] 列多夫斯基著，马贵凡译，《中共党史研究》2004 年第 6 期

斯大林给中共领导的十二点建议（上），[俄] 阿·M.列多夫斯基著，钟华译，《国外社会科学文摘》2004 年第 6 期

斯大林给中共领导的十二点建议（下），[俄] 阿·M.列多夫斯基著，钟华译，《国外社会科学文摘》2004 年第 7 期

斯大林主义

苏联斯大林体制的消除和新路线的形成：联共（布）十九大——苏共二十大的历史性转变，[日] 中西治著，王钺译，《苏联历史》（兰州大学）1984 年第 4 期

关于斯大林主义，[美] 赖克曼，《国外社会科学文摘》1989 年第

8 期

斯大林主义与俄国的现代化，〔美〕赖克曼，《国外社会科学文摘》1989 年第 8 期

斯大林主义的根源，〔苏〕齐普科，《俄罗斯研究》1990 年第 3 期

斯大林主义的根源（续），〔苏〕齐普科，《俄罗斯研究》1990 年第 4 期

"十月"还是"热月"？——1927—1947 年美国人对斯大林主义和苏联对外政策的解释，〔美〕埃都尔·马克，《阴山学刊》1991 年第 3 期

斯大林主义与苏联社会，〔俄〕达尼洛夫，《当代世界社会主义问题》2006 年第 1 期

残忍的斯大林体制，〔俄〕罗伊·麦德维杰夫，《世界知识》2007 年第 4 期

生平评价

共产主义伟大理论家——斯大林，〔苏〕曼努伊尔斯基著，师哲译，《解放》1940 年第 7 卷第 110 期

忠诚地为斯大林的事业服务，〔苏〕契尔柯夫，《世界电影》1953 年第 3 期

怀念着斯大林，〔苏〕普多夫金，《世界电影》1953 年第 3 期

苏联部长会议主席、苏联共产党中央委员会书记——马林科夫在莫斯科举行的斯大林追悼会上的讲话，〔苏〕马林科夫，《世界知识》1953 年第 6 期

对斯大林理论的重新研讨，〔日〕芝田进午、大丸子义一著，石军译，《哲学译丛》1963 年第 2 期

二十世纪的历史人物——斯大林，〔美〕保罗·杜克斯，《国外社会科学文摘》1981 年第 5 期

苏军事史专家剖析斯大林其人和他所犯错误的根源，〔苏〕德·安·沃尔科戈诺夫，《当代世界社会主义问题》1988 年第 4 期

斯大林反映了什么阶级的利益？〔苏〕鲍尔久戈夫，《当代世界与社会主义》1989 年第 2 期

我们这代人的看法——关于斯大林的若干思考（选段），〔苏〕康·西蒙诺，《俄罗斯文艺》1989 年第 2 期

胜利和悲剧——斯大林的政治画像，〔苏〕沃尔戈科诺夫，《国际展望》1989 年第 8 期

胜利和悲剧——斯大林的政治画像，〔苏〕沃尔戈科诺夫，《国际展望》1989 年第 9 期

胜利和悲剧——斯大林的政治画像，〔苏〕沃尔戈科诺夫，《国际展望》1989 年第 10 期

胜利和悲剧——斯大林的政治画像，〔苏〕沃尔戈科诺夫，《国际展望》1989 年第 11 期

胜利和悲剧——斯大林的政治

画像,［苏］沃尔戈科诺夫,《国际展望》1989 年第 12 期

胜利和悲剧——斯大林的政治画像,［苏］沃尔戈科诺夫,《国际展望》1989 年第 13 期

斯大林的誓言与遗嘱（上）——纪念斯大林 123 周年诞辰,［俄］符·苏霍捷耶夫著, 钟华译,《国外社会科学文摘》2003 年第 6 期

斯大林的誓言与遗嘱（下）——纪念斯大林 123 周年诞辰,［俄］符·苏霍捷耶夫著, 钟华译,《国外社会科学文摘》2003 年第 7 期

"审判斯大林"（《斯大林：在权力的顶峰一》书代结束语）,［俄］尤里·叶梅利亚诺夫,《中华魂》2007 年第 5 期

其他

斯大林教我们唱歌,［苏］阿·亚历山大罗夫,《人民音乐》1954 年第 1 期

为斯大林干杯,［苏］阿·维尔比茨基,《国际观察》1982 年第 2 期

我给斯大林拍照,［美］玛格丽特·伯克-怀特,《新闻记者》1985 年第 6 期

斯大林的特异形象（上）,［苏］沃尔科戈诺夫,《世界知识》1988 年第 6 期

斯大林的特异形象（下）,［苏］沃尔科戈诺夫,《世界知识》1988 年第 7 期

斯大林之子在大恐怖时期（诗剧）,［苏］尼·多里佐,《俄罗斯文艺》1989 年第 3 期

斯大林的子女,［苏］谢苗·阿普特,《世界文化》1989 年第 6 期

斯大林孙子的辩解,［英］伊丽莎白·罗布森,《俄罗斯研究》1989 年第 6 期

斯大林是暗探局的奸细吗？［苏］卡普捷洛夫,《中共福建省委党校学报》1989 年第 11 期

走向新的十月——斯大林性格特征的由来,［美］罗伯特·C.塔克尔,《国际观察》1993 年第 1 期

是谁想暗害斯大林——摘自未公开的材料,［俄］尼古拉·津科维奇,《中国集体经济》1999 年第 6 期

暗杀斯大林,［俄］爱·赫雷斯塔洛夫,《俄罗斯文艺》2001 年第 2 期

斯大林死亡之谜（上）,［俄］梅德韦杰夫,《国外社会科学文摘》2001 年第 12 期

斯大林死亡之谜（下）,［俄］梅德韦杰夫,《国外社会科学文摘》2001 年第 12 期

斯大林地堡建造之谜,［俄］谢·维诺库罗夫,《中国地名》2003 年第 4 期

与约瑟夫大叔亲密接触——评《斯大林：红色沙皇的宫廷》,［俄］安东尼·比弗,《国外社会科学文摘》

2004 年第 3 期

恐怖国土上的目击证人——关于《斯大林：红色沙皇的宫廷》（格鲁吉亚），西蒙·塞巴格·蒙蒂菲奥里，《国外社会科学文摘》2004 年第 3 期

美女与野兽：一个以悲剧结束的浪漫故事——摘自《斯大林：红色沙皇的宫廷》，[格鲁吉亚] 西蒙·塞巴格·蒙蒂菲奥里，《国外社会科学文摘》2004 年第 3 期

斯大林的女人——摘自《斯大林：红色沙皇的宫廷》，[格鲁吉亚] 西蒙·塞巴格·蒙蒂菲奥里，《国外社会科学文摘》2004 年第 3 期

你所不知道的斯大林，[俄] 瓦·瓦连尼科夫，《领导文萃》2005 年第 7 期

科涅夫元帅谈斯大林，[俄] 科涅夫，《领导文萃》2005 年第 10 期

一九四一年斯大林红场大阅兵，[俄] 弗拉基米尔·卡尔波夫，《百年潮》2006 年第 2 期

斯大林的"最后晚餐"，[美] 乔纳森·布伦特，《出版参考》2006 年第 2 期

斯大林最后一次接见外国大使，[俄] 亚历山大·西佐年科，《当代世界》2007 年第 3 期

（三）港澳台地区斯大林文献研究论文题录

哲学

突破僵化的斯大林哲学体系的艰难历程——纪念冯定逝世 20 周年，郭罗基，《当代中国研究》1993 年第 3 期

国际与外交

金日成、斯大林、毛泽东在发动韩战问题上三角互动的探讨，徐相文，《亚洲研究》1988 年第 2 期

斯大林为什么支持朝鲜战争？——读沈志华著《毛泽东、斯大林与朝鲜战争》，杨奎松，《二十一世纪》1993 年第 2 期

评介沈志华《毛泽东、斯大林与朝鲜战争》，林本原，《政大史粹》1993 年第 6 期

中国问题

蒋经国：斯大林手中的棋子，李辉，《明报月刊》1995 年第 5 期

毛泽东向斯大林学到了什么？——中苏"文化革命"的比较及其启示，程晓农，《当代中国研究》1995 年第 9 期

生平评价

为斯大林翻案，俄两派激辩，章海陵，《亚洲周刊》1992 年第 3 期

人性的地狱：评布伦特·诺莫夫著　残雪、邓晓芒译《斯大林晚年离奇事件》，沙水，《二十一世纪》1995 年第 2 期